Gads stribede small

engelsk-dansk
dansk-engelsk

G·E·C GADS FORLAG

1991

© G.E.C. Gad, København 1986

4. oplag 1991

Published in collaboration with William Collins Sons & Co. Ltd. of Glasgow, Scotland and based on the text of Collins Gem Dictionaries

Redaktion: Anna Garde
Konsulenter: Anne Caie, Graham Caie

Layout og omslag: Axel Surland
Sats: A/S Dansk EDB Regnecentrum
Tryk: AiO Tryk as

Gads ordbogsprogram omfatter:
Gads stribede – small (S)
Engelsk
Fransk
Tysk
Spansk
Svensk

Gads stribede – medium (M)
Engelsk
Fransk
Tysk
Spansk
Svensk

Gads stribede – large (L)
Engelsk

ISBN: 87-12-23160-6

Indledning

Denne ordbog er en af en serie ordbøger, alle baseret på det samme basisordforråd, som henvender sig til det moderne, aktive menneske der har brug for både at kunne forstå og formulere sig på moderne tale- og skriftsprog.

Ordbogen indeholder ud over de ca. 40.000 opslagsord med udtale og oversættelser en lang række eksempler på ordenes brug i sætninger og faste vendinger. For at kunne give alle disse oplysninger har det været nødvendigt at udelade visse ord som ikke syntes strengt nødvendige. Dette gælder fx en del ord med forstavelsen u-. Et ord som *uantagelig* er ikke optaget i ordbogen. Er man usikker på, om u- her svarer til un- på engelsk, kan man med fordel konstruere sig frem til: not acceptable, impossible to accept.

I mange tilfælde kan det samme opslagsord være fx både verbum og substantiv. I ordbøgen er disse forskellige ordklasser opført under samme artikel, adskilt af tegnet //. Rækkefølgen er: substantiv, verbum, adjektiv, adverbium.

Om ordbogens brug

Ordbogen er strengt alfabetisk opbygget. Forkortelser og talord står således på alfabetisk plads ligesom de uregelmæssige engelske verber. Ved fx verbet *to do* er bøjningen *did, done* angivet (med udtale), og ydermere er der fra henholdsvis *did* og *done* på alfabetisk plads henvisning til *do.* Tilden ~ erstatter hele det halvfede hovedopslagsord i i artiklen. Hvis hovedopslagsordet fx er stavet med stort som **Amerika,** kan man komme ud for følgende konstruktion: **a ~ ner,** dvs. amerikaner, der jo staves med lille.

Som en tommelfingerregel kan man sige, at hvis oversættelserne til et opslagsord er adskilt af komma, er de stort set synonyme og man kan frit vælge imellem dem. Er ordene derimod adskilt af semikolon, kan de ikke bruges i flæng. I disse tilfælde vil ordbogen give oplysning om, hvilket ord der er det rigtige i de forskellige situationer. Der er dog undtagelser fra denne regel, nemlig hvor der først er anført fx et adjektiv med dets forskellige oversættelser, og herefter følger et adverbium, hvis oversættelser bruges på samme måde som adjektivets. Vi har her af pladshensyn ikke gentaget forklaringen til hvert ord, og man må da læse hele artiklen igennem for at sikre sig, at man vælger det rette adverbium. Fx: **skarp** *adj* sharp; *(fig om fx hørelse)* keen;... ~ **hed** *s* sharpness; keenness; *(foto)* focus;... ~ **t** *adv* sharply; keenly;...

Udtale

[']	hovedtrykket ligger på den efterfølgende stavelse, fx **Italy** ['itəli], **Italian** [i'tæljən]
[ˌ]	bitryk på den efterfølgende stavelse, fx **unimportant** [ˌʌnim'pɔːtənt]
[ː]	den forudgående vokal er lang, fx **heat** [hiːt], **see** [siː]
[*]	det forudgående r udtales når det følgende ord begynder på vokal, fx **here are** ['hiərɑː] men: **here come** ['hiəˈkʌm]
[æ]	som i **bat** [bæt], **mad** [mæːd]
[ð]	som i **the** [ðə], **this** [ðis]
[θ]	som i **thing** [θiŋ], **three** [θriː]
[ə]	som i **winter** ['wintə*], **bird** [bəːd]
[ɛ]	som i **bear** [bɛə*], **them** [ðɛm]
[ɔ]	som i **not** [nɔt], **lord** [lɔːd]
[ʌ]	som i **nut** [nʌt], **but** [bʌt]
[ŋ]	som i **finger** ['fiŋgə*], **singing** ['siŋiŋ]
[ʃ]	som i **shut** [ʃʌt], **wish** [wiʃ]
[z]	som i **zoo** [zuː], **wise** [waiz]
[ʒ]	som i **pleasure** ['plɛʒə*], **age** [eidʒ].

Forkortelser

adj adjektiv, tillægsord
adm administrativt
adv adverbium, biord
agr landbrug
am amerikansk
anat anatomi
arkit arkitektur
arkæol arkæologi
astr astronomi/astrologi
auto vedr. biler
bibl biblioteksvæsen
biol biologi
bot botanik
brit britisk
bygn bygningsfag
d.s.s. det samme som
edb databehandling
elek elektricitet
F dagligt talesprog
F! meget familiært - pas på!
fig overført betydning
fork.f. forkortelse for
fys fysik
gastr madlavning og køkken
geogr geografi
geom geometri
gl gammeldags
gram grammatik
H højtideligt
hist historisk
hum humoristisk
interj interjektion, udråbsord
iron·ironisk
jernb jernbane

jur jura, retsvæsen
kem kemi
konj konjunktion, bindeord
mar maritimt, søfart
mat matematik
med medicin, lægevidenskab
merk handel, merkantilt
met meteorologi
mil militært
mods modsat
mus musik
neds nedsættende
parl parlamentarisk
pol politik
pp perfektum participium, datids tillægsform
præp præposition, forholdsord
præt præteritum, datid
psyk psykologi
rel religion
S slang
S! grov slang - pas på!
s substantiv, navneord
spøg spøgende
sv.t. svarer til
teat teater, dramatik
tekn teknik
tlf telefon
typ typografi
ubøj ubøjeligt
univ vedr. universiteter
u.pl uden pluralis, uden flertal
V vulgært sprog
V! meget vulgært - pas på!
v verbum, udsagnsord
zo zoologi
økon økonomi

Øvrige forkortelser

ngn nogen
ngt noget
sby somebody
sth something

A

A, a [ei].

a [ei], **an** [æn, ən, n] (ubest. artikel) en, et; om; pr.; ~ *few* nogle få; ~ *little* lidt; ~ *lot* en masse; *three times* ~ *day* tre gange om dagen; *50p a dozen* 50 p pr. dusin.

A.A. ['ei'ei] s (fork.f. *Automobile Association*) brit. pendant til FDM.

aback [ə'bæk] *adv: be taken* ~ blive forbløffet.

abandon [ə'bændən] s løssluppenhed // v opgive; forlade.

abashed [ə'bæʃt] *adj* beskæmmet, forlegen.

abbess ['æbes] s abbedisse; **abbey** ['æbi] s abbedi; **abbot** ['æbət] s abbed.

abbreviate [ə'bri:vieit] v forkorte; **abbreviation** [-'eiʃən] s forkortelse.

abdomen ['æbdəmən] s mave, underliv; **abdominal** [-'dominl] *adj* mave-.

abduct [æb'dʌkt] v bortføre; ~**ion** s bortførelse.

abhor [əb'hɔ:*] v afsky; ~**rence** s afsky; ~**rent** *adj* afskylig.

ability [ə'biliti] s evne; dygtighed.

abject ['æbdʒekt] *adj* ynkelig, sølle; ydmyg.

ablaze [ə'bleiz] *adj* i brand; i lys lue; ~ *with light* strålende oplyst.

able [eibl] *adj* dygtig, kompetent; *be* ~ *to* være i stand til, kunne; ~ *seaman* helbefaren matros; **ably** ['eibli] *adv* dygtigt.

abnormal [æb'nɔ:ml] *adj* unormal, abnorm; ~**ity** [-'mæliti] s abnormitet.

aboard [ə'bɔ:d] *adv* ombord // *præp* om bord på.

abolish [ə'bɔliʃ] v afskaffe; nedlægge; **abolition** [-'liʃən] s afskaffelse.

abominable [ə'bominəbl] *adj* afskyelig; gyselig.

aborigine [æbə'ridʒini] s indfødt.

abort [ə'bɔ:t] v abortere; fremkalde abort (hos); ~**ion** [-'bɔ:ʃən] s (provokeret) abort; ~**ive** [-'bɔ:tiv] *adj* mislykket (fx *coup* kup).

abound [ə'baund] v findes i overflod; ~ *in* vrimle med.

about [ə'baut] *adv/præp* omkring; rundt; om; vedrørende; omtrent, cirka; *at* ~ *two o'clock* ved totiden; *it's* ~ *here* det er her et sted; *walk* ~ *the town* gå rundt i byen; *be* ~ *to cry* være lige ved at græde; *what* ~ *a cup of tea?* hvad med en kop te? *I'm calling* ~ *the advertisement* jeg ringer vedrørende annoncen.

above [ə'bʌv] *adv/præp* over, ovenover; ovenpå; mere end; ~ *all* fremfor alt; *be* ~ *sth* være hævet over ngt; *from* ~ ovenfra; *it is* ~ *me* det ligger

over min forstand; *over and
~ forduen*; ud over; **~board**
adj ærlig; åben; **~-mentioned**
adj ovennævnt.

abreast [ə'brɛst] *adv: keep ~
of* holde sig à jour med, følge
med i.

abridge [ə'brɪdʒ] *v* forkorte.

abroad [ə'brɔ:d] *adj* ud, uden-
lands; *go ~* tage til udlandet.

abrupt [ə'brʌpt] *adj* brat; plud-
selig; (om person) kort for
hovedet.

abscess ['æbsɛs] *s* byld.

absence ['æbsəns] *s* fravær;
mangel (*of* på); **absent**
[æb'sɛnt] *v: ~ oneself from
sth* holde sig væk fra ngt //
adj ['æbsənt] fraværende;
væk; **absentee** [-'tiː] *s* fravæ-
rende person; en der pjæk-
ker; **absenteeism** [-'tiːɪzm] *s*
pjækkeri; **absent-minded**
[-maindid] *adj* åndsfraværen-
de, distræt.

absolute ['æbsəluːt] *adj* abso-
lut; fuldstændig; **~ly** [-'luːtli]
adv absolut; aldeles; simpelt-
hen.

absolve [əb'zɔlv] *v: ~ sby
from a promise* løse en fra et
løfte; *~ sby* give en syndsfor-
ladelse.

absorb [əb'zɔ:b] *v* opsuge; *be
~ed in a book* være opslugt
af en bog; **~ing** *adj* absorbe-
rende; (om fx bog) spændende.

abstain [əb'stein] *v: ~ from*
afstå fra; **abstemious**
[-'stiːmiəs] *adj* afholdende;

abstinence ['æbstinəns] *s* af-
holdenhed.

abstract *s* ['æbstrækt] uddrag;
referat // *v* [æb'strækt] ab-
strahere; uddrage, udvinde;
optage // *adj* ['æb-] abstrakt.

absurd [əb'sə:d] *s* meningsløs;
latterlig.

abundance [ə'bʌndəns] *s*
overflod; rigdom; **abundant**
adj rigelig.

abuse *s* [ə'bjuːs] misbrug; mis-
handling; skældsord // *v*
[ə'bjuːz] misbruge; mishand-
le; skade; **abusive** [-'bjuːziv]
adj grov.

abyss [ə'bis] *s* afgrund; dyb-
havsområde.

A.C. ['ei'siː] (fork.f. *alternating
current*) vekselstrøm.

academic [ækə'dɛmik] *s* aka-
demiker, videnskabsmand //
adj akademisk; teoretisk;
academy [ə'kædəmi] *s* aka-
demi; *academy of music* mu-
sikkonservatorium.

accede [æk'siːd] *v: ~ to* gå
ind på, tilslutte sig; *~ to the
throne* komme på tronen.

accelerate [æk'sɛləreit] *v*
fremskynde; accelerere; **ac-
celerator** *s* speeder, gaspedal.

accent ['æksənt] *s* accent; tryk
(fx på stavelse); tonefald; ud-
tale.

accentuate [æk'sɛntjueit] *v*
fremhæve, understrege; læg-
ge vægt på.

accept [ək'sɛpt] *v* acceptere;
tage imod; sige ja til; godtage;
~able *adj* tilfredsstillende;

~ance s billigelse; accept, modtagelse.

access ['ækses] s adgang; *have ~ to* have adgang til; kunne få i tale; ~**ible** [-'sesəbl] *adj* tilgængelig.

accessory [æk'sesəri] s rekvisit; *(jur)* medskyldig *(to* i); *accessories pl* tilbehør; *toilet accessories pl* toiletsager.

accident ['æksidənt] s tilfælde; uheld, ulykkestilfælde; *by ~* tilfældigt; ved et uheld; *have an ~* komme galt af sted; ~**al** [-'dentl] *adj* tilfældig; ~~**prone** *adj: be ~-prone* altid komme galt af sted.

acclimatize [ə'klaimətaiz] v tilpasse, akklimatisere.

accommodate [ə'kɔmədeit] v anbringe; huse; have plads til; tilpasse (sig); *well--d* bekvem; **accommodating** *adj* imødekommende.

accommodation [əkɔmə'deiʃən] s husly; plads; bekvemmelighed; tilpasning; *he's found ~* han har fundet husly; *~ for 500 guests* plads til 500 gæster; *have you got accommodation for two adults?* har De værelser til to personer?

accompaniment [ə'kʌmpənimənt] s akkompagnement; tilbehør; **accompany** v ledsage; akkompagnere.

accomplice [ə'kʌmplis] s medskyldig.

accomplish [ə'kʌmpliʃ] v udrette; fuldende; gennemføre.

~**ed** *adj* gennemført; dannet; dygtig; ~**ment** s resultat; færdighed; *he has many ~ments* han har mange evner.

accord [ə'kɔːd] s enighed; overenskomst // v stemme overens; give, skænke; *of one's own ~* af sig selv; *with one ~* alle som én; ~**ance** *s: in ~ance with* i overensstemmelse med; ~**ing** *adv: ~ing to* ifølge; efter; ~**ingly** *adv* følgelig; derfor.

account [ə'kaunt] s konto; regnskab; beretning; *by all ~s* efter alt at dømme; *on ~* à conto; *on no ~* under ingen omstændigheder; *on ~ of* på grund af; *take into ~* el. *take ~ of* tage hensyn til; ~ *for* gøre rede for; ~**able** *adj* ansvarlig; forklarlig; ~**ancy** s bogføring; revision; ~ **ant** s bogholder; revisor; ~ **book** s regnskabsbog.

accumulate [ə'kjuːmjuleit] v hobe sig op; vokse; samle(s); **accumulation** [-'leiʃən] s samling; ophobning.

accuracy ['ækjurəsi] s nøjagtighed; omhu; **accurate** *adj* nøjagtig; omhyggelig.

accusation [ækju'zeiʃən] s beskyldning; anklage; **accuse** [ə'kjuːz] v beskylde; anklage; ~**d** *adj* anklaget.

accustom [ə'kʌstəm] v vænne; ~**ed** *adj* vant *(to* til); sædvanlig; *be ~ed to* være vant til.

ace [eis] s (kort) es; *within an*

~ *of* lige ved at.

ache [eik] *s* smerte // *v* gøre ondt; være øm; *I'm aching all over* jeg føler mig helt radbrækket.

achieve [ə'tʃiːv] *v* præstere; udrette; opnå; **~ment** *s* præstation, bedrift.

acid ['æsid] *s* syre // *adj* sur, syrlig, syre-; **~ity** [ə'siditi] *s* surhed(sgrad); sur mave.

acknowledge [ək'nolidʒ] *v* anerkende; bekræfte; indrømme; **~ment** *s* anerkendelse; indrømmelse; *in ~ment of your letter* som svar på Deres brev; *send ~ments* kvittere for modtagelsen.

acorn ['eikɔːn] *s* agern.

acoustic [ə'kuːstik] *adj* akustisk (fx *guitar*); **~s** *spl* akustik.

acquaint [ə'kweint] *v:* ~ *with sth* gøre en bekendt med ngt; *be ~ed with* kende; **~ance** *s* bekendtskab; (om person) bekendt.

acquire [ə'kwaiə*] *v* erhverve sig; få; opnå; **acquisition** [ækwi'ziʃən] *s* erhvervelse; **acquisitive** [-'kwizitiv] *adj* begærlig; 'om sig.

acquit [ə'kwit] *v* frikende; ~ *oneself* klare sig fint.

acre ['eikə*] *s* (flademål: 4047 m²); **~age** ['eikəridʒ] *s* (grund)areal.

acrimonious [ækri'məuniəs] *adj* bitter, skarp.

across [ə'krɔs] *adv/præp* (tværs) over; på den anden

side af; på tværs; over kors; (i krydsord) vandret; *walk ~ the road* gå over gaden; *a road ~ the wood* en vej tværs igennem skoven; ~ *from* lige over for; *come ~ sby* støde på en.

act [ækt] *s* handling; akt; lov // *v* handle; opføre sig; virke; optræde; spille (teater); ~ *as* fungere som; ~ *up* skabe sig; **~ing** *s* skuespilkunst; komediespil // *adj* fungerende.

action ['ækʃən] *s* handling; virkning; funktion; *(jur)* retssag; *(mil)* kamp; *take ~* tage affære; anlægge sag.

activate ['æktiveit] *v* aktivisere; sætte gang i; aktivere; **active** ['æktiv] *adj* aktiv, virksom; **activity** [-'tiviti] *s* aktivitet.

actor ['æktə*] *s* skuespiller; **actress** ['æktris] *s* skuespillerinde.

actual ['æktjuəl] *adj* faktisk; virkelig; nuværende; **~ly** *adv* faktisk; egentlig; for øjeblikket; ~*ly I'm Danish* jeg er faktisk dansk.

acute [ə'kjuːt] *adj* akut; skarp; spids (fx *angle* vinkel); skærende (fx *pain* smerte); skarpsindig.

ad [æd] *s* fork.f. *advertisement.*

A.D. ['ei'diː] *adv* (fork.f. *Anno Domini*) e.Kr. (efter Kristi fødsel).

adamant ['ædəmənt] *adj* benhård; ubøjelig.

adapt [ə'dæpt] v tilpasse (sig); indrette (sig); bearbejde; **~able** adj som kan tilpasses; praktisk; **~ation** [-'teiʃən] s tilpasning; bearbejdelse; **~er** s (tekn) mellemstykke.

add [æd] v tilføje; tilsætte; lægge til (el. sammen); addere; **~** up tælle sammen; (fig) stemme; **~** up to beløbe sig til; ende med; betyde.

adder [ædə*] s hugorm.

addict ['ædikt] s narkoman; (fig) fanatiker; **~ed** [ə'diktid] adj: be **~ed** to være forfalden til; være vild med; **~ion** [ə'dikʃən] s hang; (om medicin el. stoffer) tilvænning.

addition [ə'diʃən] s tilføjelse; sammenlægning, addition; in **~** to foruden; (fig) ekstra, forøget; yderligere; **additive** ['æditiv] s tilsætningsstof.

address [ə'dres] s (højtidelig) tale; adresse // v tale til; holde foredrag for; henvende (sig til); adressere.

adenoids ['ædinɔidz] spl (med) polypper.

adept [ə'dept] adj: be **~** at være mester i.

adequate ['ædikwit] adj tilstrækkelig; fyldestgørende.

adhere [əd'hiə*] v: **~** to klæbe til; (fig) holde fast ved; holde sig til; **~nt** s tilhænger // adj klæbende; (fig) forbundet; **adhesion** [əd'hi:ʒən] s klæben; fastholden; **adhesive** [əd'hi:ziv] s klæbestof // adj klæbende, klæbe- (fx tape strimmel).

adjacent [ə'dʒeisənt] adj nærliggende; tilstødende.

adjoin [ə'dʒɔin] v støde op til; vedføje; **~ing** adj tilstødende (fx room værelse).

adjourn [ə'dʒə:n] v udsætte; hæve mødet; fortrække.

adjust [ə'dʒʌst] v indstille; tilpasse; ordne; **~** to tilpasse sig til; **~able** adj indstillelig; **~able spanner** s svensknøgle, skruenøgle; **~ment** s indstilling; justering; ordning.

administer [əd'ministə*] v administrere; tildele; give (fx medicine medicin); **administration** [ədminis'treiʃən] s ledelse, administration; tildeling; **administrator** [əd'ministreitə*] s leder, administrator.

admirable ['ædmərəbl] adj beundringsværdig; fortræffelig.

admiration [ædmə'reiʃən] s beundring; **admire** [əd'maiə*] v beundre; **admirer** [əd'maiə*] s beundrer.

admission [əd'miʃən] s indrømmelse; adgang; (på museum etc) entré; (på sygehus) indlæggelse; (på skole etc) optagelse.

admit [əd'mit] v indrømme; lukke ind; tillade; optage; **~** of indrømme; **~** to give adgang til; optage i (fx school skole); **~tance** s adgang; **~tedly** adv ganske vist.

admonish [əd'mɔniʃ] v formane; advare.

ado [ə'du:] *s* postyr; *without (any) more* ~ uden videre.

adolescence [ædəu'lɛsns] *s* ungdom; pubertet; **adolescent** *s* ung mand (el. pige); teenager.

adopt [ə'dɔpt] *v* adoptere; antage (fx *another name* et nyt navn); vælge; ~**ion** *s* adoption; antagelse; vedtagelse.

adorable [ə'dɔːrəbl] *adj* yndig, henrivende; **adore** [ə'dɔː*] *v* tilbede, elske.

adorn [ə'dɔːn] *v* smykke, pryde; udsmykke.

Adriatic [eidri'ætik] *s: the ~ (Sea)* Adriaterhavet.

adult ['ædʌlt] *s* voksen (person) // *adj* voksen, moden.

adultery [ə'dʌltəri] *s* utroskab, ægteskabsbrud.

advance [əd'vaːns] *s* fremskridt; fremrykning; forskud // *v* gå frem; fremsætte; fremme; gøre fremskridt; *in ~* forud; på forhånd; ~**d** *adj* fremskreden; videregående; avanceret; ~**ment** *s* forfremmelse; fremme; ~**s** *spl* tilnærmelser.

advantage [əd'vaːntidʒ] *s* fordel; fortrin; *take ~ of* benytte sig af; ~**ous** [-'teidʒəs] *adj* fordelagtig.

adventure [əd'vɛntʃə*] *s* eventyr; oplevelse; vovestykke; ~**r** *s* eventyrer; **adventurous** *adj* eventyrlysten; eventyrlig.

adversary ['ædvəsəri] *s* modstander; modspiller.

adverse ['ædvəːs] *adj* ugun-

stig; uheldig; *be ~ to* være fjendtligt indstillet over for; være skadelig for; **adversity** [-'vəːsiti] *s* modgang.

advertise ['ædvətaiz] *v* reklamere, avertere; ~**ment** [əd'təːtismənt] *s* annonce; reklame; **advertising** ['ædvətaiziŋ] *s* reklame, avertering.

advice [əd'vais] *s* råd; (om post) anmeldelse; bevis; *a piece of ~* et råd.

advisable [əd'vaizəbl] *adj* tilrådelig; ønskelig; **advise** [əd'vaiz] *v* råde; tilråde; underrette; *be well advised to* gøre klogt i at; **adviser** *s* rådgiver; **advisory** *adj* rådgivende.

advocate ['ædvəkeit] *s* (skotsk) advokat; forkæmper *(of* for) // *v* gøre sig til talsmand for.

Aegean [iˈdʒiːən] *adj: the ~ Sea* Ægæiske Hav.

aerial ['ɛəriəl] *s* antenne // *adj* luft-; antenne-; ~ *photograph* luftfoto.

aeroplane ['ɛərəplein] *s* flyvemaskine, fly.

aesthetic [isˈθetik] *adj* æstetisk; fintfølende.

afar [ə'faː*] *adv: from ~* langt borte fra.

affable ['æfəbl] *adj* venlig; forekommende.

affair [ə'fɛə*] *s* sag; affære; forhold; ~**s** *spl* forretninger.

affect [ə'fɛkt] *v* påvirke; berøre; angribe; foregive; ~**ation**

[-'teiʃən] s affekterethed; krukkeri; **~ion** [-'fekʃən] s kærlighed; følelse; påvirkning; **affectionate** [-'fekʃənit] adj kærlig, hengiven.

affidavit [æfi'deivit] s (jur) bediget skriftlig erklæring.

affiliated [ə'filieitid] adj tilsluttet, tilknyttet.

affinity [ə'finiti] s slægtskab; lighed.

affirmative [ə'fə:mətiv] adj bekræftende // s: in the affirmative bekræftende.

afflict [ə'flikt] v plage, hjemsøge; **~ion** s sorg; plage, lidelse.

affluence ['æfluəns] s tilstrømning; velstand; **affluent** adj tilstrømmende; velstående, velfærds-.

afford [ə'fɔ:d] v have råd til; kunne tillade sig; yde; byde på; I can't ~ the time jeg kan ikke afse tiden.

afield [ə'fi:ld] adv: far ~ langt bort(e); langt ud(e).

afloat [ə'fləut] adj (mar) flot, flydende // adv: stay ~ holde hovedet oven vande; keep a business ~ holde en forretning i gang.

aforesaid [ə'fɔ:sed] adj ovennævnt; førnævnt.

afraid [ə'freid] adj bange; be ~ of (el. to) være bange for (at); I'm ~ that... jeg er bange for at...

afresh [ə'freʃ] adj påny; om igen.

after ['a:ftə•] adj/adv/præp efter; bagefter; senere // konj

efter at; what are you ~? hvad er du ude efter? ask ~ sby spørge til en; ~ all når det kommer til stykket; alligevel; **~effects** spl eftervirkninger; efterveer; **~life** s livet efter døden; **~math** s eftervirkning; in the ~math of i tiden efter (fx the war krigen); **~noon** s eftermiddag; **~thought** s: have an ~thought få en ny indskydelse; være bagklog; **~wards** adv bagefter; senere.

again [ə'gen] adv igen; på den anden side; desuden; begin ~ begynde forfra (el. igen); ~ and ~ gang på gang; what did you say ~? hvad var det du sagde? hvadbehar? as much ~ lige så meget til, dobbelt så meget.

against [ə'genst] præp mod, imod; ud for; ved; run ~ time løbe om kap med tiden.

age [eidʒ] s alder; tidsalder // v ælde(s); it's been ~s since we met det er hundrede år siden vi sås; come of ~ blive myndig; **~d** [eidʒd] adj: a boy ~d ten en dreng på ti år; ['eidʒid] gammel; oppe i årene; ~ **limit** s aldersgrænse.

agency ['eidʒənsi] s virken; Kraft; agentur; through (el. by) the ~ of sby ved ens formidling, gennem en.

agenda [ə'dʒendə] s notesbog; dagsorden.

agent ['eidʒənt] s agent; middel.

aggravate ['ægrəveit] *v* forværre; irritere; **aggravation** [-'veiʃən] *s* forværring; skærpelse.

aggregate ['ægrigeit] *s* ophobning; aggregat; samlet sum.

aggression [ə'greʃən] *s* angreb; aggression; **aggressive** [-'gresiv] *adj* pågående; aggressiv.

aghast [ə'gɑːst] *adj* forfærdet.

agile ['ædʒail] *adj* adræt, kvik; **agility** [ə'dʒiliti] *s* smidighed.

agitate ['ædʒiteit] *v* ophidse; sætte i bevægelse; agitere; **~d** *adj* urolig; ophidset.

ago [ə'gəu] *adv: not long ~* for ikke så længe siden; *long ~* for længe siden; *five years ~* for fem år siden.

agonizing ['ægənaiziŋ] *adj* pinefuld; sindsoprivende; **agony** ['ægəni] *s* kval; (stærk) smerte; *be in ~* lide de frygteligste kvaler; **agony column** *s* (i dameblad) læserbrevkasse.

agrarian [ə'greəriən] *adj* landbrugs-.

agree [ə'griː] *v* være (el.blive) enige; stemme (overens); enes; *I ~ that...* jeg er enig i at...; *~ to* gå ind på; gå med til; *they ~ on this* de er enige om dette; *they ~ed on a price* de enedes om en pris; *~ with sby* være enig med en; *garlic doesn't ~ with me* jeg kan ikke tåle hvidløg; **~able** *adj* behagelig; velvillig; *are you ~able to this?* er du indforstået med dette? **~d** *adj* enig;

aftalt (fx *time* tid); **~ment** *s* enighed; overenskomst, aftale.

agricultural [ægri'kʌltʃərəl] *adj* landbrugs-; **agriculture** ['ægrikʌltʃə*] *s* landbrug.

ahead [ə'hed] *adv* foran; forud(e); fremad; *~ of time* i god tid; *go straight ~* gå (el. køre) lige frem; *they were right ~ of us* de var lige foran os.

aid [eid] *s* hjælp; støtte; hjælpemiddel // *v* hjælpe; støtte; *hearing ~* høreapparat; *~ and abet* (jur) være medskyldig.

aide [eid] *s* hjælper.

ail [eil] *s* være syg; skrante; *what is ~ing him? (fig)* hvad går der af ham? **ailment** *s* (lettere) sygdom.

aim [eim] *s* sigte; mål // *v* sigte; kaste; stile; agte; *take ~* sigte; lægge an; *~ at* sigte på; stile efter; *~ to* agte at; **~less** *adj* formålsløs.

air [eə*] *s* luft; præg; holdning; mine // *v* lufte; ventilere; tørre; *~ base* *s* flyvestation; **~bed** *s* luftmadras; **~borne** *adj* luftbåren; *be ~borne* være i luften; **~-cooled** *adj* luftkølet; **~craft** *s* fly(vemaskine); **~craft carrier** *s* hangarskib; **~crew** *s* flybesætning; **~force** *s* flyvevåben; **~gun** *s* luftbøsse; **~hostess** *s* stewardesse, flyvertinde; **~ily** *adj* flygtigt; henkastet; **~lift** *s* luftbro; **~line** *s* flyverute; flyselskab; ~**liner** s rutefly; ~**mail** s luftpost; ~ **pollution** s luftforurening; ~**port** s lufthavn; ~ **raid** s luftangreb; ~**sick** s luftsyg; ~**strip** s start- og landingsbane; ~**tight** adj lufttæt; (fig) skudsikker; ~**y** adj luftig; luft-; flygtig; nonchalant.

aisle [ail] s (i kirke) midtergang; sideskib.

ajar [ə'dʒɑ:ˈ] adv på klem.

akin [ə'kin] adj: be ~ to være beslægtet med.

alarm [ə'lɑ:m] s alarm(signal); uro, ængstelse // v alarmere; forskrække; sound the ~ slå alarm; ~ **clock** s vækkeur.

alas [ə'lɑ:s] interj ak; desværre.

album ['ælbəm] s album; LP(-plade).

albumen ['ælbjumin] s æggehvidestof.

alchemy ['ælkimi] s alkymi.

alcohol ['ælkəhɔl] s alkohol; sprit; ~**ic** [-'hɔlik] s alkoholiker // adj alkoholisk, sprit-.

ale [eil] s lyst øl.

alert [æ'lə:t] s alarm // adj vågen; kvik; on the ~ på sin post; i beredskab.

algebra ['æld3ibrə] s aritmetik.

Algeria [æl'dʒiəriə] s Algeriet; ~**n** s algerier // adj algerisk.

alias ['eiliəs] s dæknavn // adv også kaldet, alias.

alibi ['ælibai] s alibi; undskyldning.

alien ['eiliən] s udlænding;

fremmed // adj fremmed; ~ from forskellig fra; ~ to fremmed for; ~**ate** v gøre fjendtlig indstillet; fremmedgøre.

alight [ə'lait] v stige ned; stå 'af; lande // adj: be ~ brænde.

align [ə'lain] v stå (el. stille sig) på linje; rette ind; ~**ment** s stillen på linje; (pol etc) gruppering; alliance.

alike [ə'laik] adj/adv ens; look ~ ligne hinanden.

alimony ['æliməni] s underholdsbidrag.

alive [ə'laiv] adj levende, i live; livlig; be ~ to være opmærksom på; have sans for; be ~ with vrimle med.

all [ɔ:l] adj/pron al, alt, alle; det hele; helt // adv fuldstændig, helt; ~ alone helt alene; ~ along hele tiden; ~ but næsten; ~ his life hele livet; ~ five alle fem; ~ of them (dem) allesammen; ~ over the place over det hele; not at ~ slet ikke; ~ the same alligevel; ~ at once med ét, pludselig; once (and) for ~ én gang for alle; ~ the better så meget desto bedre.

allegation [æli'geiʃən] s påstand; **allege** [ə'ledʒ] v påstå; hævde; **allegedly** [ə'ledʒidli] adv angiveligt; påstået.

allegiance [ə'li:dʒəns] s troskab.

allergic [ə'lə:dʒik] adj: ~ to overfølsom for; **allergy** ['ælədʒi] s allergi, overfølsomhed.

alleviate [ə'liːvieit] *v* lindre; dæmpe.

alley ['æli] *s* stræde, gyde.

alliance [ə'laiəns] *s* alliance; forbindelse.

allied ['ælaid] *adj* allieret; beslægtet.

all-important ['ɔːlim'pɔːtənt] *adj* altafgørende.

allocate ['æləkeit] *v* tildele; fordele; **allocation** [-'keiʃən] *s* tildeling; fordeling; rationering.

allot [ə'lɔt] *v* tildele; uddele; **~ment** *s* andel; kolonihave.

allow [ə'lau] *v* tillade; lukke ind; lade få, give; indrømme; *~ for* tage hensyn til; regne med; **~ance** *s* ration; lommepenge; diæter; rabat; (i skat) fradrag; *make ~ances for* tage hensyn til.

all right ['ɔːl'rait] *adv* i orden; rask; udmærket; *it's quite ~* det er helt i orden.

all-round ['ɔːl'raund] *adj* alsidig; universal-.

all-time ['ɔːl'taim] *adj: an ~ record* alle tiders rekord.

allude [ə'luːd] *v: ~ to* hentyde til.

allusion [ə'luːʒən] *s* hentydning.

ally ['ælai] *s* forbundsfælle, allieret.

almighty [ɔːl'maiti] *adj* almægtig.

almond ['aːmənd] *s* mandel.

almost ['ɔːlməust] *adv* næsten.

alms [aːmz] *spl* almisse.

alone [ə'ləun] *adj* alene; kun; *leave sby ~* lade en være i fred; *all ~* helt alene; *let ~* for ikke at tale om.

along [ə'lɔŋ] *adv/præp* langs (med); hen ad; med; af sted; *is he coming ~?* kommer han med? *~ with* sammen med; foruden; *all ~* hele tiden; *get ~ with* klare sig med; komme godt ud af det med; **~side** *præp* ved siden af; langs med.

aloof [ə'luːf] *adj/adv* reserveret; tilknappet.

aloud [ə'laud] *adv: read ~* læse højt.

alpine ['ælpain] *adj* alpin, alpe-; *~ combined* *s* alpine skiløb; **alps** [ælps] *spl: the Alps* Alperne.

already [ɔːl'redi] *adv* allerede.

alright ['ɔːl'rait] *adv* d.s.s. *all right.*

also ['ɔːlsəu] *adv* også; ligeledes.

altar ['ɔːltə*] *s* alter.

alter ['ɔːltə*] *v* ændre; lave om; forandre (sig); **~ation** [-'reiʃən] *s* ændring; (om tøj) omsyning.

alternate *v* ['ɔltəneit] veksle; skifte(s) // *adj* [ɔːl'təːnit] (af)vekslende; skiftevis; *on ~ days* hveranden dag; **alternating current** *s (AC)* vekselstrøm.

alternative [ɔːl'təːnətiv] *s* alternativ; valg; anden mulighed; **~ly** *adv: ~ly one could...* man kunne også...

alternator ['ɔːltəneitə*] *s*

(auto) vekselstrømsdynamo.

although [ɔːˈðəu] *konj* skønt; selv om.

altitude [ˈæltitjuːd] *s* højde.

alto [ˈæltəu] *s* alt(stemme); ~ **flute** *s* altfløjte.

altogether [ˈɔːltəˈgɛðəˈ] *adv* fuldstændig; (alt) i alt; i det hele taget; allesammen; *they came* ~ de kom allesammen // *s: in the* ~ (F) splitternøgen.

always [ˈɔːlweiz] *adv* altid.

am [æm, əm] *v* 1. person sing af *be; I* ~ jeg er.

a.m. [ˈeiˈɛm] *adv* (fork.f. *ante meridiem)* om formiddagen, om morgenen; *at seven* ~ klokken syv morgen.

amalgamate [əˈmælgəmeit] *v* sammensmelte; sammenslutte.

amateur [ˈæmətəˈ] *s* amatør; ~**ish** [-ˈtəːriʃ] *adj* (neds) amatøragtig.

amaze [əˈmeiz] *v* forbløffe; ~**ment** *s* forbløffelse; **amazing** *adj* forbavsende; utrolig.

ambassador [æmˈbæsədəˈ] *s* ambassadør.

amber [ˈæmbəˈ] *s* rav; (om trafiklys) gult (lys).

ambiguity [æmbiˈgjuiti] *s* dobbelttydighed; **ambiguous** [-ˈbigjuəs] *adj* tvetydig; forblommet.

ambition [æmˈbiʃən] *s* ambition, ærgerrighed; **ambitious** *adj* ambitiøs, ærgerrig.

amble [æmbl] *v:* ~ *(along)* lunte (af sted).

ambush [ˈæmbuʃ] *s* baghold // *v* lægge sig (el. lokke) i baghold.

amend [əˈmɛnd] *v* forbedre; rette; forbedre sig; ~**ment** *s* forbedring; ændring; ~**s** *spl: make* ~**s** give oprejsning (el. erstatning).

amiable [ˈeimiəbl] *adj* venlig; elskværdig.

amicable [ˈæmikəbl] *adj* fredelig; venskabelig.

amid(st) [əˈmid(st)] *præp* midt i; blandt.

amiss [əˈmis] *adj/adv: there's sth* ~ der er ngt galt (el. forkert); *take sth* ~ tage ngt ilde op; *go* ~ mislykkes.

ammonia [əˈməuniə] *s* salmiakspiritus, ammoniak.

amnesia [æmˈniːziə] *s* hukommelsestab.

amnesty [ˈæmnisti] *s* benådning, amnesti.

among [əˈmʌŋ] *præp* mellem; blandt; ~ *other things* blandt andet; ~ *others* blandt andre; ~ *themselves* indbyrdes; ~**st** *præp* d.s.s. *among.*

amoral [eiˈmɔrəl] *adj* amoralsk.

amorous [ˈæmərəs] *adj* forelsket; kælen.

amount [əˈmaunt] *s* beløb; mængde; sum // *v:* ~ *to* beløbe sig til; *it (all)* ~*s to the same thing* det kommer ud på ét.

amphibian [æmˈfibiən] *s* amfibiefartøj; (zo) padde.

ample [æmpl] *adj* fyldig; rigelig; vidtstrakt; *this is* ~ det (her) er rigeligt; *have* ~ *time* have rigelig tid.

amplifier ['æmplifaiə*] s forstærker; **amplify** v forstærke; udvide; supplere.

amputate ['æmpjuteit] v amputere.

amuse [ə'mju:z] v more; underholde; ~**ment** s underholdning; fornøjelse; ~**ment park** s forlystelsespark.

an [æn, ən, n] se *a*.

anaemia [ə'ni:miə] s blodmangel, anæmi; **anaemic** adj blodfattig, anæmisk.

anaesthetic [ænis'θetik] s bedøvelsesmiddel; *under the* ~ i narkose, bedøvet; **anaesthetist** [æ'ni:sθitist] s narkoselæge.

analgesic [ænəl'dʒi:sik] s smertestillende middel.

analogy [ə'nælədʒi] s parallel; analogi.

analyse ['ænəlaiz] v analysere; **analysis** [ə'nælisis] s (*pl: analyses* [-si:z]) analyse; **analyst** ['ænəlist] s (*brit*) analytiker; (*am*) psykoanalytiker.

anarchy ['ænəki] s anarki; lovløshed.

anathema [ə'næθimə] s: *be* ~ være bandlyst; *it is* ~ *to him* det vil han ikke røre med en ildtang.

anatomy [ə'nætəmi] s anatomi; (op)bygning; krop.

ancestor ['ænsistə*] s forfader, stamfader; **ancestral** [æn'sestrəl] adj familie-,

slægts-; **ancestry** ['æn-] s slægt; forfædre, aner.

anchor ['æŋkə*] s anker // v ankre op; forankre; ~**age** ['æŋkəridʒ] s opankring; ankerplads.

anchovy ['æntʃəvi] s ansjos.

ancient ['einʃənt] adj ældgammel; oldtids-; *an* ~ *monument* et fortidsminde.

and [ænd, ən] konj og; ~ *so on* og så videre; *try* ~ *come* prøv at komme; *do it* ~ *I'll kill you* hvis du gør det, slår jeg dig ihjel; *for hours* ~ *hours* i timevis.

angel ['eindʒəl] s engel; ~**ic** [-'dʒelik] adj engleagtig; engleblid.

anger ['æŋgə*] s vrede // v gøre vred.

angina [æn'dʒainə*] s angina, halsbetændelse; angina pectoris.

angle [æŋgl] s vinkel; kant; hjørne; *from their* ~ fra deres synsvinkel // v: ~ *for* fiske efter; ~**r** s lystfisker; **angling** s lystfiskeri.

Anglo- ['æŋgləu] adj engelsk-; anglo-; ~-**Saxon** adj angelsaksisk.

angry ['æŋgri] adj vred, gal; *be* ~ *with* (el. *at*) være vred på; *get* ~ blive vred; *make sby* ~ gøre en vred.

anguish ['æŋgwiʃ] s kval; tortur.

angular ['æŋgjulə*] adj kantet; vinkel-.

animal ['æn.iməl] s dyr // adj

dyre-; animalsk.

animate v ['ænimeit] opmuntre; live op; animere; ~*d cartoon* tegnefilm // *adj* ['ænimit] levende; livlig; ~**d** *adj* animeret.

animosity [æni'mositi] s uvilje; fjendskab.

ankle [æŋkl] s ankel; ankelled; ~**t** ['æŋklit] s (om smykke) ankelkæde.

annex(e) ['ænɛks] s tilbygning; anneks // v [ə'nɛks] indlemme; ~ *a country* annektere et land; ~**ation** [-'seiʃən] s annektering.

annihilate [ə'naiəleit] v tilintetgøre; udslette.

anniversary [æni'və:səri] s årsdag; *his twenty-fifth* ~ hans femogtyveårs jubilæum; *wedding* ~ bryllupsdag.

annotate ['ænəuteit] v kommentere.

announce [ə'nauns] v melde; meddele; bekendtgøre; ~**ment** s bekendtgørelse; annoncering (af fx radioprogram); ~**r** s *(tv, radio)* speaker.

annoy [ə'nɔi] v irritere; ærgre; genere; *don't get* ~*ed!* lad nu være med at blive sur! ~**ing** *adj* irriterende; kedelig.

annual ['ænjuəl] s årbog; *(bot)* etårig plante // *adj* årlig, års-.

annuity [ə'njuiti] s årlig ydelse; *life* ~ livrente.

annul [ə'nʌl] v annullere; ophæve; ~**ment** s annullering.

anoint [ə'nɔint] v salve; indvi-

anomalous [ə'nɔmələs] *adj* abnorm; uregelmæssig; **anomaly** s afvigelse; abnormitet.

anonymous [ə'nɔniməs] *adj* anonym.

another [ə'nʌðə*] *pron* en anden; en til; ~ *cup of tea* en kop te til; ~ *two years* to år endnu (el. til); *one* ~ hinanden.

answer ['a:nsə*] s svar; løsning // v svare; besvare; løse (fx *a problem* en opgave); ~ *the door* lukke op (for en der ringer på); ~ *the phone* tage telefonen; *in* ~ *to* som svar på; ~ *back* svare igen; ~ *for* stå inde for; stå til regnskab for; ~**able** *adj* ansvarlig.

ant [ænt] s myre.

antagonism [æn'tægənizm] s modstrid; modstand; **antagonist** s modstander; **antagonistic** [-'nistik] *adj* fjendtlig; modsat.

anteater ['ænti:tə*] s myresluger.

antecedent [ænti'si:dənt] s forudsætning.

antemeridian ['æntimə'ridiən] *(a.m.) adj* formiddags-.

antenatal ['ænti'neitl] *adj* før fødslen, prænatal; ~ *clinic* s svangreambulatorium.

antenna [æn'tɛnə] s *(pl: antennae* [-ni:]*)* følehorn; antenne.

anteroom ['æntiru:m] s forværelse, forkontor.

anthem ['ænθəm] s hymne; *national* ~ nationalsang.

ant-hill ['ænthil] s myretue.

anthology [ænˈθɔlədʒi] s udvalg, antologi.
anti. . . [ˈænti-] sms: **~-aircraft** adj luftværns-; **~-aircraft defence** luftværn; **~biotic** [-baiˈɔtik] s antibiotikum // adj antibiotisk; **~body** s (med) antistof.
anticipate [ænˈtisipeit] v vente; se hen til; foregribe; komme i forkøbet; **anticipation** [-ˈpeiʃən] s forventning; foregribelse; thanking you in anticipation idet jeg på forhånd takker Dem.
anti. . . [ˈænti-] sms: **~climax** [-ˈklaimæks] s antiklimaks; **~clockwise** [-ˈklɔkwaiz] adj mod uret; venstredrejet; **~dote** s modgift; **~freeze** s (auto) kølervæske; frostvæske; **~-noise campaign** s støjbekæmpelse; **~pathy** [ænˈtipəθi] s modvilje, antipati; **A~podes** spl: the A~podes antipoderne (dvs. Australien, New Zealand, Oceanien).
antiquarian [æntiˈkweəriən] adj antikvarisk; **~ bookshop** s antikvariat; **antiquated** [ˈæntikweitid] adj gammeldags; antikveret.
antique [ænˈtiːk] s antikvitet // adj antik; gammel; **~ dealer** s antikvitetshandler; **~ shop** s antikvitetshandel; **antiquity** [-ˈtikwiti] s oldtiden; antikken.
anti. . . sms: **~septic** s antiseptisk middel // adj steril; **~so-**

cial [-ˈsəuʃəl] adj uselskabelig; samfundsskadelig.
antlers [ˈæntləz] spl gevir.
ant's nest [ˈæntsnɛst] s myretue.
anvil [ˈænvil] s ambolt.
anxiety [ænˈzaiəti] s ængstelse, angst; iver; **anxious** [ˈæŋkʃəs] adj ængstelig, bekymret (about over); ivrig; be very anxious to være stærkt opsat på at.
any [ˈɛni] adv/pron nogen; enhver; hvilken som helst; hardly ~ næsten ingen (, intet); in ~ case ei. at ~ rate i hvert fald; (at) ~ time når som helst; (at) ~ moment hvert øjeblik; does ~ of you sing? er der en af jer der kan synge? he's not here ~ more han er her ikke længere; is there ~ more tea? er der mere te? **~body** pron nogen (som helst); hvem som helst; enhver; **~how** adv i hvert fald; alligevel; på en hvilken som helst måde; **~one** pron d.s.s. **~body; ~thing** pron noget (som helst); hvad som helst; alt; **~time** adv når som helst; **~way** adv d.s.s. **~how; ~where** adv hvor som helst; alle vegne; I don't see him ~where jeg kan ikke se ham nogen steder.
apart [əˈpɑːt] adv adskilt; afsides; (hver) for sig; live ~ leve hver for sig; være separerede; ~ from bortset fra; take ~

skille ad.

apartment [əˈpɑːtmənt] s (brit) værelse; (am) lejlighed; **~s** spl (brit) lejlighed.

apathetic [æpəˈθetik] adj apatisk, sløv, ligeglad; **apathy** [ˈæpəθi] s apati, sløvhed.

ape [eip] s menneskeabe // v abe efter.

aperture [ˈæpətʃjuə*] s åbning, hul; (foto) blænderåbning.

aphrodisiac [æfrəuˈdiziæk] s elskovsmiddel.

apiece [əˈpiːs] adv pr. styk, stykket; hver; a pound ~ et pund stykket.

apologetic [əpɔləˈdʒetik] adj undskyldende; be very ~ about sth være fuld af undskyldninger over ngt; **apologize** [əˈpɔlədʒaiz] v sige undskyld; **apology** [əˈpɔlədʒi] s undskyldning; send one's apologies sende afbud.

apostrophe [əˈpɔstrəfi] s apostrof.

appal [əˈpɔːl] v forfærde; **~ling** adj rystende, skrækkelig.

apparatus [æpəˈreitəs] s apparat; redskab; hjælpemiddel.

apparent [əˈpærənt] adj synlig, åbenbar; **~ly** adv åbenbart, tilsyneladende.

apparition [æpəˈriʃən] s fænomen, syn; genfærd.

appeal [əˈpiːl] s appel; bøn; henvendelse; tiltrækning // v appellere; bede, behage, tiltale; ~ for anmode indtrængende om; ~ to appellere til; virke tiltrækkende på; ~ to

sby for mercy bede en om nåde; it doesn't ~ to me jeg synes ikke om det; **~ing** adj tiltalende; bønfaldende.

appear [əˈpiə*] v komme frem; vise sig; møde op; (om bog etc) udkomme; synes; fremgå; it would ~ that det ser ud til at; ~ in Hamlet spille i Hamlet; ~ on television komme i tv, optræde i fjernsynet; **~ance** s forekomst; tilsynekomst; udseende; fænomen; put in (el. make) an ~ance møde op; komme til stede; judge from ~ances dømme efter udseendet; keep up ~ances bevare facaden.

appendicitis [əpendiˈsaitis] s blindtarmsbetændelse; **appendix** [əˈpendiks] s (pl: appendices [-siːz]) tillæg, appendiks; blindtarm.

appetite [ˈæpitait] s appetit; lyst; **appetizing** adj appetitvækkende; appetitlig.

applaud [əˈplɔːd] v applaudere, klappe (af), bifalde; **applause** [əˈplɔːz] s bifald.

apple [æpl] s æble; she's the ~ of his eye hun er hans et og alt; ~ **blossom** s æbleblomst; ~ **core** s kærnehus; ~ **dumpling** s svt. æbleskive; ~ **pie** s æblepie; in ~-pie order (F) i tip-top form; ~ **sauce** s æblemos; ~ **turnover** s (sammenfoldet) æbletærte.

appliance [əˈplaiəns] s anordning; apparat; instrument.

applicant ['æplikənt] *s* ansøger; **application** [-'keiʃən] *s* ansøgning; anvendelse; anbringelse; flid; *on application* ved henvendelse.

applied [ə'plaid] *adj* anvendt; ~ **art** *s* brugskunst.

apply [ə'plai] *v* anvende; ansøge; henvende sig; anbringe; ~ *for* ansøge om; ~ *the brakes* træde på bremsen; ~ *oneself to* gå op i, hengive sig til.

appoint [ə'pɔint] *v* udnævne; udpege; (om tid, sted etc) fastsætte, aftale; **~ment** *s* udnævnelse; stilling; møde; aftale; *make an ~ment with sby* aftale et møde (el. at mødes) med en.

appreciate [ə'priːʃieit] *v* sætte pris på; have sans for; vurdere; **appreciation** [-'eiʃən] *s* påskønnelse; vurdering; *(økon)* værdiforøgelse; **appreciative** [ə'priːʃiətiv] *adj* forstående; anerkendende.

apprehend [æpri'hend] *v* pågribe; begribe, forstå; **apprehension** *s* pågribelse; fatteevne, ængstelig; **apprehensive** *adj* ængstelig; forstående.

apprentice [ə'prentis] *s* lærling, elev; **~ship** *s* læretid, elevtid.

approach [ə'prəutʃ] *s* komme; adgang; indkørsel; fremgangsmåde // *v* nærme sig; henvende sig til; gribe an; **~able** *adj* omgængelig.

appropriate *v* [ə'prəuprieit]

tilegne sig; bevilge // *adj* [ə'prəupriit] passende, behørig; rammende (fx *remark* bemærkning).

approval [ə'pruːvəl] *s* godkendelse; *on* ~ på prøve, til gennemsyn; **approve** [ə'pruːv] *v* godkende; *approve of* synes om; **approving** *adj* bifaldende.

approximate *v* [ə'prɔksimeit] nærme (sig), tilnærme // *adj* [ə'prɔksimit] tilnærmet, omtrentlig; **~ly** *adv* omtrent, cirka; **approximation** [-'meiʃən] *s* tilnærmelse.

apricot ['æprikɔt] *s* abrikos.

April ['eiprəl] *s* april; ~ **fool** *s* aprilsnar.

apron ['eiprən] *s* forklæde; ~ **string** *s* forklædebånd; *he is tied to her* ~ *strings* han hænger i hendes skørter.

apt [æpt] *adj* passende; træffende; dygtig; *be* ~ *to* være tilbøjelig til.

aqualung ['ækwəlʌŋ] *s* iltbeholder (til svømmedykkere).

aquarium [ə'kwɛəriəm] *s* akvarium.

Aquarius [ə'kwɛəriəs] *s (astr)* Vandmanden.

aquatic [ə'kwætik] *adj* vand-.

Arab ['ærəb] *s* araber; **~ia** [ə'reibiə] *s* Arabien; **~ian** [ə'reibiən] *adj* arabisk; *the ~ian Nights* Tusind og én Nats Eventyr; **~ian camel** *s* dromedar; **~ic** ['ærəbik] *s* (om sprog) arabisk; **~ic numerals** arabertal.

arable ['ærəbl] *adj* som kan dyrkes; opdyrket.

arbiter ['ɑ:bitə*] *s* dommer; voldgiftsmand; enehersker.

arbitrary ['ɑ:bitrəri] *adj* skønsmæssig; egenrådig; **arbitrate** *v* (lade) afgøre ved voldgift; dømme; **arbitration** [-'treiʃən] *s* voldgift; **arbitrator** *s* mægler, forligsmand.

arcade [ɑ:'keid] *s* arkade; spillehal.

arch [ɑ:tʃ] *s* bue, hvælving; (på foden) svang // *v* krumme (fx ryg); danne en bue (over) // *adj* skælmsk; ærke-.

archaeologist [ɑ:ki'ɔlədʒist] *s* arkæolog; **archaeology** *s* arkæologi.

archaic [ɑ:'keik] *adj* gammeldags, forældet.

archangel ['ɑ:keindʒəl] *s* ærkeengel.

archbishop ['ɑ:tʃbiʃəp] *s* ærkebiskop; **arch-enemy** *s* ærkefjende.

archer ['ɑ:tʃə*] *s* bueskytte; **~y** *s* bueskydning.

archetype ['ɑ:kitaip] *s* prototype; grundform.

archipelago [ɑ:ki'pɛləgəu] *s* øhav.

architect ['ɑ:kitekt] *s* arkitekt; **~ure** ['ɑ:kitektʃə*] *s* arkitektur.

archives ['ɑ:kaivz] *spl* arkiv; **archivist** ['ɑ:kivist] *s* arkivar.

archway ['ɑ:tʃwei] *s* bue(gang).

Arctic ['ɑ:ktik] *s: the* ~ Arktis // *adj* arktisk; *the* ~ *Circle* den nordlige polarcirkel; *the*

~ *Ocean* Nordlige Ishav.

ardent ['ɑ:dənt] *adj* brændende; ivrig; lidenskabelig.

arduous ['ɑ:djuəs] *adj* besværlig, vanskelig.

are [ɑ:*] *pl* af *be*.

area ['ɛəriə] *s* område; areal; felt; *a sum in the* ~ *of £50* et beløb på omkring £50; *dining* ~ spiseplads; ~ *code* *s (tlf)* områdénummer.

Argentina [ɑ:dʒən'ti:nə] el. **Argentine** ['ɑ:dʒəntain] *s* Argentina; **Argentinian** [-'tiniən] *s* argentiner // *adj* argentinsk.

arguable ['ɑ:gjuəbl] *adj* diskutabel; **arguably** *adv* nok, velsagtens.

argue ['ɑ:gju:] *v* diskutere; hævde; overtale; ~ *that* hævde (el. påstå) at; **argument** *s* argument; diskussion; skænderi.

arid ['ærid] *adj* tør, gold; åndløs.

Aries ['ɛəriz] *s (astr)* Vædderen.

arise [ə'raiz] *v (arose, arisen* [ə'rəuz, ə'rizn]) opstå; stige op; hæve sig; ~ *from* komme af, skyldes.

aristocracy [æri'stɔkrəsi] *s* aristokrati; **aristocrat** ['æristəkræt] *s* aristokrat; **aristocratic** [-'krætik] *adj* aristokratisk.

arithmetic [ə'riθmətik] *s* (om skolefag) regning.

arm [ɑ:m] *s* arm; gren; ærme; (oftest i *pl: arms*) våben // *v* bevæbne; armere; ~ *in* ~

arm i arm; *bear* ~s bære
våben (el. våbenskjold);
~**chair** s lænestol; ~**ed** *adj*
(be)væbnet; ~**ful** s favnfuld.
armistice ['ɑ:mistis] s våben-
stilstand.
armour ['ɑ:mə˙] s rustning,
harnisk; (også: ~-*plating*)
pansring; (*mil*) kampvogne;
~*ed car* pansret bil; ~**ry** s
arsenal.
armpit ['ɑ:mpit] s armhule;
armrest s armlæn.
army ['ɑ:mi] s hær, armé.
arose [ə'rəuz] *præt* af *arise*.
around [ə'raund] *adv/præp*
rundt (om); omkring (i); om;
is he ~? er han her et sted?
arouse [ə'rauz] *v* vække.
arrange [ə'reindʒ] *v* arrangere,
ordne; stille op; ~**ment** s ar-
rangement, ordning; aftale;
make ~*ments* gøre forbere-
delser.
array [ə'rei] s opbud; opstil-
ling.
arrears [ə'riəz] *spl: be in* ~
with one's rent være bagud
med huslejen; *pay in* ~ beta-
le bagud.
arrest [ə'rest] s standsning;
anholdelse // *v* standse; arre-
stere, anholde; *be under* ~
være arresteret.
arrival [ə'raivəl] s ankomst; **ar-
rive** [ə'raiv] *v* (an)komme; *ar-
rive at* finde frem til; nå.
arrogance ['ærəgəns] s hov-
mod; **arrogant** *adj* hovmodig,
arrogant.
arrow ['ærəu] s pil.

arson [ɑ:sn] s brandstiftelse.
art [ɑ:t] s kunst; kunstfærdig-
hed.
artery ['ɑ:təri] s pulsåre, arte-
rie.
artful ['ɑ:tful] *adj* listig, snedig;
art gallery s kunstmuseum,
kunstgalleri.
arthritis [ɑ:'θraitis] s ledegigt.
artichoke ['ɑ:titʃəuk] s arti-
skok.
article ['ɑ:tikl] s genstand; vare;
artikel; kendeord; ~**s** *spl*
vedtægter; kontrakt.
articulate *v* [ɑ:'tikjuleit] udtale;
formulere // *adj* [ɑ:'tikjulit]
leddelt; velformuleret; tyde-
lig; ~**d lorry** s sættevogn.
artificial [ɑ:ti'fiʃəl] *adj* kunstig,
kunst- (fx *manure* gødning);
~ *respiration* s kunstigt ån-
dedræt.
artillery [ɑ:'tiləri] s artilleri.
artisan ['ɑ:tizæn] s håndvær-
ker.
artist ['ɑ:tist] s kunstner; ~**ic**
[-'tistik] *adj* kunstnerisk; ~**ry**
['ɑ:tistri] s kunstnerisk dyg-
tighed.
artless ['ɑ:tlis] *adj* ukunstlet,
naturlig.
arts [ɑ:ts] *spl: the* ~ de huma-
nistiske videnskaber; *faculty
of* ~ humanistisk fakultet;
the (fine) ~ de skønne kun-
ster.
as [æz, əz] *adv/konj* som, lige-
som; da; mens; så; *twice* ~
big ~ dobbelt så stor som; *big*
~ *it is* hvor stort det end er;
~ *she said* som hun sagde; ~

if (el. *though*) som om; ~ *for*
(el. *to*) hvad angår; ~ *long* ~
så længe (som) *(for)* ~ *much*
~så meget som, så vidt som;
~ *soon* ~så snart (som); ~
such som sådan; ~ *well* også;
~ *well* ~såvel som; ~ *yet*
endnu.
ascend [ə'sɛnd] *v* stige (op);
bestige; ~**ancy** s overherre-
dømme; **ascension** s opstig-
ning; **Ascension Day** s Kristi
Himmelfartsdag; **ascent** s
stigning; bestigning.
ascertain [æsə'tein] *v* forvisse
sig om; konstatere.
ascetic [ə'sɛtik] s asket // *adj*
asketisk.
ascribe [ə'skraib] *v:* ~ *to* til-
skrive, tillægge.
ash [æʃ] s ask(etræ); (oftest i
pl: ashes) aske.
ashamed [ə'ʃeimd] *adj* skam-
fuld, flov; *be* ~ *of* skamme
sig over.
ashore [ə'ʃɔː'] *adv* i land.
ashtray ['æʃtrei] s askebæger.
Asia ['eiʃə] s Asien; ~ *Minor*
Lilleasien; ~**n** s asiat // *adj*
asiatisk; **a~tic** [eisi'ætik] *adj*
asiatisk.
aside [ə'said] s sidebemærk-
ning // *adj* til side; ~ *from*
bortset fra.
ask [ɑːsk] *v* spørge; bede; invi-
tere; kræve; ~ *sby to do sth*
bede en gøre ngt; ~ *sby a-
bout sth* spørge en om ngt; ~
sby out invitere en ud; ~ *for*
spørge efter; bede om; *he was*
~*ing for it* han har selv været

ude om det.
askance [ə'skɑːns] *adv: look*
~ *at sby* se skævt til en.
asleep [ə'sliːp] *adj* sovende; *be*
~*sove; fall* ~ falde i søvn.
asparagus [ə'spærəgəs] s
asparges.
aspect ['æspɛkt] s udseende;
synsvinkel; aspekt; beliggen-
hed.
aspen ['æspən] s asp(etræ).
asphalt ['æsfəlt] s asfalt; ~
paper s tagpap.
asphyxiate [æs'fiksieit] *v* kvæ-
le; blive kvalt.
aspiration [æspə'reiʃən] s ån-
dedrag, indånding; forhåb-
ning, stræben; **aspire**
[ə'spaiə*] *v: aspire to* stræbe
efter.
ass [æs] s æsel; *(fig)* fjols,
kvaj; *make an* ~ *of oneself*
kvaje sig.
assail [ə'seil] *v* overfalde; an-
gribe; ~**ant** s voldsmand, an-
griber.
assassin [ə'sæsin] s (snig)-
morder; ~**ate** *v* myrde; ~**a-
tion** [-'nei ʃən] s (snig)mord.
assault [ə'sɔːlt] s angreb, over-
fald; voldtægtsforsøg // *v* an-
gribe, overfalde; ~ *(and bat-
tery) (jur)* vold; legemsbeska-
digelse.
assemble [ə'sɛmbl] *v* samle,
montere; samles; **assembly**
[ə'sɛmbli] s samling, monta-
ge; forsamling; **assembly line**
s samlebånd.
assent [ə'sɛnt] s samtykke // *v*
samtykke *(to* i).

assert [əˈsəːt] v påstå; hævde; bedyre; **~ion** [-ˈsəːʃən] s påstand; **~ive** adj påståelig; selvhævdende.

assess [əˈsɛs] v vurdere; opgøre; **~ment** s vurdering; beskatning; **~or** s ligningsmand; vurderingsmand.

asset [ˈæset] s aktiv; fordel; **~s** spl formue.

assign [əˈsain] v udpege; anvise; overdrage; tillægge; pålægge; **~ment** s opgave, hverv; overdragelse.

assimilate [əˈsimileit] v optage; opsuge; fordøje; **assimilation** [-ˈleiʃən] s optagelse; assimilation.

assist [əˈsist] v hjælpe, medvirke; **~ at** overvære; **~ance** s hjælp, bistand; medvirkning; **~ant** s assistent; (med)hjælper.

assizes [əˈsaiziz] spl (gl) assiseret; (i Skotland) nævningeret.

associate s [əˈsəuʃiit] medarbejder; kollega; medlem // v [əˈsəuʃieit] forbinde, forene // adj [əˈsəuʃiit] tilknyttet; associeret; **~ with** omgås; **association** [-ˈeiʃən] s tilknytning; forening; **association football** s fodbold.

assort [əˈsɔːt] v sortere; assortere; **~ed** adj blandede (fx chocolates chokolader).

assume [əˈsjuːm] v antage; iføre sig; overtage; påtage sig; foregive; **~d name** påtaget navn; **~ one's teeth** sætte

protesen på plads; **assuming** adj vigtig; assuming that under forudsætning af at.

assumption [əˈsʌmpʃən] s antagelse; forudsætning; overtagelse; påtagethed; overlegenhed; **A~** s himmelfart.

assurance [əˈʃuərəns] s forsikring; overbevisning; selvsikkerhed; **assure** [əˈʃuəˈ] v forsikre; garantere; overbevise.

astonish [əsˈtɔniʃ] v forbavse, forbløffe; **~ment** s forbavselse.

astound [əˈstaund] v overraske; lamslå.

astray [əˈstrei] adv: go ~ fare vild; (fig) komme på gale veje.

astride [əˈstraid] adv overskrævs // præp overskrævs på.

astringent [əˈstrindʒənt] s adstringerende middel // adj sammensnerpende; skarp.

astrologer [əˈstrɔlədʒəˈ] s astrolog; **astrology** s astrologi.

astronomer [əˈstrɔnəməˈ] s astronom; **astronomy** s astronomi.

astute [əsˈtjuːt] adj snedig, dreven.

asylum [əˈsailəm] s tilflugtssted, asyl; lunatic ~ (gl) sindssygeanstalt.

at [æt, ət] præp på; i; ved; hos; ad; til; ~ the baker's hos bageren; ~ school i skole(n); ~ table ved bordet; be ~

table sidde til bords; ~ *times* til tider; ~ *that* oven i købet; tilmed; *laugh* ~ le ad; *throw stones* ~ *sby* kaste sten efter en; *sell sth* ~ *50p* sælge ngt for 50 p; *what are you* ~ *now?* hvad laver du nu? *what are you driving* ~*?* hvad hentyder du til?

ate [eit] *præt af* eat.

Athens ['æθinz] *s* Athen.

athlete ['æθliːt] *s* idrætsmand, atlet; ~'s foot *s* fodsvamp; **athletic** [-'lɛtik] *adj* idræts-; atletisk; **athletics** [-'lɛtiks] *spl* fri idræt; atletik.

Atlantic [ət'læntik] *s: the* ~ *(Ocean)* Atlanterhavet // *adj* atlanterhavs-.

atmosphere ['ætməsfiə°] *s* atmosfære; *(fig)* stemning; **atmospheric** [-'fɛrik] *adj* atmosfærisk; *atmospherics pl (radio, tv)* atmosfæriske forstyrrelser.

atom ['ætəm] *s* atom; *not an* ~ *of* ikke skygge af; ~**ic** [ə'tɔmik] *adj* atom-; ~**ic bomb** *s* atombombe; ~**ic energy** *s* atomkraft; ~**izer** ['ætəmaizə°] *s* sprayflaske.

atone [ə'təun] *v:* ~ *for* bøde for; gøre godt igen; ~**ment** *s* bod; forsoning.

atrocious [ə'trəuʃəs] *adj* grusom; rædsom; **atrocity** [ə'trɔsiti] *s* grusomhed; *(fig)* rædsel.

attach [ə'tætʃ] *v* fastgøre; hæfte (sammen); vedføje; tilknytte; *be* ~*ed to sby* være

knyttet til en; ~**ment** *s* tilbehør; *(fig)* hengivenhed; tilknytning.

attack [ə'tæk] *s* angreb; anfald // *v* angribe; kaste sig over; gå i gang med; ~**er** *s* angriber.

attain [ə'tein] *v:* ~ *(to)* nå, opnå.

attempt [ə'tɛmpt] *s* forsøg // *v* forsøge; *make an* ~ *on sby's life* lave attentat mod en; ~**ed theft** *s (jur)* tyveriforsøg.

attend [ə'tɛnd] *v* deltage i; gå i (fx *church* kirke); tilse; passe; ~ *(up)on* pleje, være til rådighed for; ~ *to* lytte til; passe; tage sig af; ekspedere; ~**ance** *s* tilstedeværelse; tilsyn; betjening; ~**ant** *s* ledsager; tjener; deltager // *adj* tjenstgørende; ledsagende.

attention [ə'tɛnʃən] *s* opmærksomhed; pasning; *at* ~ *(mil)* i retstilling; *pay* ~ *to* lægge mærke til; sørge for; høre efter; **attentive** [-'tɛntiv] *adj* opmærksom; påpasselig.

attest [ə'tɛst] *v:* ~ *to* bevidne, attestere.

attic ['ætik] *s* loft(srum), pulterkammer.

attire [ə'taiə°] *s* dragt, antræk.

attitude ['ætitjuːd] *s* stilling; indstilling; holdning.

attorney [ə'təːni] *s* advokat; befuldmægtiget; *A~ General (brit)* medlem af regeringen og dennes juridiske rådgiver; (også:) svt. justitsminister; *power of* ~ fuldmagt.

attract [ə'trækt] *v* tiltrække;

a attraction 22

~ion ['-'trækʃən] s tiltrækning; attraktion; ~ive adj tiltrækkende; tiltalende.

attribute s ['ætribjuːt] attribut, egenskab // v [ə'tribjuːt] tilskrive, tillægge.

auburn ['ɔːbən] adj (om hår) kastaniebrun.

auction ['ɔːkʃən] s (også: sale by ~) auktion // v sælge på auktion; put sth up for ~ sætte ngt på auktion; ~eer [-'niə*] s auktionarius.

audacious [ɔː'deiʃəs] adj dristig, fræk; **audacity** [-'dæsiti] s dristighed, frækhed.

audible ['ɔːdibl] adj hørlig.

audience ['ɔːdiəns] s publikum; tilskuere; tilhørere; audiens.

audit ['ɔːdit] s revision // v revidere.

audition [ɔː'diʃən] s høreevne; høring; prøvesyngning (el. -spilning).

auditor ['ɔːditə*] s revisor.

auditorium [ɔːdi'tɔːriəm] s tilskuerpladser; auditorium; koncertsal.

augment [ɔːg'ment] v øge(s); gøre (el. blive) større.

August ['ɔːgəst] s august.

august [ɔː'gʌst] adj ærefrygtindgydende; ophøjet.

aunt [aːnt] s tante; ~ie, ~y s (kæleform af aunt) tante.

auspices ['ɔːspisiz] spl: under the ~ of under protektion af.

austere [ɔs'tiə*] adj barsk, streng.

Australia [ɔs'treiliə] s Australi-

en; ~n s australer // adj australsk.

Austria ['ɔːstriə] s Østrig; ~n s østriger // adj østrigsk.

authentic [ɔː'θentik] adj ægte, autentisk; ~ate v fastslå ægtheden af; legalisere.

author ['ɔːθə*] s forfatter; ophav(smand).

authoritarian [ɔːθɔri'teəriən] adj autoritær; **authoritative** [-'θɔritətiv] adj autoritativ, myndig; **authority** [ɔː'θɔriti] s myndighed; bemyndigelse; autoritet; the authorities myndighederne; **authorize** ['ɔːθəraiz] v bemyndige, autorisere.

authorship ['ɔːθəʃip] s forfattervirksomhed; oprindelse.

auto... [ɔː'təu-] sms: ~biography [-bai'ɔgrəfi] s selvbiografi; ~cratic [-'krætik] adj enevældig; ~graph ['ɔːtəgraːf] s autograf // v signere; ~matic [-'mætik] s automatpistol (el. -gevær) // adj automatisk; ~mation [-'meiʃən] s automatisering; ~maton [ɔː'tɔmətən] s (pl: automata) robot; ~nomous [ɔː'tɔnəməs] adj uafhængig, autonom; ~nomy [ɔː'tɔnəmi] s selvstyre.

autopsy ['ɔːtɔpsi] s obduktion.

autumn ['ɔːtəm] s efterår; ~al [ɔː'tʌmnəl] adj efterårs-.

auxiliary [ɔːg'ziliəri] s hjælper // adj hjælpe-; reserve-.

avail [ə'veil] s: of (el. to) no ~ til ingen nytte // v: ~ oneself

23 awry **a**

of benytte sig af; **~ability**
[-'biliti] *s* tilgængelighed;
~able *adj* disponibel; tilgæn-
gelig; gyldig; *every ~able
means* alle til rådighed ståen-
de midler.

avalanche ['ævəla:nʃ] *s* sne-
skred, lavine.

avarice ['ævəris] *s* havesyge,
griskhed; **avaricious** [-'riʃəs]
s grisk; grådig.

avenge [ə'vendʒ] *v* hævne.

average ['ævəridʒ] *s* gennem-
snit; middelværdi // *v* bereg-
ne gennemsnittet // *adj* gen-
nemsnitlig; middel-; *on ~* i
gennemsnit; *above* (el. *be-
low*) *~* over (el. under) gen-
nemsnittet; *~ out* udligne(s);
~ out at i gennemsnit blive.

averse [ə'və:s] *adj* utilbøjelig;
be ~ to ikke kunne lide at; *I
wouldn't be ~ to a drink* jeg
ville ikke have ngt imod en
drink; **aversion** [ə'və:ʃən] *s*
modvilje, uvilje, aversion; *pet
aversion* yndlingsaversion.

avert [ə'və:t] *v* vende bort;
afværge.

aviary ['eiviəri] *s* voliere.

aviation [eivi'eiʃən] *s* flyvning.

avid ['ævid] *adj* grisk, begærlig.

avoid [ə'void] *v* undgå, sky;
~able *adj* som kan undgås;
~ance *s* undgåelse.

avowed [ə'vaud] *adj* erklæret.

await [ə'weit] *v* afvente, vente
på; *~ events* afvente begi-
venhedernes gang.

awake [ə'weik] *v (awoke, awo-
ken* [ə'wəuk, ə'wəukn]) væk-

ke; vågne // *adj* vågen; *be ~
to* være klar over; være lyd-
hør overfor; **~ning**
[ə'weikəniŋ] *s* opvågnen.

award [ə'wo:d] *s* belønning,
præmie; kendelse // *v* beløn-
ne; *(jur)* tilkende, give.

aware [ə'weə*] *adj*: *~ of* klar
over; *become ~ of* blive klar
over; *politically ~* politisk
bevidst; **~ness** *s* viden; årvå-
genhed.

awash [ə'woʃ] *adj* overskyllet
(af vand); drivende (i vand);
~ with fuld af.

away [ə'wei] *adj/adv* væk; af
sted; bort(e); *Christmas is
two weeks ~* der er to uger til
jul; *he's ~ for a week* han er
væk i en uge; *far ~* langt væk
(el. borte); *pedal ~* cykle løs;
wither ~ visne hen; *do ~
with sby* skaffe en af vejen;
~ match *s (sport)* kamp på
udebane.

awe [o:] *s* ærefrygt; **~-inspi-
ring** *adj* respektindgydende;
~some *adj* skrækindjagende;
formidabel; **~-struck** *adj* ræd-
selslagen.

awful ['o:fəl] *adj* skrækkelig,
rædsom; mægtig, enorm.

awhile [ə'wail] *adv* en stund,
lidt.

awl [o:l] *s* syl.

awning ['o:niŋ] *s* solsejl; mar-
kise.

awoke, awoken [ə'wəuk,
ə'wəukn] *præt* og *pp* af *awa-
ke*.

awry [ə'rai] *adj/adv* skæv(t); *go*

a axe

24

~ slå fejl.

axe [æks] s økse // v hugge med økse; afskedige; skære ned.

axis ['æksis] s (pl: axes ['æksi:z]) akse.

axle [æksl] s (også: ~-tree) hjulaksel.

ay(e) [ai] interj ja; aye-aye, sir! (mar) javel! // s jastemme.

azure ['eiʒə*] adj himmelblå, azurblå.

B

B,b [bi:].

B.A. ['bi:'ei] fork.f. Bachelor of Arts.

babble [bæbl] s pludren // v pludre.

baboon [bə'bu:n] s bavian.

baby ['beibi] s spædbarn, baby; be left holding the ~ sidde tilbage med alt besværet; ~ish adj barnagtig; ~ minder s barnepige; dagplejemor.

bachelor ['bætʃələ*] s ungkarl; B~ of Arts (B.A.) humanistisk kandidat; B~ of Science (B.Sc.) matematisk-naturvidenskabelig kandidat.

back [bæk] s ryg; bagside; bageste del; (i fodbold) back // v gå baglæns; bakke; (også: ~ up) støtte; bakke op // adj bag-; ryg-; tilbage, igen; at the ~ of bagved; get up sby's ~ gøre en vred; he's ~ han er kommet tilbage; can I have it ~? må jeg få den igen? put ~ the meal udsætte måltidet;

~ out trække sig ud; springe fra; ~**ache** s hold (el. ondt) i ryggen; ~**bencher** s menigt medlem (af parlamentet);

~**biting** s bagtalelse; ~**bone** s rygrad; ~**date** v baguddatere; ~dated pay rise lønstigning med tilbagevirkende kraft; ~**er** s bagmand; støtte; ~**fire** v kikse; give bagslag; (om motor) sætte ud; ~**ground** s baggrund; ~**hand** s (sport) baghånd(sslag); ~**ing** s støtte, opbakning; ~**lash** s tilbageslag; bagslag; ~**log** s efterslæb; ugjort arbejde; ~ number s gammelt nummer (af blad·etc); ~ **pay** s efterbetaling; ~ **rent** s huslejerestance; ~**side** s bagside; (F) bagdel; ~**stitch** s stikkesting; ~**stroke** s rygsvømning; ~ **up** s støtte, medhold; ~**ward** adj tilbage, baglæns; (fig) tilbagestående; tilbageholdende; ~**wards** adv tilbage, bagover; bagfra; ~**water** s dødvande; afkrog; ~**yard** s baggård.

bacteria [bæk'tiəriə] spl bakterier.

bad [bæd] adj (worse, worst [wə:s, wə:st]) slem; dårlig; ond; grim; fordærvet; his ~ leg hans dårlige ben; that's too ~ det er en skam; det er for galt; feel ~ about sth være ked af ngt; ~**dy** s (F) skurk.

bade [beid] præt af bid.

badge [bædʒ] s mærke, emblem; politiskilt.

badger ['bædʒə*] s grævling // v plage, chikanere.

badly ['bædli] adv slemt; dårligt; ~ wounded hårdt såret; need sth ~ trænge stærkt til ngt; be ~ off være dårligt stillet.

bad-tempered ['bæd͵tempəd] adj i dårligt humør, sur.

baffle [bæfl] v forvirre; forbløffe.

bag [bæg] s taske; pose; sæk; kuffert // v (F) få fat i; snuppe; ~ful s posefuld.

baggy ['bægi] adj poset; løsthængende.

bagpipes ['bægpaips] spl sækkepibe.

bag snatcher ['bægsnætʃə*] s tasketyv.

bail [beil] s kaution; løsladelse mod kaution // v gå i kaution for; (også: ~ out) løslade mod kaution; (om båd) øse, lænse (se også bale).

bailiff ['beilif] s foged; forvalter.

bait [beit] s lokkemad; mading // v lokke; tirre, plage; rise to the ~ bide på krogen.

bake [beik] v bage; ovnstege; ~d beans spl bønner i tomatsovs; ~r s bager; ~ry s bageri; **baking powder** s bagepulver.

balance ['bæləns] s balance, ligevægt; saldo; vægt // v balancere; afbalancere; afveje; opveje; udligne; ~ of trade handelsbalance; ~ of payment betalingsbalance; ~d adj afbalanceret; ~ **sheet** s statusopgørelse.

balcony ['bælkəni] s altan; balkon.

bald [bɔːld] adj skaldet; bar, nøgen.

balderdash ['bɔːldədæʃ] s sludder, vrøvl.

ball [bɔːl] s bal; bold; kugle; have a ~ (F) have det skægt; a ~ of wool et nøgle garn.

ballad ['bæləd] s folkevise.

ball-bearing ['bɔːl'bεəriɳ] s kugleleje.

ballet ['bælei] s ballet.

ball game ['bɔːlgeim] s boldspil.

balloon [bə'luːn] s ballon; (i tegneserie) taleboble.

ballot ['bælət] s (hemmelig) afstemning; valgresultat; ~ **box** s stemmeurne; ~ **paper** s stemmeseddel.

ball-point (pen) ['bɔːlpɔint ('pεn)] s kuglepen.

ballroom ['bɔːlrum] s balsal; ~ **dancing** s selskabsdans.

balls [bɔːls] spl (V) nosser.

balm [baːm] s balsam; (bot) citronmelisse; ~y adj balsamisk; livsalig; (F) d.s.s. barmy.

Baltic ['bɔːltik] s: the ~ (Sea) Østersøen // adj baltisk, østersø-.

bamboo [bæm'buː] s bambus.

ban [bæn] s bandlysning // v forbyde; bandlyse; the footballplayer was ~ned for six weeks fodboldspilleren fik seks ugers karantæne.

banana [bəˈnɑːnə] s banan; go ~s (F) blive skør.

band [bænd] s bånd, stribe; bande; flok; band // v: ~ together slutte (sig) sammen.

bandage [ˈbændidʒ] s forbinding, bandage // v forbinde.

bandwagon [ˈbændwægən] s: jump on the ~ (fig) hoppe med på vognen.

bandy [ˈbændi] v udveksle; ~ about slå om sig; **~-legged** [-lɛgd] adj hjulbenet.

bang [bæŋ] s brag, knald; smæk; hårdt slag // v slå (hårdt); smække (i); banke; ~ the door dundre på døren; smække med døren; **~er** s kanonslag; (F) pølse; (om bil) skramlekasse; **~ers and mash** (F) pølser med kartofelmos.

banish [ˈbæniʃ] v forvise, forjage; bandlyse.

banister [ˈbænistə*] s (oftest i pl: ~s) gelænder.

bank [bæŋk] s bank; (om flod etc) bred; (om jord etc) vold; dige // v sætte i banken; (om fly) krænge; they ~ with Pitt's er deres bankforbindelse; ~ on (F) stole på, regne med; ~ **account** s bankkonto; B~ **Holiday** s (brit) alm. fridag (hvor bankerne holder lukket); **~ing** s bankvæsen; bankvirksomhed; **~ing hours** spl bankernes åbningstider; **~note** s pengeseddel; ~ **rate** s diskonto.

bankrupt [ˈbæŋkrʌpt] s person som er gået fallit, fallent // adj fallit, bankerot; **~cy** [ˈbæŋkrʌpsi] s konkurs, bankerot.

banns [bænz] spl lysning (til ægteskab); read the ~ lyse til ægteskab.

banquet [ˈbæŋkwit] s banket; festmiddag; **~(ing) hall** s festsal.

baptism [ˈbæptizm] s dåb; **baptize** [ˈbæptaiz] v døbe.

bar [bɑː*] s stang, tremme; vinduessprosse; stykke (fx of chocolate chokolade); bom; hindring; bar, bardisk; (mus) takt; (på mål) overligger // v spærre; stænge; udelukke; forbyde; the B~ (jur) advokatstanden; be called to the B~ få advokatbeskikkelse; ~ none udelukkende, alt medregnet.

barbarian [bɑːˈbɛəriən] s barbar // adj barbarisk; **barbarous** [ˈbɑːbərəs] adj barbarisk.

barbed wire [ˈbɑːbdˈwaiə*] s pigtråd.

bar code [ˈbɑːˈkəud] s (edb) stregkode.

bard [bɑːd] s skjald // v (gastr) spække.

bare [bɛə*] v blotte; blotlægge // adj bar, nøgen; kneben; the ~ essentials det nødtørftigste; the ~ facts de nøgne fakta; ~ of blottet for; **~back** adj uden sadel; **~faced** adj skamløs; **~foot** adj/adv barfodet; barfods-;

~headed adj/adv barhovedet; **~ly** adv sparsomt; med nød og næppe.

bargain ['bɑ:gin] s handel; køb; god forretning // v købslå; forhandle; bytte; into the ~ oven i købet; ~ for regne med.

barge [bɑ:dʒ] s pram // v mase; ~ in brase ind; ~ into løbe 'på.

bark [bɑ:k] s (på træ) bark; (H) båd; (om hund) gøen // v afbarke; gø, bjæffe.

barley ['bɑ:li] s (bot) byg.

barmaid ['bɑ:meid] s bardame; **barman** s bartender.

barmy ['bɑ:mi] adj (F) skør, bims.

barn [bɑ:n] s lade.

baron ['bærən] s baron; **~ess** s baronesse.

barracks ['bærəks] spl kaserne.

barrage ['bæra:ʒ] s spærreild; ['bæridʒ] dæmning, spærring.

barrel ['bærəl] s tønde; tromle; (om skydevåben) løb; ~ **organ** s lirekasse.

barren ['bærən] adj ufrugtbar, gold; nøgen; tom.

barricade ['bæri'keid] s barrikade // v barrikadere.

barrier ['bæriə°] s barriere; afspærring; skranke.

barrister ['bæristə°] s (procederende) advokat.

barrow ['bærəu] s gravhøj; (også: wheel~) trillebør.

base [beis] s basis, grundlag; base // v basere // adj lav,

gemen; coffee-~d baseret på kaffe; a London-~d firm et firma med hovedkvarter i London; **~less** adj grundløs, ubegrundet; **~ment** s sokkel; underetage, kælderetage.

bases ['beisi:z] spl af basis; ['beisiz] spl af base.

bash [bæʃ] v (F) slå, hamre; ~ed in smadret; **~ful** adj genert, undselig; **~ing** s (F) tæv.

basic ['beisik] adj fundamental, grundlæggende; basal; **~ally** adv i grunden.

basin ['beisin] s kumme; fad; bassin.

basis ['beisis] s (pl: bases [-'si:z]) basis, grundlag.

bask [bɑ:sk] v: ~ in the sun sole sig, dase.

basket ['bɑ:skit] s kurv; ~ **chair** s kurvestol.

bass [beis] s bas.

bassoon [bə'su:n] s (mus) fagot.

bastard ['bɑ:stəd] s bastard, uægte barn; (F, om person) lort // adj uægte.

baste [beist] v ri, kaste; (gastr) dryppe (fx en steg).

bat [bæt] s boldtræ; ketsjer, bat; (zo) flagermus // v slå; blinke med; he didn't ~ an eyelid (F) han fortrak ikke en mine; have ~s in the belfry (F) have knald i låget.

batch [bætʃ] s portion, parti; bunke.

bated ['beitid] adj: with ~ breath med tilbageholdt åndedræt.

b bath

bath [bɑːθ] s (pl: ~s [bɑːðz]) bad, badekar // v give et bad, bade; ~s pl svømmehal, badeanstalt; have a ~ tage bad; run a ~ tappe vand i badekarret.

bathe [beið] v gå i vandet, bade; ~r s badende.

bathing ['beiðiŋ] s badning; ~cap s badehætte; ~ costume s badedragt.

bath... ['bɑːθ-] sms: ~mat s bademåtte; ~room s badeværelse; ~ towel s badehåndklæde.

baton ['bætən] s stav; politistav; (mus) taktstok.

batter ['bætə*] s (gastr) tynd dej (til pandekager etc) // v slå; ~ed adj medtaget, ramponeret; ~ed wife (el. child) voldsramt hustru (el. barn); ~ing ram s murbrækker.

battery ['bætəri] s batteri; (assault and) ~ (jur) legemsbeskadigelse.

battle ['bætl] s kamp, slag // v kæmpe; bekæmpe; ~field s slagmark; ~ment s brystværn (med murtinder); ~ship s slagskib.

bawdy ['bɔːdi] adj sjofel.

bawl [bɔːl] v brøle, vræle.

bay [bei] s (hav)bugt, indskæring; (bot) laurbær(træ); hold (el. keep) at ~ holde stangen; ~ leaf s laurbærblad; ~ window s karnap.

bazaar [bəˈzɑː*] s basar.

B.&B., b.&b. fork.f. bed and breakfast.

BBC ['biːˈbiːˈsiː] s fork.f. British Broadcasting Corporation.

B.C. ['biːˈsiː] adv (fork.f. before Christ) før Kristi fødsel (f.Kr.).

be [biː] v (præs: I am, you are, he (,she, it) is; we (, you, they) are; præt: I was, you were, he (, she, it) was, we (, you, they) were; pp: been) være (til); findes; befinde sig; blive; how are you? hvordan har du det? I am warm jeg har det varmt; it is cold det er koldt; how much is it? hvor meget koster det? how much are the tomatoes? hvor meget koster tomaterne? they are 50p a pound de koster 50 p pundet; two and two are four to og to er fire; how is it that...? hvordan kan det være at...? that is... det vil sige...; let it be lad det være; have you been to London? har du været i London?

beach [biːtʃ] s strand; land // v landsætte; ~wear s strandtøj.

beacon ['biːkən] s fyr; sømærke, vager.

bead [biːd] s perle; a string of ~s en perlekæde; ~y-eyed adj med små stikkende øjne.

beak [biːk] s næb, tud.

beam [biːm] s bjælke; bom; stråle // v stråle; ~ing adj strålende.

bean [biːn] s bønne; full of ~s fuld af krudt.

bear [bɛə*] s bjørn // v (bore, born(e) [bɔː*, bɔːn]) bære;

udholde; føde; ~ *right* (el. *left)* holde til højre (el. venstre); ~ *comparison with* tåle sammenligning med; ~ *up* holde modet oppe; klare sig; *bring to* ~ tage i brug; gøre gældende; **~able** *adj* tålelig.
beard [biəd] *s* skæg; **~ed** *adj* skægget.
bearer ['bɛərə*] *s* bærer; ihændehaver; overbringer.
bearing ['bɛəriŋ] *s* holdning; fremtræden; betydning; retning; *(tekn)* leje; *(ball)* ~*s* kugleleje; *take a* ~ orientere sig; tage pejling; *find one's* ~*s* finde ud af hvor man står (el. er).
beast [bi:st] *s* dyr, bæst; **~ly** *adj* væmmelig, modbydelig.
beat [bi:t] *s* slag; banken; taktslag, rytme; (om politibetjent) runde // *v (beat, beaten)* slå; banke; *off the* ~*en track* afsides; væk fra alfarvej; ~ *about the bush* komme med udflugter; ~ *it* stikke af; ~ *time* slå takt; *it* ~*s me* det går over min forstand; ~ *off* slå tilbage; ~ *up* (F) gennembanke; ~ *up eggs* piske æg; ~**er** *s* (hjul)pisker; (også: *carpet* ~*)* tæppebanker; **~ing** *s* tæv, prygl.
beautician [bju:'tiʃən] *s* skønhedsekspert.
beautiful ['bju:tiful] *adj* smuk, dejlig.
beauty ['bju:ti] *s* skønhed; pragtstykke; ~ *parlour,* ~ *salon* *s* skønhedsklinik; ~

spot *s* skønhedsplet; naturskønt sted.
beaver ['bi:və*] *s (zo)* bæver.
became [bi'keim] *præt* af *become.*
because [bi'kɔz] *konj* fordi, da, eftersom; ~ *of* på grund af.
beck ['bɛk] *s* vink; *be at sby's* ~ *and call* stå på pinde for en; **~on** *v* vinke; gøre tegn.
become [bi'kʌm] *v* blive; klæde; sømme sig for; ~ *fat* blive fed; *what's* ~ *of him?* hvad er der blevet af ham? *that dress* ~*s you* den kjole klæder dig; **becoming** *adj* passende, klædelig.
bed [bed] *s* seng; (i have) bed; *(geol)* leje; *go to* ~ gå i seng; ~ *and breakfast (B.&B., b.&b.)* værelse og morgenmad; **~clothes** *spl* sengetøj; **~cover** *s* sengetæppe; **~ding** *s* sengetøj; sengeudstyr; underlag.
bed... *sms:* ~ **linen** *s* sengelinned; **~pan** *s* bækken; **~post** *s* sengestolpe; **~ridden** *adj* sengeliggende; **~room** *s* soveværelse; **~side** *s* sengekant; **~side book** *s* godnatlekture; **~sit(ter)** *s* etværelses lejlighed; **~sore** *s* liggesår; **~spread** *s* sengetæppe; **~stead** *s* sengested.
bee [bi:] *s* bi; *have a* ~ *in one's bonnet* have en fiks idé; (F) være blød i bolden.
beech [bi:tʃ] *s* bøg(etræ); **~wood** *s* bøgeskov; (materia-

let) bøgetræ.

beef [biːf] s oksekød; okse // v: ~ **about sth** (F) brokke sig over ngt; ~**steak** s bøf; ~**y** adj kraftig; velnæret.

beehive ['biːhaiv] s bikube; **bee keeper** s biavler.

been [biːn] pp af be.

beer [biə*] s øl; it's all small ~ (F) det er bare pebernødder; ~ **belly** s ølmave; ~**mat** s ølbrik; ~**mug** s ølkrus.

beetle [biːtl] s bille.

beetroot ['biːtruːt] s rødbede; **beet sugar** s roesukker.

befall [bi'fɔːl] v tilstøde; hænde; overgå.

befit [bi'fit] v passe til; passe sig.

before [bi'fɔː*] præp før, inden; foran; forud (for); fremfor; the week ~ ugen før; I've seen it ~ jeg har set det før; ~ long inden længe; sit ~ the mirror sidde foran spejlet.

beg [bɛg] v tigge, bede, bønfalde; ~ **leave to** bede om lov til; tillade sig at; ~ **for mercy** tigge om nåde.

began [bi'gæn] præt af begin.

beggar ['bɛgə*] s tigger; poor ~! stakkels fyr!

begin [bi'gin] v (began, begun [bi'gæn, bi'gʌn]) begynde; to ~ **with** til at begynde med; for det første; ~**ner** s begynder; ~**ning** s begyndelse.

begrudge [bi'grʌdʒ] v: ~ **sby sth** misunde en ngt; ikke unde en ngt.

begun [bi'gʌn] pp af begin.

behalf [bi'hɑːf] s: on ~ of sby på ens vegne.

behave [bi'heiv] v opføre sig (ordentligt); optræde; well ~d velopdragen; **behaviour** [bi'heiviə*] s opførsel, optræden, adfærd.

behead [bi'hɛd] v halshugge.

beheld [bi'hɛld] præt og pp af behold.

behind [bi'haind] s (F) bagdel // adv/præp bagefter; bagud; bagved // præp bag; from ~ bagfra; look ~ se sig tilbage; ~**hand** adj bagefter, bagud.

behold [bi'həuld] v se, betragte.

being ['biːiŋ] s væsen; tilværelse; come into ~ blive til // adj: for the time ~ indtil videre, foreløbig.

belch [bɛltʃ] v bøvse, ræbe; ~ **out** udspy.

belfry ['bɛlfri] s klokketårn; have bats in the ~ (F) have knald i låget.

Belgian ['bɛldʒən] s belgier // adj belgisk; **Belgium** ['bɛldʒəm] s Belgien.

belief [bi'liːf] s tro; anskuelse; mening; it is past all ~ det er utroligt; **believe** [bi'liːv] v tro (in på); make believe lade som om; **believer** s troende; tilhænger.

belittle [bi'litl] v forklejne; nedvurdere.

bell [bɛl] s klokke; bjælde; ring (el. sound) the ~ ringe med (el. på) klokken; his name rings a ~ hans navn virker bekendt.

belligerent [bɪ'lidʒərənt] *adj* krigerisk; krigsførende.

bellow ['bɛləʊ] *v* brøle.

bellows ['bɛləʊz] *s* blæsebælg.

belly ['bɛli] *s* mave, vom; bug; ~ **ache** *s* mavepine // *v* (F) brokke sig; **~flop** *s* 'maveplaster'.

belong [bɪ'lɒŋ] *v:* ~ *to* tilhøre; høre til; ~ *together* høre sammen; **~ings** *spl* ejendele; tilbehør.

beloved [bɪ'lʌvid] *s* elskede // *adj* elsket.

below [bɪ'ləʊ] *adv/præp* nedenunder; nede; nedenfor; under; *from* ~ nedefra.

belt [bɛlt] *s* bælte; livrem; *(tekn)* drivrem // *v* slå, tæve; (F) flintre af sted.

bench [bɛntʃ] *s* bænk; høvlebænk; *the B~ (jur)* domstolen, retten.

bend [bɛnd] *s* bøjning; (vej)sving; kurve; (om rør) knæk // *v* (bent, bent) bøje (sig); krumme (sig); svinge, dreje; *go round the* ~ (F) blive skrupskør; ~ *over* bøje sig fremover; ~ *over backwards to do sth* stå på hovedet for at gøre det rigtige.

beneath [bɪ'ni:θ] *adv* nedenunder; nedenfor // *præp* under; ~ *contempt* under al kritik; uværdig; *it was* ~ *him to...* det lå under hans værdighed at...

benediction [bɛnɪ'dikʃən] *s* velsignelse.

benefactor ['bɛnɪfæktə*] *s* velgører.

beneficial [bɛnɪ'fiʃəl] *adj* gavnlig; fordelagtig.

benefit ['bɛnɪfit] *s* fordel; nytte, gavn; støtte, understøttelse // *v* gavne; ~ *from* få gavn af; nyde godt af; lære af; ~ **performance** *s* velgørenhedsforestilling.

benevolence [bɪ'nɛvələns] *s* velvilje; godgørenhed; **benevolent** *adj* velvillig; godgørende.

benign [bɪ'nain] *adj* venlig; gavnlig; *(med)* godartet.

bent [bɛnt] *s* tilbøjelighed, hang // *præt* og *pp* af *bend* // *adj* krum, bøjet; buet; *be* ~ *on sth* være opsat på ngt.

bequeath [bɪ'kwi:ð] *v* testamentere; lade gå i arv.

bereaved [bɪ'ri:vd] *v: the* ~ de (sørgende) efterladte; **bereavement** *s* sorg; tab (ved dødsfald).

berry ['bɛri] *s* bær.

berth [bə:θ] *s* køje; kajplads, ankerplads // *v (mar)* lægge 'til.

beseech [bɪ'si:tʃ] *v (besought, besought)* [bɪ'sɔ:t] bønfalde, trygle.

beside [bɪ'said] *præp* ved siden af; *be* ~ *oneself with anger* være ude af sig selv af vrede; **~s** *adv* desuden; for øvrigt // *præp* foruden.

besiege [bɪ'si:dʒ] *v* belejre; *(fig)* overvælde.

besought [bɪ'sɔ:t] *præt* og *pp*

b best

af *beseech.*

best [bɛst] *adj/adv (sup* af *good)* bedst; mest; højest; *the ~ part* af størstedelen af; *at ~* i bedste fald; *make the ~ of sth* få det mest mulige ud af ngt; *to the ~ of my knowledge* så vidt jeg ved; *to the ~ of my ability* så godt jeg kan; *~ man* s forlover.

bestow [biˈstəu] *v* skænke; overdrage.

bet [bɛt] *s* væddemål // *v (bet, bet* el. *~ted, ~ted)* vædde; *make a ~* lave et væddemål; *you ~ I do!* det kan du tro (el. bande på) at jeg gør!

betray [biˈtrei] *v* forråde; røbe; svigte; **~al** *s* forræderi; svig.

betrothal [biˈtrəuðəl] *s* (H) trolovelse.

better [ˈbɛtə*] *v* forbedre; (om rekord) slå // *adj (komp* af *good)* bedre; mere; *get the ~ of sby* vinde over en; *you had ~ go now* du må hellere gå nu; *he thought ~ of it* han kom på bedre tanker; *get ~* blive (el. få det) bedre; *~ off* bedre stillet.

betting [ˈbɛtiŋ] *s* væddemål; *~ shop* s indskudsbod (for fx tips, trav etc).

between [biˈtwiːn] *adv/præp* (i)mellem; *in ~* imd imellem; *~ you and me* mellem os sagt.

beverage [ˈbɛvəridʒ] *s* drik.

beware [biˈwɛə*] *v: ~ (of)* passe på; vogte sig (for).

bewildered [biˈwildəd] *adj* for-virret; desorienteret.

bewitch [biˈwitʃ] *v* forhekse; fortrylle; **~ing** *adj* fortryllende.

beyond [biˈjɔnd] *adv* hinsides; på den anden side; længere // *præp* på den anden side af; ud over; over; *~ doubt* uden for enhver tvivl; *~ repair* som ikke kan repareres mere; *it's ~ me* det går over min forstand.

bias [ˈbaiəs] *s* forudindtaget-hed; partiskhed; **~(s)ed** *adj* forudindtaget; partisk.

bib [bib] *s* hagesmæk.

Bible [baibl] *s* bibel; **biblical** [ˈbiblikəl] *adj* bibelsk.

bicker [ˈbikə*] *v* småskændes.

bicycle [ˈbaisikl] *s* cykel // *v* cykle; *ride a ~* køre på cykel; *~ clip* s cykelklemme.

bid [bid] *s* bud; tilbud // *v (bade* el. *bid, bidden* [bæd el. bid, bidn]) byde; befale; *~ sby welcome* byde en velkommen; **~der** *s: the highest ~der* den højstbydende; **~ding** *s* bud; befaling.

bide [baid] *v: ~ one's time* se tiden an.

biennial [biˈenjəl] *adj* to-årig (fx *plant* plante); som sker hvert andet år.

big [big] *adj* stor; kraftig; *be ~ with young* være drægtig.

bigamy [ˈbigəmi] *s* bigami.

big. . . [ˈbig-] *sms:* **~headed** *adj* indbildsk; **~-hearted** *adj* ædelmodig.

bigwig [ˈbigwig] *s* (F) stor ka-

non, ping.
bike [baik] *s* cykel.
bilberry ['bilbəri] *s* blåbær.
bile [bail] *s* galde.
bilingual [bai'liŋgwəl] *adj* to-
sproget.
bill [bil] *s* regning; pengesed-
del; plakat; lovforslag; næb;
fit (el. *fill*) *the* ~ opfylde
forventningerne; ~ *of fare*
menu; **~board** *s* plakattavle.
billiards ['biljədz] *spl* billard.
billion ['biljən] *s (brit)* billion;
(am) milliard.
bin [bin] *s* bøtte; kasse; (også:
dust~) skraldebøtte; *bread~*
brødkasse.
bind [baind] *v (bound, bound*
[baund]) binde; indbinde;
forpligte; **~ing** *s* indbinding
// *adj* bindende.
binoculars [bi'nɔkjuləz] *spl*
kikkert.
bio. . . ['baiəu-] *sms:* **~chemi-
stry** [-'kɛmistri] *s* biokemi; **~
degradable** [-di'greidəbl] *adj*
biologisk nedbrydelig;
~graphy [bai'ɔgrəfi] *s* biogra-
fi; **~logist** [bai'ɔlədʒist] *s* bi-
olog.
birch [bə:tʃ] *s* birk(etræ).
bird [bə:d] *s* fugl; (F, om pige)
dulle, larve; *old* ~ (F) gam-
mel støder; gamle jas; ~ *of
prey* rovfugl; **~cage** *s* fugle-
bur; **~'s-eye-view** *s* fugleper-
spektiv; **~table** *s* foderbræt;
~ **watcher** *s* ornitolog;
~watching *s: go ~watching*
tage på fugletur; (S) tage ud
og se på damer.

birth [bə:θ] *s* fødsel; herkomst;
~ **certificate** *s* fødselsattest;
dåbsattest; ~ **control** *s* bør-
nebegrænsning; **~day** *s* fød-
selsdag; **~place** *s* fødested; ~
rate *s* fødselshyppighed, fød-
selstal.
biscuit ['biskit] *s* småkage,
kiks.
bisect [bai'sɛkt] *v* gennem-
skære; skære over (i to dele).
bishop ['biʃəp] *s* biskop; **~ric** *s*
bispedømme.
bit [bit] *s* bid, stykke; smule;
(om hest) bidsel // *præt* af
bite; a ~ en smule; lidt; *not a*
~ ikke spor; *do one's* ~ gøre
sit; gøre sin del; *that's a* ~
much det er lovlig skrapt; *go
to* ~*s* gå i stykker.
bitch [bitʃ] *s* (om hund) tæve,
hunhund; (om kvinde, *neds)*
mær, harpe; *son of a* ~ (V!)
(forbandet) satan.
bite [bait] *s* bid; stik; mund-
fuld // *v (bit, bitten* [bit, bitn])
bide; stikke; *let's have a* ~
(to eat) lad os få en mundfuld
mad; *what's biting you?* hvad
er der i vejen?
bitten [bitn] *pp* af *bite.*
bitter ['bitə*] *s* slags fadøl //
adj bitter; skarp; *to the* ~
end til den bitre ende.
black [blæk] *s* sort; neger // *v*
sværte; pudse (fx sko); (i in-
dustrien) boykotte; sætte på
den sorte liste // *adj* sort,
mørk; *give sby a* ~ *eye* give
en et blåt øje; ~ *and blue*
(slået) gul og grøn; ~ *out*

mørkelægge; ~**berry** s brombær; ~**bird** s solsort; ~**board** s (skole)tavle; ~**currant** s solbær; ~**en** v blive (el. gøre) sort; formørke(s); ~ **ice** s isslag; ~**leg** s skruebrækker; ~**list** v sætte på den sorte liste; ~**mail** s pengeafpresning // v: ~*mail sby* presse penge af en; ~ **market** s sortbørs; ~**out** s mørkelægning; strømafbrydelse; besvimelse; *the* **B~ Sea** s Sortehavet; ~**smith** s grovsmed.

bladder ['blædə*] s blære.

blade [bleid] s (om fx kniv, åre) blad; *a ~ of grass* et græsstrå.

blame [bleim] s skyld; dadel // v bebrejde; give skylden; ~ *sby for sth* give en skylden for ngt; *who's to ~?* hvis skyld er det?

bland [blænd] adj mild; rolig og uforstyrret.

blank [blæŋk] s tomrum; skud med løst krudt; *draw a ~* trække en nitte.

blanket ['blæŋkit] s (uld)tæppe; *he is a wet ~* han er en dødbider.

blasphemous ['blæsfiməs] adj blasfemisk.

blast [blɑ:st] s vindstød; stød; eksplosion // v sprænge (væk); ødelægge; ~ **furnace** s højovn; ~**off** s affyring (af missil etc).

blatant ['bleitənt] adj højrøstet; pågående; grov; *a ~ lie* en fed løgn.

blaze [bleiz] s brand; flammer; skær // v flamme; blusse; stråle; ~ *a trail (fig)* bane (el. vise) vej.

bleach [bli:tʃ] s (også: *household ~*) blegemiddel // v blege; affarve.

bleak [bli:k] adj nøgen, forblæst; kold, trist.

bleary-eyed ['bliəriˌaid] adj klatøjet.

bleat [bli:t] s brægen // v bræge.

bleed [bli:d] v (*bled, bled* [bled]) bløde; årelade, tappe.

blemish ['blemiʃ] s skavank; plet.

blend [blend] s blanding // v blande; (om farver) gå over i hinanden; passe sammen.

bless [bles] v (~*ed, ~ed* el. *blest, blest* [blest]) velsigne; *be ~ed with være* velsignet med; ~ *me!* du godeste! ~**ing** s velsignelse; held; *a ~ing in disguise* held i uheld.

blether ['bleðə*] v vrøvle.

blew [blu:] *præt* af *blow*.

blind [blaind] s skodde; rullegardin; jalousi // v gøre blind; blænde // adj blind; *turn a ~ eye on* (el. *to*) se igennem fingre med; ~ **alley** s blindgyde; ~**fold** s bind for øjnene // v give bind for øjnene // adj i blinde; ~**ness** s blindhed.

blink [bliŋk] v blinke, glimte; ~**ers** spl skyklapper; ~**ing** adj (F) pokkers, forbandet.

bliss [blis] s lyksalighed; ~**ful**

adj salig.

blister ['blistə*] *s* vable, blist; (i maling) blære // *v* danne blærer; få vabler.

blithering ['bliðəriŋ] *adj: a ~ idiot* (F) en kraftidiot.

blitz [blits] *s* luftangreb; lynkrig.

blizzard ['blizəd] *s* snestorm.

bloated ['bləutid] *adj* opsvulmet; oppustet.

block [blɔk] *s* blok; klods; kliché; blokering, spærring // *v* blokere, stoppe; *a ~ of flats* en boligkarré; **~ade** [-'keid] *s* blokade // *v* blokere; **~age** ['blɔkidʒ] *s* blokering; **~head** *s* dumrian; **~ letters** *spl* blokbogstaver.

bloke [bləuk] *s* (F) fyr.

blonde [blɔnd] *s* blondine // *adj* blond, lyshåret.

blood [blʌd] *s* blod; slægt; *bad ~* ondt blod; *make sby's ~ run cold* få blodet til at isne i årerne på en; **~ clot** *s* blodprop; **~ group** *s* blodtype; **~less** *adj* ublodig (fx *victory* sejr); bleg, anæmisk; **~ poisoning** *s* blodforgiftning; **~ pressure** *s* blodtryk; **~shed** *s* blodsudgydelse; **~shot** *adj* blodskudt; **~stained** *adj* blodplettet; **~thirsty** *adj* blodtørstig; **~y** *adj* blodig; (F!) satans, forbandet; *~y good!* (F) skidegodt! **~y-minded** *adj* (F) krakilsk.

bloom [bluːm] *s* blomst, blomstring // *v* blomstre; **~ing** *adj* (F) pokkers.

blossom ['blɔsəm] *s* blomst, blomstring // *v* blomstre.

blot [blɔt] *s* klat, plet // *v* klatte, plette; *~ out* udslette; udrydde; *~ one's copybook* spolere sit rygte.

blotchy ['blɔtʃi] *adj* skjoldet.

blotting paper ['blɔtiŋˌpeipə*] *s* klatpapir.

blouse [blauz] *s* bluse.

blow [bləu] *s* slag, stød // *v* (*blew, blown* [bluː, bləun]) blæse, puste; sprænge (fx *the fuses* sikringerne); *~ one's nose* pudse næse; *~ a whistle* blæse i en fløjte; *~ away* blæse væk; *~ down* blæse ned (el. omkuld); *~ off* blæse af; brokke sig; *~ off course* blæse ud af kurs; *~ out* puste ud; springe; *~ over* drive over; *~ up* puste op; sprænge (el. springe) i luften; *(foto)* forstørre; **~lamp** *s* blæselampe.

blue [bluː] *adj* blå, nedtrykt; **~bell** *s* blåklokke; **~bottle** *s* spyflue; **~ jeans** *s* cowboybukser; **~print** *s* blåkopi; *(fig)* perspektivplan; projekt; **~s** *spl: have the ~s* være deprimeret.

bluff [blʌf] *s* bluf(fmager) // *v* bluffe // *adj* (om person) bramfri; *call sby's ~* afsløre ens bluff.

blunder ['blʌndə*] *s* dumhed, brøler // *v* kludre, dumme sig.

blunt [blʌnt] *v* sløve(s) // *adj* (om fx kniv) sløv; (om person) brysk, studs;

b blur

blur [blə:*] *s* uklarhed; udvisket plet // *v* sløre(s);tvære(s) ud.

blurt [blə:t] *v:* ~ *out* buse ud med.

blush [blʌʃ] *s* rødmen // *v* rødme.

boar [bɔ:*] *s* vildsvin.

board [bɔ:d] *s* bræt; tavle; pap; bestyrelse; komité // *v* beklæde med brædder; gå ombord i; (om tog) stige op i; ~ *and lodging* kost og logi; *full* ~ helpension; ~ *up* slå brædder for; ~**er** *s* pensionær; (på skole etc) kostelev; ~**ing house** *s* pensionat; ~**ing school** *s* kostskole; ~ *room s* direktionsværelse.

boast [bəust] *s* pral(en); stolthed // *v* prale; kunne prale af; ~**ful** *adj* pralende.

boat [bəut] *s* båd, skib // *v* sejle, ro; *rock the* ~ gøre tingene besværlige; ~**swain** [bəusn] *s* bådsmand.

bob [bɔb] *s* (F) shilling // *v* hoppe op og ned; neje, knikse; ~ *up* dukke op.

bobbin ['bɔbin] *s* (i symaskine etc) spole.

bobby ['bɔbi] *s* (F) politibetjent.

bobsleigh ['bɔbslei] *s* bobslæde.

bodice ['bɔdis] *s* (på kjole) overdel, liv.

bodily ['bɔdili] *adj* korporlig // *adv* personlig.

body ['bɔdi] *s* legeme, krop; lig; *(auto)* karrosseri; (om skib)

skrog; gruppe, forsamling; masse; *in a* ~ i samlet flok; ~ **conscious** *adj* kropsbevidst; ~**guard** *s* livvagt; ~ **odour** *s* kropslugt, svedlugt; ~ **repairs** *spl (auto)* karrosseriarbejde; ~**work** *s (auto)* karrosseri.

bog [bɔg] *s* mose, sump.

boggle [bɔgl] *v: the mind* ~*s* det er for utroligt.

bogus ['bəugəs] *adj* falsk, uægte; skin-.

boil [bɔil] *s* byld; kog // *v* koge; *come to the* ~ komme i kog; ~ *down to (fig)* kunne reduceres til; i al enkelhed gå ud på; ~**er room** *s* fyrkælder; ~**er suit** *s* kedeldragt; ~**ing point** *s* kogepunkt.

boisterous ['bɔistərəs] *adj* larmende, støjende.

bold [bəuld] *adj* dristig, fræk; tydelig; *write a* ~ *hand* have en flot og tydelig håndskrift; ~ *type s (typ)* halvfed (el. fed) skrift.

bolt [bəult] *s* bolt, slå // *v* bolte; (om mad) sluge; stikke af; fare af sted; *a* ~ *from the blue* et lyn fra klar himmel.

bomb [bɔm] *s* bombe // *v* bombe, bombardere; *the book goes like a* ~ bogen bliver revet væk; ~ **disposal unit** *s* sprængningskommando (el. -eksperter).

bomber ['bɔmə*] *s* bombefly; **bombing** ['bɔmiŋ] *s* bombardement, bombning; **bomb scare** *s* bombetrussel.

bond [bɔnd] *s* bånd; forskrivning; kaution; obligation; **~age** ['bɔndidʒ] *s* trældom.
bone [bəun] *s* ben, knogle // *v* udbene; *a* ~ *of contention* et stridens æble; **~dry** *adj* knastør.
bonfire ['bɔnfaiə*] *s* bål.
bonnet ['bɔnit] *s* hue, kyse; *(auto)* motorhjelm.
bonny ['bɔni] *adj* frisk, sund; (skotsk:) smuk, dejlig.
bony ['bəuni] *adj* benet, radmager; fuld af ben.
boo [bu:] *interj* øv! fy! // *v* hysse ad, råbe øv.
booby trap ['bu:bitræp] *s* fælde.
book [buk] *s* bog, hæfte (fx *of stamps* frimærke-) // *v* notere; bestille (fx bord, billet); købe billet; **~able** *adj: seats are ~able* der kan reserveres plads; **~case** *s* bogreol; ~
ends *spl* bogstøtter; **~ie** *s* (F) d.s.s. *~maker;* **~ing office** *s* billetkontor; **~keeping** *s* bogholderi; **~let** *s* brochure, pjece; **~maker** *s* person (el. butik) som tager imod væddemål; **~s** *spl* regnskab; **~seller** *s* boghandler; **~shop** *s* boghandel; **~store** *s* d.s.s. *~shop.*
boom [bu:m] *s* drøn, brag; *(merk)* højkonjunktur, opsving // *v* drøne, buldre; have et opsving.
boost [bu:st] *s* hjælpende skub // *v* hjælpe; sætte skub i; opreklamere.

boot [bu:t] *s* støvle; *(auto)* bagagerum; *give sby the* ~ sparke en ud; fyre en; *to* ~ oven i købet.
booth [bu:θ] *s* bod, markedstelt; (telefon)boks; (også: *voting ~)* stemmeboks.
bootlace ['bu:tleis] *s* snørebånd.
booty ['bu:ti] *s* bytte.
booze [bu:z] *s* (F) sprut // *v* bumle, svire.
border ['bɔ:də*] *s* kant, rand; grænseegn; kantebånd; blomsterbed // *v* kante; grænse op til; *the B~* grænsen mellem England og Skotland; *the B~s* egnen omkring den engelsk-skotske grænse; **~line case** *s* grænsetilfælde.
bore [bɔ:*] *s* (om person) dødbider; (om gevær etc) boring, kaliber // *v* bore; kede; *præt af bear; he's a* ~ han er dødkedelig; *be ~d (stiff)* kede sig (ihjel); **~dom** *s* kedsomhed; **boring** *adj* kedelig.
born [bɔ:n] *adj: be* ~ blive født; ~ *blind* blindfødt; *in all my* ~ *days* i alle mine livskabte dage.
borne [bɔ:n] *pp af bear.*
borough ['bʌrə*] *s* købstad.
borrow ['bɔrəu] *v* låne; ~ *sth from sby* låne ngt af en.
bosom ['buzəm] *s* (H) barm, bryst, *(fig)* skød; ~ *buddy,* ~ *friend* *s* hjerteven.
boss [bɔs] *s* chef, boss // *v* regere; bestemme; lede; **~y** *adj* dominerende.

botanical [bə'tænikl] adj botanisk (fx *gardens* have); **botanist** ['botənist] s botaniker; **botany** ['bɔ-] s botanik.

botch [bɔtʃ] v: ~ *(up)* forkludre.

both [bəuθ] adj/pron begge; både; ~ *of them* dem begge (to); *we* ~ *came* el. ~ *of us came* vi kom begge to.

bother ['bɔðə'] s plage; besvær // v plage, genere; gøre sig ulejlighed; ~ *about* spekulere over; *don't* ~*!* gør dig ingen ulejlighed! lad det bare være! *oh,* ~*!* pokkers også!

bottle [bɔtl] s flaske // v hælde på flaske(r); henkoge; *hit the* ~ (F) slå sig på flasken; *be on the* ~ (F) være drikfældig; ~ *up* tilbageholde; undertrykke (fx *anger* vrede); **~neck** s flaskehals (også *fig); **~-opener** s oplukker.

bottom ['bɔtəm] s bund, nederste del; (F) bagdel; (stole)sæde // adj lavest, nederst; bund-; under- (fx *floor* etage); **~less** adj bundløs.

bought [bɔ:t] præt og pp af *buy.*

boulder ['bəuldə'] s kampesten, rullesten.

bounce [bauns] s spring // v (om bold) hoppe tilbage; (om person) komme farende; (om dækningsløs check) blive afvist.

bound [baund] s grænse; spring // v begrænse; grænse (til); springe, hoppe; *præt* og

pp af *bind* // adj bundet; forpligtet; *out of* ~s forbudt område; ~ *to* nødt til; forpligtet til; *he's* ~ *to fail* han er dømt til at mislykkes; *he's* ~ *to come* han 'må komme; han kommer helt bestemt; ~ *for* (om skib etc) med kurs mod.

boundary ['baundri] s grænse.

boundless ['baundlis] adj grænseløs; uendelig.

bouquet ['bukei] s buket.

bourgeois ['buəʒwɑ:] adj småborgerlig.

bout [baut] s omgang; anfald.

bow [bəu] s sløjfe; bue; [bau] buk // v [bau] bukke; nikke; bøje sig; ~ *to* (el. *before*) bøje sig for; være underlegen overfor.

bowels ['bauəlz] spl indvolde, tarme.

bowl [bəul] s skål; kumme; (pibe)hoved; kugle // v kaste; bowle; ~ *over (fig)* vælte omkuld; **~ing alley** s bowlingbane; **~s** spl bowling; bocciakugler.

bow tie ['bəu'tai] s butterfly.

box [bɔks] s æske, kasse; skrin; boks; *(teat)* loge; (på vogn) kuskesæde // v bokse (med); lægge i æske; deponere; *the* ~ (F) fjernsynet, flimmerkassen; ~ *sby's ears* stikke en et par på kassen; **~er** s bokser; **~ing** s boksning; **B~ing Day** s anden juledag (26. dec.); **~ing gloves** spl boksehandsker; ~ *office* s billetkontor; ~ **room** *s* pulterkammer.

boy [bɔi] *s* dreng; ung mand; (om tjener) boy; **~friend** *s* kæreste, fyr, ven; **~hood** *s* drengetid; **~ish** *adj* drenget.

BR fork.f. *British Rail.*

bra [braː] *s* (F, fork.f. *brassiere*) brystholder, bh.

brace [breis] *s* støtte; stiver; (tand)bøjle; klampe; (også: ~ *bracket*) klamme // *v* støtte, afstive; ~ *oneself* samle alle sine kræfter; stramme sig op.

bracelet ['breislit] *s* armbånd.

braces ['breisiz] *spl* seler.

bracken ['brækən] *s* bregne.

bracket ['brækit] *s* støtte; hyldeknægt; parentes; gruppe, kategori // *v* sætte i parentes; *(fig)* sidestille; 'sætte i bås'.

brag [bræg] *v* prale, skryde.

Braille [breil] *s* blindeskrift.

brain [brein] *s* hjerne; ~ **damage** *s* hjerneskade; **~less** *adj* ubegavet, dum; **~s** *spl*: *he's got* ~s han er intelligent; (F) han er kvik i pæren; **~wash** *v* hjernevask; **~wave** *s* lys idé; **~y** *adj* intelligent.

braise [breiz] *v* grydestege.

brake [breik] *s* bremse // *v* bremse (op); ~ **fluid** *s* bremsevæske; ~ **lining** *s* bremsebelægning.

bramble ['bræmbl] *s* brombær(busk).

bran [bræn] *s* klid.

branch [braːntʃ] *s* gren; afdeling, filial // *v* dele sig; ~ *off*

dreje af; forgrene sig; ~ *out* udvide, ekspandere.

brand [brænd] *s* varemærke // *v* brændemærke; ~ *sby a communist (fig)* stemple en som kommunist.

brandish ['brændiʃ] *v* svinge (med).

brand-new ['brænd'njuː] *adj* splinterny.

brandy ['brændi] *s* cognac.

brass [braːs] *s* messing; (S) gysser, grunker; *the* ~ *(mus)* messingblæserne; ~ **band** *s* hornorkester.

brassière ['bræsiə*] (bra) *s* brystholder, bh.

brat [bræt] *s* (neds) unge.

brave [breiv] *v* trodse // *adj* modig, tapper; **~ry** ['breivəri] *s* mod, tapperhed.

brawl [brɔːl] *s* slagsmål // *v* lave optøjer; slås, skændes.

brawn [brɔːn] *s* muskelstyrke; *(gastr)* grisesylte; **~y** *adj* muskuløs.

Brazil [brə'zil] *s* Brasilien; **~ian** *s* brasilianer // *adj* brasiliansk; ~ **nut** *s* paranød.

breach [briːtʃ] *s* brud, revne; breche // *v* bryde en breche i; ~ *of confidence* tillidsbrud; ~ *of contract* kontraktbrud; ~ *of the peace* forbrydelse mod den offentlige orden; ~ *of promise* brud på ægteskabsløfte.

bread [bred] *s* brød; *a loaf of* ~ et brød; *one's* ~ *and butter* ens levebrød; **~crumbs** *spl* brødkrummer; rasp; **~line** *s:*

be on the ~line leve på eksistensminimum.
breadth [bredθ] s bredde.
breadwinner ['bredwinə*] s familieforsørger.
break [breik] s brud; pause, frikvarter; afbrydelse; chance // v (broke, broken [brəuk, brəukn]) ødelægge; slå i stykker; bryde (fx a promise et løfte); gå itu; knalde; brække; afbryde; begynde; (om vejret) slå om; (om hest) tæmme; ~ a record slå en rekord; ~ service (i tennis) få servegennembrud; ~ the news to sby (skånsomt) fortælle en ngt; ~ down bryde ned; bryde sammen; opdele; ~ even få det til at gå lige op; ~ free (el. loose) rive (sig) løs; ~ in bryde ind; (om hest) tilride; (om person) oplære; ~ in on bryde ind i; afbryde; ~ into bryde ind i (fx a house et hus); slå over i; ~ off afbryde; knække af; ~ open bryde op; ~ out bryde ud; opstå; ~ out in spots få udslæt (el. knopper); ~ up splitte(s); bryde op; sprænge(s); opløse(s); standse; ~**able** adj skrøbelig; ~**age** ['breikidʒ] s brud; beskadigelse; ~**down** s sammenbrud; skade; motorstop, havari; ~**down lorry** s kranvogn; ~**down service** s sv.t. fx Falcks vejservice.
breaker ['breikə*] s styrtsø; ~**s** spl brænding.
break... ['breik-] sms: ~**fast** s

morgenmad; ~**neck** adj halsbrækkende; ~**through** s gennembrud; ~**water** s bølgebryder.
breast [brest] s bryst; ~**-feed** v give bryst, amme; ~**stroke** s brystsvømning.
breath [breθ] s ånde, åndedrag; pust; a ~ of air en mundfuld luft; out of ~ åndeløs, forpustet; ~**alyzer** ['breθalaizə*] s spritballon (til spiritusprøve).
breathe [bri:ð] v ånde, trække vejret; hænånde; ~**r** s (F) pusterum.
breath... ['breθ-] sms: ~**less** adj åndeløs, forpustet; ~**taking** adj betagende, spændende.
breeches ['britʃəz] spl bukser; knæbukser.
breed [bri:d] s race; art // v (bred, bred [bred]) yngle; avle; opdrætte; opdrage; ~**er** s avler; ~**ing** s formering; opdragelse, dannelse.
breeze [bri:z] s brise.
brevity ['breviti] s korthed.
brew [bru:] v brygge; pønse på; trække op, være i anmarch; ~**er** s brygger; ~**ery** s bryggeri.
bribe [braib] s bestikkelse // v bestikke; ~**ry** ['braibəri] s bestikkelse.
brick [brik] s mursten, teglsten // v: ~ up mure til (el. inde); ~**layer** s murer; ~**work** s murværk; ~**works** s teglværk.
bridal [braidl] adj brude-; bryl-

lups-; **bride** [braid] s brud;
~groom s brudgom; **~smaid**
s brudepige.
bridge [bridʒ] s bro; (næse)ryg.
bridle [braidl] v tøjle, tæmme;
~path s ridesti.
brief [bri:f] s resumé // v give
et resumé af; instruere // adj
kort, kortfattet; in ~ kort
sagt; **~case** s dokumentmap-
pe; **~ing** s instruktion; **~ly**
adv kort (og godt); **~s** spl
trusser.
brigadier [briga'diə°] s briga-
degeneral.
bright [brait] adj lys; klar; strå-
lende; glad; kvik; **~en** v gøre
lysere; lysne; live op; klare
op.
brilliance [ˈbriljəns] s glans;
skin; intelligens; **brilliant** adj
strålende, fremragende.
brim [brim] s kant, rand; **~ful**
adj fyldt til randen.
bring [briŋ] v (brought,
brought) [brɔːt]) bringe; tage
med; skaffe; ~ about forår-
sage, medføre; ~ back bringe
tilbage; ~ down få til at
falde; nedlægge; vælte; ~
forward fremsætte; fremlæg-
ge; ~ off gennemføre; klare;
~ out få frem; fremhæve; ~
round (el. to) bringe til sig
selv igen; ~ up opdrage;
bringe på bane.
brink [briŋk] s kant, rand.
brisk [brisk] s livlig, kvik,
frisk.
brisket [ˈbriskit] s (gastr) bryst-
stykke.

bristle [brisl] s børstehår // v
rejse børster; få til at stritte;
bristling with spækket med.
Britain [ˈbritən] s (også: Great
~) Storbritannien; **British**
[ˈbritiʃ] adj britisk; the British
Isles De britiske Øer; British
Rail (BR) de britiske statsba-
ner.
Briton [ˈbritən] s bretoner
(person fra Bretagne); **Britta-
ny** [ˈbritəni] s Bretagne.
brittle [britl] adj skør, skrøbe-
lig; sprød.
broach [brəutʃ] v: ~ a subject
bringe et emne på bane.
broad [brɔːd] s (neds) tøs // adj
bred; vid; jævn; frisindet; in
~ daylight ved højlys dag; a
~ hint et tydeligt vink;
~cast s radioudsendelse // v
udbrede; udsende, transmit-
tere; **~en** v gøre (el. blive)
bredere; **~ly** adv i det store og
hele; **~ly speaking** stort set;
~minded adj frisindet.
broiler [ˈbrɔilə°] s slagtekyl-
ling, landkylling.
broke [brəuk] præt af break //
adj (F) 'på spanden'; **~n** pp af
break // adj knust; brækket;
brudt; usikker; in ~n English
på gebrokken engelsk; a ~n
home et skilsmissehjem; **~n-
hearted** adj sønderknust.
broker [ˈbrəukə°] s mægler.
bronze [brɔnz] s bronze; **~d**
adj bronzeret; solbrændt.
brooch [brəutʃ] s broche.
brood [bruːd] s yngel; kuld // v
ruge; udruge; spekulere; **~y**

adj melankolsk.
brook [bruk] *s* bæk.
broom [brum] *s* (feje)kost;
~**stick** *s* kosteskaft.
Bros. [ˈbrɑðəz] fork.f. *Brothers* (i firmanavn).
broth [brɔθ] *s* kødsuppe.
brothel [brɔθl] *s* bordel.
brother [ˈbrʌðəˀ] *s* broder;
medbroder; ~**hood** *s* broderskab; ~**-in-law** *s* svoger.
brought [brɔːt] *præt* og *pp* af *bring*.
brow [brau] *s* pande; (også: *eye~*) øjenbryn.
brown [braun] *s* brunt // *v* brune; blive brun // *adj* brun; ~**ie** *s* lille pigespejder.
browse [brauz] *v* gå og snuse (i bøger etc); bladre lidt i.
bruise [bruːz] *s* blåt mærke; blodudtrædning // *v* støde; få blå mærker; ~**d** *adj* forslået.
brunch [brʌntʃ] *s* kombineret *breakfast* og *lunch*.
brush [brʌʃ] *s* børste; pensel; krat; *(fig)* sammenstød // *v* børste; stryge; strejfe; ~ *aside* affærdige; feje til side; ~ *up* pudse op; genopfriske; ~ **off** *s: give sby the* ~*-off* afvise en; ~**wood** *s* kvas; krat.
Brussels [brʌslz] *s* Bruxelles; ~ *sprout* *s* rosenkål.
brutal [bruːtl] *adj* brutal, rå; ~**ity** [-ˈtæliti] *s* brutalitet; **brute** [bruːt] *s* udyr, bæst; **brutish** [ˈbruːtiʃ] *adj* rå, dyrisk.
B.Sc. [ˈbiːɛsˈsiː] fork.f. *Bachelor of Science*.
bubble [bʌbl] *s* boble // *v*

boble, sprudle.
buck [bʌk] *s* (om hare, hjort etc) han, buk // *v* springe; stange; stejle; *pass the* ~ (F) lade sorteper gå videre.
bucket [ˈbʌkit] *s* spand; *kick the* ~ (F) kradse af.
buckle [bʌkl] *s* spænde // *v* spænde(s); *(fig)* slå sig; (om hjul) exe.
bud [bʌd] *s (bot)* knop // *v* skyde knopper; spire; *nip sth in the* ~ standse ngt i opløbet; ~**ding** *adj* spirende; *(fig)* vordende.
budge [bʌdʒ] *v* flytte (sig); røre (sig).
budgerigar [ˈbʌdʒəriɡɑ:] *s* undulat.
budget [ˈbʌdʒit] *s* budget // *v:* ~ *for sth* optage ngt på budgettet.
budgie [ˈbʌdʒi] *s* d.s.s. *budgerigar.*
buff [bʌf] *s: in the* ~ (F) nøgen.
buffalo [ˈbʌfələu] *s (pl:* ~ el. ~*es)* bøffel; *(am)* bisonokse.
buffer [ˈbʌfəˀ] *s* stødpude.
buffet *s* [ˈbufei] buffet; (på tog, station etc) restaurant // *v* [ˈbʌfit] støde, knuse, puffe; bumpe.
bug [bʌɡ] *s* væggelus; virus; bacille; skjult mikrofon // *v* aflytte; anbringe skjulte mikrofoner i.
bugger [ˈbʌɡəˀ] *v:* ~ *about* (S) fjumre rundt; ~ *off* (S) skride; ~ *up* klumre med.
bugle [bjuːɡl] *s* (signal)horn.
build [bild] *s* (om person) bygning, skikkelse // *v* (*built,*

built) bygge; ~ *up* opbygge; oparbejde; **~er** s bygnings- håndværker; entreprenør; **~ing** s bygning; **~ing society** s realkreditinstitution; **~-up** s oparbejdning; ophobning.

built [bilt] *præt* og *pp* af *build* // *adj* bygget; *well-* ~ velskabt; **~-in** *adj* indbygget; **~-up area** s bebygget område.

bulb [bʌlb] s blomsterløg; *(elek)* pære; **~ous** *adj* løgformet.

bulge [bʌldʒ] s bule // v bulne ud; svulme (op); *be bulging with* være ved at revne af.

bulk [bʌlk] s omfang; masse; *in ~ (merk)* løst, upakket; *the ~ of* størstedelen af; **~head** s *(mar)* skot; **~y** *adj* uhåndterlig; voluminøs.

bull [bul] s tyr; *(om elefant etc)* han.

bulldoze ['buldəuz] v tromle ned; planere.

bullet ['bulit] s kugle, projektil.

bullfight ['bulfait] s tyrefægtning; **~er** s tyrefægter.

bullfinch ['bulfintʃ] s *(zo)* dompap.

bullock ['bulək] s ung tyr, stud.

bully ['buli] s tyran, bølle // v tyrannisere; herse med; skræmme.

bulrush ['bulrʌʃ] s *(bot)* dunhammer.

bum [bʌm] s vagabond, bums, sut; *(F)* bagdel.

bumblebee ['bʌmblˌbi:] s humlebi.

bump [bʌmp] s bump; stød;

bule; *(i vej)* hul // v bumpe; skumple; ~ *into* støde mod; ~ *sby off* rydde en af vejen; ~ *up the price* presse prisen op; **~er** s kofanger, stødfanger.

bumptious ['bʌmfəs] *adj* storsnudet.

bumpy ['bʌmpi] *adj* ujævn; *(om vej)* hullet.

bun [bʌn] s bolle; *(om frisure)* knude i nakken.

bunch [bʌntʃ] s bundt; klump; buket; klase; *(om personer)* flok.

bundle ['bʌndl] s bundt // v *(også:* ~ *up)* bunde sammen; ~ *the kids into the car* proppe børnene ind i bilen; ~ *off* sende af sted i en fart; ~ *out* falde (el. vælte) ud.

bungle ['bʌŋgl] v forkludre; klokke i det.

bunk [bʌŋk] s køje; *do a ~* (S) stikke af; ~ *beds* spl etageseng.

bunker ['bʌŋkə*] s kulkasse; bunker.

bunny ['bʌni] s *(også:* ~ *rabbit)* kanin.

buoy [bɔi] s *(mar)* bøje // v afmærke; ~ *up* bære oppe; *(fig)* holde oppe, støtte; **~ancy** s *(fig)* livlighed; **~ant** *adj* livlig, let.

burden [bə:dn] s byrde, last // v bebyrde.

bureau [bjuə'rəu] s *(pl:* ~x [-'rəuz]) kontor, bureau; skrivebord; chatol; **~cracy** [-'rɔkrəsi] s bureaukrati.

burglar ['bə:glə*] s indbrudstyv; ~ **alarm** s tyverialarm; **~y** s indbrudstyv.

Burgundy ['bə:gəndi] s Bourgogne; **b~** s bourgognevin; vinrød farve.

burial ['beriəl] s begravelse; ~ **ground** s begravelsesplads; kirkegård.

burly ['bə:li] adj kraftigt bygget; djærv.

burn [bə:n] s bæk; brandsår // v (~ed, ~ed el. ~t, ~t) brænde; svide; ~ **down** nedbrænde; **~er** s brænder.

burnish ['bə:niʃ] v polere.

burnt [bə:nt] præt og pp af burn // adj: ~ sugar karamel.

burp [bə:p] s (F) bøvs // v bøvse; ~ the baby få babyen til at bøvse.

bursar ['bə:sə*] s regnskabsfører; (skotsk) stipendiat; **~y** s stipendium.

burst [bə:st] s eksplosion; brag; (også: ~ pipe) sprængt vandrør // v (burst, burst) briste, springe; sprænge(s); a ~ of energy et anfald af energi; a ~ of inflation en inflationsbølge; a ~ blood vessel et sprængt blodkar; ~ into flames bryde i brand; ~ into laughter (el. tears) briste i latter (el. gråd); be ~ing with være ved at revne af; ~ open springe op; ~ out of vælte ud af.

bury ['beri] v begrave; ~ oneself in sth fordybe sig i ngt; ~ one's head in the sand stikke hovedet i busken; ~ the hatchet begrave stridsøksen.

bus [bʌs] s (pl: ~es ['bʌsiz]) bus // v køre med bus.

bush [buʃ] s busk; krat; beat about the ~ krybe udenom.

bushy ['buʃi] adj busket; kratbevokset.

busily ['bizili] adv travlt.

business ['biznis] s forretning; firma; forretningslivet; erhverv, arbejde; sag, affære; be away on ~ være på forretningsrejse; it's none of your ~ det kommer ikke dig ved; he means ~ han mener det alvorligt; **~like** adj forretningsmæssig; saglig; effektiv; **~man** s forretningsmand.

bus lane ['bʌslein] s busbane; **bus layby** s busholdeplads.

bust [bʌst] s buste; brystmål // adj brækket; revnet; ruineret; go ~ gå fallit.

bustle [bʌsl] s travlhed, tummel // v have travlt, skynde sig; **bustling** adj travl; (om person) geskæftig.

bust-up ['bʌstʌp] s (F) voldsomt skænderi; skilsmisse; abegilde.

busy ['bizi] v: ~ oneself være travlt beskæftiget // adj travl; **~body** s geskæftig (el. nævenyttig) person.

but [bʌt, bət] præp/konj men; kun; undtagen; nothing ~ ikke andet end; ~ for her havde det ikke været for hende; all ~ finished næsten færdig; anything ~ alt andet

end; langtfra.
butcher ['butʃə*] s slagter // v
nedslagte; mishandle.
butler ['bʌtlə*] s butler, hus-
hovmester.
butt [bʌt] s stor tønde; gevær-
kolbe; skæfte; stump; (ciga-
ret)skod // v støde (til); give
(el. få) en skalle.
butter ['bʌtə*] s smør // v
smøre (også *fig*); ~**cup** s
smørblomst; ~ **dish** s smør-
asiet.
butterfly ['bʌtəflai] s sommer-
fugl; ~ **tie** s butterfly.
butter. . . ['bʌtə-] sms: ~**milk** s
kærnemælk; ~**scotch** s slags
flødekaramel.
buttocks ['bʌtəks] spl bagdel,
endebalder.
button [bʌtn] s knap; knop // v
knappe(s); ~ *up* knappe;
(fig) klappe i; ~**hole** s knap-
hul; knaphulsblomst // v
hage sig fast i; gribe fast i for
at snakke.
buttress ['bʌtris] s støttepille.
buxom ['bʌksəm] adj fyldig;
yppig, trivelig.
buy [bai] v *(bought, bought*
[bɔːt]) købe; ~ *sby a drink*
købe en drink til en; ~ *off*
bestikke; købe fri; ~ *up* op-
købe; ~**er** s opkøber.
buzz [bʌz] s summen; (F) tele-
fonopringning // v summe;
(F) slå på tråden til; ~ *off* (F)
gå, 'skride', 'smutte'; ~ *one's
secretary* ringe efter sin se-
kretær.
buzzard ['bʌzəd] s *(zo)* musvå-

ge.
buzzer ['bʌzə*] s brummer;
ringeklokke.
by [bai] *præp* af; ved; forbi;
via; med; *written* ~ *Shake-
speare* skrevet af Shakespea-
re; *a house* ~ *the river* et hus
ved floden; *pass* ~ gå (, køre
etc) forbi; *the train went* ~
Reading toget kørte via Rea-
ding; *go* ~ *bus* køre med bus;
paid ~ *the hour* timelønnet;
all ~ *oneself* helt alene; ~
the way for resten; ~ *and
large* stort set; ~ *and* ~ om
lidt, snart; *multiply* ~ *two*
gange med to.
bye(-bye) ['bai('bai)] *interj* (F)
farvel! hej-hej!
bye-laws ['bailɔːz] spl d.s.s. *by-
laws.*
by-election ['baiˌlekʃən] s sup-
pleringsvalg.
bygone ['baigɔn] s: *let* ~*s be*
~*s* lad det (el. fortiden) være
glemt // adj forgangen, svun-
det.
by-laws ['bailɔːz] spl vedtæg-
ter, statutter.
bypass ['baipaːs] s omkørsels-
vej; ringvej.
byre ['baiə*] s kostald.
bystander ['baistændə*] s til-
skuer.
byword ['baiwəːd] s: *be a* ~ *for*
være et andet ord for.

C

C, c [siː].
C. fork.f. *centigrade* celsius

(C).

C.A. fork.f. *chartered accountant*.

cab [kæb] *s* taxi, drosche; (i bil, tog etc) førerhus.

cabbage ['kæbidʒ] *s* kål (især hvidkål), kålhoved; *red* ~ rødkål.

cabin ['kæbin] *s* hytte, lille hus; *(mar)* kabine, lille kahyt; *(fly)* kabine.

cabinet ['kæbinit] *s* skab; kabinet; *cocktail* ~ barskab; *medicine* ~ medicinskab; **~-maker** *s* møbelsnedker.

cable [keibl] *s* kabel; ledning // *v* telegrafere; ~ *tovbane)* kabine; **~gram** *s* telegram; ~ **railway** *s* tovbane.

cackle ['kækl] *v* kagle; skræppe (op).

cactus ['kæktəs] *s (pl: cacti* ['kæktai]) kaktus.

cadet [kə'det] *s* yngre søn (i fin familie); kadet.

cadge [kædʒ] *v* snylte, nasse; ~ *on* nasse på; ~ *a meal (off sby)* 'redde sig' et måltid mad (hos en); **~r** *s* snylter, (F) nasserøv.

Caesarean [si:'zɛəriən] *adj* Cæsar-; kejser-; ~ *(section) (med)* kejsersnit.

caffein ['kæfi:n] *s* koffein.

cage [keidʒ] *s* bur; *(sport)* kurv, net, mål // *v* spærre inde, sætte i bur; **~y** ['keidʒi] *adj* hemmelighedsfuld.

cairn [kɛən] (skotsk) varde; stendysse.

cajole [kə'dʒəul] *v* snakke

godt for; smigre; lokke.

cake [keik] *s* kage; stykke; frikadelle; *a* ~ *of soap* et stykke sæbe; *fish*~ fiskefrikadelle; **~d** *adj:* ~*d with* med kager af (fx *mud* mudder).

calamity [kə'læmiti] *s* katastrofe.

calculate ['kælkjuleit] *v* beregne; regne *(on* med); **calculating** *adj* beregnende; **calculating machine** *s* regnemaskine; **calculation** [-'leiʃən] *s* beregning; udregning; **calculator** *s* regnemaskine.

calculus ['kælkjuləs] *s (pl: calculi* [-lai]) *(mat)* -regning; *(med)* sten; *renal* ~ nyresten.

calender ['kæləndə*] *s* kalender; tidsregning; ~ **watch** *s* kalenderur.

calf [ka:f] *s (pl: calves* [ka:vz]) kalv, unge; *(anat)* læg; *elephant* ~ elefantunge; **~skin** *s* kalveskind.

calibre ['kælibə*] *s* kaliber; karat; kvalitet.

call [kɔ:l] *s* råb; kalden; opfordring; besøg // *v* råbe; kalde (på); komme på besøg; *(tlf)* ringe til; *be on* ~ være i beredskab; have tilkaldevagt; *he's* ~*ed John* han hedder John; ~ *for* komme for at hente; kalde på; kræve; ~ *in* komme på besøg; ~ *off* aflyse; ~ *on* besøge; ~ *on sby to...* opfordre en til at...; ~ *up (mil)* indkalde; **~box** *s* telefonboks; **~er** *s* besøgende, gæst; *(tlf)* en der ringer

op; ~**ing** s kald; stilling.
callous ['kæləs] *adj* hård, bar-
ket; ufølsom, ubarmhjertig.
calm [ka:m] s ro; vindstille // *v*
berolige; blive rolig; (om
blæst etc) lægge sig // *adj*
rolig; *dead* ~ blikstille; ~
down falde til ro.
calve ['ka:v] *v* kælve; ~**s**
['ka:vz] *spl* af *calf.*
camber ['kæmbə*] s (om vej)
runding; krumning; hæld-
ning.
cambric ['kæmbrik] s batist.
came [keim] *præt* af *come.*
camera ['kæmərə] s foto(gra-
fi)apparat, kamera; (også:
cine-~, movie ~) filmsappa-
rat; *35 mm* ~ småbilledka-
mera (24x36); *in* ~ *(jur)* for
lukkede døre; ~**man** s ka-
meramand; fotograf.
camomile ['kæməmail] s ka-
mille.
camp [kæmp] lejr // *v* ligge i
(el. slå) lejr; campere; *pitch* ~
slå lejr; *strike* ~ bryde op.
campaign [kæm'pein] s kam-
pagne, felttog // *v* deltage i
(el. organisere) en kampagne.
camp. . . ['kæmp-] sms: ~**bed** s
feltseng, campingseng; ~
chair s feltstol, campingstol;
~**er** s campist, teltligger;
campingvogn; ~**site** s cam-
pingplads.
campus ['kæmpəs] s universi-
tet(sområde), campus.
can [kæn] s kande, dunk; *(am)*
(konserves)dåse.
can [kæn, kən] *v (præt: could*

[kud]) kan; må; *I* ~ *swim* jeg
kan svømme; *I cannot* (el.
can't) see him jeg kan ikke se
ham; ~ *I have an apple?* må
jeg få et æble? *no, you can't!*
nej du må ikke!
Canadian [kə'neidiən] s cana-
dier // *adj* canadisk.
canal [kə'næl] s kanal.
canary [kə'nɛəri] s kanarie-
fugl; kanariegult.
cancel ['kænsəl] *v* stryge, stre-
ge ud; aflyse (fx *a meeting* et
møde); afbestille (fx *a reser-
vation* et hotelværelse (, en
billet osv)); annullere; ~**la-
tion** [-'leiʃən] s udstregning;
aflysning; afbestilling; annul-
lering.
cancer ['kænsə*] s kræft, can-
cer; *the C~ (astr)* Krebsen;
the Tropic of C~ krebsens (el.
den nordlige) vendekreds.
candid ['kændid] *adj* oprigtig,
åben; ~ *camera (film, tv)*
skjult kamera.
candidate ['kændideit] s kan-
didat.
candle ['kændl] s (levende) lys,
kærte; *by* ~*light* i stearinlys-
skær; ~**stick** s lysestage; kan-
delaber; ~**wick** s væge.
candour ['kændə*] s åbenhed,
oprigtighed.
candy ['kændi] s kandis; *(am,
også)* slik; ~**-striped** *adj* bol-
sjestribet.
cane [kein] s rør; stok; spansk-
rør // *v* slå med spanskrør.
canine ['kænain] *adj* af hunde-
familien, hunde-; ~ **tooth** s

hjørnetand.

cannon ['kænən] *s (pl:* ~ *el.* ~*s)* kanon; ~**ball** *s* kanonkugle; ~**fodder** *s* kanonføde.

cannot ['kænət] d.s.s. *can not.*

canoe [kə'nu:] *s* kano // *v* ro i kano; ~**ing** *s* kanosport; ~**ist** *s* kanoroer.

canon ['kænən] *s* lov, regel; kannik; *(mus)* 'kanon; ~**ize** [-aiz] *v* gøre til helgen, kanonisere.

canopy ['kænəpi] *s* baldakin; sengehimmel.

can't [kænt, ka:nt] d.s.s. *can not.*

cantankerous [kæn'tæŋkərəs] *adj* krakilsk, kværulantisk; vrissen.

canteen [kæn'ti:n] *s* kantine, frokoststue; feltflaske.

canter ['kæntə*] *s* kort galop // *v* ride i kort galop.

Canute [kə'nju:t] *s* Knud; *king* ~ Knud den Store.

canvas ['kænvəs] *s* lærred, sejldug; (om kunst) maleri; *under* ~ i telt; *(mar)* under sejl.

canvass ['kænvəs] *v* hverve (stemmer, kunder etc); ~**ing** *s* (hus)agitation, stemmehvervning; *(merk)* kolportage; tegning (af abonnementer etc).

canyon ['kænjən] *s* dyb og snæver dal.

cap [kæp] *s* hue; kasket; kalot; kapsel, låg; knaldhætte; (også: *Dutch* ~) pessar // *v* sætte hue (el. låg) på; dække;

obtain a ~ el. *be* ~*ped (sport)* blive udtaget til landsholdet; ~*ped with* dækket af.

capability [keipə'biliti] *s* dygtighed, evne; **capable** ['keipəbl] *adj* dygtig; *capable of* i stand til; modtagelig for.

capacious [kə'peiʃəs] *adj* rummelig; **capacity** [kə'pæsiti] *s* evne, anlæg; åndsevner; volumen; kapacitet; *in his capacity of...* i hans egenskab af...; *work at full capacity* (on fabrik etc) arbejde (el. køre) for fuld kraft.

cape [keip] *s* slag, cape; *(geogr)* forbjerg, kap; *the C*~ Kap det Gode Håb.

capital ['kæpitl] *s* hovedstad; kapital, formue; (også: ~ *letter)* stort bogstav // *adj* kapital-; (F) glimrende, strålende; ~ *crime* s forbrydelse som der er dødsstraf for; ~ **punishment** *s* dødsstraf.

capitulate [kə'pitjuleit] *v* kapitulere; **capitulation** [-'leiʃən] *s* kapitulation, overgivelse.

capricious [kə'priʃəs] *adj* lunefuld; ustadig.

Capricorn ['kæprikɔ:n] *s (astr)* Stenbukken; *the Tropic of* ~ stenbukkens (el. den sydlige) vendekreds.

capsize [kæp'saiz] *v (mar)* kæntre.

capsule ['kæpsju:l] *s* kapsel; hylster, beholder.

captain ['kæptin] *s* anfører, leder; kaptajn; *(mar* også) kommandørkaptajn; *(sport)* holdkaptajn.

caption ['kæpʃən] s overskrift, billedtekst.

captivate ['kæptiveit] v fængsle, fange; fortrylle; **captive** s fange // adj fanget; tryllebunden; **captivity** [-'tiviti] s fangenskab; **capture** ['kæptʃə*] s erobring; pågribelse; fangst, bytte.

car [ka:*] s vogn, bil.

caravan ['kærəvæn] s campingvogn; karavane.

caraway ['kærəwei] s: ~ seed kommen.

carbohydrate [ka:bəu'haidreit] s (kem) kulhydrat.

carbon ['ka:bən] s (kem) kulstof; ~ **copy** s gennemslag; ~ **paper** s karbonpapir.

carburettor [ˌka:bju'retə*] s (auto) karburator.

carcass ['ka:kəs] s ådsel, kadaver.

card [ka:d] s kort; put one's ~s on the table (fig) lægge kortene på bordet; have a ~ up one's sleeve have ngt i baghånden; ~**board** s pap, karton; ~ **game** s kortspil.

cardiac ['ka:diæk] adj hjerte-; ~ **arrest** s (med) hjertestop; ~ **infarct** s (med) hjerteinfarkt.

cardinal ['ka:dinl] s kardinal // adj vigtigst; hoved-; of ~ importance af allerstørste vigtighed.

card index ['ka:d'indeks] s kartotek.

care [keə*] s omhu; pleje, pasning; varetægt; bekymring // v bekymre sig; ~ about være interesseret i; tage sig af; ~ for tage sig af; kunne lide, holde af; would you ~ to...? har du lyst til at...? I don't ~ jeg er ligeglad; I couldn't ~ less det rager mig en fjer; be in sby's ~ være i ens varetægt; take ~ passe på; take ~ of passe, tage sig af; ordne; 'Handle with C~!' (på pakke etc) 'forsigtig!'

career [kə'riə*] s karriere; levnedsløb // v: ~ (along) fare af sted.

care. . . ['keə-] sms: ~**free** adj ubekymret; uforsigtig; ~**ful** adj forsigtig; påpasselig, omhyggelig; (be) ~ful! (vær) forsigtig! pas på! ~**less** adj uforsigtig; skødesløs, sjusket.

caress [kə'res] s kærtegn // v kæle for.

caretaker ['keəteikə*] s vicevært, portner, opsynsmand; pedel.

car-ferry ['ka:ˌferi] s bilfærge.

cargo ['ka:gəu] s (pl: ~es) last, ladning.

car hire ['ka:ˌhaiə*] s: ~ (service) biludlejning.

Caribbean [kæri'bi:ən] adj: the ~ (Sea) Caraibiske Hav.

carnage ['ka:nidʒ] s blodbad.

carnal ['ka:nəl] adj kødelig, sanselig; verdslig.

carnation [ka:'neiʃən] s (bot) nellike.

carnival ['ka:nivəl] s karneval.

carnivorous [ka:'nivərəs] adj

kødædende (fx *plant* plante).

carol ['kærəl] s: *(Christmas)*
~ julesang // v synge; gå
rundt ved dørene og synge
julesange.

car park ['kɑːˌpɑːk] s parke-
ringsplads.

carpenter ['kɑːpintə*] s tøm-
rer; **carpentry** s tømrerarbej-
de; (i skolen) træsløjd.

carpet ['kɑːpit] s (gulv)tæppe //
v lægge tæppe på; give en
omgang; *be on the* ~ være på
tapetet; (F) stå skoleret; ~
sweeper s tæppefejemaskine.

carriage ['kæridʒ] s (he-
ste)vogn; togvogn; transport,
befordring; holdning; ad-
færd; **~way** s kørebane; *dual
~way* vej med midterrabat.

carrier ['kæriə*] s bærer; bud;
vognmand; bagagebærer; lad;
fragtskib; hangarskib; **~bag**
s bærepose; ~ **pigeon** s brev-
due.

carrot ['kærət] s gulerod.

carry ['kæri] v bære; medføre;
transportere, befordre; føre;
(om lyd) bære, række; *be car-
ried away* blive revet væk;
blive begejstret; ~ *on* føre,
drive; fortsætte; opføre sig; ~
on about sth skabe sig over
ngt; ~ *on with sby* have en
affære med en; ~ *out* udføre;
foretage; **~cot** s babylift.

cart [kɑːt] s kærre; trækvogn //
v køre; *(fig)* slæbe.

cartilage ['kɑːtilidʒ] s brusk.

carton ['kɑːtən] s papæske;
karton; pakke.

cartoon [kɑːˈtuːn] s vittigheds-
tegning; tegneserie; (også:
animated ~) tegnefilm; **~ist**
s vittighedstegner; tegneseri-
eforfatter.

cartridge ['kɑːtridʒ] s patron;
(foto) filmrulle, kassette;
båndkassette.

carve [kɑːv] v skære (ud); hug-
ge (ud); *(gastr)* skære 'for,
tranchere; **carving** s billed-
skærerarbjde; billedhugger-
arbejde; **carving knife** s
forskærerkniv.

car wash ['kɑːˌwɔʃ] s autovask.

cascade [kæsˈkeid] s vand-
fald, kaskade // v strømme,
bruse.

case [keis] s sag (også *jur)*;
tilfælde; kasse, æske, skrin,
etui; (også: *suit~)* kuffert; *in
~ he comes* hvis han kom-
mer; *in ~ of* i tilfælde af (at);
just in ~ for alle tilfældes
skyld; ~ **history** s (patients)
sygehistorie, anamnese.

cash [kæʃ] s kontanter // v
indløse (fx *a cheque* en
check), hæve // *adj* kontant;
pay (in) ~ betale kontant; ~
on delivery (COD) kontant
ved levering; **~-and-carry** s
discountvarehus; ~ **book** s
kassebog.

cashier [kæˈʃiə*] s kasserer.

cashmere [kæʃˈmiə*] s kash-
mir(uld).

cash. . . ['kæʃ-] sms: ~ **pay-
ment** s kontant betaling; ~
receipt s kassebon; ~ **regi-
ster** s kasseapparat.

casing ['keisiŋ] *s* beklædning; væg; karm, indfatning.

cask [ka:sk] *s* tønde, fad.

casket ['ka:skit] *s* (lig)kiste.

casserole ['kæsərəul] *s* ildfast fad; gryderet.

cassette [kæ'set] *s* kassette; ~**player**, ~ **recorder** *s* kassettebåndoptager.

cassock ['kæsək] *s* præstekjole.

cast [ka:st] *s* kast; afstøbning; *(teat)* rollebesætning // *v (cast, cast)* kaste; (om fjer etc) fælde; støbe; ~ *sby as Hamlet* tildele en rollen som Hamlet; ~ *one's vote* afgive sin stemme; ~ *off (mar)* kaste los; (i strikning) lukke af; ~ *on* (i strikning) slå op.

castaway ['ka:stəwei] *s* udstødt; skibbruden.

casting ['ka:stiŋ] *adj:* ~ *vote* afgørende stemme.

cast iron ['ka:st'aiən] *s* støbejern.

castle ['ka:sl] *s* slot, borg; herregård; (i skak) tårn; ~*s in the air* luftkasteller; vilde drømme.

castor ['ka:stə*] *s* (på rullebord etc) hjul; strødåse; krydderisæt; ~ **oil** *s* amerikansk olie; ~ **sugar** *s* strøsukker.

casual ['kæʒjuəl] *adj* tilfældig; flygtig, henkastet (fx *remark* bemærkning); overlegen; ~ **labour** *s* løsarbejde; ~**ly** *adv* tilfældigt; henkastet; ~**ty** *s* ulykke; tilskadekommen; ~*ties pl* tilskadekomne; *(mil)*

sårede, faldne; ~ **wear** *s* fritidstøj.

cat [kæt] *s* kat; *let the* ~ *out of the bag* røbe en hemmelighed; plapre ud med det hele; *rain* ~*s and dogs* regne skomagerdrenge.

catalogue ['kætələg] *s* katalog; liste // *v* katalogisere.

catalyst ['kætəlist] *s* katalysator (også *fig*).

catapult ['kætəpʌlt] *s* slangebøsse; katapult.

cataract ['kætərækt] *s* vandfald; rivende strøm; *(med)* grå stær.

catastrophe [kə'tæstrəfi] *s* katastrofe; **catastrophic** [-'strofik] *adj* katastrofal.

catch [kætʃ] *s* fangst; fælde; lås (på fx taske, smykke) // *v (caught, caught* [ko:t]*)* fange; gribe (fx en bold); nå (fx toget); overraske; opfatte, få fat i; hænge fast (i); ~ *sby's attention* (el. *eye)* fange ens opmærksomhed (el. blik); ~ *cold* blive forkølet; ~ *fire* antændes; ~ *sight of* få øje på; ~ *up (with)* indhente; ~**ing** *adj* (om sygdom) smitsom.

catchment area ['kætʃmənt͵æəriə] *s* (om fx skole, hospital) opland; befolkningsunderlag; *(geol)* afvandingsområde.

catch phrase ['kætʃfreiz] *s* slagord.

catchy ['kætʃi] *adj* iøjnefaldende; iørefaldende.

categoric(al) [kæti'gorik(əl)]
adj kategorisk, bestemt; **categorize** ['kætigəraiz] *v* klassificere, rubricere; **category**
['kætigəri] *s* kategori, gruppe.

cater ['keitə*] *v* levere mad
(for til); ~ *for* (også:) appellere til, prøve at gøre tilpas;
~er *s* diner transportable; arrangør af (fest)måltider;
~ing *s* forplejning; catering;
the ~ring trade restaurationsbranchen.

caterpillar ['kætəpilə*] *s* kålorm; larve; ~ **tank** *s* kampvogn, tank; ~ **tractor** *s* larvefodstraktor; ~ **vehicle** *s* bæltekøretøj.

cathedral [kə'θi:drəl] *s* domkirke, katedral.

Catholic ['kæθəlik] *s* katolik //
adj katolsk; **catholic** *adj* alsidig, omfattende.

catkin ['kætkin] *s (bot)* rakle;
'gæsling'.

cattle ['kætl] *spl* kvæg, kreaturer; *twenty head of* ~ tyve
stykker kvæg.

catty ['kæti] *adj* katteagtig;
ondskabsfuld, spydig.

caught [kɔ:t] *præt* og *pp* af
catch.

cauliflower ['kɔliflauə*] *s*
blomkål.

cause [kɔ:z] *s* årsag, grund; sag
// *v* forårsage; bevirke; *give*
~ *for* give anledning til; *there is no* ~ *for concern* der er
ingen grund til at bekymre
sig; ~ *sby to change his mind*
få en til at bestemme sig om;

~**way** *s* vej på dæmning (over
fx sumpet område).

caution ['kɔ:ʃən] *s* forsigtighed; advarsel // *v* advare;
tilråde; **cautious** ['kɔ:ʃəs] *adj*
forsigtig; forbeholden.

cavalry ['kævəlri] *s (mil)* kavaleri.

cave [keiv] *s* hule, grotte // *v:*
~ *in* (om tag etc) styrte sammen; trykke ind; *(fig)* give
efter; ~**man** *s* hulemenneske.

cavern ['kævən] *s* stor hule;
hulrum; ~**ous** *adj* hul; bundløs.

cavity ['kæviti] *s* hulhed, hulrum; (i tand) hul.

cavort [kə'vɔ:t] *v* hoppe omkring, lave krumspring.

cc fork.f. *cubic centimetres;
carbon copy.*

cease [si:s] *v* standse; høre op;
holde op; ~**fire** *s* våbenhvile;
~**less** *adj* endeløs.

cedar ['si:də*] *s* ceder(træ).

cede [si:d] *v* overdrage (fx *the
rights* rettighederne); afstå.

ceiling ['si:liŋ] *s* loft (også *fig);
(fly)* tophøjde; *(met)* skyhøjde; *hit the* ~ ryge helt op i
loftet (af raseri).

celebrate ['selibreit] *v* fejre,
feste; ~**d** *adj* berømt; feteret;
celebration [-'breiʃən] *s* fest;
fejren; lovprisning; **celebrity**
[si'lebriti] *s* berømmelse; (om
person) berømthed.

celeriac [sə'leriæk] *s (rod)*selleri; **celery** ['seləri] *s* bladselleri.

celibacy ['selibəsi] *s* cølibat.

cell [sɛll] s celle; *(elek)* element.

cellar ['sɛlə*] s kælder; vinkælder.

cellular ['sɛljulə*] *adj* bestående af celler, cellet, cellulær.

Celtic ['kɛltik, 'sɛltik] *adj* keltisk.

cement [si'mɛnt] s cement // *v* cementere.

cemetery ['sɛmitri] s kirkegård.

cenotaph ['sɛnətɑ:f] s gravmonument, gravmæle.

censor ['sɛnsə*] s (om film, bøger etc) censor // *v* censurere; **~ship** s censur.

censure ['sɛnʃə*] s kritik // *v* kritisere.

census ['sɛnsəs] s folketælling; *traffic* ~ trafiktælling.

centenary [sɛn'ti:nəri] s hundredårsdag.

centi. . . ['sɛnti-] sms: **~grade** s celsius; **~pede** s skolopender, tusindben.

central ['sɛntrəl] *adj* central(-); ~ **heating** s centralvarme; **~ize** *v* centralisere.

centre ['sɛntə*] s centrum, midtpunkt; center; **~board** s *(mar)* sænkekøl.

century ['sɛntʃəri] s århundrede.

ceramic [si'ræmik] *adj* keramisk; **~s** *spl* keramik.

cereal ['si:riəl] s kornsort; corn-flakes, popris, müsli etc.

ceremony ['sɛriməni] s ceremoni; *stand on* ~ holde på formerne; *without* ~ uden

videre.

certain ['sə:tən] *adj* sikker, vis; afgjort; sikker på; *make* ~ sikre sig; *for* ~ bestemt; **~ly** *adv* sikkert, bestemt; (som *interj*) ja absolut; ja endelig; gerne; **~ty** s vished, sikkerhed.

certificate [sə'tifikət] s certifikat, attest, bevis; **certify** ['sə:tifai] *v* attestere, bekræfte; **certitude** s vished.

cervix ['sə:viks] s livmoderhals.

cessation [sə'seiʃən] s ophør; indstilling.

cesspool ['sɛspu:l] s sivebrønd; *(fig)* sump, kloak.

cf. fork.f. *compare* jf., se.

chafe [tʃeif] *v* gnide; (om fx sko) gnave; irritere.

chaffinch ['tʃæfintʃ] s bogfinke.

chain [tʃein] s lænke, kæde; række // *v* lænke; spærre med kæde; ~ **reaction** s kædereaktion; **~smoker** s kæderyger; ~ **store** s kædebutik.

chair [tʃeə*] s stol; *(univ)* lærestol, professorat; formandspost // *v* være formand for, lede (fx *a meeting* et møde); **~lift** s svævebane, skilift; **~man** s formand; ordstyrer; **~person** s ordstyrer, formand m/k; **~woman** s forkvinde.

chalice ['tʃælis] s bæger; (alter)kalk.

chalk [tʃɔ:k] s kridt // *v* kridte; skrive med kridt; *not by a* *long* ~ (F) ikke på langt nær.

challenge ['tʃælindʒ] *s* udfordring // *v* udfordre; kræve; protestere mod, bestride; ~*r s (sport)* udfordrer; **challenging** *adj* udfordrende.

chamber ['tʃeimbə*] *s* kammer, værelse; ~ *of commerce* handelskammer; ~**maid** *s* stuepige; ~ **music** *s* kammermusik; ~**pot** *s* natpotte; ~**s** *spl* ungkarlehybel; advokatkontor; dommerkontor.

chamois ['ʃæmwa:] *s* gemse; ['ʃæmi] (også: ~ *leather)* vaskeskind.

champion ['tʃæmpiən] *s* forkæmper *(of* for); *(sport)* champion, mester; ~**ship** *s* mesterskab; mesterskabskonkurrence.

chance [tʃa:ns] *s* chance, mulighed; lejlighed *(of* til); tilfælde(t) // *v:* ~ *it* tage chancen, risikere det // *adj* tilfældig; *there is little* ~ *of his coming* der er ikke store chancer for at han kommer; *take a* ~ tage en chance; løbe en risiko; *by* ~ tilfældigvis; *do you by any* ~ *know where he is?* du ved vel ikke (tilfældigvis) hvor han er?

chancellor ['tʃa:nsələ*] *s* kansler; *C~ of the Exchequer* sv.t. finansminister.

chandelier [ʃændə'liə*] *s* lysekrone.

change [tʃeindʒ] *s* ændring, forandring; skifte; omklædning; småpenge, vekselpenge

// *v* ændre(s), forandre (sig); skifte; klæde sig om; bytte, veksle; *a* ~ *of clothes* skiftetøj; *for a* ~ til en forandring; *have you any (small)* ~? har du nogen småpenge? har du vekselpenge? ~ *of address* adresseforandring; ~ *into* forvandle sig til; ~ *one's mind* ombestemme sig; ~**able** *adj* (om vejret) ustadig, foranderlig; ~**over** *s* overgang, omstilling; **changing** *adj* skiftende; **changing room** *s* (i butik) prøverum; *(sport)* omklædningsrum.

channel [tʃænl] *s* kanal (også *tv* etc); *(mar)* sejlrende; (om flod) leje // *v* danne kanaler i; kanalisere; *the (English) C~ (geogr)* Kanalen; *the C~ Islands (geogr)* Kanaløerne.

chant [tʃa:nt] *s* (H) sang, messen // *v* messe.

chaos ['keiɔs] *s* kaos; **chaotic** [kei'ɔtik] *adj* kaotisk.

chap [tʃæp] *s* (F, om mand) fyr // *v* få revner i huden; blive sprukken.

chapel ['tʃæpəl] *s* kapel; mindre kirke; bedehus.

chaplain ['tʃæplin] *s* huskapellan; præst (fx ved hoffet, på skib o.l.).

chapter ['tʃæptə*] *s* kapitel.

char [tʃa:*] *s* d.s.s. ~*woman* // *v* forkulle(s); gå ud og gøre rent.

character ['kæriktə*] *s* karakter; art, natur; (i bog, film etc) person; personlighed;

(skrift)tegn; *be in* ~ passe i
stilen; *be out of* ~ ikke passe
i stilen; *she is quite a* ~ hun
er lidt af en personlighed;
~**istic** [-'ristik] *s* karaktere-
genskab; særligt kendetegn //
adj karakteristisk *(of* for);
~**ize** *v* karakterisere.
charade [ʃə'rɑ:d] *s* ordsprogs-
leg; *(fig)* paradenummer.
charcoal ['tʃɑːkəul] *s* trækul.
charge [tʃɑːdʒ] *s (jur)* anklage,
tiltale, sigtelse; pris, takst;
(mil) ladning; angreb // *v*
beskylde, anklage; (om pris)
forlange; debitere; (om gevær
etc) lade; *(elek)* oplade; *(mil)*
angribe, storme; *be in* ~ *of*
have ansvaret for; stå for;
have ~ *of* have ansvaret for;
take ~ *of* tage sig af; tage i
forvaring; ~ *sby (with sth)*
sigte en (for ngt); pålægge en
(ngt); *is there a* ~*?* koster det
ngt? *there's no* ~ det er gra-
tis; *they* ~*d us £10 for the
meal* de tog £10 for måltidet;
how much do you ~ *for this
repair?* hvor meget skal De
have for denne reparation?
~ *it* (el. *the expense) to me*
sæt det på min regning; ~ *in*
komme farende ind; ~**s**
['tʃɑːdʒiz] *spl* omkostninger.
charitable ['tʃærɪtəbl] *s* næste-
kærlig; godgørende, velgø-
rende; **charity** *s* (næste)kær-
lighed; velgørenhed; barm-
hjertighed.
charlady ['tʃɑːleidi] *s* d.s.s. *char-
woman.*

charm [tʃɑːm] *s* charme; ynde;
trolddom, tryllemiddel; amu-
let // *v* charmere; fortrylle;
~**ing** *adj* charmerende, yndig.
chart [tʃɑːt] *s* diagram; kurve;
tavle; *(mar)* søkort // *v* lave
kort (el. diagram) over; *(fig)*
planlægge.
charter ['tʃɑːtə*] *s* dokument;
privilegium; fundats; *(mar,
fly)* chartring // *v* chartre;
~**d accountant** *s (CA.)*
statsautoriseret revisor; ~
flight *s* charterflyvning.
charwoman ['tʃɑːwumən] *s*
rengøringskone.
chase [tʃeis] *s* jagt, forfølgelse
// *v* jage (efter), forfølge; løbe
efter.
chasm ['kæzəm] *s* kløft; svælg.
chaste ['tʃeist] *adj* kysk, ær-
bar; **chastity** ['tʃæstiti] *s* ær-
barhed, renhed.
chat [tʃæt] *s* sludder, snak // *v*
sludre, snakke.
chatter ['tʃætə*] *s* snakken,
snadren // *v* snakke, pladre,
skvadre op; (om tænder)
klapre; ~**box** *s* sludrebøtte;
chatty *adj* snakkesalig.
chauffeur ['ʃəufə*] *s* (privat)-
chauffør.
cheap [tʃiːp] *adj* billig; tarve-
lig, simpel; letkøbt; ~**en** *v*
gøre billigere, nedsætte; gøre
simpel.
cheat [tʃiːt] *s* snyderi; snyder,
bedrager // *v* snyde, bedrage;
~ *at cards* snyde i kortspil.
check [tʃɛk] *s* standsning; kon-
trol; kontrolmærke; (restau-

rations)regning; (kasse)bon // v standse; holde tilbage; kontrollere, checke; ~ *in* (på hotel etc) indskrive sig, tage ind (på); ~ *off* kontrollere, checke af; ~ *out* (på hotel etc) betale regningen, afrejse; ~ *up on sth* efterprøve (el. undersøge) ngt; ~ *up on sby* undersøge ens forhold; *keep a* ~ *on sby* føre kontrol med en; ~**mate** *s* skakmat; **~point** *s* kontrolpunkt; **~up** *s (med)* helbredsundersøgelse.

cheek [tʃiːk] *s* kind; (F) frækhed; **~bone** *s* kindben; **~y** *adj* fræk, flabet.

cheer [tʃiə*] *s* hurraråb; bifald; (H) humør // *v* råbe hurra; juble over; opmuntre; ~ *up!*op med humøret! **~ful** *adj* munter; frejdig; opmuntrende; **~io** *interj* (F) hej; farvel; **~less** *adj* trist, uhyggelig; **~s!** *interj* skål!

cheese [tʃiːz] *s* ost; *say* ~*!* smil til fotografen! **~board** *s* osteanretning; ostebræt.

chef [ʃef] *s* køkkenchef, kok.

chemical [ˈkemikəl] *s* kemikalie // *adj* kemisk; **chemist** [ˈk mist] *s* kemiker; apoteker; **chemistry** *s* kemi; **chemist's (shop)** *s* apotek.

cheque [tʃæk] *s* check; *a* ~ *for £10* en check på £10; **~book** *s* checkhæfte.

chequered [ˈtʃekəd] *adj* ternet; afvekslende, broget.

cherish [ˈtʃeriʃ] *v* nære (fx *hopes* håb); værne om, hæge

om; elske.

cheroot [səˈruːt] *s* cerut.

cherry [ˈtʃeri] *s* kirsebær; kirsebærrødt; ~ **brandy** *s* kirsebærlikør.

chervil [ˈtʃəːvil] *s* kørvel.

chess [tʃes] *s* skak; **~board** *s* skakbræt; **~man** *s* skakbrik; **~player** *s* skakspiller.

chest [tʃest] *s* kasse, kiste; bryst(kasse); *get sth off one's* ~ lette sit hjerte (for ngt); ~ *of drawers* kommode; dragkiste.

chestnut [ˈtʃesnʌt] *s* kastanje(træ); kastanjebrunt.

chew [tʃuː] *v* tygge; **~ing gum** *s* tyggegummi.

chick [tʃik] *s* kylling, fugleunge; (S) pige, dulle.

chicken [ˈtʃikən] *s* kylling; høne; (S) bangebuks; *roast* ~ stegt kylling; ~ **broth** [-broθ] *s* hønsekødsuppe; ~ **farm** *s* hønseri; ~ **feed** *s (fig)* småskillinger, 'pebernødder'; ~ **pox** *s* skoldkopper.

chick pea [ˈtʃikpiː] *s (bot)* kikært.

chicory [ˈtʃikəri] *s (bot)* cikorie; (også: ~ *salad)* julesalat.

chief [tʃiːf] *s* chef; høvding // *adj* vigtigst; hoved-, over-; ~ **constable** *s* sv.t. politimester; ~ **editor** *s* chefredaktør; **~ly** *adv* hovedsagelig, først og fremmest.

chilblain [ˈtʃilblein] *s* frostknude; forfrysning.

child [tʃaild] *s (pl: children* [ˈtʃildrən]) barn; *be with* ~

være gravid; **~birth** s barne-
fødsel; **~hood** s barndom;
~ish adj barnlig, barnagtig;
~ minder s dagplejemor;
~proof adj børnesikret;
~ren's disease s børnesyg-
dom; **~ welfare** s børnefor-
sorg.

chill [tʃil] s kulde; kuldegys-
ning; snue, forkølelse // v få
til at fryse; blive (el. gøre)
kold // adj kølig, kold; catch a
~ få snue; serve **~ed** serveres
afkølet; **~y** adj kold, kølig;
kuldskær; feel **~y** småfryse.

chime [tʃaim] spl klokkespil //
v kime, ringe (med); (om ur)
slå; ~ in stemme i; ~ in with
harmonere med.

chimney ['tʃimni] s skorsten;
kamin, ildsted; **~piece** s ka-
minhylde; ~ **sweep** s skor-
stensfejer.

chimpanzee [tʃimpæn'ziː] s
chimpanse.

chin [tʃin] s (anat) hage; keep
your ~ up! op med humøret!

china ['tʃainə] s porcelæn; **C~** s
Kina; **Chinese** [tʃai'niːz] s ki-
neser // adj kinesisk.

chink [tʃiŋk] s revne, sprække.

chip [tʃip] s flis; skår, hak; (i
spil) jeton // v snitte; hugge
(skår i); blive skåret; **~board**
s spånplade; **~pings** spl spå-
ner; **~s** spl (også: potato **~s**)
pommes frites; (am) franske
kartofler.

chiropodist [ki'rɔpədist] s fod-
plejer.

chirp [tʃəːp] v kvidre, pippe;

~y adj kvidrende, i sprudlen-
de humør.

chisel [tʃizl] s mejsel; bræk-
jern; stemmejern.

chit [tʃit] s kort besked, seddel;
gældsbevis.

chitchat ['tʃittʃæt] s lille slud-
der, småsnak.

chivalrous ['tʃivəlrəs] adj rid-
derlig; **chivalry** s ridderskab;
ridderlighed.

chives ['tʃaivz] spl purløg.

chloride ['klɔːraid] s (kem) klo-
rid; **chlorine** ['klɔːrin] s (kem)
klor.

chock [tʃɔk] s bremseklods;
kile; **~-full** adj propfuld.

chocolate ['tʃɔklit] s chokola-
de; hot ~ varm chokolade-
drik.

choice [tʃɔis] s valg; udvalg //
adj udsøgt; we don't have any
~ vi har ikke ngt valg; a large
~ in shoes et stort udvalg i
sko.

choir ['kwaiə*] s kor; **~-boy** s
kordreng, messedreng.

choke [tʃəuk] s (auto) choker
// v kvæle; være ved at kvæ-
les; tilstoppe, blokere.

choose [tʃuːz] v (chose, chosen
[tʃəuz, tʃəuzn]) vælge (to at);
udvælge; when he **~s** når han
gider; pick and ~ vælge og
vrage.

chop [tʃɔp] s hug; (gastr) kote-
let // v hugge (fx wood bræn-
de); hakke (i småstykker); ~
down a tree fælde et træ;
~per s hakkekniv; hakkema-
skine; **~sticks** spl spisepinde.

choral ['kɔrəl] adj kor-; sang-; ~ **society** s sangforening.

chord [kɔ:d] s (mus) streng; akkord; vocal ~s stemmebånd.

chore [tʃɔ:*] s rutinearbejde; household ~s huslige pligter.

choreographer [kɔri'ɔgrəfə*] s koreograf.

chortle [tʃɔ:tl] v klukke.

chorus ['kɔrəs] s kor; omkvæd.

chose [tʃəuz] præt af choose; **chosen** [tʃəuzn] pp af choose.

Christ ['kraist] s Kristus; **c~en** [krisn] v døbe; **c~ning** ['krisniŋ] s dåb; **~ian** ['kristiən] adj kristen; **~ianity** [kristi'æniti] s kristenhed, kristendom; **~ian name** s fornavn; **~mas** ['krisməs] s jul; **~mas Eve** s juleaften; **~mas present** s julegave; **~mas tree** s juletræ.

chronic ['krɔnik] adj kronisk.

chronicle ['krɔnikl] s krønike.

chubby ['tʃʌbi] adj buttet, trind.

chuck [tʃʌk] v kaste, smide; ~ out smide ud; ~ (up) (F) opgive; sige op.

chuckle [tʃʌkl] v klukke; grine i skægget.

chum [tʃʌm] s kammerat, makker // v: ~ up blive gode venner; **~my** adj kammeratlig.

chunk [tʃʌŋk] s (om kød) luns; (om brød) humpel; **~y** adj (F) lækker, 'fed' (fx sweater).

church [tʃə:tʃ] s kirke; **~yard** s kirkegård.

churn [tʃə:n] s (mælke)junge.

chute [ʃu:t] s slisk; rutschebane; (også: rubbish ~) affaldsskakt.

CID ['si:ai'di:] (fork.f. Criminal Investigation Department) afd. af Scotland Yard, sv.t. kriminalpolitiet.

cigarette [sigə'ret] s cigaret; ~ **case** s cigaretetui; ~ **end** s cigaretskod; ~ **holder** s cigaretrør.

cinch [sintʃ] s: it's a ~ (F) det er en smal sag.

cinder ['sində*] s slagge; ~s (også: aske; **C~ella** [-'relə] s Askepot.

cine-camera ['sini,kæmərə] s filmsoptager; **cinefilm** s (biograf)film; **cinema** ['sinəmə] s biograf; **cine-projector** s smalfilmsfremviser.

cinnamon ['sinəmən] s kanel.

cipher ['saifə*] s nul; chifferskrift; chiffer.

circle [sə:kl] s cirkel; (rund)kreds; omdrejning; (teat) balkon // v kredse; cirkle; gå rundt om; omgive.

circuit ['sə:kit] s omkreds; kredsløb; runde; kreds; short ~ kortslutning; **~-breaker** s strømafbryder.

circular ['sə:kjulə*] s cirkulære, rundskrivelse // adj cirkulær; rund; **circulate** v cirkulere; være i omløb; udsprede; **circulation** [-'leiʃən] s cirkulation; omløb; kredsløb, blodomløb.

circumcision [sə:kəm'siʒən] s

(med) omskæring.
circumference [sə'kʌmfə-
rəns] *s* omkreds; periferi.
circumspect ['sə:kəmspɛkt]
adj forsigtig.
circumstance ['sə:kəmstəns]
s omstændighed; **~s** *spl* om-
stændigheder, forhold; kår.
circus ['sə:kəs] *s* rund plads;
cirkus.
cissy ['sisi] *s* tøsedreng.
cite [sait] *v* citere; påberåbe
sig.
citizen ['sitizn] *s* borger;
borger; **~ship** *s* borgerskab;
indfødsret; samfundssind.
city ['siti] *s* by; bymidte // *adj*
by-, stads-; *the* C~ City (for-
retningskvarter i London).
civic ['sivik] *adj* borgerlig; by-;
kommunal.
civil ['sivil] *adj* civil, borgerlig;
høflig; ~ **defence** *s* civilfor-
svar; ~ **engineer** *s* sv.t. civil-
ingeniør; **~ian** [si'viliən] *s* ci-
vilperson // *adj* civil; **~iza-
tion** [sivilai'zeiʃən] *s* civilisa-
tion; **~ized** *adj* civiliseret,
kultiveret.
civil. . . ['sivil-] sms: ~ **law** *s*
(jur) civilret; borgerlig ret; ~
servant *s* embedsmand, tje-
nestemand; **C~ Service** *s* sv.t.
statsforvaltningen, civilfor-
valtningen; ~ **war** *s* borger-
krig.
claim [kleim] *s* krav, fordring;
påstand // *v* gøre krav på;
kræve; påstå; *(insurance)* ~
erstatningskrav; **~ant** *s* for-
dringshaver; ansøger.

clam [klæm] *s* musling.
clamber ['klæmbə*] *v* klatre,
kravle.
clammy ['klæmi] *adj* fugtig,
klam.
clamp [klæmp] *s* skruetvinge;
klemme; *(fig)* hindring // *v*
spænde fast; ~ *down on*
stramme grebet om; ~ *one's
teeth* bide tænderne sammen.
clan [klæn] *s* klan, familie.
clandestine [klæn'dɛstin] *adj*
hemmelig.
clang [klæŋ] *s* metalklang;
klirren.
clap [klæp] *s* brag; smæk;
skrald (fx *of thunder* torden-)
// *v* brage, smælde; klappe;
smække; ~ *(one's) hands*
klappe i hænderne; **~ping** *s*
applaus, klapsalver.
claret ['klærət] *s* rødvin (især
bordeauxvin).
clarification [klærifi'keiʃən] *s*
afklaring, klarlæggelse; **clari-
fy** ['klærifai] *v* klarlægge; gøre
klar; **clarity** ['klæriti] *s* klar-
hed.
clash [klæʃ] *s* klirren; brag;
sammenstød; konflikt // *v*
klirre; støde sammen.
clasp [kla:sp] *s* spænde; lås;
hægte; omfavnelse; greb // *v*
spænde; hægte; omfavne;
holde på; ~ *one's hands* fol-
de hænderne.
class [kla:s] *s* klasse // *v* klassi-
ficere; **~ic** ['klæsik] *s* klassi-
ker; *C~s* (skole, universitet)
græsk og latin // *adj* klassisk;
~ification [klæsifi'keiʃən] *s*

klassificering; **~ified**
['klæsifaid] *adj* klassificeret;
~ified ads *spl* rubrikannon-
cer; **~ify** ['klæsifai] *v* klassifi-
cere; **~ mate** *s* klassekam-
merat.

clatter ['klætə*] *s* klirren;
klapren; spektakel // *v* klirre;
klapre.

clause [klɔ:z] *s* klausul; be-
stemmelse; *(gram)* sætning.

claw [klɔ:] *s* klo; klosaks // *v*
gribe (med kløerne); kradse,
rive.

clay [klei] *s* ler; **~-pipe** *s* kridt-
pibe.

clean [kli:n] *v* rense; gøre rent
// *adj* ren; uplettet; glat, jævn;
~ out udrense; rydde op i;
udplyndre; *I am ~ed out* (F)
jeg er blanket helt af; **~ up**
rydde op; gøre rent; gøre sig i
stand; *a ~ edge* en jævn (el.
glat) kant; *come ~* (F) ind-
rømme, tilstå; **~er** *s* rengø-
ringsassistent; (også: *dry ~*)
renserier; (om produkt)
rensevæske; *take sth to the
~er's* bringe ngt til rensning;
take sby to the ~er's (F) give
en et møgfald; **~ing** *s* rens-
ning; rengøring; **~liness**
['klɛnlinis] *s* renlighed.

cleanse [klɛnz] *v* rense, gøre
ren; **cleansing cream** *s* rense-
creme; **cleansing tissue** *s*
renseserviet.

clean-shaven ['kli:n'ʃeivn] *adj*
glatbarberet.

clear [kliə*] *s: be in the ~* være
uden for fare; være frikendt
// *v* klare (op); rydde; rense;
tømme; komme over; *(merk)*
klarere; *(jur)* frikende i i:
~ of fri af (el. for); **~ one's
throat** rømme sig; **~ up** op-
klare (fx *a case* en sag); (om
vejret) klare op; rydde op i; få
af vejen; **~ance** *s* rydning;
tilladelse; klarering; *slum
~ance* slumsanering; **~ance
sale** *s (merk)* udsalg; **~-cut**
adj klar, tydelig; skarpskåret;
~ing *s* rydning; (i skov også)
lysning; *(merk)* clearing;
~way *s* vej med stopforbud.

cleavage ['kli:vidʒ] *s* (om kjole
etc) dyb udskæring; **cleave** *v
(cleft, cleft* [klɛft] el. *~d, ~d)*
kløve, spalte; *(clave, cloven*
[kleiv, kløuvn]) klæbe, holde
fast ved.

clef [klɛf] *s (mus)* nøgle (fx *G
~* G-nøgle).

clemency ['klɛmənsi] *s* mild-
hed; **clement** *adj* mild.

clench [klɛntʃ] *v* knuge; knytte
(fx *one's fist* næven); bide
sammen (fx *one's teeth* tæn-
derne).

clergy ['klə:dʒi] *s* gejstlighed;
præster; **~man** *s* præst.

clerical ['klɛrikl] *adj* præste-;
kontor-.

clerk [kla:k] *s* kontorfunktio-
nær; sekretær.

clever ['klevə*] *adj* dygtig;
kvik, begavet; ferm; smart.

click [klik] *s* klik; smæld // *v*
klikke; smælde; klapre med;
~ one's heels smække hæle-
ne sammen; **~ one's tongue**

slå smæld med tungen.
client ['klaiənt] s klient; kunde.
cliff [klif] s klint; klippeskrænt.
climate ['klaimit] s klima.
climb [klaim] s bjergbestig-
ning; klatretur; stigning // v
klatre; kravle (op); stige (op);
skråne opad; **~er** s klatre-
plante; stræber; (også: *moun-
tain ~*) bjergbestiger; **~ing** s
bjergbestigning.
clinch [klintʃ] v klinke; be-
kræfte; afgøre endeligt (fx *a
deal* en handel).
cling [kliŋ] v (*clung, clung*
[klʌŋ]): ~ *to* hænge fast ved
(el. i); klamre sig til; **~film** s
plastfolie; **~ing** *adj* (om kjole
etc) tætsiddende.
clinic ['klinik] s klinik.
clink [kliŋk] v klirre, rasle.
clip [klip] s klemme, holder;
cykelklemme; (også: *paper
~*) papirclips // v klippe; ~
together hæfte sammen;
~pers *spl* have- el. hække-
saks; (også: *nail ~pers*) neg-
lesaks.
clique [kli:k] s klike.
cloak [kləuk] s kappe; slag;
~room s garderobe; toilet.
clock [klɔk] s ur; klokke // v
(*sport*) tage tid (på); ~ *in to
work* stemple ind på arbej-
det; **~wise** *adj* med uret; høj-
re om; **~work** s urværk; tæl-
leværk; **~work toy** s meka-
nisk legetøj (som trækkes
op).
clod [klɔd] s klump (jord etc);
(F) klods; sløv padde.

clog [klɔg] s træsko // v hæm-
me; ~ *up* tilstoppe; blive
tilstoppet.
cloister ['klɔistə*] s kloster;
søjlegang.
close [kləus] s indhegning;
plads, stræde; [kləuz] afslut-
ning; ophør // v [kləuz] luk-
ke; afslutte; slutte // *adj/adv*
og sms [kləus] nær; tæt; i
nærheden, tæt på; lukket;
nøje; omhyggelig; (om vejret)
lummer; indelukket; ~
down lukke, ophøre; nedlæg-
ge; *a ~ friend* en nær ven;
have a ~ shave (fig) klare sig
på et hængende hår; **~d shop**
s virksomhed der kun be-
skæftiger organiseret ar-
bejdskraft; **~fisted** *adj* næ-
rig, påholdende; **~fitting** *adj*
(om tøj) tætsiddende; **~ly** *adv*
nøje; indgående.
closet ['klɔzit] s skab; wc // v:
be ~ed with være i enrum
med.
close-up ['kləusʌp] s nærbille-
de.
closure ['kləuʒə*] s lukning;
afslutning.
clot [klɔt] s klump; blodprop //
v danne klumper; koagulere.
cloth [klɔθ] s klæde; tøj; klud;
dug; **~e** ['kləuð] v klæde på;
iklæde; dække; **~es** ['kləuðs]
spl klæder, tøj; **~es brush** s
klædebørste; **~es line** s tørre-
snor; **~es peg** s tøjklemme;
~es press s klædeskab; kom-
mode; **~ing** ['kləuðiŋ] s d.s.s.
~es.

clotted ['klɔtid] adj klumpet.

cloud [klaud] s sky; sværm; ~burst s skybrud; ~ed el. ~y adj (over)skyet.

clove [kləuv] s kryddernellike; a ~ of garlic et fed hvidløg.

clover ['kləuvə*] s (bot) kløver; be in ~ have kronede dage; ~leaf s kløverblad (også i vejanlæg).

clown [klaun] s klovn // v klovne.

club [klʌb] s klub; kølle; politistav // v slå (ned); ~ together slå sig sammen; ~s spl (i kortspil) klør; ace of ~s klør es; ~ steak s (gastr) oksehøjreb.

cluck [klʌk] v (om høne) klukke; (om person) smække med tungen; sige hyp til en hest.

clue [klu:] s spor (i en sag); fingerpeg; (i krydsord) løsningsord; I haven't (got) a ~ jeg aner det ikke.

clump [klʌmp] s klump, klynge.

clumsy ['klʌmzi] adj kluntet; klodset.

clung [klʌŋ] præt og pp af cling.

cluster ['klʌstə*] s klynge; (lille) gruppe // v samle sig, flokkes.

clutch [klʌtʃ] s (stramt) greb; (auto) kobling // v gribe fat i; be in sby's ~es være i kløerne på en; ~ at gribe efter; klynge sig til.

clutter ['klʌtə*] v fylde op; rode; ligge og flyde.

Co. fork.f. company; county.

coach [kəutʃ] s bus; karet; (jernb) personvogn; (sport) træner // v instruere; give lektiehjælp; (sport) træne.

coagulate [kəu'ægjuleit] v størkne, koagulere.

coal [kəul] s kul; ~field s kulfelt.

coalition [kəuə'liʃən] s sammenslutning, forbund, koalition.

coalmine ['kəulmain] s kulmine; **coalmining** s kulminedrift; **coalpit** s kulmine.

coarse [kɔ:s] adj grov; rå; use ~ language være grov i munden.

coast [kəust] s kyst // v sejle langs kysten; (på cykel) køre frihjul; (auto) køre med udkoblet motor; rulle; ~al adj kyst-; ~ guard s kystbevogtning; ~line s kystlinje.

coat [kəut] s frakke; (om dyr) pels; fjerdragt; (om maling) lag // v overtrække; dække; stryge; smøre; ~ hanger s klædebøjle; ~ing s overtræk, belægning; lag; ~ of arms s våbenskjold.

coax [kəuks] v lokke; snakke godt for.

cob [kɔb] s (også: corn ~) majskolbe.

cobble [kɔbl] s (også: cobblestone) brosten.

cobweb ['kɔbweb] s spindelvæv.

cock [kɔk] s (zo) hane; (V) pik // v sætte på skrå; dreje, vende; (om gevær) spænde hanen på; ~ one's ears spidse ører; **~erel** s hanekylling; **~eyed** adj skeløjet.

cockle [kɔkl] s (zo) hjertemusling; muslingeskal.

cockney ['kɔkni] s cockney (person fra London's East End); cockneydialekt.

cockroach ['kɔkrəutʃ] s (zo) kakerlak.

cock robin [ˌkɔk'rɔbin] s hanrødkælk.

cocoa ['kəukəu] s kakao.

coconut ['kəukənʌt] s kokosnød; ~ meal s kokosmel.

cocoon [kə'ku:n] s kokon, hylster.

COD ['si:əu'di:] (merk) fork.f. cash on delivery.

cod [kɔd] s (zo) torsk.

coddle [kɔdl] v kæle for; forkæle.

code [kəud] s kode; (jur) lovsamling, kodeks.

coeducational ['kəuɛdjuˌkeiʃənl] adj blandet, fælles- (fx school skole).

coerce [kəu'ə:s] v tvinge; bruge tvang overfor; **coercion** s tvang.

coexistence ['kəuigˈzistəns] s (fredelig) sameksistens.

coffee ['kɔfi] s kaffe; ~ **grinder** s kaffemølle, -kværn; ~ **grounds** spl kaffegrums; **~pot** s kaffekande; ~ **table** s sofabord.

coffin ['kɔfin] s (lig)kiste.

cogwheel ['kɔgwiːl] s tandhjul.

cohabitation [ˌkəuhæbi'teiʃən]

s (papirløst) samliv.

coherent [kəu'hiərənt] adj sammenhængende; logisk.

coil [kɔil] s spiral; spole; rulle // v sno (sig); danne spiral.

coin [kɔin] s mønt; pengestykke // v: ~ a phrase sige det banalt; ~ a word nydanne et ord; **~age** ['kɔinidʒ] s møntsystem; (om ord) nydannelse; **~-box** s møntboks, telefonboks.

coincide [kəuin'said] v falde sammen; ~ with indtræffe samtidig med; **~nce** [kəu'insidəns] s sammentræf; tilfælde.

coke [kəuk] s koks; (S) cola; kokain.

colander ['kʌləndə*] s dørslag; salad ~ salatslynge.

cold [kəuld] s kulde; (med) forkølelse // adj kold; catch (a) ~ blive forkølet; be ~ fryse, være kold; **~-blooded** adj kold, hårdhjertet; **~sore** s (med) forkølelsessår.

coleslaw ['kəulslɔ:] s (gastr) råkostsalat (af kål).

colic ['kɔlik] s (med) mavekneb, kolik.

collaborate [kə'læbəreit] v samarbejde; deltage; medvirke; **collaboration** [-'reiʃən] s samarbejde; **collaborator** s medarbejder; (neds) kollaboratør.

collapse [kə'læps] s sammenbrud; kollaps // v falde (el. bryde) sammen; **collapsible** [-'læpsəbl] adj sammenklap-

C   collar   64

pelig, klap-.
collar ['kɔlə*] s krave; flip;
(om hund) halsbånd // v tage
en i kraven, fange; snuppe,
hugge; ~**bone** s kraveben.
colleague ['kɔli:g] s kollega;
medarbejder.
collect [kə'lɛkt] v samle (sam-
men, ind, på); opkræve (fx
taxes skat); afhente (fx a par-
cel en pakke); call ~ (tlf)
ringe på modtagerens reg-
ning; ~**ed** adj; ~**ed** works
samlede værker; ~**ion**
[-'lɛkʃən] s samling; indsam-
ling; opkrævning; afhent-
ning; ~**ive** [-'lɛktiv] adj fæl-
les-, kollektiv; ~**or** [-'lɛktə*] s
samler; inkassator; indsam-
ler.
college ['kɔlidʒ] s kollegium;
læreanstalt; (am) universitet.
collide [kə'laid] v kollidere,
støde sammen.
colliery ['kɔliəri] s kulmine.
collision [kə'liʒən] s sammen-
stød, kollision.
colloquial [kə'ləukwiəl] adj
daglig; ~ **language** s (dag-
ligt) talesprog.
colon ['kəulən] s (gram) kolon;
(anat) tyktarm.
colonel ['kə:nl] s oberst.
colonial [kə'ləuniəl] adj kolo-
ni-; **colonize** ['kɔlənaiz] v ko-
lonisere; **colony** ['kɔləni] s
koloni.
colossal [kə'lɔsl] adj kolossal,
enorm; **colossus** [-'lɔsəs] s
kolos, kæmpe.
colour ['kʌlə*] s farve, kulør;

skær // v farve; farvelægge; få
farve; rødme; præge; ~ **bar** s
raceadskillelse; ~**blind** adj
farveblind; ~**ed** adj farvet;
farve- (fx photo foto); ~**eds**
spl (om personer) farvede;
(om vasketøj) kulørt vask;
~**fast** adj farveægte; ~**ful** adj
farverig, farvestrålende;
~**ing book** s malebog; ~**s** spl
fane, flag; (fx et fodbold-
holds) farver; ~ **scheme** s
farvevalg, farvesammensæt-
ning; ~ **slide** s farvelysbille-
de, farvedias.
colt [kəult] s (om hingst) føl,
plag; (om person) nybegyn-
der.
column ['kɔləm] s søjle; (mil)
kolonne; (i avis etc) spalte;
~**ist** s journalist som skriver
fast rubrik.
comb [kəum] s (rede)kam // v
rede (hår), kæmme; finkæm-
me.
combat ['kɔmbæt] s kamp //
adj kamp-, felt- // v (be)kæm-
pe.
combination [kɔmbi'neiʃən] s
kombination; forbindelse;
combine s ['kɔmbain] sam-
menslutning, kartel; (også:
combine harvester) (agr) me-
jetærsker // v [kəm'bain]
kombinere; forene (sig); sam-
arbejde.
combustible [kəm'bʌstibl] adj
brændbar; **combustion**
[-'bʌstʃən] s forbrænding.
come [kʌm] v (came [keim],
come) komme; ankomme;

ske; ~ *into sight* (el. *view*)
komme til syne; ~ *to a deci-
sion* nå til en beslutning; ~
undone gå løs (el. op); *how
~?* hvorfor? ~ *summer, we
will...* når sommeren kom-
mer skal vi...; ~ *about* ske;
~ *across* falde over; støde på;
~ *along!* kom nu! ~ *apart* gå
i stykker; ~ *away* gå væk; gå
af; ~ *back* vende tilbage; ~
by få fat i; komme forbi; ~
down komme ned; (om pri-
ser) gå ned; (om hus) falde
sammen; ~ *forward* komme
frem; melde sig; ~ *from*
komme fra (el. af); stamme
fra; ~ *in* komme ind; blive
aktuel (el. in); ~ *in for* kom-
me ud for; få; ~ *into* få; arve;
~ *off* gå løs, gå af; foregå;
klare sig; ~ *off it!* årh, hold
op! ~ *on* udvikle sig; trives,
gøre fremskridt; ~ *on!* kom
så! årh, lad vær! ~ *out* kom-
me ud; nedlægge arbejdet,
strejke; lykkes; (om blom-
ster) springe ud; ~ *'to* kom-
me til sig selv; ~ *up* komme
op; dukke op; ~ *up with*
komme frem med; ~ *upon*
støde på; falde over.
comedian [kə'miːdiən] *s* komi-
ker; **comedy** [ˈkɔmidi] *s* ko-
medie; farce.
comfort [ˈkʌmfət] *s* trøst; vel-
være; bekvemmelighed // *v*
trøste; **~able** *adj* behagelig;
magelig; veltilpas; **~s** *spl*
komfort; **comfy** [ˈkʌmfi] *adj*
(F) d.s.s. *comfortable.*

comic [ˈkɔmik] *s* komiker;
(også: ~ *strip*) tegneserie //
adj (også: *~al*) komisk; ~
strip *s* tegneserie.
coming [ˈkʌmiŋ] *s* komme;
~(s) and going(s) kommen
og gåen; anliggender; *he has
it* ~ *(to him)* han kan vente
sig; ~ *of age* det at blive
myndig.
command [kə'maːnd] *s* ordre;
kommando; magt; rådighed
// *v* befale; kommandere;
have kommando over; beher-
ske; råde over; ~ *sby to* be-
ordre en til at; **~er**
[kəmən'diəˀ] *v* (mil) udskri-
ve; beslaglægge; **~er** *s* leder,
anfører; *(mil)* kommandør;
(mar) orlogskaptajn; **~er-in-
chief** *s* øverstkommanderen-
de; **~ing** *adj* bydende; med
vid udsigt (fx *position* belig-
genhed); **~ing officer** *s* befa-
lingsmand; **~ment** *s: the ten
~ments* de ti bud; **~o** *s* kom-
mando // *adj* kommando- (fx
troops tropper).
commemorate [kə'meməreit]
v fejre; mindes; **commemo-
ration** [-'reiʃən] *s* ihukom-
melse; mindefest; **comme-
morative** [kə'memərətiv] *adj*
minde-; jubilæums-.
commence [kə'mens] *v* begyn-
de.
commend [kə'mend] *v* rose;
anbefale; **~able** *adj* prisvær-
dig; **~ation** [kɔmən'deiʃən] *s*
anbefaling; lovtale.
comment [ˈkɔmənt] *s* kom-

mentar, bemærkning // *v*
kommentere; ~ *on* udtale sig
om; ~**ary** ['kɒməntəri] *s*
kommentar; *(radio, sport* etc)
reportage.
commerce ['kɒmɜːs] *s* handel;
omgang, samkvem.
commercial [kə'mɜːʃəl] *s*
(også: ~ *break)* (i tv etc)
reklameindslag, reklamefilm
// *adj* kommerciel; handels-,
forretnings-; ~ **college** *s*
handelsskole; ~**ize** *v* udnytte
forretningsmæssigt; ~ **tele-
vision** *s* kommercielt fjern-
syn *(mods:* statsligt); ~ **tra-
veller** *s* handelsrejsende.
commiserate [kə'mizəreit] *v:*
~ *with* ynke, have ondt af;
kondolere.
commission [kə'miʃən] *s*
hverv, bemyndigelse; kom-
mission; forøvelse // *v* be-
myndige; give et hverv; *out
of* ~ (om skib) ude af tjene-
ste; ~**aire** [kəmiʃə'nɛə*] *s*
dørvogter, portier; ~**er** *s*
kommissær; kommitteret;
police ~**er** sv.t. politidirektør.
commit [kə'mit] *v* begå (fx *a
crime* en forbrydelse); over-
give *(to* til); ~ *oneself* for-
pligte sig; røbe sig; udsætte
sig *(to* for); ~ *suicide* begå
selvmord; ~ *sby to prison*
fængsle en; ~ *to writing* skri-
ve ned; ~**ment** *s* forpligtelse;
engagement.
committee [kə'miti] *s* komité,
udvalg.
commodity [kə'mɒditi] *s* vare,

produkt.
common ['kɒmən] *s* fælled //
adj fælles; almindelig; jævn;
simpel; *in* ~ fælles; *it's* ~
knowledge that... alle og en-
hver ved at...; *to the* ~ *good*
til fælles bedste; *the C~s*
(d.s.s. *the House of Com-
mons)* Underhuset; ~**er** *s*
borgerlig; ~ **ground** *s: it's* ~
ground det kan vi (kun) være
enige om; ~ **law** *s* sv.t. rets-
sædvane // *adj* papirløs (fx
wife samleverske); ~**ly** *adv*
sædvanligvis; ~ **market** *s*
fællesmarked; ~**place** *adj*
banal, ordinær; ~**room** *s* fæl-
lesrum; *(univ)* lærerværelse;
~ **sense** *s* sund fornuft;
~**wealth** *s* statsforbund; *the
British C~wealth* det Britiske
Statssamfund.
commotion [kə'məuʃən] *s* op-
standelse; påstyr; uro.
communal ['kɒmjuːnl] *adj* fæl-
les; kollektiv; ~ **family** *s* stor-
familie; **commune** *s* ['kɒ-
mjuːn] kommune; kollektiv;
storfamilie; *people's commu-
ne* folkekommune (i Kina) //
v [kə'mjuːn]: ~ *with* omgås
fortroligt; tale fortroligt med.
communicate [kə'mjuːnikeit] *v*
meddele; stå i forbindelse,
kommunikere; smitte (med
sygdom); **communication**
[-'keiʃən] *s* meddelelse; over-
føring; forbindelse; kommu-
nikation(smiddel); **communi-
cation cord** *s* nødbrem-
se(snor).

communion [kə'mju:niən] s
(også: *Holy ~*) altergang,
nadver.

community [kə'mju:niti] s fæl-
lesskab; samfund; (befolk-
nings)gruppe; ~ **centre** s
kulturhus.

commutation [kɔmju'teiʃən] s
udveksling; forandring; (om
trafik) pendulfart; **commute**
[kə'mju:t] v ombytte; rejse
frem og tilbage, pendle; *(jur)*
forvandle (en straf); ~**r** s rej-
sende (i pendulfart), pendler.

compact s ['kɔmpækt] pagt;
(også: *powder ~*) pudderdåse
(til at have i tasken) // adj
[kəm'pækt] fast; tæt, kom-
pakt; (om person) tætbygget.

companion [kəm'pæniən] s
ledsager; kammerat; ~**ship** s
kammeratskab; selskab;
~**way** s *(mar)* kahytstrappe.

company ['kʌmpəni] s selskab;
aktieselskab; kompagni; gæ-
ster; *(mar)* besætning; *he's
good ~* han er rar at være
sammen med; *we have ~* vi
har besøg (el. gæster); *keep
sby ~* holde en med selskab;
keep ~ with komme sam-
men med; *part ~ with* skilles
fra; ~ *law* s *(jur)* selskabsret;
~ **secretary** s sv.t. direk-
tionssekretær.

comparable ['kɔmpərəbl] adj
sammenlignelig; **comparati-
ve** [kəm'pærətiv] adj sam-
menlignende; komparativ;
forholdsvis; **compare**
[kɔm'pɛə*] v sammenligne;

(gram) gradbøje; **comparison**
[-'pærisn] s sammenligning.

compartment [kəm'pa:tmənt]
s (afgrænset) felt; rum;
(jernb) kupé.

compass ['kʌmpəs] s om-
kreds; område; kompas; ~**es**
spl passer; *a pair of ~es* en
passer.

compassion [kəm'pæʃən] s
medlidenhed; barmhjertig-
hed; ~**ate** adj medlidende,
deltagende.

compatible [kəm'pætibl] adj
forenelig *(with* med).

compel [kəm'pel] v tvinge;
fremtvinge; aftvinge; ~**ling**
adj tvingende; overbevisen-
de.

compensate ['kɔmpənseit] v
kompensere; erstatte; ~ *for*
opveje; **compensation**
[-'seiʃən] s erstatning, kom-
pensation; belønning.

compete [kəm'pi:t] v konkur-
rere *(for* om).

competence ['kɔmpitəns] s
dygtighed; kompetence; **com-
petent** adj dygtig; kvalifice-
ret; kompetent.

competition [kɔmpi'tiʃən] s
konkurrence; **competitive**
[-'petitiv] adj konkurrence-
dygtig; konkurrencepræget;
competitor [kəm'petitə*] s
konkurrent; konkurrence-
deltager.

compile [kəm'pail] v samle;
udarbejde (fx *a dictionary* en
ordbog).

complacency [kəm'pleisnsi] s

selvtilfredshed; **complacent**
adj selvglad.
complain [kəm'plein] *v* klage;
beklage sig *(about* el. *of*
over); **~t** *s* klage; reklama-
tion; *(med)* sygdom, lidelse.
complement ['kompliment] *s*
komplement; *(gram)* om-
sagnsled, prædikat; *(mar)* be-
manding; **~ary** [-'mentəri]
adj komplementær.
complete [kəm'pli:t] *v* fulden-
de; gøre færdig; opfylde // *adj*
fuldstændig; fuldkommen,
komplet; grundig; **~ly** *adv*
fuldstændig, helt; **completion**
[-'pli:ʃən] *s* færdiggørelse; op-
fyldelse.
complex ['kompleks] *adj* sam-
mensat; indviklet.
complexion [kəm'plekʃən] *s*
ansigtsfarve, teint.
complexity [kəm'pleksiti] *s*
indviklethed; forvikling.
compliance [kəm'plaiəns] *s*
overensstemmelse; føjelig-
hed; *in ~ with* i overens-
stemmelse med; **compliant**
adj eftergivende; medgørlig.
complicate *v* ['komplikeit]
komplicere // *adj* ['komplikit]
indviklet; **~d** *adj* komplice-
ret, indviklet; **complication**
[-'keiʃən] *s* komplikation.
compliment ['kompliment] *s*
kompliment // *v* komplimen-
tere; gratulere; **~ary**
[-'mentəri] *adj* komplimente-
rende, smigrende; **~ary tick-
et** *s* fribillet; **~s** *spl* hil-
sen(er); *with the ~s of the*

season med ønsket om en
glædelig jul og et godt nytår.
comply [kəm'plai] *v* føje sig;
samtykke; ~ *with* rette sig
efter; opfylde.
component [kəm'pəunənt] *s*
bestanddel; komponent // *adj*
del-; **~s** *spl* (også) byggeele-
menter.
compose [kəm'pəuz] *v* sam-
mensætte; udarbejde; kom-
ponere; bringe i orden; ~
oneself samle sig; tage sig
sammen; **~d** *adj* rolig, fattet;
~r *s* komponist; *(typ)* sætte-
maskine; *photo* ~r fotosæt-
ter.
composite ['kompəzit] *adj*
sammensat; *(bot)* kurvblom-
stret.
composition [kompə'ziʃən] *s*
sammensætning; udarbejdel-
se; komposition; *(typ)* sæt-
ning, sats.
composure [kəm'pəuʒə*] *s*
fatning, ro; ligevægt.
compound ['kompaund] *s* sam-
mensætning; forbindelse
(også *kem); indhegnet områ-
de // *adj* sammensat; ~ **frac-
tion** *s* brøks brøk; ~ **fracture**
s (med) kompliceret knogle-
brud; ~ **interest** *s* rentes ren-
te.
comprehend [kompri'hend] *v*
forstå, begribe; omfatte; **com-
prehension** [-'henʃən] *s* for-
ståelse; fatteevne; **compre-
hensive** [-'hensiv] *adj* omfat-
tende; vidtspændende; alsi-
dig; **comprehensive school** *s*

sv.t. udelt skole, enhedsskole.
compress s ['kɔmprɛs] kom-
pres // v [kəm'prɛs] sammen-
presse, komprimere; **~ion**
[-'prɛʃən] s sammenpresning,
kompression.
comprise [kəm'praiz] v omfat-
te; bestå af.
compromise ['kɔmprəmaiz] s
kompromis // v indgå forlig
(el. kompromis); kompromit-
tere.
compulsion [kəm'pʌlʃən] s
tvang; tvangstanke; **compul-
sive** [-'pʌlsiv] adj tvingende;
tvangs-; fængslende (fx _book_
bog); a _compulsive eater_ en
trøstespiser; **compulsory**
[-'pʌlsəri] adj tvungen; obli-
gatorisk.
computer [kəm'pju:tə*] s reg-
nemaskine; computer, data-
mat **~ize** [-ize] v databe-
handle; indføre databehand-
ling; ~ **language** s (edb) ma-
skinsprog; ~ **science** s data-
matik; informatik.
comrade ['kɔmrid] s kammer-
at; **~ship** s kammeratskab.
conceal [kən'si:l] v skjule; for-
tie.
concede [kən'si:d] v indrøm-
me; gå med til; afstå.
conceit [kən'si:t] s indbild-
ning; indbildskhed; **~ed** adj
indbildsk; vigtig.
conceivable [kən'si:vəbl] adj
tænkelig; **conceive** v finde
på; forstå, opfatte; undfange.
concentrate ['kɔnsəntreit] v
samle (sig); koncentrere (sig);

concentration [-'treiʃən] s
koncentration.
concept ['kɔnsɛpt] s begreb;
~ion [-'sɛpʃən] s opfattelse;
begreb; idé; undfangelse.
concern [kən'sə:n] s anliggen-
de; virksomhed, koncern; in-
teresse; bekymring // v angå,
vedrøre; ængste, bekymre; _be
~ed about sth_ være bekymret
for ngt; **~ing** adj angående,
vedrørende.
concert ['kɔnsət] s koncert; _in
~ with_ i samråd med; **~ed**
[kən'sə:tid] adj samlet, fæl-
les-; ~ **hall** s koncertsal.
concertina [kɔnsə'ti:nə] s (om
harmonika) koncertina // v
blive mast sammen som en
harmonika.
concerto [kən'tʃə:təu] s kon-
cert (for soloinstrument og
orkester).
concession [kən'sɛʃən] s ind-
rømmelse; koncession.
conciliation [kənsili'eiʃən] s
forsoning; mægling; **concilia-
tory** [-'siliətri] adj forsonende;
forsonlig.
concise [kən'sais] adj kortfat-
tet, koncis.
conclude [kən'klu:d] v slutte;
afslutte; beslutte; **conclusion**
[-'klu:ʒən] s slutning; konklu-
sion; afslutning; **conclusive**
[-'klu:siv] adj afgørende (fx
evidence bevis).
concoct [kən'kɔkt] v bikse
sammen; udpønse.
concord ['kɔŋkɔ:d] s sammen-
hold; overenskomst.

C   concrete   70

concrete ['kɔŋkriːt] *s* beton // *adj* konkret; størknet; beton-.
concussion [kən'kʌʃən] *s* rystelse; *(med)* hjernerystelse.
condemn [kən'dem] *v* fordømme; dømme (fx *to death* til døden); (om bygning) kondemnere, dømme til nedrivning; **~ation** [-'neiʃən] *s* fordømmelse; kondemnering.
condensation [kɔnden'seiʃən] *s* fortætning; kondens; **condense** [kən'dens] *v* sammentrænge; fortætte(s).
condescend [kɔndi'send] *v* nedlade sig; **~ing** *adj* nedladende.
condition [kən'diʃən] *s* tilstand; kondition; betingelse // *v* stille betingelser; betinge sig; undersøge; *on ~ that* på den betingelse at; **~al** *adj* betinget; **~al release** prøveløsladelse; *be ~al (up)on* være betinget af.
condolences [kən'dəulənsiz] *spl* kondolence; *send* (el. *give) one's ~* kondolere..
condone [kən'dəun] *v* tilgive; se gennem fingre med.
conduct *s* ['kɔndʌkt] førelse; opførsel // *v* [kən'dʌkt] føre; udføre; *(elek)* lede; *(mus* etc) dirigere; *~ oneself* opføre sig; **~ed tour** *s* selskabsrejse; rundvisning; **~or** *s (mus)* dirigent; (i bus) konduktør; *(elek)* leder.
cone [kəun] *s* kegle; isvaffel; *(bot)* kogle.
confectioner [kən'fekʃənə*] *s*

konditor; konfekturehandler; **~y** *s* konditorkager; konfekture.
confederate [kən'fedərit] *s* forbundsfælle; medskyldig // *adj* forbunds-; **confederation** [-'reiʃən] *s* forbund, føderation.
confer [kən'fə*] *v* konferere, rådslå; tildele; *(cf.)* jævnfør (jf.); *~ sth on sby* tildele en ngt.
conference ['kɔnfərəns] *s* konference; møde; *he's in ~* han sidder i møde.
confess [kən'fes] *v* tilstå; indrømme; bekende; **~ion** [-'feʃən] *s* tilståelse; indrømmelse; tro; trosbekendelse; **~ional** [-'feʃənl] *s* skriftestol; **~or** *s* skriftefader.
confide [kən'faid] *v: ~ in* betro sig til; stole på; **~nce** ['kɔnfidns] *s* tillid; fortrolighed; *(også: self-~nce)* selvsikkerhed; *in strict ~nce* strengt fortroligt; **~nce trick** *s* bondefangerkneb; **~nt** ['kɔnfidnt] *adj* tillidsfuld; tryg; sikker; **~ntial** [kɔnfi'denʃəl] *adj* fortrolig.
confine [kən'fain] *v* begrænse; indskrænke; **~d** *adj* begrænset; snæver; **~ment** *s* fangenskab; begrænsning; *(med)* nedkomst; **~s** ['kɔnfainz] *spl* grænser; rammer.
confirm [kən'fə:m] *v* bekræfte; bestyrke; **~ation** [-'meiʃən] *s* bekræftelse; godkendelse; konfirmation; **~ed** *adj* in-

karneret, uforbederlig.
confiscate [ˈkɔnfiskeit] *v* konfiskere.

conflict *s* [ˈkɔnflikt] konflikt; kamp // *v* [kənˈflikt] være i modstrid *(with* med); støde sammen; **~ing** *adj* modstridende.

conform [kənˈfɔːm] *v*: ~ *(to)* tilpasse sig; være i overensstemmelse med.

confound [kənˈfaund] *v* blande sammen; forvirre; ~ *it!* pokkers også! **~ed** *adj* forvirret; forbistret.

confront [kənˈfrʌnt] *v* konfrontere; stå ansigt til ansigt med; **~ation** [kɔnfrənˈteiʃən] *s* konfrontation.

confuse [kənˈfjuːz] *v* blande sammen; forvirre; **~d** *adj* forvirret, forfjamsket; **confusion** [-ˈfjuːʒən] *s* forvirring; forveksling; uro.

congeal [kənˈdʒiːl] *v* størkne, stivne.

congenial [kənˈdʒiːniəl] *adj* åndsbeslægtet; af samme slags; rar, sympatisk.

congenital [kənˈdʒenitl] *adj* medfødt.

congestion [kənˈdʒestʃən] *s* overfyldning; overbefolkning; overbelastning.

congratulate [kənˈgrætjuleit] *v* lykønske; ønske til lykke *(on* med); **congratulation** [-ˈleiʃən] *s* lykønskning; *congratulations!* tillykke! gratulerer!

congregate [ˈkɔŋgrigeit] *v* samle sig; forsamles; **congregation** [-ˈgeiʃən] *s* forsamling; menighed.

conical [ˈkɔnikl] *adj* kegleformet, konisk.

conifer [ˈkɔnifə*] *s* nåletræ; **~ous** [kəˈnifərəs] *adj* koglebærende; nåle-.

conjecture [kənˈdʒektʃə*] *s* gætteri // *v* gætte, gisne.

conjugal [ˈkɔndʒugl] *adj* ægteskabelig, ægte- (fx *bed* seng).

conjugate [ˈkɔndʒugeit] *v* *(gram)* bøje; **conjugation** [-ˈgeiʃən] *s* bøjning.

conjunction [kənˈdʒʌŋkʃən] *s* forbindelse, sammentræf; *(gram)* bindeord, konjunktion.

conjunctivitis [kəndʒʌŋktiˈvaitis] *s (med)* øjenkatar, konjunktivit.

conjure [ˈkʌndʒə*] *v* trylle; [kənˈdʒuə*] bønfalde; besværge; ~ *up* trylle frem; fremkalde; **~r** *s* tryllekunstner; **conjuring trick** *s* tryllekunst.

conk [kɔŋk] *s* (F, om næse) snabel; (om hoved) nød // *v* (F) slå (i nødden), 'pande'; ~ *out* (om motor) gå i stå; (om person) kradse af.

conman [ˈkɔnmæn] *s* (F) bondefanger.

connect [kəˈnekt] *v* forbinde; være i forbindelse; *(tlf)* stille ind; *(jernb* etc) korrespondere; **~ion** [-ˈnekʃən] *s* forbindelse, tilknytning; *in* ~*ion with* i forbindelse med; i an-

C connexion

ledning af; **connexion** s d.s.s.
connection.

connive [kə'naiv] v: ~ at se
gennem fingre med; ~ with
konspirere med.

connoisseur [kɔni'sə:'] s ken-
der; feinschmecker.

conquer ['kɔŋkə'] v erobre;
(be)sejre; ~or s sejrherre;
William the C~or Vilhelm
Erobreren; **conquest**
['kɔŋkwest] s erobring; *the
Norman Conquest* norman-
nernes erobring af England
1066.

cons [kɔnz] spl se *pro; conve-
nience*.

conscience ['kɔnʃəns] s sam-
vittighed; *in good* ~ med god
samvittighed; *have sth on
one's* ~ have ngt på samvit-
tigheden; **conscientious**
[kɔnʃi'enʃəs] adj samvittig-
hedsfuld; pligtopfyldende;
conscientious objector s mi-
litærnægter.

conscious ['kɔnʃəs] adj be-
vidst; ved bevidsthed; *be* ~
of være klar over; **~ness** s
bevidsthed; *regain* ~ness
komme til bevidsthed.

conscript ['kɔnskript] s værne-
pligtig; **~ion** s [-'skripʃən] s
værnepligt.

consecrate ['kɔnsikreit] v ind-
vie, vie; **~ed** adj hellig, ind-
viet.

consecutive [kən'sekjutiv] adj
efter hinanden; i rad; fortlø-
bende (fx *numbers* numre);
logisk; følge-.

consensus [kən'sensəs] s al-
mindelig enighed; almen op-
fattelse; overensstemmelse.

consent [kən'sent] s samtyk-
ke; overenskomst // v opfat-
telse; overensstemmelse.

consequence ['kɔnsikwəns] s
følge; konsekvens; betyd-
ning; *it's of no* ~ det har
ingen betydning; det er lige
meget; **consequential**
[-'kwenʃəl] adj (deraf) følgen-
de; betydningsfuld; ind-
bildsk.

conservation [kɔnsə'veiʃən] s
bevarelse; fredning; konser-
vering.

conservative [kən'sə:vətiv]
adj bevarende; konservativ;
forsigtig.

conservatory [kən'sə:vətri] s
vinterhave; (musik)konser-
vatorium.

conserve [kən'sə:v] v bevare;
spare på; opbevare; lave syl-
tetøj.

consider [kən'sidə'] v tage
hensyn til; betragte; overveje;
tænke over; mene; anse for;
~able adj betydelig; anselig;
væsentlig; **~ate** [-'sidərit] adj
betænksom; **~ation** [-'eiʃən] s
overvejelse; omtanke, hen-
syn; betydning; betaling; *out
of* ~ation *for* af hensyn til;
under ~ation under overve-
jelse; *for a certain* ~ation for
en vis betaling; **~ing** præp i
betragtning af (at); (F) efter
omstændighederne.

consign [kən'sain] v overgive;

overdrage; **~ment** s forsendelse; sending.

consist [kən'sist] v: **~ in** (el. *of*) bestå af; **~ency** [-'sistənsi] s konsistens; konsekvens; overensstemmelse; **~ent** [-'sistənt] adj overensstemmende; forenelig; konsekvent; ensartet; *be **~ent** with* stemme (overens) med.

consolation [kɔnsə'leiʃən] s trøst; **~ prize** s trøstpræmie.

console s ['kɔnsəul] konsol // v [kən'səul] trøste.

consolidate [kən'sɔlideit] v befæste; konsolidere; sammenslutte(s).

consort s ['kɔnsɔːt] ledsager; gemal(inde); *Prince C~* prinsgemal // s [kən'sɔːt]: **~ with** omgås (med); harmonere (med).

conspicuous [kən'spikjuəs] adj iøjnefaldende; tydelig; påfaldende.

conspiracy [kən'spirəsi] s sammensværgelse; komplot; **conspirator** s medsammensvoren; **conspire** [kən'spaiə*] v sammensværge sig; konspirere.

constable ['kʌnstəbl] s politibetjent; **constabulary** [kən'stæbjuləri] s politi(korps) (i bestemt by).

constancy ['kɔnstənsi] s bestandighed; **constant** adj bestandig; konstant; **~ly** adv hele tiden.

constellation [kɔnstə'leiʃən] s konstellation (også *fig*); stjer-

nebillede.

consternation [kɔnstə'neiʃən] s bestyrtelse; forfærdelse.

constipate ['kɔnstipeit] v forstoppe; **constipation** [-'peiʃən] s forstoppelse.

constituency [kən'stitjuənsi] s valgkreds; **constituent** s vælger; nødvendig bestanddel.

constitute ['kɔnstitjuːt] v udgøre; danne; konstituere; grundlægge, stifte; udnævne til; **constitution** [-'tjuːʃən] s oprettelse; sammensætning; beskaffenhed; forfatning, grundlov; konstitution; **~al** adv forfatningsmæssig, konstitutionel; **~al monarchy** indskrænket monarki.

constrain [kən'strein] v tvinge; gøre tvungen; indespærre; **~ed** adj tvungen; genert; **~t** s tvang, ufrihed.

constrict [kɔn'strikt] v snøre sammen; hæmme; **~or** s kvælerslange.

construct [kən'strʌkt] v bygge; konstruere; sammensætte; **~ion** s bygning; anlæg; konstruktion; **~ive** adj konstruktiv.

consult [kən'sʌlt] v rådspørge; konsultere; benytte; konferere; **~ a dictionary** slå op i en ordbog; **~ant** s konsulent; overlæge; *legal **~ant*** juridisk rådgiver; **~ engineer** s rådgivende ingeniør; **~ation** [-'teiʃən] s konsultation; samråd; **~ing room** s konsultationsværelse.

consume [kən'sju:m] *v* fortære; opbruge; forbruge; **~r** *s* forbruger, konsument; **~r goods** *spl* forbrugsvarer; **~r society** *s* forbrugersamfund; **consuming** *adj* altopslugende.

consummate ['kɔnsʌmeit] *v* fuldbyrde.

consumption [kən'sʌmpʃən] *s* fortæring; forbrug.

cont. fork.f. *continued.*

contact ['kɔntækt] *s* kontakt; berøring // *v* kontakte; få forbindelse med; være i berøring med; møde(s); **~ lenses** *spl* kontaktlinser.

contagious [kən'teidʒəs] *adj* smitsom, smittende.

contain [kən'tein] *v* indeholde; rumme; beherske; fastholde; **~ oneself** styre sig, dy sig; **~er** *s* beholder; container.

contaminate [kən'tæmineit] *v* forurene; kontaminere; **contamination** [-'neiʃən] *s* forurening.

cont'd fork.f. *continued.*

contemplate ['kɔntəmpleit] *v* betragte; overveje; påtænke; **contemplation** [-'pleiʃən] *s* betragten; overvejelse; fordybelse; meditation.

contemporary [kən'tempərəri] *adj* jævnaldrende; samtidig // *adj* samtidig; nutids; moderne (fx *art* kunst).

contempt [kən'tempt] *s* foragt; **~ible** *adj* foragtelig; **~uous** [-tjuəs] *adj* foragtelig; hånlig.

contend [kən'tend] *v*: **~ that**

hævde at; **~ with** slås med; rivalisere med; **~er** *s (sport)* udfordrer; konkurrencedeltager.

content [kən'tent] *s* tilfredshed; ['kɔntent] indhold // *v* tilfredsstille; nøjes *(with* med) // *adj* tilfreds; *be ~ with* være tilfreds med; nøjes med; **~ed** *adj* veltilfreds; **~s** ['kɔntents] *spl* indhold; indbo; *(table of)* **~s** indholdsfortegnelse.

contention [kən'tenʃən] *s* strid; disput; påstand; *the bone of* **~** stridens æble.

contest *s* ['kɔntest] strid; konkurrence // *v* [kən'test] bestride; kæmpe; konkurrere (om); *a* **~ed city** en omstridt by; **~ant** [kən'testənt] *s* konkurrencedeltager.

context ['kɔntekst] *s* sammenhæng.

continent [kən'tinənt] *s* kontinent, verdensdel; fastland; *the C~* det europæiske fastland; **~al** [-'nentl] *s* udlænding (fra Europa) // *adj* kontinental-, fastlands-; **~al breakfast** *s* let morgenmad, morgenkaffe; **~al shelf** *s (geogr)* fastlandssokkel.

continual [kən'tinjuəl] *adj* stadig; fortsat; **continuation** [-'eiʃən] *s* fortsættelse, genoptagelse; **continue** [-'tinju:] *v* fortsætte; *to be* **~d** (fx i bog el. blad) fortsættes; **~d** *adj* (fork. *cont.* el. *cont'd*) fortsat; **continuity** [kɔnti'njuiti] *s* sammenhæng; kontinuitet; **continuous** [-'tinjuəs] *adj* bestandig; uafbrudt; fortsat.

contort [kən'tɔːt] *v* forvride; forvrænge; **~ion** [-'tɔːʃən] *s* forvridning; forvrængning; **~ionist** [-'tɔːʃənist] *s* slangemenneske.

contraception [kɔntrə'sepʃən] *s* svangerskabsforebyggelse; **contraceptive** *s* svangerskabsforebyggende middel // *adj* svangerskabsforebyggende.

contract *s* ['kɔntrækt] kontrakt; aftale // *v* [kən'trækt] indgå kontrakt; trække sig sammen; fortrække; pådrage sig (fx *a disease* en sygdom); **~ion** [-'trækʃən] *s* forsnævring; sammentrækning; **~or** *s* entreprenør.

contradict [kɔntrə'dikt] *v* modsige; være i modstrid med; **~ion** [-'dikʃən] *s* modsigelse; dementi; uoverensstemmelse; **~ory** *adj* modstridende.

contralto [kən'træltəu] *s* (*mus*) (om dyb altstemme) kontraalt.

contraption [kən'træpʃən] *s* tingest; indretning.

contrary ['kɔntrəri] *s: the* ~ det modsatte // *adj* modsat; [kən'treəri] kontrær; *on the* ~ tværtimod; *unless you hear to the* ~ med mindre du får anden besked.

contrast *s* ['kɔntrɑːst] kontrast, modsætning // *v* [kən'trɑːst]

stille i kontrast *(with* til); **~ing** *adj* kontrasterende; modsat.

contribute [kən'tribjuːt] *v* bidrage (med); medvirke; ~ *an article to* skrive en artikel til; ~ *to* bidrage til; medvirke ved; **contribution** [-'bjuːʃən] *s* bidrag; **contributor** [-'tribjutə*] *s* bidragyder.

contrivance [kən'traivəns] *s* opfindsomhed; påfund; kunstgreb; indretning; mekanisme; **contrive** *v* opfinde; udtænke; lægge planer; *contrive to* sørge for at; have held med at.

control [kən'trəul] *s* kontrol; herredømme; myndighed; *(tekn)* betjeningshåndtag // *v* kontrollere; beherske; holde styr på; regulere; *be in ~ of* have magten over, stå for; *circumstances beyond our ~* omstændigheder vi ikke har indflydelse på; ~ *point s* kontrolsted; ~ *tower s (fly)* kontroltårn.

controversial [kɔntrə'vəːʃl] *adj* omdiskuteret; kontroversiel; **controversy** ['kɔntrəvəːsi] *s* disput.

conurbation [kɔnəː'beiʃən] *s* byområde; bymæssig bebyggelse.

convalesce [kɔnvə'les] *v* være rekonvalescent, være i bedring; **convalescence** [-'lesns] *s* bedring; rekonvalescens; **convalescent** [-'lesnt] *s* rekonvalescent.

convene [kənˈviːn] v træde sammen; samles; sammenkalde.

convenience [kənˈviːniəns] s bekvemmelighed; nemhed; *at your ~ earliest* så snart du kan; *all modern ~s* (i annonce: *all mod cons*) alle moderne bekvemmeligheder; *public ~s* offentligt toilet; **convenient** adj bekvem; belejlig.

convent [ˈkɔnvənt] s (nonne)kloster.

convention [kənˈvenʃən] s kongres; stævne; konvention; **~al** adj konventionel, traditionel.

converge [kənˈvəːdʒ] v samles (i ét punkt), konvergere.

conversation [kɔnvəˈseiʃən] s samtale; konversation; omgang.

converse s [ˈkɔnvəːs] samtale; samkvem // v [kənˈvəːs] samtale, konversere // adj [ˈkɔnvəːs] omvendt.

conversion [kənˈvəːʃən] s omdannelse; forvandling; ombygning; omregning; *(rel)* omvending; ~ **table** s omregningstabel.

convert s [ˈkɔnvəːt] konvertit; omvendt // v [kənˈvəːt] omvende sig; omdanne; forvandle; lave om; omregne; **~ible** [-ˈvəːtibl] s *(auto)* cabriolet; bilmodel med kaleche.

convey [kənˈvei] v transportere; overbringe (fx *our thanks* vores tak); bibringe (fx *an idea* en idé); **~ance** s transport, befordring; **~er** s transportør; **~er belt** s transportbånd.

convict s [ˈkɔnvikt] strafafsoner; straffefange // v [kənˈvikt] erklære skyldig; straffe; **~ion** [-ˈvikʃən] s domfældelse; overbevisning.

convince [kənˈvins] v overbevise.

convoy [ˈkɔnvɔi] s konvoj, eskorte // v eskortere.

convulse [kənˈvʌls] v få krampe; give krampe; vride sig; *be ~ed with laughter* vride sig af grin; **convulsion** [-ˈvʌlʃən] s anfald; **convulsions** pl krampe.

coo [kuː] v kurre.

cook [kuk] s kok; kokkepige // v lave mad; tillaves; være i gære; ~ *up a story* brygge en historie sammen; ~ *the books* (F) manipulere med regnskaberne; **~er** s komfur; **~ery** s madlavning; **~ery book** s kogebog; **~ie** s småkage; **~ing** s madlavning; **~ing apple** s madæble; **~ing film** s stegefilm; **~ing oil** s spiseolie.

cool [kuːl] v køle(s); kølne // adj kølig; koldblodig; rolig; fræk, smart; ~ *down!* tag den med ro! *keep* ~ holde hovedet koldt; *a* ~ *movie* (S) en dødlækker *(el.* fed) film; **~-headed** adj koldblodig.

coop [kuːp] s hønsehus; bur // v: *be ~ed up* (fig) sidde indemuret.

co-op [ˈkəuʌp] s (fork.f. *Coo-*

perative Society) brugs(forening).

cooperate [kəu'ɔpəreit] *v* samarbejde; **cooperation** [-'reiʃən] *s* samarbejde, kooperation; **cooperative** [-'ɔpərətiv] *s* kooperativ, andelsforetagende // *adj* samarbejdsvillig; andels-; **cooperative society** *s* brugsforening.

coordinate [kəu'ɔ:dineit] *v* samordne, koordinere; **coordination** [-'neiʃən] *s* koordination.

cop [kɔp] *s* (F) strisser, strømer.

cope [kəup] *v* klare den; ~ *with* klare, overkomme; magte.

copious ['kəupiəs] *adj* omfangsrig; rigelig; vidtløftig.

copper ['kɔpə*] *s* kobber; (F) strisser, strømer; **~s** *spl* småpenge.

copse [kɔps] *s* krat.

copy ['kɔpi] *s* kopi; eksemplar // *v* kopiere; efterligne; ~**book** *s* stilebog; *blot one's* ~*book* ødelægge sig rygte; ~**right** *s* ophavsret; ~*right reserved* sv.t. eftertryk forbudt; ~**writer** *s* (reklame)tekstforfatter.

coral ['kɔrəl] *s* (zo) koral; koralrødt; ~ **reef** *s* koralrev.

cord [kɔ:d] *s* snor; ledning; fløjl.

cordial ['kɔ:diəl] *s* hjertestyrkning // *adj* hjertelig; inderlig.

cordon ['kɔ:dən] *s* (politi)afspærring // *v:* ~ *off* afspærre.

cords [kɔ:ds] *s* (F) d.s.s. *corduroys.*

corduroy ['kɔ:dərɔi] *s* jernbanefløjl; **~s** *spl* fløjlsbukser.

core [kɔ:*] *s* kernehus; kerne; marv // *v* udkerne; ~ **time** *s* fikstid (mods: flekstid).

cork [kɔ:k] *s* (bot) kork; (kork)prop; ~**screw** *s* proptrækker; ~**y** *adj* korkagtig; livlig.

cormorant ['kɔ:mərnt] *s (zo)* ålekrage, skarv.

corn [kɔ:n] *s* korn; majs; *(med)* ligtorn; ~ *on the cob* majskolber.

cornea ['kɔ:niə] *s (anat)* (øjets) hornhinde.

corned [kɔ:nd] *adj* saltet, konserveret; ~ **beef** *s* sprængt oksekød (på dåse).

corner ['kɔ:nə*] *s* hjørne; krog; *(sport)* hjørnespark // *v* trænge op i en krog; danne hjørne; køre om hjørner; *(auto* etc) tage et sving.

cornet ['kɔ:nit] *s* isvaffel; *(mus)* kornet.

cornflour ['kɔ:nflauə*] *s* majsmel.

cornice ['kɔ:nis] *s* gesims.

Cornish ['kɔ:niʃ] *adj* fra Cornwall.

cornucopia [kɔ:nju'kəupiə] *s* overflødighedshorn.

corny ['kɔ:ni] *adj* (F) banal; forslidt.

coronary ['kɔrənəri] *s:* ~ *(thrombosis) (med)* coronartrombose, blodprop i hjertets kranspulsåre.

coronation [kɔrəˈneiʃən] s kroning.

coroner [ˈkɔrənəˑ] s ligsynsmand; **~'s inquest** s ligsyn.

corporal [ˈkɔːpərl] s (mil) korporal // adj: ~ punishment korporlig straf.

corporate [ˈkɔːpərit] adj fælles; samlet; **corporation** [-ˈreiʃən] s korporation; (i by) sv.t. magistrat; ~ **tax** s selskabsskat.

corps [kɔːˑ] s (pl: ~ [kɔːz]) korps.

corpse [kɔːps] s lig.

correct [kəˈrekt] v rette, korrigere; bøde på; irettesætte // adj korrekt, rigtig; **~ion** [-ˈrekʃən] s rettelse; irettesættelse.

correlate [ˈkɔrileit] v samkøre; koordinere.

correspond [kɔrisˈpɔnd] v korrespondere; ~ **with** (el. to) svare til; modsvare; **~ence** s korrespondance; overensstemmelse; **~ent** s modstykke; korrespondent // adj tilsvarende.

corridor [ˈkɔridɔːˑ] s gang, korridor.

corroborate [kəˈrɔbəreit] v bekræfte; styrke.

corrode [kəˈraud] v ætse; ruste; tæres; **corrosion** [-ˈrəuʒən] s tæring, korrosion.

corrugated [ˈkɔrəgeitid] adj bølget; rynket; ~ **cardboard** s bølgepap; ~ **iron** s bølgeblik.

corrupt [kəˈrʌpt] v fordærve; korrumpere // adj korrupt; rådden; bestikkelig; **~ion** [-ˈrʌpʃən] s korruption.

cosignatory [ˈkəuˈsignətəri] s medunderskriver.

cosiness [ˈkəuzinis] s hygge.

cosmetic [kəsˈmetik] s kosmetisk middel // adj kosmetisk; **~s** spl kosmetik.

cosmic [ˈkɔzmik] adj kosmisk.

cost [kɔst] s pris; omkostning; udgift // v (cost, cost) koste; at all ~s for enhver pris; at the ~ of på bekostning af; free of ~ uden omkostninger; gratis; it will ~ you dear det bliver en dyr historie for dig; it ~s the earth det koster det hvide ud af øjnene.

co-star [ˈkəustaːˑ] s (film, teat) medspiller.

costly [ˈkɔstli] adj dyr, bekostelig.

cost... [kɔst-] sms: ~ **of living** s leveomkostninger; ~ **price** s fremstillingspris.

costume [ˈkɔstjuːm] s dragt, kostume; spadseredragt; (også: swimming ~) badedragt; ~ **jewellery** s bijouteri.

cosy [ˈkəuzi] s tevarmer // adj hyggelig, rar; lun.

cot [kɔt] s barneseng.

cottage [ˈkɔtidʒ] s (lille) hus; hytte; sommerhus; ~ **hospital** s mindre sygehus på landet; ~ **industry** s husflid.

cotton [kɔtn] s bomuld; ~ **wool** s vat.

couch [kautʃ] s divan, sofa.

cough [kɔf] *s* hoste // *v* hoste; ~ **up with** (F) hoste op med; punge ud med; ~ **drop** *s* hostepastil.

could [kud] *præt af* can; **couldn't** [kudnt] d.s.s. *could not.*

council ['kaunsl] *s* råd; *city* ~, *town* ~ byråd; *the British C*~ den britiske ambassades kulturafdeling; ~ **estate** *s* sv.t. socialt boligbyggeri; ~**lor** *s* (by)rådsmedlem.

counsel ['kaunsl] *s* råd; rådslagning; juridisk rådgiver; *(pl: counsel)* advokat; ~**lor** *s* rådgiver.

count [kaunt] *s* tælling; slutsum; (ikke *brit)* greve; fyrste // *v* tælle; medregne; regne for; betyde noget, gælde; *that does not* ~ det gælder ikke; ~ *on* regne med; stole på; ~ *up* tælle op; regne sammen; ~**down** *s* nedtælling.

countenance ['kauntinəns] *s* ansigt(sudtryk); fatning; billigelse // *v* støtte; tolerere.

counter ['kauntə*] *s* tæller; disk; skranke // *v* imødegå; modsætte sig; indvende // *adv:* ~ *to* stik imod (fx *orders* ordre); ~**act** *v* modarbejde; ~**attack** *s* modangreb // *v* foretage modangreb; ~**balance** *v* danne modvægt mod; opveje; ~*balance overtime* afspadsere; ~~**clockwise** *adv* mod uret; venstre om; ~~**espionage** *s* kontraspionage.

counterfeit ['kauntəfit] *s* efterligning; forfalskning // *v* forfalske // *adj* falsk; forloren.

counter. . . ['kauntə-] sms: ~**foil** *s* (i checkhæfte) talon; (på girokort etc) kupon; ~**pane** *s* sengetæppe; ~**part** *s* sidestykke; modstykke; ~**sign** *v* medunderskrive, kontrasignere; ~**stroke** *s* modtræk.

countess ['kauntis] *s* en *earl's* hustru; (ikke *brit)* grevinde; fyrstinde.

countless ['kauntlis] *adj* utallig.

country ['kʌntri] *s* land; område; egn; *in the* ~ i landet; på landet; ~ **dancing** *s* folkedans; ~ **house** *s* herregård; landsted; ~**man** *s* landsmand; landbo; ~**side** *s* egn; *in the* ~*side* ude på landet.

county ['kaunti] *s (hist)* grevskab; *(adm, gl)* sv.t. amt; ~ **town** *s* sv.t. provinshovedstad.

coup [ku:] *s (pl:* ~*s* [ku:z]) *s* kup; ~ **d'état** ['ku:dei'ta:] *s* statskup.

couple [kʌpl] *s* par; (om hunde) kobbel // *v* koble sammen; kobles; parre(s); gifte sig; parre sig; *a* ~ *of* et par.

courage ['kʌridʒ] *s* mod; *take* ~ fatte mod; ~**ous** [kə'reidʒəs] *adj* modig.

courier ['kuriə*] *s* kurér; rejsefører.

course [kɔ:s] *s* løb; rute; kurs; forløb; kursus; *(gastr)* ret;

(golf)bane; *first* ~ forret; *main* ~ hovedret; *in due* ~ til sin tid; *of* ~ naturligvis, selvfølgelig; ~ **of action** *s* handlemåde; ~ **of life** *s* levnedsløb; livsførelse.

court [kɔːt] *s (jur)* ret, domhus; retsmøde; *(sport)* bane; *(hist)* slot, hof; *(social)* gård // *v* gøre kur til; tragte efter; opfordre til; *in* ~ i retten; *settle a matter out of* ~ afgøre en sag mindeligt; indgå forlig; *take (in)to* ~ bringe for retten.

courteous ['kəːtiəs] *adj* høflig; artig.

courtesy ['kəːtəsi] *s* høflighed; ~ *of the duke* med hertugens tilladelse.

courtier ['kɔːtiə*] *s* hofmand; hofdame.

court-martial ['kɔːt'mɑːʃəl] *s (pl: courts-martial)* krigsret.

courtroom ['kɔːtrum] *s* retslokale.

courtship ['kɔːtʃip] *s* forlovelsestid; bejlen.

courtyard ['kɔːtjɑːd] *s* gård; gårdsplads.

cousin [kʌzn] *s* fætter; kusine.

cove [kəuv] *s* bugt; vig.

cover ['kʌvə*] *s* ly; skjul; dækning; betræk; tæppe; (om bog) omslag // *v* dække (til); betrække; (om afstand) tilbagelægge; *under* ~ *of* i ly af; *under separate* ~ særskilt; ~ *up* dække til; ~ *up for* dække over; ~**age** ['kʌvəridʒ] *s* dækning; reportage; ~ **charge** *s*

(i restaurant etc) kuvertafgift; ~**ing** *s* dække; dækning; omslag; ~**ing letter** *s* følgeskrivelse.

covet ['kʌvit] *v* tragte efter; begære.

cow [kau] *s* ko; (om fx giraf, elefant) hun // *v* underkue.

coward ['kauəd] *s* kujon; ~**ice** ['kauədis] *s* fejhed; ~**ly** *adj* fej.

cower ['kauə*] *v* krybe sammen.

cowshed ['kauʃɛd] *s* kostald.

cowslip ['kauslip] *s (bot)* kodriver.

coxswain [kɔksn] *s (mar, på mindre skib)* rorgænger, kaptajn, skipper; (i kaproningsbåd) styrmand.

coy [kɔi] *adj* bly; koket.

crab [kræb] *s* krabbe; ~ **apple** *s (bot)* vildæble.

crack [kræk] *s* revne, sprække; knald, brag; (F) forsøg // *v* revne; knække; gå i stykker; knalde, brage // *adj* (F) førsteklasses; ~ *jokes* rive vittigheder af sig; ~ *up* bryde sammen; smadre; ~**er** *s* kineser; knallert; usødet kiks; ~**ing** *adj: get* ~*ing* (F) få fart på.

crackle [krækl] *s* knitren; krakelering // *v* knitre; sprutte; krakelere; **crackling** *s* knitren, knasen; sprød flæskesvær.

cradle [kreidl] *s* vugge.

craft [krɑːft] *s* (kunst)håndværk; dygtighed; *(pl: craft)*

fartøj, båd; ~sman s
(kunst)håndværker;
~smanship s håndværks-
mæssig dygtighed; ~y adj ud-
spekuleret; listig; snu.

crag [kræg] s klippefrem-
spring; klippeskrænt; ~gy
adj forreven; klippefuld.

cram [kræm] v: ~ sth with
stoppe ngt fuldt af; proppe
ngt med; ~ sth into stuve ngt
ned (el. ind) i; ~ course s
intensivkursus; ~ming s ek-
samensterperi.

cramp [kræmp] s krampe;
(tekn) skruetvinge // v snære;
hindre; genere; ~ed adj
trang; krampagtig.

cranberry ['krænbəri] s trane-
bær.

crane [krein] s trane // v
strække (fx one's neck hals).

crank [krenk] s (tekn) krum-
tap; håndsving; (på cykel)
krank; (om person) sær snegl;
~ shaft s (tekn) krumtapak-
sel; ~y adj vakkelvorn; mær-
kelig, sær, gnaven.

cranny ['kræni] s krog; nooks
and crannies krinkelkroge.

crash [kræʃ] s brag; skrald;
(auto etc) sammenstød; (med
motorcykel etc) styrt; krak //
v brage; smadre; støde sam-
men; (fly) styrte ned; krakke;
~ into brase ind i; ~ course
s lynkursus; ~ helmet s styrt-
hjelm; ~ landing s katastro-
felanding.

crate [kreit] s pakkasse.

crater ['kreitə*] s krater.

crave [kreiv] v: ~ for tørste
efter; trænge stærkt til.

crawl [krɔ:l] v kravle, krybe;
snegle sig; køre langsomt; be
~ing with vrimle med.

crayfish ['kreifiʃ] s krebs.

crayon ['kreiən] s farveblyant;
oliekridt; kridttegning.

craze [kreiz] s dille, mani; sid-
ste skrig; crazy ['kreizi] adj
skør, vild; be crazy about
være helt fjollet med; it dri-
ves me crazy det driver mig
til vanvid.

creak [kri:k] v knage, knirke.

cream [kri:m] s fløde; creme;
flødefarve; whipped ~ fløde-
skum; the ~ of sth det bedste
(el. blomsten) af ngt; ~ cake,
~ bun s (om kage) flødebol-
le; ~ cheese s flødeost; fuld-
fed ost; ~y adj flødeagtig.

crease [kri:s] s pressefold;
rynke // v presse (tøj); fure;
rynke, krølle.

create [kri:'eit] v skabe, kreere;
creation [-'eiʃən] s skabelse,
kreation; creator s skaber;
creature ['kri:tʃə*] s skab-
ning; (levende) væsen.

crèche [kreʃ] s vuggestue.

credentials [kri'denʃlz] spl
(ambassadørs) akkreditiver.

credibility [kredi'biliti] s tro-
værdighed; credible ['kredibl]
adj trolig; troværdig.

credit ['kredit] s tiltro; aner-
kendelse; ære; kredit(konto)
// v tro(på); give æren (with
for); kreditere; give ~ to sto-
le på; to one's ~ på ens konto;

take the ~ *for* tage æren for;
it does you ~ det tjener dig til
ære; ~**able** *adj* hæderlig, god;
~ **card** *s* købekort; ~ **ceiling**
s kreditloft; ~**s** *spl (film)*
fortekster.

credulity [kri'dju:liti] *s* godtro-
enhed.

creed [kri:d] *s* tro, trosretning;
the C~ trosbekendelsen.

creek [kri:k] *s* bugt, vig; *up the*
~ (F) skør i bolden; *be up the*
~ (også:) være på spanden.

creep [kri:p] *s* kryben; *(fig)*
ækelt kryb // *v (crept, crept)*
krybe; snige sig; *it gives me
the* ~*s* det giver mig myre-
kryb; ~**er** *s* slyngplante; ~**er
lane** *s* krybespor; ~**ers** *spl*
kravledragt; listesko; ~**y** *adj*
uhyggelig.

cremate [kri'meit] *v* brænde,
kremere; **cremation**
[-'meiʃən] *s* ligbrænding, kre-
mering.

crêpe [kreip] *s* crepe; ~ **rub-
ber** *s* rågummi.

crept [krept] *præt* og *pp* af
creep.

crescent ['krɛsnt] *s* halvmåne;
halvrund plads (el. gade);
(gastr) horn.

cress [krɛs] *s* karse.

crest [krɛst] *s* (om hane etc)
kam; (om hjelm) fjerbusk;
våbenmærke; (om bølge)
skumtop; ~**fallen** *adj* mod-
falden.

Crete [kri:t] *s* Kreta.

crevice ['krɛvis] *s* sprække;
klippespalte.

crew [kru:] *s* besætning, mand-
skab; ~**-cut** *adj* karseklippet;
~**-neck** *s* rund halsudskæ-
ring.

crib [krib] *s* krybbe; (i stald)
bås; kravleseng; ~ **death** *s
(med)* vuggedød.

cricket ['krikit] *s (zo)* fårekyl-
ling; *(sport)* cricket; *that is
not* ~*!* (F) det er ikke fair!
~**er** *s* cricketspiller.

crime [kraim] *s* forbrydelse;
kriminalitet; **criminal**
['kriminl] *s* forbryder // *adj*
kriminel; strafbar; kriminal-;
straffe-; *the Criminal Invest-
igation Department (C.I.D.)*
sv.t. kriminalpolitiet.

crimson ['krimzn] *adj* højrød;
blodrød.

cringe [krindʒ] *v* krybe sam-
men; krympe sig; ~ *to* krybe
for.

cripple [kripl] *s* krøbling // *v*
gøre til krøbling; lamme;
lemlæste.

crisis ['kraisis] *s (pl: crises*
['kraisi:z]) krise; kritisk
punkt.

crisp [krisp] *adj* sprød; (om
frostluft) frisk; *(fig)* klar;
skarp; livlig; ~**s** *spl* franske
kartofler.

criss-cross ['kriskrɔs] *adj* på
kryds og tværs; i siksak.

criterion [krai'tiəriən] *s (pl: cri-
teria* [-'tiəriə]) kriterium, ret-
tesnor.

critic ['kritik] *s* kritiker, anmel-
der; ~**al** *adj* kritisk; afgøren-
de; ~**ism** ['kritisizm] *s* kritik;

~ize ['kritisaiz] v kritisere.
croak [krəuk] v (om frø) kvække; (om fugl) skrige hæst.
crochet ['krəuʃei] s hækling; hæklemaske; *double* ~ fastmaske // v hækle; ~ **hook** s hæklenål.
crockery ['krokəri] s service; porcelæn.
croft [krɔft] s husmandssted; ~**er** s husmand.
crony ['krəuni] s (F) kammerat; god gammel ven.
crook [kruk] s (F) skurk; ~**ed** ['krukid] adj kroget; krum; skæv; uærlig.
croon [kru:n] v nynne; ~**er** s refrænsanger.
crop [krɔp] s afgrøde, høst; (om fugle) kro // v: ~ *up* dukke op; ~ **failure** s fejlslagen høst, misvækst.
cropper ['krɔpə*] s: *come a* ~ komme galt af sted.
croquet ['krəukei] s kroketspil.
cross [krɔs] s kors; kryds; krydsning // v korse; krydse; rejse (, gå, køre etc) over // adj kryds-; tvær-; sur, tvær; ~ *out* overstrege; stryge; ~ *my heart (and hope to die)!* på æresord! ~**bar** s tværstang; (på fodboldmål) overligger; ~**breed** s krydsning; hybrid; ~ **country (race)** s terrænløb; ~ **country skiing** s langrend; ~**examination** s krydsforhør; ~**eyed** adj skeløjet; ~**ing** s overfart; overgang; vejkryds; (jernbane)overskæ-

ring; (også: *pedestrian* ~) fodgængerovergang; ~**reference** s krydshenvisning; ~**roads** spl korsvej, vejkryds; ~ **section** s tværsnit; ~**wind** s sidevind; ~**wise** adj over kors; på tværs; ~**word** s krydsord, kryds-og-tværs.
crotch [krɔtʃ] s (i bukser) skridt.
crotchet ['krɔtʃit] s (mus) fjerdedelsnode.
crouch ['krautʃ] v krybe sammen; stå på spring.
crow [krəu] s krage; hanegal // v (om hane) gale; (fig) triumfere, juble.
crowbar ['krəuba:*] s løftestang; brækjern.
crowd [kraud] s (menneske)mængde, opløb; (F) klike, slæng; sværm, mylder // v trænges; stimle sammen; myldre; *don't* ~ *me!* (F) lad være med at presse mig! ~**ed** adj overfyldt, overlæsset; ~*ed with* stuvende fuld af.
crown [kraun] s krone; (bjerg)top; (hatte)puld; (anat) isse // v krone; fuldende; sætte krone på; *the C~* kronen, staten; **C~ court** s (jur) svt. overret; ~ **jewels** spl kronjuveler; ~ **prince** s kronprins.
crucial ['kru:ʃəl] adj afgørende; vanskelig.
crucifixion [kru:si'fikʃən] s korsfæstelse; **crucify** ['kru:sifai] v korsfæste.
crude [kru:d] adj rå; grov; umoden; ~ **(oil)** s råolie.

cruel ['kruəl] *adj* grufuld; grusom; **~ty** *s* grusomhed.

cruise [kru:z] *s* krydstogt; sørejse; langfart // *v* være på krydstogt; køre (el. flyve) i passende fart; **~ missile** *s (mil)* krydsermissil; **~r** *s (mar)* krydser; turbåd; **cruising speed** *s* marchhastighed.

crumb [krʌm] *s* (brød)krumme; rasp; smuld.

crumble ['krʌmbl] *v* smuldre; forvitre; **crumbly** *adj* (let)smuldrende.

crumpet ['krʌmpit] *s* slags tekage; (F) laber larve.

crumple ['krʌmpl] *v* krølle(s) sammen.

crunch [krʌntʃ] *s* knasen; kritisk øjeblik; afgørelsens time // *v* knase; knuse; mase; **~y** *adj* knasende, sprød.

crusade [kru:'seid] *s* korstog; kampagne; **~r** *s* korsfarer; *(fig)* forkæmper.

crush [krʌʃ] *s* trængsel // *v* knuse; mase sig; krølle; *have a ~ on sby* være lun på en; *lemon ~* presset citron, citronsaft; **~ing** *adj* knusende, knugende.

crust [krʌst] *s* skorpe.

crutch [krʌtʃ] *s* krykke; støtte; *(mar)* åregaffel.

crux [krʌks] *s* vanskeligt punkt.

cry [krai] *s* råb, skrig, brøl // *v* råbe, skrige; udbryde; græde, tude; *~ off* melde afbud til; *~ out for* råbe på; **~ing** *adj (fig)* himmelråbende; *a ~ing*

shame synd og skam.

crystal ['kristl] *s* krystal; prisme; **~-clear** *adj* krystalklar; soleklar; **~lize** [-laiz] *v* krystallisere (sig); kandisere.

cub [kʌb] *s* unge; hvalp; *(fig)* grønskolling; (skotsk, om spejder) svt. ulveunge.

cube [kju:b] *s* terning; kubus // *v (mat)* opløfte til tredje potens; *~ root* *s* kubikrod; **cubic** *adj* kubisk, kubik-; **cubic metre** *s* kubikmeter.

cubicle ['kju:bikl] *s* (sove)kabine; lille alfukke.

cuckold ['kʌkəuld] *s* hanrej.

cuckoo ['kuku:] *s* gøg; *~ clock* *s* kukkeur.

cucumber ['kju:kʌmbə*] *s* agurk.

cuddle [kʌdl] *v* omfavne, 'knuse'; **cuddly** *adj* kælen; nuttet.

cudgel ['kʌdʒəl] *s* knippel.

cue [kju:] *s* billardkø; signal; *(teat)* stikord; *~ card* *s* tv-oplæsers manuskript.

cuff [kʌf] *s* manchet, opslag, ærmelinning // *v* slå, daske; *off the ~* på stående fod; ud af ærmet; **~link** *s* manchetknap.

cuisine [kwi'zi:n] *s* madlavning, kogekunst.

cul-de-sac ['kʌldəsæk] *s* blindgade, lukket vej.

culinary ['kʌlinəri] *adj* kulinarisk, mad-.

culminate ['kʌlmineit] *v* kulminere; **culmination** [-'neiʃən] *s* kulmination.

culprit ['kʌlprit] *s* 'synder', 'forbryder'.

cult [kʌlt] s kult, sekt.

cultivate ['kʌltiveit] v dyrke, kultivere; **cultivation** [-'veiʃən] s dyrkning, kultivering; afgrøde.

cultural ['kʌltʃərəl] adj kulturel, kultur-; **culture** ['kʌltʃə*] s kultur; dannelse; dyrkning; **cultured** adj kultiveret, dannet.

cumbersome ['kʌmbəsəm] adj besværlig; uhåndterlig.

cunning ['kʌniŋ] s list, snilde // adj listig, snu.

cunt [kʌnt] s (V!) kusse.

cup [kʌp] s kop, pokal; skål.

cupboard ['kʌbəd] s skab.

Cupid ['kju:pid] s (gud) Amor; amorin.

cuppa ['kʌpə] s (F) kop te.

curable ['kjuərəbl] adj helbredelig.

curate ['kju:rit] s hjælpe(præst).

curator [kju'reitə*] s konservator.

curb ['kə:b] s tømme, tøjle // v tøjle, styre, tæmme.

curdle ['kə:dl] v stivne, koagulere; (om mælk) skille.

curds [kə:ds] spl kvark, skyr.

cure [kjuə*] s helbredelse; (læge)middel; kur // v helbrede; kurere; (gastr) konservere (, salte, tørre etc).

curfew ['kə:fju:] s udgangsforbud.

curio ['kjuəriəu] s kuriositet, souvenir; ~**sity** [-'ɔsiti] s nysgerrighed; mærkværdighed;

curious ['kjuəriəs] adj nysgerrig; mærkelig.

curl [kə:l] s krølle // v krølle, kruse; ~ **up** rulle sig sammen; ~**er** s curler; (sport) curlingspiller; ~**y** adj krøllet, kruset.

currant ['kʌrənt] s korend; red ~ ribs; black ~ solbær.

currency ['kʌrənsi] s valuta; omløb, cirkulation; foreign ~ fremmed valuta.

current ['kʌrənt] s (om vand, elek etc) strøm; strømning // adj gangbar, almindelig udbredt; aktuel; herskende; løbende; ~ **account** s løbende konto; ~**ly** adv for tiden.

curry ['kʌri] s karry // v: ~ favour with lefle for, indynde sig hos; chicken ~ høns i karry; ~ **powder** s karry.

curse [kə:s] s forbandelse, ed; (S) menses // v forbande; bande, skælde ud.

cursory ['kə:ʃəri] adj overfladisk, flygtig.

curt [kə:t] adj studs, kort for hovedet.

curtain [kə:tn] s gardin, forhæng; slør; (teat) tæppe.

curts(e)y ['kə:tsi] s nejen // v neje.

curve [kə:v] s kurve; bue; (vej)sving // v krumme (sig; svinge (i en bue).

cushion ['kuʃən] s pude, hynde // v polstre; afbøde; danne stødpude.

custard ['kʌstəd] s vanillecreme; cremebudding.

custodian [kʌs'təudiən] *s* vogter; kustode.

custody ['kʌstədi] *s* varetægt, forvaring; forældremyndighed.

custom ['kʌstəm] *s* skik, sædvane; (om kunder) søgning; ~**ary** *adj* sædvanlig, almindelig; ~**er** *s* kunde; ~**made** *adj* lavet på bestilling; (om tøj) syet efter mål.

customs ['kʌstəmz] *spl* told(væsen); ~ **duty** *s* toldafgift; ~ **officer** *s* toldfunktionær, tolder.

cut [kʌt] *s* snit; hug; skår; udsnit; skive (fx kød, brød) // *v (cut, cut)* skære; klippe; hugge; nedskære; *power* ~ strømafbrydelse; ~ *teeth* (om baby) få tænder; ~ *away* skære væk; ~ *back* (om fx plante) skære ned; ~ *down (on)* skære ned (på); ~ *off* afskære; afbryde; ~ *sby off with sth* spise en af med ngt; ~ *out* skære (el. klippe) ud; udelade; ~ *it out!* hold nu op! ~ *short* afbryde, gøre en ende på.

cute [kju:t] *adj* nuttet, sød; fiffig, snild.

cut glass ['kʌtɡla:s] *s* krystal.

cuticle ['kju:tikl] *s* neglebånd; ~ **remover** *s* neglebåndsfjerner.

cutlery ['kʌtləri] *s* (spise)bestik; knivfabrik.

cutlet ['kʌtlit] *s* kotelet.

cut. . . ['kʌt-] *sms:* ~**out** *s* påklædningsdukke; *(elek)* HFI-

relæ; ~**price** *s* nedsat pris; ~**throat** *s* (leje)morder; barberkniv // *adj* hensynsløs, skrap.

cutting ['kʌtiŋ] *s* udklip; *(jernb* etc) gennemskæring // *adj* skærende; skarp; sårende; ~ **pliers** *spl* bidetang.

C.V. fork.f. *curriculum vitae.*

cwt fork.f. *hundredweight.*

cyanide ['saiənaid] *s (kem)* cyanid; *potassium* ~ cyankalium.

cycle [saikl] *s* cyklus, kredsløb; cykel // *v* cykle.

cygnet ['signit] *s* svaneunge.

cylinder ['silində*] *s* cylinder, valse, tromle; ~ **head** *s (auto)* (cylinder)topstykke; ~ **head gasket** *s (auto)* toppakning.

cymbal [simbl] *s (mus)* bækken.

cynic ['sinik] *s* kyniker; ~**al** *adj* kynisk; ~**ism** ['sinisizəm] *s* kynisme.

cypress ['saipris] *s* cypres(træ).

Cypriot ['sipriət] *s* kypriot // *adj* kypriotisk; **Cyprus** ['saiprəs] *s* Kypern.

cyst [sist] *s (med)* cyste; ~**itis** [sis'taitis] *s* blærebetændelse.

Czech [tʃek] *s* tjekke // *adj* tjekkisk; ~**oslovakia** ['tʃekəusləu'vækiə] *s* Tjekkoslovakiet.

D

D, d [di:].

dab [dæb] *s* (F) fingeraftryk // *v* tjatte (til); duppe (fx *eyes* øjne); *a* ~ *of paint* et strøg maling; **~hand** *s* (F) knag.

dabble ['dæbl] *v:* ~ *in* fuske med.

dad, daddy [dæd, 'dædi] *s* (F) far(mand); **daddy-long-legs** *s (zo)* stankelben.

daffodil ['dæfədil] *s* påskelilje.

daft [da:ft] *adj* skør; *be ~ about* (F) være skør med.

dagger ['dægə°] *s* daggert, dolk; *be at ~s drawn with sby* have krig på kniven med en.

daily ['deili] *s* dagblad; (også: ~ *help)* hushjælp (som bor hjemme) // *adj* daglig.

dainty ['deinti] *s* lækkeri // *adj* lækker, fin; raffineret.

dairy ['dɛəri] *s* mejeri // *adj* mejeri-; ~ *farm* s gård med malkekvæg; ~ **produce** *s* mejeriprodukter.

daisy ['deizi] *s* bellis; margerit.

dally ['dæli] *v* pjanke, fjase; smøle.

dam [dæm] *s* dæmning, dige // *v* opdæmme.

damage ['dæmidʒ] *s* skade // *v* beskadige; blive beskadiget; **~s** *spl* skadeserstatning; **damaging** *adj* skadelig; *(jur)* belastende (fx *evidence* bevis).

Dame [deim] *s* titel for kvinder sv.t. *Sir* (fx ~ *Janet Baker); dame s* pige, kvindemenneske.

damn [dæm] *s: I don't give a* ~ (F) det rager mig en fjer // *v* forbande, fordømme *// adj* d.s.s. *~ed; ~ (it)!* fandens; **~ed** *adj* forbandet, fordømt;

well, I'll be ~ed! det var som pokker! *I'll be ~ed if I do!* gu' vil jeg ej! **~ing** *adj* fældende (fx *evidence* bevis); **~ation** [-'neiʃən] *s* forbandelse // *interj* for pokker.

damp [dæmp] *s* fugt(ighed) // *v* (også: *~en)* fugte; stænke; dæmpe // *adj* fugtig, klam; **~er** *s: put a ~er on* lægge en dæmper på.

dance [da:ns] *s* dans, bal // *v* danse; **~r** *s* danser; *he's a good ~r* han danser godt; **dancing** *s* dans // *adj* danse-.

dandelion ['dændilaiən] *s* mælkebøtte.

dandruff ['dændrəf] *s* skæl (i håret).

dandy ['dændi] *s* laps.

Dane [dein] *s* dansker; *Great D~* grand danois.

danger ['deindʒə°] *s* fare; ~ *of fire* brandfare; **~ous** *adj* farlig; **~ous driving** *s* uforsvarlig kørsel.

dangle ['dæŋgl] *v* dingle (med), vifte med.

Danish ['deiniʃ] *s/adj* dansk; ~ **pastry** *s* wienerbrød.

Danube ['dænju:b] *s: the ~* Donau.

dapper ['dæpə°] *adj* væver; sirlig; smart.

dare [dɛə°] *v* turde; trodse; udfordre; *I ~ say* jeg tror nok; det kan godt være; *I ~ you to say it* sig det hvis du tør; **daring** ['dɛəriŋ] *s* dristighed // *adj* dristig; vovet.

dark [da:k] *s* mørke // *adj*

mørk, skummel, dyster; *be in
the ~ about sth* være uviden-
de om ngt; *after ~* efter mør-
kets frembrud; *before ~* før
det bliver mørkt; **~en** *v* blive
mørkere; formørke; **~ness** *s*
mørke; *~ room s (foto)* mør-
kekammer.

darling ['daːliŋ] *s* skat; (min)
ven // *adj* yndlings-.

darn [daːn] *v* stoppe (fx *socks
strømper); ~ it!*(F) pokkers!

dart [daːt] *s* kastepil // *v* fare af
sted som en pil; sende (fx *an
angry look* et vredt blik);
~board *s* dartskive; **~s** *spl*
dartspil.

dash [dæʃ] *s* tankestreg; frem-
stød // *v* kaste, slynge; fare,
styrte; knuse; *make a ~ for it*
stikke af; *make a ~ for sth*
kaste sig over ngt; styrte hen
mod ngt; *~ away* styrte af
sted; **~board** *s (auto* etc) in-
strumentbræt; **~ing** *adj* flot.

data ['deitə] *spl* data; *~ pro-
cessing s* databehandling.

date [deit] *s* dato; tid(spunkt);
stævnemøde; *(bot)* dad-
del(palme) // *v* datere, tidsfæ-
ste; (F) gå ud med, komme
sammen med; *out of ~* foræl-
det, umoderne; *to ~* hidtil; *up
to ~* moderne, tidssvarende;
~d *adj* forældet; **~line** *s (ge-
ogr)* datolinje.

daughter ['dɔːtə*] *s* datter; *~
in-law s* svigerdatter.

dawn [dɔːn] *s* daggry; *(fig)*
frembrud, begyndelse // *v* da-
ges, gry; *it ~ed on me* det

dæmrede (el. gik op) for mig.

day [dei] *s* dag; døgn; tid; vejr;
the ~ before dagen før; *the
~ before yesterday* i forgårs;
one of these ~s en af dagene;
en skønne dag; *this ~ week* i
dag otte dage; *by ~* om da-
gen; *call it a ~* lade det være
godt (for idag); *it's a fine ~*
det er fint vejr; *some ~* en-
gang; **~break** *s* daggry;
~light *s* dagslys; *~time s: in
~time* ved dagslys, om dagen.

daze [deiz] *s: in a ~* fortumlet,
rundtosset // *v* gøre fortum-
let; blænde; bedøve.

dazzling ['dæzliŋ] *adj* blæn-
dende, strålende.

dead [ded] *adj* død; vissen;
følelsesløs; mat // *adv* død-;
fuldstændig; *be shot ~* blive
skudt ihjel; *~ on time* lige på
klokkeslæt, præcis; *'~ slow'*
'langsom kørsel'; *stop ~*
standse brat; *gå i stå; in the ~
of winter* midt om vinteren; *I
would not be seen ~ in that
hat* jeg ville hellere dø end gå
med den hat; **~en** *v* dæmpe;
~ end s blindgade (også *fig);
~ heat s (sport)* dødt løb;
~line *s* skæringsdato, frist;
~lock *s* baglås; hårdknude;
~ly *adj* dødelig, dræbende;
dødkedelig.

deaf [def] *adj* døv; **~en** *v* døve;
overdøve; dæmpe; **~ening**
adj øredøvende; **~mute** *s*
døvstum.

deal [diːl] *s* del; forretning,
handel; aftale; fyrretræ // *v*

(dealt, dealt) [dɛlt]) tildele; ud-dele; give (fx *cards* kort); *a big* ~ en god (el. fed) forret-ning; *a great* ~ en hel del; *have a rotten* ~ få en dårlig behandling; *that's a* ~ det er en aftale; ~ *in* handle med; ~ *with* have at gøre med; dreje sig om; ordne; ~**er** *s* -handler, -forhandler; person som giver kort; ~**ings** *spl* transaktioner; forbindelser.

dean [diːn] *s* (dom)provst; (universitets)dekan.

dear [diə*] *s: my* ~ min skat, min ven // *adj* kær, rar, sød, elskelig; (om pris) dyr; ~ *me!* (el. *oh,* ~*!)* du godeste! men dog! *take that, there's a* ~*!* tag den, så er du sød! *she's an old* ~ hun er en sød gammel dame.

death [dɛθ] *s* død; dødsfald; *be at* ~*'s door* være på gravens rand; ~**bed** *s* dødsleje; ~ **certificate** *s* dødsattest; ~ **duties** *spl* arveafgift; ~**ly** *adj* dødelig; døds-; ~ **penalty** *s* dødsstraf; ~ **rate** *s* dødelig-hed; ~ **sentence** *s* dødsdom; ~**-trap** *s* dødsfælde.

debase [di'beis] *v* forringe; nedværdige.

debatable [di'beitəbl] *adj* tvivlsom, diskutabel; **debate** *s* debat, drøftelse.

debit ['debit] *s* debet // *v* debi-tere.

debris ['debri] *s* brokker, rui-ner; efterladenskaber; affald.

debt [dæt] *s* gæld; *be in* ~

være forgældet; ~**or** *s* debi-tor, skyldner.

decade ['dekeid] *s* tiår.

decadence ['dekədəns] *s* for-fald.

decanter [di'kæntə*] *s* (vin)karaffel.

decay [di'kei] *s* forfald; forråd-nelse; *(fys)* henfald; (også: *tooth* ~) karies // *v* forfalde; rådne; gå i opløsning.

decease [di'siːs] *s* død; ~**d** *adj* (af)død; *the* ~**d** (den) afdøde; de døde.

deceit [di'siːt] *s* bedrageri, svig; ~**ful** *adj* løgnagtig; falsk; **de-ceive** [-'siːv] *v* bedrage, narre; *if my eyes don't deceive me* hvis ikke jeg tager meget fejl.

December [di'sembə*] *s* de-cember.

decency ['diːsənsi] *s* anstæn-dighed, sømmelighed; **decent** *adj* pæn, anstændig; flink; *they were very decent about it* de tog det pænt.

deception [di'sepʃən] *s* bedrag; **deceptive** *adj* vildledende.

decide [di'said] *v* beslutte, af-gøre; ~ *on* træffe beslutning om; *that* ~**d** *her* det fik hende til at beslutte sig; *that's for you to* ~ det må du afgøre; ~**d** *adj* udpræget; afgjort; ~**dly** *adv* absolut, bestemt.

decimal ['desiməl] *adj* deci-mal-, titals-; ~ **point** *s* sv.t. komma (foran decimalbrøk; NB! *brit* anvendes punktum); **decimate** *v* decimere; *(fig)* tynde ud.

decipher [di'saifə*] v tyde, de-
chifrere.

decision [di'siʒən] s beslut-
ning, afgørelse; beslutsom-
hed; *make a* ~ træffe en
afgørelse; *come to a* ~ tage en
beslutning; **decisive**
[di'saisiv] adj beslutsom; af-
gørende.

deck [dɛk] s (skibs)dæk;
~**chair** s liggestol.

declaim [di'kleim] v deklame-
re; ~ *against sth* protestere
mod ngt; **declamation**
[-'meiʃən] s deklamation;
protesttale.

declaration [dɛklə'reiʃən] s er-
klæring; *tax* ~ selvangivelse;
declare [di'klɛə*] v erklære; (i
tolden) deklarere; (om skat)
opgive.

declension [di'klɛnʃən] s ned-
gang; *(gram)* (kasus)bøjning.

decline [di'klain] s nedgang,
tilbagegang // v skråne, hæl-
de; dale, aftage; afslå; *(gram)*
(kasus)bøje.

declutch ['di:'klʌtʃ] v koble ud
(el. fra).

decode ['di:'kəud] v dechifre-
re.

decompose [ˌdi:kəm'pəuz] v
opløse(s); nedbryde(s); **de-
composition** ['di:kɔmpə'zi-
ʃən] s opløsning; forrådnelse.

décor ['deikɔ:*] s (teater)deko-
ration, sceneri.

decorate ['dɛkəreit] v pynte,
dekorere; (om fx værelse)
istandsætte; **decoration**
[-'reiʃən] s pynt, dekoration;

(indvendig) istandsættelse;
orden(sdekoration); **decora-
tor** s dekoratør; *interior* ~*r*
indretningsarkitekt.

decorum [di'kɔ:rəm] s sømme-
lighed.

decoy ['di:kɔi] s lokkefugl.

decrease s ['di:kri:s] nedgang,
aftagen // v [di:'kri:s] aftage;
formindske(s).

decree [di'kri:] s dekret, påbud;
~ **nisi** [-'naisai] s sv.t. forelø-
big skilsmissebevilling.

decrepit [di'krɛpit] adj affæl-
dig; faldefærdig.

dedicate ['dɛdikeit] v indvie;
hellige; dedicere; **dedication**
[-'keiʃən] s indvielse; dedika-
tion; engagement.

deduce [di'dju:s] v udlede,
konkludere; **deduction**
[-'dʌkʃən] s udledning; (skat-
te)fradrag.

deed [di:d] s gerning; bedrift,
dåd; dokument, skøde.

deem [di:m] v skønne; anse
for; *he* ~*ed it necessary* han
fandt det nødvendigt.

deep [di:p] adj/adv dyb(t);
stor; dybsindig; snu; ~ *in
snow* begravet i sne; *stand ten
man* ~ stå i ti rækker; *he's a*
~ *one* han er udspekuleret;
go off the ~ *end (fig)* blive
stiktosset. ~**en** v uddybe; bli-
ve dybere; ~**freeze** s dybfry-
ser // v dybfryse; ~**fry** v
friturestege; ~ **red** adj mør-
kerød; ~**seated** adj indgro-
et, rodfæstet; ~**set** adj dybt-
liggende (fx *eyes* øjne).

deer [diə°] s *(pl: deer)* hjort; *the* ~ hjortefamilien; *red* ~ kronhjort; *fallow* ~ dådyr; *roe* ~ rådyr.

default [di:'fɔ:lt] s forsømmelighed; misligholdelse; udebliven // v forsømme en pligt; udeblive (fra); *in* ~ *of* af mangel på.

defeat [di'fi:t] s nederlag // v besejre, slå; forpurre (fx *plans* planer); forkaste (fx *a bill* et lovforslag); ~**ist** s opgivende person.

defect s ['di:fɛkt] mangel, defekt // v [di'fɛkt] falde fra; ~ *to the enemy* gå over til fjenden; ~**ive** [-'fɛktiv] adj mangelfuld.

defence [di'fɛns] s forsvar; *in* ~ *of* til forsvar for; *Minister of D*~ forsvarsminister; *counsel for the* ~ *(jur)* forsvarer; ~**less** adj forsvarsløs; **defend** v forsvare; **defendant** s: *the defendant (jur)* den anklagede (el. sagsøgte); **defender** s forsvarer; **defensive** adj forsvars-, defensiv.

deference ['dɛfərəns] s agtelse, respekt; **deferential** [-'rɛnʃəl] adj ærbødig.

defiance [di'faiəns] s trods; udfordring; *in* ~ *of* til trods for; **defiant** adj trodsig; provokerende.

deficiency [di'fiʃənsi] s utilstrækkelighed, mangel; underskud; ~ *disease* s mangelsygdom; **deficient** adj utilstrækkelig, mangelfuld.

deficit ['dɛfisit] s underskud, minus.

define [di'fain] v definere; bestemme; angive.

definite ['dɛfinit] adj bestemt; klar; afgrænset; *be* ~ være sikker (el. kategorisk); ~**ly** adv bestemt, afgjort; **definition** [-'niʃən] s bestemmelse; definition; **definitive** [-'finitiv] adj endelig; afgørende, definitiv.

deflate [di:'fleit] v lukke luften ud af; *(fig)* tage gassen af.

deform [di'fɔ:m] v misdanne, deformere; ~**ed** adj vanskabt; ~**ity** s vanskabthed, misdannelse.

defrost ['di:'frɔst] v afrime, afise (fx *the fridge* køleskabet); tø op (fx *the meat* kødet).

deft [dɛft] adj fingernem, behændig.

defunct [di'fʌŋkt] adj afdød.

defy [di'fai] v trodse; udfordre; *I* ~ *you to do it* gør det hvis du tør.

degenerate v [di'dʒɛnəreit] udarte, degenerere // adj [di'dʒɛnərit] degenereret.

degradation [dɛgrə'deiʃən] s nedværdigelse; degradering; **degrading** [di'greidiŋ] adj nedværdigende.

degree [di'gri:] s grad, rang; (universitets)eksamen; *it is five* ~s *below (zero)* det er fem graders frost; *by* ~s gradvis; *to a certain* ~ i en vis grad; ~ *of latitude* (el. *longitude*) bredde- (el. læng-

de)grad.
dehydrated [ˈdiːhaiˈdreitid] *adj* (ud)tørret, dehydreret; ~ **milk** *s* tørmælk.
de-ice [ˈdiːˈais] *v* afise (fx *the windscreen* forruden).
deign [dein] *v:* ~ *to* nedlade sig til at.
dejected [diˈdʒektid] *adj* nedslået, modløs; **dejection** *s* modløshed.
delay [diˈlei] *s* forsinkelse; udsættelse // *v* forsinke; udsætte; nøle; *without* ~ straks, ufortøvet.
delegate *s* [ˈdeligit] delegeret // *v* [ˈdeligeit] delegere; beskikke; **delegation** *s* [-ˈgeiʃən] *s* delegation; beskikkelse.
delete [diˈliːt] *v* slette, stryge.
deliberate *v* [diˈlibəreit] overveje; drøfte // *adj* [diˈlibərit] bevidst, forsætlig; ~**ly** [-ˈlibərətli] *adj* med fuldt overlæg, bevidst; **deliberation** [-ˈreiʃən] *s* overvejelse; overlæg.
delicacy [ˈdelikəsi] *s* sarthed; takt(fuldhed); lækkerbisken; **delicate** [ˈdelikit] *adj* sart, skrøbelig; fintfølende; delikat; **delicatessen** [-ˈtesn] *s* viktualieforretning.
delicious [diˈliʃəs] *adj* dejlig, lækker.
delight [diˈlait] *s* glæde, fryd // *v* glæde; ~ *in* nyde, fryde sig ved; ~**ed** *adj* henrykt; *I shall be* ~*ed to* det skal vare mig en glæde (at); ~**ful** *adj* dejlig, yndig; tiltalende.

delineate [diˈlinieit] *v* aftegne; skildre.
delinquency [diˈliŋkwənsi] *s* forseelse, kriminalitet; **delinquent** *s* lovovertræder; *juvenile delinquent* ungdomsforbryder // *adj* forsømmelig; kriminel.
deliver [diˈlivə*] *v* levere; aflevere; omdele, udbringe (fx *mail* post); befri; nedkomme, føde; ~ *a speech* holde en tale; ~ *the goods* levere varerne; ~ *on expectations* leve op til forventningerne; ~**y** *s* levering, uddeling; (post)ombæring; nedkomst; *take* ~*y of (merk)* aftage; ~**y van** *s* varevogn.
deluge [ˈdeljuːdʒ] *s* oversvømmelse; *the D*~ Syndfloden.
delusion [diˈluːʒən] *s* selvbedrag; vildfarelse; **delusive** *adj* skuffende; illusorisk.
demand [diˈmɑːnd] *s* krav; eftersørgsel; behov // *v* kræve, forlange; *in* ~ efterspurgt; *on* ~ efter påkrav; ~**ing** *adj* krævende; fordringsfuld.
demean [diˈmiːn] *v:* ~ *oneself* nedværdige sig; ~**or** *s* optræden, opførsel.
demented [diˈmentid] *adj* afsindig, vanvittig.
demi- [ˈdemi-] halv- (fx *god* gud).
demo [ˈdeməu] *s* (F) d.s.s. *demonstration.*
democracy [diˈmɔkrəsi] *s* demokrati; **democrat** [ˈdeməkræt] *s* demokrat; **de-**

mocratic [-'krætik] *adj* demokratisk.

demoded ['di:məudid] *adj* umoderne.

demolish [di'mɔliʃ] *v* nedrive (fx *a house* et hus); sløjfe; **demolition** [-'liʃən] *s* nedrivning; ødelæggelse.

demonstrable ['demənstrəbl] *adj* bevislig; håndgribelig; **demonstrate** ['demənstreit] *v* vise, demonstrere; bevise; lægge for dagen; **demonstration** [-'streiʃən] *s* forevisning; bevis; demonstration; **demonstrator** ['demənstreitə*] *s* demonstrant.

demoralize [di'mɔrəlaiz] *v* demoralisere.

demur [di'mə*] *v* gøre indsigelse; tøve.

demure [di'mjuə*] *adj* dydig, ærbar; adstadig.

den [den] *s* (dyrs) hule; rovdyrbur; hybel.

denial [di'naiəl] *s* nægtelse; afslag; dementi.

denim ['denim] *s* cowboystof; **~s** *spl* cowboybukser.

denomination [dinɔmi'neiʃən] *s* benævnelse, navn; kategori; trosretning; *(økon)* pålydende; møntsort; **denominator** [di'nɔmineitə*] *s* nævner; *common denominator* fællesnævner.

denote [di'nəut] *v* betegne, betyde.

denounce [di'nauns] *v* anklage; fordømme; angive, melde.

dense [dens] *adj* tæt, kompakt,

tyk; (om person) tykhovedet; **density** *s* tæthed; vægtfylde.

dent [dent] *s* fordybning; hak.

dental [dentl] *adj* tand-; ~ *nurse* *s* klinikassistent; ~ **surgeon** *s* tandlæge.

dentist ['dentist] *s* tandlæge; **~try** *s* tandlægearbejde; **denture** ['dentʃə*] *s* tandprotese.

denunciation [dinʌnsi'eiʃən] *s* fordømmelse; angivelse; opsigelse.

deny [di'nai] *v* nægte, benægte; *there's no ~ing that...* det kan ikke nægtes at...

depart [di'pa:t] *v* rejse væk; afrejse, afgå; ~ *from* rejse væk fra, forlade; *(fig)* fravige; *the ~ed* de afdøde.

department [di'pa:tmənt] *s* afdeling, institut; område, felt; departement, ministerium; ~ **store** *s* stormagasin.

departure [di'pa:tʃə*] *s* afrejse, afgang; fravigelse, afvigelse.

depend [di'pend] *v* være uafgjort; komme an (på); ~ *on* afhænge af; stole på, regne med; *it ~s* det kommer an på omstændighederne; **~able** *adj* pålidelig; **~ant** *s* person som er afhængig; **~ence** *s* afhængighed, tillid; **~ent** *adj* afhængig; (om lampe) hænge-; *be ~ent on* være afhængig af.

depict [di'pikt] *v* afbilde; (ud)male; skildre.

deplorable [di'plɔ:rəbl] *adj* beklagelig; meget uheldig; **deplore** *v* beklage dybt; sørge over.

depopulation [ˈdiːpɔpjuˈleiʃən] s affolkning.

deport [diˈpɔt] v udvise, deportere; ~ *oneself* opføre sig; ~**ation** [-ˈteiʃən] s deportation; ~**ment** s optræden, væsen.

deposit [diˈpɔzit] s pant, depositum; aflejring // v deponere; indsætte (i bank); anbringe; aflejre; ~ *account* s indlånskonto; ~**ion** [-ˈziʃən] s afsættelse; aflejring; ~**or** s deponent; indskyder.

depot [ˈdɛpəu] s depot, magasin; bus- el. flyterminal.

deprave [diˈpreiv] v fordærve, demoralisere; **depravity** [diˈpræviti] s last; demoralisering.

depress [diˈprɛs] v (ned)trykke; gøre deprimeret; ~**ed** *adj* deprimeret; (om område) kriseramt, arbejdsløsheds-; ~**ing** *adj* nedslående; ~**ion** s depression; krise(tid); (geol) sænkning.

deprivation [depriˈveiʃən] s berøvelse, tab; **deprive** [diˈpraiv] v: *deprive sby of sth* berøve en ngt; unddrage en ngt; **deprived** *adj* fattig, underprivilegeret.

depth [dɛpθ] s dybde, dyb; *in the ~s of* i hjertet af, dybt inde i; ~ *charge* s (mil) dybvandsbombe.

deputy [ˈdɛpjuti] s stedfortræder // *adj* vice-; ~ *chairman* s næstformand; ~ *head* s vice-

direktør; næstkommanderende.

derail [diˈreil] v (om tog) afspore(s); *(fig)* forpurre; ~**ment** s afsporing (også *fig*).

deranged [diˈreindʒd] *adj* forstyrret; (om fx maskine) i uorden.

derelict [ˈdɛrilikt] *adj* herreløs; forladt, forsømt.

derivation [dɛriˈveiʃən] s afledning, udledning; oprindelse; **derivative** [diˈrivətiv] s afledning // *adj* afledet, udledet.

derive [diˈraiv] v: ~ *sth from* få ngt fra; ~ *from* stamme fra, komme af.

derogatory [diˈrɔgətəri] *adj* nedsættende.

derrick [ˈdɛrik] s boretårn; *(mar)* lossebom.

descend [diˈsɛnd] v komme (, gå, stige etc) ned; dale; ~ *from* stå af, komme ned fra; nedstamme fra; ~ *on* hjemsøge; ~ *to* nedværdige sig til; ~**ant** s efterkommer; **descent** s nedstigning; skrånen; afstamning; *(fly)* landing.

describe [disˈkraib] v beskrive, skildre; **description** [-ˈkripʃən] s beskrivelse; signalement; slags, art; **descriptive** [-ˈkriptiv] *adj* beskrivende; *a very descriptive account* en malende beskrivelse.

desert [ˈdɛzət] s ørken, ødemark // v [diˈzəːt] forlade; desertere; ~**er** [-ˈzəːtə*] s desertør; ~**ification** [-ˈkeiʃən] s ørkendannelse, ørkenvækst;

~ion [-'zə:ʃən] *s* frafald, desertion; **~s** [dɪ'zə:ts] *spl: get one's ~s* få hvad man har fortjent.

deserve [dɪ'zə:v] *v* fortjene; **~d** *adj* velfortjent, berettiget; **deserving** *adj* fortjenstfuld; værdig.

desiccate ['dɛsɪkeɪt] *v* (ud)tørre.

design [dɪ'zaɪn] *s* udkast, skitse; tegning; mønster; formgivning; konstruktion // *v* tegne; konstruere; formgive; planlægge; *have ~s on sth* være ude efter ngt.

designate *v* ['dɛzɪgneɪt] angive, betegne; udpege // *adj* ['dæzɪgnɪt] udpeget, designeret; **designation** [-'neɪʃən] *s* betegnelse, titel; udpegning.

designer [dɪ'zaɪnə*] *s* tegner, formgiver; konstruktør; planlægger.

desirable [dɪ'zaɪərəbl] *adj* ønskelig; attråværdig; **desire** [dɪ'zaɪə*] *s* ønske; begær; anmodning // *v* ønske, begære; anmode om.

desk [dɛsk] *s* skrivebord; skolebord; (i butik) skranke, kasse; ~ *clerk* *s* (hotel)portier; ~ *drawer* *s* skrivebordsskuffe.

desolate ['dɛsəlɪt] *adj* øde; ubeboelig; ulykkelig; **desolation** [-'leɪʃən] *s* ødelæggelse; forladthed; fortvivlelse.

despair [dɪs'pɛə*] *s* fortvivlelse; desperation // *v* fortvivle; ~ *of* opgive håbet om (at).

despatch [dɪs'pætʃ] d.s.s. *dispatch*.

desperate ['dɛspərɪt] *adj* fortvivlet; håbløs; desperat; **desperation** [-'reɪʃən] *s* fortvivlelse; desperation.

despicable [dɪs'pɪkəbl] *adj* foragtelig, ussel; **despise** [dɪs'paɪz] *v* foragte; lade hånt om.

despite [dɪs'paɪt] *præp* trods, til trods for.

despondent [dɪs'pɒndənt] *adj* modløs, mismodig.

dessert [dɪ'zə:t] *s* dessert; ~ **wine** *s* hedvin.

destination [dɛstɪ'neɪʃən] *s* bestemmelsessted; **destine** ['dɛstɪn] *v* bestemme, destinere; **destiny** ['dɛstɪni] *s* skæbne.

destitute ['dɛstɪtjuːt] *adj* ludfattig; subsistensløs; ~ *of* blottet for.

destroy [dɪs'trɔɪ] *v* ødelægge, udslette; dræbe; **~er** *s* torpedobåd, destroyer.

destruction [dɪs'trʌkʃən] *s* ødelæggelse; undergang; destruktion; **destructive** *adj* ødelæggende, nedbrydende.

detach [dɪ'tætʃ] *v* løsrive; løsne; skille ad (el. fra); **~able** *adj* aftagelig, udskiftelig; **~ed** *adj* (om person) upartisk; reserveret; **~ed house** *s* villa, parcelhus; **~ment** *s* adskillelse; objektivitet; *(mil)* afdeling.

detail ['diːteɪl] *s* detalje // *v* fortælle udførligt om; *(mil)* detachere, beordre; *in* ~ indgående, i detaljer; **~ed** *adj* detaljeret, omstændelig.

detain [di'tein] *v* opholde, forsinke; tilbageholde, anholde.

detect [di'tekt] *v* opdage; opspore; påvise; **~ion** *s* opdagelse; påvisning; *escape* ~*ion* undgå opdagelse; **~ive** *s* detektiv; kriminalbetjent; **~ive story** *s* kriminalroman; **~or** *s* detektor.

detention [di'tenʃən] *s* tilbageholdelse; forvaring; anholdelse.

deter [di'tə:ˈ] *v* afskrække; forhindre.

detergent [di'tə:dʒənt] *s* (syntetisk) vaskemiddel; sulfo(sæbe).

deteriorate [di'tiəriəreit] *v* forringe(s); forværre(s); **deterioration** [-'reiʃən] *s* forringelse; forværrelse; svækkelse.

determination [ditə:mi'neiʃən] *s* beslutsomhed, fasthed; bestemmelse, afgørelse; **determine** [di'tə:min] *v* bestemme, afgøre; beslutte; gøre en ende på; **determined** [-'tə:mind] *adj* bestemt, beslutsom.

deterrent [di'terənt] *s* afskrækkende middel; *nuclear* ~ atomtrussel.

detest [di'test] *v* afsky, hade; **~able** *adj* afskyelig.

detonate ['detəneit] *v* bringe til eksplosion, detonere; sprænges.

detour ['di:tuə'] *s* omvej; omkørsel; afstikker.

detract [di'trækt] *v:* ~ *from* forringe, skade; bortlede.

detrimental [detri'mentl] *adj* skadelig.

deuce [dju:s] *s* (i spil) toer; (i tennis) lige; (F) pokker; *the* ~ *he did* han gjorde pokker.

devastate ['devəsteit] *v* hærge; ødelægge; *(fig)* sønderlemme.

develop [di'veləp] *v* udvikle (sig); udvide; udnytte; få (fx *cancer* kræft); bebygge; *(foto)* fremkalde; **~er** *s (foto)* fremkalder; *(bygn)* entreprenør; byggespekulant; **~ing country** *s* udviklingsland, u-land; **~ment** *s* udvikling; udbygning; udstykning; bebyggelse.

deviate ['di:vieit] *v* afvige; **deviation** [-'eiʃən] *s* afvigelse; *(mar)* afdrift.

device [di'vais] *s* indretning, anordning; plan; påhit; list; motto.

devil [devl] *s* djævel; **~ish** *adj* djævelsk.

devious ['di:viəs] *v* lusket; **~ly** *adv* ad omveje.

devise [di'vaiz] *v* udtænke.

devoid [di'vɔid] *adj:* ~ *of* fri for, blottet for.

devolution [devə'lu:ʃən] *s* overdragelse, afvikling; decentralisering.

devote [di'vəut] *v* hellige, vie; **~d** *adj* hengiven; passioneret; *be* ~*d to sby* holde meget af en; **devotion** *s* hengivenhed; fromhed; iver.

devour [di'vauə'] *v* fortære, sluge.

devout [di'vaut] *adj* from; andægtig; ivrig.

dew [dju:] *s* dug; **~y** *adj* dugget, dugfrisk.

dexterity [dɛks'tɛriti] *s* fingerfærdighed, behændighed; **dexterous** [dɛkstərəs] *adj* fiks på fingrene.

diabetes [daiə'bi:tiz] *s* sukkersyge; **diabetic** [-'bɛtik] *s* sukkersygepatient, diabetiker.

diabolic(al) [daiə'bɔlik(l)] *adj* djævelsk.

diagnose ['daiəgnəuz] *v* stille en diagnose, diagnosticere; **diagnosis** [-nəusis] *s (pl: diagnoses* [-si:z]) diagnose.

dial ['daiəl] *s* skive; urskive; solur; *(tlf)* nummerskive // *v (tlf)* dreje; ~ *999 for help* drej 999 for hjælp; **~ling tone** *s (tlf)* klartone.

dialogue ['daiəlɔg] *s* samtale, dialog.

diamond ['daiəmənd] *s* diamant; rhombe; **~s** *spl* ruder; *jack of ~s* ruder knægt.

diaper ['daiəpə*] *s (am)* ble.

diaphragm ['daiəfræm] *s (anat)* mellemgulv; *(tekn)* membran; *(med)* pessar.

diarrhoea [daiə'riə] *s* diarré.

diary ['daiəri] *s* dagbog; kalender.

dice [dais] *spl* terninger // *v* rafle; *(gastr)* skære i terninger.

dictate *s* ['dikteit] diktat, påbud // *v* [dik'teit] diktere, foreskrive; **dictation** [-'teifən] *s* diktat; **dictator** [-'teitə*] *s* diktator.

diction ['dikfən] *s* udtryksmåde, diktion.

dictionary ['dikfənəri] *s* ordbog; leksikon; *look up sth in the* ~ slå ngt op i ordbogen.

did [did] *præt af do.*

die [dai] *v* dø; gå i stå; ophøre; *never say* ~*!*(F) giv aldrig op! ~ *away* (el. ~ *down*) dø hen, stilne af; ~ *out* uddø; *(om vind)* løje af.

diet ['daiət] *s* kost; diæt // *v (også: be on a ~)* holde diæt.

differ ['difə*] *v* afvige; være anderledes *(from* end); have en anden mening; **~ence** ['difrəns] *s* forskel; uoverensstemmelse; **~ent** ['difrənt] *adj* forskellig, anderledes; **~ential** [-'rɛnfəl] *s* forskel // *adj* differential-; **~entiate** [-'rɛnfieit] *v* adskille, skelne; differentiere.

difficult ['difikəlt] *adj* svær, vanskelig; **~y** *s* vanskelighed; besvær.

diffidence ['difidəns] *s* usikkerhed; generthed; **diffident** *adj* usikker.

diffuse *adj* [di'fju:s] spredt, diffus; vidtløftig // *v* [di'fju:z] (ud)sprede.

dig [dig] *s* udgravning // *v* (dug, dug [dʌg]) grave; puffe; (F) slide i det; ~ *for sth* grave efter ngt; ~ *in one's heels* stå fast; stritte imod.

digest *s* ['daidʒəst] udtog, sammendrag // *v* [dai'dʒɛst] fordøje; **~ible** [di'dʒɛstibl] *adj*

letfordøjelig; **~ion**
[di'dʒestʃən] s fordøjelse;
~ive [di'dʒestiv] s fuldkorns-
kiks // adj fordøjelsesfrem-
mende.
digit ['didʒit] s finger (el. tå);
(encifret) tal; **~al** adj finger-;
digital.
dignified ['dignifaid] adj vær-
dig; fornem; **dignify** v hædre;
dignitary s fornem person;
dignity s værdighed.
digs [digz] spl (F) bolig, hybel.
dike [daik] s dige, dæmning //
v inddige; ~ up klæde sig ud
(i stadstøjet).
dilapidated [di'læpideitid] adj
forfalden.
dilate [dai'leit] v udvide(s); spi-
le(s) ud; **dilatory** ['dilətəri] adj
sendrægtig.
diligent ['dilidʒənt] adj flittig;
omhyggelig.
dill [dil] s dild.
dilute [dai'lu:t] v fortynde //
adj fortyndet.
dim [dim] v dæmpe(s); sløre(s);
blænde ned // adj svag; tåget,
uklar, utydelig; (om person)
sløv, dum; omtåget.
dimension [di'menʃən] s di-
mension, omfang; mål.
diminish [di'miniʃ] v formind-
ske(s).
diminutive [di'minjutiv] adj lil-
le bitte, minimal.
dimple [dimpl] s smilehul;
kløft i hagen.
din [din] s larm, spektakel.
dine [dain] v spise til middag;
~ out spise ude; være ude til

middag; **~r** s middagsgæst;
(jernb) togvogn.
dinghy ['diŋgi] s jolle; rubber
~ gummibåd.
dingy ['dindʒi] adj snusket,
nusset.
dining ['dainiŋ] sms: ~ **car** s
(jernb) spisevogn; ~ **room** s
spisestue; ~ **table** s spise-
bord.
dinner ['dinə*] s mid-
dag(smad); ~ **jacket** s smo-
king; ~ **party** s middagssel-
skab; ~ **service**, ~ **set** s
spisestel; ~ **time** s spisetid.
diocese ['daiəsis] s bispedøm-
me; stift.
dip [dip] s dypning; dukkert;
dressing, dip; hældning, skrå-
ning; lavning; (F) svømmetur
// v dyppe; dukke; skråne; ~
the (head)lights (auto) blæn-
de (for)lygterne ned; your
skirt ~s din nederdel dryp-
per.
diploma [di'pləumə] s diplom.
diplomacy [di'pləuməsi] s di-
plomati; **diplomat** ['diplə-
mæt] s diplomat; **diplomatic**
[-'mætik] adj diplomatisk.
dipstick ['dipstik] s (auto) olie-
målepind.
direct [dai'rekt] v dirigere; vej-
lede, vise vej; adressere; be-
ordre; iscenesætte // adj di-
rekte; can you ~ me to…?
kan du sige mig vejen til…?
~ **current** s jævnstrøm; ~ **hit**
s fuldtræffer; **~ion** s retning;
ledelse; vejledning, anvis-
ning; direktion; sense of

~*ion* retningssans; ~*ions for use* brugsanvisning; ~**ly** *adv* lige, direkte; straks; ~**or** *s* leder, direktør; (film)instruktør; ~**ory** *s* vejviser; adressebog; *telephone* ~*ory* telefonbog.

dirt [də:t] *s* snavs, smuds; ~**y** *adj* snavset, sjofel; ~**y trick** *s* tarveligt trick.

disability [disə'biliti] *s* manglende evne; handicap; **disabled** [-'eibld] *adj* uarbejdsdygtig; handicappet.

disadvantage [ˌdisəd'va:ntidʒ] *s* mangel, minus, ulempe; ~**ous** [-'teidʒəs] *adj* ufordelagtig; uheldig.

disagree [disə'gri:] *v* være uenig; ikke stemme overens; ~ *with* være uenig med; *garlic* ~*s with me* jeg kan ikke tåle hvidløg; ~**able** *adj* ubehagelig; ~**ment** *s* uoverensstemmelse, uenighed.

disappear [disə'piə*] *v* forsvinde; ~**ance** *s* forsvinden.

disappoint [disə'pɔint] *v* skuffe; ~**ment** *s* skuffelse.

disapproval [disə'pru:vəl] *s* misbilligelse; modvilje; **disapprove** *v*: *disapprove of* misbillige.

disarm [dis'a:m] *v* afvæbne; nedruste; ~**ament** *s* nedrustning.

disarray [disə'rei] *s* uorden; uordentlig påklædning.

disaster [di'za:stə*] *s* katastrofe; **disastrous** [di'za:strəs] *adj* katastrofal.

disbelief ['disbi'li:f] *s* vantro, tvivl; **disbelieve** ['disbi'li:v] *v* tvivle *(in* på).

disc [disk] *s* skive; (grammofon)plade; *slipped* ~ diskusprolaps.

discard [dis'ka:d] *v* (af)kaste; kassere; afskedige.

disc brake ['diskbreik] *s (auto)* skivebremse.

discern [di'sə:n] *v* skelne; skimte; ~**ing** *adj* skarpsindig.

discharge *s* ['distʃa:dʒ] udløb, udtømning; *(med)* udflåd; *(elek)* udladning // *v* [dis'tʃa:dʒ] aflæsse; bortskaffe, fjerne; udsondre; udlade; afskedige, hjemsende; løslade, frigive.

disciple [di'saipl] *s* lærling; discipel.

discipline ['disiplin] *s* disciplin, orden // *v* disciplinere, tugte.

disclaim [dis'kleim] *v* frasige sig; benægte; afvise.

disclose [dis'kləuz] *v* afsløre, åbenbare; **disclosure** [-'kləuzə*] *s* afsløring.

discomfort [dis'kʌmfət] *s* ubehag; uhygge.

disconnect ['diskə'nekt] *v* afbryde; koble fra; ~**ed** *adj* usammenhængende.

discontent ['diskən'tent] *s* utilfredshed.

discontinue [diskən'tinju:] *v* afbryde; nedlægge, sløjfe.

discord ['disko:d] *s* uoverensstemmelse; strid; *(mus)* disharmoni; ~**ant** [-'ko:dənt] *adj* uharmonisk, skærende.

discount s ['diskaunt] rabat; diskonto // v [dis'kaunt] se bort fra; diskontere.

discourage [dis'kʌridʒ] v tage modet fra; afskrække; modvirke, bekæmpe; **discouraging** adj nedslående.

discourse [dis'kɔːs] s foredrag // v tale, samtale.

discover [dis'kʌvə*] v opdage; afsløre; **~y** s opdagelse.

discredit [dis'kredit] s miskredit, dårligt ry // v give et dårligt ry; drage i tvivl.

discreet [dis'kriːt] adj diskret, taktfuld.

discrepancy [dis'krepənsi] s uoverensstemmelse; misforhold.

discretion [dis'kreʃən] s diskretion; betænksomhed; at ~ efter behag; at your ~ som du selv vil.

discriminate [dis'krimineit] v skelne; gøre forskel, diskriminere; ~ between skelne mellem; gøre forskel på; ~ against sby diskriminere en; **discriminating** adj kræsen, kritisk; **discrimination** [-'neiʃən] s skelnen; kritisk sans; kræsenhed; forskelsbehandling, diskrimination.

discursive [dis'kəːsiv] adj vidtløftig; causerende.

discus ['diskəs] s (pl: disci ['diskai]) diskos.

discuss [dis'kʌs] v diskutere, tale om; gøre rede for; **~ion** s diskussion, drøftelse; samtale; redegørelse.

disdain [dis'dein] s foragt.

disease [di'ziːz] s sygdom, syge.

disembark ['disim'baːk] v udskibe; gå i land; stige ud.

disengage ['disin'geidʒ] v frigøre, udløse; ~ the clutch (auto) slå koblingen fra; **~ment** s frigørelse; frigjorthed.

disfigure [dis'figə*] v vansire, skamfere.

disgrace [dis'greis] s vanære, skam; unåde // v bringe skam over; that hat is a ~ den hat er en skandale; **~ful** adj skændig, skammelig.

disguise [dis'gaiz] s forklædning // v forklæde; tilsløre; skjule.

disgust [dis'gʌst] s afsky, væmmelse // v frastøde; chokere, forarge; **~ing** adj led, afskyelig.

dish [diʃ] s fad; ret mad; do (el. wash up) the ~es vaske op; ~ up diske op; øse op; ~ cloth s viskestykke; karklud.

dishevelled [di'ʃevəld] adj pjusket, sjusket.

dishonest [dis'ɔnist] adj uærlig; uhæderlig.

dishonour [dis'ɔnə*] v vanære; **~able** adj æreløs, vanærende.

dish. . . ['diʃ-] sms: ~ rack s opvaskestativ; **~rag** s karklud; **~washer** s opvaskemaskine; (om person) opvasker.

disillusion [disi'luːʒən] s desillusion // v desillusionere.

disinfect [disin'fekt] v desinficere; **~ant** s desinficerende middel.

disinherit ['disin'herit] v gøre arveløs.

disintegrate [dis'intigreit] v opløse(s); smuldre, forvitre; *(fys)* henfalde.

disinterested [dis'intrastid] *adj* uselvisk; upartisk.

disk [disk] s d.s.s. *disc.*

dislike [dis'laik] s ulyst, uvilje // v ikke kunne lide.

dislocate ['dislakeit] v forskubbe; forrykke; *(med)* forvride.

dislodge [dis'lɔdƷ] v flytte, få væk.

disloyal [dis'lɔiəl] *adj* illoyal.

dismal ['dizməl] *adj* trist, skummel; bedrøvelig.

dismantle [dis'mæntl] v afmontere; nedlægge.

dismay [dis'mei] s forfærdelse // v forfærde; afskrække; chokere.

dismiss [dis'mis] v sende bort (el. ud); give fri; sende hjem; afskedige; afvise; **~al** s afsked; afvisning; frikendelse.

disobedience [disə'bi:diəns] s ulydighed; **disobedient** *adj* ulydig; **disobey** [disə'bei] v være ulydig, ikke adlyde.

disorder [dis'ɔ:də*] s uorden, forstyrrelse; uro; *(med)* sygdom; **~ly** *adv* uordentlig, rodet; **~ly conduct** gadeuorden.

disorientate [dis'ɔ:riənteit] v vildlede, desorientere.

disown [dis'əun] v forstøde; nægte at vedkende sig.

disparaging [dis'pæridƷiŋ] *adj*

nedsættende.

disparity [dis'pæriti] s uensartethed; skævhed, ulighed.

dispatch [dis'pætʃ] s afsendelse; ekspedition; hast; *(mil)* depeche // v (af)sende; ekspedere; fremme.

dispel [dis'pel] v sprede, splitte (fx *the crowd* folkemængden); forjage.

dispensary [dis'pensəri] s udleveringssted for medicin.

dispense [dis'pens] v uddele, udlevere; give; dispensere; fritage; **~ with** give dispensation for; se bort fra; **~r** s uddeler; farmaceut; holder (til fx tape); **dispensing chemist** s apotek(er).

dispersal [dis'pə:sl] s spredning, splittelse; **disperse** v sprede(s), splitte(s).

dispirited [dis'piritid] *adj* nedslået.

displace [dis'pleis] v flytte; forskubbe; forskyde; afskedige; fortrænge; **~d persons** flygtninge; **~ment** s forskydning, fortrængning; *(piston)* **~ment** *(auto)* slagvolumen.

display [dis'plei] s fremvisning, opvisning; udstilling // v fremvise; udstille; (ud)vise; udfolde; **~ unit** s (edb) dataskærm; **~ window** s udstillingsvindue.

displease [dis'pli:z] v mishage; **~d with** utilfreds med; **displeasure** [-'pleƷə*] s mishag, ubehag.

disposable [dis'pəuzəbl] *adj*

d disposal

disponibel; engangs- (fx *plate* tallerken); **disposal** [-'pəuzl] *s* disposition; overdragelse; bortkastning; **disposal unit** *s* affaldskværn; **dispose** [-'pəuz] *v: dispose of* disponere over; skille sig af med; *disposed to* tilbøjelig til; disponeret for; **disposition** [-'ziʃən] *s* arrangement; anbringelse; gemyt; tilbøjelighed.

disproportionate [disprə'pɔ:-ʃənət] *adj* uforholdsmæssig.

dispute [dis'pju:t] *s* uenighed, disput // *v* strides; debattere; bestride; *industrial* ~ arbejdskonflikt.

disqualification [diskwɔlifi'kei-ʃən] *s* diskvalifikation; ~ *(from driving)* fratagelse af kørekortet; **disqualify** [dis'kwɔlifai] *v* diskvalificere; *disqualify sby for speeding* fratage en kørekortet for overskridelse af hastighedsgrænserne.

disregard ['disri'ga:d] *v* ignorere; lade hånt om; forbigå.

disrepair ['disri'pɛə*] *s* forfald, dårlig vedligeholdelse.

disrespectful [disri'spɛktful] *adj* respektløs.

disrupt [dis'rʌpt] *v* afbryde; splitte, sprænge; **~ion** *s* afbrydelse; sammenbrud, sprængning.

dissatisfaction ['dissætis'fæk-ʃən] *s* utilfredshed; **dissatisfied** [-'sætisfaid] *adj* utilfreds.

dissect [di'sɛkt] *v* dissekere;

analysere, pille fra hinanden.

dissemble [di'sɛmbl] *v* forstille sig.

disseminate [di'sɛmineit] *v* udsprede, udbrede.

dissent [di'sɛnt] *s* meningsforskel, uenighed.

dissertation [disə'teiʃən] *s* (doktor)afhandling, disputats.

disservice [dis'sə:vis] *s* bjørnetjeneste.

dissident ['disidnt] *adj* anderledes tænkende, afviger.

dissimilar [di'simile*] *adj* forskellig *(to* fra); ulig.

dissipated ['disipeitəd] *adj* udsvævende; hærget.

dissolve [di'zɔlv] *v* opløse(s); smelte; *(fig)* forsvinde; **~nt** *s* opløsningsmiddel.

dissonant ['disənənt] *adj* disharmonisk.

dissuade [di'sweid] *v: ~ sby from doing sth* fraråde en af gøre ngt.

distance ['distns] *s* afstand; *in the ~* i det fjerne; *from a long ~* på lang afstand; **distant** *adj* fjern; utilnærmelig.

distaste [dis'teist] *s* afsmag; modvilje; **~ful** *adj* usmagelig; ubehagelig.

distemper [dis'tɛmpə*] *s* limfarve; (om hund) hundesyge.

distend [dis'tɛnd] *v* udspile(s); svulme op.

distil [dis'til] *v* dryppe; destillere(s); **~lery** *s* whiskyfabrik, spritfabrik.

distinct [dis'tiŋkt] *adj* tydelig,

103   divorcee d

klar; særskilt, særlig; udtalt;
~**ion** [-'tiŋkʃən] s skelnen;
forskel; fornemhed, betyd-
ning; (ved eksamen) udmær-
kelse; ~**ive** adj særpræget;
karakteristisk.

distinguish [dis'tiŋgwiʃ] v skel-
ne; adskille; ~**ed** adj fornem;
fremtrædende; ~**ing** s: ~**ing**
feature (el. mark) særligt
kendetegn.

distort [dis'tɔ:t] v forvrænge,
fordreje; ~**ion** [-'tɔ:ʃən] s for-
vrængning.

distract [dis'trækt] v distrahe-
re; plage, genere; ~**ion**
[-'trækʃən] s forstyrrelse; ad-
spredelse; drive sby to ~**ion**
drive en til vanvid.

distraught [dis'trɔ:t] adj for-
virret, ude af sig selv.

distress [dis'tres] s sorg, for-
tvivlelse; nød; kval // v volde
sorg (etc); pine; forurolige;
~**ed** area s kriseramt områ-
de; ~ **signal** s nødsignal.

distribute [dis'tribju:t] v forde-
le, uddele; sprede; **distribu-
tion** [-'bju:ʃən] s fordeling;
udbredelse; **distributor**
[dis'tribju:tə*] s distributør,
grossist; (auto) strømfordeler.

district ['distrikt] s område,
egn; distrikt; ~ **nurse** s
hjemmesygeplejerske.

distrust [dis'trʌst] s mistillid
(of til) // v mistro, have mis-
tillid til.

disturb [dis'tə:b] v forstyrre,
bringe uorden i; forurolige;
~**ance** s forstyrrelse, uro;

~**ances** pl optøjer; ~**ing** adj
foruroligende.

ditch [ditʃ] s grøft // v grave
grøfter; (auto) køre i grøften;
(F) skille sig af med, smide
væk.

dither ['diðə*] v tøve, vakle;
fjumre.

dive [daiv] s dyk, dykning; ud-
spring // v dykke; ~**r** s dyk-
ker; udspringer.

diverge [dai'və:dʒ] v afvige,
divergere; vige af.

diversion [dai'və:ʃən] s afled-
ning; omlægning; adspredel-
se, underholdning; omkørsel;
divert [-'və:t] v aflede; om-
lægge; adsprede.

divide [di'vaid] v dele (sig);
adskille; fordele; være uenig;
(mat) dividere, dele.

divine [di'vain] v gætte; spå //
adj guddommelig.

diving ['daivin] s dykning;
(sport) udspring; svømme-
dykning; high ~ (sport) tårn-
spring; ~ **board** s (til ud-
spring) vippe; ~ **suit** s dyk-
kerdragt.

divinity [di'viniti] s guddomme-
lighed; read ~ studere teolo-
gi.

division [di'viʒən] s division;
deling; skel; splid; (parl) af-
stemning; ~ of labours ar-
bejdsdeling; ~**al** adj divi-
sions-; ~**al surgeon** s sv.t.
politilæge.

divorce [di'vɔ:s] s skilsmisse //
v lade sig skille fra; adskille;
~**d** adj fraskilt; ~**é**, ~**ee**

[di.vɔːˈsei, -ˈsiː] s fraskilt person.

divulge [daiˈvʌldʒ] v røbe, afsløre (fx *a secret* en hemmelighed).

D.I.Y.(fork.f. *do-it-yourself*) gør-det-selv.

dizzy [ˈdizi] adj svimmel; svimlende; *feel* ~ være svimmel.

do [duː] v (*did, done* [did, dʌn]; *he, she, it does* [dʌz]) gøre, bestille, lave, ordne; *how* ~ *you* ~? goddag! ~ *tell me!* sig det nu! vær sød at sige mig; *will this* ~? er det (her) godt nok? er det (her) nok? *that will* ~! det er godt; så er det nok; ~ *you agree? I* ~! er du enig? ja, jeg er; *get done (by the police)* (F) blive taget (af politiet) ~ *away with* skaffe sig af med; rydde af vejen; ~ *down* nedgøre; ~ *sby in* gøre det af med en; ~ *up* gøre i stand; pakke ind; knappe (~, hægte, lyne); ~ *with: I could* ~ *with a drink* jeg kunne godt trænge til en drink; *can you make* ~ *with this?* kan du klare dig med det her? *he could* ~ *with a washing* han trænger til at blive vasket; ~ *without* klare sig uden, undvære; ~ *sby proud* kræse op for en; ~ *one's hair* rede sig, ordne håret; ~ *the dishes* vaske op; *what's to* ~? (F) hvad er der i vejen?

docile [ˈdəusail] adj føjelig; lærenem.

dock [dɔk] s dok, dokhavn; *(jur)* anklagebænk // v sætte i dok; beskære; ~ *sby's wages* trække fra i ens løn; **~er** s havnearbejder; **~yard** s (skibs)værft

doctor [ˈdɔktəˀ] s doktor, læge // v doktorere; reparere på; pynte på; forfalske.

document [ˈdɔkjumənt] s dokument // v dokumentere; **~ary** [-ˈmentəri] s dokumentarfilm // adj dokumentarisk; **~ation** [-ˈteiʃən] s dokumentation.

doddering [ˈdɔdəriŋ] adj lallende, mimrende.

dodge [dɔdʒ] s trick, fidus // v smutte væk; undgå; lave krumspring.

dodgems [ˈdɔdʒəms] spl radiobiler.

doe [dəu] s dådyr.

dog [dɔg] s hund; *not have a* ~'s *chance* ikke have en levende chance; *go to the* ~s gå i hunde; *be* ~ *tired* være dødtræt; ~ *biscuits* spl hundekiks; ~ *collar* s hundehalsbånd; *(fig)* præsteflip; **~ear** s æseløre // v lave æseløre i; **~ged** [ˈdɔgid] adj stædig, udholdende; **~gy** s (F) vovse // adj hunde- (fx *smell* lugt); **~house** s hundehus; *be in the* ~*house* være i unåde.

do-it-yourself [ˈduːitjɔːˈsɛlf] *(D.I.Y.)* adj gør-det-selv-; ~ *kit* s byggesæt.

doldrums [ˈdɔldrʌmz] spl død periode; depression; *be on* *the* ~ være langt nede.

dole [dəul] *s* arbejdsløsheds-understøttelse; *be on the* ~ være på understøttelse // *v:* ~ *out* uddele (i små portioner); **~ful** *adj* sørgmodig; sørgelig.

doll [dɔl] *s* dukke; (F) pige, dulle // *v:* ~ *oneself up* klæde sig fint på; *all* ~*ed up* (F) rigtig majet ud.

dolphin ['dɔlfin] *s* delfin; *(mar)* duc d'albe.

dome [dəum] *s* kuppel.

domestic [də'mestik] *adj* hjemlig, huslig; bolig-; indenlands- (fx *flight* flyvning); (om dyr) hus-, tam-; **~ated** *adj* (om dyr) tam; (om person) huslig; hjemme-; ~ **science** *s* (som skolefag) hjemkundskab; ~ **staff** *s* tjenestefolk.

dominant ['dɔminənt] *adj* fremherskende, dominerende; **dominate** *v* beherske, dominere; have udsigt over; **domination** [-'neiʃən] *s* herredømme; **domineering** [-'niəriŋ] *adj* herskesyg, tyrannisk.

dominion [də'miniən] *s* herredømme, magtområde; dominion.

dominoes ['dɔminəuz] *spl: play* ~ spille domino.

don [dɔn] *s* universitetslærer // *v* tage på, iklæde sig.

donate [də'neit] *v* give, skænke (til velgørenhed); **donation** [-'neiʃən] *s* gave, bidrag.

done ['dʌn] *pp* af *do* // *adj* gjort; udmattet; færdig; *the potatoes are* ~ kartoflerne er færdige (el. møre).

donkey ['dɔŋki] *s* æsel; *it's been* ~*'s years* det er umindelige tider siden; ~ **work** *s* hestearbejde.

don't ['dəunt] *v* d.s.s. *do not*.

doodle [du:dl] *v* tegne kruseduller.

doom [du:m] *s* skæbne; undergang // *v: be* ~*ed* være fortabt; være fordømt; ~*ed to failure* dømt til at mislykkes; **D~sday** *s* dommedag.

door [dɔ:*] *s* dør; *she lives next* ~ hun bor inde ved siden af; *out of* ~*s* udendørs, i det fri; *within* ~*s* indendørs; *show sby the* ~ smide en på porten; ~**bell** *s* dørklokke; ~**keeper, ~man** *s* dørvogter, portner; ~**mat** *s* dørmåtte; ~**plate** *s* dørskilt, navneskilt; ~**post** *s* dørstolpe; ~**step** *s* dørtærskel; trappesten.

dope [dəup] *s* (F) narko, stof(fer) // *v* bedøve; dope; ~**y** *adj* (F) sløv (af stoffer); dum.

dormant ['dɔ:mənt] *adj* sovende, slumrende; uvirksom; uudnyttet.

dormitory ['dɔ:mitri] *s* sovesal.

dosage ['dəusidʒ] *s* dosering; dosis.

dose [dəuz] *s* dosis; portion.

dossier ['dɔsiei] *s* sagsakter.

dot [dɔt] *s* prik, punkt // *v* prikke; punktere (fx en

d dotage

106

streg); overså; *at one o'clock on the* ~ (præcis) på slaget et.

dotage ['dəutidʒ] *s* senilitet.

dote [dəut] *v:* ~ *on* tilbede, dyrke.

dotted ['dɔtid] *adj* prikket; ~ **line** *s* punkteret linje.

dotty ['dɔti] *adj* skør, bims.

double [dʌbl] *s* modstykke, dobbeltgænger; *(film)* stand-in, dublant // *v* fordoble; folde sammen; dublere // *adj* dobbelt; *at the* ~ i hurtig march; i fuld fart; *cost* ~ *sth* koste det dobbelte af ngt; ~ **bass** *s* kontrabas; ~ **bend** *s* (på vej) S-sving; ~**breasted** *adj* dobbeltradet (fx *coat* frakke); ~ **cream** *s* piskefløde; ~**cross** *v* snyde; dublere // *adj* dobbelt.

doubt [daut] *s* tvivl, usikkerhed // *v* tvivle (om el. på); *beyond* ~ hævet over enhver tvivl; *no* ~ uden tvivl, sikkert; ~ *that* tvivle på at; ~**ful** *adj* tvivlsom; tvivlende; ~**less** *adv* utvivlsom.

dough [dəu] *s* dej; (S) gysser, skillinger; ~**nut** *s* friturekogt bagværk sv.t. munkering.

dour [duə*] *adj* streng, stramtandet; mut.

dove [dʌv] *s* due; ~**cot** *s* dueslag.

dowdy ['daudi] *adj* (om påklædning) sjusket, gammel-

dags.

down [daun] *s* dun, fnug // *v* pille ned, nedgøre; (om drink) skylle ned // *adv* ned, nede // *præp* ned ad (, i, over); (i kryds ord) lodret; *be* ~ *with the flu* ligge med influenza; *get* ~ *to* tage fat på; ~**cast** *adj* nedslået; ~**fall** *s* fald; regnbyge; snefald; undergang; ~**hill** *adv: go* ~*hill* gå (, køre etc) ned ad bakke; ~**hill (racing)** *s (sport)* styrtløb; ~ **payment** *s* udbetaling; ~**pour** *s* regnskyl, skylle; ~**right** *adj* ligefrem, simpelthen; ren og skær; ~**stairs** *adv* nedenunder; ned ad trappene; ~**stream** *adv* ned ad floden; ~**to-earth** *adj* nøgtern, jordnær; realistisk; ~**ward** ['daunwəd] *adj* skrånende nedad // *adv* (også: ~*wards*) nedad; ~**y** *adj* dunet, dunblød; umoden.

dowry ['dauri] *s* medgift.

doz. fork.f. *dozen.*

doze [dəuz] *v* døse, blunde; ~ *off* døse hen.

dozen [dʌzn] *(doz.) s* dusin; *a* ~ *books* en halv snes bøger.

drab [dræb] *adj* gråbrun, trist.

draft [drɑ:ft] *s* udkast, koncept; plan; *(mil)* indkaldelse // *v* give udkast til; planlægge; indkalde; (se også *draught*).

drag [dræg] *s* bremseklods, hæmsko // *v* slæbe, trække; ~ *on* slæbe sig af sted, trække i langdrag.

dragon [drægn] *s* drage; ~**fly** *s*

(zo) guldsmed.

drain [drein] *s* afløb(srør), kloakledning // *v* skabe afløb; tømme, tappe; dræne; afvande(s); *go down the ~ (fig)* ryge i vasken; ende i rendestenen; **~age** ['dreinidʒ] *s* afløb; dræning; kloakering; **~pipe** *s* afløbsrør, nedløbsrør.

drama ['drɑ:mə] *s* drama, skuespil; **~tic** [drə'mætik] *adj* dramatisk, skuespil-; **~tist** ['dræmətist] *s* dramatiker, skuespilforfatter.

drank [dræŋk] *præt* af *drink.*

drape [dreip] *v* drapere (sig); **~r** *s* manufakturhandler.

drastic ['dræstik] *adj* drastisk, skrap.

draught [drɑ:ft] *s* (gennem)træk; aftapning; *(mar)* dybgående; **~ beer** *s* fadøl; **~board** *s* dambræt; **~s** *spl* dam(spil).

draughtsman ['drɑ:ftsmən] *s* tegner (især teknisk); **~ship** *s* tegnekunst, tegneteknik.

draw [drɔ:] *v* *(drew, drawn* [dru:, drɔ:n]) trække; tiltrække; hæve (penge); aftappe; tegne; *(sport)* spille uafgjort; *~ to a close* lakke mod enden; *~ near* nærme sig; *~ on* trække på; *~ out* trække ud; *~ up* trække op; flytte nærmere; udfærdige; standse; **~back** *s* ulempe, minus; **~bridge** *s* vindebro.

drawer [drɔ:ˑ] *s* skuffe; *the top ~* øverste skuffe.

drawing ['drɔ:iŋ] *s* tegning;

trækning; *~* **board** *s* tegnebræt; *~* **pin** *s* tegnestift; **~room** *s* dagligstue.

drawl [drɔ:l] *v* dræven.

drawn [drɔ:n] *pp* af *draw.*

dread [dred] *s* rædsel, skræk // *v* frygte; grue for; **~ful** *adj* frygtelig.

dream [dri:m] *s* drøm // *v (~ed, ~ed* el. *dreamt, dreamt* [dremt]) drømme; *I would not ~ of it* det ville jeg ikke drømme om; *in one's dream(s)* i drømme; **~like** *adj* drømmeagtig; *~y adj* drømmende; drømmeagtig.

dreary ['driəri] *adj* trist, kedelig.

dredge [dredʒ] *v* skrabe (fx for *oysters* (efter) østers); **~r** *s (mar)* muddermaskine; (også: *sugar ~r*) strødåse (til sukker).

drench [drentʃ] *v* gennembløde.

dress [dres] *s* dragt, påklædning; kjole // *v* klæde (sig) på; (om fjerkræ el. fisk) rense; (om salat) tilberede; *(med)* forbinde; *~ up* tage fint tøj på; pynte op; *~ a wound* forbinde et sår; *~* **circle** *s (teat)* balkon; *~* **designer** *s* modetegner; **~er** *s* anretterbord; kommode; *(teat)* påklæder; **~ing** *s* påklædning; tilberedning; dressing; *(med)* forbinding; **~ing gown** *s* morgenkåbe; **~ing room** *s (teat)* skuespillergarderobe; *(sport)* omklædningsrum;

~ing table s toiletbord; ~maker s dameskrædder; ~making s kjolesyning; ~ rehearsal s (teat) kostumeprøve, generalprøve; ~ shirt s kjoleskjorte.

drew [dru:] præt af draw.

dribble [dribl] v sive, sile; (om baby) savle; (sport) drible.

dried [draid] præt og pp af dry // adj tørret (fx bean bønne); tør- (fx milk mælk).

drift [drift] s drift, strøm; driven, flyden; retning; (sne)drive; (sand)klit; mening // v (om båd) drive; (om sne, sand) fyge (sammen); glide; ~wood s drivtømmer.

drill [dril] s bor, boremaskine; (mil) eksercits // v bore (hul i); eksercere.

drink [driŋk] s drik; slurk; drink // v (drank, drunk [dræŋk, drʌŋk]) drikke; have a ~ få ngt at drikke; tage sig en drink; ~ up drikke ud; ~er s dranker; ~ing water s drikkevand.

drip [drip] s dryp, dryppen; (med) drop // v dryppe; dryppe 'af; ~-dry adj som skal dryptørres; strygefri; ~-feed v (med) give ernæring via drop; ~ping s dryppen; (gastr) stegesky, stegefedt; ~ping wet dyngvåd.

drive [draiv] s kørsel; køretur; energi, fremdrift; (psyk) drift; (også: ~way) indkørsel // v (drove, driven [drəuv, drivn]) køre; drive; jage; slå (fx a ball en bold); trække; (auto) køre bil; left-hand ~ venstrestyring; ~r s chauffør.

drivelling [ˈdrivəliŋ] adj savlende, lallende.

driving [ˈdraiviŋ] s kørsel // adj drivende, driv-; ~ rain øsende regn; ~ belt s drivrem; ~ instructor s kørelærer; ~ lesson s køretime; ~ licence s kørekort; ~ test s køreprøve.

drizzle [drizl] s støvregn // v støvregne.

droll [drəul] adj sjov.

drone [drəun] s summen; (zo) drone.

droop [dru:p] v hænge slapt; synke sammen.

drop [drɔp] s dråbe; fald // v dryppe; tabe, give slip på; opgive, droppe; udelade; ~ me a line send mig et par ord; ~ off falde fra; falde i søvn; ~ out falde fra; gå ud; ~pings spl: cow ~pings kokasser; dog ~pings hundelort; horse ~pings hestepærer.

drought [draut] s tørke.

drove [drəuv] præt af drive.

drown [draun] v drukne; oversvømme; ~ing s drukning.

drowsy [ˈdrauzi] adj døsig.

drudge [drʌdʒ] s slid og slæb; arbejdsslave; ~ry [ˈdrʌdʒəri] s slid, slavearbejde.

drug [drʌg] s lægemiddel, medikament // v bedøve; ~ addict s stofmisbruger, narkoman; ~s spl stoffer, narkotika; ~store s (am) apotek og materialist (med fx kiosk, bar etc).

drum [drʌm] *s* tromme; tromle; ~**mer** *s* trommeslager; ~**stick** *s* trommestik; lår (af fx kylling).

drunk [drʌŋk] *s* fuld person // *pp* af *drink* // *adj* fuld, beruset; ~**ard** *s* dranker; ~**en** *adj* fuld; fordrukken; ~**en driver** *s* spritbilist; ~**en driving** *s* spirituskørsel.

dry [drai] *v* tørre // *adj* tør; ~ *up* tørre (ind); løbe tør; ~-**cleaner** *s* renseri; ~-**cleaning** *s* kemisk rensning; ~-**er** *s* tørreapparat; ~ **rot** *s* (om træværk) svamp.

dual ['djuəl] *adj* dobbelt; ~ **carriageway** *s* vej med midterrabat; ~-**purpose** *adj* med dobbelt formål.

dubbed [dʌbd] *adj* (*film*) eftersynkroniseret.

dubious ['dju:biəs] *adj* tvivlsom; tvivlrådig.

duchess ['dʌtʃis] *s* hertuginde.

duck [dʌk] *s* and; dukkert // *v* dukke (sig), dykke; ~**ling** *s* ælling.

duct [dʌkt] *s* kanal, gang; ledning.

due [dju:] *s: give sby his* ~ give en hvad der tilkommer ham // *adj* skyldig; forfalden; passende // *adv:* ~ *north* stik mod nord; *in* ~ *course* (el. *time*) til sin tid; *the train is* ~ *at 4.15* toget skal efter planen ankomme 16.15; ~ *to* på grund af; ~**s** *spl* kontingent,

afgifter.

dug [dʌg] *præt* og *pp* af *dig.*

duke [dju:k] *s* hertug.

dull [dʌl] *adj* kedelig, trist; (om lyd) dump; (om vejr etc) mørk, grå; (om kniv) sløv, stump; (om person) tungnem, træg // *v* dulme; sløve; gøre mat.

duly ['dju:li] *adv* behørigt; i rette tid.

dumb [dʌm] *adj* stum; tavs; dum; ~-**founded** [-'faundid] *adj* paf, lamslået.

dummy ['dʌmi] *s* attrap, dummy; (voks)mannequin; (til baby) narresut; *(sport)* finte // *adj* forloren; skin-.

dump [dʌmp] *s* losseplads; affaldsbunke; (om by etc) 'hul i jorden'; *(mil)* depot // *v* læsse af; dumpe (i havet); skaffe sig af med; ~**ing** *s* (*merk*) dumping (fx *price* pris); dumping (af giftaffald); *'no ~ing'* 'henkastning af affald forbudt'.

dumpling ['dʌmpliŋ] *s* bolle; *apple* ~ svt. æbleskive.

dune [dju:n] *s* klit.

dung [dʌn] *s* gødning, møg.

dungarees [dʌŋgə'ri:z] *spl* cowboybukser; overalls.

dungeon ['dʌndʒən] *s* fangehul.

dunghill ['dʌnhil] *s* mødding.

duplicate [s 'dju:plikət] dublet; genpart // *v* [-keit] fordoble; duplikere; gentage; *in* ~ i to eksemplarer; **duplicity** [-'plisiti] *s* dobbelthed; tvety-

d durable

110

dighed.

durable ['djuərəbl] *adj* holdbar, solid.

duration [djuə'reiʃən] *s* varighed; *for the* ~ så længe det varer; på ubestemt tid.

during ['djuəriŋ] *præp* under (fx *the war* krigen); i løbet af.

dusk [dʌsk] *s* skumring, tusmørke; **~y** *adj* mørk, dyster.

dust [dʌst] *s* støv, pulver; drys // *v* støve; blive støvet; tørre støv af; overstrø, drysse; **~bin** *s* skraldebøtte; **~er** *s* støveklud; strødåse (til fx sukker); ~ **jacket** *s* (om bog) smudsomslag; **~man** *s* skraldemand; **~y** *adj* støvet.

Dutch [dʌtʃ] *s/adj* hollandsk; *go* ~ splejse; *the* ~ hollænderne; *double* ~ (F) volapyk; **~man** *s* hollænder.

duty ['dju:ti] *s* pligt; told, afgift; *be off* ~ have fri; *be on* ~ være i tjeneste; have vagt; **~-free** *adj* toldfri.

duvet ['dju:vei] *s* dyne, dynetæppe; ~ **cover** *s* dynebetræk.

dwarf [dwɔ:f] *s* dværg // *v* rage op over; undertrykke.

dwell [dwel] *v* (dwelt, dwelt) bo; dvæle; ~ *on* dvæle ved; **~ing** *s* bolig.

dye [dai] *s* farvestof // *v* farve; tage imod farve; **~ing** *s* farvning; **~stuffs** *spl* farvestoffer.

dying ['daiiŋ] *adj* døende; døds-; *be* ~ *for a drink* trænge forfærdeligt til en drink.

dyke [daik] *s* dige, dæmning.

dynamic [dai'næmik] *adj* dynamisk; **~s** *spl* dynamik.

dynamite ['dainəmait] *s* dynamit // *v* sprænge med dynamit.

dynasty ['dainəsti] *s* fyrsteslægt, dynasti.

dyspepsia [dis'pepsiə] *s* fordøjelsesbesvær.

E

E, e [i:].

each [i:tʃ] *pron/adv* hver; ~ *of them* has a *bike* de har begge to en cykel, de har en cykel hver; *they hate* ~ *other* de hader hinanden; *on* ~ *side of* på begge sider af, på hver side af.

eager ['i:gə*] *adj* ivrig; ~ *for* begærlig efter; ~ *to* ivrig efter at.

eagle ['i:gl] *s* ørn; **eaglet** ['i:glit] *s* ørneunge, ung ørn.

ear [iə*] *s* øre; gehør; *(bot)* aks; ~ *of corn* majskolbe; *play by* ~ spille efter gehør; *I'm all* ~*s* jeg er lutter øre; **~ache** ['iəreik] *s* ørepine; **~drop** *s* hængeørering; **~drops** *spl* øredråber; **~drum** *s* trommehinde.

earl [ə:l] *s* jarl.

early ['ə:li] *adj* tidlig; først; snarlig // *adv* (for) tidligt; *make an* ~ *start* tage tidligt af sted; stå tidligt op; *the train was* ~ toget ankom for tidligt; *the* ~ *Iron Age* den ældre jernalder; ~ **retire-**

ment *s* førtidspensionering.
earmark ['iəma:k] *v* øremærke;
(fig) reservere, lægge til side.
ear-muffs *spl* ørevarmere;
earn [ə:n] *v* tjene; indbringe;
fortjene; *he ~ed his reward*
han fortjente sin belønning;
~ *one's living* tjene til livets
opretholdelse; *~ed income*
relief *s* lønmodtagerfradrag.
earnest ['ə:nist] *s* alvor // *adj*
alvorlig; *in ~* for alvor; *in*
dead ~ for ramme alvor.
earnings ['ə:niŋs] *spl* indtægt;
fortjeneste.
ear... ['iə-] *sms:* ~**phone** *s*
hovedtelefon; ~**ring** *s* øre-
ring; ~**shot** *s* hørevidde;
within ~shot inden for høre-
vidde; ~**splitting** *adj* øredø-
vende.
earth [ə:θ] *s* jord; *(elek)* jord-
forbindelse // *v (elek)* jord-
forbinde; *the ~* Jorden, jord-
kloden; *cost the ~* koste det
hvide ud af øjnene; ~**enware**
['ə:θənweə*] *s* lertøj; fajance;
~**ly** *adj* jordisk; *~ly remains*
jordiske rester; *he has not got*
an ~ly (F) han har ikke en
jordisk chance; ~**quake** *s*
jordskælv; ~**y** *adj (fig)* jord-
bunden.
earwig *s* ørentvist.
ease [i:z] *s* velvære, ro; lettel-
se; lethed; tvangfrihed // *v*
lette; lindre; løsne; *at ~* i ro
og mag; veltilpas; rolig; *stand*
at ~ (mil) stå rør; *a life of ~*
en ubekymret tilværelse; ~
sth in (el. *out)* lempe ngt ind

(el. ud); ~ *off* (el. *up)* lette;
sætte farten ned; slappe af.
easel ['i:zl] *s* staffeli.
easily ['i:zili] *adv* let, med let-
hed; sagtens; afgjort; *he's ~*
the best han er så langt den
bedste.
east [i:st] *s* øst // *adj* østlig,
østen-, øst- // *adv* østpå, mod
øst; *the E~* østen, orienten.
Easter ['i:stə*] *s* påske.
easterly ['i:stəli] *adj* østlig,
østen-; **eastern** *adj* østlig,
øst-; **East Germany** *s* Østtysk-
land, DDR; **eastward(s)** *adv*
østpå, mod øst.
easy ['i:zi] *adj* let, nem; be-
kvem; fri; omgængelig // *adv:*
take it ~ tage det med ro; ~
chair *s* lænestol; ~**going** *adj*
rolig, sorgløs.
eat [i:t] *v* (ate, eaten [eit, i:tn])
spise; fortære; ~ *away at* (el.
into) gøre indhug i; *what's*
~ing you? hvad er der i vejen
med dig? ~**able** *adj* spiselig;
~ables pl mad.
eaves [i:vz] *spl* tagskæg;
~**drop** *v* lytte, lure.
ebb [εb] *s* ebbe (mods flod) //
v ebbe; synke; ~ *(away)* ebbe
ud, svinde.
ebony ['εbəni] *s* ibenholt.
eccentric [ik'sentrik] *s* excen-
triker, sær snegl // *adj* excen-
trisk, sær.
ecclesiastic [ikli:zi'æstik] *s*
gejstlig; ~**al** *adj* gejstlig, kir-
kelig.
echo ['εkəu] *s (pl: ~es)* ekko,
genlyd; genklang // *v* genly-

de; gentage, snakke efter
munden.
eclipse [i'klips] s formørkelse
// v formørke; stille i skygge;
solar ~ solformørkelse.
ecology [i'kɔlədʒi] s økologi.
economic [i:kə'nɔmik] adj
økonomisk; rentabel, som
kan betale sig; ~**al** adj øko-
nomisk, sparsommelig; be-
sparende; ~**s** spl (natio-
nal)økonomi; **economist**
[-'kɔnəmist] s økonom; **eco-
nomize** [-'kɔnəmaiz] v være
sparsommelig, spare; **econo-
my** [-'kɔnəmi] s økonomi;
sparsommelighed.
ecstasy ['ekstəsi] s ekstase; go
into ecstasies over falde i svi-
me over; **ecstatic** [eks'tætik]
adj henrykt, ekstatisk.
eczema ['eksimə] s eksem.
edge [edʒ] s kant; (på kniv)
æg, skær; skarphed, bid // v
kante; ligge langs kanten af;
on ~ irritabel; take the ~ off
sth tage brodden af ngt; ~
away from rykke væk fra; ~
towards kante sig hen mod;
~**ways** adv på kant; sidelæns;
he couldn't get a word in
~ways han kunne ikke få et
ord indført; **edging** s kant-
ning; kantebånd, bort; **edgy**
adj irritabel; nervøs; skarp.
edible ['edibl] adj spiselig.
edifice ['edifis] s stor bygning,
bygningsværk.
edit ['edit] v redigere; (film
etc) klippe; ~**ion** [i'diʃən] s
udgave, oplag; ~**or** ['editə*] s

redaktør, udgiver; (film)
klippebord; ~**orial** [-'tɔ:riəl] s
leder, ledende artikel // adj
redaktionel, redaktions-.
EDP ['i:di:'pi:] s (fork.f. electro-
nic data processing) edb.
educate ['edjukeit] v uddanne;
opdrage; **education** [-'keiʃən]
s uddannelse; undervisning;
opdragelse; **educational**
[-'keiʃənəl] adj uddannelses-;
opdragelses-; skole- (fx books
bøger).
EEC ['i:i:'si:] s (fork.f. European
Economic Community) EF
(EØF).
eel [i:l] s ål; jellied ~ ål i gelé.
eerie ['iəri] adj uhyggelig.
effect [i'fekt] s virkning; resul-
tat; effekt // v bevirke; sætte
igennem; få i stand; in ~
faktisk, praktisk talt; take ~
(om fx maskine) virke; (jur)
træde i kraft; to that ~ ngt i
den retning; to the ~ that
med det formål at; ~**ive** adj
virkningsfuld, effektiv; ~**s**
spl ejendele, effekter.
effeminate [i'feminit] adj femi-
nin, kvindagtig.
efficacy ['efikəsi] s virknings-
fuldhed.
efficiency [i'fiʃənsi] s effektivi-
tet, dygtighed; ydedygtighed;
efficient adj effektiv; dygtig.
effigy ['efidʒi] s billede, statue.
effort ['efət] s anstrengelse;
indsats; præstation; make an
~ gøre en kraftanstrengelse;
~**less** adj ubesværet, let.
effrontery [i'frʌntəri] s fræk-

hed.

effusive [i'fju:siv] *adj* over-strømmende.

e.g. ['i:'dʒi:] (fork.f. *exempli gratia)* for eksempel, fx.

egg [εg] *s* æg // *v:* ~ **on** tilskynde, ægge; *lay an* ~ lægge et æg; (S) kvaje sig; *fried* ~*s* spejlæg; ~**cup** *s* æggebæger; ~**plant** *s* aubergine; ~**shell** *s* æggeskal // *adj* æggeskalsfarvet; ~**slice** *s* paletkniv; ~**timer** *s* æggeur; ~ **white** *s* æggehvide; ~ **yolk** *s* æggeblomme.

ego ['i:gəu] *s* jeg, ego; (F) forfængelighed; ~**ist** ['εgəuist] *s* egoist; ~**tist** ['εgəutist] *s* selvoptaget person.

Egypt ['i:dʒipt] *s* Egypten; ~**ian** [i'dʒipʃən] *s* egypter // *adj* egyptisk.

eiderdown ['aidədaun] *s* edderdun; dyne.

eight [eit] *num* otte; ~**een** *num* atten; ~**eighth** [eitθ] *s* ottendedel // *num* ottende; ~**y** *num* firs; *in the* ~*ies* i firserne.

Eire ['εərə] *s* Den irske Republik.

either ['aiðə*] *pron* en af to; den ene el. den anden; begge // *adv* heller // *konj:* ~ ... *or* enten ... eller; hverken ... eller; *on* ~ *side* på begge sider; *I don't like* ~ *(of them)* jeg kan ikke lide nogen af dem; *I can't* ~ det kan jeg heller ikke; *I didn't see* ~ *one or the other* jeg så hver-

ken den ene eller den anden; jeg så ingen af dem.

ejaculation [idʒækju'leiʃən] *s* sædudtømmelse, ejakulation; udbrud, udråb.

eject [i'dʒəkt] *v* udspy; udsende; fordrive, smide ud; ~**ion seat** *s* katapultsæde.

elaborate *v* [i'læbəreit] uddybe, udbygge; udarbejde (i detaljer); gå i detaljer // *adj* [i'læbərit] udførlig, detaljeret; kunstfærdig.

elapse [i'læps] *v* (om tid) gå, forløbe.

elastic [i'læstik] *s* elastik // *adj* elastisk, smidig; ~ **band** *s* elastik, gummibånd; ~**ity** [iləs'tisiti] *s* elasticitet, smidighed.

elated [i'leitid] *adj* opløftet, i høj stemning, oprømt; **elation** [i'leiʃən] *s* glæde, opløftelse; oprømthed.

elbow ['εlbəu] *s* albue; *rub* ~*s with* gnubbe sig op ad; ~**grease** *s* knofedt.

elder ['εldə*] *s (bot)* hyld // *adj* (komp af *old)* ældre; *one's* ~*s* de der er ældre end en selv; *the* ~*s* fortidens mennesker; menighedens ældste; ~**berry** *s* hyldebær; ~**ly** *adj* ældre; gammeldags; *the* ~*ly* de ældre; *care of the* ~*ly* ældreomsorg; **eldest** ['εldist] *adj (sup* af *old)* ældst.

elect [i'lεkt] *v* vælge; foretrække // *adj* udvalgt; *the president* ~ den tiltrædende præsident; ~**ion** [-'lεkʃən] *s* valg;

udvælgelse; **~ioneering**
[-'niəriŋ] s valgkampagne,
valgagitation; **~or** s vælger;
valgmand; **~orate** s vælger-
korps.

electric [i'lektrik] adj elektrisk;
el-; elektro-; **~ blanket** s
elektrisk varmetæppe; **~
cooker** s elkomfur; **~ fire** s
elvarmeovn; **~ian** [-'triʃən] s
elektriker; **~ity** [-'trisiti] s
elektricitet; **electrify**
[i'lektrifai] v elektrificere; op-
ildne.

electron [i'lektrən] s elektron;
~ic [-'tronik] adj elektronisk;
~ic data processing *(EDP)* s
elektronisk databehandling
(edb); **~ics** [-'troniks] s elek-
tronik.

element ['elimənt] s element;
(bestand)del; grundstof; *an
~ of truth* en vis sandhed; *an
~ of danger* et faremoment;
~ary [-'mentəri] adj elemen-
tær; *~ary school (brit, gl)* s.v.t.
folkeskole; *(am)* s.v.t. grund-
skole (1.-6. el. 8. klasse).

elephant ['elifənt] s elefant.

elevate ['eliveit] v løfte; forhø-
je, ophøje; **elevation**
[-'veiʃən] s løften; forhøjning;
højde; forfremmelse.

eleven [i'levn] *num* elleve // s:
(football) ~ fodboldhold;
~ses *spl* formiddagskaffe (el.
-te); **~th** s ellevtedel // adj
ellevte.

elf [elf] s (pl: elves [elvz]) alf;
~in adj alfe-; alfeagtig; æte-
risk.

elicit [i'lisit] v lokke frem; ud-
løse (fx *a reflex* en refleks).

eligible ['elidʒibl] adj valgbar;
kvalificeret; passende; *an ~
young man* et passende parti;
~ for a pension pensionsbe-
rettiget.

eliminate [i'limineit] v bort-
skaffe, fjerne; udelukke, eli-
minere.

Elizabethan [ilizə'bi:ðən] *adj*
elisabethansk (fra Elisabeth
1.s tid 1558-1603); renæssan-
ce-.

ellipse [i'lips] s ellipse; **ellipti-
cal** [i'liptikəl] adj ellipsefor-
met.

elm [elm] s elm(etræ); **~ dis-
ease** s elmesyge.

elongated [i:'lɔŋgeitid] adj for-
længet; langstrakt.

elope [i'ləup] v løbe bort sam-
men (for at gifte sig); **~ment**
s flugt; bortførelse.

eloquence ['eləkwəns] s velta-
lenhed; **eloquent** adj velta-
lende; *(fig)* talende, sigende.

else [els] adv ellers; anden;
andet; *everywhere ~* alle an-
dre steder; *little ~* ikke stort
andet; *nothing ~* intet andet;
or ~ ellers, eller også; *some-
thing ~* ngt andet; *somewhe-
re ~* et andet sted; **~where**
adv andetsteds, et andet sted.

elucidate [i'lu:sideit] v tydelig-
gøre; belyse; forklare.

elude [i'lu:d] v undvige; slippe
fra; **elusive** [i'lu:siv] adj van-
skelig at få fat på; svær at
definere; flygtig.

elves [ɛlvz] *spl* af *elf.*

emaciated [i'meisieitid] *adj* udtæret, udmagret.

emanate ['ɛməneit] *v:* ~ *from* udgå fra; udstråle fra; have sit udspring i.

emancipate [i'mænsipeit] *v* frigøre; frigive (fx *the slaves* slaverne); **emancipation** [-'peiʃən] *s* frigørelse, frigivelse.

embalm [im'ba:m] *v* balsamere; fylde med vellugt.

embankment [im'bæŋkmənt] *s* vold, dæmning.

embargo [im'ba:gəu] *s (pl:* ~*es)* forbud (mod import og eksport), embargo // *v* beslaglægge; lægge embargo på.

embark [im'ba:k] *v:* ~ *on* begynde på; gå ombord i; begive sig ud på; ~**ation** [-'keiʃən] *s* indskibning.

embarrass [im'bærəs] *v* gøre forlegen; hæmme; ~**ing** *adj* pinlig, flov; ~**ment** *s* forlegenhed, generthed.

embassy ['ɛmbəsi] *s* ambassade.

embed [im'bɛd] *v* lægge ned i; indstøbe, indkapsle; ~*ded in* begravet i, omgivet af.

ember ['ɛmbə*] *s* glød.

embezzle [im'bɛzl] *v* begå underslæb; ~**ment** *s* underslæb.

embitter [im'bitə*] *v* forbitre, gøre bitter.

emblem ['ɛmbləm] *s* symbol; mærke.

embodiment [im'bɔdimənt] *s* legemliggørelse; indarbejdel-

se; **embody** *v* legemliggøre; udtrykke; udforme; indkorporere, indarbejde.

embrace [im'breis] *s* omfavnelse // *v* omfavne (hinanden); tage til sig; omfatte.

embroider [im'brɔidə*] *v* brodere; *(fig)* pynte *(on* på); ~**y** *s* broderi.

embryo ['ɛmbriəu] *s* foster; *(bot)* kim, spire.

emerald ['ɛmərəld] *s* smaragd // *adj* smaragdgrøn.

emerge [i'mə:dʒ] *v* dukke op (el. frem); *it* ~*d that* det viste sig at; ~**nce** [i'mə:dʒəns] *s* tilsynekomst, opdukken.

emergency [i'mə:dʒənsi] *s* nødsituation; *in case of* ~ i nødstilfælde; *state of* ~ undtagelsestilstand; ~ **area** *s* katastrofeområde; ~ **exit** *s* nødudgang; ~ **ward** *s* skadestue.

emery ['ɛməri] *s* smergel; ~ **board** *s* sandfil (til negle).

emigrant ['ɛmigrənt] *s* udvandrer, emigrant; **emigrate** *v* udvandre, emigrere.

eminence ['ɛminəns] *s* høj anseelse; fremtrædende stilling; berømthed; **eminent** *adj* høj; fremtrædende, fremragende; enestående.

emissary ['ɛmisəri] *s* udsending; **emission** [i'miʃən] *s* udstedelse; (ud)stråling; udstedelse; **emit** [i'mit] *v* udsende; udstråle; udstøde.

emotion [i'məuʃən] *s* følelse; sindsbevægelse; ~**al** *adj* fø-

lelsesbetonet; følelsesladet;
følsom; **emotive** [i'məutiv]
adj følelsesmæssig.

emperor ['empərə*] *s* kejser.

emphasis ['emfəsis] *s (pl:
emphases* [-si:z]) eftertryk,
vægt; **emphasize** [-saiz] *v* be-
tone, lægge vægt på, under-
strege; **emphatic** [em'fætik]
adj eftertrykkelig, udtrykke-
lig; iøjnefaldende.

empire ['empaiə*] *s* kejser-
dømme, imperium; *the Ro-
man E~* romerriget; *French
E~* empirestil.

employ [im'plɔi] *v* ansætte, be-
skæftige; anvende, bruge;
~ee [emplɔi'i:] *s* funktionær;
ansat; **~er** *s* arbejdsgiver;
~ment *s* beskæftigelse; an-
sættelse; arbejde; **~ment
agency** *s* arbejdsformidling.

empower [im'pauə*] *v:* ~ *sby
to* bemyndige en til; sætte en i
stand til at.

empress ['empris] *s* kejserin-
de.

empty ['empti] *v* tømme(s), bli-
ve tom // *adj* tom; øde, ube-
boet; **~-handed** *adj* tomhæn-
det; **~-headed** *adj* tomhjer-
net.

enable [i'neibl] *v:* ~ *sby to*
gøre det muligt for en at.

enamel [i'næməl] *s* emalje // *v*
emaljere, lakere.

encased [in'keist] *adj:* ~ *in*
indkapslet i; indsluttet af.

enchant [in'tʃɑ:nt] *v* fortrylle;
henrykke; **~ing** *adj* fortryl-
lende, besnærende.

encircle [in'sə:kl] *v* indkredse,
omringe, omkredse.

enclose [in'kləuz] *v* omgive;
indhegne, indeslutte; *please
find ~d* (i brev) vedlagt føl-
ger; **enclosure** [-'kləuʒə*] *s*
indhegning, indelukke; (i
brev) bilag.

encompass [in'kʌmpəs] *v* om-
give; omringe; omfatte.

encore [ɔŋ'kɔ:*] *s* ekstranum-
mer, dacapo.

encounter [in'kauntə*] *s* møde,
sammentræf // *v* møde, træf-
fe (på).

encourage [in'kəridʒ] *v* op-
muntre; tilskynde, fremme;
~ment *s* opmuntring; til-
skyndelse.

encroach [in'krəutʃ] *v:* ~ *on*
trænge sig ind på; gøre ind-
greb i.

encumber [in'kʌmbə*] *v* hin-
dre, besværliggøre; tynge.

encyclop(a)edia [ensaikləu'pi:-
diə] *s* leksikon, opslagsværk.

end [end] *s* ende, slutning; en-
deligt; mål // *v* ende, slutte;
afslutte; holde op; *come to an
~* slutte, høre op; *put an ~ to*
gøre en ende på; sætte en
stopper for; gøre kål på; *in
the* ~ til sidst, til slut; *it's no
~ difficult* (F) det er mægtig
svært; *he's got no ~ of mo-
ney* (F) han har masser af
penge; *be on* ~ stå på den
anden ende; være på højkant;
for days on ~ i dagevis; *for
five hours on* ~ i fem timer i
træk; ~ *up with* ende med; *to*

that ~ med det formål; *to no
~* uden formål; *make ~s
meet* få pengene til at slå til.
endanger [in'deindʒə'] *v* brin-
ge i fare, sætte på spil.
endearing [in'diəriŋ] *adj* ind-
tagende.
endeavour [in'devə'] *s* bestræ-
belse, stræben // *v:* ~ *to*
bestræbe sig på at.
ending ['ændiŋ] *s* ende, (af)-
slutning; endelse.
endive ['endaiv] *s* julesalat.
endless ['endlis] *adj* endeløs,
uendelig.
endorse [in'dɔ:s] *v* (om check)
skrive bag på, endossere; på-
tegne; skrive under på;
~ment *s* påtegning; endosse-
ring; tilslutning.
endow [in'dau] *v* skænke (et
beløb), betænke; ~ *with* ud-
styre med; skænke.
end product ['ændprɔdəkt] *s*
slutprodukt, slutresultat.
endurable [in'djuərəbl] *adj* ud-
holdelig, tålelig; **endurance** *s*
udholdenhed; modstands-
kraft; trængsler, lidelser;
endure [in'djuə'] *v* tåle, ud-
holde; lide, udstå; vare (ved).
enemy ['enəmi] *s* fjende // *adj*
fjendtlig.
energetic [enə'dʒetik] *adj*
energisk, aktiv; handlekraf-
tig; **energy** ['enədʒi] *s* energi,
kraft.
enervating ['enə'veitiŋ] *adj*
enerverende; udmattende.
enforce [in'fɔ:s] *v* bestyrke;
fremtvinge, gennemtvinge;

(jur) håndhæve (fx *the laws*
lovene); **~d** *adj* påtvungen;
ufrivillig.
engage [in'geidʒ] *v* engagere;
ansætte; reservere; optage;
påtage sig *(to* at); *(mil)* angri-
be; *(tekn)* tilkoble; ~ *in* tage
del i; indlade sig på; indlede;
~d *adj* optaget, travl; forlo-
vet; *be* ~d *in* være beskæfti-
get med; *'number* ~d' *(tlf)*
'optaget': **~ment** *s* beskæfti-
gelse; ansættelse; aftale; for-
pligtelse; forlovelse; *(mil)*
træfning; **~ment ring** *s* forlo-
velsesring; **engaging** *adj* ind-
tagende, vindende.
engine ['endʒin] *s* maskine,
motor; lokomotiv; ~ **driver** *s*
lokomotivfører; **engineer**
[endʒi'niə'] *s* ingeniør; ma-
skinist; tekniker; **engineer-
ing** [-'niəriŋ] *s* teknik; inge-
niørarbejde // *adj* maskin-.
engine. . . ['endʒin-] sms: ~
failure *s* motorstop, motor-
skade; ~ **room** *s (mar)* ma-
skinrum; (i fabrik) maskin-
hal; ~ **trouble** *s (auto* etc)
vrøvl med motoren.
English ['iŋgliʃ] *s/adj* engelsk;
the ~ englænderne.
engrave [in'greiv] *v* gravere,
præge; **engraving** *s* gravering.
engrossed [in'grəust] *adj:* ~
in opslugt af, fordybet i.
engulf [in'gʌlf] *v* opsluge; over-
svømme.
enhance [in'ha:ns] *v* forøge;
forhøje; forbedre.
enigma [i'nigmə] *s* gåde; **~tic**

[-'mætik] *adj* gådefuld.

enjoy [in'dʒɔi] *v* nyde; more sig over; synes om; ~ *oneself* more sig, have det rart; ~ *good health* have et godt helbred; ~**able** *adj* morsom; hyggelig; ~**ment** *s* nydelse; glæde.

enlarge [in'laːdʒ] *v* forstørre; udvide; blive større; ~ *on* udbrede sig om; ~**ment** *s* forstørrelse (også *foto)*; udvidelse.

enlighten [in'laitn] *v* oplyse; ~**ed** *adj* oplyst; ~**ment** *s* oplysning; *the E~ment* (*hist*) oplysningstiden.

enlist [in'list] *v* hverve, rekruttere; melde sig (fx *in the army* til hæren).

enliven [in'laivn] *v* oplive, kvikke op.

enmity ['enmiti] *s* fjendskab, uvenskab.

enormity [i'nɔːmiti] *s* uhyrlighed; **enormous** [i'nɔːməs] *adj* enorm, uhyre, drabelig.

enough [i'nʌf] *adj/adv* nok; ~ *is* ~ nu kan det være nok; ~ *to drive you crazy* til at blive vanvittig over (el. af); *strangely* ~ mærkeligt nok.

enquire [in'kwaiə*] *v* d.s.s. *inquire.*

enrage [in'reidʒ] *v* gøre rasende.

enrich [in'ritʃ] *v* berige; ~ *with* berige med; tilsætte.

enrol [in'rəul] *v* indføre på liste, indskrive; tilmelde sig; ~**ment** *s* indskrivning; til-

meldelse; medlemskab.

ensconced [in'skɔnst] *adj*: ~ *in* forskanset i; plantet i (fx *the sofa* sofaen).

enslave [in'sleiv] *v* gøre til slave, underkue.

ensue [in'sjuː] *v* følge (lige) efter; være resultatet af.

ensure [in'sjuə*] *v* garantere, sikre.

entangle [in'tæŋgl] *v* filtre sammen, vikle ind i; *get* ~*d in* blive blandet ind i, rode sig ind i.

enter ['entə*] *v* gå (el. komme) ind (i); anføre, indføre; optage; indskrive; melde sig til; ~ *for* indskrive sig til; ~ *into* gå ind i; indlade sig på; komme ind på; ~ *upon* slå ind på; tiltræde.

enterprise ['entəpraiz] *s* foretagende; foretagsomhed; virksomhed; **enterprising** *adj* foretagsom.

entertain [entə'tein] *v* underholde; traktere, have gæster; gøre sig (fx *illusions* illusioner); overveje; ~**er** *s* varietékunstner; ~**ing** *adj* underholdende, morsom; ~**ment** *s* underholdning; selskab(elighed); repræsentation; traktement.

enthralled [en'θrɔːld] *adj* fængslet, betaget.

enthusiasm [in'θ(j)uːziæzəm] *s* entusiasme, begejstring; **enthusiast** *s* varm tilhænger, entusiast.

entire [in'taiə*] *adj* hel, komplet, i ét stykke; **~ly** adv helt, fuldstændig; udelukkende; **~ty** [-'tairəti] s helhed; in it's ~ty i sin helhed.

entitle [in'taitl] v: be ~d to være berettiget til, have krav på; ~ sby to sth give en ret til ngt.

entity ['ɛntiti] s helhed; væsen.

entrance s ['ɛntrəns] indgang; adgang; entré // v [in'trɑːns] henrykke, tryllebinde; **gain** ~ to få adgang til, blive optaget på (fx university universitetet); ~ **examination** s adgangseksamen; ~ **fee** s entré(afgift); indmeldelsesbegyr.

entreat [in'triːt] v bønfalde (el. bede indtrængende) om; **~y** s bøn(faldelse).

entrenched [in'trɛntʃd] adj forskanset; rodfæstet, indgroet.

entrust [in'trʌst] v: ~ sth to sby betro en ngt; ~ him with the money betro ham pengene.

entry ['ɛntri] s det at komme ind; indtræden, indkørsel, indtog; adgang; indmeldelse, indskrivning; 'no ~''indkørsel (el. adgang) forbudt'; make an entry in a book indføre (el. skrive) ngt i en bog; ~ **form** s indmeldelsesblanket.

entwine [in'twain] v flette sammen, omvinde.

enumerate [i'njuːməreit] v optælle, opregne.

envelop [in'vɛləp] v indhylle; skjule; omgive, omringe; **envelope** ['ɛnvələup] s konvolut, kuvert.

enviable ['ɛnviəbl] adj misundelsesværdig; **envious** ['ɛnviəs] adj misundelig (of på).

environment [in'vairənmənt] s omgivelser, miljø; **~al** adj miljø-; **~alist** [-'mɛn-] s miljøforkæmper; **~al pollution** s miljøforurening; **~al protection** s miljøbeskyttelse.

envisage [in'vizidʒ] v se på; forudse, forestille sig; se i øjnene.

envoy ['ɛnvɔi] s udsending, sendebud.

envy ['ɛnvi] s misundelse // v misunde.

epic ['ɛpik] s epos // adj episk; storslået.

epidemic [ɛpi'dɛmik] s epidemi // adj epidemisk.

epilogue ['ɛpilɔg] s efterskrift, slutningstale, epilog.

episode ['ɛpisəud] s episode; (i fx tv-serie) afsnit.

epitaph ['ɛpitɑːf] s gravskrift, epitaf.

epitome [i'pitəmi] s: be the ~ of (fig) være indbegrebet af; **epitomize** v resumere, sammenfatte; være indbegrebet af.

epoch ['iːpɔk] s tids(alder), epoke; **~-making** adj epokegørende.

equal ['iːkwəl] s lige(mand) // v være lig med; kunne måle sig med // *adj* lige, ligelig; ~ *to* lig med; jævnbyrdig med; *be* ~ *to* (også:) kunne magte; **~ity** [iˈkwɔliti] *s* lighed, ligestilling; **~izer** *s (sport)* udligning(smål); **~ly** *adv* lige(ligt), lige så; **~(s) sign** *s* lighedstegn.

equanimity [ekwəˈnimiti] *s* ligevægt, sindsro.

equation [iˈkweiʃən] *s (mat)* ligning.

equator [iˈkweitə*] *s* ækvator; **~ial** [ekwəˈtɔːriəl] *adj* ækvatorial-.

equestrian [iˈkwɛstriən] *s* (skole)rytter // *adj* rytter-.

equilibrium [iːkviˈlibriəm] *s* ligevægt.

equinox [ˈiːkwinɔks] *s* jævndøgn.

equip [iˈkwip] *v* udstyre, udruste; ekvipere; **~ment** *s* udrustning; udstyr; tilbehør; installation.

equivalent [iˈkwivəlnt] *s* modstykke, ækvivalent // *adj* tilsvarende.

equivocal [iˈkwivəkl] *adj* tvetydig; usikker; tvivlsom.

era [ˈiərə] *s* epoke, tidsalder, æra.

eradicate [iˈrædikeit] *v* udrydde.

erase [iˈreize] *v* viske ud, radere (ud), slette; **~r** *s* viskelæder.

ere [ɛə*] *præp* (H) før, inden.

erect [iˈrɛkt] *v* rejse (fx *a monument* et monument), opføre; oprette // *v* oprejst; opret,

rank; **~ion** *s* rejsning; opførelse; oprettelse; erektion.

ermine [ˈəːmin] *s* hermelin, lækat.

erode [iˈrəud] *v* erodere(s), nedbryde(s); *(fig)* undergrave; **erosion** [iˈrəuʒən] *s* erosion, nedbrydning.

erotic [iˈrɔtik] *adj* (let *neds)* erotisk; **~ism** [iˈrɔtisizm] *s* erotisk præg, erotik.

err [əː*] *v* tage fejl, fejle; *(gl)* flakke om, fare vild.

errand [ˈɛrənd] *s* ærinde; ~ **boy** *s* bydreng; *(fig)* stik-irend-dreng.

erratic [iˈrætik] *adj* uberegnelig; uregelmæssig, ujævn; omkringflakkende.

erroneous [iˈrəuniəs] *adj* fejlagtig, urigtig.

error [ˈɛrə*] *s* fejl, fejltagelse; *commit an* ~ begå en fejl; *be in* ~ tage fejl; ~ *of judgment* fejlskøn.

erupt [iˈrʌpt] *v* bryde ud; (om vulkan) komme i udbrud; (om sygdom) slå ud; **~ion** *s* udbrud; frembrud.

escalate [ˈeskəleit] *v* stige; optrappe; **escalation** [-ˈleiʃən] *s* regulering; optrapning; **escalator** *s* rulletrappe.

escape [isˈkeip] *s* flugt; rømning; redning; udslip // *v* flygte, undslippe; undgå; redde sig; strømme ud; *fire* ~ brandtrappe; *make a lucky* ~ *from sth* slippe godt fra ngt; *make a narrow* ~ undslippe med nød og næppe.

escort s ['ɛskɔːt] eskorte; ledsager // v [i'skɔːt] eskortere, ledsage, følge.

esoteric [esə'terik] adj kun for særligt indviede.

especially [i'speʃli] adv specielt, især.

espionage ['espiənɑːʒ] s spionage.

esquire [i'skwaiə*] (Esq.) s: J. Brown, ~ hr. J. Brown.

essay ['esei] s essay; forsøg; (i skolen) stil.

essence ['esns] s det væsentlige; kerne, essens; **essential** [i'senʃl] adj væsentlig; tvingende; uomgængelig; **essentially** adv i alt væsentligt; inderst inde.

establish [i'stæbliʃ] v oprette, grundlægge; etablere, tilvejebringe; godtgøre, bevise (fx one's innocence sin uskyld); ~ oneself nedsætte sig; indrette sig; **~ment** s oprettelse, etablering; institution; foretagende; the E~ment det etablerede samfund, systemet.

estate [i'steit] s gods; besiddelse; bo; real ~ fast ejendom; ~ agent s ejendomsmægler; ~ car s stationcar.

esteem [i'stiːm] s agtelse.

estimate s ['estimit] skøn, vurdering; overslag // v ['estimeit] skønne, vurdere, anslå; **estimation** [-'meiʃən] s skøn, vurdering; agtelse, respekt.

estrangement [i'streindʒmənt] s kølighed, fremmedgørelse.

estuary ['estjuəri] s flodmunding (med tidevand).

etching ['ætʃiŋ] s radering; ætsning.

eternal [i'təːnl] adj evig, evindelig; **eternity** [i'təːniti] s evighed.

ether ['iːθə*] s æter; **~ial** [i'θiəriəl] adj æterisk, overjordisk.

ethics ['eθiks] s moral(lære), etik.

ethnic ['eθnik] adj folke-, etnisk; hedensk; ~ **group** s befolkningsgruppe.

euphemism [ju'femizm] s formildende omskrivning, eufemisme.

euphoria [ju'fɔːriə] s kunstig opstemthed, overdreven optimisme.

Europe ['juərəp] s Europa; **~an** [-'piːən] s europæer // adj europæisk; (pol) EF-tilhænger; **~an champion** s europamester.

euthanasia [juːθə'neiziə] s dødshjælp; medlidenhedsdrab.

evacuate [i'vækjueit] v evakuere; tømme, udtømme; rømme; **evacuation** [-'eiʃən] s evakuering; tømning, rømning.

evade [i'veid] v gå udenom, undgå; slippe udenom.

evaluate [i'væljueit] v vurdere, evaluere.

evaporate [i'væpəreit] v fordampe; få til at fordampe;

svinde ind; forduftte; **~d milk**
s kondenseret mælk; **evapo-
ration** [-'reiʃən] s fordamp-
ning; forsvinden.

evasion [i'veiʒən] s undvigelse;
omgåelse; unddragelse; **eva-
sive** [i'veisiv] adj undvigende;
ubestemt.

eve [i:v] s dagen (el. aftenen)
før en helligdag (fx *Christ-
mas E~* juleaften(sdag).

even ['i:vn] adj jævn, flad, ens-
artet; lige (fx *numbers* tal) //
adv lige, netop; selv, tilmed,
endog; ~ *if* (el. *though*) selv
om; ~ *more* endnu mere; ~
so alligevel; ~ *out* udjæv-
ne(s); *an* ~ *match* en jævn-
byrdig kamp; *get* ~ *with*
hævne sig på.

evening ['i:vniŋ] s aften; *in the*
~ om aftenen; *this* ~ i aften;
~ *class* s aftenskole; ~
dress s selskabstøj; (for kvin-
der) lang kjole; (for mænd)
smoking; ~ **duty** s aftenvagt;
~ **gown** s lang kjole.

evensong ['i:vnsɔŋ] s aftenan-
dagt; vesper.

event [i'vent] s begivenhed;
(sport) disciplin; løb; kamp;
at all ~s i alle tilfælde; *in the
* ~ *of* i tilfælde af; ~**ful** adj
begivenhedsrig.

eventual [i'ventʃuəl] adj ende-
lig, sluttelig; mulig, eventuel;
~**ity** [-'æliti] s mulighed; *in
the* ~*ity of* i tilfælde af; ~**ly**
[-'ventʃuəli] adv til sidst; ef-
terhånden; senere.

ever ['evə*] adv nogensinde;

overhovedet; altid; *the best* ~
den bedste nogensinde; *if he
* ~ *comes* hvis han overhove-
det kommer; *hardly* ~ næ-
sten aldrig; ~ *since* lige si-
den; ~ *so pretty* noget så
pæn; *for* ~ for evig; evig og
altid; ~**green** s stedsegrøn
plante (el. træ); (om melodi)
evergreen; ~**lasting** adj evig,
stadig.

every ['evri] pron hver; al mu-
lig; ~ *day* hver dag; ~ *other
day* hveranden dag; ~ *now
and then* hvert øjeblik; nu og
da; *in* ~ *way* på alle måder;
~**body** pron enhver; alle (og
enhver); ~**day** adj daglig,
hverdags-; ~**one** pron d.s.s.
~*body*; ~**thing** pron alt; det
hele; ~**where** adv alle vegne,
overalt.

evict [i'vikt] v sætte på gaden,
sætte ud; ~**ion** [-'vikʃən] s
udsættelse.

evidence ['evidns] s tegn *(of
* på); beviser; vidneudsagn; *a
piece of* ~ et bevis; *give* ~
vidne, afgive vidnesbyrd; *in
* ~ tydelig; bemærket; *show* ~
of vise tegn på; **evident**
['evidnt] adj indlysende, tyde-
lig, åbenbar.

evil [i:vl] s ulykke, onde // adj
ond, syndig; hæslig; dårlig;
~**doer** s misdæder; ~~**min-
ded** adj ondsindet.

evocative [i'vɔkətiv] adj tanke-
vækkende; suggestiv; ud-
tryksfuld.

evoke [i'vəuk] v fremmane;

fremkalde, vække.

evolution [i:və'lu:ʃən] s udvikling; udfoldelse; **evolve** [i'vɔlv] v udvikle; udtænke; udvikle sig.

ewe [ju:] s hunfår, moderfår.

exact [ig'zækt] adj nøjagtig; præcis; rigtig // v kræve, af-kræve; inddrive; ~**ing** adj krævende; nøjeregnende; streng; ~**itude** s nøjagtighed, præcision; ~**ly** adv netop; nøjagtig(t); lige (akkurat); not ~ly ikke ligefrem; what ~ly do you mean? hvad mener du helt præcis?

exaggerate [ig'zædʒəreit] v overdrive; ~**d** adj overdre-ven.

exalt [ig'zɔ:lt] v ophøjde; ophøje; prise; ~**ation** [-'teiʃən] s ophøjelse; (sygelig) opstemt-hed.

exam [ig'zæm] s fork.f. examination.

examination [igzæmi'neiʃən] s undersøgelse; eksamen, prøve; (jur) forhør; medical ~ lægeundersøgelse; pass an ~ bestå en eksamen; **examine** [ig'zæmin] v undersøge; eksaminere; afhøre; ~**r** [ig'zæminə*] s eksaminator, censor; (jur) forhørsdommer.

example [ig'za:mpl] s eksempel; forbillede; eksemplar; for ~ for eksempel.

exasperate [ig'za:spəreit] v irritere, gøre rasende.

excavate ['ɛkskəveit] v (ud)grave; **excavation**

[-'veiʃən] s udgravning; **exca-vator** s gravemaskine.

exceed [ik'si:d] v overskride; overstige; overgå; ~**ingly** adv yderst; overordentlig.

excel [ik'sɛl] v udmærke sig; overgå; ~**lence** ['ɛksələns] s fortræffelighed, fortrin; **E~lency** s: His E~lency Hans Excellence; ~**lent** ['ɛksələnt] adj glimrende, strålende.

except [ik'sɛpt] v undtage // adj undtagen; ~ for (el. ~ing) bortset fra at; ~**ion** [ik'sɛpʃən] s undtagelse; make an ~ion gøre en undtagelse; take ~ion to gøre indsigelse mod; tage anstød af; an ~ion to the rule en undtagelse fra reglen; ~**ional** adj usædvanlig, enestående.

excerpt ['ɛksə:pt] s uddrag; udtog.

excess [ik'sɛs] s overflod; overskud; ~ **baggage** s over-vægtig bagage; ~**es** spl udskejelser; ~ **fare** s tillægsbillet; ~**ive** adj overdreven, umådeholden; urimelig; ~ **postage** s strafporto.

exchange [iks'tʃeindʒ] s ud-veksling; bytte; vekselpenge; valuta; børs; (tlf) central // v udveksle, bytte; veksle; skifte; in ~ for i bytte for; til gengæld for; foreign ~ frem-med valuta.

exchequer [iks'tʃɛkə*] s: the E~ (brit) statskassen; finans-ministeriet.

excise s ['ɛksaiz] forbrugsaf-

gift (el. -skat); ~ **duties** *spl*
indirekte skatter; toldafgif-
ter.

excite [ik'sait] *v* ophidse;
fremkalde, vække; *get* ~*d*
blive ophidset; *don't get* ~*d*
hids dig nu ikke op; ~ *envy*
vække misundelse; ~**ment** *s*
ophidselse; begejstring; uro;
exciting *adj* spændende; op-
hidsende.

exclaim [iks'kleim] *v* udbryde;
exclamation [eksklə'meiʃən]
s udbrud, udråb; *exclamation
mark* udråbstegn.

exclude [iks'klu:d] *v* udelukke,
se bort fra; holde ude; **exclu-
sion** [-'klu:ʒən] *s* udelukkelse;
exclusive [-'klu:siv] *adj* for-
nem, eksklusiv; speciel; ene-
// *adv (merk)* eksklusive;
have the exclusive right of
have eneretten til; *exclusive
of VAT* eksklusive moms.

excrete [iks'kri:t] *v* udskille,
udsondre; **excretion** *s* udskil-
lelse, udsondring.

excruciating [iks'kru:ʃieitiŋ]
adj ulidelig; pinefuld.

excursion [iks'kə:ʃən] *s* ud-
flugt, tur; *(fig)* afstikker.

excusable [iks'kju:səbl] *adj*
undskyldelig; **excuse** *s*
[iks'kju:s] undskyldning; an-
ledning; påskud // *v*
[iks'kju:z] undskylde; fritage;
~ *me!* undskyld! tillader De?
~ *oneself from* bede sig fri-
taget fra.

execute ['eksikju:t] *v* udføre;
iværksætte; spille; opføre;

henrette; *(jur)* eksekvere;
~**er** *s* bøddel; **execution**
[-'kju:ʃən] *s* udførelse; hen-
rettelse; eksekution.

executive [ig'zekjutiv] *s* ledel-
se, bestyrelse; leder, chef, di-
rektør // *adj* udøvende; admi-
nistrativ; ledende; ~ **case** *s*
attachétaske; ~ **committee** *s*
bestyrelse; forretningsudvalg.

executor [ig'zekjutə*] *s* ud-
øver; *(jur)* eksekutor (af te-
stamente).

exemplary [ig'zempləri] *adj*
mønstergyldig, eksemplarisk.

exempt [ig'zempt] *adj:* ~
from fritaget for; fri for // *v:*
~ *sby from* fritage en for;
tax-~ skattefri; ~**ion** *s* frita-
gelse, dispensation.

exercise ['eksəsaiz] *s* anven-
delse; udøvelse; øvelse; (i
skolen) opgave, stil // *v* an-
vende; udøve; øve (sig), træ-
ne; *take* ~ få motion, motio-
nere; ~ **book** *s* øvehæfte,
stilehæfte.

exert [ig'zə:t] *v* anvende, bru-
ge; ~ *oneself* anstrenge sig;
oppe sig; ~**ion** [-'zə:ʃən] *s*
anvendelse; anstrengelse.

exhaust [ig'zɔ:st] *s* udblæs-
ning; udstrømning // *v* op-
bruge, udtømme, udmatte;
~**ed** *adj* udtømt; udmattet;
~ *fumes* *spl* udstødningsgas;
~**ion** *s* udtømning; udmattel-
se; ~**ive** *adj* udtømmende;
grundig; ~ *pipe* *s* udstød-
ningsrør.

exhibit [ig'zibit] *s* udstillings-

genstand; *(jur)* bilag, bevis-
materiale // *v* udstille, frem-
vise; udvise; ~**ion** [ɛksi'biʃən]
s udstilling; fremvisning; til-
kendegivelse; *make an ~ion
of oneself* lave skandale, gøre
sig til grin; ~**or** [ig'zibitə*] *s*
udstiller.

exhilarating [ig'ziləreitiŋ] *adj*
opmuntrende, opkvikkende.

exile ['ɛksail] *s* eksil, udlændig-
hed // *v* landsforvise.

exist [ig'zist] *v* eksistere, leve;
findes, forekomme; ~**ence** *s*
eksistens; tilstedeværelse; liv,
tilværelse; *be in ~ence* være
til, findes.

exit ['ɛksit] *s* udgang; (fra mo-
torvej) frakørsel(svej); *(teat)*
udgangsreplik, sortie.

exodus ['ɛksədəs] *s* udvan-
dring; *E~* 2. mosebog.

exorbitant [ig'zɔ:bitənt] *adj*
urimelig; ublu (fx *prices* pri-
ser).

exorcize ['ɛksɔ:saiz] *v* uddrive
(fx *an evil spirit* en ond ånd);
foretage djævleuddrivelse.

exotic [ig'zɔtik] *adj* eksotisk,
fremmedartet.

expand [iks'pænd] *v* udvide;
udvide sig; vokse; udbrede sig
(on om).

expanse [iks'pæns] *s* vid ud-
strækning, vidtstrakt flade;
expansion *s* udvidelse; eks-
pansion; udbredelse.

expect [iks'pɛkt] *v* vente; for-
vente; kræve, forlange; regne
med; antage; *be ~ing* (også:)
vente sig; ~ *sby to* forvente

af en at; forlange af en at;
~**ant** *adj* ventende; forhåb-
ningsfuld; vordende; forven-
tet; ~**ation** [-'teiʃən] *s* for-
ventning; ~*ations* forhåb-
ninger; fremtidsudsigter.

expedience, expediency
[ɛks'pi:diəns(i)] *s* middel; ud-
vej; hensigtsmæssighed; **ex-
pedient** *adj* formålstjenlig,
hensigtsmæssig.

expedite ['ɛkspədait] *v* frem-
skynde; gøre hurtigt; **expedi-
tion** [-'diʃən] *s* ekspedition;
opdagelsesrejse; hurtighed;
expeditious [-'diʃəs] *adj* hur-
tig.

expel [iks'pɛl] *v* kaste ud; ud-
drive; fordrive; bortvise.

expend [iks'pɛnd] *v* anvende;
forbruge, bruge op; ~**able** *adj*
som kan opbruges; som kan
undværes; ~**iture**
[iks'pɛndiʧə*] *s* forbrug; ud-
gift.

expense [iks'pɛns] *s* udgift;
omkostning; bekostning; *at
great ~* med store omkost-
ninger; i dyre domme; *at the
~ of* på bekostning af; ~
account *s* udgiftskonto; **ex-
pensive** [iks'pɛnsiv] *adj* dyr,
kostbar.

experience [iks'piəriəns] *s* er-
faring; oplevelse // *v* opleve,
komme ud for; erfare; ~**d** *adj*
erfaren, rutineret.

experiment [iks'pɛrimənt] *s*
forsøg, eksperiment // *v* eks-
perimentere, lave forsøg; ~**al**
[-'mɛntl] *adj* forsøgs-, eksperi-

mentel.

expert ['ekspə:t] *s* ekspert, specialist // *adj* sagkyndig; dygtig, erfaren; ekspert-.

expire [iks'paiə*] *v* ånde ud; udånde, dø; (om fx kontrakt) udløbe; ophøre.

explain [iks'plein] *v* forklare; gøre rede for; **explanation** [eksplə'neiʃən] *s* forklaring; **explanatory** [iks'plænətri] *adj* forklarende.

explicit [iks'plisit] *adj* tydelig; bestemt, udtrykkelig.

explode [iks'pləud] *v* eksplodere, springe i luften; spræn-ge(s).

exploit *s* ['eksplɔit] bedrift, dåd // *v* [iks'plɔit] udnytte; udbytte; **~ation** [-'teiʃən] *s* udnyttelse; udbytning.

exploration [eksplə'reiʃən] *adj* udforskning, undersøgelse; **exploratory** [iks'plɔrətri] *adj* forberedende, orienterende (fx *talks* forhandlinger); **explore** [iks'plɔ:*] *v* udforske, undersøge; gå på opdagelse i.

explosion [iks'pləuʒən] *s* eksplosion, sprængning; **explosive** [-'pləusiv] *s* sprængstof // *adj* eksplosiv, spræng-.

exponent [iks'pəunənt] *s* eksponent; repræsentant.

export *s* ['ekspɔ:t] eksport, udførsel // *v* [eks'pɔ:t] eksportere, udføre; **~ation** [-'teiʃən] *s* eksport; **~er** *s* eksportør.

expose [iks'pəuz] *v* udsætte (*to* for); fremvise; udstille; afsløre (fx *a crime* en forbry-

delse); (*foto*) belyse, eksponere; ~ *oneself (jur)* krænke blufærdigheden, blotte sig; **exposure** [-'pəuʒə*] *s* det at være udsat; fremvisning; (*foto*) belysning; optagelse; *suffer from exposure* være medtaget af kulde, vejr, vind etc.

express [iks'pres] *s* eksprestog; ekspresbesørgelse // *v* udtrykke, udtale; sende ekspres // *adj* udtrykkelig; ekspres-; ~**ion** *s* udtryk; tilkendegivelse; ~**ive** *adj* udtryksfuld; udtryks-; ~**ively** *adv* udtrykkelig; specielt.

expropriate [eks'prəuprieit] *v* eksropriere.

expulsion [iks'pʌlʃən] *s* udstødning; bortvisning; eksklusion.

exquisite ['ekskwizit] *adj* udsøgt; meget fin, dejlig.

extend [iks'tend] *v* udstrække, udvide; forlænge; række (ud), strække (ud); **extension** [-'tenʃən] *s* udstrækning; udvidelse; forlængelse; tilbygning; (*elek*) forlængerled; (*tlf*) lokalnummer; ekstraapparat; **extensive** [iks'tensiv] *adj* udstrakt, vidtstrakt; omfattende (fx *damage* skader); vidtgående; *he has travelled extensively* han har rejst vidt omkring; **extent** *s* størrelse, udstrækning; omgang; grad; *to some extent* i nogen grad; *to what extent?* i hvor høj grad?

extenuating [iks'tɛnjueitiŋ] *adj* formildende.

exterior [ɛks'tiəriə*] *s* ydre, yderside // *adj* ydre, udvendig.

exterminate [iks'tə:mineit] *v* udrydde, tilintetgøre; **extermination** [-'neiʃən] *s* udryddelse, tilintetgørelse.

external [ɛks'tə:nl] *adj* ydre; udvendig; ekstern; ~ **examiner** *s* (til eksamen) censor; ~**ly** *adv* udvendigt, udadtil.

extinct [iks'tiŋkt] *adj* uddød (fx *volcano* vulkan); uddød; ~**ion** *s* slukning; udslettelse; ophævelse.

extinguish [iks'tiŋgwiʃ] *v* slukke; udslette; ~**er** *s* (også: *fire* ~*/*) ildslukker.

extort [iks'tɔ:t] *v*: ~ *sth from sby* aftvinge en ngt; ~**ion** [-'tɔ:ʃən] *s* afpresning, aftvingelse; ~**ionate** [-'tɔ:ʃənət] *adj* ublu, åger- (fx *prices* priser).

extra ['ɛkstrə] *s* ekstraudgave; *(teat, film)* statist; (også:) ekstranummer; ~*s* ekstraudgifter, det ekstra // *adj* ekstra(-).

extract *s* ['ɛkstrækt] ekstrakt; uddrag // *v* [iks'trækt] trække ud (fx *a tooth* en tand); hale ud *(from* af); lave uddrag *(from* af); ~**ion** [-'trækʃən] *s* udtrækning; udpresning; udvinding; afstamning.

extradite ['ɛkstrədait] *v* udlevere (en forbryder til et andet land).

extramarital ['ɛkstrə'mæritl] *adj* udenomsægteskabelig.

extramural ['ɛkstrə'mjuərəl] *adj* uden for murene (el. institutionen).

extraordinary [iks'trɔ:dnri] *adj* ekstraordinær; usædvanlig; mærkværdig.

extra time ['ɛkstrə'taim] *s* (i fodbold) forlænget spilletid.

extravagant [iks'trævəgənt] *s* ødsel, flot, ekstravagant; urimelig; overdreven; overspændt.

extreme [iks'tri:m] *s* yderlighed; yderpunkt // *adj* yderst; yderlig; yderliggående; overordentlig; *in the* ~ i allerhøjeste grad; *the* ~ *left* det yderste venstre; **extremist** [-'tri:mist] *s* ekstremist // *adj* yderliggående; **extremity** [iks'trɛmiti] *s* yderpunkt; højdepunkt; det yderste.

extricate ['ɛkstrikeit] *v*: ~ *sth (from)* befri (el. frigøre) sig (fra).

extrovert ['ɛkstrəvə:t] *adj* udadvendt.

exuberant [ig'zju:bərnt] *adj* overstrømmende; frodig; overdådig.

exude [ig'zju:d] *v* udsondre, udsive; *(fig)* udstråle (fx *charm* charme).

exult [ig'zʌlt] *v* juble; triumfere.

eye [ai] *s* øje; blik // *v* se på; mønstre; *cast an* ~ *on* kaste et blik på; *do sby in the* ~ (S) tage nogen på en; *keep an* ~ *on* holde øje med; *in the public* ~ i offentlighedens

søgelys; ~**ball** *s* øjeæble;
~**bath** *s* øjenbadeglas; ~**brow**
['aibrau] *s* øjenbryn; *up to the*
~**brows** til op over ørerne; ~-
catching *adj* iøjnefaldende;
~**drops** *spl* øjendråber; ~**ful**
s (S) flot pige; ~**glass** *s* mo-
nokel; ~**lash** *s* øjenvippe;
~**let** *s* snørehul; lille åbning;
~**lid** *s* øjenlåg; ~-**opener** *s*
overraskelse; ~**shadow** *s*
øjenskygge; ~**sight** *s* syn(sev-
ne); *her* ~**sight** *is failing* hen-
des syn er ved at blive svæk-
ket; ~**sore** *s* skamplet, ngt
hæsligt; ~**tooth** *s* hjørnetand;
~**wash** *s* øjenbadevand; *(fig)*
bluff; ~ **witness** *s* øjenvidne.
eyrie ['iəri] *s* rovfuglerede.

F

F, f [ɛf].
F. fork.f. *Fahrenheit.*
fable ['feibl] *s* fabel, sagn.
fabric ['fæbrik] *s* (vævet) stof,
tekstil; vævning; *a* ~ *of lies*
et væv af løgne; ~**ate** *v* op-
digte, finde på; forfalske;
~**ation** [-'keiʃən] *s* opspind;
forfalskning; fremstilling.
fabulous ['fæbjuləs] *adj* fanta-
stisk; fabelagtig; fabel-.
face [feis] *s* ansigt, ansigtsud-
tryk; forside, facade; overfla-
de // *v* vende ansigtet imod;
stå overfor; vende ud mod;
beklæde, belægge; *in the* ~ *of*
overfor; *on the* ~ *of it* tilsyne-
ladende; *lose* ~ tabe an-
sigt; *pull a* ~ *(at)* vrænge

ansigt (ad); *save* ~ redde an-
sigt; ~ *up to* se i øjnene; ~
cloth *s* vaskeklud; ~ **lift** *s*
ansigtsløftning; (om hus etc)
oppudsning.
facetious [fə'siːʃəs] *adj* spot-
tende, 'morsom'.
face value ['feis'væljuː] *s: take*
sth at ~ *(fig)* tage ngt for
pålydende.
facial ['feiʃəl] *adj* ansigts-.
facile ['fæsail] *adj* let; letkøbt;
uselvstændig.
facilitate [fə'siliteit] *v* gøre let-
tere, lette; hjælpe; **facility** *s*
lethed; mulighed; behændig-
hed; **facilities** *spl* hjælpemid-
ler, faciliteter; bekvemmelig-
heder.
facing ['feisiŋ] *s* (på væg etc)
beklædning; (på tøj) besæt-
ning, opslag, revers // *adj*
med front mod, overfor.
fact [fækt] *s* kendsgerning;
omstændighed; realitet; *in* ~
faktisk; endog; *the* ~ *is* sagen
er; *as a matter of* ~ faktisk;
tell sby the ~*s of life* give en
seksualundervisning.
faction ['fækʃən] *s* klike, parti-
gruppe, fraktion; splittelse.
factory ['fæktəri] *s* fabrik; ~
hand *s* fabriksarbejder.
factual ['fæktjuəl] *adj* faktisk,
virkelig; nøgtern.
faculty ['fækəlti] *s* evne, anlæg;
fakultet.
fad [fæd] *s* kæphest, mani.
fade [feid] *v* falme, visne; ~
away svinde bort, dø hen; ~
out (film) tone ud.

fag [fæg] *s* slid, mas; (F) cigaret, smøg; **~ged** *adj:* **~ged out** udkørt; **~~end** *s* (F) cigaretskod; sidste del af ngt.

Fahrenheit ['færənait] *s* Fahrenheit (temperaturskala).

fail [feil] *v* svigte; slå fejl, mislykkes; fejle; dumpe; blive svagere; *his courage ~ed* modet svigtede ham; *~ to* ikke kunne; undlade at; *without ~* helt bestemt; **~ing** *s* svaghed, fejl, skavank // *præp* i mangel af; **~ure** ['feiljə*] *s* fiasko; nederlag; svigten; sammenbrud.

faint [feint] *s* besvimelse // *v* besvime // *adj* svag, mat; *feel ~* være utilpas (el. svimmel); *I have not the ~est (idea)* jeg har ingen anelse.

fair [fɛə*] *s* marked, basar // *adj* retfærdig; ærlig, reel; rimelig; smuk; (om kvalitet etc) god, nogenlunde; (om farve) lys, blond; *the ~ sex* det smukke køn; **~ copy** *s* renskrift; **~~ground** *s* markedsplads; tivoli; **~ly** *adv* temmelig; retfærdigt; **~~minded** *adj* retfærdig; *~ play* *s* ærligt spil; **~way** *s* sejlrende.

fairy ['fɛəri] *s* fe, alf; (S) bøsse; *~ tale* *s* eventyr.

faith [feiθ] *s* tro, tillid, troskab; **~ful** *adj* tro, trofast; nøjagtig; troende; **~fully** *adv: yours ~fully* ærbødigst, med venlig hilsen.

fake [feik] *s* forfalskning; svindel; (om person) svindler, si-

mulant // *v* forfalske; simulere // *adj* uægte, falsk; *his illness is a ~* han spiller syg.

falcon ['fɔ:lkən] *s* falk.

fall [fɔ:l] *s* fald; nedgang // *v* *(fell, fallen* [fel, 'fɔ:lən]) falde; aftage; blive; *her face fell* hun blev lang i ansigtet; *~ back on* falde tilbage på; *~ behind* komme bagefter (el. bagud); *~ down* falde ned; (om hus etc) styrte sammen; *~ down on* svigte; *~ flat* falde på næsen; *~ for* falde for; hoppe på; *~ in* styrte sammen; *(mil)* træde an; *in love* blive forelsket; *~ in with* gå ind på; stemme overens med; *~ off* falde af; gå tilbage; blive mindre; *~ out* blive uvenner; falde ud; *~ over* vælte, falde om; *~ over backwards to do sth* være helt vild efter at gøre ngt; *~ through* falde igennem; mislykkes.

fallen ['fɔ:lən] *pp* af *fall*.

fallout ['fɔ:laut] *s* (radioaktivt) nedfald.

fallow ['fæləu] *adj* gulbrun; brak; *~ deer* *s* rådyr.

falls [fɔ:ls] *spl* vandfald.

false [fɔ:ls] *adj* falsk; urigtig, forkert; forloren; utro; **~hood** *s* usandhed, løgn; *~ teeth* *spl* forlorne tænder, protese.

falsify ['fɔ:lsifai] *v* forfalske.

falter ['fɔ:ltə*] *v* vakle, snuble; (om tale) stamme.

fame [feim] *s* rygte, ry; berømmelse.

familiar [fə'miliə*] *adj* kendt, velkendt; fortrolig; *be ~ with* kende; **~ity** [fəmili'æriti] *s* fortrolighed; **~ize** [fə'miliəraiz] *v: ~ize oneself with* gøre sig fortrolig med.

family ['fæmili] *s* familie; slægt; **~ allowance** *s* børnetilskud; **~ doctor** *s* huslæge; **~ man** *s* familiefar; familiemenneske; **~ name** *s* efternavn; **~ planning** *s* familieplanlægning; **~ way** *s: she is in the ~ way* hun venter familieforøgelse.

famine ['fæmin] *s* hungersnød.

famished ['fæmiʃt] *adj* skrupsulten, 'ved at dø af sult'.

famous ['feiməs] *adj* berømt; **~ly** *adv* glimrende, fortræffeligt.

fan [fæn] *s* vifte; ventilator; (om person) tilhænger, fan // *v* vifte; opflamme; *~ out* spredes (i vifteform); *~ the flame* puste til ilden.

fanatic [fə'nætik] *s* fanatiker // *(også: ~al) adj* fanatisk.

fan belt ['fænˌbelt] *s* ventilatorrem.

fancy ['fænsi] *s* fantasi; indbildning; indfald; lyst // *v* mene, tænke sig; have lyst til; *take a ~ to* få lyst til; kaste sin kærlighed på; *it took* (el. *caught) my ~* det faldt i min smag; *~ that...* forestille sig at...; *~ that, now!* nej, tænk engang! *he fancies her* han sværmer for hende; *he fancies himself* han føler sig rig-

tigt; *~ meeting you here!* tænk at jeg skulle møde dig her! *~ dress* *s* karnevalsdragt; **~-dress ball** *s* karneval, kostumebal.

fang [fæŋ] *s* hugtand, gifttand.

fantastic [fæn'tæstik] *adj* fantastisk; **fantasy** ['fæntəsi] *s* fantasi; grille.

far [fa:*] *adj (farther, farthest* ['fa:ðə*, 'fa:ðist] el. *further, furthest* ['fə:ðə*, 'fə:ðist]) fjern; lang; vid // *adv* fjernt; meget; *as ~ as I know* så vidt jeg ved; *as ~ as possible* så vidt muligt; *~ away* langt væk, langt borte; *~ better* meget bedre; *by ~ the best* langt det bedste; *~ from* langt fra; *so ~ I have not seen him* hidtil har jeg ikke set ham; *so ~ so good* så langt så godt; det var det; **~away** *adj* fjern.

fare [fɛə*] *s* kost, mad; billetpris, takst, kørepenge; (i taxi) passager // *v* klare sig; *'~s, please!'* billettering!'.

Far East ['fa:ri:st] *s: the ~* Det fjerne Østen // *adj* fjernøstlig.

farewell ['fɛə'wel] *s* farvel, afsked.

far... ['fa:-] *sms:* **~-fetched** *adj* usandsynlig, søgt; **~-gone** *adj* langt nede (el. ude).

farm [fa:m] *s* (bonde)gård // *v* drive landbrug, dyrke jorden; **~er** *s* landmand, bonde; **~-hand** *s* landarbejder; **~house** *s* bondegård, stuehus;

131 favourite **f**

~**ing** s landbrug; ~**land** s
landbrugsjord; ~**yard** s
gårdsplads.
far... ['fɑ:*-] sms: ~~**off** adj
fjern; ~~**out** adj fjern; yder-
liggående; fantastisk; ~~**rea-
ching** adj vidtrækkende; ~
sighted adj fremsynet; vidt-
skuende; langsynet.
fart [fɑːt] s (F) fjert, fis // v
fjerte, fise.
farther ['fɑːðə*] (komp af far)
fjernere; længere; **farthest**
['fɑːðist] (sup af far) fjernest,
længst; at the farthest højst.
fascinate ['fæsineit] v fængsle;
betage; **fascinating** adj beta-
gende; spændende; **fascina-
tion** [-'neiʃən] s fortryllelse.
fashion ['fæʃən] s mode; ma-
nér; facon // v danne, forme;
after a ~ på en måde; in ~ på
mode; out of ~ gået af mode;
~**able** adj moderne; mon-
dæn, fashionabel; ~ **show** s
modeopvisning.
fast [fɑːst] s/v faste // adj/adv
hurtig, rask; (om ur) for
stærkt; (om farve) vaskeægte;
fall ~ asleep falde i dyb søvn.
fasten ['fɑːsn] v gøre fast; luk-
ke; hæfte; knappe; hænge
fast; ~ **down** fæstne; ~ **on**
an idea bide sig fast i en idé;
~**er** s lukker; ~**ing** s lukke-
mekanisme, lukning.
fastidious [fæs'tidiəs] adj kræ-
sen; forvænt.
fat [fæt] s fedt(stof) // adj fed,
tyk; a ~ lot of good that is
going to do! (F) det skal fedt

hjælpe! the ~ is in the fire
(F) nu brænder lokummet.
fatal [feitl] adj skæbnesvanger,
fatal; dødelig (fx wound sår);
~**ism** s fatalisme; ~**ity**
[fə'tæliti] s farlighed; dødelig-
hed; dødsulykke.
fate [feit] s skæbne; død, un-
dergang; as sure as ~ så sik-
kert som amen i kirken; ~**ful**
adj skæbnesvanger; vigtig.
father ['fɑːðə*] s fader, far; **F~
Christmas** s julemanden; ~
in-law s svigerfar.
fathom ['fæðəm] s favn (6 feet,
1,8 m) // v (mar) lodde, måle
dybden; (fig) sondere; kom-
me til bunds i.
fatigue [fə'tiːg] s træthed, ud-
mattelse.
fatten ['fætn] v fede; blive fed;
fatty adj fed, fedtet.
fault [fɔːlt] s fejl; (geol) for-
kastning // v fejle; kritisere,
finde fejl; (sport) dømme for
fejl; it's my ~ det er min
skyld; find ~ with bebrejde;
kritisere; be at ~ have skyl-
den; (fig) være på vildspor; to
a ~ til overmål; i urimelig
grad; ~**less** adj fejlfri; ~**y** adj
fuld af fejl, mangelfuld, de-
fekt.
favour ['feivə*] s gunst, velvil-
je; tjeneste // v støtte, billige;
begunstige, favorisere; do sby
a ~ gøre en en tjeneste; in ~
of til fordel for; out of ~ i
unåde; ~**able** adj gunstig;
imødekommende; favorabel;
~**ite** [-rit] s yndling, favorit //

f fawn

adj yndlings-.

fawn [fɔ:n] *s* hjortekalv, råkid // *v* (om hjort) kælve; (om hund) logre; *adj* (også): ~-*coloured)* lysebrun; ~ *(up)on sby* sleske (el. krybe) for en.

fear [fiə*] *s* frygt, angst // *v* frygte, være bange (for); *for* ~ *of* af frygt for; *no* ~*!* det er der ingen fare for; ikke tale om; ~**ful** *adj* frygtsom; frygtelig; ~**less** *adj* uforfærdet; ~**some** *adj* skrækkelig.

feasibility [fi:zə'biliti] *s* gennemførlighed; **feasible** ['fi:zibl] *adj* gennemførlig; mulig; rimelig.

feast [fi:st] *s* fest; banket; *(rel:* også: ~ *day)* højtid // *v* holde gilde; traktere; ~ *on* nyde; fryde sig over.

feat [fi:t] *s* dåd, bedrift.

feather ['feðə*] *s* fjer; *they are birds of a* ~ de er to alen af et stykke; ~-**weight** *s (sport)* fjervægt.

feature ['fi:tʃə*] *s* ansigtstræk; karakteristisk træk; (i avis) kronik, avisrubrik; indslag // *v* kendetegne; byde på; *a film featuring NN* en film med NN i hovedrollen; ~ **film** *s* spillefilm; ~**less** *adj* uinteressant, uden særpræg; ~**s** *spl* (om ansigt) træk.

February ['februəri] *s* februar.

fed [fɛd] *præt* og *pp* af *feed;* ~ *up with* led og ked af, træt af.

federal ['fedərəl] *adj* forbunds-; **federation** [-'reiʃən] *s*

forbund, føderation.

fee [fi:] *s* honorar; afgift, gebyr; skolepenge.

feeble [fi:bl] *adj* svag, mat; hjælpeløs; ~~-**minded** *adj* åndssvag.

feed [fi:d] *s* foder, føde; (F) måltid // *v (fed, fed)* fodre, give mad; ernære; (om baby) amme; (om maskine) tilføre, påfylde; ~ *on* leve af; ~**back** *s* tilbagemelding, feedback.

feel [fi:l] *s* følelse; stemning; præg // *v (felt, felt)* føle, mærke; have på fornemmelsen; synes, tænke; *get the* ~ *of a place* lodde stemningen på et sted; ~ *about* (el. *around)* famle; ~ *bad about* ikke rigtig kunne lide; have dårlig samvittighed over; ~ *better* have det bedre; ~ *hungry* være sulten; ~ *like screaming* have lyst til at skrige; *it* ~*s like silk* det føles som silke; *it* ~*s soft* det er blødt at føle på; ~ *sorry for* have ondt af; ~**er** *s (zo)* følehorn; *put out* ~**ers** *(fig)* stikke en føler ud; ~**ing** *s* følelse, fornemmelse; stemning.

feet [fi:t] *spl* af *foot;* (som mål) fod.

feign [fein] *v* foregive, simulere; finde på.

felicitations [filisi'teiʃəns] *spl* lykønskninger.

fell [fɛl] *v* fælde, hugge om; slå ned; sy kapsøm; *præt* af *fall.*

fellow ['fɛləu] *s* fyr, kammerat; kollega; medlem (af selskab osv); stipendiat; *(univ)* lærer ved kollegium; *their ~ students* deres studenterkammerater; ~ **citizen** s medborger; ~ **countryman** s landsmand; ~ **men** spl medmennesker; ~**ship** s fællesskab, kammeratskab; selskab, sammenslutning; *(univ)* stipendium; ~ **traveller** s medrejsende.

felt [felt] s filt; (filt)hat // *præt* og *pp* af *feel*; ~**tip pen** s filtpen, spritpen.

female ['fi:meil] s kvinde; *(neds)* kvindemenneske; *(zo)* hun(dyr) // *adj* kvindelig; *(zo)* hun-; ~ **impersonator** s drag; transvestit.

feminine ['feminin] *adj* kvindelig, feminin; *(gram)* hunkøns-; **feminist** s kvindesagsforkæmper, feminist.

fen [fen] s engmose.

fence [fens] s hegn, stakit, plankeværk; *(sport)* fægtning // v (også: ~ *in*) indhegne // v fægte; *(fig)* vige udenom; ~**ing** s *(sport)* fægtning; indhegning.

fend [fend] v afværge; ~ *for oneself* klare sig (selv); ~ *off* undgå, afværge.

fender ['fendə'] s kamingitter; stødfanger, kofanger.

ferment s ['fə:ment] gæring // v [fə'ment] gære; ~**ation** s gæring.

fern [fə:n] s bregne.

ferocious [fə'rəuʃəs] *adj* vild; grusom; glubsk; **ferocity**

[fə'rɔsiti] s vildskab; grusomhed.

ferret ['ferit] v: ~ *out* opsnuse; ~ *out the secret* lokke hemmeligheden ud af en.

ferry ['feri] s færge // v færge, overføre; transportere.

fertile ['fə:tail] *adj* frugtbar; frodig (fx *imagination* fantasi); **fertility** [fə'tiliti] s frugtbarhed; **fertilize** ['fə:tilaiz] v gøde; befrugte; **fertilizer** ['fə:tilaizə'] s (kunst)gødning.

fervent ['fə:vənt] *adj* varm, glødende, ivrig.

festival ['festivəl] s *(rel)* højtid; fest, festival; **festive** ['festiv] *adj* festlig, glad; *the festive season* julen; **festivities** [fes'tivitiz] spl festligheder.

fetch [fetʃ] v hente; (ved salg) indbringe; ~**ing** *adj* charmerende; fængslende.

fetters ['fetəz] spl lænker, tvang.

feud [fju:d] s fejde; ~**alism** s feudalisme.

fever ['fi:və'] s feber; ~**ish** *adj* febril, med feber; febrilsk.

few [fju:] *adj* få, ikke mange; *a ~* nogle få; *quite a ~* ret mange; en hel del; *in a ~ days* om et par dage.

fiancé, fiancée [fi'ɑːŋsei] s forlovede.

fib [fib] s (F) løgnehistorie.

fibre ['faibə'] s fiber, trævl; *(fig)* karakter, kaliber; ~~~**board** s træfiberplade; ~~~**glass** s glasfiber.

fickle ['fikl] *adj* svingende, vægelsindet, skiftende.

fiction ['fikʃən] s skønlittera-
tur, prosa; opspind; **fictitious**
[fik'tiʃəs] adj opdigtet; fiktiv,
fingeret.

fiddle [fidl] s violin; (F) fup-
nummer, fusk // v (F) lave
fup med; forfalske; as fit as a
~ (F) frisk som en fisk; ~
with pille ved; **~-proof** adj
pillesikker (fx switch kon-
takt); **~r** s spillemand; (F)
fupmager; **~sticks** spl vrøvl,
sludder.

fidelity [fi'deliti] s troskab;
omhu.

fidget ['fidʒit] v være rastløs,
vimse rundt; pille, fingerere;
~y adj rastløs, febrilsk.

field [fi:ld] s mark; område,
felt; (sport) bane; ~ **day** s
stor dag, skøn dag; ~ **glasses**
spl (felt)kikkert; **~work** s ar-
bejde i marken.

fiend [fi:nd] s djævel, satan;
~ish adj djævelsk.

fierce [fiəs] adj vild; rasende;
voldsom, barsk (fx wind
blæst).

fiery ['faiəri] adj brændende,
hed; heftig; fyrig.

fifteen ['fif'ti:n] num femten;
fifth [fifθ] s femtedel // num
femte; **fiftieth** ['fiftiiθ] num
halvtredsindstyvende; **fifty**
['fifti] num halvtreds.

fig [fig] s figen(træ).

fight [fait] s kamp; slagsmål;
skænderi // v (fought, fought
[fɔ:t]) kæmpe, slås; bekæmpe;
bekæmpe; have a ~ slås;

skændes; put up a ~ kæmpe
bravt; ~ **back** kæmpe imod;
slå tilbage; **~er** s kriger; slags-
broder; bokser; (fly) jager;
~ing s kamp // adj kæmpen-
de; ~ing fit i topform; ~ing
mad lynende gal; **~ing spirit** s
kampgejst.

figurative ['figjurətiv] adj bil-
ledlig, overført; blomstrende.

figure ['figə*] s figur, skikkel-
se; tal // v afbilde; optræde;
figurere; beregne; ~ out reg-
ne ud; finde ud af; that ~s!
det stemmer! **~head** s (mar)
galionsfigur; (fig) stråmand;
~ **of speech** s talemåde; ~
skating s kunstskøjteløb.

filament ['filəmənt] s tråd, fi-
ber; (i pære) glødetråd; (bot)
støvtråd.

file [fail] s fil; brevordner, ar-
kiv, kartotek; akter, sag; (edb)
fil // v file; ordne, arkivere;
indgive ansøgning; in single
~ i gåsegang; ~ in komme
ind en og en; ~ past defilere
forbi; **filing** s arkivering; **fi-
ling cabinet** s arkivskab.

fill [fil] v fylde; optage; stoppe;
~ a tooth plombere en tand;
~ in udfylde; fylde op; ~ it
up, please! (auto) fyld tanken
op; eat one's ~ spise sig mæt;
he had his ~ han fik nok.

fillet ['filit] s filet, mørbrad;
liste (af fx træ) // v filere,
filettere.

filling ['filiŋ] s (om mad) fyld;
fyldning; (om tand) plombe-
re(ring).

film [film] *s* film; hinde // *v* filme; ~ **star** *s* filmstjerne.
filter ['filtə*] *s* filter // *v* filtrere; sive igennem; ~ **lane** *s* frakørselsbane; ~ **tipped** *adj* (om cigaret) med filter.
filth [filθ] *s* snavs, skidt; *(fig)* sjofelheder; ~**y** *adj* snavset, beskidt; sjofel; ~**y rich** (F) stenrig.
fin [fin] *s* (om fisk) finne.
final [fainl] *s* slutkamp, finale // *adj* endelig, afsluttende; afgørende; ~**ize** ['fainəlaiz] *v* afslutte; godkende; ~**ly** *adv* endelig, til sidst; ~**s** *spl* afsluttende eksamen.
finance [fai'næns] *s* finans // *v* finansiere; **financial** [-'nænʃəl] *adj* finans-, penge-; **financier** [-'nænsiə*] *s* finansmand, financier.
find [faind] *v (found, found* [faund]) finde; opdage; skaffe; ~ *sby guilty (jur)* kende en skyldig; ~ *out* opdage, finde ud af; ~**ings** *spl (jur)* kendelse; konstatering.
fine [fain] *s* bøde // *v (jur)* idømme en bøde, give bødeforlæg // *adj* fin, glimrende, smuk; *the ~ arts* de skønne kunster; *you are a ~ fellow!* du er en køn en! ~**ry** *s* pynt, stads.
finger ['fiŋgə*] *s* finger; (ur)viser // *v* fingerere; berøre; ~**nail** *s* fingernegl; ~**print** *s* fingeraftryk; ~**tip** *s* fingerspids.
finish ['finiʃ] *s* afslutning; efter-

behandling, overfladebehandling; *(sport)* opløb // *v* ende, gøre færdig, (af)slutte; færdigbehandle; ~ *sby off* gøre det af med en; ~ *up with* slutte (af) med; ~**ing line** *s* mållinje; ~**ing school** *s* privat skole for unge piger; ~**ing touch** *s* en sidste afpudsning.
Finn [fin] *s* finne; ~**ish** *s/adj* finsk.
fir [fə:*] *s* gran(træ); ~ **cone** *s* grankogle.
fire ['faiə*] *s* ild, (ilde)brand; bål; lidenskab // *v* fyre; affyre (fx *a gun* et gevær); antændes; *(fig)* opflamme; *on* ~ i brand; ~**arm** *s* skydevåben; ~ **brigade** [bri'geid] *s* brandvæsen; ~ **engine** *s* brandbil; ~ **escape** *s* brandtrappe; ~ **extinguisher** *s* ildslukker; ~ **master** *s* brandchef; ~**place** *s* kamin, ildsted, pejs; ~**proof** *adj* brandsikker; ildfast; ~**wood** *s* brænde; ~**works** *spl* fyrværkeri; **firing** *s* skydning; **firing squad** *s* henrettelsespeloton.
firm [fə:m] *s* firma // *adj* fast; bestemt; ~**ness** *s* fasthed; bestemthed.
first [fə:st] *s* førsteplads; (ved eksamen) første karakter; *(auto)* første gear // *adj* først // *adv* før, hellere; for det første; *at* ~ i begyndelsen, først; ~ *of all* allerførst, først og fremmest; ~ **aid** *s* førstehjælp; ~**-aid kit** *s* første-

hjælpskasse; ~ **class** s: travel
~ class rejse på første klasse;
~~**class** adj førsteklasses; ~~
hand adj førstehånds; ~**ly**
adv for det første; ~ **name** s
fornavn; ~ **night** s premie-
re(aften); ~~**rate** adj første-
klasses, førsterangs.
firth [fə:θ] s fjord.
fiscal ['fiskəl] adj skatte-, fis-
kal-; ~ **year** s skatteår.
fish [fiʃ] s (pl: ~ el. ~es) fisk //
v fiske (i); ~ a river fiske i en
flod; go ~ing tage på fiske-
tur; have other ~ to fry (fig)
have andet at lave (el. tage sig
af); he is a queer ~ han er en
sær snegl; ~**erman** s fisker;
~**ery** s fiskeri; ~ **fingers** spl
(gastr) fiskestave; ~**ing boat** s
fiskerbåd; ~**ing line** s fiske-
snøre; ~**ing rod** s fiskestang;
~**ing tackle** s fiskeredskaber;
~**monger** s fiskehandler; ~
slice s paletkniv; ~**y** adj fi-
ske- (fx smell lugt); (fig) mi-
stænkelig, suspekt; there's sth
~y about it der er ngt mug-
gent ved det.
fist [fist] s næve; (om skrift)
klo.
fit [fit] s anfald, tilfælde; pas-
form // v udstyre; indrette;
tilpasse; (om tøj) passe; passe
til; this dress is a good ~
denne kjole passer (el. sidder)
godt; ~ for egnet til; ~ in
passe ind, få plads til; ~ out
(el. up) udstyre, ekvipere; ~
to egnet til at; værdig til at;
~**ful** adj stødvis; urolig;

~**ment** s tilbehør; indbygget
skab; element; ~**ness** s eg-
nethed; duelighed; form,
kondition; ~**ted** adj specielt
fremstillet; ~**ted cupboards**
skabselementer; ~**ter** s mon-
tør; tilskærer; ~**ting** s monte-
ring; (om tøj) prøvning // adj
passende; ~**tings** spl installa-
tioner.
five [faiv] num fem; ~r s (F)
fempundseddel.
fix [fiks] s: be in a ~ være i
knibe; get a ~ (S) få en
sprøjte (narkotika), 'fikse' //
v fæste, gøre fast; reparere;
klare, fikse; fastsætte; ~**ed**
adj fast (fx price pris); ~**ture**
['fikstʃə'] s fast tilbehør (el.
inventar); (sport) sportskamp
(som led i turneringsplan).
fizz [fiz] v bruse, moussere;
syde.
fizzle [fizl] v bruse; ~ out fuse
ud, mislykkes.
flabbergasted ['flæbəgɑːstid]
adj lamslået, paf.
flabby ['flæbi] adj slatten; la-
sket; holdningsløs.
flaccid ['flæksid] adj slatten,
slap.
flag [flæg] s flag; (også: ~**sto-
ne**) flise // v hænge slapt; dø
hen; ~ of convenience be-
kvemmelighedsflag; fly the
~ lade flaget vaje; ~ down
(begynde at) standse.
flagpole ['flægpəul] s flag-
stang.
flagrant ['fleigrənt] adj åben-
bar; skrigende; skamløs.

flake [fleik] *s* flage; (sne)fnug; (sæbe)spån // *v*: ~ *(off)* skalle af.

flamboyant [flæm'bɔiənt] *adj* festlig; farvestrålende; overlæsset, prangende.

flame [fleim] *s* flamme, lue // *v* flamme, blusse; **flaming** *adj* flammende; (F) forbandet, fandens; **flammable** ['flæməbl] *adj* brændbar.

flan [flæn] *s (gastr)* tærte.

flank [flæŋk] *s* flanke, side // *v* flankere.

flannel ['flænl] *s* (om stof) flannel, flonel; (også: *face* ~) vaskeklud; (F) smiger; ~**s** *spl* flannelsbukser.

flap [flæp] *s* klap, lem; snip; hatteskygge // *v* daske, baske; hænge slapt ned; (F, også: *be in a* ~) blive (el. være) forfjamsket; ~**eared** *adj* med flyveører.

flare [flɛə*] *s* flakkende lys; nødblus, signallys; (om skørt) svaj, strutten // *v*: ~ *up* blusse op; *(fig)* fare op; ~**d, flaring** *adj* (om bukser el. skørt) med svaj.

flash [flæʃ] *s* blink; lynglimt; (også: *news* ~) kort nyhedsmeddelelse; *(foto)* blitz // *v* blinke, lyne; lade skinne frem; prale med; *in a* ~ på et øjeblik; ~ *one's headlights* blinke med forlygterne; ~ *by* (el. *past*) stryge (el. drøne) forbi; ~**back** *s (film)* tilbageblik; ~**bulb** *s (foto)* blitzpære; ~**er** *s (auto)* blinklys; ~**y** *adj*

(neds) smagløs, overlæsset, prangende.

flask [flɑ:sk] *s* flaske, lommelærke; (også: *vacuum* ~) termoflaske.

flat [flæt] *s* lejlighed; flade; punktering // *adj* flad, jævn; direkte; (om smag) fad, doven; (om lyd) tonløs; *B-flat minor (mus)* b-moll; *E-flat major (mus)* es-dur; ~**footed** *adj* platfodet; ~**ly** *adv* direkte, rent ud; kategorisk; ~**nose pliers** *spl* fladtang.

flatter ['flætə*] *v* smigre; ~**er** *s* smigrer; ~**ing** *adj* smigrende; flatterende; ~**y** *s* smiger.

flatulence ['flætjuləns] *s* tarmluft, fjert; *(fig)* svulstighed.

flaunt [flɔ:nt] *v* flagre; knejse; skilte med.

flavour ['fleivə*] *s* aroma, smag; *(fig)* duft // *v* give aroma (el. smag); *add* ~ *to* krydre, tilsætte smagsstoffer; *vanilla* ~*ed* med vanillesmag; ~**ing** *s* krydderi; tilsmagning; kunstigt smagsstof.

flaw [flɔ:] *s* (skønheds)fejl; mangel; svaghed; ~**less** *adj* fejlfri.

flax [flæks] *s (bot)* hør; ~**en** *adj* hør-; hørgul, blond.

flay [flei] *v* flå.

flea [fli:] *s* loppe; ~ **market** *s* loppemarked.

fleck [flæk] *s* plet, stænk.

fleece [fli:s] *s* skind, uld // *v* (F) plukke, flå.

fleet [fli:t] *s* flåde, flådestyrke;

(om lastbiler etc) konvoj; vognpark.

fleeting [ˈfliːtiŋ] *adj* flygtig, forbigående.

flesh [fleʃ] *s* kød; ~**y** *adj* kødfuld.

flew [fluː] *præt* af *fly.*

flex [fleks] *v* bøje; ~ *the muscles* spille med musklerne; ~**ibility** [-ˈbiliti] *s* bøjelighed; smidighed; **flexible** [ˈfleksəbl] *adj* bøjelig; smidig, fleksibel.

flick [flik] *s* knips, svirp; *the* ~*s* (F) biffen // *v*: ~ *through* bladre igennem.

flicker [ˈflikə*] *s* flakken; flagren // *v* flimre, flakke.

flick knife [ˈfliknaif] *s* (*pl:-knives* [-naivz]) springkniv.

flier (el. *flyer)* [ˈflaiə*] *s* (om person) flyver.

flight [flait] *s* flugt; flyvning, flyvetur; *take* ~ flygte; *a* ~ *of stairs* en trappe; ~ **deck** *s* startdæk; ~**y** *adj* flyvsk; forfløjen.

flimsy [ˈflimzi] *adj* tynd; spinkel; overfladisk.

flinch [flintʃ] *s* vige tilbage; krympe sig *(from* for).

fling [fliŋ] *v* (*flung, flung* [flʌŋ]) kaste, smide, kyle.

flip [flip] *s* knips; lille tur // *v* daske, tjatte; (F) flippe ud.

flippant [ˈflipənt] *adj* næsvis, flabet.

flirt [fləːt] *s* kokette, flirt // *v* filme, flirte; ~**ation** [-ˈteiʃən] *s* flirt, koketteri.

float [fləut] *s* tømmerflåde; (til fiskeri) flåd; (*tekn)* svømmer

// *v* flyde, drive; oversvømme; (om tømmer) flåde; *(merk,* om kurs) lade flyde; ~**ing** *adj* flydende.

flock [flɔk] *s* flok; hob; (om dyr) hjord // *v* flokkes; strømme.

flog [flɔg] *v* piske, banke, slå.

flood [flʌd] *s* højvande; oversvømmelse; strøm // *v* oversvømme; ~*ed with light* badet i lys; *the F~* Syndfloden; ~**light** *s* projektør // *v* projektørbelyse.

floor [flɔː*] *s* gulv; etage; bund // *v* lægge gulv i; jorde, sætte til vægs; *ground* ~ stueetage; ~**board** *s* gulvbræt; ~ **polish** *s* bonevoks; ~ **show** *s* varietéshow.

flop [flɔp] *s* fiasko; klask // *v* baske; klaske; plumpe ned; have fiasko.

floppy [ˈflɔpi] *adj* slatten, løsthængende; ~ **disk** *s* (*edb)* diskette.

floral [ˈflɔːrl] *adj* blomster-; **florid** [ˈflɔːrid] *adj* blomstrende; rødmosset; **florist** [ˈflɔːrist] *s* blomsterhandler.

flotsam [ˈflɔtsəm] *s* vraggods.

flour [ˈflauə*] *s* mel.

flourish [ˈflʌriʃ] *s* sving; forsiring, krusedulle; *(mus)* fanfare, touche // *v* blomstre, trives; svinge med; prale med.

flow [fləu] *s* strøm; (*mods* ebbe) flod // *v* strømme, flyde; (om vand) stige; (om hår) hænge løst.

flower [ˈflauə*] *s* blomst;

blomstring // *v* blomstre; ~
bed *s* blomsterbed; ~**pot** *s*
urtepotte; ~**y** *adj* blomstren-
de; med blomster.
flown *pp* af *fly.*
flu [flu:] *s* (F) influenza.
fluctuate ['flʌktjueit] *v* svinge,
variere; **fluctuation** [-'eiʃən] *s*
vaklen, svingning; *(merk)*
kurssvingning.
fluency ['flu:ənsi] *s* lethed, tale-
færdighed.
fluent [flu:ənt] *adj* flydende.
fluff [flʌf] *s* dun, fnug; ~**y** *adj*
dunet, blød; ~**y toy** *s* blødt
legedyr.
fluid ['flu:id] *s* væske // *adj*
flydende; ~ **ounce** *s* sv.t.
0,028 liter.
flung [flʌŋ] *præt* og *pp* af *fling.*
flunk [flʌŋk] *v* dumpe (fx *an
exam* til eksamen); lade dum-
pe.
fluorescent [fluə'resnt] *adj*
fluorescerende; ~ **light** *s* lys-
stofrør.
fluoride ['fluəraid], **fluorine**
['fluərin] *s* fluor.
flurry ['flʌri] *s* hastværk; uro;
vindstød; snebyge; *a ~ of
activity* en hektisk aktivitet.
flush [flʌʃ] *s* rødmen; opbrusen
// *v* rødme; skylle ud // *adj*
fuld, svulmende; velbeslået;
~ *the toilet* skylle ud, trække
i snoren; ~**ed** *adj* rød i hove-
det.
fluster ['flʌstə*] *s* forfjamskel-
se; ~**ed** *adj* forfjamsket;
forskræmt.
flute [flu:t] *s* fuge; *(mus)* fløjte;

~**ed** ['flu:tid] *adj* riflet.
flutter ['flʌtə*] *s* flagren, ba-
sken // *v* baske med, blafre;
(om person) være nervøs,
være ophidset.
flux [flʌks] *s* strøm; flyden;
(med) udflåd.
fly [flai] *s* flue; (i bukser) gylp
// *v (flew, flown* [flu:, fləun])
flyve; fare; lade vaje (fx *the
flag* flaget); flygte; ~ *at* fare
løs på; ~ *open* (om dør etc)
springe op; ~**er** (også: *flier)* *s*
(om person) flyver; ~**ing** *s*
flyvning // *adj* flyvende, hur-
tig; *a ~ing visit* en lynvisit;
with ~ing colours med glans;
~**ing fish** *s* flyvefisk; ~**ing
saucer** *s* flyvende tallerken;
~**ing start** *s* flyvende start;
~**over** *s* overføring (over
vej); ~**past** *s* forbiflyvning i
formation; ~**sheet** *s* (på telt)
oversejl; ~**wheel** *s* svinghjul.
foal [fəul] *s* føl // *v* fole.
foam [fəum] *s* skum, fråde;
(også: *plastic ~, ~ rubber)*
skumgummi // *v* skumme.
f.o.b. [fɔb] (fork.f. *free on
board) (merk)* frit ombord.
focal [fəukl] *adj* fokal; *the ~
point* brændpunktet.
focus ['fəukəs] *s (pl: ~es)*
brændpunkt, fokus // *v (foto
etc)* indstille, fokusere; (om
lys) samle, koncentrere; **in** ~
skarp; *out of* ~ uskarp.
fodder ['fɔdə*] *s* foder // *v*
fodre.
foe [fəu] *s* (H) fjende.
foetus ['fi:təs] *s* foster.

fog [fɔg] s tåge; **~gy** adj tåget, dugget; sløret; *I haven't the ~giest* jeg har ikke den fjerneste anelse.

foil [fɔil] s (metal)folie; (også: *kitchen ~*) aluminiumsfolie, sølvpapir // v forpurre; narre.

fold [fəuld] s fold, ombøjning; fårefold // v folde, lægge sammen; ~ *up* folde, lægge sammen; bryde sammen; måtte lukke; **~er** s folder, brochure, charteque; **~ing** adj sammenklappelig; **~ing bed** klapseng; **~ing chair** klapstol.

foliage [ˈfəuliidʒ] s blade, løv.

folk [fəuk] spl folk, mennesker // adj folke-; **~lore** s folkeminder, folklore; **~s** spl familie.

follow [ˈfɔləu] v følge (efter); efterfølge; følge med; være en følge (af); *it ~s that...* heraf følger at...; ~ *suit* følge trop, gøre ligeså; ~ *up* følge op; forfølge; *with drinks to ~* med drinks ovenpå; **~er** s ledsager; tilhænger; **~ing** s følge, tilhængere // adj følgende // præp efter.

folly [ˈfɔli] s dumhed, dårskab.

fond [fɔnd] adj kærlig, øm; *be ~ of* holde af, kunne lide, elske.

fondle [fɔndl] v kæle for.

fondness [ˈfɔndnis] s kærlighed, ømhed; *a special ~ for* en særlig svaghed for.

food [fu:d] s mad, føde; ~ **mixer** s køkkenmaskine; ~

poisoning s madforgiftning; ~ **processor** s køkkenmaskine; **~stuffs** spl fødevarer.

fool [fu:l] s fjols, nar; *(gastr)* fløteskum med frugtpuré (fx *strawberry ~* jordbærskum) // v narre; fjolle, pjatte; ~ *around* fjolle rundt; *make a ~ of oneself* gøre sig til grin; **~hardy** adj dumdristig; **~ish** adj dum; latterlig; **~proof** adj idiotsikker.

foot [fu:t] s *(pl: feet* [fi:t]) fod; sokkel; engelsk fod *(12 inches,* 30,48 cm) // v (om regning) betale; *on ~* til fods; ~ **and mouth (disease)** s mundog klovsyge; **~ball** s fodbold; **~baller** s fodboldspiller; **~brake** s fodbremse; **~bridge** s gangbro; **~hold** s fodfæste; **~ing** s fodfæste; fundament; *lose one's ~ing* miste fodfæstet; *on an equal ~ing* på lige fod; **~lights** spl rampelys; **~note** s fodnote; **~path** s gangsti, fortov; **~print** s fodspor; **~prints** spl *(tekn)* rørtang; **~rest** s fodstøtte; **~step** s fodspor; **~wear** s skotøj, fodtøj.

for [fɔ:ˈ] præp for, til; (om tidsrum) i // konj for, thi; ~ *all I know* så vidt jeg ved; *I haven't seen him ~ weeks* jeg har ikke set ham i flere uger; *he went down ~ the paper* han gik ned efter avisen; ~ *sale* til salg.

forbad(e) [fəˈbæd] præt af *forbid.*

forgotten **f**

forbearing [fɔ:'bɛəriŋ] *adj* tålmodig; overbærende.

forbid [fə'bid] *v (forbad(e), forbidden* [fə'bæd, fə'bidn])
forbyde; hindre; **~den** *adj* forbudt; **~ding** *adj* afskrækkende, uhyggelig.

force [fɔ:s] *s* kraft, styrke; *the F~s* militæret // *v* tvinge; presse; forcere; *in ~* i stort tal, mandstærkt; *come into ~* træde i kraft; **~d** *adj* tvunget; unaturlig; **~ful** *adj* kraftig, stærk; **~meat** *s* kødfars.

forceps [fɔ:sɛps] *spl* tang.

forcibly [fɔ:'səbli] *adv* med magt.

fore. . . [fɔ:'-] sms: **~arm** *s* underarm; **~boding** [-'bəudiŋ] *s* forudanelse; **~bodings** *pl* bange anelser; **~cast** *s* forudsigelse, prognose; (også: *weather ~*) vejrudsigt // *v* [-'kɑ:st] forudsige, forudse; **~fathers** *spl* forfædre; **~finger** *s* pegefinger; **~go** [-'gəu] *v* se *forgo*; **~ground** *s* forgrund; **~head** ['fɔrid] *s* pande.

foreign ['fɔrin] *adj* fremmed, udenlandsk; udenrigs- (fx *trade* handel); **~ body** *s* fremmedlegeme; **~er** *s* udlænding; **~ exchange rate** *s* valutakurser; **~ minister** *s* udenrigsminister; *the F~ Office s (brit)* udenrigsministeriet.

foreleg ['fɔ:lɛg] *s* forben.

foremost ['fɔ:məust] *adj* forrest, først; mest fremragende.

forensic [fə'rɛnsik] *adj:* ~ *medicine* retsmedicin.

foresee [fɔ:'si:] *v* forudse; **~able** *adj* til at forudse; **foresight** *s* forudseenhed, fremsynethed.

forest ['fɔrist] *s* skov.

forestall [fɔ:'stɔ:l] *v* komme i forkøbet.

forestry ['fɔristri] *s* skovbrug, forstvæsen.

foretaste ['fɔ:teist] *s* forsmag.

foretell [fɔ:'tɛl] *v* forudsige.

forethought ['fɔ:θɔ:t] *s* omtanke.

forever [fə'rɛvə*] *adv* for altid, for bestandig.

forewarn [fɔ:'wɔ:n] *v* advare i forvejen.

forfeit ['fɔ:fit] *s* bøde; pant; ngt man har mistet retten til // *v* fortabe, sætte over styr.

forgave [fə'geiv] *præt* af *forgive*.

forge [fɔ:dʒ] *s* smedje // *v* smede; forfalske; ~ *documents* lave dokumentfalsk; ~ *money* lave falskmønteri; **~r** *s* forfalsker; **~ry** *s* falskneri; forfalskning.

forget [fə'gɛt] *v* glemme; have glemt; **~ful** *adj* glemsom; **~ful of** uden at tænke på; **~-me-not** *s* forglemmigej.

forgive [fə'giv] *v* tilgive; eftergive; **~ness** *s* tilgivelse, forladelse; barmhjertighed.

forgo [fɔ:'gəu] *v* undvære; forsage, give afkald på.

forgot [fə'gɔt] *præt* af *forget;* **~ten** [fə'gɔtn] *pp* af *forget.*

fork [fɔːk] *s* gaffel; høtyv, greb;
skillevej // *v* dele sig; **~ed** *adj*
gaffelformet; kløftet; **~ed**
lightning siksaklyn; **~-lift
truck** *s* gaffeltruck.

forlorn [fəˈlɔːn] *adj* forladt; yn-
kelig.

form [fɔːm] *s* form; skikkelse;
formular; (skole)klasse // *v*
forme, danne; udgøre; *a mat-
ter of* ~ en formssag; *that is
bad* ~ det gør man ikke.

formal [ˈfɔːməl] *adj* formel;
(om person) stiv, højtidelig,
afmålt.

formation [fɔːˈmeiʃən] *s* dan-
nelse, tilblivelse; formation.

former [ˈfɔːməˈ] *adj* tidligere,
forhenværende; *the* ~ først-
nævnte; *in* ~ *times* i gamle
dage.

formidable [ˈfɔːmidəbl] *adj*
frygtindgydende, drabelig,
formidabel.

formula [ˈfɔːmjulə] *s* formel;
formular.

fornication [fɔːniˈkeiʃən] *s* hor,
utugt.

forsake [fəˈseik] *v* (*forsook,
forsaken* [fəˈsuk, fəˈseikn])
svigte; forlade (fx *one's child-
ren* sine børn); opgive (fx *an
idea* en idé).

forth [fɔːθ] *adv* frem(ad), vide-
re; *back and* ~ frem og tilba-
ge; *and so* ~ og så videre;
from this day ~ fra i dag af;
fra denne dag af; **~coming**
adj forestående, kommende;
imødekommende; **~right** *adj*
ligefrem, oprigtig; **~with** *adv*

straks, sporenstregs.

fortieth [ˈfɔːtiiθ] *num* fyrrety-
vende.

fortification [fɔːtifiˈkeiʃən] *s* be-
fæstning; forstærkning; **forti-
fy** [ˈfɔːtifai] *v* befæste, styrke.

fortitude [ˈfɔːtitjuːd] *s* mod, fat-
ning.

fortnight [ˈfɔːtnait] *s* fjorten
dage; *once a* ~ en gang hver
fjortende dag (el. hveranden
uge); *this day* ~ i dag fjorten
dage.

fortress [ˈfɔːtris] *s* fæstning.

fortunate [ˈfɔːtʃənit] *adj* hel-
dig; **fortune** [ˈfɔːtʃən] *s* for-
mue; lykke; skæbne; held;
bad fortune uheld; *make a
fortune* tjene en formue; *tell
fortunes* spå; **fortune-teller** *s*
spåmand, spåkone.

forty [ˈfɔːti] *num* fyrre; *have* ~
winks tage sig en lur.

forward [ˈfɔːwəd] *v* fremme;
fremsende, (for)sende; ekspe-
dere // *adj* forrest; smårfræk,
ubeskeden; fremmelig // *adv*
fremad, videre; forover;
fremme; *'please* ~ ''bedes ef-
tersendt'; **~ing address** *s* a-
dresse til videresendelse; **~s**
s (sport) angrebskæde // *adv*
fremad.

forwent [fɔːˈwent] *præt* af *for-
go.*

foster [ˈfɔstəˈ] *v* fremme, støt-
te; opfostre, pleje; ~ **child** *s*
plejebarn; ~ **mother** *s* pleje-
mor; *(agr)* rugemaskine.

fought [fɔːt] *præt* og *pp* af
fight.

143 freak f

foul [faul] *s* (i fodbold) uregle-
menteret spil // *v* svine til,
forpeste; (om fodboldspiller)
lave straffespark (imod) //
adj modbydelig, uhumsk;
fordærvet; *fall* ~ *of sby* rage
uklar med en; ~ *play s* uær-
ligt spil; luskeri.
found [faund] *v* grundlægge,
oprette; bygge; *(tekn)* støbe;
præt og *pp* af *find;* ~**ation**
[-'deiʃən] *s* grundlæggelse;
stiftelse; fond; (også: ~*ation
cream)* pudderunderlag;
~**ations** *spl* grundvold; **foun-
der** ['faundə*] *s* grundlægger,
stifter; *(tekn)* støber // *v* (om
skib) gå under; *(fig)* mislyk-
kes.
foundling ['faundliŋ] *s* hitte-
barn.
foundry ['faundri] *s* støberi;
støbegods.
fountain ['fauntin] *s* spring-
vand; ~ **pen** *s* fyldepen.
four [fɔ:*] *num* fire; *on all* ~*s*
på alle fire; ~-**letter word** *s*
uartigt ord (fx *arse, fuck);*
~**some** *s* spil mellem to par;
selskab (el. dans) for fire;
~**teen** *num* fjorten; ~**teenth**
num fjortende // *s* fjortende-
del; ~**th** *num* fjerde // *s* fjer-
dedel; *(mus)* kvart.
fowl [faul] *s* (stykke) fjerkræ.
fox [fɔks] *s* ræv; *(fig)* snu per-
son; ~**hunt(ing)** *s* rævejagt;
~**y** *adj* snu; lusket.
fraction ['frækʃən] *s* brøk(del);
smule.
fracture ['fræktʃə*] *s* brud,

fraktur // *v* brække (fx *one's
leg* benet).
fragile ['frædʒail] *adj* skrøbe-
lig; spinkel.
fragment ['frægmənt] *s* brud-
stykke, fragment; ~**ary** *adj*
brudstykkeagtig.
fragrance ['freigrəns] *s* duft,
vellugt; **fragrant** *adj* vellug-
tende.
frail [freil] *adj* skrøbelig; svag,
svagelig.
frame [freim] *s* bygning; stativ,
stillads; ramme; stel; (om
person) skikkelse, form // *v*
indramme; udforme, danne;
lave falske beviser mod; ~ *of
mind* sindsstemning; ~**work**
s skelet; struktur; system.
franchise ['fræntʃaiz] *s* rettig-
hed, privilegium; valgret.
frank [fræŋk] *adj* åben, oprig-
tig // *v* frankere; ~**ly** *adv*
ærlig talt; rent ud sagt.
frantic ['fræntik] *adj* hektisk;
vild; ude af sig selv.
fraternal [frə'tə:nl] *adj* broder-
lig; **fraternity** *s* broderlighed;
broderskab; **fraternize**
['frætənaiz] *v* fraternisere,
omgås.
fraud [frɔ:d] *s* bedrageri; (om
person) bedrager; *he is a* ~
han er en svindler; ~**ulent**
['frɔ:djulənt] *adj* bedragerisk,
svigagtig.
fraught [frɔ:t] *adj:* ~ *with*
fyldt af, ladet med.
fray [frei] *v* slide i laser; trævle,
flosse.
freak [fri:k] *s* kuriositet; grille;

original; *(biol* etc) mutant //
v: ~ *out* (F) flippe ud.
freckle [frekl] *s* fregne.
free [fri:] *v* befri, frigøre // *adj*
fri; tvangfri, ligefrem; gratis;
rigelig; ledig; *you are* ~ *to do*
so det står dig frit for at gøre
det; ~**dom** *s* frihed; ~**-han-**
ded *adj* rundhåndet, large;
~**hold** *s* selveje; ~ **kick** *s*
(sport) frispark; ~**ly** *adv* frit,
utvunget; rigeligt; ~**mason** *s*
frimurer; ~ **skating** *s* friløb
(på skøjter); ~**-spoken** *adj*
åbenhjertig; ~ **trade** *s* fri-
handel; ~**wheel** *v* køre på
frihjul.
freeze [fri:z] *v (froze, frozen*
[frəuz, frəuzn]) fryse; være
(el. blive) iskold; stivne; ned-
fryse; fastfryse (fx *the prices*
priserne); ~**-dry** *v* frysetørre;
~*r s* dybfryser; **freezing** *adj;*
freezing cold iskold; **freezing**
point *s* frysepunkt.
freight [freit] *s* fragt; gods, last;
fragtpenge; ~**er** *s (mar)* fragt-
skib.
French [frentʃ] *s* (om sproget)
fransk; *the* ~ franskmænde-
ne // *adj* fransk; ~ **horn** *s*
(mus) valdhorn; ~ **window** *s*
fransk dør, glasdør ud til det
fri.
frenzy ['frenzi] *s* vanvid, rase-
ri(anfald); raptus.
frequency ['fri:kwənsi] *s* hyp-
pighed; frekvens; **frequent** *v*
[fri'kwent] besøge hyppigt,
omgås, frekventere // *adj*
['fri:kwənt] hyppig; ~**ly**

['fri:kwəntli] *adv* ofte, tit.
fresh [freʃ] *adj* frisk; ny; fræk;
'~ *paint*''nymalet'; ~**en** *v*
friske op; ~*en up* friske sig
op; ~**water** *adj* ferskvands-.
fret [fret] *v* være bekymret,
ærgre sig; beklage sig; ~**ful**
adj irritabel; (om barn) klyn-
kende; ~**saw** *s* løvsav.
friction ['frikʃən] *s* gnidning,
friktion.
Friday ['fraidi] *s* fredag; *man* ~
Fredag (i Robinson Crusoe);
(fig) tjener; *Good F~* langfre-
dag.
fridge [fridʒ] *s* (F) køleskab.
fried [fraid] *præt* og *pp* af *fry* //
adj stegt; ~ *egg* spejlæg.
friend [frend] *s* ven, veninde;
bekendt; *make* ~s *with* blive
(gode) venner med; *a* ~ *of*
mine en ven af mig; ~**liness** *s*
venlighed; ~**ly** *adj* venlig;
~**ship** *s* venskab.
frigate ['frigit] *s (mar)* fregat.
fright [frait] *s* skræk; forskræk-
kelse; *(fig)* rædsel; *she looks a*
~ hun ligner et fugleskræm-
sel; ~**en** *v* forskrække,
skræmme; ~**ened** *adj: be*
~*ened of* være bange for;
~**ening** *adj* skræmmende, af-
skrækkende; ~**ful** *adj* skræk-
kelig.
frill [fril] *s* flæse; kalvekrøs; ~**s**
spl falbelader.
fringe [frindʒ] *s* frynse; krans,
rand; udkant; ~ **benefits** *s*
frynsegoder; ~ **theatre** *s* sv.t.
alternativteater.
frisk [frisk] *v* kropsvisitere;

boltre sig; ~y *adj* sprælsk, kåd.

fritter ['fritə'] *s (gastr)* æblefisk' // *v:* ~ *away* klatte væk.

frivolous ['frivələs] *adj* overfladisk; fjantet.

fro [frəu] *adv: to and* ~ frem og tilbage.

frock [frɔk] *s* kjole; kittel, busseronne.

frog [frɔg] *s (zo)* frø.

from [frɔm] *præp* fra; på grund af; ~ *childhood* fra barndommen af; ~ *what he says* efter hvad han siger; *safe* ~ sikker mod.

front [frʌnt] *s* forside; forende; front; *(fig)* ydre, mine // *adj* forrest, for-; *in* ~ *(of)* foran; *in* ~ *of the class* i klassens påhør; ~**age** ['frʌntidʒ] *s* facade; ~ **door** *s* gadedør, hoveddør; *(auto)* fordør; ~**ier** ['frʌntiə'] *s* grænse (mellem stater); ~ **page** *s* (om avis etc) forside; ~ **room** *s* værelse til gaden; ~-**wheel drive** *s (auto)* forhjulstræk.

frost [frɔst] *s* frost, rimfrost; kulde; ~**bite** *s* forfrysning; ~**ed** *adj* (om glas) matteret; ~**ing** *s* (om glas) mattering; *(am,* om kage) glasur; ~**y** *adj* frossen; kølig.

froth [frɔθ] *s* skum, fråde; *(fig)* gas.

frown [fraun] *s* rynket pande; truende blik // *v* rynke panden; se truende ud.

froze [frəuz] *præt* af *freeze;* ~**n** *pp* af *freeze* // *adj* ned

frosset; indefrossen.

frugal ['fru:gəl] *adj* sparsommelig; beskeden, tarvelig.

fruit [fru:t] *s (pl:* ~) frugt; *(fig)* resultat, udbytte; ~**ful** *adj* frugtbar; udbytterig; ~ **salad** *s* frugtsalat; ~ **sundae** *s* is med frugt og flødeskum.

frustrate [frʌ'streit] *v* tilintetgøre, forpurre; modarbejde; skuffe; ~**d** *adj* utilfreds, frustreret; **frustration** [-'treiʃən] *s* skuffelse, frustration.

fry [frai] *v (fried, fried* [fraid]) stege; blive stegt; *small* ~ småfisk; småtterier; ~**ing pan** *s* stegepande.

ft. fork.f. *foot, feet.*

fuck [fʌk] *v* (V!) bolle, kneppe; ~ *it!* satans også! ~ *off!* skrub af! ~ *you!* gå ad H til! ~**ing** *adj* (V!) satans, forpulet.

fuel ['fju:əl] *s* brændsel, brændstof; ~ **oil** *s* fyringsolie, brændselsolie; ~ **tank** *s* brændstoftank.

fugitive ['fju:dʒitiv] *s* flygtning // *adj* flygtet; *(fig)* flygtig.

fulfil [ful'fil] *v* opfylde; udføre; fuldføre; ~**ment** *s* opfyldelse, fuldførelse.

full [ful] *adj* fuld, opfyldt; mæt; fuldstændig; fyldig // *adv* helt, fuldt; *I'm* ~ jeg er mæt; *in* ~ fuldt ud; *a* ~ *skirt* en vid nederdel; *at* ~ *speed* for fuld fart; *a* ~ *two hours* hele to timer; *be* ~ *of oneself* være stærkt selvoptaget; ~-**length** *adj* i hel figur; uforkortet; ~ **moon** *s* fuldmåne;

~-**sized** *adj* i legemsstørrelse;
~ **stop** *s (gram)* punktum; ~
time *s (sport)* tid (dvs. slut for
kampen); ~-**time** *adj* heltids-,
heldags-; ~y *adv* helt, fuld-
stændigt; ~y-**fledged**
[-flɛdʒd] *adj* flyvefærdig
(også *fig*).

fumble [fʌmbl] *v* famle, fumle
(med); forkludre; ~ *with* pil-
le ved.

fume [fju:m] *v* dampe, ryge;
(fig) rase, fnyse; ~s *spl* dam-
pe; giftige gasser.

fun [fʌn] *s* sjov, løjer; *have* ~
more sig; it's not much ~ *der
er ikke meget grin ved det;
make* ~ *of* gøre grin med.

function ['fʌŋkʃən] *s* funktion;
hverv; fest, højtidelighed // *v*
fungere, virke; ~al *adj* funk-
tions-.

fund [fʌnd] *s* fond, kapital;
forråd // *v* anbringe penge i;
~ *sby's schooling* betale for
ens skolegang; ~s *spl* obliga-
tioner, fonds; midler.

fundamental [fʌndə'mentl] *adj*
grundlæggende, fundamen-
tal; ~ly *adv* principielt; i
bund og grund; ~s *spl* grund-
begreber.

funeral ['fju:nərəl] *s* begravel-
se; ~ **director** *s* bedemand;
~ **service** *s* begravel-
se(sgudstjeneste).

fun fair ['fʌnfeə*] *s* forlystelses-
park, tivoli.

funnel [fʌnl] *s* tragt; (på skib el.
lokomotiv) skorsten.

funny ['fʌni] *adj* morsom, sjov;

mærkelig, underlig; *feel* ~
være utilpas; have an under-
lig fornemmelse.

fur [fə:*] *s* pels(værk); skind;
kedelsten.

furious ['fjuəriəs] *adj* rasende;
voldsom.

furnace ['fə:nis] *s* (smelte)ovn;
fyr, ildsted.

furnish ['fə:niʃ] *v* yde, levere,
skaffe; møblere, udstyre;
~ings *spl* møbler, boligud-
styr.

furniture ['fə:nitʃə*] *s* møbler;
udstyr; inventar; *a piece of* ~
et møbel; ~ **van** *s* flyttebil.

furrier ['fʌriə*] *s* buntmager.

furrow ['fʌrəu] *s* plovfure; fure.

furry ['fʌri] *adj* pelsagtig, pels-
klædt; lådden.

further ['fə:ðə*] *v* fremme, be-
fordre // *adj/adv (komp af
far)* fjernere; yderligere,
mere; videre; *until* ~ *notice*
indtil videre; ~**more** *adv* des-
uden, endvidere; **furthest**
['fə:ðist] *adj (sup af far)* fjer-
nest, længst (væk).

furtive ['fə:tiv] *adj* stjålen,
hemmelighedsfuld; listig.

fury ['fjuəri] *s* raseri; *(myt)* fu-
rie.

fuse [fju:z] *s* lunte; detonator;
(el)sikring // *v* smelte; sam-
mensmelte, sammenslutte;
blow the ~s få sikringerne til
at springe; *the bulb has* ~d
pæren er sprunget; ~ **box** *s
(elek)* sikringskasse.

fuselage ['fju:zəlidʒ] *s (fly)*
krop, skrog.

fusion ['fjuːʒən] s sammen-smeltning, fusion.

fuss [fʌs] s ståhej, vrøvl; forvirring; make a ~ lave ballade, gøre vrøvl; **~y** adj nervøs; kræsen; geskæftig; pertentlig; vanskelig.

futile ['fjuːtail] adj unyttig, resultatløs, forgæves, omsonst; indholdsløs; **futility** [-'tiliti] s ørkesløshed; tomhed.

future ['fjuːtʃə*] s fremtid; (gram) futurum // adj fremtidig, kommende.

fuzz [fʌz] s dun, fnug; the ~ (S) strisserne; **~y** adj dunet; (om hår) kruset; (foto etc) uskarp, sløret.

G

G, g [dʒiː].

g. fork.f. gramme(s), gram(s).

gabble ['gæbl] v plapre, sludre.

gable [geibl] s gavl.

gadget ['gædʒit] s (F) tingest, dippedut; indretning, påfund.

Gaelic ['geilik] s/adj gælisk.

gaff [gæf] s: blow the ~ plapre ud med det hele.

gaffe [gæf] s bommert, brøler.

gag [gæg] s knebel, mundkurv; (fig) fup(nummer), spøg // v kneble; stoppe munden på.

gaiety ['geiiti] s lystighed, munterhed; **gaily** ['geili] adv livligt, muntert (se gay).

gain [gein] s gevinst, profit; fremgang, forøgelse // v vinde; tjene; tage på i vægt; (om

ur) vinde, gå for hurtigt; ~ a living tjene til livets ophold; ~ strength komme til kræfter; **~ful** adj indbringende.

gal. fork.f. gallon.

galaxy ['gæləksi] s mælkevej, galakse.

gale [geil] s storm, stærk blæst; ~ warning s stormvarsel.

gall [gɔːl] s bitterhed, galde.

gallant ['gælənt] adj tapper, ædel, ridderlig; galant; **~ry** s tapperhed, ridderlighed.

gall-bladder ['gɔːlˌblædə*] s galdeblære.

gallery ['gæləri] s galleri; (også: art ~) kunstmuseum, kunstgalleri; (på hus) svalegang.

galley ['gæli] s (mar) galej; kabys; ~ **proof** s (typ) spaltekorrektur.

gallon ['gæln] s rummål (brit: 4,543 liter, am: ca. 3,8 liter).

gallop ['gæləp] s galop // v galopere.

gallows ['gæləuz] s galge.

gall-stone ['gɔːlˌstəun] s galdesten.

gamble [gæmbl] s hasardspil; lotteri // v spille (hasard); ~ on (fig) løbe an på; **~r** s (hasard)spiller; **gambling** s hasardspil; (merk) spekulation.

game [geim] s leg, spil; kamp; (ved jagt) vildt // adj modig; kampklar, parat; be ~ for sth være parat, være modig; be ~ to være ved ngt; be easy ~ være et let offer; big ~ stor-vildt; **~keeper** s skytte, jagt-

betjent; ~ **licence** s jagttegn.
gammon ['gæmən] s *(gastr)*
(røget) skinke.
gang [gæŋ] s bande; hob; hold
// v: ~ **up with** sby rotte sig
sammen med en; ~ **up on**
sby mobbe en.
gangrene ['gæŋgri:n] s *(med)*
koldbrand.
gangway ['gæŋwei] s land-
gang(sbro); midtergang;
gangbro.
gaol [dʒeil] s d.s.s. *jail.*
gap [gæp] s åbning; kløft; af-
brydelse; *(fig)* tomrum, hul.
gape [geip] v måbe, glo; **ga-
ping** adj måbende, gabende.
garage ['gæra:ʒ, 'gæridʒ] s ga-
rage; benzinstation; bilværk-
sted.
garbage ['ga:bidʒ] s (køk-
ken)affald, skrald.
garden [ga:dn] s have // v lave
havearbejde; **~er** s gartner,
havemand; **~ing** s havearbej-
de; havedyrkning.
gargle [ga:gl] s mundskylle-
middel // v gurgle.
garland ['ga:lənd] s (blom-
ster)krans; hæderskrans.
garlic [ga:lik] s hvidløg.
garment ['ga:mənt] s klæd-
ningsstykke.
garnish ['ga:niʃ] s garnering,
pynt // v garnere, pynte.
garret ['gærit] s kvist(værelse).
garrison ['gærisn] s garnison.
garrulous ['gærjuləs] adj snak-
kesalig.
garter ['ga:tə*] s strømpebånd;
the Order of the G~ hose-

båndsordenen; ~ **belt** s
strømpeholder.
gas [gæs] s gas, luftart // (F)
sludre, vrøvle; ~ **cooker** s
gaskomfur; ~ **cylinder** s gas-
flaske; ~ **fire** s gasradiator;
gaskamin.
gash [gæʃ] s flænge, gabende
sår // v flænge, skramme.
gasket ['gæskit] s (i bilmotor)
pakning.
gasman ['gæsmən] s måleraf-
læser; **gas meter** s gasmåler.
gasp [ga:sp] v stønne, gispe; ~
for breath hive efter vejret.
gas ring ['gæsriŋ] s gasappa-
rat; **gas stove** s gaskamin,
gaskomfur.
gastric ['gæstrik] adj mave-;
~ **ulcer** s mavesår.
gasworks ['gæswə:ks] s gas-
værk.
gate [geit] s port, låge; ind-
gang; (jernbane)bom;
~crash v komme uindbudt
til et selskab; **~way** s port(åb-
ning); *(fig)* indfaldsport; vej.
gather ['gæðə*] v samle(s);
(om blomster) plukke; samle
sammen; (om håndarbejde)
rynke; *(fig)* forstå; ~ *speed* få
farten op; **~ing** s samling;
forsamling; sammenkomst.
gauge [geidʒ] s mål, målein-
strument; *(tekn)* lære; *(jernb)*
sporvidde // v måle; justere.
gaunt [gɔ:nt] adj mager, ud-
hungret; øde, barsk.
gauze [gɔ:z] s gaze.
gave [geiv] præt af *give.*
gay [gei] s (F) bøsse // adj

lystig, munter.
gaze [geiz] *s* blik, stirren // *v:* ~ *at* stirre på, se stift på.
G.B. ['dʒiː'biː] fork.f. *Great Britain.*
G.C.E. ['dʒiːsiːˈiː] (fork.f. *General Certificate of Education*) *sv.t.* studentereksamen.
Gdns. fork.f. *gardens.*
gear [giə*] *s* udstyr; grej; apparat; gear; *in* ~ i gear; *(fig)* i gang; *out of* ~ ude af gear; *(fig)* i uorden; *top* ~ fjerde gear; *low* ~ andet gear; *bottom* ~ første gear; **~box** *s* gearkasse; ~ **lever** *s* gearstang.
geese [giːs] *pl* af goose.
gem [dʒem] *s* ædelsten; *(fig)* klenodie, perle.
Gemini ['dʒeminai] *s (astr)* Tvillingerne.
gender ['dʒendə*] *s (gram)* køn.
general ['dʒenərl] *s* general // *adj* almindelig, generel; almen; hoved-; *in* ~ i almindelighed; ~ **election** *s* valg til underhuset; **~ly** *adv* sædvanligvis; **~ly speaking** stort set; **G~ Post Office** *(GPO) s* hovedpostkontor; ~ **practitioner** *(G.P.) s* almenpraktiserende læge; ~ **store** *s* landhandel.
generate ['dʒenəreit] *v* udvikle, frembringe; (om afkom) avle; *(fig)* afføde.
generation [dʒenəˈreiʃən] *s* generation; udvikling; avl.
generosity [gʒenəˈrositi] *s* gav-

mildhed; ædelmodighed; **generous** ['dʒenərəs] *adj* gavmild, rundhåndet; ædelmodig; rigelig, stor; *a generous helping* en stor portion.
Genesis ['dʒenisis] *s* 1. Mosebog; **g~** *s* kilde, oprindelse.
genetics [dʒiˈnetiks] *s* arvelighedslære, genetik.
genial ['dʒiːniəl] *adj* gemytlig, hyggelig; (om klima) mild.
genitals ['dʒenitlz] *spl* kønsorganer.
genius ['dʒiːniəs] *s* geni; genialitet; skytsånd.
gent [dʒent] *s* fork.f. *gentleman* (se også: *gents*).
genteel [dʒenˈtiːl] *adj* fisefornem, snobbet; standsmæssig, herskabelig.
Gentile ['dʒentail] *s* ikke-jøde; hedning.
gentle [dʒentl] *adj* blid, venlig; mild; (fx om skråning) jævn; **~ness** *s* mildhed, venlighed; **gently** *adv* blidt, stille; jævnt.
gentry ['dʒentri] *s* lavadel; *(iron)* fine folk; *landed* ~ landadel.
gents [dʒents] *s* (F) herretoilet.
genuine ['dʒenjuin] *adj* ægte, virkelig; autentisk; oprigtig.
geographic(al) [dʒiəˈɡræfik(l)] *adj* geografisk; **geography** [dʒiˈɡrɑːfi] *s* geografi.
geologic(al) [dʒiəˈlodʒik(l)] *adj* geologisk; **geologist** [dʒiˈɔlədʒist] *s* geolog; **geology** [dʒiˈɔlədʒi] *s* geologi.
geometric(al) [dʒiəˈmetrik(l)]

adj geometrisk; **geometry** [dʒi'ɔmətri] *s* geometri.

geranium [dʒi'reinjəm] *s* pelargonie, geranium.

germ [dʒəːm] *s* bakterie; *(bot, fig)* spire, kim.

German ['dʒəːmən] *s* tysker; tysk (sprog) // *adj* tysk; ~ **measles** *s (med)* røde hunde; ~**y** *s* Tyskland.

germination ['dʒəːmi'neiʃən] *s* spiring.

gestation [dʒɛs'teiʃən] *s* svangerskab, drægtighed.

gesticulate [dʒɛs'tikjuleit] *v* fægte med armene, gestikulere.

gesture ['dʒɛstʃə*] *s* håndbevægelse, gestus.

get [gɛt] *v* (got, got [gɔt]) *v* få; skaffe, hente; forstå, begribe; blive; nå; komme; ~ *about* komme omkring; brede sig; ~ *across* komme over; slå an; ~ *an idea across* vinde gehør for en idé; ~ *along* klare sig; gøre fremskridt; komme videre; ~ *along with* komme (godt) ud af det med; ~ *at* komme til; drille, stikke til; nå; *what are you ~ting at?* hvad hentyder du til? ~ *away* slippe væk; ~ *away with* komme godt fra, klare; ~ *back* få tilbage; komme tilbage; ~ *one's own back* få hævn; ~ *by* komme forbi; få fat i; klare sig; ~ *down* gå ned; stige ned; *he ~s me down* han går mig på nerverne; ~ *down to* tage fat på;

~ *in* komme ind; komme hjem; (om tog) ankomme; ~ *into* komme ind i; trænge ind i; *what got into you?* hvad gik der af dig? ~ *into bed* gå i seng; ~ *off* stå af; slippe væk; (om tøj) tage af; tage af sted; ~ *on* klare sig; komme videre; (om tøj etc) tage på; ~ *on (with)* komme videre med; komme (godt) ud af det med; ~ *on with it!* skynd dig nu! se nu at komme i gang! ~ *out* komme (, stå, gå etc) ud; ~ *out of* stå ud af; slippe godt fra; ~ *over* overvinde; komme over (fx *an illness* en sygdom);

~ *rich* blive rig; ~ *ready* gøre sig parat; ~ *round* komme ud; omgå; komme om ved; ~ *through* komme (el. slippe) igennem; ~ *through with* gøre sig færdig med; ~ *together* komme sammen; samles; ~ *up* stå op (af sengen); få op; klæde ud; ~ *up to* indhente; ~~**together** *s* komsammen; ~~**up** *s* udstyr; antræk.

ghastly ['gɑːstli] *adj* uhyggelig, grufuld; gyselig.

gherkin ['gəːkin] *s* sylteagurk.

ghost [gəust] *s* spøgelse, gengänger; ånd; *the Holy G~* helligånden; ~**ly** *adv* spøgelsesagtig; *(fig)* åndelig.

giant ['dʒaiənt] *s* kæmpe // *adj* kæmpemæssig, kæmpe-; ~ **slalom** *s* storslalom.

gibberish ['dʒibəriʃ] *s* volapyk.

gibe (el. *jibe*) [dʒaib] *s* spydighed, hib // *v* håne, gøre nar af.

giddiness ['gidinis] *s* svimmelhed; **giddy** *adj* svimmel, ør; svimlende; kåd.

gift [gift] *s* gave; begavelse, talent; **~ed** *adj* begavet, talentfuld.

gigantic [dʒai'gæntik] *adj* enorm, gigantisk.

giggle ['gigl] *s* fnisen // *v* fnise.

gild [gild] *v* (*~ed*, *~ed* el. *gilt*, *gilt*) forgylde.

gill [dʒil] *s* rummål (*0,25 pints*, 0,14 liter); **~s** *spl* gæller.

gilt [gilt] *s* forgyldning // *adj* forgyldt; **~ securities** *spl* guldrandede papirer.

gimmick ['gimik] *s* trick, fidus; modedille; dims.

ginger ['dʒindʒə*] *s* ingefær // *adj* rød(gul); **~ ale**, **~ beer** *s* sodavand med ingefærsmag; **~bread** *s* ingefærkage (sv.t. honningkage); **~ group** *s* aktivistgruppe, pressionsgruppe; **~~haired** *adj* rødblond; **~ly** *adv* forsigtigt.

gipsy ['dʒipsi] *s* sigøjner.

girdle [gə:dl] *s* bælte; hofteholder // *v* omgive, omgjorde.

girl [gə:l] *s* pige; datter; *go with ~s* gå på pigesjov; *old ~* gamle tøs; **~friend** *s* veninde; **~ guide** *s* pigespejder; **~ish** *adj* pige-; ungpigeagtig, tøset.

gist [dʒist] *s: the ~* det væsentlige.

give [giv] *s* (om stof) elasticitet // *v* (*gave*, *given* [geiv, givn]) give, forære; give efter, vige;

~ away give væk; røbe; *~ back* give tilbage (el. igen); *~ in* give efter; indgive; *~ off* afgive; udsende (fx *steam* damp); *~ out* uddele; meddele; udbrede; *~ out a sigh* udstøde et suk; *~ up* opgive; give afkald på; *~ oneself up* melde sig; *~ up smoking* holde op med at ryge; *~ way* holde tilbage, vige; **~n** *adj: ~n to* tilbøjelig til.

glacier ['gleisiə*] *s* gletscher, bræ.

glad [glæd] *adj* glad, glædelig; **~den** *v* glæde.

gladly ['glædli] *adv* med glæde, gerne.

glamorous ['glæmərəs] *adj* strålende, betagende; **glamour** ['glæmə*] *s* glans; fortryllelse; romantik; **glamorgirl** *s* (films)skønhed.

glance [gla:ns] *s* blik; glimt; *at a ~* ved første blik // *v: ~ at* se (el. kikke) på; *~ off* (om kugle) prelle af; **glancing** *adj* forbigående.

gland [glænd] *s* kirtel; **glandular** ['glændjulə*] *adj* kirtel-; **glandular fever** *s* (*med*) mononukleose.

glare [glɛə*] *s* blændende lys; olmt blik; (*fig*) søgelys // *v* blænde, skinne; (om farver) skrige; (om person) glo; **glaring** *adj* blændende; skærende, skrigende.

glass [gla:s] *s* glas; (også: *looking ~*) spejl; kikkert; **~es** *spl* briller; **~ware** *s* glasvarer;

~**works** s glasværk; ~**y** adj
glasagtig; spejlklar; (fig, om
blik) stiv, udtryksløs.
glaze [gleiz] s glasur; politur;
glans // v sætte glas i; (om
keramik etc) glasere; polere;
~**d** adj (om blik) udtryksløs;
(om keramik) glaseret; **gla-
zier** ['gleiziə*] s glarmester.
gleam [gli:m] s glimt; stråle (af
lys el. lyn) // v glimte, stråle;
lyse, lyne.
glen [glɛn] s (især skotsk) dal,
bjergkløft.
glib [glib] adj glat, mundrap.
glide [glaid] s gliden; svæven //
v glide; svæve; ~**r** s svævefly;
gliding s svæveflyvning.
glimmer ['glimə*] s glimten,
flimren; (fig) antydning,
svagt glimt // v flimre, skinne
mat.
glimpse [glimps] s glimt;
strejf; flygtigt blik // v skim-
te, få et glimt af.
glint [glint] s blink, glimt // v
glimte, funkle.
glisten [glisn] v funkle, skinne.
glitter ['glitə*] s glitren, glans
// v glitre, funkle.
gloat [gləut] v: ~ (over) fryde
sig, gotte sig (over).
globe [gləub] s globus, klode;
kugle; ~ of the eye øjeæble.
gloom [glu:m] s mørke; trist-
hed, melankoli; ~**y** adj mørk,
dyster; nedtrykt, melankolsk.
glorification [glo:rifi'keiʃən] s
lovprisning; forherligelse;
(F) fest; **glorify** ['glo:rifai] v
lovprise, forherlige; **glorious**

['glo:riəs] adj strålende, præg-
tig; pragtfuld; **glory** ['glo:ri] s
pragt; ære; storhed, herlighed
// v: glory in fryde sig over,
nyde.
gloss [glos] s glans, skin // v:
~ (over) besmykke, pynte på.
glossary ['glosəri] s glosebog,
glosar.
gloss paint ['glospeint] s emal-
jelak, højglansmaling.
glossy ['glosi] adj skinnende,
blank; blankslidt; ~ magazi-
ne kulørt ugeblad.
glove [glʌv] s handske; be
hand in ~ with sby være pot
og pande med en; ~ com-
partment s (auto) handske-
rum.
glow [gləu] s glød, rødme; var-
me // v gløde, blusse.
glue [glu:] s lim, klister // v
lime; klæbe.
glum [glʌm] adj trist, mut, ned-
trykt.
glutton [glʌtn] s grovæder,
ædedolk; he is a ~ for work
han er arbejdslidderlig; ~**ous**
adj grådig, forslugen; ~**y** s
grådighed; frådseri.
gm, gms fork.f. gramme(s).
gnarled [na:ld], **gnarly** ['na:li]
adj knudret, kroget.
gnash [næʃ] v: ~ one's teeth
skære tænder.
gnat [næt] s myg.
gnaw [no:] v gnave; nage, pine.
GNP ['dʒi:ɛn'pi:] (fork.f. gross
national product) bruttona-
tionalprodukt (BNP).
go [gəu] s forsøg; chance; hi-

storie; omgang; *have a* ~ gøre
et forsøg; *have a* ~ *at* forsøge
sig med; *be on the* ~ være i
gang; *it's no* ~ den går ikke;
it's all the ~ det er sidste
skrig.

go [gəu] *v (went, gone* [wɛnt,
gɔn]) gå, afgå; rejse, tage (til);
bevæge sig, køre; blive; for-
svinde; ~ *shopping* gå på
indkøb; *he's not* ~*ing to do it*
han gør det ikke; *let* ~ *of sth*
slippe ngt;

~ *about* gå (el. blive) om-
kring; være i omløb; *how do I*
~ *about this?* hvordan skal
jeg gribe det her an? ~ *a-
head* gå i forvejen; komme
videre, fortsætte; ~ *along* gå
videre; ~ *along with* høre
sammen med; være enig
med; *as you* ~ *along* efter-
hånden, hen ad vejen; ~
away tage af sted; ~ *away!*
forsvind! skrub af! ~ *back
on* svigte; ~ *by* gå forbi; (om
tid) gå; ~ *by train* tage med
toget; *give us sth to* ~ *by* giv
os nogle retningslinjer;

~ *down* gå ned; (om skib etc)
gå under; vinde bifald; *the
concert went down well* kon-
certen blev godt modtaget; ~
down in history gå over i
historien; ~ *for* gå efter; reg-
nes for; falde 'over; gå ind
for; ~ *for a walk* gå en tur;
they all went for him de
kastede sig allesammen over
ham; *the painting went for
£100* maleriet gik (el. blev

solgt) for £100;
~ *in* gå ind; begynde; ~ *in
for* beskæftige sig med; gå ind
for; ~ *in for football* dyrke
fodbold; ~ *in for a competi-
tion* melde sig til en konkur-
rence; ~ *into* gå ind i; ~ *into
publishing* blive forlægger;
let's not ~ *into that!* lad os
ikke komme nærmere ind på
det; ~ *off* gå, tage af sted;
(om mad) blive fordærvet;
forløbe; *our holiday went off
well* vores ferie forløb (el.
gik) godt; *the gun went off*
geværet gik af; ~ *off to sleep*
falde i søvn; *I've gone off
meat* jeg har tabt lysten til
kød;

~ *on* fortsætte, gå videre,
foregå; *what's* ~*ing on?* hvad
foregår der? ~ *on talking*
blive ved med at snakke; ~
on with fortsætte (el. blive
ved) med; ~ *out* gå ud; sluk-
kes; ~ *out of one's way to*
gøre sig særlig umage for at; ~
over gennemgå (nøje);
(om skib) kæntre;

~ *round the back* gå ind ad
bagindgangen; ~ *round the
bend* blive skør; ~ *through*
gå igennem; gennemgå; ~
through with gennemføre; ~
together følges ad; passe sam-
men; ~ *up* gå op; springe i
luften; (om priser) stige; ~
with ledsage; være enig med;
passe sammen med; ~ *with-
out* undvære; *it goes without
saying* det siger sig selv.

go-ahead ['gəuəhɛd] *s* start-signal // *adj* fremadstræben-de, dynamisk.

goal [gəul] *s* mål; *keep ~* stå på mål; **~keeper** *s* målmand; **~post** *s* målstolpe.

goat [gəut] *s* ged.

go-between ['gəubi‚twi:n] *s* mellemmand, mægler.

goblin ['gɔblin] *s* nisse, trold.

go-cart ['gəuka:t] *s* klapvogn; go-kart.

god [gɔd] *s* gud; *G~* Gud, Vorherre; *G~ knows* guderne skal (el. må) vide; *thank G~* Gud være lovet; **~child** *s* gudbarn; **~dess** *s* gudinde; **~father** *s* gudfar; (F) mafia-leder; **~fearing** *adj* gudfrygtig; **~forsaken** *adj* gudsforladt; **~mother** *s* gudmor; **~send** *s* uventet held; *it is a ~send* det kommer som sendt fra himlen.

goggles [gɔgls] *spl* motorbriller; beskyttelsesbriller.

going ['gəuiŋ] *s: get ~* se at komme i gang (el. af sted); *keep ~* blive ved; holde i gang; *stop while the ~ is good* holde op mens legen er god // *adj: the ~ rate* den gældende tarif; *a ~ concern* en igangværende (el. fremgangsrig) virksomhed.

gold [gəuld] *s* guld // *adj* guld-; *be as good as ~* være så god som dagen er lang; **~en** *adj* guld-; gylden; *~ rush* *s* sv.t. guldfeber.

golf [gɔlf] *s* golf(spil); *~ club s*

golfkølle; golfklub; *~ course s* golfbane; **~er** *s* golfspiller; *~ links s* golfbane.

golly ['gɔli] *interj* ih du store! Gud!

gone [gɔn] *pp* af *go* // *adj* borte, væk; *be far ~* være langt ude; *it is ~ seven* klokken er over syv; **~r** *s: he's a ~r* han er færdig, det er ude med ham.

good [gud] *s* gode; det gode // *adj* god; dygtig; venlig; egnet; *be ~ at* være god til; *would you be ~ enough to…?* vil De være så venlig at…? *a ~ deal, a ~ many* en hel del; *be ~ with children* have tag på børn; *for ~* for bestandig; *it is for your own ~* det er til dit eget bedste; *that is no ~* det går ikke; *G~ Friday s* langfredag; **~-looking** *adj* pæn, køn; **~ness** *s* godhed; *for ~ness sake!* for Guds skyld! *~ness gracious!* du godeste! **~s** *spl* ting; gods; varer.

goose [gu:s] *s* (*pl: geese* [gi:s]) gås.

gooseberry ['guzbəri] *s* stikkelsbær.

gooseflesh ['gu:sflɛʃ] *s* gåsekød; *(fig)* gåsehud.

gorge [gɔ:dʒ] *s* slugt, kløft; snævert pas.

gorgeous ['gɔ:dʒəs] *adj* strålende, pragtfuld.

gory ['gɔ:ri] *adj* bloddryppende.

go-slow ['gəusləu] *s* arbejdelangsomt aktion.

gospel ['gɔspəl] *s* evangelium; ~ **truth** *s* den rene sandhed.

gossip ['gɔsip] *s* hyggesnak; sladder; (om person) sladdertaske // *v* sludre; sladre.

got [gɔt] *præt* og *pp* af *get*.

gout [gaut] *s* gigt, podagra.

govern ['gʌvən] *v* styre, regere; (be)herske; ~**ess** *s* guvernante; ~**ment** *s* ledelse; regering; ministerium // *adj* regerings-; stats-; ~**or** *s* leder, hersker; guvernør; (F) den gamle; *board of* ~ors bestyrelse; *the* ~*or* den gamle, bossen.

Govt fork.f. *government*.

gown [gaun] *s* kappe; (dame)kjole, robe.

G.P. ['dʒiː'piː] fork.f. *general practitioner*.

GPO ['dʒiːpiː'əu] fork.f. *General Post Office*.

grab [græb] *v* gribe, snuppe; rage til sig; *make a* ~ *at* gribe efter.

grace [greis] *s* ynde; elskværdighed; nåde; bordbøn // *v* smykke; hædre; benåde; *five days'* ~ fem dages henstand; *say* ~ bede bordbøn; ~**ful** *adj* yndefuld, graciøs; smuk; **gracious** ['greiʃəs] *adj* nådig; venlig; *good gracious!* du godeste! *gracious living* høj levestandard.

gradation [grə'deiʃən] *s* gradvis overgang; trindeling.

grade [greid] *s* kvalitet, sort; kategori; grad, rang.

gradient ['greidiənt] *s* hældning, skråning.

gradual ['grædjuəl] *adj* gradvis, trinvis.

graduate *s* ['grædjuit] kandidat; en der har taget afsluttende eksamen // *v* ['grædjueit] tage afsluttende eksamen; graduere; **graduation** [-'eiʃən] *s* gradinddeling, gradering; afgang fra læreanstalt.

graft [graːft] *s* podning; *(med)* transplantat (fx organ, hud), transplantering // *v* pode; transplantere.

grain [grein] *s* korn, kerne; struktur; (i træ) årer; *with a* ~ *of salt* med et gran salt; *not a* ~ *of truth* ikke skygge af sandhed.

grammar ['græmə*] *s* grammatik; ~ **school** *s (gl)* gymnasium, latinskole.

grammatical [grə'mætikl] *adj* grammatisk.

gramme [græm] *s* gram.

gramophone ['græməfəun] *s* grammofon; ~ **record** *s* grammofonplade.

grand [grænd] *adj* stor, storslået; fornem; stor på den; (F) glimrende; ~**child** *s* barnebarn; ~**dad** *s* bedstefar; ~**eur** ['grændjə*] *s* storslåethed, pragt; ~**father** *s* bedstefar; ~**father clock** *s* bornholmerur; ~**iose** ['grændiəuz] *adj* storslået; svulstig; ~**ma**, ~**mother** *s* bedstemor; ~**pa** *s* bedstefar; ~ **piano** *s* flygel; ~**stand** *s (sport)* tilskuertribune.

granny ['græni] *s* bedstemor.

grant [gra:nt] *s* bevilling, stipendium; (stats)støtte // *v* skænke, bevilge; indrømme; *take sth for ~ed* anse ngt for givet.

granulated ['grænjuleitid] *adj:* ~ *sugar* krystalmelis, perlesukker.

grape [greip] *s* (vin)drue; ~ **fruit** *s* grapefrugt; **~vine** *s* vinranke; *hear it on the ~vine* høre det i jungleletelegrafen.

graph [gra:f] *s* kurve, diagram; **~ic** ['græfik] *adj* grafisk.

grasp [gra:sp] *s* greb, tag; *(fig)* opfattelsesevne, forståelse // *v* gribe, tage fat i; begribe, fatte; *it's beyond my ~* det går over min fatteevne; det er uden for min rækkevidde; **~ing** *adj* grisk; gerrig.

grass [gra:s] *s* græs, græsgang; (S) hash; **~hopper** *s* græshoppe; **~land** *s* græsjord; ~ **snake** *s* snog; **~y** *adj* græsagtig; græsklædt.

grate [greit] *s* rist, gitter // *v* gnide; rive (på rivejern); (om lyd) skurre.

grateful ['greitful] *adj* taknemmelig.

grater ['greitə*] *s* rivejern.

gratify ['grætifai] *v* glæde, tilfredsstille; **~ing** *adj* opmuntrende.

grating ['greitiŋ] *s* gitter(værk), rist.

gratitude ['grætitju:d] *s* taknemmelighed.

gratuitous [grə'tju:itəs] *adj* gratis; uberettiget.

gratuity [grə'tju:iti] *s* gratiale; drikkepenge.

grave [greiv] *s* grav // *adj* alvorlig; højtidelig; **~digger** *s* graver.

gravel [grævl] *s* grus, ral; ~ **pit** *s* grusgrav.

gravestone ['greivstəun] *s* gravsten; **graveyard** ['greivja:d] *s* kirkegård.

gravity ['græviti] *s* alvor, højtidelighed; vægt; tyngdekraft; vægtfylde.

gravy ['greivi] *s* kødsaft, sky, sovs.

graze [greiz] *s* hudafskrabning // *v* græsse; strejfe, skrabe.

grease [gri:s] *s* fedt, smørelse; (F) bestikkelse // *v* fedte, smøre; (F) bestikke; ~ **gun** *s* smørepistol; **~proof paper** *s* smørrebrødspapir; **~y** *adj* fedtet, smattet.

great [greit] *adj* stor, fremragende; mægtig; (F) storartet; olde-; **~grandfather** *s* oldefar; **~ly** *adj* i høj grad, meget.

Grecian ['gri:ʃən] *adj* græsk; **Greece** [gri:s] *s* Grækenland.

greed [gri:d] *s* (også: *~iness*) grådighed, begærlighed; **~y** *adj* grådig, begærlig; gerrig.

Greek [gri:k] *s* græker; græsk (sprog) // *adj* græsk.

green [gri:n] *s* grønt; (på golfbane) green; (også: *village~*) grønning // *adj* grøn; ung, umoden, naiv; **~ery** *s* grønne

grounds **g**

planter, grøn bevoksning;
~grocer s grønthandler;
~house s drivhus; **~ish** adj
grønlig; **~s** spl grønsager.
greet [gri:t] v hilse; **~ing** s
hilsen; **~ing(s) card** s lyk-
ønskningskort.
grenade [gri'neid] s (mil) gra-
nat.
grew [gru:] præt af grow.
grey [grei] adj grå; trist, mørk;
the future looks ~ der er
dystre udsigter for fremtiden;
~hound s mynde.
grid [grid] s rist; (elek) strøm-
net; **~iron** s (stege)rist.
grief [gri:f] s sorg; come to ~
komme galt af sted.
grievance ['gri:vəns] s kla-
ge(punkt).
grieve [gri:v] v sørge; græmme
sig; volde sorg; ~ at sørge
over; **~ous** adj alvorlig, svær,
bitter.
grill [gril] s gitter, rist; grill // v
stege, grille(re).
grille [gril] s gitter(værk);
(auto) kølergitter.
grim [grim] adj streng, barsk,
grusom.
grime [graim] s snavs; **grimy**
adj beskidt, bemøget.
grin [grin] s grin // v grine,
smile.
grind [graind] s knusning; slib-
ning; (fig) slider // v (ground,
ground [graund]) knuse;
male, kværne; (om kniv etc)
slibe, hvæsse; ~ one's teeth
skære tænder; **~er** s kind-
tand; mølle, kværn.

grip [grip] s greb, tag; håndtag
// v gribe; få tag i; come to ~s
with komme i slagsmål med;
(fig) komme ind på livet af.
grisly ['grizli] adj uhyggelig.
gristle [grisl] s brusk.
grit [grit] s grus, sand; (fig) ben
i næsen // s (om fx vej) gruse;
~ one's teeth skære tænder;
bide tænderne sammen.
grizzle [grizl] s grå farve // v
klynke, beklage sig; **grizzly
bear** s gråbjørn.
groan [grəun] s stønnen // v
stønne.
grocer ['grəusə*] s købmand;
~'s (shop) købmandsbutik;
~ies spl købmandsvarer.
groin [grɔin] s lyske.
groom [gru:m] s tjener, karl;
(også: bride~) brudgom // v
pleje; (om hest) strigle.
groove [gru:v] s fure; skure; (i
grammofonplade) rille.
grope [grəup] v famle (for
efter).
gross [grəus] adj stor, tyk;
grov; (merk) brutto-; ~ **na-
tional product** (GNP) s brut-
tonationalprodukt (BNP).
ground [graund] s jord, grund;
terræn; plads; (sport) bane;
(fig) årsag // v (om fly) give
flyveforbud; (om skib) gå på
grund; præt og pp af grind;
gain (el. lose) ~ vinde (el.
tabe) terræn; hold one's ~
holde stand; on the ~(s) that
af den grund at; **~floor** s
stueetage; **~ing** s grundlag;
~less adj ubegrundet; **~s** spl

(i væske) bundfald, grums; (til hus) have, park; **~sheet** *s* teltunderlag; **~ staff** *s (fly)* jordpersonale; **~work** *s* grundlag.

group [gru:p] *s* gruppe, hold // *v* (også: ~ *together*) gruppere (sig).

grouse [graus] *s* rype // *v* knurre, brokke sig.

grove [grəuv] *s* lund, lille skov.

grovel ['grɔvl] *v*: ~ *(before) (fig)* krybe (for); ligge på maven (for).

grow [grəu] *v (grew, grown* [gru:, grəun]) vokse, gro; blive; dyrke, anlægge; ~ *a beard* anlægge skæg; ~ *old* blive gammel; ~ *up* vokse op, blive voksen; **~er** *s* dyrker, producent; **~ing** *adj* voksende, tiltagende.

growl [graul] *v* knurre; rumle.

grown [grəun] *pp* af *grow* // *adj* voksen; **~-up** *s* voksen.

growth [grəuθ] *s* vækst, tiltagen; dyrkning, avl; *(med)* svulst; gevækst.

grudge [grʌdʒ] *s* nag, uvilje // *v* ikke unde; *bear sby a* ~ bære nag til en; have et horn i siden på en; *I don't* ~ *him the success* jeg under ham succesen; **grudgingly** *adv* modstræbende.

gruel [gru:əl] *s* havresuppe, vælling; **~ling** *s* anstrengende, enerverende.

gruff [grʌf] *adj* barsk, bøs.

grumble [grʌmbl] *v* brumme, knurre; brokke sig.

grumpy ['grʌmpi] *adj* sur, gnaven.

grunt [grʌnt] *s* grynten, grynt // *v* grynte.

guarantee [ˌgærən'ti:] *s* garanti, kaution // *v* garantere (for); **guarantor** [ˌgærən'tɔ:] *s* garant, kautionist.

guard [gard] *s* vagt; bevogtning; garde; vogter; *(jernb)* togfører // *v* (be)vogte, beskytte; **~ed** *adj* forsigtig, reserveret; **~ian** *s* beskytter; *(jur)* værge; **~ian angel** *s* skytsengel; **~sman** *s* gardist, garder.

guess [gɛs] *s* gæt, gætning // *v* gætte; *have a* ~ prøve at gætte; **~work** *s* gætteri.

guest [gɛst] *s* gæst; **~-house** *s* (hotel)pension; **~room** *s* gæsteværelse.

guidance ['gaidəns] *s* ledelse; vejledning; *under the* ~ *of* under ledelse af.

guide [gaid] *s* fører; vejleder; (turist)guide; (om bog) rejsefører; *(girl)* ~ pigespejder; **~book** *s* rejsefører; **~d missile** *s* fjernstyret missil; **~lines** *spl* retningslinjer.

guilt [gilt] *s* skyld; **~less** *adj* uskyldig; **~y** *adj* skyldig *(of* i); skyldbevidst; *a* ~*y conscience* en dårlig samvittighed.

guinea ['gini] *s* 105 p (tidl. 21 shillings); ~ **fowl** *s* perlehøne; ~ **pig** *s* marsvin; *(fig)* forsøgskanin.

gulf [gʌlf] *s* (hav)bugt, golf; afgrund.

gull [gʌl] *s* måge.
gullet ['gʌlit] *s* spiserør.
gulp [gʌlp] *s* slurk, drag // *v*
sluge, synke, nedsvælge; *at
one* ~ i et drag, i en mund-
fuld.
gum [gʌm] *s* gumme, tandkød;
lim; vingummi; (også: *che-
wing* ~) tyggegummi // *v*
klæbe, gummiere; **~boil** *s*
tandbyld; **~boots** *spl* gummi-
støvler; **~my** *adj* klæbende.
gun [gʌn] *s* gevær; kanon; re-
volver // *v*: ~ *down* skyde
ned; **~boat** *s* kanonbåd;
~fire *s* skydning; **~man** *s*
revolvermand; gangster;
~ner *s* artillerist, skytte;
~point *s*: *at ~point* med sky-
devåben parat; under trussel
om skydning; **~shot** *s* skud;
within ~*shot* inden for skud-
vidde; **~wale** [gʌnl] *s (mar)*
ræling, lønning.
gurgle [gə:gl] *s* gurglen, skvul-
pen // *v* gurgle, skvulpe.
gush [gʌʃ] *s* strøm, væld // *v*
strømme, vælde frem; *(fig)*
falde i svime, svømme hen.
gusset ['gʌsit] *s* (i tøj) kile,
spjæld.
gust [gʌst] *s* vindstød, pust;
(fig) udbrud.
gusto ['gʌstəu] *s* veloplagthed;
begejstring, entusiasme.
gut [gʌt] *s* tarm; **~s** *spl* ind-
volde; *(fig)* rygrad, mod.
gutter ['gʌtə*] *s* tagrende; ren-
desten.
guttural ['gʌtərəl] *adj* strube-,
guttural.

guy [gai] *s* (F) fyr.
gym [dʒim] *s* gymnastik; (også:
gymnasium [-'neizjəm]) gym-
nastiksal; **~nast** ['dʒimnəst]
s gymnast; **~ics** [-'næstiks]
spl gymnastik; ~ **shoes** *spl*
gymnastiksko; ~ **slip** *s* gym-
nastikdragt.
gynaecology [gainə'kɔlədʒi] *s*
gynækologi.
gypsy ['dʒipsi] *s* d.s.s. *gipsy.*
gyrate [dʒai'reit] *v* rotere.

H

H, h [eitʃ].
habit ['hæbit] *s* vane; dragt; *be
in the ~ of* pleje at.
habitable ['hæbitəbl] *adj* be-
boelig; **habitation** [-'teiʃən] *s*
beboelse.
habitual [hə'bitjuəl] *adj* sæd-
vanlig, vane-.
hackney (cab) ['hækni(kæb)] *s*
(gl) hyrevogn.
had [hæd] *præt* og *pp* af *have.*
haddock ['hædək] *s (pl:* ~ el.
~*s) (zo)* kuller.
hadn't [hædnt] d.s.s. *had not.*
haemorrhage ['hɛməridʒ] *s*
stærk blødning.
hag [hæg] *s* heks, kælling.
haggard ['hægəd] *adj* mager,
udtæret; uhyggelig, vild.
haggis ['hægis] *s* (skotsk ret:)
hakket fåreindmad og kryd-
derier kogt i en fåremave.
haggle [hægl] *v* tinge, prutte
(om pris); parlamentere.
Hague [heig] *s*: *the ~* Haag (i
Holland).

hail [heil] *s* hagl; *(fig)* byge // *v* hilse; præje; hagle; **~stone** *s* hagl.

hair [hɛə*] *s* hår; *do one's* ~ sætte sit hår; *let one's* ~ *down* slå håret ud; *(fig)* slå sig løs; *she didn't turn a* ~ hun fortrak ikke en mine; *split* ~*s* strides om ord; **~cut** *s* klipning; frisure; **~do** ['hɛədu:] *s* frisure; **~dresser** *s* frisør; **~drier** *s* hårtørrer; **~piece** *s* (om kunstigt hår) top; **~pin** *s* hårnål; **~pin bend** *s* hårnålesving; **~raising** *s* hårrejsende; ~ **remover** *s* hårfjerner; ~ **slide** *s* skydespænde; **~style** *s* frisure; **~y** *adj* lådden, (be)håret; *(fig)* farlig; stærk.

half [ha:f] *s (pl: halves* [ha:vz]) halvdel; *(sport)* halvleg // *adj* halv, halvt; **~-an-hour** en halv time; *a week and a* ~ halvanden uge; ~ *(of it)* halvdelen; ~ *(of)* det halve (af); *cut sth in* ~ dele ngt i to; **~breed**, **~caste** *s* halvblods, mestits; **~-hearted** *adj* halvhjertet, lunken; ligegyldig; **~-hour** *s* halv time; **~penny** ['heipni] *s (gl)* halv penny; **~-time** *s (sport)* halvleg // *adj* halvdags; *be on* ~-*time* arbejde halvdags; **~way** *adv* på halvvejen; halvvejs; **~way line** *s* (i fodbold) midtlinje.

halibut ['hælibət] *s* helleflynder.

hall [hɔ:l] *s* hal, sal; entré, vestibule; herregård, stor byg-

ning; ~ *of residence* (universitets)kollegium.

Hallowe'en ['hæləu'i:n] *s* allehelgensaften (31. okt).

halo ['heiləu] *s* glorie, strålekrans; halo, ring om solen.

halt [hɔ:lt] *s* holdt, holdeplads // *v* standse, stoppe; halte, humpe; *call a* ~ *to* gøre en ende på.

halve [ha:v] *v* halvere, dele; **~s** *spl* af *half*.

ham [hæm] *s* skinke; knæhase; bagdel; (om skuespiller etc) flødebolle; **~-fisted** *adj* med store næver; klodset.

hamlet ['hæmlit] *s* (lille) landsby.

hammer ['hæmə*] *s* hammer // *v* hamre, banke; *(fig)* kritisere, angribe; *work* ~ *and tongs* (F) give den hele armen.

hammock ['hæmək] *s* hængekøje.

hamper ['hæmpə*] *v* genere; hindre.

hand [hænd] *s* hånd; (ur)viser; håndskrift; korthånd; arbejder, mand; (F) bifald // *v* række ng, give; *change* ~*s* skifte ejer; *give sby a* ~ klappe ad en; *lend sby a* ~ give en en hånd med; hjælpe en; *shake* ~*s* give (hinanden) hånden; *at* ~ ved hånden; nær ved; *in* ~ under kontrol; (om arbejde) i gang; *out of* ~ ude af kontrol; ~ *in* indlevere; ~ *out* udlevere, uddele; ~ *over* aflevere; **~s** *off!* ikke pille!

~**bag** s håndtaske; ~**basin** s
vandfad; ~**book** s håndbog;
~**brake** s håndbremse;
~**cuffs** spl håndjern; ~**ful** s
håndfuld; *she's quite a* ~*ful*
hun er svær at styre; ~ **gre-
nade** s håndgranat.

handicraft ['hændikra:ft] s
(kunst)håndværk, håndar-
bejde.

handkerchief ['hæŋkətʃif] s
lommetørklæde.

handle [hændl] s håndtag;
hank, skaft // v røre ved,
håndtere; tumle, klare; eks-
pedere; '~ *with care*''forsig-
tig'; ~**bars** spl cykelstyr.

hand. . . ['hænd-] sms: ~**lug-
gage** s håndbagage; ~**made**
adj håndlavet; ~**out** s tilde-
ling; brochure (el. andet pa-
pir) som uddeles; ~**shake** s
håndtryk; ~**some** ['hænsəm]
adj smuk; anselig, klækkelig;
~**writing** s håndskrift; ~**writ-
ten** adj håndskrevet.

handy ['hændi] adj praktisk,
bekvem; ved hånden, nær
ved; (om person) behændig,
fiks på fingrene; ~**man** s alt-
muligmand.

hang [hæŋ] v (hung, hung
[hʌŋ]) hænge (op); være
hængt på; (hanged, hanged)
hænge (i galge); ~ *about* stå
og hænge; drive rundt; ~ *on*
hænge ved; vente; ~ *up (tlf)*
lægge røret på.

hanger ['hæŋə*] s (klæde)bøj-
le; (i fx frakke) strop.

hang-gliding ['hæŋglaidiŋ] s

(sport) drageflyvning (ikke
med papirsdrage).

hangman ['hæŋmən] s bøddel.

hangover ['hæŋəuvə*] s tøm-
mermænd.

hankie, hanky ['hæŋki] s (F)
lommetørklæde.

hanky-panky ['hæŋki'pæŋki] s
(F) luskeri; kissemisseri.

haphazard [hæp'hæzəd] adj
tilfældig, på lykke og from-
me.

happen ['hæpən] v ske, hænde
// adv måske; *as it* ~s tilfæl-
digvis; forresten; *do you* ~ *to
know*. . *?* ved (el. kender) du
tilfældigvis. . *?* ~**ing** s hæn-
delse; happening.

happily ['hæpili] adv lykkeligt;
lykkeligvis; **happiness** s lyk-
ke; **happy** adj lykkelig, glad,
heldig; ~ *with* tilfreds med,
glad for; **happy-go-lucky** adj
ubekymret; ligeglad.

harbour ['ha:bə*] s havn // v
huse, rumme; (om følelse etc)
nære; ~ **master** s havnefo-
ged.

hard [ha:d] adj/adv hård,
stærk; strengt; (om blik) stift;
drink ~ drikke tæt; ~ *luck!*
det var uheldigt! *no* ~ *fee-
lings!* skal vi lade det være
glemt! ~ *of hearing* tunghør;
~ *done by* uretfærdigt be-
handlet; ~**back** s indbunden
bog; ~**board** s træfiberplade;
~**boiled** adj hårdkogt; ~**en** v
gøre hård, hærde(s); ~**ening** s
hærdning; forhærdelse; ~ **la-
bour** s tvangsarbejde, strafar-

bejde; **~iness** s hårdførhed,
udholdenhed.
hardly ['ha:dli] adv næppe,
knap; it's ~ enough det er
sikkert ikke nok; ~ anything
næsten intet.
hard. . . ['ha:d-] sms: **~ness** s
hårdhed; ~ **sell** s (merk) på-
gående reklame; **~ship** s prø-
velse, lidelse; **~ships** pl af-
savn; **~up** adj: be ~up (F)
sidde hårdt i det; **~ware**
['ha:dweə*] s isenkram; (edb)
udstyr, maskinel; **~ware
shop** s isenkramforretning;
~wearing adj slidstærk, so-
lid; **~working** adj flittig, ar-
bejdsom; ~ jf hårdfør;
modstandsdygtig.
hare [heə*] s hare; **~-brained**
adj tankeløs, flyvsk; **~lip** s
hareskår.
harm [ha:m] s skade, fortræd //
v skade, gøre fortræd; he
meant no ~ han mente det
ikke så slemt; no ~ done der
er ingen skade sket; out of
~'s way i sikkerhed; **~ful** adj
skadelig; ond; **~less** adj
uskadelig, harmløs.
harmonic [ha:'mɔnik] adj har-
monisk; **~s** a s mundharmoni-
ka; **~s** spl (mus) harmonilæ-
re; **harmonious** [-'məuniəs]
adj harmonisk; **harmonize**
['ha:mənaiz] v harmonisere;
afstemme; harmonere; **har-
mony** ['ha:məni] s harmoni;
fredelighed, fordragelighed.
harness ['ha:nis] s (til hest)
seletøj; (til barn) sele // v give

sele(tøj) på; (fig) udnytte.
harp [ha:p] s (mus) harpe // v:
~ on tale konstant om; **~ist** s
harpenist.
harpsichord ['ha:psikɔ:d] s
cembalo.
harrass ['hærəs] v plage, chi-
kanere; **~ment** s plagerier,
chikane.
harrow ['hærəu] s (agr) harve:
harsh [ha:ʃ] adj streng, hård,
brutal; barsk; (om lyd) skur-
rende; (om farve) grel; (om
smag) besk, harsk.
harvest ['ha:vist] s høst // v
høste; **~er** s høstarbejder;
mejetærsker.
has [hæz] se have.
hash [hæʃ] s (gastr) hakke-
mad, biksemad; (fig) kludder;
(fork.f. hashish) hash; make a
~ of sth forkludre ngt.
hashish ['hæʃiʃ] s hash.
hassle ['hæsl] s skænderi; pro-
blem.
haste [heist] s hast, fart; hast-
værk; in a ~ i en fart; make
~ skynde sig; **~n** [heisn] v
(gl) fremskynde; haste, ile;
hasty adj hastig; forhastet.
hat [hæt] s hat; talk through
one's ~ vrøvle.
hatch [hætʃ] s (mar også:
~way) luge, lem; (om fugl)
udklækning; kuld // v ruge;
udruge, udklække; **~back** s
(auto) hækdør.
hatchet ['hætʃit] s lille økse;
bury the ~ begrave stridsøk-
sen.
hate [heit] s had // v hade,

afsky; være ked af; *I would ~
to* jeg vil meget nødig; *I ~ to
disturb* jeg er ked af at for-
styrre; **~ful** *adj* væmmelig,
modbydelig; **hatred** ['heitrid]
s had.

haughty ['hɔːti] *adj* overlegen,
arrogant.

haul [hɔːl] *v* hale, slæbe; **~age**
['hɔːlidʒ] *s* transportomkost-
ninger; **~ier** *s* vognmand.

haunch [hɔːntʃ] *s* hofte; (om
dyr) kølle; ~ *of venison* dy-
rekølle.

haunt [hɔːnt] *s* tilholdssted // *v*
hjemsøge, plage; spøge (i);
the house is ~ed det spøger i
huset; *a ~ed look* et jaget
udtryk (el. blik).

have [hav] *v (had, had* [hæd])
have, være; eje; (F) narre; ~
done (with) være færdig
(med); ~ *a dress made* få syet
en kjole; ~ *to* være nødt til,
skulle, måtte; *I had better* jeg
må hellere; ~ *it out with* få
talt ud med; *I won't ~ it* jeg
vil ikke finde mig i det; *he
has had it* han er færdig; han
har fået nok; *he has been had*
han er blevet snydt; ~ *tea*
drikke te; ~ *a drink* få sig en
drink.

haven ['heivən] *s* (H) tilflugts-
sted; *tax* ~ skattely.

havoc ['hævək] *s* ødelæggelse,
ravage; *cry* ~ råbe gevalt;
play ~ *with* ødelægge; hærge.

hawk [hɔːk] *s* høg; **~er** *s* falke-
jæger; gadesælger.

hay [hei] *s* hø; *hit the* ~ (S)

hoppe i dynerne, gå til køjs;
~fever *s* høfeber; **~wire** *adj:*
go ~wire blive skør; gå i
skuddermudder.

hazard ['hæzəd] *s* tilfælde;
fare, risiko // *v* vove, risikere;
~ous *adj* risikabel, hasarde-
ret.

haze [heiz] *s* dis, tåge; *(fig)*
uklarhed.

hazel ['heizəl] *s* hassel // *adj*
nøddebrun; **~nut** *s* hassel-
nød.

hazy ['heizi] *adj* diset, tåget;
(fig) ubestemt, vag; *(foto)*
uskarp.

he [hiː] *pron* han; den, det;
ham; ~ *who* den som; *it is* ~
who... det er ham som ...

head [hed] *s* hoved; leder, for-
stander; (i avis) overskrift;
(om kvæg) stykke; *(fig)* intel-
ligens, forstand // *v* lede, stå i
spidsen for; gå forrest; *(sport)*
heade, lave hovedstød; *at the
~ of* i spidsen for; ~ *over
heels* til op over begge ører;
hovedkulds; *she lost her* ~
hun mistede besindelsen; ~
for sætte kursen (el. styre)
imod; **~ache** ['hedeik] *s* ho-
vedpine; **~ing** *s* titel, over-
skrift; afsnit; **~lamp** *s (auto)*
forlygte; **~land** *s* odde, for-
bjerg; **~light** *s (auto)* forlygte;
~line *s* overskrift; **~long** *adv*
på hovedet, hovedkulds;
~master *s* skolebestyrer, rek-
tor; **~mistress** *s* skolebesty-
rerinde, rektor; ~ *office* *s*
hovedkontor; **~~on** *adj* fron-

tal (fx *collision* sammen-
stød); **~phones** *spl* hovedte-
lefoner; **~quarters** *(HQ) spl*
hovedkvarter; **~rest** *s* nak-
kestøtte; **~room** *s* fri højde;
~s *spl:* **~s** *or tails* plat eller
krone; **~scarf** *s* hovedtør-
klæde; **~strong** *adj* stædig,
egenrådig; **~way** *s* fart; frem-
skridt; **~wind** *s* modvind; **~y**
adj egensindig; (om drik)
som stiger til hovedet.

heal [hi:l] *v* hele(s), læge(s),
helbrede.

health [helθ] *s* sundhed; hel-
bred; *drink (to) sby's* ~ skåle
for en; ~ **centre** *s* lægehus;
~ **food** *s* helsekost; *the* **H~**
Service sygesikringen; ~ **vi-**
sitor *s* sundhedsplejerske; **~y**
adj sund, rask.

heap [hi:p] *s* bunke, dynge;
masse // *v* samle i bunke;
(fig) ophobe, dynge sammen;
a ~ *of* el. **~s** *of* en mængde,
masser af; *a* **~ed** *spoonful* en
topskefuld.

hear [hiə*] *v (heard, heard*
[hə:d]) høre; erfare; lytte; ly-
stre; ~ *about* høre om; ~
from høre fra; *they wouldn't*
~ *of it* de ville ikke høre tale
om det; *do you* ~ *me?* hører
du? **~ing** *s* hørelse; høring;
hard of **~ing** tunghør; **~ing**
aid *s* høreapparat.

hearse [hə:s] *s* ligvogn, rust-
vogn.

heart [ha:t] *s* hjerte; mod; ker-
ne; *at* ~ inderst inde; *by* ~
udenad; *have a* ~! vær nu lidt

rar! *lose* ~ tabe modet; ~
attack *s* hjerteanfald; **~beat**
s hjertebanken; hjertets slag;
~breaking *adj* hjerteskæren-
de; **~broken** *adj* sønder-
knust; **~burn** *s* halsbrand,
sure opstød; ~ **failure** *s* hjer-
testop; **~felt** *adj* hjertelig,
inderlig.

hearth [ha:θ] *s* kamin; esse.

heartily ['ha:tili] *adv* hjerteligt,
inderligt; *agree* ~ være helt
enig(e); **heartless** *adj* hjerte-
løs; **hearts** *spl* (om kort) hjer-
ter; *queen of hearts* hjerter
dame; **hearty** *adj* hjertelig;
ivrig; sund; (om appetit etc)
solid.

heat [hi:t] *s* varme; *(fig)* glød,
ophidselse; (om dyr) brunst;
(sport) løb, heat // *v* varme
(op); blive varm; **~ed** *adj*
opvarmet; hidsig; **~er** *s* var-
meapparat; varmelegeme.

heathen ['hi:ðən] *s* hedning //
adj hedensk.

heather ['heðə*] *s* lyng // *adj*
lyngfarvet, lilla.

heating ['hi:tiŋ] *s* opvarmning
// *adj* varmende, varme-.

heatstroke ['hi:tstrəuk] *s* hede-
slag; **heatwave** *s* hedebølge.

heave [hi:v] *s* træk; kast; bøl-
gen, dønning // *v* løfte; kaste;
hive, drage; svulme; ~ *a sigh*
drage (el. udstøde) et suk.

heaven ['hevn] *s* himmel(en);
~ *forbid* Gud forbyde; ~
knows det må guderne vide;
~ly *adj* himmelsk; dejlig.

heavily ['hevili] *adv* tungt;

svært; meget; dybt; **heavy** *adj*
tung, stor, stærk, svær; *it's
heavy going* det er besværligt;
a heavy smoker en storryger;
heavy-weight *s (sport)* svær-
vægt.

Hebrew ['hi:bru] *s* hebræer //
adj hebraisk.

hectic ['hektik] *adj* hektisk.

he'd [hi:d] d.s.s. *he had, he
would.*

hedge [hedʒ] *s* hegn, hæk // *v*
tøve, vakle; ~ *in* indhegne;
~ *one's bets* (i tipning etc)
foretage helgarderinger;
~**hog** *s* pindsvin; ~**row** *s* le-
vende hegn.

heed [hi:d] *v* (også: *pay* ~ *to)*
ænse, bryde sig om, lægge
mærke til; ~**less** *adj* ligegyl-
dig; ubetænksom.

heel [hi:l] *s* hæl; endeskive // *v*
(om sko) sætte hæle på; *take
to one's heels* stikke af.

hefty ['hefti] *adj* stor, velvok-
sen, solid.

height [hait] *s* højde; højde-
drag; højdepunkt; ~**en** *v* for-
høje, øge; *(fig)* tage til.

heir [eə`] *s* arving; ~**ess** *s*
kvindelig arving; ~**loom** *s* ar-
vestykke.

held [held] *præt* og *pp* af *hold.*

hell [hel] *s* helvede; *a* ~ *of a...*
en allerhelvedes...; *give
them* ~ gøre helvede hedt for
dem; *oh* ~! så for pokker; *get
the* ~ *out of here!* se at
skrubbe ud! *like* ~ *I will!* gu
vil jeg ej!

he'll [hi:l] d.s.s. *he shall, he will.*

hellish ['heliʃ] *adj* helvedes.

hello [hə'ləu] *interj* goddag!
hej! hovsa! hallo!

helm [helm] *s (mar)* ror, rat.

helmet ['helmit] *s* hjelm.

helmsman ['helmzmən] *s* ror-
gænger.

help [help] *s* hjælp; hjælper;
hushjælp // *v* hjælpe, støtte;
~ *yourself (to bread)* værsgo
at tage (brød); *I can't* ~ *say-
ing* jeg kan ikke lade være
med at sige; *he can't* ~ *it* han
kan ikke gøre for det; ~ *sby
out* hjælpe en igennem en
vanskelighed, komme en til
hjælp; ~**ful** *adj* hjælpsom;
nyttig; ~**ing** *s* portion; ~**less**
adj hjælpeløs.

hem [hem] *s* søm, kant // *v*
sømme, kante; ~ *in* omringe,
indslutte.

hemisphere ['hemisfiə`] *s*
halvkugle, hemisfære.

hemp [hemp] *s (bot)* hamp.

hem stitch ['hæmstitʃ] *s* hul-
søm.

hen [hen] *s* høne; hunfugl.

hence ['hens] *adv* heraf, der-
for; fra nu af; *two years* ~ om
to år fra nu af; ~**forth** *adv* fra
nu af, for fremtiden.

henpecked ['henpekt] *adj* (om
ægtemand) under tøflen.

hepatitis [hepə'taitis] *s* lever-
betændelse.

her [hə`] *pron* hende, sig;
hendes.

herald ['herəld] *s* herold, bud-
bringer // *v* forkynde, bebu-
de; ~**dry** *s* heraldik.

herb [həːb] s urt; krydderurt;
~**aceous** [həːˈbeiʃəs] adj ur-
teagtig; ~*aceous border* stau-
debed.
herd [həːd] s hjord, flok // v:
~ *together* genne sammen.
here [hiə*] adv her, herhen;
from ~ herfra; ~*'s my sister*
dette (el. her) er min søster;
~ *she comes* der kommer
hun; ~ *you are* værsgo; *now,
look* ~*!*'hør nu engang! ~**af-
ter** adv herefter // s: *the* ~*af-
ter* det hinsides; ~**by** adv her-
ved.
hereditary [hiˈrediti] adj arve-
lig, arve-; **heredity** s arvelig-
hed.
heresy [ˈherəsi] s kætteri; **her-
etic** s kætter; **heretical**
[hiˈretikl] adj kættersk.
herewith [hiəˈwið] adv hermed.
heritage [ˈheritidʒ] s arv.
hermit [ˈhəːmit] s eremit, ene-
boer.
hernia [ˈhəːniə] s *(med)* brok.
hero [ˈhiərəu] s *(pl:* ~*es)* helt;
~**ic** [hiˈrouik] adj heltemodig,
heroisk.
heroin [ˈherəuin] s heroin.
heroine [ˈherəuin] s heltinde;
heroism s heltemod.
heron [ˈherən] s hejre.
herring [ˈheriŋ] s sild; *a red* ~
et falsk spor; *smoked* ~ røget
sild; ~**bone** s sildeben; silde-
bensmønster; ~**bone stitch** s
heksesting.
hers [həːz] pron hendes; sin,
sit, sine.
herself [həːˈsɛlf] pron hun

selv; hende selv; sig selv; *she
did it* ~ hun gjorde det selv.
he's [hiːz] d.s.s. *he has, he is.*
hesitant [ˈhezitənt] adj tøven-
de, usikker; **hesitate** v vakle,
tøve; *hesitate about* være i
tvivl om; *hesitate to* tøve med
at; **hesitation** [-ˈteiʃən] s tø-
ven, usikkerhed.
het-up [hɛtˈʌp] adj (F) ophid-
set.
hi [hai] interj hej! davs!
hibernate [ˈhaibəneit] v over-
vintre; ligge i dvale, ligge i hi.
hiccough, hiccup [ˈhikʌp] s/v
hikke.
hid [hid] præt af *hide;* ~**den**
[hidn] pp af *hide.*
hide [haid] s skind, hud // v
banke, prygle; *(hid, hidden)*
skjule, gemme; skjule sig; ~
from gemme sig for; ~ *sth
(from sby)* gemme ngt (for
en); ~-**and-seek** s (om leg)
skjul; ~**away** s skjulested.
hideous [ˈhidiəs] adj hæslig,
skrækkelig.
hiding [ˈhaidiŋ] s tæsk, prygl;
skjul; *give sby a good* ~ give
en en ordentlig gang tæsk; *be
in* ~ holde sig skjult; ~ **pla-
ce** s gemmested.
high [hai] adj høj; stor; stærk,
voldsom (fx *wind* blæst); (S)
høj, skæv (af stoffer); ~ *and
mighty* stor på den; *in* ~
spirits i højt humør; ~**brow**
[-brau] s intellektuel; ånds-
snob; ~-**handed** adj storsnu-
det; ~-**heeled** adj højhælet;
~ **jump** s *(sport)* højdespring;

167 hoard **h**

H~lander *s* skotsk højlænder; *the* **H~lands** *spl* det skotske højland; **~light** *s (fig)* højdepunkt // *v* kaste lys over, fremhæve; **~ly** *adv* i høj grad, meget, højt; **~ly** *strung* overspændt, nervøs; **H~ness** *s:* *Your H~ness* Deres højhed; **~pitched** *adj* (om stemme, tone) skinger, høj; **~rise block** *s* højhus; **~ school** *s* højere skole; **~ street** *s* hovedgade; **~way** *s* hovedvej; **~wayman** *s* landevejsrøver.

hijack ['haidʒæk] *v* (om fly) kapre, bortføre; **~er** *s* flykaprer.

hike [haik] *s* travetur, vandretur // *v* være på travetur; **~r** *s* vandrer, vandrefugl; **hiking** *s* vandring.

hilarious [hi'lɛəriəs] *adj* kåd, løssluppen; **hilarity** [hi'læriti] *s* munterhed, løssluppenhed.

hill [hil] *s* bakke; (især skotsk) bjerg; **~side** *s* (bjerg)skråning; **~ start** *s (auto)* start op (el. ned) ad bakke; **~y** *adj* bakket, bjergrig.

hilt [hilt] *s: up to the ~ (fig)* helt og igennem.

him [him] *pron* han; den, det; sig; **~self** *pron* han selv; sig selv; *(all) by ~self* (helt) alene; *he did it ~self* han gjorde det selv.

hind [haind] *s* hind // *adj* bagest, bag-.

hinder ['hində*] *v* hindre; sinke; **hindrance** ['hindrəns] *s* hindring.

hindsight ['haindsait] *s* bagklogskab.

hinge [hindʒ] *s* hængsel // *v:* ~ *on (fig)* komme an på.

hint [hint] *s* antydning, vink // *v* antyde, insinuere; ~ *at* hentyde til.

hip [hip] *s* hofte; *(bot)* hyben.

hippopotamus [hipə'potəməs] *s (pl: ~es* el. *hippopotami* [-'potəmai]) flodhest.

hire [haiə*] *s* leje; løn; hyre // *v* leje; hyre, ansætte; *for ~* til leje; (på taxi) fri; ~ *purchase (H.P.) s* køb (el. salg) på afbetaling.

his [hiz] *pron* hans; sin, sit, sine.

hiss [his] *s* hvæsen, hvislen // *v* hvæse, hvisle; hysse.

historian [his'tɔ:riən] *s* historiker; **historic(al)** *adj* historisk; **history** ['histəri] *s* historie; *make history* skabe historie.

hit [hit] *s* stød, slag; succes, hit // *v (hit, hit)* ramme; støde, slå; nå; støde sammen med; finde, støde på; ~ *it off with* komme godt ud af det med; **~-and-run driver** *s* flugtbilist.

hitch [hitʃ] *s* hindring, standsning; *(mar)* stik // *v* sætte fast; (også: ~ *up)* spænde for; ~ *a lift* blaffe, køre på tommelfingeren; **~hike** *v* blaffe.

hive [haiv] *s* bikube.

H.M.S. fork.f. *Her (His) Majesty's Ship.*

hoard [hɔ:d] *s* forråd, reserver; skat // *v* samle sammen, hamstre.

hoarding ['hɔːdiŋ] s planke-
værk.
hoarfrost ['hɔːfrɔst] s rimfrost.
hoarse [hɔːs] adj hæs.
hoax [həuks] s spøg, nummer;
skrøne.
hob [hɔb] s bordkomfur; var-
meplade (ovenpå komfur);
pind (i fx ringspil).
hobble [hɔbl] v halte, humpe.
hobby ['hɔbi] s hobby; ride
one's ~ (fig) ride sin kæp-
hest; ~horse s (om legetøj)
kæphest.
hobnailed ['hɔbneild] adj (om
støvle) sømbeslået.
hock [hɔk] s rhinskvin; (om
hest) hase.
hoe [həu] s hakke, lugejern.
hog [hɔg] s (vild)svin // v (fig)
rage til sig; go the whole ~
tage skridtet helt ud.
Hogmanay [ˌhɔgməˈnei] s
(skotsk) nytårsaften.
hoist [hɔist] s hejs, spil // v
hejse, løfte.
hold [həuld] s hold, tag; støtte,
fodfæste; (mar) lastrum // v
(held, held) holde; indeholde,
rumme; eje; mene, anse for;
gælde; ~ the line (tlf) et
øjeblik; ~ one's own (fig)
holde stand; get ~ of få fat i;
get ~ of oneself tage sig
sammen; ~ back holde tilba-
ge, skjule (fx a secret en hem-
melighed); ~ down en holde
nede; blive i (fx a job en job);
~ off holde borte, holde på
afstand; ~ on holde sig fast;
holde ud; fortsætte; ~ on!

stop lidt! ~ on to holde fast
på (el. i); beholde; ~ out
love; tilbyde; ~ up række op;
støtte, holde oppe; holde i
skak; lave holdup; ~all s rej-
setaske, weekendtaske; ~er s
indehaver; holder; ~ing s be-
holdning; aktiepost; (agr)
gård, brug; ~ing company s
holdingselskab; ~up s hold-
up, væbnet røveri; trafik-
standsning.
hole [həul] s hul // v hulle, lave
huller i.
holiday ['hɔlidei] s ferie, fridag;
helligdag; ~maker s ferierej-
sende, turist; ~ resort s ferie-
sted.
holiness ['həulinis] s hellighed.
hollow ['hɔləu] s hulning, hul
// v: ~ out udhule // adj hul;
(fig) falsk.
holly ['hɔli] s kristtorn; ~hock
s stokrose.
holocaust ['hɔləkɔːst] s stor-
brand; massakre, massedrab.
holster ['həulstə⁰] s pistolhyl-
ster.
holy ['həuli] adj hellig; the H~
Ghost el. Spirit helligånden;
~ orders spl: take ~ orders
blive præsteviet; the H~ See
s pavestolen; the H~ Writ s
den hellige skrift, Bibelen.
homage ['hɔmidʒ] s hyldest;
pay ~ to hylde.
home [həum] s hjem // adj
hjemlig, hjemme-; indenrigs,
national // adv hjem; i mål; at
~ hjemme; it came ~ to me
det gik op for mig; go ~ gå

hjem; *(fig)* ramme; *his re-
mark went* ~ hans bemærk-
ning ramte (el. traf); **~land** *s*
fædreland; (i Sydafrika) re-
servat (for sorte); **~less** *adj*
hjemløs, husvild; **~ly** *adv*
hjemlig, hyggelig; jævn, fol-
kelig; **~-made** *adj* hjemme-
lavet; ~ **rule** *s* selvstyre,
hjemmestyre; **H~ Secretary**
s sv.t. indenrigsminister;
~sick *adj: be* ~*sick* have
hjemve; **~ward(s)** *adj* hjem-,
hjemad; **~work** *s* hjemmear-
bejde, lektier.
homicide ['hɔmisaid] *s* drab;
drabsmand.
homogeneous [hɔməu'dʒi:-
niəs] *adj* ensartet, homogen.
honest ['ɔnist] *adj* ærlig; hæ-
derlig; **~ly** *adv* ærligt; ærligt
talt; **~y** *s* ærlighed.
honey ['hʌni] *s* honning; (F)
skat // *v* snakke godt for,
smøre; **~moon** *s* bryllupsrej-
se, hvedebrødsdage.
honk [hɔŋk] *v* dytte, tude (med
hornet).
honorary ['ɔnərəri] *adj* æres-
(fx *member* medlem).
honour ['ɔnə*] *s* ære, hæder //
v ære, hædre; opfylde, indfri;
in ~ *of* til ære for; *guest of* ~
hædersgæst; *maid* (el. *lady*) *of*
~ hofdame; ~ *a bill (merk)*
acceptere en veksel; **~able**
adj hæderlig, retskaffen;
æret; *(parl): the* **~able** *mem-
ber* det ærede medlem; **~s
degree** *s* kandidateksamen
(B.A.) med specialisering i et

fag.
hood [hud] *s* hætte; *(auto)* ka-
leche; **~wink** *v* bluffe, narre.
hoof [hu:f] *s (pl: hooves
[hu:vz])* hov (på dyr).
hook [hu:k] *s* krog, knage;
hægte; fiskekrog // *v* få på
krogen; hægte; ~ *up* hægte
sammen; koble til.
hooligan ['hu:ligən] *s* bølle,
voldsmand.
hoot [hu:t] *s* hujen, tuden // *v*
tude, huje efter; *not give a* ~
være revnende ligeglad; ~
with laughter hyle af grin;
~er *s* bilhorn; *(mar)* signal-
horn, sirene; (S) tud, gynter.
hooves [hu:vz] *spl af hoof.*
hop [hɔp] *s* hop, spring; *(bot)*
humle // *v* hoppe, hinke.
hope [həup] *s* håb // *v* håbe
(på); *I* ~ *so* det håber jeg; *I*
~ *not* det håber jeg ikke; *be
past all* ~ ikke være til at
redde; **~ful** *adj* forhåbnings-
fuld; lovende; **~fully** *adv* op-
timistisk; forhåbentlig;
~less *adj* håbløs.
horizon [hə'raizən] *s* horisont;
~tal [hɔri'zɔntl] *adj* vandret.
hormone ['hɔ:məun] *s* hor-
mon; ~ **deficiency** *s* hor-
monmangel.
horn [hɔ:n] *s* horn; *blow the* ~
(auto) tude i hornet; *(mus)*
blæse i hornet; **~ed** *adj* med
horn.
hornet ['hɔ:nit] *s* gedehams;
~'s nest *s* hvepserede (også
fig).
horrible ['hɔribl] *adj* frygtelig,

grufuld; afskyelig; **horrid**
['hɔrid] *adj* væmmelig, gyse-
lig; **horrify** ['hɔrifai] *v* forfær-
de, skræmme; **horror** ['hɔrə*]
s rædsel, skræk; afsky; *she
looks a horror* hun ser skræk-
kelig ud; **horror film** *s* gyser,
skrækfilm.

horse [hɔːs] *s* hest; (sav)buk;
~**back** *s* hesteryg; *on* ~*back*
til hest; ~**fly** *s* hestebremse;
~**man** *s* rytter; ~**power** *(h.p.)*
s hestekraft; hestekræfter
(hk); ~**racing** *s* hestevædde-
løb; ~**radish** *s* peberrod;
~**whip** *s* ridepisk; **horsy** *adj*
hesteagtig; heste-; vild med
heste.

horticulture ['hɔːtikʌltʃə*] *s* ha-
vedyrkning.

hose [həuz] *s* (også: ~ *pipe*)
(vand)slange; (også: *garden*
~) haveslange.

hosiery ['həuziəri] *s* trikotage;
(i forretning) strømpeafde-
ling.

hospitable ['hɔspitəbl] *adj*
gæstfri.

hospital ['hɔspitl] *s* sygehus,
hospital; *in* ~ på hospitalet,
indlagt.

hospitality [hɔspi'tæliti] *s* gæst-
frihed.

hospitalize ['hɔspitəlaiz] *v*
indlægge (på hospitalet).

host [həust] *s* vært; (hær)ska-
re, mængde.

hostage ['hɔstidʒ] *s* gidsel.

hostel [hɔstl] *s* hjem, herberg;
(også: *youth* ~) ungdomsher-
berg, vandrerhjem.

hostess ['həustis] *s* værtinde;
(også: *air* ~) stewardesse, fly-
værtinde.

hostile ['hɔstail] *adj* fjendtlig;
hostility [hɔ'stiliti] *s* fjendtlig-
hed.

hot [hɔt] *adj* varm, hed; kryd-
ret, stærk; *(fig)* hidsig, liden-
skabelig; *you are getting* ~
tampen brænder; *he's* ~ *on
football* han er vild med fod-
bold; ~**bed** *s* drivbænk; *(fig)*
arnested.

hotel [həu'tel] *s* hotel; ~**ier** *s*
hotelejer, hotelvært.

hot... ['hɔt-] sms: ~**foot** *adv*
sporenstregs; ~**headed** *adj*
hidsig, opfarende; ~**house** *s*
drivhus; ~**water bottle** *s*
varmedunk.

hound [haund] *s* jagthund // *v*
jage, forfølge; *ride to* ~*s* dri-
ve rævejagt.

hour ['auə*] *s* time; stund, tid;
an ~ *and a half* halvanden
time; *after* ~*s* efter lukketid;
out of ~*s* uden for arbejdsti-
den; *strike the* ~ (om ur) slå
hel (el. timeslag); *paid by the*
~ timelønnet.

house *s* [haus] *(pl:* ~*es* ['hau-
siz]) hus (også om firma etc);
(teat) forestilling; tilskuer-
plads // *v* [hauz] huse, give
husly; *on the* ~ for værtens
regning; *the H*~ *of Com-
mons* underhuset; *the H*~ *of
Lords* overhuset; ~ **agent** *s*
ejendomsmægler; ~**breaking**
s indbrud; ~**hold** *s* husstand;
husholdning; ~**keeper** *s* hus-

holderske, husbestyrerinde;
~**keeping** *s* husholdning;
~**top** *s* hustag; ~**wife** *s* husmor; ~**work** *s* husligt arbejde.

housing ['hauziŋ] *s* boliger, huse // *adj* bolig-; ~ **estate**, ~ **scheme** *s* boligkvarter; ~ **shortage** *s* boligmangel.

hover ['hɒvə*] *v* svæve; vakle, tøve; ~ *about* (el. *round*) *sby* kredse om en; ~**craft** *s* luftpudebåd; luftpude-.

how [hau] *adv* hvordan; hvor; ~ *are you?* hvordan har du det? (ofte som hilsen:) goddag! ~ *lovely!* hvor dejligt! ~ *many?* hvor mange? ~ *much is it?* hvor meget koster det? ~**ever** [hau'evə*] *adv* hvordan end // *konj* imidlertid, alligevel.

howl [haul] *s* hyl, brøl, tude // *v* hyle, tude; ~**er** *s* brøler, bommert.

h.p., H.P. fork.f. *hire-purchase; horsepower*.

H.Q. ['eitʃ'kju:] fork.f. *headquarters*.

hr(s) fork.f. *hour(s)*.

hub [hʌb] *s* (om hjul) nav; *(fig)* centrum; (F) (også: *hubby*) (ægte)mand.

hub cap ['hʌbkæp] *s* hjulkapsel.

huddle ['hʌdl] *v:* ~ *together* stimle sammen; trykke sig op ad hinanden.

hue [hju:] *s* farve; anstrøg; ~ *and cry (fig)* ramaskrig, alarm; klapjagt, hetz.

huff [hʌf] *s* fornærmelse; *in a*

~ *mopset*.

hug [hʌg] *s s* omfavnelse, knus // *v* omfavne, knuge (ind til sig); holde sig tæt ved.

huge [hju:dʒ] *adj* enorm, kæmpestor.

hulk [hʌlk] *s* stort klodset skib; skibsskrog; (om person) klods.

hull [hʌl] *s* skibsskrog.

hum [hʌm] *s* nynne; (om insekt) brummen, summen // *v* nynne; summe, brumme.

human ['hju:mən] *s* (også: ~ *being*) menneske // *adj* menneskelig; menneske-; ~**e** [hju'mein] *adj* menneskekærlig, human; ~**ities** *spl* humaniora; ~**ity** [-'mæniti] *s* menneskelighed; menneskehed.

humble [hʌmbl] *adj* ydmyg; beskeden, tarvelig; **humbly** *adv* ydmygt, beskedent.

humid ['hju:mid] *adj* fugtig; ~**ity** [-'miditi] *s* fugtighed.

humiliate [hju:'milieit] *v* ydmyge; **humiliation** [-'eiʃən] *s* ydmygelse; **humility** [-'militi] *s* ydmyghed.

humming-bird ['hʌmiŋbə:d] *s* kolibri.

humorous ['hju:mərəs] *adj* humoristisk; **humour** ['hju:mə*] *s* humor; humør // *v* føje.

hump [hʌmp] *s* pukkel; tue.

hunch [hʌntʃ] *s* pukkel; klump, luns; *(fig)* forudanelse; *have a* ~ *that...* have på fornemmelsen at...; ~**back** *s* pukkel; pukkelrygget person; ~**ed** *adj* ludende.

hundred ['hʌndrəd] *num* hundrede; **~weight** *s* centner *(brit: 112 lb, 50,8 kg; am: 100 lb, 45,3 kg)*.

hung [hʌŋ] *præt* og *pp* af *hang*.

Hungarian [hʌŋ'geəriən] *s* ungarer // *adj* ungarsk; **Hungary** ['hʌŋgəri] *s* Ungarn.

hunger ['hʌŋgə'] *s* sult; *(fig)* trang *(for* til) // *v:* ~ *for* tørste efter, ønske brændende; **hungry** ['hʌŋgri] *adj* sulten; begærlig *(for* efter).

hunt [hʌnt] *v* jage (efter), søge; gå på jagt; ~ *for* lede efter; **~er** *s* jæger; **~ing** *s* jagt (især rævejagt til hest).

hurdle [hə:dl] *s* gærde; *(sport)* hæk, forhindring; ~ **race** *s* (også: *hurdles)* hækkeløb, forhindringsløb.

hurl [hə:l] *v* slynge, kyle.

hurricane ['hʌrikən] *s* orkan.

hurried ['hʌrid] *adj* hastig, fortravlet; hastværks-; **hurry** *s* hast(værk), fart // *v* skynde sig, haste; skynde på; fremskynde; *be in a hurry* have travlt; *do sth in a hurry* skynde sig med ngt.

hurt [hə:t] *s* skade, fortræd; sår // *v (hurt, hurt)* skade; slå, støde; *(fig)* såre; gøre ondt // *adj* såret; **~ful** *adj* sårende.

hurtle [hə:tl] *v* slynge, kaste; ~ *down* rasle ned; ~ *past* suse forbi.

husband ['hʌzbənd] *s* (ægte)-mand.

hush [hʌʃ] *s* stilhed // *v* berolige, dysse ned; *hush!* hys! stil-

le! *hush-hush adj* meget hemmelig, tys-tys.

husk [hʌsk] *(bot)* avne, skal, kapsel, bælg.

husky ['hʌski] *adj* (om stemme) hæs, grødet.

hustle [hʌsl] *s* trængsel // *v* jage med; skubbe til; ~ *and bustle* liv og røre.

hut [hʌt] *s* hytte, skur; *(mil)* barak.

hybrid ['haibrid] *s* bastard, hybrid.

hydrate ['haidreit] *s (kem)* hydrat // *v* hydrere.

hydroelectric ['haidrəui'lektrik] *adj* vandkraft-.

hydrogen ['haidrədʒɛn] *s* brint, hydrogen.

hydrophobia [,haidrə'fəubiə] *s* vandskræk; *(med)* hundegalskab, rabies.

hygiene ['haidʒi:n] *s* hygiejne.

hymn [him] *s* salme, hymne.

hypertension [haipə'tɛnʃən] *s* forhøjet blodtryk, hypertension.

hyphen [haifn] *s* bindestreg; **~ation** [haifə'neiʃən] *s* orddeling.

hypnosis [hip'nəusis] *s* hypnose; **hypnotism** ['hipnətizm] *s* hypnotisme; **hypnotist** ['hipnətist] *s* hypnotisør.

hypochondriac [,haipə'kɔndriæk] *s* hypokonder.

hypocrisy [hi'pɔkrisi] *s* hykleri; **hypocrite** ['hipəkrit] *s* hykler.

hypothesis [hai'pɔθəsis] *s (pl: hypotheses* [-si:z]) antagelse, hypotese; **hypothetic(al)**

173 ill-bred **i**

[-'θetikl] *adj* antaget, hypotetisk.

hysterectomy [histə'rektəmi] *s* fjernelse af livmoderen, hysterektomi.

hysteria [his'tiəriə] *s* hysteri; **hysterical** [-'sterikl] *adh* hysterisk; **hysterics** [-'steriks] *spl* hysterianfald; *go into hysterics* blive hysterisk.

I

I, i [ai].

ice [ais] *s* is // *v* afkøle, lægge på is; ~ *up* overise; ~ **age** *s* istid; ~**bag** *s* ispose; ~**berg** *s* isbjerg; ~**cap** *s* indlandsis; evig sne; ~ **cream** *s* (fløde)is; ~ **cube** *s* isterning; ~**d** *adj* iskold; is-; ~ **fern** *s* isblomst.

Iceland ['aislənd] *s* Island; ~**er** *s* islænding; ~**ic** [-'lændik] *s/adj* islandsk.

ice lolly ['aisloli] *s* ispind; **ice rink** *s* skøjtebane.

icicle ['aisikl] *s* istap.

icing ['aisin] *s* isslag; overisning; *(gastr)* glasur (på kage etc); ~ **sugar** *s* flormelis.

icy ['aisi] *adj* iskold, isnende.

I'd [aid] *d.s.s. I had, I would.*

idea [ai'diə] *s* idé; begreb; tanke; *I have no* ~ jeg aner (det) ikke; *have you any* ~ *where?* har du ngt begreb om hvor? *that's the* ~*!* sådan skal det være!

ideal [ai'diəl] *s* forbillede, ideal // *adj* ideel; fuldendt; ~**ist** *s* idealist.

identical [ai'dentikl] *adj* ens, identisk; ~ **twins** *spl* enæggede tvillinger.

identification [aidentifi'keiʃən] *s* legitimation; identifikation; **identify** [-fai] *v* identificere; **identity** [-ti] *s* identitet.

idiosyncrasy [idiə'sinkrəsi] *s* overfølsomhed; særhed.

idiot ['idiət] *s* idiot, fjols; ~**ic** [-'ɔtik] *adj* idiotisk.

idle [aidl] *v* drive *(about* rundt); *(auto)* gå i tomgang // *adj* ledig, ubeskæftiget; doven; ude af drift; intetsigende; håbløs, forgæves; *lie* ~ ligge stille; ~*r s* lediggænger; dovendidrik.

idol [aidl] *s* afgud, idol; ~**ize** ['aidəlaiz] *v* forgude, tilbede.

i.e. ['ai'i:] (*fork.f. id est*) dvs.

if [if] *konj* hvis, dersom; om; selv om; *as* ~ som om; ~ *not* hvis ikke; ellers; ~ *only* hvis bare, gid; ~ *so* i så fald.

ignition [ig'niʃən] *s* antændelse; *(auto)* tænding; *turn on the ignition* slå tændingen til; ~ **key** *s (auto)* startnøgle.

ignorance ['ignərəns] *s* uvidenhed; ukendskab; **ignorant** *adj* uvidende; **ignore** [ig'no:'] *v* ignorere; overse, overhøre.

I'll [ail] *d.s.s. I shall, I will.*

ill [il] *adj* syg, dårlig; ond; *take* (el. *be taken)* ~ blive syg; *be* ~ *in bed* ligge syg; *speak* ~ *of* tale ondt om; ~**-advised** *adj* ubetænksom; uovervejet; ~**-at-ease** *adj* ilde til mode; ~**-bred** *adj* uopdragen.

illegal [i'li:gl] *adj* ulovlig, illegal.

illegible [i'ledʒibl] *adj* ulæselig.

illegitimate [ili'dʒitimət] *adj* uberettiget; ulovlig; (om barn) uægte, illegitim.

ill-fated [il'feitid] *adj* ulyksalig; skæbnesvanger; **ill feeling** *s* fjendskab, nag.

illicit [i'lisit] *adj* ulovlig.

illiterate [i'litərət] *s* analfabet // *adj* som ikke kan læse el. skrive, uvidende.

ill-mannered [il'mænəd] *adj* uopdragen; **ill-natured** *adj* ondsindet; gnaven.

illness [ilnis] *s* sygdom.

illogical [i'lɔdʒikl] *adj* ulogisk.

ill-treat [il'tri:t] *v* mishandle.

illuminate [i'lu:mineit] *v* oplyse, belyse, illuminere; **~d sign** *s* lysskilt; **illumination** [-'neiʃən] *s* belysning, illumination.

illusion [i'lu:ʒən] *s* illusion; indbildning; (falsk) forhåbning; **illusive** [-'lu:siv], **illusory** [-'lu:səri] *adj* uvirkelig; illusorisk.

illustrate ['iləstreit] *v* illustrere; belyse; **illustration** [-'streiʃən] *s* illustration, billede.

illustrious [i'lʌstriəs] *adj* berømt; strålende.

ill-will [il'wil] *s* ond vilje, uvenskab.

I'm [aim] d.s.s. *I am.*

image ['imidʒ] *s* billede; spejlbillede; image; *she's the spitting ~ of her mother* hun er sin mors udtrykte billede.

imaginary [i'mædʒinəri] *adj* indbildt, imaginær; **imagination** [-'neiʃən] *s* fantasi; indbildning; **imaginative** [i'mædʒinətiv] *adj* opfindsom, fantasifuld; **imagine** [i'mædʒin] *v* forestille sig; tro; bilde sig ind.

imbecile ['imbəsi:l] *s* tåbe // *adj* dum, imbecil.

imitate ['imiteit] *v* efterligne; **imitation** [-'teiʃən] *s* efterligning, parodi, imitation; **imitation leather** *s* kunstlæder; **imitator** *s* efterligner.

immaculate [i'mækjulət] *adj* ren, uplettet, ulastelig; *(rel)* ubesmittet.

immaterial [imə'tiəriəl] *adj* uvæsentlig; ligegyldig.

immature [imə'tjuə•] *adj* umoden.

immediate [i'mi:djət] *adj* øjeblikkelig; nærmest; direkte; **~ly** *adv* straks, umiddelbart; *~ly next to* lige ved siden af.

immense [i'mens] *adj* enorm, vældig.

immerse [i'mə:s] *v* dyppe (helt ned); nedsænke; **immersion heater** *s* dypkoger.

immigrant ['imigrənt] *s* indvandrer; **immigration** [-'greiʃən] *s* indvandring.

imminent ['iminənt] *adj* nært forestående; truende, overhængende.

immoderate [i'mɔdərət] *adj* umådeholden; overdreven.

immodest [i'mɔdist] *adj* ube-

skeden; fræk; uanstændig.
immoral [i'mɔrl] *adj* umoralsk.
immortal [i'mɔ:tl] *s/adj* udøde-
lig; ~**ize** *v* udødeliggøre.
immune [i'mju:n] *adj* immun;
uimodtagelig; **immunization**
[imjunai'zeiʃən] *s* immunise-
ring, vaccination.
impact [i'impækt] *s* stød, slag;
træfning; *make an ~ on sby*
gøre indtryk på en.
impair [im'peə*] *v* svække(s),
forværre(s).
impartial [im'pa:ʃl] *adj* upar-
tisk.
impatience [im'peiʃəns] *s* utål-
modighed; iver; **impatient** *adj*
utålmodig; *be impatient of*
ikke kunne tage.
impeccable [im'pekəbl] *adj*
ulastelig; fejlfri.
impede [im'pi:d] *v* hindre; van-
skeliggøre; **impediment**
[-'pedimənt] *s* hindring; gene;
(også: *speech ~*) talefejl.
impenetrable [im'penitrəbl]
adj uigennemtrængelig.
imperative [im'perətiv] *s*
(gram) bydemåde, imperativ
// *adj* bydende; påkrævet.
imperceptible [impə'septibl]
adj umærkelig; ganske lille.
imperfect [im'pə:fikt] *s (gram)*
datid, imperfektum // *adj*
ufuldkommen; defekt, man-
gelfuld; ~**ion** [-'fɛkʃən] *s*
ufuldkommenhed; skavank.
imperial [im'piəriəl] *adj* kejser-
lig; imperie-; (om mål og
vægt) britisk standard-; ~**ism**
s imperialisme.

impersonal [im'pə:sənl] *adj*
upersonlig.
impersonate [im'pə:səneit] *v*
udgive sig for; *(teat* etc) spil-
le; parodiere; **impersonation**
[-'neiʃən] *s* personifikation;
parodi.
impertinent [im'pə:tinənt] *adj*
næsvis, uforskammet.
impetuous [im'pɛtjuəs] *adj*
voldsom; fremfusende.
impetus ['impətəs] *s* drivkraft;
(fig) incitament.
impinge [im'pindʒ] *v:* ~ *on*
trænge sig ind på; ramme,
støde imod.
implicate ['implikeit] *v* inde-
bære, implicere; **implication**
[-'keiʃən] *s* indblanding; un-
derforståelse; antydning.
implicit [im'plisit] *adj* under-
forstået; ubetinget.
implore [im'plɔ:*] *v* bønfalde,
bede indstændigt.
imply [im'plai] *v* medføre, inde-
bære; antyde; lade formode.
import *s* ['impɔ:t] indførsel, im-
port; betydning, mening // *v*
[im'pɔ:t] indføre, importere;
indebære, betyde; ~**ance**
[-'pɔ:təns] *s* betydning, vig-
tighed; ~**ant** [-'pɔ:tnt] *adj*
vigtig; ~**ation** [-'teiʃən] *s* im-
port.
impose [im'pəuz] *v* påtvinge;
~ *on sby* benytte sig af (el.
bedrage) en; **imposing** *adj*
imponerende; statelig.
impossibility [impɔsə'biliti] *s*
umulighed; **impossible**
[im'pɔsibl] *adj* umulig.

impostor [im'pɒstə*] *s* svindler, bedrager.

impotence ['impətns] *s* afmagt, svaghed; impotens; **impotent** *adj* kraftesløs, afmægtig; impotent.

impoverished [im'pɒvəriʃt] *adj* forarmet, ludfattig.

impracticable [im'præktikəbl] *adj* uigennemførlig; umulig; (om vej etc) ufremkommelig.

impractical [im'præktikl] *adj* upraktisk.

impregnable [im'pregnəbl] *adj* uindtagelig; *(fig)* uangribelig; urokkelig.

impregnate ['impregneit] *v* imprægnere; præparere; befrugte.

impress [im'pres] *v* gøre indtryk på; imponere; trykke; (ind)præge; ~ *sth on sby* indprente en det; ~**ion** *s* indtryk; aftryk; *be under the* ~*ion that...* tro at; ~**ionable** *adj* letpåvirkelig; ~**ive** [-'presiv] *adj* imponerende; slående.

imprint *s* ['imprint] aftryk; stempel // *v* [im'print] trykke på; mærke; indprente; ~**ed** [-'printid] *adj:* ~*ed on* prentet i (fx *the memory* hukommelsen).

imprison [im'prizn] *v* fængsle; ~**ment** *s* fængsling, fængsel.

improbable [im'prɒbəbl] *adj* usandsynlig.

improper [im'prɒpə*] *adj* upassende; uanstændig; urigtig; **impropriety** [imprə'praiəti] *s*

uanstændighed; urigtighed.

improve [im'pru:v] *v* forbedre(s); blive bedre; gøre fremskridt; ~ *on* forbedre, pynte på; ~**ment** *s* forbedring; fremskridt.

improvise ['imprəvaiz] *v* improvisere.

imprudence [im'pru:dns] *s* ubetænksomhed; **imprudent** *adj* uforsigtig; uklog.

impudent ['impjudnt] *adj* uforskammet, fræk.

impulse ['impʌls] *s* impuls; tilskyndelse; skub; (instinktiv) lyst; **impulsive** [im'pʌlsiv] *adj* impulsiv.

impure [im'pjuə*] *adj* uren; **impurity** [-'pjuəriti] *s* urenhed.

in [in] *adj* inde; ved magten; i mode // *adv/præp* i; (om retning) ind; (om tid) om; på; *their party is* ~ deres parti er ved magten; ~ *two weeks* om to uger; ~ *a second* om et sekund; på et sekund; *a man* ~ *ten* en mand ud af ti; ~ *hundreds* i hundredevis; *is he* ~? er han hjemme? *he's* ~ *the country* han er på landet; ~ *town* i byen; ~ *English* på engelsk; ~ *my opinion* efter min mening; *ask sby* ~ invitere en indenfor; *know the* ~*s and outs of sth* kende ngt ud og indt; ~ *that* idet, derved at; *you are* ~ *for it now* (F) nu hænger du på den.

in., ins. fork.f. *inch(es).*

inability [inə'biliti] *s* manglende evne; udueligehed.

inaccessible [inək'sɛsibl] *adj* utilgængelig; uopnåelig; uimodtagelig.

inaccuracy [in'ækjurəsi] *s* unøjagtighed; **inaccurate** *adj* unøjagtig.

inaction [in'ækʃən] *s* uvirksomhed; **inactive** [in'æktiv] *adj* uvirksom, passiv.

inadequacy [in'ædikwəsi] *s* utilstrækkelighed; **inadequate** *adj* utilstrækkelig.

inadvertently [inəd'və:tntli] *adj* uforvarende.

inadvisable [inəd'vaizəbl] *adj* ikke tilrådelig; uklog.

inappropriate [inə'prəupriət] *adj* upassende.

inapt [i'næpt] *adj* klodset; upassende.

inarticulate [ina:'tikjulət] *adj* umælende; som har svært ved at udtrykke sig; uartikuleret.

inasmuch [inəz'mʌtʃ] *adv:* ~ *as* for så vidt som; eftersom.

inattention [inə'tenʃən] *s* uopmærksomhed; **inattentive** [-'tentiv] *adj* uopmærksom.

inaudible [in'ɔ:dibl] *adj* uhørlig.

in-between ['inbi'twi:n] *adj* (ind)imellem; mellem-.

inborn ['in'bɔ:n] *adj* medfødt.

inbred ['inbred] *adj* indavlet; medfødt; **inbreeding** ['in'bri:diŋ] *s* indavl.

Inc. fork.f. *incorporated.*

incalculable [in'kælkjuləbl] *adj* utallige; uoverskuelig.

incapability [inkeipə'biliti] *s* manglende evne; udulighed;

incapable [in'keipəbl] *adj* ude af stand *(of* til); udulig.

incarnate *v* ['inka:neit] legemliggøre // *adj* [in'ka:neit] inkarneret.

incense *s* ['insɛns] røgelse // *v* [in'sɛns] opflamme, ophidse; gøre vred.

incentive [in'sɛntiv] *s* tilskyndelse, spore.

incessant [in'sɛsnt] *adj* ustandselig, uophørlig.

incest ['insɛst] *s* blodskam.

inch [intʃ] *s* sv.t. tomme (2,5 cm); *within an* ~ *of* lige ved (at); ~ *tape* s målebånd.

incidence ['insidəns] *s* forekomst; hyppighed; **incident** *s* hændelse; begivenhed; episode.

incidental [insi'dɛntl] *adj* tilfældig; ~ *to* som følger med; ~ *expenses* diverse udgifter; ~*ly adv* for resten; tilfældigvis.

incinerator [in'sinəreitə*] *s* forbrændingsovn.

incipient [in'sipiənt] *adj* begyndende; spirende.

incisor [in'saizə*] *s* fortand.

incite [in'sait] *v* tilskynde, anspore.

inclination [inkli'neiʃən] *s* bøjning; hældning; tilbøjelighed.

incline *s* ['inklain] hældning, skråning // *v* [in'klain] bøje; skråne; ~ *to* hælde til, have tilbøjelighed til; *be* ~*d to* være tilbøjelig til; *well* ~*d* venligt indstillet.

include [in'klu:d] *v* omfatte; medregne; inkludere; **including** *præp* iberegnet, inklusive; **inclusion** [-'klu:ʒən] *s* medregning; **inclusive** [-'klu:siv] *adj* samlet; *inclusive of* inklusive.

incoherent [inkəu'hiərənt] *adj* usammenhængende; uklar.

income ['inkʌm] *s* indkomst; indtægt; ~ **tax** *s* indkomstskat; ~ **tax return** *s* selvangivelse.

incoming ['inkʌmiŋ] *adj* ankommende (fx *trains* tog); indløbende (fx *letters* breve); ~ **tide** stigende tidevand.

incompatible [inkəm'pætibl] *adj* uforenelig.

incompetent [in'kɔmpitnt] *adj* uduelig, umulig.

incomprehensible [inkəmpri'hensibl] *adj* uforståelig.

inconceivable [inkənsi:vəbl] *adj* ufattelig, ubegribelig.

inconclusive [inkən'klu:siv] *adj* ufyldestgørende; uafgjort.

incongruous [in'kɔŋgruəs] *adj* upassende; uoverensstemmende; urimelig.

inconsiderate [inkən'sidərət] *adj* ubetænksom; tankeløs.

inconsistent [inkən'sistnt] *adj* usammenhængende; ulogisk; uoverensstemmende.

inconspicuous [inkən'spikjuəs] *adj* som ikke falder i øjnene; (om fx kjole, farve) diskret; *make oneself* ~ holde en lav profil.

inconstant [in'kɔnstnt] *adj*

ustadig; foranderlig.

inconvenience [inkən'vi:njəns] *s* ulejlighed; besvær; ulempe // *v* ulejlige; forstyrre; **inconvenient** *adj* ubelejlig; upraktisk.

incorporate [in'kɔ:pəreit] *v* indlemme; indkorporere; omfatte; optage (som medlem); (om firmaer) fusionere; **~d** *adj*: ~ *company (Inc.)* (am) aktieselskab.

incorrect [inkə'rekt] *adj* ukorrekt; forkert.

incorruptible [inkə'rʌptibl] *adj* ubestikkelig.

increase *s* [in'kri:s] stigning; vækst; forøgelse // *v* [in'kri:s] forøge; vokse; tiltage; **increasing** [-'krisiŋ] *adv* voksende, tiltagende.

incredible [in'kredibl] *adj* utrolig; **incredulous** [-'kredjuləs] *adj* vantro; skeptisk.

increment ['inkrimənt] *s* stigning, tilvækst.

incriminate [in'krimineit] *v* anklage; rette mistanke imod; kompromittere.

incubation [inkju'beiʃən] *s* udrugning; inkubation; **incubator** ['inkjubeitə*] *s* rugemaskine; varmeskab; (til barn) kuvøse.

incurable [in'kjuərəbl] *adj* uhelbredelig.

indebted [in'detid] *adj* forgældet; *be* ~ *to sby* være en tak skyldig.

indecent [in'di:snt] *adj* uanstændig; usømmelig; ~ **ex-**

posure s blufærdighedskræn-
kelse.

indecision [indi'siʒən] s ube-
slutsomhed, rådvildhed; **in-
decisive** [-'saisiv] adj svæ-
vende (fx *answer* svar); ube-
slutsom.

indeed [in'di:d] adv virkelig; i
virkeligheden; ganske vist;
rigtignok; *thank you very
much* ~! tusind tak! // interj
~! minsandten! virkelig! ~?
nej virkelig? såh?

indefinable [indi'fainəbl] adj
ubestemmelig, udefinerlig.

indefinite [in'definit] adj ube-
stemt; utydelig; ~ly adv i det
uendelige, på ubestemt tid.

indentation [indən'teiʃən] s
indsnit, hak; *(typ)* indryk-
ning.

independence [indi'pɛndns] s
uafhængighed; selvstændig-
hed; **independent** adj uaf-
hængig; **independently** adv
hver for sig.

indescribable [indis'kraibəbl]
adj ubeskrivelig.

index ['indɛks] s *(pl: ~es)* (i
bog) register; (på bibliotek
etc) kartotek, katalog; indeks;
viser; ~ **card** s kartotekskort;
~ **finger** s pegefinger; ~-
linked adj pristalsreguleret;
~ **regulation** s dyrtidsregule-
ring.

India ['indiə] s Indien; ~n s
inder; indianer // adj indisk;
indiansk; indianer-; ~n **file** s:
in ~n *file* i gåsegang; ~n **ink** s
tusch; *the* ~n **Ocean** s Indi-

ske Ocean.

indicate ['indikeit] v angive;
betegne; vise; antyde; tyde på;
indication [-'keiʃən] s angi-
velse; tegn; **indicator** s viser;
(signal)tavle; *(auto)* blinklys.

indict [in'dait] v tiltale; straf-
forfølge.

indifference [in'difrəns] s lige-
gyldighed; **indifferent** adj li-
geglad, ligegyldig; middelmå-
dig.

indigenous [in'didʒinəs] adj
indfødt; medfødt.

indigestible [indi'dʒɛstibl] adj
ufordøjelig; **indigestion** s for-
døjelsesbesvær; dårlig mave.

indignant [in'dignənt] adj in-
digneret, forarget; **indigna-
tion** [-'neiʃən] s harme, forar-
gelse.

indirect [indi'rɛkt] adj indirek-
te.

indiscreet [,indi'skri:t] adj ube-
tænksom, indiskret; **indiscre-
tion** [-'kreʃən] s taktløshed,
indiskretion.

indiscriminate [indis'kriminət]
adj kritikløs; tilfældig, i
flæng, planløs, (fx *bombing*
bombning).

indispensable [indis'pɛnsəbl]
adj uundværlig.

indisposed [,indis'pəuzd] adj
utilpas; indisponeret; **indis-
position** [-'ziʃən] s utilpashed.

indisputable [indis'pju:təbl]
adj ubestridelig; uimodsige-
lig.

indistinct [indis'tiŋkt] adj uty-
delig; vag.

individual [indi'vidjuəl] *s* individ, person // *adj* individuel, enkelt, særlig; ~**ity** [-'æliti] *s* særpræg, egenart; særegenhed; ~**ly** *adv* hver for sig, enkeltvis.

indolent ['indələnt] *adj* lad, ugidelig.

indoor ['indɔ:'] *adj* indendørs-; inde- (fx *football* fodbold); stue- (fx *plant* plante); ~**s** [in'dɔ:z] *adv* inde, inden døre.

indubitable [in'dju:bitəbl] *adj* utvivlsom; ubestridelig.

induce [in'dju:s] *v* formå, bevæge; forårsage; fremkalde; ~**ment** *s* tilskyndelse; *(neds)* returkommission.

indulge [in'dʌldʒ] *v* føje; forkæle; give efter for; ~ *in sth* hengive sig til (el. dyrke) ngt; ~**nce** *s* overbærenhed; (overdreven) nydelse; ~**nt** *adj* overbærende; svag.

industrial [in'dʌstriəl] *adj* industriel; industri-; faglig; **I~ Court** *s* arbejdsretten; ~ **dispute** *s* arbejdskonflikt; ~ **estate** *s* industriområde; ~ **medicine** *s* arbejdsmedicin; ~**ist** *s* industrimand, fabrikant.

industrious [in'dʌstriəs] *adj* flittig, arbejdsom.

industry ['indəstri] *s* industri; erhverv; flid.

inedible [in'edibl] *adj* uspiselig.

ineffective [ini'fektiv] *adj* virkningsløs; unyttig; **ineffectual** [-'fektʃuəl] *adj* virkningsløs; uduelig.

inefficient [ini'fiʃənt] *adj* udygtig, uduelig; ineffektiv.

inept [in'ept] *adj* malplaceret, kluntet.

inequality [ini'kwɔliti] *s* ulighed; uregelmæssighed.

inert [i'nə:t] *adj* død, træg, inaktiv; ~**ia** [i'nə:ʃə] *s* træghed, sløvhed; inerti; ~~**reel seat belt** *s* rullesele.

inescapable [ini'skeipəbl] *adj* uundgåelig.

inessential [ini'senʃl] *adj* uvæsentlig.

inevitable [in'evitəbl] *adj* uundgåelig.

inexact [inig'zækt] *adj* upræcis.

inexhaustible [inig'zɔ:stibl] *adj* utrættelig; uudtømmelig.

inexorable [in'eksərəbl] *adj* ubønhørlig.

inexpensive [iniks'pensiv] *adj* billig.

inexperienced [iniks'piəriənsd] *adj* uerfaren, uøvet.

inexplicable [iniks'plikəbl] *adj* uforklarlig.

inextricable [iniks'trikəbl] *adj* uløselig; indviklet.

infallibility [infæli'biliti] *s* ufejlbarlighed; **infallible** [in'fælibl] *adj* ufejlbarlig.

infamous ['infəməs] *adj* nederdrægtig, infam; berygtet; **infamy** *s* skændsel, vanære.

infancy ['infənsi] *s* barndom; mindreårighed.

infant ['infənt] *s* lille barn, spædbarn; ~**ile** [-'tail] *adj* barne-, børne-; barnlig; ~

school s forskole for børn under syv år.

infantry ['infəntri] s *(mil)* infanteri.

infatuated [in'fætjueitid] *adj:* ~ *with* forblindet af; vildt forelsket i; **infatuation** [-'eiʃən] s forgabelse; forelskelse.

infect [in'fɛkt] v inficere, smitte; *(neds)* besmitte; ~**ion** s smitte, infektion; smitsom sygdom; ~**ious** [-'fɛkʃəs] *adj* smitsom; smittende.

inferior [in'fiəriə*] s underordnet // *adj* lavere; dårlig, ringe; underordnet; ~**ity** [infiəri'oriti] s lavere rang; dårligere kvalitet; ~**ity complex** s mindreværdskompleks.

infernal [in'fə:nl] *adj* helvedes, infernalsk.

infested [in'fɛstid] *adj:* ~ *(with)* plaget (af); angrebet (af).

infidelity [infi'dɛliti] s utroskab; vantro.

infiltrate ['infiltreit] v trænge ind i, infiltrere.

infinite ['infinit] *adj* uendelig; **infinity** [in'finiti] s uendelighed; det uendelige.

infirm [in'fə:m] *adj* svag(elig); usikker; ~**ary** [-'fə:məri] s hospital; ~**ity** [-'fə:miti] s svagelighed; skavank.

inflame [in'fleim] v opflamme; blive opflammet; blive (el. gøre) betændt; **inflammable** [in'flæməbl] *adj* let antændelig, brandfarlig; **inflammation** [inflə'meiʃən] s antændelse; betændelse.

inflate [in'fleit] v puste (el. pumpe) op; udspile(s); ~**d** *adj* (om fx stil) opblæst, svulstig; overdreven.

inflexible [in'flɛksibl] *adj* ubøjelig; urokkelig.

inflict [in'flikt] v: ~ *on* påføre, tildele, volde; ~**ion** [-'flikʃən] s tildeling; plage, straf.

inflow ['infləu] s tilstrømning; tilgang.

influence ['influəns] s indflydelse // v have indflydelse på; påvirke; *under the* ~ *of* påvirket af; **influential** [-'ɛnʃl] *adj* indflydelsesrig.

influx ['inflʌks] s d.s.s. *inflow.*

inform [in'fo:m] v meddele; oplyse *(of* om); ~ *against* angive, stikke.

informal [in'fo:ml] *adj* uformel; tvangfri; *'dress* ~ 'daglig påklædning'; ~**ity** [-'mæliti] s tvangfrihed; ~ **language** s (dagligt) talesprog.

information [infə'meiʃən] s oplysning(er); underretning; viden; *a piece of* ~ en oplysning; **informative** [in'fo:mətiv] *adj* oplysende, belærende; meddelsom.

informer [in'fo:mə*] s anmelder; (også: *police* ~) angiver, stikker.

infrequent [in'fri:kwənt] *adj* sjælden, ualmindelig.

infringe [in'frindʒ] v overtræde, bryde (fx *the law* loven); ~

on krænke; ~ment *s:* ~ment *(of)* overtrædelse (af); krænkelse (af).

infuriate [in'fjuərieit] *v* gøre rasende; **infuriating** *adj* til at blive rasende over.

ingenious [in'dʒiːnjəs] *adj* genial; snild; **ingenuity** [indʒi'njuːiti] *s* genialitet; snildhed.

ingenuous [in'dʒenjuəs] *adj* naiv, troskyldig.

ingratiate [in'greiʃieit] *v:* ~ *oneself with* (prøve at) indynde sig hos.

ingratitude [in'grætitjuːd] *s* utaknemmelighed.

ingredient [in'griːdiənt] *s* bestanddel, ingrediens.

ingrown ['ingrəun] *adj* indgroet; (om tånegl) nedgroet.

inhabit [in'hæbit] *v* bebo; ~ant *s* beboer; indbygger.

inhale [in'heil] *v* ånde ind; indånde, inhalere.

inherent [in'hiərənt] *adj:* ~ *(in* el. *to)* (uløseligt) forbundet med; rodfæstet i; iboende.

inherit [in'herit] *v* arve; ~ance *s* arv; *law of* ~ance arveret.

inhibit [in'hibit] *v* hæmme; undertrykke; forbyde; ~ *sby from doing sth* forhindre en i at gøre ngt; ~ion *s* [-'biʃən] *s* hæmning.

inhospitable [in'hɔspitəbl] *adj* ugæstfri.

inhuman [in'hjuːmən] *adj* umenneskelig.

initial [i'niʃl] *s* forbogstav, initial // *adj* indledende; begyn-

delses-; ~ly *adv* i begyndelsen.

initiate [i'niʃieit] *v* indvi; indlede; påbegynde; ~ *sby into a secret* indvi en i en hemmelighed.

initiative [i'niʃətiv] *s* initiativ; foretagsomhed.

inject [in'dʒekt] *v* indsprøjte; ~ion *s* indsprøjtning.

injure ['indʒə*] *v* såre, skade, kvæste, beskadige; **injury** ['indʒəri] *s* skade, kvæstelse; fornærmelse; **injury time** *s (sport)* forlænget spilletid (p.g.a. skader).

injustice [in'dʒʌstis] *s* uretfærdighed.

ink [iŋk] *s* blæk; *write sth in* ~ skrive ngt med blæk.

inkling ['iŋkliŋ] *s* mistanke; anelse.

inland *adv* ['inlənd] indlands-; indenrigs- // *adv* [in'lænd] ind (el. inde) i landet; I~ **Revenue** *s (brit)* skattevæsenet; ~ **waterways** *spl* vandveje (fx floder, kanaler).

in-laws ['inlɔːz] *spl* svigerforældre.

inlet ['inlet] *s* stræde, vig.

inmate ['inmeit] *s* beboer; (i fængsel) indsat.

inn [in] *s* kro.

innate [i'neit] *adj* medfødt; naturlig.

inner ['inə*] *adj* indre; inder-; ~ **tube** *s* (i dæk) slange.

innkeeper ['inkiːpə*] *s* krovært.

innocence ['inəsns] *s* uskyld(ighed); **innocent** *adj*

uskyldig; troskyldig.
innocuous [i'nɔkjuəs] *adj*
uskadelig.
innovation [inəu'veiʃən] *s* fornyelse.
innumerable [i'nju:mərəbl] *adj*
utallig.
inoculation [inɔkju'leiʃən] *s*
vaccination; podning.
inopportune [in'ɔpətju:n] *adj*
ubelejlig.
inordinately [in'ɔ:dinətli] *adv*
uforholdsmæssigt.
inorganic [ino:'gænik] *adj* uorganisk.
in-patient ['in,peiʃent] *s* indlagt
patient (*mods* ambulant).
input ['input] *s (elek)* energitilførsel; *(edb)* inddata.
inquest ['inkwest] *s* retslig undersøgelse, ligsyn.
inquire [in'kwaiə*] *v* (fore)-
spørge; ~ *about* forhøre sig
om; ~ *after* spørge til (fx *the*
patient den syge); ~ *into*
undersøge; **inquiry** *s* forespørgsel; undersøgelse; efterforskning.
inquisitive [in'kwizitiv] *adj* videbegærlig; nysgerrig.
insane [in'sein] *adj* sindssyg.
insanitary [in'sænitəri] *adj*
uhygiejnisk; usund.
insanity [in'sæniti] *s* sindssyge.
insatiable [in'seiʃəbl] *adj*
umættelig.
inscribe [in'skraib] *v* indskrive; inskribere; (i bog) dedicere, tilegne; **inscription**
[-'skripʃən] *s* indskrivning;
indskrift; dedikation.

inscrutable [in'skru:təbl] *adj*
uudgrundelig.
insect ['insekt] *s* insekt; ~**icide**
[in'sektisaid] *s* insektdræber.
insecure [,insi'kjuə*] *adj* usikker, utryg; **insecurity** *s* usikkerhed.
insensible [in'sensibl] *adj* følelsesløs; ufølsom; bevidstløs.
insensitive [in'sensitiv] *adj*
ufølsom; upåvirkelig.
inseparable [in'sepərəbl] *adj*
uadskillelig.
insert *s* ['insə:t] (i avis etc)
tillæg; bilag // *v* [in'sə:t] indføje; indskyde; indlægge;
~**ion** [-'sə:ʃən] *s* indføjelse;
indskud; (i avis) indrykning.
inshore [in'ʃɔ:*] *adj* mod land
// *adv* inde ved land; ~ **fishe-**
ries *spl* kystfiskeri.
inside [in'said] *s* inderside //
adj indvendig; indre // *adv*
indeni; indenfor // *præp*
inde; ~ *ten minutes* indenfor
ti minutter; *he's been* ~
(også:) han har siddet inde (i
fængsel); ~ **out** *adv* med inder-
siden ud; *know sth* ~ *out*
kende ngt ud og ind.
insight ['insait] *s* indsigt; forståelse.
insignificant [,insig'nifikənt]
adj ubetydelig.
insinuate [in'sinjueit] *v* insinuere, antyde; **insinuation**
[-'eiʃən] *s* antydning.
insipid [in'sipid] *adj* (om mad)
uden smag, fad; udvandet.
insist [in'sist] *v* insistere; påstå; understrege; ~ *on doing*

sth absolut ville gøre ngt; ~ *that* hævde at; påstå at; holde på at; ~ *s* insisteren; stædighed; **~ent** *adj* vedholdende; ihærdig; stædig.

insolence ['insələns] *s* frækhed, uforskammethed; **insolent** *adj* uforskammet.

insoluble [in'sɔljubl] *adj* uopløselig; (om gåde etc) uløselig.

insomnia [in'sɔmniə] *s* søvnløshed.

inspect [in'spɛkt] *v* inspicere; efterse; kontrollere (fx billetter); **~ion** *s* eftersyn; inspektion; **~or** *s* inspektør; kontrollør; *police* ~or politiassistent.

inspire [in'spaiə*] *v* inspirere; indgyde; ånde ind; **inspiring** *adj* inspirerende.

install [in'stɔ:l] *v* indsætte; installere; indlægge (fx *gas* gas); **~ation** [instə'leiʃən] *s* indsættelse; installering.

instalment [in'stɔ:lmənt] *s* afdrag; rate; (om tv-serie) afsnit.

instance ['instəns] *s* eksempel; instans; *for* ~ for eksempel; *in many* ~s i mange tilfælde.

instant ['instənt] *s* øjeblik // *adj* øjeblikkelig; (gastr) pulver- (fx *coffee* kaffe); *the tenth* ~ den tiende dennes; **~ly** *adj* øjeblikkelig, straks.

instead [in'stɛd] *adv* i stedet; ~ *of* i stedet for.

instep ['instɛp] *s* vrist.

instigation [insti'geiʃən] *s* til-

skyndelse; anstiftelse.

instil [in'stil] *v:* ~ *(into)* indpode, indgyde, vække.

instinct ['instiŋkt] *s* instinkt; *do sth by* ~ gøre ngt pr. instinkt; **~ive** [in'stiŋktiv] *adj* instinktiv.

institute ['institju:t] *s* institut // *v* indføre, indstifte; iværksætte (fx *an enquiry* en undersøgelse); **institution** [-'tju:ʃən] *s* institution; stiftelse; indførelse; iværksættelse.

instruct [in'strʌkt] *v* instruere, undervise; informere; **~ion** *s* undervisning; vejledning; *~ions for use* brugsanvisning; **~or** *s* lærer, instruktør.

instrument ['instrumənt] *s* instrument; redskab; ~ *panel s* instrumentbræt.

insubordinate [insʌb'ɔ:dinit] *adj* ulydig; **insubordination** [-'neiʃən] *s* ulydighed.

insufferable [in'sʌfrəbl] *adj* ulidelig; uudholdelig.

insufficient [insʌ'fiʃənt] *adj* utilstrækkelig.

insular ['insjulə*] *adj* ø-, øbo-; (om person) som er sig selv nok.

insulate ['insjuleit] *v* isolere; **insulating tape** *s* isolerbånd; **insulation** [-'leiʃən] *s* isolation.

insult *s* ['insʌlt] fornærmelse // *v* [in'sʌlt] fornærme, krænke; **~ing** [-'sʌltiŋ] *adj* fornærmelig.

insurance [in'sjuərəns] *s* forsikring; ~ *policy s* forsikringspolice; **insure** [in'sjuə*] v forsikre.

intact [in'tækt] adj uskadt, hel, intakt.

intake ['inteik] s tilførsel; indånding; indtagelse (fx *of food af mad*).

intangible [in'tændʒibl] adj uhåndgribelig; ubestemt; immateriel.

integral ['intigrəl] adj integral-; nødvendig; komplet.

integrate ['intigreit] v integrere; indordne (sig).

integrity [in'tegriti] s hæderlighed; integritet.

intellect ['intəlekt] s forstand; intelligens; ~**ual** [-'lektjuəl] adj intellektuel.

intelligence [in'telidʒəns] s intelligens; underretning; ~ **service** s efterretningsvæsen; **intelligent** adj intelligent.

intelligible [in'telidʒibl] adj tydelig, forståelig.

intend [in'tend] v have i sinde, agte; *be* ~*ed for* være beregnet til (el. på); ~**ed** adj tilsigtet; planlagt.

intense [in'tens] adj intens; stærk; (om person) lidenskabelig; sammenbidt; **intensify** [-fai] v intensivere; forstærke; **intensity** [-ti] s styrke, intensitet.

intensive [in'tensiv] adj intensiv; stærk; ~ **care unit** s (på sygehus) intensivafdeling.

intent [in'tent] s hensigt // adj anspændt; ~ *on* stærkt opsat på; fordybet i; *to all* ~*s and*

purposes praktisk talt; i alt væsentligt; ~**ion** [-'tenʃən] s hensigt; mening; ~**ional** adj forsætlig; tilsigtet.

interact [intər'ækt] v påvirke hinanden; ~**ion** s vekselvirkning.

intercept [intə'sept] v opsnappe; opfange; spærre (vejen) for.

interchange s ['intətʃeindʒ] udveksling; (motorvejs)udfletning // [intə'tʃeindʒ] udveksle; ombytte; ~**able** adj udskiftelig.

intercom ['intəkom] s samtaleanlæg.

interconnect [intəkə'nekt] v (om fx værelser) stå i forbindelse med hinanden.

intercourse ['intəko:s] s samkvem; forbindelse; *sexual* ~ seksuel omgang, samleje.

interest ['intrist] s interesse; *(økon)* rente(r) // v interessere; *be* ~*ed in* være interesseret i; ~**ing** adj interessant.

interfere [intə'fiə*] v: ~ *in* blande sig i; ~ *with* forstyrre; gribe ind i; pille ved; ~**nce** s indblanding; forstyrrelse.

interim ['intərim] s: *in the* ~ i mellemtiden // adj foreløbig, konstitueret.

interior [in'tiəriə*] s indre; interiør // adj indre; indenrigs-; ~ **decorator** s indretningsarkitekt.

interjection [intə'dʒekʃən] s udråb(sord), interjektion.

interlock [intə'lɔk] v gribe ind i hinanden; sammenkoble(s).

interlude ['intəlu:d] s mellemspil; *(teat)* pause.

intermediary [intə'mi:diəri] s mellemmand, formidler; **intermediate** [-'mi:djət] *adj* mellemliggende, mellem-.

intermission [intə'miʃən] s afbrydelse; pause, mellemakt.

intermittent [intə'mitnt] *adj* periodisk; som kommer og går; **~ly** *adv* med mellemrum, ind imellem.

intern [in'tə:n] v internere.

internal [in'tə:nl] *adj* indre, intern; *'not to be taken ~ly'* 'kun til udvortes brug'.

international [intə'næʃənl] s *(sport)* landskamp // *adj* international.

internment [in'tə:nmənt] s internering.

interpret [in'tə:prit] v (for)tolke; tyde; **~ation** [-'teiʃən] s (for)tolkning; **~er** s tolk; **~ing** s tolkning.

interrelated [intəri'leitid] *adj* indbyrdes beslægtet.

interrogate [in'tərougeit] v udspørge; forhøre; spørge; **interrogation** [-'geiʃən] s forhør; spørgsmål; **interrogative** [-'rɔgətiv] *adj* spørgende, spørge-; **interrogator** [-'tərəgeitə*] s forhørsleder.

interrupt [in'tə'rʌpt] v afbryde; **~ion** s afbrydelse.

intersect [intə'sɛkt] v (gennem)skære; (om fx veje) skære hinanden; **~ion** s gennem-

skæring; vejkryds.

interval ['intəvəl] s pause; mellemrum; frikvarter; *(sport)* halvleg; *bright* ~s (i vejrudsigter) til tider opklaring; *at* ~s med mellemrum.

intervene [intə'vi:n] v skride ind; komme imellem; **intervention** [-'vɛnʃən] s indgriben; intervention.

intestate [in'tɛsteit] *adj: die* ~ dø uden at have lavet testamente.

intestine [in'tɛstin] s tarm; *large* ~ tyktarm; *small* ~ tyndtarm; **~s** *spl* indvolde.

intimacy ['intiməsi] s intimitet; fortrolighed.

intimate v ['intimeit] tilkendegive; antyde; meddele // *adj* ['intimət] nær, intim; **intimation** [-'meiʃən] s tilkendegivelse; antydning.

intimidate [in'timideit] v skræmme.

into ['intu, 'intə] *præp* ind i; ned (el. op) i; ud i; til; *translate sth* ~ *English* oversætte ngt til engelsk; *far* ~ *the night* (til) langt ud på natten; *turn* ~ lave om til; blive til.

intolerable [in'tɔlərəbl] *adj* utålelig; uudholdelig; **intolerant** [in'tɔlərənt] *adj* intolerant.

intoxicate [in'tɔksikeit] v beruse; **~d** *adj* beruset.

intractable [in'træktəbl] *adj* uregerlig, umedgørlig, genstridig.

intra-uterine [intrə'ju:tərain]

adj i livmoderen; ~ **device**
(I.U.D.) s spiral.
intrepid [in'trepid] *adj* dristig.
intricacy ['intrikəsi] s indvik-
lethed; *intricacies pl* forvik-
linger; **intricate** ['intrikət] *adj*
indviklet, kompliceret.
intrigue [in'tri:g] s intrige(r); (i
bog) handling // *v* intrigere;
optage, fængsle; **intriguing** *adj*
spændende.
intrinsic [in'trinsik] *adj* egent-
lig; iboende; indre.
introduce [intrə'dju:s] *v* indfø-
re; indlede; præsentere; ~
oneself præsentere sig; ~ *sby*
to sth gøre en bekendt med
ngt; **introduction** [-'dʌkʃən] s
introduktion; indledning; **in-
troductory** [-'dʌktəri] *adj* ind-
ledende.
introvert ['intrəvə:t] *adj* indad-
vendt.
intrude [in'tru:d] *v* trænge sig
på; forstyrre; ~*r* s ubuden
gæst; **intrusion** [-'tru:ʒən] s
indtrængen; forstyrrelse.
intuition [intju:'iʃən] s intui-
tion; **intuitive** [in'tju:itiv] *adj*
intuitiv.
invade [in'veid] *v* trænge ind i;
invadere; ~*r* s indtrængende
fjende.
invalid s ['invəlid] kronisk syg
person; invalid // *adj*
[in'vælid] ugyldig; ~**ate**
[-'vælideit] *v* invalidere; an-
nullere.
invaluable [in'væljuəbl] *adj*
uvurderlig.
invariable [in'veəriəbl] *adj* u-

foranderlig; **invariably** *adv*
konstant; uvægerlig.
invent [in'vent] *v* opfinde; fin-
de på; ~**ion** s opfindelse; løg-
nehistorie; opfindsomhed;
~**ive** *adj* opfindsom; ~**or** s
opfinder.
inventory ['invəntri] s lagerli-
ste.
inverse [in'və:s] *adj* omvendt.
invert [in'və:t] *v* vende om på;
spejlvende; ~**ed commas** *spl*
anførelsestegn, gåseøjne.
invest [in'vest] *v* investere;
anbringe; udstyre; indhylle;
belejre.
investigate [in'vestigeit] *v* un-
dersøge; efterforske; **invest-
igation** [-'geiʃən] s undersø-
gelse; efterforskning.
investment [in'vestmənt] s in-
vestering; indeslutning; **in-
vestor** s investor, aktionær.
inveterate [in'vetərət] *adj*
uforbederlig, indgroet.
invigorating [in'vigəreitiŋ] *adj*
forfriskende; styrkende.
invincible [in'vinsibl] *adj* uo-
vervindelig.
invisible [in'vizibl] *adj* usynlig.
invite [in'vait] *v* invitere; bede
om; opfordre til; ~ *offers*
indhente tilbud; **inviting** *adj*
indbydende; fristende.
invoice ['invois] s faktura // *v*
fakturere.
invoke [in'vəuk] *v* påkalde; på-
beråbe sig; tilkalde.
involuntary [in'vɒləntri] *adj*
ufrivillig; uvilkårlig.
involve [in'vɒlv] *v* inddrage; in-

debære, medføre; ~ *sby in sth* blande en ind i ngt; **~d** *adj* indblandet; impliceret; *be ~d with* have et forhold til; **~ment** *s* indblanding; engagement.

invulnerable [in'vʌlnərəbl] *adj* usårlig.

inward ['inwəd] *adj* indre; indvendig; indadgående; **~ly** *adv* i sit stille sind; **~(s)** *adv* indad.

iodine ['aiəudi:n] *s* jod.

IOU ['aiəu'ju:] *s* (fork.f. *I owe you*) gældsbrev.

IQ ['ai'kju:] *s* (fork.f. *intelligence quotient*) intelligenskvotient (IK).

I.R.A. ['ai'a:'ei] *s* (fork.f. *Irish Republican Army*) den irske revolutionshær (I.R.A.).

Iran [i'ra:n] *s* Iran; **~ian** [i'reiniən] *s* iraner // *adj* iransk.

Iraq [i'ra:k] *s* Irak; **~i** [i'ra:ki] *s* iraker // *adj* irakisk.

irascible [i'ræsibl] *adj* hidsig, arrig.

irate [ai'reit] *adj* harmdirrende.

Ireland ['aiələnd] *s* Irland; **Irish** ['airiʃ] *s: the Irish* irerne // *adj* irsk.

iron ['aiən] *s* jern; strygejern // *v* stryge // *adj* jern-; ~ *out* udglatte; bringe ud af verden; ~ **age** *s* jernalder; *the ~ curtain* s jerntæppet.

ironic(al) [ai'rɔnik(l)] *adj* ironisk.

ironing ['aiəniŋ] *s* strygning;

strygetøj; ~ **board** *s* strygebræt.

iron... ['aiən-] *sms:* **~monger** [-mʌngə*] *s* isenkræmmer; ~ **ore** *s* jernmalm; **~works** *s: an ~works* et jernværk.

irony ['airəni] *s* ironi.

irrational [i'ræʃənl] *adj* ufornuftig; ulogisk.

irregular [i'regjulə*] *adj* uregelmæssig, ureglementeret; **~ity** [-'læriti] *s* uregelmæssighed; ukorrekthed.

irrelevance [i'reləvəns] *s* ngt sagen uvedkommende; **irrelevant** *adj* uvedkommende, irrelevant.

irreparable [i'repərbl] *adj* uoprettelig.

irreplaceable [iri'pleisəbl] *adj* uerstattelig.

irreproachable [iri'prəutʃəbl] *adj* uangribelig; upåklagelig.

irresistible [iri'zistibl] *adj* uimodståelig.

irresolute [i'rezəlu:t] *adj* ubeslutsom; vaklende.

irrespective [iris'pektiv] *adj: ~ of* uden hensyn til, uanset.

irresponsible [iris'pɔnsibl] *adj* uansvarlig; ansvarsløs.

irretrievable [iri'tri:vəbl] *adj* uoprettelig; uigenkaldelig.

irreverent [i'revərənt] *adj* uærbødig.

irrigate ['irigeit] *v* vande, overrisle; **irrigation** [-'geiʃən] *s* overrisling; kunstig vanding.

irritable ['iritəbl] *adj* irritabel; **irritate** ['iriteit] *v* irritere.

is [iz] se *be.*

island ['ailənd] s ø; (også: *traffic* ~) helle; **~er** s øbo.
isle [ail] s ø (fx *the British Isles*).
isn't [iznt] d.s.s. *is not.*
isolate ['aisəleit] v isolere, afskære fra omverdenen; **~d** *adj* afsides; isoleret; enkeltstående.
Israel ['izreil] s Israel; **~i** [iz'reili] s israeler // *adj* israelsk.
issue ['isju:] s udstedelse; (om blad etc) udgave, nummer; (strids)spørgsmål; resultat, udfald; afkom // v udsende; fordele; udstede; udgive; *at* ~ under debat.
isthmus ['isməs] s landtange.
it [it] s/pron den, det; *it's raining* det regner; *that's* ~ det er rigtigt; der har vi det; *run for* ~ stikke af; *have a good time of* ~ more sig godt.
Italian [i'tæljən] s italiener // *adj* italiensk.
italics [i'tæliks] spl kursiv.
Italy ['itəli] s Italien.
itch [itʃ] s kløe; voldsom trang *(for* til) // v kløe; *be* ~*ing to* brænde efter at; *have an* ~*ing palm* være gerrig; **~y** *adj* kløende, kradsende.
it'd [itd] d.s.s. *it had, it would.*
item ['aitəm] s punkt; nummer; (også: *news* ~) nyhed(sartikel); **~ize** v specificere.
itinerant [i'tinərənt] *adj* omrejsende; **itinerary** [ai'tinərəri] s rejseplan, rejserute.

it'll [itl] d.s.s. *it shall, it will.*
its [its] (genitiv af *it)* dens, dets, sin, sit, sine.
it's [its] d.s.s. *it has, it is.*
itself [it'sɛlf] *pron* selv, selve; sig; *by* ~ alene, af sig selv; *in* ~ i sig selv; *not in the house* ~ ikke i selve huset.
ITV ['aiti:'vi:] s (fork.f. *Independent Television)* brit tv-kanal.
I.U.D. s (fork.f. *intra-uterine device)* spiral.
I've [aiv] d.s.s. *I have.*
ivory ['aivəri] s elfenben.
ivy ['aivi] s vedbend, efeu.

J

J, j [dʒei].
jab [dʒæb] s stik, stød // v stikke, støde.
jack [dʒæk] s donkraft; (i kortspil) knægt // v: ~ *up* løfte (med donkraft).
jackal ['dʒækɔ:l] s sjakal; håndlanger.
jackass ['dʒækəs] s hanæsel; *(fig)* fæ, fjols.
jacket ['dʒækit] s jakke; trøje; *(tekn)* kappe; (om bog) omslag; *potatoes in their* ~s kartofler med skræl på.
jack-knife ['dʒæknaif] s foldekniv, lommekniv // v: *the lorry* ~*d* (om lastvogn) anhængeren saksede.
Jacobean [dʒækə'bi:ən] *adj* fra James 1s tid (1603-42).
jade [dʒeid] s jade; krikke; tøs; **~d** *adj* udkørt, træt.

jagged ['dʒægid] *adj* hakket, takket, forreven.

jail (el. *gaol*) [dʒeil] *s* fængsel; **~bird** *s* fange; vaneforbryder; **~break** *s* fangeflugt; **~er** *s* fangevogter.

jam [dʒæm] *s* syltetøj; vrimmel; (også: *traffic ~*) trafikprop // *v* blokere; sidde fast, binde; mase, proppe; blive blokeret; *the door ~med* døren bandt; *~ things into a bag* proppe ting ned i en taske.

jangle [dʒæŋgl] *v* rasle (med), klirre (med).

janitor ['dʒænitə'] *s* portner, vicevært; (i skole) pedel.

January ['dʒænjuəri] *s* januar.

Japan [dʒə'pæn] *s* Japan; **~ese** [dʒæpə'niːz] *s* japaner // *adj* japansk.

jar [dʒaː'] *s* krukke, glas; (om lyd) skurren // *v* skurre; ryste, chokere; (om farver) skrige; *on the ~* på klem.

jaundice ['dʒɔːndis] *s* gulsot; **~d** *adj* misundelig; misbilligende.

jaunt [dʒɔːnt] *s* udflugt, lille tur; **~y** *adj* kæk, kry, flot.

javelin ['dʒævlin] *s* kastespyd; **~-throwing** *s (sport)* spydkast.

jaw [dʒɔː] *s* kæbe; hage // *v* sludre; kæfte op; *his ~ fell* han blev lang i ansigtet.

jay [dʒei] *s (zo)* skovskade; **~walker** *s* fumlegænger.

jazz [dʒæz] *s* jazz; (F) fut; sludder // *v: ~ up* (F) sætte fut i; **~y** *adj* (F) kvik, smart.

jealous ['dʒeləs] *adj* misundelig, jaloux; **~y** *s* misundelse, jalousi.

jeans [dʒiːns] *spl* cowboybukser.

jeer [dʒiə'] *v: ~ (at)* håne, spotte; **~s** *spl* hånlige tilråb.

jelly ['dʒeli] *s* gelé, sky; **~fish** *s* vandmand.

jeopardize ['dʒepədaiz] *v* sætte på spil; **jeopardy** *s* fare.

jerk [dʒəːk] *s* ryk, sæt; (om person) skid // *v* rykke, spjætte; *~ to a stop* standse med et ryk; **~y** *adj* rykvis, stødvis.

jersey ['dʒəːsi] *s* jersey(stof); trøje; jumper.

jest [dʒest] *s* spøg, morsomhed // *v* spøge; **~er** *s* spøgefugl; *(hist)* hofnar.

jet [dʒet] *s* stråle, sprøjt; jetfly; **~-black** *s* kulsort; **~ engine** *s* jetmotor; **~ fighter** *s* jetjager.

jetsam ['dʒetsəm] *s* strandingsgods, vraggods.

jettison ['dʒetisn] *v* kaste over bord (også *fig)*; tilintetgøre.

jetty ['dʒeti] *s* mole, anløbsbro.

Jew [dʒuː] *s* jøde.

jewel ['dʒuːəl] *s* juvel, ædelsten; **~ler** *s* juvelér; **~ler's (shop)** *s* guldsmedebutik; **~lery** *s* smykker.

Jewess ['dʒuːis] *s* jødisk kvinde; **Jewish** *adj* jødisk.

jibe [dʒaib] *s* spydighed, hib.

jiffy ['dʒifi] *s: in a ~* (F) på et øjeblik.

jigsaw ['dʒigsɔː] *s: ~ (puzzle)* puslespil.

jingle ['dʒiŋgl] *s* klirren, ringlen; reklameslogan (på vers) // *v* klirre (med), rasle (med).

jinx [dʒiŋks] *s* (F) ulykkesfugl.

jitters ['dʒitəz] *spl: get the ~* (F) blive helt ude af det, blive nervøs.

job [dʒɔb] *s* arbejde; stilling; affære; *give sth up as a bad ~* opgive ngt som håbløst; *it's a good ~ we came* det var heldigt vi kom; *it's just the ~* det er lige sagen; **~ber** *s* akkordarbejder; børsspekulant; **~centre** *s* arbejdsformidling.

jockey ['dʒɔki] *s* jockey; svindler.

jockstrap ['dʒɔkstræp] *s (sport* etc) skridtbind.

jocular ['dʒɔkjulə*] *adj* jovial; munter; humoristisk.

jog [dʒɔg] *v* skubbe (til); jogge; ~ *along* lunte, skumple; ~ *sby's memory* friske op på ens hukommelse.

join [dʒɔin] *s* sammenføjning // *v* forbinde (sig med); sammenføje; slutte sig til; melde sig ind i; *will you ~ me for dinner?* skal vi spise middag sammen? ~ *'in* tage del i; stemme i (med); ~ *up* gå 'med; melde sig som soldat.

joiner ['dʒɔinə*] *s* snedker; **~y** *s* snedkeri.

joint [dʒɔint] *s* sammenføjning; *(anat)* led; *(gastr)* steg; (F) bule, biks; (S) hash-cigaret // *adj* fælles; forenet; *out of ~* af led; af lave; *by ~ efforts* ved fælles anstrengelser; **~ly** *adv* i fællesskab; ~

owner *s* medindehaver; ~ **venture** *s* konsortium.

joke [dʒəuk] *s* spøg, vittighed // *v* spøge; drille; **~r** *s* spøgefugl; joker; **joking** *s* spøg.

jollity ['dʒɔliti] *s* lystighed; festlighed; **jolly** *adj* lystig, munter, gemytlig // *adv* mægtigt, enormt (fx *hungry* sulten); *you'll jolly well have to* det bliver du knægme nødt til.

jolt [dʒəult] *s* stød, bump; chok // *v* støde; ryste; give et chok; ~ *sby's memory* friske ens hukommelse op.

jostle ['dʒɔsl] *v* skubbe (til); mase.

jot [dʒɔt] *s* tøddel // *v:* ~ *down* kradse ned; notere; **~ter** *s* notesbog (el. -blok).

journal ['dʒə:nl] *s* (dag)blad; tidsskrift; dagbog; **~ism** *s* journalistik.

journey ['dʒə:ni] *s* rejse (især til lands) // *v* rejse.

Jove ['dʒəuv] *s* Jupiter; *by ~!* du store! for pokker!

jowl [dʒaul] *s* (under)kæbe; kind.

joy [dʒɔi] *s* glæde; lykke; *I wish you ~ of it! (iron)* god fornøjelse! **~ful, ~ous** *adj* glad, lykkelig; **~ride** *s* fornøjelsestur (oftest i stjålen bil og med stor fart).

jubilant ['dʒu:bilənt] *adj* jublende; triumferende; **jubilation** [-'leiʃən] *s* jubel, fest; **jubilee** *s* jubilæum.

judge [dʒʌdʒ] *s* dommer; kender // *v* dømme; skønne; anse

j judgement 192

for; ~ by (el. from) dømme
efter; ~ment s dom; dømme-
kraft; mening, skøn; ~ment
day s dommedag.
judicial [dʒu:'diʃl] adj dom-
mer-; retslig; upartisk; judici-
ous [dʒu:'diʃəs] adj klog; vel-
overvejet.
jug [dʒʌg] s kande.
juggernaut ['dʒʌgənɔ:t] s (om
lastbil) mastodont.
juggle [dʒʌgl] v jonglere; ma-
nipulere med; ~r s jonglør.
juice [dʒu:s] s saft; (F) benzin;
(elek) strøm; juicy adj saftig
(også fig).
July [dʒu:'lai] s juli.
jumble [dʒʌmbl] s virvar, rod
// v: ~ (up) rode sammen; ~
sale s loppemarked.
jump [dʒʌmp] s spring, hop;
sæt // v springe, hoppe; give
et sæt; ryge i vejret; ~ the
lights køre over for rødt; ~
the queue springe over i
køen; ~y adj nervøs, urolig.
junction ['dʒʌŋkʃən] s forbin-
delse, knudepunkt.
juncture ['dʒʌŋktʃə*] s: at this
~ på dette tidspunkt; i dette
kritiske øjeblik.
June [dʒu:n] s juni.
jungle [dʒʌŋgl] s jungle; vild-
nis.
junior ['dʒu:niə*] s junior // adj
yngre; junior; he's ~ to me
by two years el. he's my ~ by
two years han er to år yngre
end jeg; he's ~ to me (også:)
han har lavere anciennitet
end jeg; ~ school s grund-

skolens laveste trin.
juniper ['dʒu:nipə*] s enebær-
træ (el. -busk); ~ berry s
enebær.
junk [dʒʌŋk] s skrammel;
(mar) junke; ~shop s mar-
skandiserbutik.
jurisdiction [dʒuəris'dikʃən] s
embedsområde; retskreds.
jurisprudence [dʒuə-
ris'pru:dəns] s retslære.
juror ['dʒuərə*] s nævning;
jury s nævninge, jury.
just [dʒʌst] adj retfærdig; rig-
tig // adv lige, kun, bare,
netop; he has ~ left han er
lige gået; ~ as he was leaving
lige da han var ved at gå; ~
as I expected lige som jeg
havde ventet; ~ right præcis
rigtig; it's ~ me det er bare
mig; I ~ caught the bus jeg
nåede lige netop bussen; I
saw him ~ now jeg har lige
set ham; ~ listen to this! hør
nu bare her!
justice ['dʒʌstis] s retfærdig-
hed; dommer; Lord Chief J~
svt. højesteretspræsident; J~
of the Peace s fredsdommer.
justifiable [dʒʌsti'faiəbl] adj
forsvarlig; justification
[dʒʌstifi'keiʃən] s retfærdig-
gørelse; undskyldning; justify
['dʒʌstifai] v retfærdiggøre;
undskylde; berettige.
justly ['dʒʌstli] adv med rette.
jut [dʒʌt] v: ~ (out) rage frem
(el. ud).
juvenile ['dʒu:vənail] adj ung-
doms-, børne-; ~ delinquent

s ungdomsforbryder.
juxtapose ['dʒʌkstəpəuz] *v* sidestille.

K

K, k [kei].
kail el. **kale** [keil] *s* grønkål.
kangaroo [ˌkæŋgə'ru:] *s* kænguru.
keel [ki:l] *s* køl // *v:* ~ *over* kæntre; *on an even* ~ på ret køl; *støt og roligt;* ~**haul** *v* kølhale.
keen [ki:n] *adj* stærk, intens (fx *interest* interesse); skarp (fx *edge* kant); ivrig; ~ *to* ivrig efter at; ~ *on sth* opsat på ngt; begejstret for ngt; ~ *on sby* lun på en; ~**ness** *s* iver, entusiasme; ~~**sighted** *adj* skarpsynet.
keep [ki:p] *s* borgtårn; kost, underhold // *v* (*kept, kept* [kept]) beholde; holde; drive (fx *a shop* en forretning); underholde, ernære; opretholde; opholde; holde sig; *earn enough for one's* ~tjene til livets opretholdelse; *don't let me* ~ *you* jeg skal ikke opholde dig; *will this fish* ~? kan denne fisk holde sig? ~ *on (with)* blive ved (med); ~ *up* holde oppe; holde i gang; ~ *up with sby* holde trit med en; ~**er** *s* vogter; dyrepasser; ~**ing** *s* forvaring; underhold; *in* ~*ing with* i overensstemmelse med; ~**s** *spl: for* ~*s* (F) til at beholde; ~**sake** *s* min-

de, souvenir.
Kelt (el. *Celt)* [kelt] *s* kelter; ~**ic** *adj* keltisk.
kennel [kenl] *s* hundehus; rendesten; ~**s** *s* kennel, hundepension; *a* ~*s* en kennel.
kept [kept] *præt* og *pp* af *keep.*
kerb [kə:b] *s* (på fortov) kantsten; rendesten.
kernel [kə:nl] *s* kerne; sten.
kerosene ['kerəsi:n] *s* petroleum.
kettle [ketl] *s* kedel; ~**drum** *s (mus)* pauke.
key [ki:] *s* nøgle; tangent, tast; *(mus)* toneart; kode; facitliste // *v:* ~ *up (mus)* stemme; *(fig)* stramme op; ~**board** *s* nøglebræt; klaviatur; tastatur; ~**board operator** *s* tasteoperatør; ~**note** *s* grundtone; grundtema; ~**stone** *s (bygn)* slutsten; *(fig)* hovedpunkt.
khaki ['ka:ki] *s* kaki; ~*s pl* kakiuniform // *adj* kakifarvet.
kick [kik] *s* spark; slag; (F) spænding; sjov // *s* sparke; sprælle; *get the* ~ blive fyret; blive smidt ud; *get a* ~ *out of doing sth* finde fornøjelse i at gøre ngt; *for* ~*s* for sjov; ~ *the bucket* (F) kradse 'af; ~ *about* mishandle; drive rundt; ~ *out* smide ud; fyre; ~~**off** *s* (i fodbold) begyndelsesspark; ~~**up** *s* (F) ballade.
kid [kid] *s* barn, unge, kid // *v* narre, drille; *I was only* ~*ding* det var bare for sjov;

k kidney

no, ~ding! nej, nu driller du!
nej, det siger du ikke!
kidney ['kidni] s nyre; ~ **machine** s dialyseapparat, kunstig nyre.

kill [kil] s bytte // v dræbe, slå ihjel; slagte; ødelægge; *be in at the* ~ være med når det sker; ~ *off* gøre det af med; *dressed to* ~ dødsmart klædt på; ~**er** s morder; dræber; ~**ing** s drab // *adj* dræbende; ~**joy** s (om person) lyseslukker.

kiln [kiln] s (stor) ovn; tørreovn // v brænde; tørre.

kilt [kilt] s kilt // v kilte op; lægge i læg.

kin [kin] s slægt, slægtninge; *next of* ~ nærmeste slægtning(e); *kith and* ~ venner og slægtninge.

kind [kaind] s slags, art // *adj* venlig, rar; *pay in* ~ betale i naturalier; *repay in* ~ give igen af samme mønt; *he's* ~ *of funny* han virker underlig; *they are two of a* ~ de er to alen af samme stykke; *he's a football player of a* ~ *(neds)* han skal forestille at være fodboldspiller; *would you be so* ~ *as to...?* vil du være så rar at...?
kindergarten ['kində,ga:tn] s børnehave.
kindle [kindl] v fænge, tænde; *(fig)* ophidse, vække.
kindly ['kaindli] *adj* venlig, velvillig // *adv* venligt; *will you* ~ *lend me your pen?* vil du

være så sød at låne mig din pen? *take* ~ *to* se med velvilje på; ~**ness** s venlighed; velvilje; god gerning.

kindred ['kindrid] *adj* beslægtet; *a* ~ *spirit* (el. *soul*) en broder (el. søster) i ånden.

king [kiŋ] s konge // *v:* ~ *it* spille konge; ~**dom** s (konge)rige; *the animal* ~**dom** dyreriget; ~**fisher** s isfugl; **K~'s English** standard dansk sprog; ~**ship** s kongeværdighed.

kink [kiŋk] s bugt, snoning; karakterbrist; fiks idé; ~**y** *adj* bugtet; (om hår) kruset; *(fig)* sær, speciel.

kinsfolk ['kinsfəuk] *spl* slægtninge; **kinship** s slægtskab; **kinsman** s slægtning.

kipper ['kipə*] s *(gastr)* saltet og røget sild.

kirk [kə:k] s (skotsk) kirke.

kiss [kis] s kys // v kysse; *the* ~ *of life* mund-til-mund metoden; ~**er** s (S) kyssetøj; ~**proof** *adj* kysægte.

kit [kit] s udstyr; værktøj; samlesæt; ~**bag** s køjesæk.

kitchen ['kitʃən] s køkken; ~**ette** [-'net] s tekøkken; ~**range** s komfur; ~ **sink** s køkkenvask; ~**ware** s køkkenudstyr.

kite [kait] s drage (af papir etc); *(merk)* dækningsløs check; *fly a* ~ sætte en drage op; *(merk)* udstede en dækningsløs check; *(fig)* opsende en prøveballon.

kith [kiθ] *s:* ~ *and kin* venner

og slægtninge.
kitten [kitn] s kattekilling;
have ~s (F) få et føl på tværs.
knack [næk] s håndelag, tag;
have the ~ for it kende taget;
have the ~ of disappearing
have en vis evne til at for-
svinde.
knapsack ['næpsæk] s rygsæk,
tornyster.
knead [ni:d] v ælte.
knee [ni:] s knæ; go on one's
~s falde på knæ; **~cap** s
knæskal; **~-deep** adj op til
knæene.
kneel [ni:l] v (knelt, knelt [
[nelt]) knæle.
knew [nju:] præt af know.
knickers ['nikəz] spl
(dame)underbukser; knæ-
bukser.
knick-knack ['niknæk] s nips-
ting.
knife [naif] s (pl: knives
[naivz]) kniv // v dolke, stik-
ke med kniv; ~ edge s
knivsæg.
knight [nait] s (gl) ridder; (i
skak) springer; titel der giver
ret til at kalde sig Sir // v slå
til ridder; **~hood** s ridder-
skab; rang af knight.
knit [nit] v (knit, knit el. ~ed,
~ed) strikke; knytte; forene;
vokse sammen; ~ one's
brows rynke panden; **~ting** s
strikning; strikketøj; **~ting
needle** s strikkepind; **~wear**
s strikvarer.
knives [naivz] spl af knife.
knob [nɔb] s knop, kugle; dør-

håndtag; (på radio) knap; a
~ of butter en klat smør.
knock [nɔk] s slag; banken // v
slå; banke; (F) dupere; ~
(on) the door banke på dø-
ren; ~ about (el. around)
flakke om; mishandle; ~
down slå ned; rive ned (fx a
house et hus); ~ off (om
pris) slå af på; (F) holde fyr-
aften; ~ it off! hold op! ~
sby off his feet slå benene
væk under en; ~ out slå ud;
~ up bikse sammen; (V) gøre
gravid; **~er** s dørhammer;
~ers spl (V) store bryster; **~-
kneed** adj kaleknæet.
knoll [nəul] s lille høj, bakke-
top.
knot [nɔt] s knude; sløjfe;
klynge; vanskelighed; (mar)
knob // v binde, knytte; **~ty**
adj knudret, vanskelig.
know [nəu] v (knew, known
[nju:, nəun]) kende; vide;
kunne (fx one's lessons sine
lektier); ~ about kende til;
for all I ~ så vidt jeg ved;
there is no ~ing man kan
aldrig vide; det er ikke godt at
vide; not that I ~ of ikke så
vidt jeg ved; you wouldn't ~
det kan du jo ikke vide; det
ved du jo alligevel ikke; you
~du ved (nok); ved du (nok);
~-how s ekspertise, sagkund-
skab; **~ing** adj kyndig; sigen-
de; indforstået; **~ingly** adv
med vilje.
knowledge ['nɔlidʒ] s viden,
kendskab; lærdom; vidende;

that is common ~ det ved alle og enhver; *to the best of my* ~ så vidt jeg ved; **~able** *adj* velinformeret.
known [nəun] *pp* af *know.*
knuckle [nʌkl] *s* kno; skank // *v* banke; ~ *down* (el. *under*) bøje sig; give efter; **~duster** *s* knojern.
kph (fork.f. *kilometres per hour*) km/t.
Kremlin [ˈkremlin] *s: the* ~ Kreml (i Moskva).

L

L, l [εl].
L fork.f. *learner (car)* skolevogn.
l. fork.f. *litre.*
lab [læb] fork.f. *laboratory.*
label [ˈleibl] *s* mærkeseddel, etiket; mærke // *v* mærke; rubricere; stemple.
laboratory [ləˈbɔrətəri] *(lab)* *s* laboratorium.
laborious [ləˈbɔːriəs] *adj* arbejdsom; træls, slidsom.
labour [ˈleibə*] *s* arbejde; arbejdskraft; besvær, mas; *(med)* fødselsveer // *v* arbejde; slide (i det); *be in* ~ have veer; **L~,** *the* **L~** *party* arbejderpartiet; ~ *camp* s arbejdslejr; **~ed** *adj* besværlig; besværet; kunstlet; **~er** *s* arbejder; ~ *force* s arbejdskraft.
lace [leis] *s* snørebånd; knipling, blonde // *v* snøre; tilsætte, blande *(with* med).

lack [læk] *s* mangel // *v* mangle; savne; *through* (el. *for*) ~ *of* af mangel på; *be* ~*ing in* mangle.
lacquer [ˈlækə*] *s* lak.
lad [læd] *s* knægt, stor dreng; fyr, gut.
ladder [ˈlædə*] *s* stige; (i strømpe) løben maske.
ladle [leidl] *s* stor ske, opøseske; slev.
lady [ˈleidi] *s* dame, frue; *Our L~* Jomfru Maria; **~bird** *s* mariehøne; **~-in-waiting** *s* hofdame; **~like** *adj* dannet; damet; **L~ship** *s: your/her L~ship* Deres/hendes nåde.
lag [læg] *s* forsinkelse; (også: *time* ~*)* tidsafstand // *v:* ~ *behind* komme bagefter (el. bagud).
lager [ˈlɑːgə*] *s* pilsner(øl).
laid [leid] *præt* og *pp* af *lay;*
lain [lein] *pp* af *lie.*
lair [lɛːə*] *s* (dyrs) hule; *(fig)* tilflugtssted.
lake [leik] *s* sø; *L~ Garda* Gardasøen; *the L~ District* egn med søer og bjerge i Nordvestengland.
lamb [læm] *s* lam; lammekød; *leg of* ~ lammekølle; ~ **chop** *s* lammekotelet; **~swool** *s* lammeuld.
lame [leim] *adj* halt; vanfør; *(fig)* tam.
lament [ləˈment] *s* klage(sang) // *v* klage (sig); sørge over, begræde; **~able** [ˈlæməntəbl] *adj* sørgelig; beklagelig.
laminated [ˈlæmineitid] *adj* la-

mineret.
lamp [læmp] *s* lampe, lygte;
~**post** *s* lygtepæl; ~**shade** *s*
lampeskærm.
lance [lɑːns] *s* lanse, spyd.
land [lænd] *s* land; jord // *v*
lande; gå i land; landsætte;
ende, havne; *on* ~ til lands;
extensive ~*s* vidtstrakte jor-
der; *be* ~*ed in jail* havne i
fængsel; ~**ed gentry** *s* landa-
del; godsejere; ~**holder** *s*
jordejer; forpagter; ~**ing** *s*
landing; landsætning; (trap-
pe)afsats, repos; ~**ing craft** *s*
landgangsfartøj; ~**ing strip** *s*
(mindre) startbane; ~**lady** *s*
værtinde; kroværtinde; ~~
locked *adj* omgivet af land;
~**lord** *s* vært; krovært; godse-
jer; ~**lubber** *s* landkrabbe;
~**mark** *s* landemærke; var-
tegn; vartegn; ~**owner** *s* jordbesidder;
~**scape** *s* landskab; ~**slide** *s*
jordskred; *(pol)* stemme-
skred; ~ **surveyor** *s* sv.t. land-
inspektør.
lane [lein] *s* vej, sti, stræde;
vejbane, kørebane; *a six-~-
motorway* en sekssporet mo-
torvej.
language [ˈlæŋgwidʒ] *s* sprog;
bad ~ grimt sprog, skælds-
ord.
languid [ˈlæŋgwid] *adj* lige-
glad, sløv, mat.
languish [ˈlæŋgwiʃ] *v* blive
mat; sygne hen; dø hen; suk-
ke.
languor [ˈlæŋgə*] *s* smægten;
kraftesløshed; sløvhed.

lap [læp] *s* overlapning; (om
bane) omgang; skød // *v*: ~
(up) labbe i sig; (om bølge)
skvulpe; *sit on sby's* ~ sidde
på skødet hos en; ~ *of hon-
our* æresrunde; ~**dog** *s* skø-
dehund.
lapel [ləˈpɛl] *s* opslag, revers.
Lapp [læp] *s* same // *adj* sa-
misk.
lapse [læps] *s* fejl, lapsus // *v*
forse sig; henfalde *(into* til);
(jur) bortfalde; ~ *of time*
tidsforløb.
lapwing *s* vibe.
larceny [ˈlɑːsəni] *s* tyveri.
lard [lɑːd] *s* spæk, svinefedt // *v*
spække; ~**er** *s* spisekammer.
large [lɑːdʒ] *adj* stor; omfat-
tende; *at* ~ på fri fod; vidt og
bredt; ~**ly** *adv* i høj grad;
overvejende; ~~**scale** *adj* i
stor målestok; storstilet; **lar-
gess(e)** [lɑːˈdʒɛs] *s* rundhån-
dethed.
lark [lɑːk] *s* lærke; (F) fest,
halløj // *v*: ~ *about* rende
rundt og lave sjov.
laryngitis [lærinˈdʒaitis] *s* hals-
betændelse; **larynx** [ˈlæriŋks]
s strubehoved.
lascivious [ləˈsiviəs] *adj* lysten,
liderlig.
lash [læʃ] *s* piskeslag; (oftest:
eye~) øjenvippe // *v* piske; ~
out at (el. *against)* lange ud
efter.
lass [læs] *s* ung pige.
last [lɑːst] *v* vare (ved); holde
(sig) // *adj* sidste // *adv* sidst;
til sidst; ~ *week* i sidste uge;

1 lasting 198

~ **night** i aftes, i nat; *at* ~ til
sidst; endelig; ~ *but one*
næstsidst; *the year before* ~ i
forfjor; forrige år; **~ing** *adj*
vedvarende; varig; holdbar;
~ly *adv* til slut.

latch [lætʃ] *s* klinke; smæklås;
~key *s* gadedørsnøgle.

late [leit] *adj/adv* sen; forsin-
ket; sent; længe; afdød; *in* ~
May i slutningen af maj; *the*
~ *Mr. X* afdøde hr. X; **~ly**
adv i den senere tid.

latent [leitnt] *adj* skjult, latent.

later [ˈleitə*] *adj/adv* senere;
nyere; ~ *on* senere; *see you*
~*!* farvel så længe! *sooner or*
~ før eller senere.

lateral [ˈlætərəl] *adj* side-; til
siden.

latest [ˈleitist] *adj/adv* senest,
sidst; nyest; *at the* ~ (aller)se-
nest.

lather [ˈlæðə*] *s* (sæbe)skum //
v sæbe ind; skumme.

Latin [ˈlætin] *s* latin // *adj*
latinsk.

latitude [ˈlætitjuːd] *s* (geogr)
bredde(grad); spillerum.

latter [ˈlætə*] *adj* sidste; *the* ~
sidstnævnte (af to).

lattice [ˈlætis] *s* gitter, tremme-
værk.

laugh [lɑːf] *s* latter // *v* le,
grine; smile; *have a good* ~
at sby få sig et billigt grin
over en; *what a* ~*!* hvor mor-
somt! *it is no* ~*ing matter* det
er ikke ngt at grine ad; ~ *at*
le ad; ~ *it off* slå det hen i
spøg; **~able** *adj* latterlig;

~ing *adj* leende; *be the* ~*ing
stock of* være til grin for;
~ter *s* latter.

launch [lɔːntʃ] *s* søsætning;
(om raket) affyring; (om båd)
chalup; (større) motorbåd //
v søsætte; affyre; starte;
iværksætte; lancere; **~ing** *s*
søsætning; affyring; **~(ing)
pad** *s* affyringsrampe.

launderette [lɔːnˈdret] ® *s*
møntvaskeri; **laundry**
[ˈlɔːndri] *s* vaskeri; vasketøj;
do the laundry vaske (og stry-
ge) tøj.

laureate [ˈlɔːriit] *adj: poet* ~
hofdigter.

laurel [ˈlɔːri] *s* laurbær(træ).

lavatory [ˈlævətəri] *s* toilet, wc.

lavender [ˈlævəndə*] *s* laven-
del.

lavish [ˈlæviʃ] *v* ødsle med;
overøse // *adj* ødsel, rund-
håndet, flot.

law [lɔː] *s* lov; jura; *by* ~ efter
loven; *read* ~ studere jura;
~-abiding *adj* lovlydig;
~breaker *s* lovbryder; ~
court *s* domstol, ret; **~ful** *adj*
lovlig; retmæssig; **~fully** *adv*
lovformeligt (fx *married*
gift); **~less** *adj* retsløs.

lawn [lɔːn] *s* græsplæne; **~-
mower** *s* græsslåmaskine.

law... [ˈlɔː-] *sms:* ~ **school** *s*
juridisk fakultet; ~ **student** *s*
juridisk studerende; **~suit** *s*
retssag.

lawyer [ˈlɔːjə*] *s* jurist; advo-
kat.

lax [læks] *adj* slap, løs; **~ative**

['læksətiv] *s* afføringsmiddel;
~ity *s* slaphed.

lay [lei] *v (laid, laid* [leid])
lægge // *præt* af *lie;* **~** *aside*
(el. *by)* lægge til side; **~** *down*
lægge ned; nedlægge; **~**
down a rule opstille en regel;
~ *off* holde op (med); **~** *on*
lægge på; indlægge (fx *gas*
gas); smøre på, overdrive; **~**
out lægge ud; anlægge; slå ud;
tegne, layoute; **~** *up* lægge
hen, gemme; spare op; *(auto)*
klodse op; (om skib) lægge
op; *be laid up* måtte holde
sengen; **~** *the table* dække
bordet; **~by** *s* vigeplads; (på
motorvej) holdeplads.
layer ['leiə'] *s* lag.
layman ['leimən] *s* lægmand.
layout ['leiaut] *s* plan; opsæt-
ning, layout.
laze [leiz] *v* dovne, dase; *~*
around drive rundt; **laziness**
['leizinis] *s* dovenskab; **lazy**
['leizi] *adj* doven; lad.
lb. fork.f. *pound(s).*

lead [li:d] (se også næste op-
slagsord) *s* ledelse, føring;
vink, fingerpeg; (til hund)
snor; *(teat)* hovedrolle // *v*
(led, led [led]) lede; føre; stå i
spidsen (for); **~** *astray* føre
på afveje; **~** *away* føre bort;
~ *back to* føre tilbage til; **~**
on opmuntre; gå i forvejen;
~ *sby on* (også:) forlede en,
tage en ved næsen; **~** *on to*
føre ind på; **~** *to* føre til;
medføre; **~** *up to* lægge op
til; stile imod; **~** *sby up the*
garden path tage en ved næ-
sen.

lead [led] (se også foregående
opslagsord) *s* bly; (bly)lod; (i
blyant) stift; **~en** *adj* bly-;
blygrå; tung som bly.
leader ['li:də'] *s* fører, leder; (i
avis) leder(artikel); **~ship** *s*
ledelse; førerskab; **leading**
adj ledende; førende; **leading**
lady *s (teat)* primadonna; **lea-**
ding light *s* ledefyr; førerskik-
kelse; **leading man** *s (teat)*
mandlig hovedkraft.
leaf [li:f] *s (pl: leaves* [li:vz])
blad; løv; flage; broklap; (på
bord) (forlænger)plade; **~let**
s brochure, folder; **~y** *adj*
bladrig; løv-.
league [li:g] *s* forbund; liga; *be*
in ~ with stå i ledtog med.
leak [li:k] *s* utæthed, læk // *v*
være utæt, lække; sive; *~ sth*
to the Press lade ngt sive ud
til pressen; **~age** [li:kidʒ] *s*
utæthed, læk; udsivning.
lean [li:n] *s* hældning // *v (~ed,*
~ed el. *leant, leant* [lent])
hælde, stå skråt; læne (sig);
støtte (sig) // *adj* mager; *~*
against stille (fx en cykel) op
ad; læne sig op ad; **~** *on*
støtte sig til; **~** *over* hælde;
~ *towards* hælde til // *adj*
mager; **~ing** *adj* hældende,
skrå; **~to** *s* halvtag; skur.
leap [li:p] *s* spring // *v (leapt,*
leapt [lept] el. *~ed, ~ed)*
springe (over) (fx *a fence* et
stakit); *~ at* gribe ivrigt ef-
ter; **~frog** *v* springe buk; **~**

year s skudår.
learn [lə:n] v (~ed, ~ed el.
  learnt, learnt [lə:nt]) lære; er-
  fare, få at vide, høre; *I have
  yet to ~ that* ... jeg har
  endnu aldrig hørt at...; **~ed**
  ['lə:nid] *adj* lærd; **~er** s elev,
  begynder; **~er (car)** (L) s sko-
  levogn; **~ing** s lærdom.
lease [li:s] s leje; forpagtning;
  lejekontrakt // v leje; lease;
  udleje; **~hold** s lejet (el. for-
  pagtet) ejendom (el. jord).
leash [li:ʃ] s (hunde)snor;
  (hunde)kobbel.
least [li:st] *adj/adv* mindst; *at
  ~* i det mindste; *i hvert fald;
  not in the ~* ikke det mind-
  ste; *på ingen måde; ~ of all*
  mindst af alt (el. alle); *to say
  the ~ of it* mildest talt.
leather ['lɛðə*] s læder, skind
  // *adj* læder-, skind-.
leave [li:v] s tilladelse, lov; or-
  lov // v (*left, left* [left])
  efterlade; levne; forlade; tage af
  sted; *be on ~* have orlov; *take
  one's ~* tage afsked, sige far-
  vel; *take ~ of one's senses* gå
  fra forstanden; *be left* blive
  forladt; være til overs; *there's
  some milk left* der er ngt
  mælk til overs; *~ out* udela-
  de.
leaves [li:vz] *spl* af *leaf.*
Lebanese [lɛbə'ni:z] s libane-
  ser // *adj* libanesisk; **Lebanon**
  ['lɛbənən] s Libanon.
lecherous ['lɛtʃərəs] *adj* lider-
  lig.
lecture ['lɛktʃə*] s forelæsning;

foredrag // v forelæse; doce-
  re; *~ on* holde forelæsning
  over; **~r** s foredragsholder;
  lektor, docent; **~ship** s lekto-
  rat, docentur.
led [led] *præt* og *pp* af *lead.*
ledge [ledʒ] s fremspring;
  (smal) hylde; (klippe)afsats.
leech [li:tʃ] s (zo) igle; (om
  person) snylter.
leek [li:k] s porre.
leer [liə*] v: *~ at* kaste et olmt
  blik på; skæve til.
leeward ['li:wəd] s/adj læ.
leeway ['li:wei] s: *make ~* ind-
  hente det forsømte; *have
  some ~* have spillerum.
left [left] *præt* og *pp* af *leave* //
  adj venstre; *on the ~* på
  venstre hånd; til venstre;
  keep ~ hold til venstre; *the
  L~* venstrefløjen; **~-hand
  driving** s venstrestyring; **~-
  handed** *adj* kejthåndet; **~-
  hand side** s venstre side; **~
  luggage (office)** s (bane-
  gårds)garderobe; bagageop-
  bevaring; **~-overs** *spl* levnin-
  ger; **~-wing** *adj* venstreorien-
  teret; venstrefløjs-.
leg [leg] s ben; støtte; (*gastr*)
  kølle, lår; *pull sby's ~* tage
  gas på en; *take to one's ~s*
  tage benene på nakken.
legacy ['legəsi] s arv.
legal ['li:gəl] *adj* lovlig; legal;
  lovbestemt; retlig; rets-; **~
  adviser** s juridisk rådgiver;
  ~ize [-aiz] v gøre lovlig, lega-
  lisere.
legend ['lɛdʒənd] s legende;

sagn; indskrift; (i bog etc) billedtekst; **~ary** adj legendarisk; sagn-.

leggings ['lɛgiŋs] spl (lange) gamacher; benvarmere.

legible ['lɛdʒibl] adj let læselig, tydelig.

legion ['liːdʒən] s legion; mængde, hærskare; **~ary** s legionær.

legislate ['lɛdʒisleit] v lovgive; **legislation** [-'leiʃən] s lovgivning; **legislative** ['lɛdʒislətiv] adj lovgivende; **legislature** ['lɛdʒislətʃəˀ] s lovgivningsmagt.

legitimacy [li'dʒitiməsi] s lovlighed; rimelighed; **legitimate** adj lovlig; legitim; legitimate children ægtebørn.

leisure ['lɛʒəˀ] s fritid; otium; be at ~ have god tid; at ~ i ro og mag; do it at your ~ gør det når du har tid; ~ centre s fritidsklub; **~ly** adv magelig; i ro og mag.

lemon ['lɛmən] s citron(træ); ~ balm s citronmelisse; ~ squeezer s citronpresser.

lend [lɛnd] v (lent, lent) låne (ud); give; ~ sth to sby låne en ngt; ~ a hand give en hånd med; ~ aid give hjælp; ~ oneself to være med til; nedværdige sig til; **~er** s udlåner.

length [lɛŋθ] s længde; varighed; strækning; ~ of time varighed; at ~ endelig; langt om længe; **~en** v forlænge(s); **~ways, ~wise** adv i længden,

på langs; **~y** adj langtrukken.

leniency ['liːniənsi] s mildhed; **lenient** adj mild; lemfældig.

lens [lɛns] s linse; (foto) objektiv.

Lent [lɛnt] s faste(tid).

lent [lɛnt] præt og pp af lend.

lentil ['lɛntil] s (bot) linse.

Leo ['liːəu] s (astr) Løven.

leper ['lɛpəˀ] s spedalsk; **leprosy** ['lɛprəsi] s spedalskhed.

lesbian ['lɛzbiən] s lesbe // adj lesbisk.

lesion ['liːʃən] s kvæstelse, skade, læsion.

less [lɛs] adj/adv mindre; færre; ringere // præp minus; ~ and ~ mindre og mindre; ~ than mindre end; ringere end; ~ than half under halvdelen; the ~ you say, the better jo mindre du siger, des bedre; three ~ two is one tre minus to er en; a year ~ five days et år minus fem dage.

lessen [lɛsn] v (for)mindske(s); aftage; undervurdere.

lesson [lɛsn] s lektie; (skole)time; lærerstreg; take dancing ~s gå til dans; prepare one's ~s læse sine lektier; let that be a ~ to you lad det være dig en lærerstreg.

lest [lɛst] konj for at ikke; for at; I hid it ~ it was stolen jeg gemte den for at den ikke skulle blive stjålet; we were afraid ~ he should be late vi var bange for at han skulle komme for sent.

let [lɛt] v (let, let) lade; leje ud;

~ *me go!* lad mig gå! giv slip! ~*'s go!* lad os gå! kom, nu går vi! *'to* ~''til leje'; ~ *down* sænke; (om tøj) lægge ned; *(fig)* svigte, skuffe; ~ *go* give slip *(of* på); give los; ~ *in* lukke ind; ~ *in the clutch* slippe koblingen; ~ *off* fyre af; lade slippe; slippe ud (fx *steam* damp); ~ *out* lukke ud, slippe ud; (om tøj) lægge ud; løslade; udstøde (fx *a scream* et skrig); ~ *up* holde op; slappe af; aftage.

lethal ['li:θl] *adj* dødelig; dødbringende.

lethargic [le'θα:dʒik] *adj* sløv, apatisk; **lethargy** ['leθədʒi] *s* sløvhed; døsighed.

letter ['letə*] *s* bogstav; brev; ~**box** *s* brevkasse; postkasse; ~**ing** *s* bogstaver; skrift; tekstning; ~**s** *spl* litteratur.

lettuce ['letis] *s* salat(hoved).

leukaemia [lu:'ki:miə] *s* leukæmi.

level [levl] *s* niveau, plan; (også: *spirit* ~) vaterpas // *v* planere, udjævne; sigte *(at* på); bringe i vater; *be* ~ *with* være på højde med; *on the* ~ vandret; *(fig)* regulær, ærlig; ~ *off* (el. *out)* udjævne(s); ~ **crossing** *s* jernbaneoverskæring; ~**headed** *adj* klarhovedet, fornuftig.

lever ['li:və*] *s* løftestang; stang (fx *gear~* gearstang).

liability [laiə'biliti] *s* ansvar; tilbøjelighed; ulempe; handicap; *liabilities pl* passiver;

liable ['laiəbl] *adj: liable for* ansvarlig for; *liable to* forpligtet til; tilbøjelig til; modtagelig for.

liar ['laiə*] *s* løgner, løgnhals.

libel [laibl] *s* injurier; bagvaskelse // *v* bagvaske; smæde; ~**lous** *adj* ærekrænkende.

liberal ['libərl] *adj* gavmild, large; rigelig; liberal, frisindet.

liberate ['libəreit] *v* befri, frigive; **liberation** [-'reiʃən] *s* befrielse, frigivelse.

liberty ['libəti] *s* frihed; *at* ~ fri, ledig; på fri fod; *be at* ~ *to* have lov til at; *take the* ~ *of* tillade sig.

Libra ['li:brə] *s (astr)* Vægten.

librarian [lai'brεəriən] *s* bibliotekar; **library** ['laibrəri] *s* bibliotek; **library van** *s* bogbus.

Libya ['libiə] *s* Libyen; ~**n** *adj* libyer // *adj* libysk.

lice [lais] *spl* af *louse.*

licence ['laisəns] *s* tilladelse; bevilling; licens; (om restaurant etc) udskænkningsret; (også: *driving* ~) kørekort // *v* give tilladelse (el. bevilling); autorisere; **licensed** *adj* med bevilling; **licensee** [laisən'si:] *s* bevillingshaver.

lichen ['laikən] *s (bot)* lav.

lick [lik] *s* slik; anelse // *v* slikke; tæve, banke; *a* ~ *of paint* et strøg maling; ~ *sby's boots* sleske for en; ~ *one's lips* slikke sig om munden.

lid [lid] *s* låg; (også: *eye~)* øjenlåg.

lie [lai] *s* løgn // *v* lyve.

lie [lai] s beliggenhed // v (lay, lain [lei, lein]) ligge; the ~ of the land som landet ligger; have a long ~ sove længe; ~ about ligge og flyde; ~ low holde en lav profil; have a ~-down lægge sig; have a ~-in sove længe.

lieutenant [lɛf'tenənt] s løjtnant.

life [laif] s (pl: lives [laivz]) liv; levevis; livet; menneskeliv; enjoy ~ nyde livet; fifty lives were lost halvtreds menneskeliv gik tabt; ~ assurance s livsforsikring; ~belt s redningsbælte; ~boat s redningsbåd; ~buoy s redningskrans; ~guard s livredder; ~ jacket s redningsvest; ~like adj livagtig; livagtig; ~line s redningsline; livline; ~long adj livslang; for livstid; ~raft s redningsflåde; ~saver s livredder; ~ sentence s livsvarigt fængsel; ~sized adj i legemsstørrelse; ~ support system s (med) respirator; ~time s levetid; menneskealder; the chance of a ~time alle tiders chance.

lift [lift] s løft; elevator; lift // v løfte, hæve; (om tåge) lette; give sby a ~ give en et lift; ~ off s (om raket) start.

light [lait] s lys; lampe; vindue // v (~ed, ~ed el. lit, lit) tænde(s); oplyse // adj/adv lys; lyse-; let, mild, svag; have you got a ~? har du ngt ild?

come to ~ komme for dagen; in the ~ of på baggrund af; ~ a fire tænde op; ~ up oplyse; tænde lys; lyse op; with a ~ touch med let hånd; ~en v oplyse, gøre lysere; lysne; lette; blive lettere; ~er s tænder, lighter; (om båd) lastepram; ~-headed adj uklar; svimmel; ~-hearted adj munter; letsindig; ~house s fyrtårn; ~ing s belysning; ~ing-up time s lygtetændingstid; ~ meter s (foto) belysningsmåler.

lightning ['laitniŋ] s lyn; like ~ lynhurtigt; like a greased ~ hurtigere end lynet; ~ conductor, ~ rod s lynafleder.

light... ['lait~] sms: ~ship s fyrskib; ~weight adj letvægts- (fx suit habit); ~ year s lysår.

like [laik] s: the ~ magen; and the ~ og lignende; the ~s of you sådan nogle som dig // v kunne lide; holde af // adj/adv/præp lignende; ens; som, ligesom; som om; I would ~ jeg vil(le) gerne; jeg vil gerne have; be (el. look) ~ sby ligne en; that's just ~ him! hvor det ligner ham! something ~ omkring, cirka; sådan ngt som; feel ~ have lyst til; føle sig som; ~able adj tiltalende; ~lihood s sandsynlighed; ~ly adj sandsynlig; rimelig // adv: as ~ly as not sandsynligvis; most ~ly højst sandsynligt; ~-minded adj ligesindet; **~n** *v:* **~n to** sammenligne med; **~wise** *adj* på samme måde, ligeså.

liking ['laikiŋ] *s: have a ~ for* godt kunne lide; have smag for; *take a ~ to* få sympati for; få smag for.

lilac ['lailək] *s (bot)* syren // *adj* lilla.

lily ['lili] *s* lilje; ~ **of the valley** *s* liljekonval; ~ **pond** *s* åkandedam.

limb [lim] *s* (om arm, ben etc) lem // *v* sønderlemme.

lime [laim] *s* kalk; *(bot)* lind(etræ); lime(frugt).

limelight ['laimlait] *s* rampelys; *in the ~* i søgelyset.

limestone ['laimstəun] *s* kalksten, limsten.

limit ['limit] *s* grænse // *v* begrænse; **~ation** [-'teifən] *s* begrænsning; **~ed** *adj* begrænset; indskrænket; **~ed (liability) company** *(Ltd)* s aktieselskab (med begrænset ansvar).

limp [limp] *s: walk with a ~* halte // *v* halte, humpe // *adj* slap, slatten.

limpid ['limpid] *adj* (krystal)klar.

line [lain] *s* linje; line, snor; kæde, række; (om bus etc) rute; branche // *v* kante; (om tøj) fore; beklæde; *in his ~ of business* i hans branche; *in ~ with* på bølgelængde med; i overensstemmelse med; ~ *up* stille op (på rad).

lineage ['liniidʒ] *s* afstamning, herkomst.

linear ['liniə*] *s* linje-, lineær.

linen ['linin] *s* lærred; linned.

liner ['lainə*] *s* rutebåd.

linesman ['lainzmən] *s* (i fodbold) linjevogter; (i tennis) linjedommer.

line-up ['lainʌp] *s* række, geled; *(sport)* holdsammensætning.

linger ['liŋgə*] *v* tøve, nøle; drysse; (fx om lugt) blive hængende; **~ing** *adj* tøvende; langsom; langvarig.

linguist ['liŋgwist] *s* sprogforsker, lingvist; **~ics** [-'gwistiks] *spl* sprogvidenskab, lingvistik.

lining ['lainiŋ] *s* (om tøj) for; forstof; *brake ~* bremsebelægning.

link [liŋk] *s* (i kæde) led; forbindelse; tilknytning // *v* sammenkæde; koble (sammen); ~ *up* knytte sammen; hænge sammen; **~s** *spl* golfbane; **~up** *s* forbindelse; telefonmøde.

linseed ['linsi:d] *s* hørfrø; ~ **oil** *s* linolie.

lion ['laiən] *s* løve; ~ **cub** *s* løveunge; **~ess** *s* hunløve.

lip [lip] *s* læbe; (på kop etc) rand, overkant; *lower ~* underlæbe; *upper ~* overlæbe; *keep a stiff upper ~* ikke fortrække en mine; bide tænderne sammen; **~read** *v* mundaflæse; ~ **service** *s: pay ~service to sby* lefle for en; **~stick** *s* læbestift.

liqueur [li'kjuə*] *s* likør.

liquid ['likwid] *s* væske // *adj*

flydende; klar; strålende; ~ **assets** *spl* likvider; disponible midler; ~**ation** [-'deiʃən] *s* likvidation; ~**izer** [-'daizə*] *s* blender.

liquor ['likə*] *s* væske; spiritus, alkohol.

liquorice ['likəris] *s* lakrids; ~ **allsorts** *s* lakridskonfekt.

lisp [lisp] *s* læspen // *v* læspe.

list [list] *s* liste; (om skib) slagside // *v* skrive op; føre (på) liste; (om skib) krænge over.

listen [lisn] *v* lytte; høre efter; ~ *to* lytte til; høre (på); høre efter; ~**er** *s* tilhører; (radio)lytter.

lit [lit] *præt* og *pp* af *light*.

literacy ['litərəsi] *s* det at kunne læse og skrive.

literal ['litərəl] *adj* bogstavelig; ordret; ~**ly** *adv*: ~*ly speaking* bogstaveligt talt; så at sige.

literary ['litərəri] *adj* litterær.

literate ['litərət] *adj* som kan læse og skrive; kultiveret.

literature ['litrətʃə*] *s* litteratur.

litre ['li:tə*] *s* liter.

litter ['litə*] *s* affald; efterladenskaber; rod; (om dyr) kuld // *v* lave rod, rode til; (om dyr) få unger; *be* ~*ed with* flyde med; ~ **bin** *s* affaldsspand; ~ **lout** *s* skovsvin.

little [litl] *adj/adv* lille; lidt; lidet; *a* ~ lidt, en smule; ~ *by* ~ lidt efter lidt; ~ *better* ikke stort bedre; *make* ~ *of*

ikke gøre ngt stort nummer af; ~ *ones* børn, unger; ~ *or nothing* så godt som ingenting.

live *v* [liv] leve; bo // *adj* [laiv] levende; virkelig; livlig; (om udsendelse) direkte; ~ '*in* bo på stedet; ~ *on* leve af (fx *milk* mælk); leve på; ~ '*on* leve videre; ~ *up to* leve op til; ~**lihood** ['laivlihud] *s* levebrød; ~**liness** ['laivlinəs] *s* livlighed; ~**ly** ['laivli] *adj* livlig; levende.

liver ['livə*] *s* lever.

lives [laivz] *spl* af *life*.

livestock ['laivstɔk] *s* (husdyr)-besætning.

livid ['livid] *adj* gusten; ligbleg; hvidglødende (af raseri).

living ['liviŋ] *s* levevis; underhold; præstekald; *standard of* ~ levefod; *earn* (el. *make*) *one's* ~ tjene til livets opretholdelse // *adj* levende; leve-; ~ *room* *s* opholdsstue; ~ **standards** *spl* levestandard.

lizard ['lizəd] *s* firben; øgle.

load [ləud] *s* byrde; læs; belastning // *v* læsse; laste; belæsse; belaste; (om kamera, gevær etc) lade; *that was a* ~ *off my mind* der faldt en sten fra mit hjerte; *a* ~ *of* (el. ~*s of*) masser af; ~**ed** *adj* belæsset; ladt; følelsesladet; (F) stenrig; fuld, beruset.

loaf [ləuf] *s* (*pl: loaves* ['ləuvz]) brød; *two loaves of bread* to brød // *v* (også: ~ *about* (el. *around*)) drysse rundt.

loan [ləun] s lån // v udlåne; *on* ~ til låns.

loath [ləuθ] adj: *be* ~ *to* nødigt ville.

loathe [ləuð] v hade, afsky; væmmes ved; **loathing** s lede, væmmelse; **loathsome** adj ækel, væmmelig, led.

loaves [ləuvz] spl af *loaf.*

lobby ['lɔbi] s forværelse; vestibule; *(pol)* interessegruppe // v lave korridorpolitik.

lobe [ləub] s *(anat)* lap (fx i hjernen); (også: *ear* ~) øreflip.

lobster ['lɔbstə*] s hummer.

local ['ləukl] s: *the* ~ det lokale værtshus; *the* ~s folkene på stedet // adj stedlig, lokal; stedvis; ~ **call** s *(tlf)* lokalsamtale; ~ **government** s kommunalt selvstyre; **~ity** [-'kæliti] s sted, lokalitet.

locate [ləu'keit] v lokalisere; finde; placere; **location** [-'keiʃən] s lokalisering; placering; sted; *on location* udendørs (film)optagelse.

loch [lɔx] s (skotsk) sø.

lock [lɔk] s lås; (i kanal) sluse; (om hår) lok, tot // v låse; blokere; kunne låses; ~ *up* låse af; spærre inde.

locker ['lɔkə*] s skab; kasse; ~ **room** s omklædningsrum.

locket ['lɔkit] s (om smykke) medaljon.

lockjaw ['lɔkdʒɔ:] s stivkrampe.

locust ['ləukəst] s græshoppe; cikade.

lodge [lɔdʒ] s lille hus; gartnerbolig; portnerbolig; loge // v logere, bo; indkvartere; deponere; indsende; ~ *with* bo hos; ~**r** s lejer, logerende; **lodgings** ['lɔdʒiŋs] spl logi; lejet værelse.

loft [lɔft] s (hø)loft; loftrum.

lofty ['lɔfti] adj stolt, ædel; højtbeliggende; overlegen.

log [lɔg] s tømmerstok, stamme; brændeknude; ~**(book)** s skibsjournal, logbog; kørselsbog; ~ **cabin** s tømmerhytte.

logic ['lɔdʒik] s logik; **~al** adj logisk.

loin [lɔin] s: ~ *of veal* kalvenyresteg; ~**s** spl lænd(er).

loiter ['lɔitə*] v drive; slentre *(about* rundt); *'no* ~*ing'* 'ophold forbudt'.

lollipop ['lɔlipɔp] s slikkepind.

lonely ['ləunli] adj enlig, ensom; **loner** s enspænder.

long [lɔŋ] s længes *(for* efter; *to* efter at) // adj lang; stor // adv længe; *all night* ~ hele natten (lang); ~ *before* længe før (el. inden); *before* ~ inden længe, snart; *at* ~ *last* endelig langt om længe; *no* ~*er* el. *not any* ~*er* ikke længere; ~**-distance** adj *(sport)* distance-; *(tlf)* s.v.t. mellembys, udenbys; (om lastbil) langturs-; ~**evity** [lɔn'dʒeviti] s lang levetid; ~**haired** adj langhåret; ~**hand** s almindelig skrift *(mods: shorthand* stenografi); ~**ing** s længsel *(for* efter) // adj længselsfuld.

longitude ['lɔŋgitju:d] s (geogr etc) længde; **longitudinal** [-'tju:dinəl] adj på langs; længde-.

long. . . ['lɔŋ-] ~ **jump** s længdespring; **~-lived** adj som lever længe; langvarig; **~-range** adj langdistance; **~-sighted** adj langsynet; **~-standing** adj gammel; mangeårig; **~-suffering** adj langmodig; **~-term** adj langsigtet, langtids-; ~ **wave** s langbølge; **~-winded** [-windid] adj langtrukken; omstændelig.

loo [lu:] s (F) toilet, wc.

look [luk] s blik; udseende; udtryk // v se, kigge; se 'ud; vende (ud) // ~ **after** se efter; tage sig af, passe; ~ **after oneself** passe på sig selv; ~ **at** se på; undersøge; ~ **down on** se ned på; ~ **for** lede efter; ~ **forward to** glæde sig til; se frem til; ~ **like** ligne; ~ **on** se 'til; ~ **out** passe på; ~ **out (for)** være forberedt på; være ude efter; ~ **to** passe på; se hen til; regne med; ~ **up** slå op (fx in a dictionary i en ordbog); opsøge; besøge; se op; ~ **up!** op med humøret! ~ **up to** beundre, se op til; **~ing glass** s spejl; **~out** s udkigspost; **be on the ~out for** være på udkig efter; **~s** spl udseende.

loom [lu:m] s væv // v tårne sig op; virke truende.

loop [lu:p] s løkke; bugtning;

(som prævention) spiral; **~hole** s smuthul.

loose [lu:s] adj løs; (om tøj) vid, løstsiddende; løs på tråden; slap; **be at a ~ end** ikke vide hvad man skal finde på; **~n** v løsne (på), slække (på).

loot [lu:t] s bytte // v plyndre.

lopsided ['lɔpsaidid] adj skæv, usymmetrisk.

lord [lɔ:d] s herre; L~ (adelstitel); the L~ Vorherre; good L~! du gode Gud! the (House of) L~s overhuset; **~ly** adj fornem; storslået; hoven; **L~ship** s: your L~ship Deres Nåde.

lorry ['lɔri] s lastvogn; articulated ~ sættevogn; ~ **driver** s lastbilchauffør.

lose [lu:z] v (lost, lost [lɔst]) tabe; miste; komme væk fra; ~ (time) (om ur) gå for langsomt; get lost fare vild; get lost! skrub af! forsvind! **~r** s (om person) taber.

loss [lɔs] s tab; spild; (om skib) forlis; be at a ~ være i vildrede; ikke begribe et muk; ~ of life tab af menneskeliv.

lost [lɔst] præt og pp af lose // adj fortabt; ~ **property** s (kontor for) glemte sager.

lot [lɔt] s lodtrækning; skæbne; jordlod; (vare)parti; the ~ det altsammen; a ~ meget; a ~ of mange; ~s of en masse; draw ~s trække lod; **~tery** s lotteri.

loud [laud] adj (om lyd etc) høj, kraftig; larmende; højrø-

1 loudspeaker

stet; (om farve etc) skrigende;
~**speaker** s højttaler.

lounge [laundʒ] s salon; vestibule // v stå og hænge; sidde henslængt.

louse [laus] s (pl: lice [lais])
lus; **lousy** [ˈlauzi] adj (fig)
modbydelig; (F) luset, elendig.

lout [laut] s (neds) drønnert.

lovable [ˈlʌvəbl] adj elskelig.

love [lʌv] s kærlighed; elskede,
skat // v elske; holde af; be in
~ with være forelsket i;
make ~ elske, have samleje
(to med); ~ fifteen (i tennis)
nul-femten; ~ to elske at;
gerne ville; ~ affair s kærlighedsforhold; ~ letter s kærlighedsbrev; ~ly adj yndig;
dejlig; ~-making s erotik; ~r
s elsker, kæreste; ynder;
loving adj kærlig, øm.

low [ləu] adj lav; dyb; ringe,
dårlig; gemen // v (om ko)
brøle; feel ~ være deprimeret; he's very ~ han er langt
nede; ~-cut adj nedringet;
~er v sænke, dæmpe; hale
ned (fx the blind gardinet); se
truende ud; (om kvæg) brøle;
~ly adj beskeden, simpel; ~-
paid adj lavtlønnet.

loyal [ˈlɔiəl] adj tro, loyal; trofast; ~ty s troskab; trofasthed.

lozenge [ˈlɔzindʒ] s tablet, pastil.

L-plate [ˈelpleit] s L-skilt (på
bil hvis fører er learner begynder).

Ltd [ˈlimitid] (fork.f. limited)
A/S.

lubricant [ˈluːbrikənt] s smøremiddel; **lubricate** v smøre.

lucent [ˈluːsənt] adj strålende;
lucid adj klar; lysende.

luck [lʌk] s skæbne; lykke,
held; bad ~ uheld; good ~!
held og lykke! have ~ være
heldig; be in ~ sidde i held;
just my ~! (iron) jeg er også
altid så heldig! a piece of ~ et
rent held; ~ily adv heldigvis;
~less adj uheldig; ~y adj
heldig.

lucrative [ˈluːkrətiv] adj indbringende.

ludicrous [ˈluːdikrəs] adj latterlig, komisk.

luggage [ˈlʌgidʒ] s bagage; ~
rack s bagagehylde (el. -net).

lugubrious [luˈguːbriəs] adj
trist, bedrøvelig.

lukewarm [ˈluːkwɔːm] adj lunken.

lull [lʌl] s pause; stille periode
// v lulle (et barn); berolige;
~aby [ˈlʌləbai] s vuggevise.

lumber [ˈlʌmbə] s skrammel;
~jack s skovhugger.

luminous [ˈluːminəs] adj lysende; klar.

lump [lʌmp] s klump; bule;
(om person) sløv padde // v
(også: ~ together) klumpe
(sig) sammen; (fig) skære
over en kam; ~ sugar s hugget sukker; ~ sum sum betalt
én gang for alle; ~y adj
klumpet.

lunacy [ˈluːnəsi] s sindssyge,

vanvid.

lunar ['lu:nə'] *adj* måne-.

lunatic ['lu:nətik] *s/adj* sindssyg.

lunch [lʌntʃ] *s* frokost; **~eon** ['lʌntʃən] *s* (forretnings)frokost; **~eon meat** *s* sv.t. forloren skinke; **~eon voucher** *s* frokostbillet; **~ hour** *s* frokostpause.

lung [lʌŋ] *s* lunge.

lurch [lə:tʃ] *s* slingren; krængning // *v* slingre; *leave sby in the* ~ lade en i stikken.

lure [luə'] *v* lokke.

lurk [lə:k] *v* lure; ligge (el. stå) på lur.

lust [lʌst] *s* liderlighed; lyst, begær // *v*: ~ *after* begære, tørste efter.

lustre ['lʌstə'] *s* glans.

lute [lu:t] *s* lut; **~nist** ['lu:tənist] *s* lutspiller.

luxuriant [lʌg'zjuəriənt] *adj* overdådig; frodig; **luxurious** *adj* luksuriøs; overdådig; **luxury** ['lʌkʃəri] *s* luksus.

lying ['laiiŋ] *s* løgn // *adj* løgnagtig; **~-in** *s* barsel.

lynch [lintʃ] *v* lynche.

lynx [links] *s* los.

lyric ['lirik] *adj* lyrisk; **~s** *spl* lyrik; sangtekst.

M

M, m [em].

m. fork.f. *metre, mile, million*.

M.A. fork.f. *Master of Arts*.

mac [mæk] *s* (fork.f. *mackintosh*) regnfrakke.

macaroon [mækə'ru:n] *s* makron.

mace [meis] *s* scepter; *(gastr)* muskatblomme.

machine [mə'ʃi:n] *s* maskine; automat // *v* sy på maskine; **~ gun** *s* maskingevær; **~ry** [mə'ʃi:nəri] *s* maskineri; **~ tool** *s* værktøjsmaskine.

mackerel ['mækərəl] *s* makrel.

mackintosh ['mækintɔʃ] *s* regnfrakke.

mad [mæd] *adj* sindssyg, gal; skør; ~ *about* vred over; skør med; *like* ~ som en gal; *drive sby* ~ drive en til vanvid.

madam ['mædəm] *s* (i tiltale) frue.

madden [mædn] *v* drive til vanvid.

made [meid] *præt* og *pp* af *make*; **~-to-measure** *adj* syet (el. lavet) efter mål.

mad. . . ['mæd-] sms: **~ly** *adv* vanvittigt; **~man** *s: like a ~man* som en gal; **~ness** *s* sindssyge; galskab, raseri.

magazine [mægə'zi:n] *s* tidsskrift; magasin, depot.

maggot ['mægət] *s* maddike, larve.

magic ['mædʒik] *s* magi, trylleri // *adj* magisk, trylle-; **~ian** [mə'dʒiʃən] *s* troldmand.

magistrate ['mædʒistreit] *s* fredsdommer; underretsdommer.

magnanimous [mæg'næniməs] *adj* storsindet, ædelmodig.

magnate ['mægneit] *s* magnat,

matador.
magnet ['mægnit] *s* magnet;
~**ic** [-'nætik] *adj* magnetisk;
~**ism** *s* magnetisme.
magnificent [mæg'nifisnt] *adj*
storslået, herlig.
magnify ['mægnifai] *v* forstørre; ~**ing glass** *s* forstørrelsesglas.
magnitude ['mægnitju:d] *s*
størrelse(sorden).
magpie ['mægpai] *s (zo)* skade.
mahogany [mə'hogəni] *s* mahogni.
maid [meid] *s* pige; jomfru; *old*
~ gammeljomfru; ~**en** *s* ung
pige // *adj* ugift; uberørt;
uprøvet; ~**en name** *s* pigenavn; ~**en voyage** *s* jomfrurejse.
mail [meil] *s* post; breve // *v*
poste, sende (med posten); ~
order *s* postordre.
maim [meim] *v* kvæste; lemlæste.
main [mein] *s* hovedledning //
adj hoved-; *in the* ~ i hovedsagen; ~ **branch** *s* (om firma)
hovedafdeling; ~**land** *s* fastland; ~**s** *spl* lysnet; ~**stay** *s*
(fig) grundpille.
maintain [mein'tein] *v* opretholde, bevare; vedligeholde;
hævde; forsørge; **maintenance** ['meintənəns] *s* opretholdelse; vedligeholdelse; underhold.
maize [meiz] *s* majs; majsgult.
majestic [mə'dʒestik] *adj* majestætisk; **majesty** ['mædʒəsti] *s* majestæt.

major ['meidʒə*] *s* major;
(mus) dur // *adj* større; betydningsfuld; størst, hoved-; ~**ity**
[mə'dʒoriti] *s* flertal; myndighedsalder.
make [meik] *s* fabrikat, mærke; (om tøj etc) snit // *v*
(*made, made* [meid]) lave;
fremstille; gøre (til); ~ *sby
sad* gøre en bedrøvet; ~ *sby
do sth* få en til at gøre ngt;
two and two ~ *four* to og to
er fire; ~ *do with* klare sig
med; ~ *for* sætte kurs efter;
fare løs på; ~ *out* skimte,
ane; forstå; udfærdige, skrive
(fx *a bill* en regning); ~ *up*
udgøre; opdigte, finde på;
pakke ind; rede (op) (fx *the
bed* sengen); sminke sig; ~
up for erstatte, opveje; ~ *up
one's mind* bestemme sig; ~
believe *adj* påtaget; skin-; ~**r**
s fabrikant, producent; ~**up**
s sminke, make-up; ~**ing** *s: in the making* under udarbejdelse; ved
at blive til; ~**shift** *s* nødhjælp
// *adj* midlertidig.
maladjusted [mælə'dʒʌstid]
adj dårligt tilpasset; miljøskadet.
male [meil] *s* mand; (om dyr)
han // *adj* mandlig; mandig;
han-; ~ **child** *s* drengebarn.
malevolent [mə'levələnt] *adj*
ondsindet.
malfunction [mæl'fʌŋkʃən] *s*
funktionsfejl.
malice ['mælis] *s* ondsindethed; skadefryd; **malicious**

[mə'liʃəs] *adj* ondskabsfuld;
skadefro; *(jur)* i ond hensigt.
malign [mə'lain] *v* bagtale.
malignant [mə'lignənt] *adj*
ondartet, malign.
mallet ['mælit] *s* (træ)kølle;
kødhammer.
malnutrition ['mælnju:'triʃən] *s*
underernæring.
malpractice ['mæl'præktis] *s*
forsømmelse, uagtsomhed.
malt [mɔːlt] *s* malt; (også: ~
whisky) maltwhisky.
maltreat [mæl'triːt] *v* mishand-
le.
mammal ['mæməl] *s* pattedyr.
man [mæn] *s (pl: men)* mand;
menneske; (i skak etc) brik //
v bemande; tæmme; ~ *of
war* krigsskib; ~ *of the world*
verdensmand; *to a* ~alle som
én.
manage ['mænidʒ] *v* klare;
styre, lede; ~ *to* klare at;
~**able** *adj* medgørlig; ~**ment**
s ledelse; administration; di-
rektion; ~*r s* leder; direktør;
impresario; **managing** *adj:
managing director* administre-
rende direktør.
mane [mein] *s* manke.
maneater ['mæniːtə*] *s* men-
neskeæder; (om kvinde)
mandfolkejæger.
manful ['mænful] *adj* mandig,
tapper.
manger ['meindʒə*] *s* krybbe.
mangle [mæŋgl] *s* (tøj)rulle //
v rulle (tøj); *(fig)* lemlæste.
man... ['mæn-] *sms:* ~**handle**
v mishandle; bakse med;

~**hood** *s* manddom; mandig-
hed; ~**hunt** *s* menneskejagt.
mania ['meiniə] *s* mani; van-
vid; ~**c** *s* sindssyg.
manifest ['mænifest] *v* mani-
festere; (ud)vise; give udtryk
for // *adj* åbenbar; ~**ation**
[-'teiʃən] *s* tilkendegivelse;
manifestation.
manipulate [mə'nipjuleit] *v*
manipulere; betjene, manø-
vrere.
man... [mæn-] *sms:* ~**kind**
[mæn'kaind] *s* menneskehe-
den; ~**ly** *adj* mandig, viril; ~-
made *adj* menneskeskabt;
syntetisk.
manner ['mænə*] *s* måde, fa-
con; manér; ~**ism** *s* affekte-
rethed; ~**s** *spl* opførsel; væ-
sen; *bad* ~*s* uopdragenhed.
manoeuvre [mə'nu:və*] *s* ma-
nøvre // *v* manøvrere (med);
lempe.
manor ['mænə*] *s* (også: ~
house) herregård, gods.
manpower ['mænpauə*] *s* ar-
bejdskraft.
manse [mæns] *s* præstegård.
manservant ['mænsə:vnt] *s
(pl: menservants)* tjener.
mansion ['mænʃən] *s* palæ; ~**s**
spl (finere) beboelseshus.
manslaughter ['mænslɔ:tə*] *s*
manddrab.
mantelpiece ['mæntlpi:s] *s* ka-
minhylde.
manual ['mænjuəl] *s* håndbog;
lærebog // *adj* manuel, hånd-.
manufacture [mænju'fæktʃə*]
s fabrikation; produkt, vare //

v fremstille, forarbejde; ~**r** *s* fabrikant, producent.

manure [mə'nju·ə*] *s* gødning; møg.

many ['meni] *s* mængde // *adj* mange; *a great* ~ en mængde; *as* ~ *(as)* så mange (som); ~ *a time* mange gange; *too* ~ for mange.

map [mæp] *s* (land)kort // *v* kortlægge.

maple [meipl] *s (bot)* løn, ahorn.

mar [ma·*] *v* skæmme; ødelægge.

marble [ma:bl] *s* marmor; gravsten; statue; ~**s** *spl* kuglespil.

March [ma:tʃ] *s* marts.

march [ma:tʃ] *s* march // *v* marchere; ~ *sby off* slæbe af med en; ~ *on Moscow* marchere mod Moskva.

mare [meə*] *s* (om hest) hoppe.

margarine ['ma:dʒəˌri:n] *s* margarine; **marge** [ma:dʒ] *s* (F) margarine.

margin ['ma:dʒin] *s* margen; rand, kant; spillerum; ~**al** *adj* underordnet, marginal; rand-.

marigold ['mærigəuld] *s (bot)* morgenfrue.

marine [mə'ri:n] *s* marine, flåde; mariner // *adj* hav-, marine-; ~**r** ['mærinə*] *s* sømand; matros.

marital ['mæritəl] *adj* ægteskabelig.

maritime ['mæritaim] *adj* sø-,

sømands-, maritim.

marjoram ['ma:dʒərəm] *s (bot)* merian.

mark [ma:k] *s* mærke, spor; tegn; (i skolen) karakter; (ved skydning) mål // *v* mærke, sætte mærke på; plette; kendetegne; lægge mærke til; (i skolen) rette, give karakterer; markere; ~ *time* slå takt; ~ *out* afmærke; udpege; ~**ed** *adj* markeret; tydelig; ~**er** *s* markør; bogmærke; filtpen.

market ['ma:kit] *s* marked // *v* markedsføre; forhandle; ~ *day* *s* torvedag; ~ *garden* *s* handelsgartneri; ~**ing** *s* markedsføring; ~ *place* *s* markedsplads, torv.

marksman ['ma:ksmən] *s* (dygtig) skytte; ~**ship** *s* skydefærdighed.

marmalade ['ma:məleid] *s* appelsinmarmelade.

marquess, marquis ['ma:kwis] *s* (som titel) markis.

marriage ['mæridʒ] *s* ægteskab; bryllup; **married** ['mærid] *adj* gift; ægteskabelig.

marrow ['mærəu] *s* marv; livskraft; *(bot)* slags græskar.

marry ['mæri] *v* gifte sig (med); vie; forene; *get married* blive gift, gifte sig.

marsh [ma:ʃ] *s* sump, mose; eng.

marshal ['ma:ʃəl] *s* marskal // *v* bringe orden i.

marshy ['ma:ʃi] *adj* sumpet.

martial [ma:ʃl] *adj* krigs-, militær-; ~ **law** s undtagelsestilstand.

Martian ['ma:ʃjən] s marsbeboer // adj mars-.

martyr ['ma:tə*] s martyr // v gøre til martyr; ~**dom** s martyrium.

marvel ['ma:vəl] s under; vidunder // v: ~ (at) undre sig (over); ~**lous** ['ma:vələs] adj fantastisk, vidunderlig, herlig.

masculine ['mæskjulin] adj maskulin, mandig; hankøns-.

mash [mæʃ] s (gastr) mos // v mose; bangers and ~ (F) pølser med kartoffelmos; ~**ed** potatoes kartoffelmos.

mask [ma:sk] s maske // v maskere; skjule; dække.

mason ['meisn] s (også: stone~) murer; stenhugger; (også: free~) frimurer; ~**ry** s murværk.

masquerade [mæskə'reid] s maskerade // v spille komedie; ~ as udgive sig for.

mass [mæs] s masse; mængde; (i kirke) messe // v samle sig (i mængder); the ~es de store masser.

massacre ['mæsəkə*] s massakre // v nedslagte, massakrere.

mast [ma:st] s mast.

master ['ma:stə*] s herre, mester; (på skib) kaptajn; (i skole) lærer // v beherske; styre; lære sig; mestre; M~ John (om dreng) den unge hr. John; M~'s degree kandidat-

eksamen; ~ **key** s universalnøgle; ~**ly** adj mesterlig; ~**mind** s overlegen intelligens // v være hjernen i; **M~ of Arts** (M.A.) s sv.t. magister; **M~ of Science** (M.Sc.) s sv.t. mag.scient; ~**piece** s mesterstykke; ~ **plan** s overordnet plan; ~ **switch** s hovedkontakt.

mat [mæt] s måtte; løber; (også: table ~) lunchserviet.

match [mætʃ] s tændstik; kamp, match; sidestykke; ligemand // v svare til, passe til; være på højde med; be a good ~ være et godt parti; ~ up assortere (varer); ~**box** s tændstikæske; ~**less** adj mageløs.

mate [meit] s makker, kammerat; ægtefælle; mage; (mar) styrmand // v gifte sig (med); (om fugle etc) parre sig.

material [mə'tiəriəl] s materiale; stof, tøj // adj materiel; legemlig; væsentlig; ~**ize** v blive til virkelighed; dukke op.

maternity [mə'tə:niti] s moderskab; barsel; ~ **ward** s fødeafdeling; ~ **wear** s ventetøj.

mathematical [mæθə'mætikl] adj matematisk; **mathematician** [-'tiʃən] s matematiker; **mathematics** [-'mætiks] spl matematik; **maths** [mæθs] spl (F) matematik.

mating ['meitiŋ] s parring.

matron ['meitrən] s økonoma;

(på hospital) forstanderinde.

matted ['mætid] *adj* sammen-
filtret.

matter ['mætə*] *s* sag; spørgs-
mål; *(fys* etc) stof, substans;
indhold; *(med)* materie, pus
// *v* betyde ngt; *it doesn't ~*
det gør ikke ngt; *what's the
~?* hvad er der (i vejen)? *no
~ what* lige meget hvad;
that's another ~ det er en
anden sag; *as a ~ of course*
selvfølgeligt, helt naturligt; *as
a ~ of fact* faktisk; i virkelig-
heden; *it's a ~ of habit* det er
en vanesag; **~-of-fact** *adj*
nøgtern; med begge ben på
jorden.

mattress ['mætris] *s* madras.

mature [mə'tjuə*] *v* modne(s);
udvikle (sig) // *adj* moden;
voksen; (om ost) lagret; **ma-
turity** *s* modenhed.

mauve [məuv] *adj* lyslilla.

max. fork.f. *maximum*.

maxim ['mæksim] *s* leveregel,
maksime.

maximum ['mæksiməm] *s (pl:
maxima)* højdepunkt, maksi-
mum // *adj* højeste, maksi-
mal-.

May [mei] *s* maj.

may [mei] *v (præt: might
*[mait]) kan (el. vil) måske; *he
~ come* han kommer måske;
~ I smoke? må jeg godt ryge?
~ God bless you! Gud velsig-
ne dig! *I might as well go* jeg
kan lige så godt gå; *you might
like to try* du vil måske gerne
prøve.

maybe ['meibi:] *adv* måske.

mayday ['meidei] *s* nødsignal,
SOS.

mayor ['meə*] *s* borgmester.

maypole ['meipəul] *s* majstang.

maze [meiz] *s* labyrint.

M.D. (fork.f. *Doctor of Medici-
ne)* læge.

me [mi:] *pron* mig; *dear ~!*
men dog! *~ too!* også mig;
jeg med.

meadow ['medəu] *s* eng.

meagre ['mi:gə*] *adj* mager,
tynd.

meal [mi:l] *s* måltid; (groft)
mel; **~y-mouthed** *adj* forsig-
tig, spagfærdig; skinhellig.

mean [mi:n] *s* gennemsnit;
middelvej // *v (meant, meant
*[ment]) betyde; mene; have i
sinde // *adj* nærig, smålig;
mellem-, middel-; *be meant
for* være bestemt til (el. til); *I
meant to tell you* jeg ville
have fortalt dig det; *the ~
value* middelværdien.

meander [mi'ændə*] *v* (om
flod) bugte sig; (om person)
slentre omkring.

meaning ['mi:niŋ] *s* betydning;
mening // *adj* sigende (fx
look blik); **~ful** *adj* betyd-
ningsfuld; **~less** *adj* me-
ningsløs.

meanness ['mi:nnis] *s* smålig-
hed, nærighed.

means [mi:nz] *spl* middel,
midler; penge; *by ~ of* ved
hjælp af; *by all ~* hellere end
gerne; naturligvis; *by no ~*
under ingen omstændighe-

der; på ingen måde; *a man of* ~ en formuende mand.

meant [ment] *præt* og *pp* af *mean.*

meantime ['mi:ntaim], **meanwhile** ['mi:nwail] *adv* (også: *in the* ~*)* i mellemtiden.

measles [mi:zlz] *s* mæslinger; *German* ~ røde hunde.

measly ['mi:zli] *adj* (F) elendig, sølle.

measure ['mɛʒə*] *v* mål; målebånd; grad; forholdsregel // *v* måle; registrere; tage mål af; ~**d** *adj* afmålt; taktfast; ~**ments** *spl* mål; *chest* ~**ments** brystmål.

meat [mi:t] *s* kød; ~ **ball** *s* kødbolle, frikadelle; ~ **loaf** *s* forloren hare; ~ **pie** *s* kødpostej.

mechanic [mi'kænik] *s* mekaniker; ~**s** *spl* mekanik; ~**al** *adj* mekanisk; **mechanism** ['mɛkənizm] *s* mekanisme; **mechanization** [mɛkənai'zeiʃən] *s* mekanisering.

medal [mɛdl] *s* medalje; ~**list** *s (sport)* medaljevinder.

meddle [mɛdl] *v:* ~ *in* blande sig i; ~ *with* rode med; pille ved; ~**some** *adj* geskæftig.

media ['mi:diə] *spl* medier.

mediaeval [mɛdi'i:vl] *adj* d.s.s. *medieval.*

mediate ['mi:dieit] *v* mægle; formidle; **mediation** [-'eiʃən] *s* mægling, formidling.

medical ['mɛdikl] *adj* læge-, lægelig; medicinsk; medicinal-; ~ **student** *s* lægestuderende.

medicine ['mɛdsin] *s* lægevidenskab; medicin; ~ **chest** *s* medicinkasse.

medieval [mɛdi'i:vl] *adj* middelalderlig.

mediocre [mi:di'əukə*] *adj* middelmådig; **mediocrity** [-'ɔkriti] *s* middelmådighed.

meditate ['mɛditeit] *v* meditere; gruble, pønse på; **meditation** [-'teiʃən] *s* meditation; eftertanke.

Mediterranean [mɛditə'reiniən] *adj* middelhavs; *the* ~ Middelhavet.

medium ['mi:diəm] *s (pl: media)* middel; *(pl:* ~*s)* medie; *the happy* ~ den gyldne middelvej // *adj* medium, mellem-.

medley ['mɛdli] *s* blanding; sammensurium.

meek [mi:k] *adj* ydmyg; forsagt.

meet [mi:t] *v (met, met)* møde(s); træffe(s); ses; tage imod; tilfredsstille; *I'll* ~ *you at the station* jeg tager imod dig på stationen; ~ *with* komme ud for; møde; *make both ends* ~ få det til at løbe rundt; ~**ing** *s* møde; *(sport* etc) stævne; *she's at a* ~*ing* hun er til møde.

megalomania [mɛgələ'meiniə] *s* storhedsvanvid.

melancholy ['mɛlənkəli] *s* melankoli, tungsind(ighed) // *adj* melankolsk.

mellow ['mɛləu] *v* modne(s) // *adj* moden; blød; (om farve

etc) mættet; (om lyd) fyldig.
melodious [mi'ləudiəs] *adj*
melodisk, melodiøs; **melody**
['mɛlədi] *s* melodi; velklang.
melt [mɛlt] *v* smelte; blive rørt;
~ *away* smelte væk; ~ *down*
smelte om; **~ing point** *s* smel-
tepunkt; **~ing pot** *s* smeltedi-
gel.
member ['mɛmbə*] *s* medlem;
element; **M~ of Parliament**
(M.P.) *s* parlamentsmedlem;
~ship *s* medlemskab; med-
lemstal; medlemmer.
memo ['mɛməu] *s* (F) d.s.s.
memorandum.
memorable ['mɛmərəbl] *adj*
mindeværdig.
memorandum [mɛmə'ræn-
dəm] *s (pl: memoranda*
[-'rændə]) notat, optegnelse;
memorandum.
memorial [mi'mɔ:riəl] *s* min-
desmærke; minde; bønskrift
// *adj* minde-; **memorize**
['mɛməraiz] *v* lære udenad;
notere; **memory** ['mɛməri] *s*
hukommelse; minde, erin-
dring; *(edb)* lager; *in memory
of* til minde om.
men [mɛn] *spl* af *man.*
menace ['mɛnəs] *s* trussel // *v*
true; *that boy's a* ~ (F) den
dreng er livsfarlig.
mend [mɛnd] *s* reparation;
bedring // *v* reparere; stoppe,
lappe; bedres, få det bedre; *be
on the* ~ være i bedring;
~ing *s* reparation; lapning,
stopning; lappetøj.
menservants *spl* af *manser-*

vant.
menstruate ['mɛnstrueit] *v*
have menstruation.
mental [mɛntl] *adj* mental; ån-
delig; sindssyge-; hjerne-;
he's a ~ *case* han er sindssyg;
~ity [-'tæliti] *s* mentalitet;
indstilling.
mention ['mɛnʃən] *s* omtale //
v omtale, nævne; *don't* ~ *it!*
ikke ngt at takke for! *not to* ~
for ikke at tale om.
mercenary ['mə:sinəri] *s* leje-
soldat // *adj* beregnende.
merchandise ['mə:tʃəndaiz] *s*
varer; **merchant** *s* købmand,
grosserer; **merchant bank** *s*
forretningsbank; **merchant
navy** *s* handelsflåde.
merciful ['mə:siful] *adk* barm-
hjertig; nådig; **merciless** *adj*
ubarmhjertig.
mercury ['mə:kjuri] *s* kviksølv.
mercy ['mə:si] *s* barmhjertig-
hed, nåde; *have* ~ *on* have
medlidenhed med; *be at sby's*
~ være i ens vold.
mere [miə*] *adj* ren (og skær);
kun; *a* ~ *boy* kun en dreng;
~ly *adv* kun, udelukkende;
slet og ret.
merge [mə:dʒ] *v* smelte sam-
men; forene(s); slå sammen;
~r *s (merk)* fusion.
meringue [mə'ræŋ] *s* marengs.
merit ['mɛrit] *s* fortjeneste; for-
trin // *v* fortjene.
mermaid ['mə:meid] *s* havfrue.
merrily ['mɛrili] *adv* lystigt,
muntert; **merriment** *s* lystig-
hed; **merry** ['mɛri] *adj* lystig,

glad; *merry Christmas!* glædelig jul! **merry-go-round** *s* karrusel.

mesh [meʃ] *s* (i net) maske; net(værk).

mess [mes] *s* rod, uorden; kludder; *(mil)* messe, kantine // *v* rode; lave kludder i; grise til; ~ *about* (F) rode rundt; fumle; gå og svine; ~ *about with* bikse (el. fumle) med; ~ *up* lave rod i; grise til.

message ['mesidʒ] *s* meddelelse; besked; *do the* ~s (især skotsk) købe ind.

messenger ['mesindʒə*] *s* bud; budbringer.

messy ['mesi] *adj* rodet; snavset, griset.

met [met] *præt* og *pp* af *meet.*

metabolism [me'tæbəlizm] *s* stofskifte.

metal [metl] *s* metal; ~**lic** [-'tælik] *adj* metallisk; metal-.

mete [mi:t] *v:* ~ *out* udmåle, tildele.

meteorological [mi:tiərə'lɔdʒikl] *adj* metereologisk; **meteorology** [-'rɔlədʒi] *s* meteorologi.

meter ['mi:tə*] *s* måler; tæller.

method ['meθəd] *s* metode; ~**ical** [mi'θɔdikl] *adj* metodisk, systematisk.

methylated ['meθileitid] *adj:* ~ *spirits* (også: *meths*) denatureret sprit.

meticulous [me'tikjuləs] *adj* omhyggelig, pertentlig.

metre ['mi:tə*] *s* meter.

metric ['metrik] *adj* meter- (fx *system* system); ~**al** *adj* metrisk; på vers.

metropolis [mə'trɔpəlis] *s* hovedstad; storby; **metropolitan** [-'pɔlitən] *adj* hovedstads-; **metropolitan police** *s* Londons politi.

mew [mju:] *v* (om kat) mjave.

mews [mju:s] *s:* ~ *house* (hus indrettet i tidl. staldbygninger) sv.t. atelierlejlighed.

miaow [mi:'au] *v* (om kat) mjave.

mice [mais] *spl* af *mouse.*

microphone ['maikrəfəun] *s* mikrofon.

microscope ['maikrəskəup] *s* mikroskop; **microscopic** [-'skɔpik] *adj* mikroskopisk.

middle [midl] *s* midje, bæltested; midte // *adj* midterst, mellemst; mellem-, midter-; *in the* ~ *of* midt i; ~**-aged** *adj* midaldrende; *the* **M~ Ages** middelalderen; ~**class** *adj* sv.t. borgerlig; *the* ~ *class(es)* middelstanden; *the* **M~ East** *s* Mellemøsten; ~ **finger** *s* langfinger; ~**man** *s* mellemmand; ~ **name** *s* mellemnavn.

middling ['midliŋ] *adj* mellemgod; middelmådig // *adv* nogenlunde.

midge [midʒ] *s* myg.

midget ['midʒit] *s* dværg // *adj* dværg-; mini- (fx *submarine* u-båd).

midnight ['midnait] *s* midnat.

midriff ['midrif] *s (anat)* mellemgulv.

midshipman ['midʃipmən] *s*
kadet.
midst [midst] *s: in the ~ of*
midt i.
mid. . . ['mid-] sms: **~summer**
s midsommer; **~way** *adj/adv*
midtvejs; **~week** *s* midt i
ugen; **~wife** *s (pl: ~wives*
[-waivz]) jordemor; **~wifery** *s*
fødselshjælp; **~winter** *s* mid-
vinter.
might [mait] *s* magt; styrke //
*præt og pp af may; with all
one's ~* af al sin magt; **~y** *adj*
mægtig // *adv* gevaldig; stor-
snudet.
migrant ['maigrənt] *s* trækfugl;
(om dyr, person) omstrejfer
// *adj* som flyver på træk;
omvandrende; **migrate** *v*
emigrere; drage bort; **migra-
tion** [-'greiʃən] *s* vandring;
bortvandring; (om fugle)
træk.
mike [maik] *s* (fork.f. *micro-
phone)* mikrofon.
mild [maild] *adj* mild, blid; let
(fx *ale* øl).
mildew ['mildju:] *s* meldug;
skimmel, mug.
mildly ['maildli] *adv* mildt; let;
to put it ~ mildt sagt.
mile [mail] *s* engelsk mil (1609
m); **~age** ['mailidʒ] *s* afstand
i *miles;* svt. kilometergodtgø-
relse; (også:) antal km pr.
gallon benzin; **~stone** *s* svt.
kilometersten; *(fig)* milepæl.
militant ['militənt] *adj* krige-
risk, militant; **military** *s: the
military* militæret // *adj* mili-

tær(-).
militia [mi'liʃə] *s* milits.
milk [milk] *s* mælk // *v* malke
(også *fig); full-cream* el. *who-
le ~* sødmælk; *skimmed ~*
skummetmælk; *semi-skim-
med ~* letmælk; **~ chocolate**
s flødechokolade; **~ing** *s*
malkning; **~y** *adj* mælkeag-
tig; *the* **M~y Way** *s (astr)*
mælkevejen.
mill [mil] *s* mølle; maskine;
tekstilfabrik // *v* male, valse,
knuse; (også: *~ about)* hvirv-
le rundt.
millennium [mi'leniəm] *s (pl:
~s* el. *millennia)* årtusind.
miller ['milə*] *s* møller.
milliner ['milinə*] *s* modehand-
ler; modist; **~y** *s* modevarer;
modehandel.
millstone ['milstəun] *s* mølle-
sten; **millwheel** ['milwi:l] *s*
møllehjul.
milometer [mai'lɔmitə*] *s* svt.
kilometertæller.
mime [maim] *s* mimekunstner
// *v* mime, parodiere; **mimic**
['mimik] *s* mimiker // *v* efter-
ligne; parodiere.
min. fork.f. *minute(s); mini-
mum.*
mince [mins] *s* hakkekød // *v*
hakke; trippe; *~ one's words*
tale affekteret; **~meat** *s* blan-
ding af tørret, hakket frugt
brugt i bagværk; *~ pie s*
tærte med *~meat; ~r s*
(kød)hakkemaskine; **mincing**
adj affekteret.
mind [maind] *s* sind, sjæl; ind-

misadventure **m**

stilling // v passe (fx *children børn*); passe 'på; bryde sig om; have ngt imod; *I don't ~ the noise* jeg har ikke ngt mod støjen; *do you ~ it...?* har du ngt imod at...? *I don't ~ det* har jeg ikke ngt imod; jeg er ligeglad; *to my ~* efter min mening; *be out of one's ~* være ude af sig selv; *never ~ det* gør det ikke ngt; skidt med det; *bear in ~* tænke på; huske; *change one's ~* bestemme sig om; *make up one's ~* bestemme sig; *~ the step!* pas på trinet! *have in ~* have i tankerne; *I'll give him a piece of my ~* jeg skal sige ham min ærlige mening.

mine [main] s mine, bjergværk // v grave efter, bryde (fx *coal* kul); minere.

mine [main] *pron* (se *my*) min, mit, mine; *a friend of ~* en af mine venner.

mine... ['main-] sms: ~ **detector** s minesøger; **~field** s minefelt; **~r** s minearbejder.

mineral ['minərəl] s mineral // *adj* mineralsk, mineral-.

minesweeper ['mainswi:pə'] s minestryger.

mingle [miŋgl] v blande (sig) (*with* i).

minicab ['minikæb] s minitaxi.

minim ['minim] s *(mus)* helnode.

minimal ['miniməl] *adj* mindste-; minimal-; **minimize** [-maiz] v formindske; undervurdere; **minimum** ['mini-

məm] s minimum; laveste punkt // *adj* minimums-; mindste.

mining ['mainiŋ] s minedrift; brydning // *adj* mine- (fx *town* by).

minister ['ministə'] s præst; (i Skotland) sognepræst; *(pol)* minister; **~ial** [minis'tiəriəl] *adj* ministeriel; minister-; **ministry** ['ministri] s ministerium.

minor ['mainə'] *adj* mindreårig; *(mus)* mol // *adj* underordnet, ubetydelig; **~ity** [-'nɔriti] s mindretal, minoritet; mindreårighed.

minster ['minstə'] s domkirke; klosterkirke.

mint [mint] s *(bot)* mynte; pebermyntebolsje // v præge (mønter); *the Royal M~* den kongelige mønt; *in ~ condition* som ny; ubrugt; ~ **sauce** s myntesovs (med eddike, sukker og mynte).

minuet [minju'et] s menuet.

minus ['mainəs] s minus(tegn) // *præp:* *five ~ three is two* fem minus tre er to.

minute s ['minit] minut; øjeblik; notat // *adj* [mai'nju:t] minutiøs, lille bitte; udførlig; **~s** *spl* referat (af møde etc).

miracle ['mirəkl] s mirakel; vidunder; **miraculous** [-'rækjuləs] *adj* mirakuløs; mirakel-.

mirror ['mirə'] s spejl // v (af)spejle.

misadventure [misəd'ventʃə']

s uheld; *death by* ~ død ved et uheld.

misanthropist [mi'zænθrəpist] s menneskehader, misantrop.

misappropriate [misə'prəupriˌeit] v tilegne sig; forgribe sig på.

misbehave [misbi'heiv] v opføre sig dårligt; være uartig; **misbehaviour** s dårlig opførsel.

miscalculate [mis'kælkjuleit] v regne forkert; fejlbedømme; **miscalculation** [-'leiʃən] s regnefejl; fejlbedømmelse.

miscarriage ['miskærɪdʒ] s *(med)* (spontan) abort; ~ *of justice* justitsmord.

miscellaneous [misə'leiniəs] adj blandet; uensartet; diverse.

mischief ['mistʃif] s gale streger; fortræd, skade; **mischievous** ['mistʃivəs] adj drillesyg; skælmsk; skadelig.

misconduct [mis'kɔndʌkt] s utroskab; *professional* ~ tjenesteforseelse; embedsmisbrug.

misdemeanour [misdi'miːnə*] s forseelse.

miser ['maizə*] s gnier.

miserable ['mizərəbl] adj elendig, ulykkelig.

miserly ['maizəli] adj gerrig.

misery ['mizəri] s elendighed; ulykke, jammer.

misfit ['misfit] s (om person) afviger, mislykket individ.

misfortune [mis'fɔːtʃən] s uheld, ulykke.

misgiving(s) [mis'givɪŋ(z)] s(pl) bange anelser; betænkeligheder.

misguided [mis'gaidid] adj vildledt.

misinform [misin'fɔːm] v give forkerte oplysninger.

misinterpret [misin'təːprit] v misfortolke; ~**ation** [-'teiʃən] s misforståelse.

misjudge [mis'dʒʌdʒ] v fejlbedømme.

mislay [mis'lei] v forlægge; ikke kunne finde.

mislead [mis'liːd] v vildlede; føre vild.

misplace [mis'pleis] v anbringe forkert, fejlplacere; ~**d** adj malplaceret.

misprint ['misprint] s trykfejl.

mispronounce ['misprə'nauns] v udtale forkert.

misread [mis'riːd] v læse forkert.

Miss, miss [mis] s frøken.

miss [mis] s kikser, forbier, fejlskud // v skyde (el. ramme) forbi (el. ved siden af); overse; gå glip af; komme for sent til; savne; *that was a near* ~ det var lige ved; *give sth a* ~ give pokker i ngt; ~ *the train* komme for sent til toget.

misshapen [mis'ʃeipn] adj misdannet, vanskabt.

missile ['misail] s kasteskyts; missil, raketvåben.

missing ['misiŋ] adj manglende; (om person) ikke til stede; savnet; forsvunden; *go* ~ forsvinde, blive væk.

mission ['miʃən] s mission; delegation; ærinde; **~ary** s missionær.

mist [mist] s dis, let tåge // v (også: ~ *over, ~ up*) sløres; (om vinduer) dugge.

mistake [mis'teik] s fejl, fejltagelse // v misforstå; *make a ~* tage fejl; ~ *A for B* forveksle A med B; *it is a case of ~n identity* der er sket en forveksling; *be ~n* tage fejl; **~n identity** s forveksling.

mister ['mistə*] s se *Mr.*

mistletoe ['misltəu] s mistelten.

mistook [mis'tuk] *præt* af *mistake*.

mistreat [mis'tri:t] v behandle dårligt, mishandle.

mistress ['mistris] s frue; (skole)lærerinde; herskerinde; mester; elskerinde.

mistrust [mis'trʌst] v mistro.

misunderstand ['misʌndə'stænd] v misforstå; **~ing** s misforståelse; uoverensstemmelse.

misuse s [mis'ju:s] misbrug; forkert brug // v [mis'ju:z] misbruge; bruge forkert.

mite [mait] s mide; (lille) smule.

mitt(en) ['mit(n)] s vante, luffe.

mix [miks] s blanding; kludder // v blande; mixe; ~ *up* blande sammen; ~ *with* blande sig med; omgås; **~ed** *adj* blandet; fælles-; **~ed-up** *adj* forvirret, desorienteret; **~er** s

røremaskine; *he's a good ~er* han har let ved at omgås folk; **~ture** ['mikstʃə*] s blanding; mikstur; **~-up** s forvirring.

moan [məun] s stønnen, jamren // v stønne, sukke; klage (sig); ~ *about* klage over; **~ing** s klagen, jamren.

moat [məut] s voldgrav.

mob [mɔb] s hob, flok; pøbel; bande // v overfalde i flok; mobbe; **~bing** s mobning.

mobile ['məubail] s uro (til pynt) // *adj* mobil, bevægelig, transportabel; **mobility** [-'biliti] s bevægelighed.

mock [mɔk] v håne; gøre har ad; efterligne // *adj* forloren, falsk; kunstig; **~ery** s spot, hån; parodi; **~ing-bird** s spottefugl; ~ **turtle** s forloren skildpadde.

mode [məud] s måde; mode; toneart.

model ['mɔdl] s model; gine; mønster, forbillede // v modellere; forme; stå model; ~ *clothes* fremvise tøj (som model).

moderate v ['mɔdəreit] beherske; dæmpe, moderere; (om vind) tage af // *adj* ['mɔdərit] moderat; **moderation** [-'reiʃən] s mådehold; *in moderation* med måde.

modern ['mɔdən] *adj* moderne; nyere; **~ize** v modernisere.

modest ['mɔdist] *adj* beskeden; undselig; **~y** s beskedenhed; ærbarhed.

modification [mɔdifiˈkeiʃən] s
tillempning; modifikation;
modify [ˈmɔdifai] v modifice-
re; lempe; ændre.
module [ˈmɔdjuːl] s modul.
moist [mɔist] adj fugtig; ~**en**
[mɔisn] v fugte, væde; ~**ure**
[ˈmɔistʃə*] s fugt(ighed);
~**urizer** [ˈmɔistʃəraizə*] s
fugtighedscreme.
molar [ˈməulə*] s kindtand.
molasses [məˈlæsiz] s
(mørk) sirup.
mole [məul] s skønhedsplet;
muldvarp; bølgebryder.
molecule [ˈmɔlikjuːl] s moleky-
le.
molehill [ˈməulhil] s muldvar-
peskud; *make a mountain
out of a* ~ gøre en myg til
elefant.
molest [məuˈlest] v genere;
forulempe.
molten [ˈməultn] adj smeltet.
moment [ˈməumənt] s øjeblik;
betydning; *in a* ~ om et øje-
blik; *just a* ~ et øjeblik; *of no
~* uden betydning; ~**ary** adj
øjeblikkelig; forbigående;
~**ous** [-ˈmentəs] adj vigtig,
betydningsfuld.
momentum [məuˈmentəm] s
fart; styrke; *gather* ~ få fart
på.
monarch [ˈmɔnək] s konge,
monark; ~**y** s kongedømme,
monarki.
monastery [ˈmɔnəstəri] s
(munke)kloster.
Monday [ˈmʌndi] s mandag;
last ~ i mandags; *next* ~ på

mandag, næste mandag.
monetary [ˈmʌnitəri] adj penge-
ge-, valuta-.
money [ˈmʌni] s penge; *make
~* tjene penge; *danger* ~ risi-
kotillæg; ~**lender** s pengeud-
låner; ~ **order** s postanvis-
ning (på under £50).
mongrel [ˈmɔŋgrəl] s (om
hund) køter, bastard.
monitor [ˈmɔnitə*] s (i skole)
ordensduks; monitor; kon-
trolapparat; overvågningsud-
styr // v aflytte; kontrollere;
overvåge.
monk [mɔŋk] s munk.
monkey [ˈmɔŋki] s abe; ~
wrench s svensknøgle; skrue-
nøgle.
monologue [ˈmɔnəlɔg] s ene-
tale, monolog.
monopolize [məˈnɔpəlaiz] v få
(el. have) monopol på; lægge
beslag på; **monopoly** s eneret,
monopol; *Monopoly* ® (om
spil) Matador.
monosyllabic [ˈmɔnəusiˈlæbik]
adj enstavelses-; (om person)
fåmælt.
monotone [ˈmɔnətəun] s ens-
formig tone; **monotonous**
[-ˈnɔtənəs] adj ensformig,
kedelig; **monotony** [-ˈnɔtəni]
s enformighed, monotoni.
monster [ˈmɔnstə*] s mons-
trum, uhyre; **monstrosity**
[-ˈstrɔsiti] s uhyre; skrum-
mel; rædsel; **monstrous**
[ˈmɔnstrəs] adj kolossal,
monstrøs; uhyrlig.
month [mʌnθ] s måned; *for* ~s

(and ~s) i månedsvis; *last ~* i sidste måned; *next ~* i næste måned; **~ly** s månedsmagasin // *adj* månedlig // *adv* månedsvis.

monument ['monjumənt] s monument, mindesmærke; **~al** [-'mɛntl] *adj* storslået, monumental.

mood [mu:d] s humør, sindsstemning; *be in the ~ for* være i humør til, have lyst til; **~y** *adj* humørsyg; nedtrykt, mut.

moon [mu:n] s måne; **~beam** s månestråle; **~light** s måneskin; **~lighting** s måneskinsarbejde; **~lit** *adj* måneklar; **~shine** s måneskin; (F) hjemmebrændt whisky.

moor [muə*] s hede // *v* (om skib) lægge til, fortøje; **~ings** *spl* fortøjninger; fortøjningsplads; **~land** s hede.

moose [mu:s] s elg, elsdyr.

mop [mop] s svaber // *v* svabre; tørre (op).

mope [məup] *v* hænge med næbbet.

moped ['məuped] s knallert.

moral [morl] s morale // *adj* moralsk; moral-; **~e** [mo'ra:l] s kampmoral; **~ity** [-'ræliti] s moral; moralfølelse; **~ly** *adv* moralsk; **~s** *spl* moral; sæder.

morbid ['mo:bid] *adj* sygelig; makaber.

more [mo:*] *adj/adv* mer(e); flere; ~ *people* flere mennesker; *the ~ he gets, the ~ he*

wants jo mere han får, des mere vil han have; *I want two ~ bottles* jeg vil gerne have to flasker til; ~ *or less* mere eller mindre; ~ *than ever* mere end nogensinde; **~over** *adv* desuden.

morgue [mo:g] s lighus.

morning ['mo:niŋ] s morgen, formiddag; *in the ~* om morgenen; om formiddagen; *yesterday ~* i går morges; *tomorrow ~* i morgen tidlig; ~ **afterish** *adj: feel ~afterish* have tømmermænd; ~ *coat* s jaket; ~ *room* s opholdsstue.

Moroccan [mə'rokən] s marokkaner // *adj* marokkansk; **Morocco** [-'rokəu] s Marokko.

moron ['mo:rən] s tåbe, idiot.

morose [mə'rəus] *adj* sur, gnaven.

morphia ['mo:fiə], **morphine** ['mo:fi:n] s morfin.

morsel [mo:sl] s bid, nip; stump.

mortal [mo:tl] s/adj dødelig; **~ity** [-'tæliti] s dødelighed.

mortar ['mo:tə*] s mørtel; morter.

mortgage ['mo:gidʒ] s pant; prioritet (i ejendom) // *v* belåne; prioritere.

mortify [mo:tifai] *v* såre, krænke.

mortuary ['mo:tʃuəri] s lighus, ligkapel.

mosaic [məu'zeiik] s mosaik.

Moscow ['moskəu] s Moskva.

Moslem ['mozləm] s/adj d.s.s.

m mosque

Muslim.
mosque [mɔsk] s moské.
mosquito [məsˈkiːtəu] s (pl: ~es) moskito; myg; ~ **repellent** s myggebalsam.
moss [mɔs] s (bot) mos; tørvemose; ~ **stitch** s perlestrikning; ~**y** adj mosbegroet.
most [məust] adj/adv mest; det meste; flest; de fleste; højst; ~ interesting interessantest; yderst interessant; ~ people think that... de fleste mennesker mener at...; ~ of them de fleste af dem; at the (very) ~ (aller)højst; make the ~ of få det mest mulige ud af; ~**ly** adv hovedsagelig, især.
MOT s (fork.f. Ministry of Transport) trafikministeriet; the ~ (test) årligt bilsyn (på over tre år gamle biler).
moth [mɔθ] s natsværmer; møl; ~**ball** s mølkugle; ~ **eaten** adj mølædt.
mother ['mʌðə*] s mor, moder // v tage sig moderligt af; ~**hood** s moderskab; ~**in-law** s svigermor; ~**ly** adj moderlig; ~**of-pearl** s perlemor; ~**to-be** s vordende mor; ~ **tongue** s modersmål.
mothproof ['mɔθpruːf] adj mølsikret; møltæt.
motion ['məuʃən] s bevægelse; tegn, vink; forslag // v vinke til, gøre tegn til; the ~ was carried forslaget blev vedtaget; ~**less** adj ubevægelig; ~ **picture** s film.

motivated ['məutiveitid] adj motiveret; begrundet; **motivation** [-'veiʃən] s motivering; **motive** ['məutiv] s motiv; hensigt // adj bevægende, bevæg- (fx force kraft).
motor ['məutə*] s motor; bil; (fig) drivkraft // v køre i bil // adj motor-; bil-; ~**bike** s motorcykel; ~**boat** s motorbåd; ~**cade** s bilkortege; ~**cycle** s motorcykel; ~**cyclist** s motorcyklist; ~**ing** s bilkørsel; motorsport; ~**ing accident** s bilulykke; ~**ing holiday** s bilferie; ~**ist** s bilist; ~ **oil** s bilolie; ~ **racing** s motorvæddeløb; ~ **scooter** s scooter; ~ **vehicle** s motorkøretøj; ~**way** s motorvej.
mottled [mɔtld] adj broget; marmoreret.
mould [məuld] s form; støbeform; budding (lavet i form); mug, skimmel // v forme; støbe; mugne; ~**ing** s formning; støbning; (auto) pynteliste; ~**y** adj muggen.
mount [maunt] s bjerg; ridehest; (om billede etc) indfatning (op); bestige; montere; indfatte.
mountain ['mauntin] s bjerg; ~ **ash** s røn; ~**eer** [-'niə*] s bjergbestiger; ~**eering** [-'niəriŋ] s alpinisme; ~**ous** adj bjergrig; bjerg-; enorm; ~**side** s bjergside, bjergskråning.
mourn [mɔːn] v sørge; græde; ~ (for) sørge over; ~**er** s

sørgende; efterladt; ~**ful** adj
bedrøvet, trist; ~**ing** s sorg;
sørgedragt.
mouse [maus] s (pl: mice
[mais]) mus; ~**trap** s muse-
fælde; **mousy** ['mauzi] adj
(om person) grå, trist; (om
hår) gråbrunt, kedeligt.
moustache [mu'sta:ʃ] s over-
skæg.
mouth [mauθ] s (pl: ~s
[mauz]) mund; åbning; ~**ful**
adj mundfuld; ~ **organ** s
mundharmonika; ~**piece** s
mundstykke; telefontragt;
(fig) talsmand, talerør; ~~**wa-
tering** adj som får tænderne
til at løbe i vand.
movable ['mu:vəbl] adj bevæ-
gelig; transportabel; ~s løsø-
re.
move [mu:v] s træk; skridt;
flytning // v bevæge (sig);
flytte (sig); færdes; gribe, be-
tage; fremsætte forslag om;
get a ~ on få fart på; flytte
sig; ~ about bevæge sig
rundt; rejse rundt; ~ along
gå (el. køre) videre; ~ away
fjerne sig; flytte væk; ~ in
flytte ind (i et hus); ~ on
komme videre; ~ out flytte
ud (af et hus); ~ up rykke
sammen; avancere; ~**ment** s
bevægelse; (mus, del af sym-
foni etc) sats.
movie ['mu:vi] s film; the ~s
biografen.
moving ['mu:viŋ] adj som be-
væger sig; gribende, rørende.
mow [məu] v (~ed, ~ed el.

mown) meje; slå (fx grass
græs); ~**er** s slåmaskine.
M.P. ['em'pi:] s fork.f. Member
of Parliament.
m.p.g. fork.f. miles per gallon
(30 m.p.g. sv.t. 29,5 liter pr.
100 km).
m.p.h. fork.f. miles per hour
(60 m.p.h. sv.t. 96 km i timen).
Mr ['mistə*] s: ~ X hr. X.
Mrs ['misiz] s: ~ X fru X;
Doctor and ~ Smith doktor
Smith og frue.
Ms [miz] s fr. (dækker både
Miss og Mrs).
M.Sc. fork.f. Master of Scien-
ce.
much [mʌtʃ] adj/adv meget;
omtrent; absolut; langt; how
~ is it? hvad koster det? it's
not ~ det er ikke meget; det
er ikke ngt særligt; it is ~ the
same det er nogenlunde det
samme; this is ~ the best
denne er langt den bedste;
make ~ of sth gøre et stort
nummer ud af ngt.
muck [mʌk] v: ~ about nusse
rundt; ~ up (F) ødelægge.
mud [mʌd] s mudder; slam,
skidt.
muddle [mʌdl] s forvirring;
roderi, kludder // v (også: ~
up) forkludre; forvirre; be in
a ~ (om person) være forvir-
ret.
muddy ['mʌdi] adj pløret, sølet;
uklar.
mud... ['mʌd-] sms: ~ **flats**
spl mudderbanke; ~**guard** s
(auto) stænkeskærm; ~**pack**

m muff

s muddermaske.

muff [mʌf] *s* muffe.

muffin ['mʌfin] *s* (flad) tebolle.

muffle [mʌfl] *v* pakke ind;
dæmpe; ~d *adj* formummet;
dæmpet; ~er ['mʌflə*] *s* hals-
tørklæde; *(auto)* lydpotte.

mug [mʌg] *s* krus; (F) fjæs;
flab; tosse // *v* overfalde;
~ging *s* overfald (med kvæ-
lergreb).

mule [mju:l] *s* muldyr.

multiple ['mʌltipl] *adj* sam-
mensat; mangfoldig; ~ **crash**
s harmonikasammenstød; ~
store *s* kædeforretning; **mul-
tiplication** [mʌltipli'keiʃən] *s*
mangfoldiggørelse; multipli-
kation; **multiply** ['mʌltiplai] *v*
mangfoldiggøre, formere;
gange, multiplicere.

multitude ['mʌltitju:d] *s* mæng-
de; sværm, vrimmel.

mum [mʌm] *s* (F) mor // *adj:*
keep ~ ikke sige et ord; ~'s
the word! vi må ikke lade et
ord slippe ud!

mumble [mʌmbl] *s* mumlen //
v mumle.

mummy ['mʌmi] *s* mumie; (F)
mor.

mumps [mʌmps] *s* fåresyge.

munch [mʌntʃ] *v* gumle, gna-
ske (på).

municipal [mju:'nisipl] *adj*
kommunal, kommune-; ~
heating *s* fjernvarme; ~**ity**
[-'pæliti] *s* kommune; kom-
munal myndighed.

munitions [mju:'niʃəns] *spl*
krigsmateriel.

mural ['mjuərəl] *s* vægmaleri,
fresko.

murder ['mə:də*] *s* mord, drab
// *v* myrde, dræbe; ~**er** *s*
morder, drabsmand; ~**ous**
adj morderisk; dræbende.

murmur ['mə:mə*] *s* mumlen;
murren // *v* mumle; knurre;
(om flod etc) bruse; (om
skov) suse.

muscle [mʌsl] *s* muskel, mu-
skelkraft // *v:* ~ *in on* mase
sig ind på; **muscular**
['mʌskjulə*] *adj* muskuløs;
muskel-.

muse [mju:z] *s* muse // *v* grub-
le, spekulere.

museum [mju:'ziəm] *s* muse-
um; ~ **piece** *s* museumsstyk-
ke.

mushroom ['mʌʃrum] *s* (bot)
svamp, (især:) champignon //
v (fig) skyde op som padde-
hatte.

mushy ['mʌʃi] *adj* blød, grødet;
(F) rørstrømsk.

music ['mju:zik] *s* musik, no-
der; ~**al** *s* musical // *adj*
musikalsk, musik-; ~**al box** *s*
spilledåse; ~**al instrument** *s*
musikinstrument; ~ **hall** *s*
varieté; ~**ian** [mju:'ziʃən] *s*
musiker; ~ **stand** *s* nodesta-
tiv.

musk ['mʌsk] *s* moskus.

Muslim ['mʌzlim] *s* muslim //
adj muslimsk.

muslin ['mʌzlin] *s* musselin.

mussel [mʌsl] *s* musling.

must [mʌst] *s* nødvendighed;
noget man 'skal // *v* må, måt-

te; skal, skulle; være nødt til; *I ~ do it* jeg må (el. er nødt til at) gøre det; ~ *you go now?* skal du (absolut) gå nu? *well, if you ~* siden du absolut vil.

mustard ['mʌstəd] s sennep; sennepsfarve.

muster ['mʌstə*] v mønstre; samle.

mustn't [mʌsnt] d.s.s. *must not.*

musty ['mʌsti] adj muggen.

mute [mju:t] adj stum; ~**d** ['mju:tid] adj dæmpet; med sordin.

mutilate ['mju:tileit] v skamfere; **mutilation** [-'leiʃən] s lemlæstelse; skamfering.

mutinous ['mju:tinəs] adj oprørsk; som gør mytteri; **mutiny** s mytteri // v gøre mytteri.

mutter ['mʌtə*] v mumle, brumme, rumle.

mutton [mʌtn] s fårekød; ~ **chop** s lammekotelet.

mutual ['mju:tʃuəl] adj gensidig; indbyrdes; fælles.

my [mai] pron min, mit, mine // interj du store! ih!

myopic [mai'ɔpik] adj nærsynet.

myself [mai'sɛlf] pron jeg selv; selv; mig; *I did it* ~ jeg gjorde det selv; *by* (el. *for*) ~ alene, på egen hånd.

mysterious [mis'tiəriəs] adj mystisk; **mystery** ['mistəri] s mysterium; **mystic** ['mistik] s mystiker // adj mystisk; **mystify** ['mistifai] v mystificere, forvirre.

myth [miθ] s myte; sagn; ~**ical** adj mytisk; sagn-; opdigtet; ~**ological** [miθə'lɔdʒikl] adj mytologisk; ~**ology** [mi'θɔlədʒi] s mytologi.

N

N, n [ɛn].

nag [næg] v (konstant) småskænde; ~**ging** adj (om smerte) murrende; *(om fx kone)* som skælder og smælder.

nail [neil] s negl; søm // v få fat i; (F) negle, hugge; slå søm i; ~ *sby down to sth* holde en fast ved ngt; *hard as* ~s benhård; ~**brush** s neglebørste; ~**file** s neglefil; ~ **polish** s neglelak; ~ **scissors** spl neglesaks; *a pair of* ~*scissors* en neglesaks; ~ **varnish** s neglelak.

naïve [na'i:v] adj naiv, ukunstlet.

naked ['neikid] adj nøgen, bar; utilsløret; *it's the* ~ *truth* det er den rene sandhed; *with the* ~ *eye* med det blotte øje.

name [neim] s navn; ry // v nævne; give navn, kalde; *in the* ~ *of B* i B's navn; *lend one's* ~ *to* lægge navn til; ~**dropping** s pralen af sine fine bekendte; ~**less** adj navnløs; unævnelig; ~**ly** adv nemlig; det vil sige; ~**sake** s navnebror (el. -søster).

nanny ['næni] s *(pl: nannies)* barnepige; ~ **goat** s (hun)ged.

nap [næp] s lur; *be caught*

~*ping* blive taget på sengen.
nape [neip] *s: the ~ of the neck* nakke; nakkeskind.
napkin ['næpkin] *s* serviet; ble.
nappy ['næpi] *s* (F) ble.
narcissus [nɑ:'sisəs] *s (pl: narcissi* [-sai]) narcis; (også: *white ~*) pinselilje.
narcotic [nɑ:'kɔtik] *s* bedøvelsesmiddel; narkotisk middel; ~**s** *spl* narkotika, stoffer.
narrate [næ'reit] *v* fortælle; **narrative** ['nærətiv] *s* beretning, fortælling; **narrator** [nə'reitə*] *s* fortæller; kommentator.
narrow ['nærəu] *v* indsnævre(s); (i strikning) tage ind // *adj* smal, trang, snæver; kneben; *have a ~ escape* undslippe med nød og næppe; ~ *sth down* indskrænke (el. reducere) ngt; ~**ly** *adv: he ~ly missed the tree* han undgik lige at ramme træet; *he ~ly missed the target* han ramte lige ved siden af målet; ~~**minded** *adj* indskrænket; snæversynet.
nasal ['neizl] *adj* nasal, næse-.
nasty ['nɑ:sti] *adj* væmmelig, ækel, modbydelig; *a ~ piece of work* en led karl.
nation ['neiʃən] *s* nation, folk; ~**al** ['næʃənəl] *adj* national; folke-; landsomfattende; ~**al anthem** *s* nationalsang; ~**al costume** *s* nationaldragt; *the* **N~al Health Service** *(N.H.S.) s* sv.t. sygesikringen; ~**alism** *s* nationalisme; ~**ality** [-'næliti]

s nationalitet; ~**alization** [næʃənəlai'zeiʃən] *s* nationalisering; ~**al park** *s* nationalpark; *the* **N~al Trust** *s* fredningsforeningen (i Storbritannien); ~~**wide** ['neiʃənwaid] *adj* landsomfattende.
native ['neitiv] *s* indfødt // *adj* indfødt; medfødt; føde-; hjem-; *a ~ speaker of English* en person med engelsk som modersmål; ~ **language** *s* modersmål.
natural ['nætʃərəl] *adj* naturlig; natur-; ~ **gas** *s* naturgas; ~**ist** *s* naturalist; naturforsker; ~**ize** *v* give statsborgerskab, naturalisere; ~**ly** *adv* naturligt; naturligvis; **nature** ['neitʃə*] *s* natur; art, beskaffenhed; temperament, sind.
naughty ['nɔ:ti] *adj* uartig; vovet.
nausea ['nɔ:siə] *s* kvalme; væmmelse; ~**te** ['nɔ:sieit] *v* give kvalme.
nautical ['nɔ:tikl] *adj* nautisk; sø-, sømands-; ~ **mile** *s* sømil (1853 m).
naval ['neivl] *adj* maritim, flåde-; ~ **officer** *s* søofficer.
nave [neiv] *s* (hjul)nav; (i kirke) midterskib.
navel ['neivl] *s* navle.
navigate ['nævigeit] *v* sejle; besejle; navigere; **navigation** [-'geiʃən] *s* navigation; sejlads; **navigator** ['nævigeitə*] *s* navigatør; *(hist)* søfarer.
navvy ['nævi] *s* vejarbejder;

jord- og betonarbejder.

navy ['neivi] *s* flåde, marine; ~
blue *adj* marineblå.

near [niə*] *adj/adv/præp* nær;
i nærheden; næsten; ~ *by*
lige ved, i nærheden; ~ *to*
nær ved; *draw* ~ komme
nærmere; *the* **N~ East** *s* det
nære østen; ~**er** *adj* nærme-
re; ~**ly** *adv* næsten; *I* ~*ly fell*
jeg var lige ved at falde; ~
miss *s* ngt der rammer lige
ved siden af; *it was a* ~ *miss*
det var lige ved; ~**side** *s (brit)*
venstre side (af bilen); ~-
sighted *adj* nærsynet.

neat [ni:t] *adj* ordentlig, rydde-
lig; velplejet, pæn; sirlig; per-
tentlig; (om alkohol) ublan-
det, ren; *a* ~ *whisky* en tør
whisky; ~**ly** *adv* propert,
pænt.

necessarily ['nɛsisrili] *adv*
nødvendigvis; **necessary** *adj*
nødvendig; **necessitate**
[-'sæsiteit] *v* nødvendiggøre;
necessity [-'sɛsiti] *s* nødven-
dighed; fornødenhed; trang,
nød.

neck [nɛk] *s* hals; halsudskæ-
ring // *v* (F) kæle; ~**lace** *s*
halssmykke; ~**line** *s* halsud-
skæring.

née [nei] *adj*: ~ *Scott* (om
kvinde) født Scott.

need [ni:d] *s* trang; nødvendig-
hed; fornødenhed; nød; be-
hov // *v* behøve; trænge til; *if*
~ *be* om nødvendigt; *there's*
no ~ *to...* der er ingen grund
til at...

needle [ni:dl] *s* nål // *v* sy;
stikke; prikke til, irritere; *be*
on the ~ (S) være på sprøj-
ten; ~**cord** *s* babyfløjl.

needless ['ni:dlis] *adj* unød-
vendig; ~ *to say...* selvfølge-
lig...

needlework ['ni:dlwə:k] *s*
håndarbejde, syning, broderi.

needy ['ni:di] *adj* trængende;
nødlidende.

negation [ni'geiʃən] *s* (be)næg-
telse; **negative** ['nɛgətiv] *s*
(fot) negativ; *(gram)* nægtelse
// *adj* negativ; *answer in the*
negative svare benægtende.

neglect [ni'glɛkt] *s* forsømmel-
se; ligegyldighed; forsømthed
// *v* forsømme; negligere;
vanrøgte; *a state of* ~ for-
sømthed, forfald; **negligence**
['nɛglidʒəns] *s* forsømmelig-
hed; uagtsomhed; **negligent**
adj forsømmelig, skødesløs;
negligible ['nɛglidʒəbl] *adj*
ubetydelig; minimal.

negotiable [ni'gəuʃiəbl] *adj*
(merk) omsættelig; (om vej)
fremkommelig; **negotiate** *v*
forhandle (om); omsætte;
klare, komme over; passere;
negotiation [-'eiʃən] *s* for-
handling; omsætning; passa-
ge, overvindelse.

Negress ['ni:gris] *s* negerkvin-
de; **Negro** ['ni:grəu] *s (pl:* ~*s)*
neger // *adj* sort, neger-.

neighbour ['neibə*] *s* nabo; si-
demand; ~**hood** *s* nabolag;
omegn, egn; nærhed; ~**ing**
adj tilstødende; nabo-.

neither ['naiðə*] *pron* ingen, intet (af to) // *adv:* ~ ... *nor* hverken ... eller; *that's* ~ *here nor there* det gør hverken fra eller til // *konj* heller ikke; *I didn't move and* ~ *did he* jeg rørte mig ikke og han heller ikke; *ingen af os rørte os.*

neon ['ni:ɔn] *s* neon; ~ *light s* neonlys; ~ **sign** *s* neonskilt, lysreklame; ~ **tube** *s* neonrør, lysstofrør.

nephew ['nefju:] *s* nevø.

nerve [nə:v] *s* nerve; *(fig)* mod, kraft; *he's got a* ~ han er ikke bange for sig; *he gets on my* ~*s* han går mig på nerverne; ~**-racking** *adj* enerverende; **nervous** ['nə:vəs] *adj* nervøs; nerve-; **nervy** ['nə:vi] *adj* (F) nervøs.

nest [nest] *s* rede, bo; sæt.

nestle [nestl] *v* sætte (el. lægge) sig godt til rette; putte sig, hygge sig.

net [net] *s* net // *adj* netto.

Netherlands ['neðələndz] *spl: the* ~ Holland, Nederland.

netting ['netin] *s* netværk, net.

nettle [netl] *s* (bot) nælde // *v* ærgre, irritere; provokere; ~ *rash s* nældefeber, udslæt.

network ['netwə:k] *s* netværk; system; *(radio, tv)* sendernet.

neurotic [njuə'rɔtik] *adj* neurotisk.

neuter ['nju:tə*] *s* (gram) intetkøn, neutrum // *v* (om dyr) kastrere.

neutral ['nju:trəl] *s* (auto) fri-gear // *adj* neutral; ~**ity** [-'træliti] *s* neutralitet.

never ['nevə*] *adv* aldrig; ikke; ~ *again* aldrig mere; *well, I* ~*!* nej nu har jeg aldrig (hørt mage)! ~**theless** [ˌnevəðə'les] *adv* ikke desto mindre, alligevel.

new [nju:] *adj* ny; frisk; moderne; ~**born** *adj* nyfødt; ~**comer** *s* nyankommen; ~**ly** *adv* nylig, ny-; ~*ly married* nygift.

news [nju:z] *s* nyhed(er); *a piece of* ~ en nyhed; *what's the* ~? hvad nyt? ~ **agency** *s* pressebureau, nyhedsbureau; ~**agent** *s* bladhandler; ~ **flash** *s* højaktuel nyhed; *(radio, tv)* nyhedsindslag; ekstraudsendelse; ~**men** *spl* pressefolk; ~**paper** *s* avis, (dag)blad; ~**print** *s* avispapir; ~ **stand** *s* aviskiosk.

New Year ['nju:jiə*] *s* nytår; ~*'s Day s* nytårsdag; ~*'s Eve s* nytårsaften.

next [nekst] *adj* næste, førstkommende; nærmest; nabo- // *adv* derefter, så; næste gang; *when do we meet* ~? hvornår ses vi igen? ~ *to* ved siden af; ~ *to nothing* så godt som ingenting; ~ **door** *adv: he lives* ~ *door* han bor (i huset) ved siden af; *he's my* ~ *door neighbour* han er min nærmeste nabo; ~**-of-kin** *s* nærmeste slægtning.

N.H.S. fork.f. *National Health Service.*

non-breakable **n**

nibble [nibl] *v* nippe til; gnaske.

nice [nais] *adj* pæn; flink, rar; god; dejlig; ~ *and warm* dejligt varm; *he's a* ~ *one!* han er en køn (el. værre) en.

nick [nik] *s:in the* ~ *of time* i sidste øjeblik.

nickname ['nikneim] *s* øgenavn, tilnavn.

niece [ni:s] *s* niece.

night [nait] *s* nat; aften; mørke; *at* ~om aftenen (el. natten); *by* ~om natten; *last* ~ i går aftes; i nat; ~**cap** *s* godnatdrink; ~**dress** *s* natkjole; ~ **duty** *s* nattevagt; ~**fall** *s* mørkets frembrud, mørkning; ~**ie** ['naiti] *s* (F) natkjole; ~**ingale** ['naitiŋgeil] *s* nattergal; ~**ly** *adj/adv* natlig, nat-; hver nat (el. aften); ~**mare** ['naitmɛə*] *s* mareridt; ~**time** *s* nattetid; ~ **watchman** *s* nattevægter.

nil [nil] *s* nul; intet.

nimble [nimbl] *adj* adræt, let, rap, kvik.

nine [nain] *num* ni; ~**teen** *num* nitten; ~**ty** *num* halvfems; ~**th** *num* niende // *s* niendedel.

nip [nip] *s* bid, nap // *v* knibe, nappe, nippe; smutte; ~ *sth in the bud* standse ngt i opløbet.

nipple [nipl] *s* brystvorte; (på flaske) sut.

nippy ['nipi] *adj* (om kulde etc) bidende; (om person el. bil) rap, kvik.

nitrogen ['naitrədʒən] *s (kem)* kvælstof.

nitwit ['nitwit] *s* fæhoved, tumbe.

no [nəu] *s* nej, afslag // *adj/pron* ingen, intet // *adv* ikke // *interj* nej! *I won't take* ~ *for an answer* jeg accepterer ikke et nej; *there's* ~ *denying that...* man kan ikke nægte at...; *there's* ~ *mistaking that...* der er ingen tvivl om at...; '~ *entry*''adgang forbudt';' ~ *dogs*''hunde må ikke medtages'.

nobility [nəu'biliti] *s* adel, adelskab; ædelhed; **noble** [nəubl] *adj* adelig; ædel, fornem, fin; **nobleman** *s* adelsmand.

nobody ['nəubədi] *pron* ingen // *s: he's a mere* ~han er et rent nul.

nod [nɔd] *s* nik; lille lur // *v* nikke; sove.

noise [nɔiz] *s* støj, spektakel; ståhej, postyr; *make a* ~ larme, støje; *make a* ~ *about sth* lave et stort nummer ud af ngt; ~**y** *adj* støjende; højlydt.

no-man's-land ['nəumænzlænd] *s* ingenmandsland.

nominal ['nɔminəl] *adj* symbolsk, nominel.

nominate ['nɔmineit] *v* opstille; udpege, nominere; udnævne; **nomination** [-'neiʃən] *s* opstilling; udnævnelse.

non... ['nɔn-] ikke; non-; sms: ~**alcoholic** *adj* alkoholfri; ~**aligned** *adj (pol)* alliancefri; ~**breakable** *adj* brudsikker; **~committal** ['nɔn-kə'mitl] *adj* uforpligtende; diplomatisk, neutral; **~descript** *adj* ubestemmelig.

none [nʌn] *pron* ingen, intet; ~ *of them* ingen af dem; *you have money but I have* ~ du har penge, men jeg har ingen; *he's* ~ *the worse for it* han tog ingen skade af det.

nonentity [nɔ'nentiti] *s* (om person) nul; (om ting) ubetydelighed.

nonetheless [,nɔnðə'lɛs] *adv* ikke desto mindre.

non... ['nɔn-] *sms:* **~fiction** *s* fagbog, faglitteratur; **~flammable** *adj* ildfast, brandsikker; **~iron** *adj* strygefri; **~plussed** [-'plʌsd] *adj* paf, perpleks.

nonsense ['nɔnsəns] *s* vrøvl, sludder; pjat, idioti.

non... ['nɔn-] *sms:* **~smoker** *s* ikke-ryger; **~stick** *adj* (om pande, gryde etc) 'slip-let'; **~union** *adj* uorganiseret (fx *labour* arbejdskraft).

noodles [nu:dlz] *spl* (gastr) nudler.

nook [nuk] *s* krog, hjørne; *~s and crannies* krinkelkroge.

noon [nu:n] *s* middag (kl. 12); *at* ~ ved middagstid, ved tolvtiden.

nor [nɔː] *konj* heller ikke (se også *neither*).

Nordic ['nɔːdik] *adj* nordisk.

normal ['nɔːməl] *adj* normal(-); **~ly** *adv* normalt; i reglen; ellers.

Norman ['nɔːmən] *adj* normannisk; *(brit,* om stil) romansk, rundbue-; **~dy** *s* Normandiet.

Norse [nɔːs] *adj (hist)* nordisk; norsk; *Old* ~ oldnordisk; **~man** *s (hist)* nordbo.

north [nɔːθ] *s* nord // *adj* nord-, nordlig; mod nord // *adv* nordpå; **~east** *s* nordøst; **~erly** *adj* nordlig; **~ern** ['nɔːðən] *adj* nordlig, nordre; nordisk; N**~ern Ireland** *s* Nordirland; *the* N~ **Pole** *s* nordpolen; *the* N~ **Sea** *s* Nordsøen, Vesterhavet; **~ward(s)** *adj* mod nord, nordpå; **~west** *s* nordvest.

Norway ['nɔːwei] *s* Norge; **Norwegian** [nɔː'wiːdʒən] *s* nordmand // *adj* norsk.

nose [nəuz] *s* næse; lugtesans; **~bleed** *s* næseblod; **~dive** *s (fly)* styrtdyk; **~gay** *s* (lille) blomsterbuket.

nostalgia [nɔs'tældʒə] *s* hjemve, vemod; nostalgi.

nostril ['nɔstril] *s* næsebor.

nosy ['nəuzi] d.s.s. *nosey.*

not [nɔt] *adv* ikke; ~ *at all* slet ikke; *you must* ~ (el. *mustn't*) *do it* du må ikke gøre det; *he is* ~ (el. *isn't*) *here* han er ikke her; *so as* ~ *to* for ikke at.

notable ['nəutəbl] *adj* bemærkelsesværdig; anset; kendelig; **notably** *adv* navnlig, især.

notch [nɔtʃ] *s* hak, indskæring; skår.

note [nəut] *s* tone, node;

klang; undertone; notat, optegnelse // v lægge mærke til, konstatere; (også: ~ *down)* notere, skrive op; **~book** *s* notesbog; lommebog; **~~case** *s* seddelmappe; **~d** ['nəutid] *adj* kendt; fremtrædende; ~paper *s* brevpapir.

nothing ['nɔθiŋ] *s* nul, ubetydelighed // *pron* ingenting, intet, ikke ngt; ~ *doing* den går ikke; *for* ~ gratis; uden grund; forgæves; *next to* ~ næsten ingenting.

no-thoroughfare ['nəu'θʌrə-feə'] *s* blindgade.

notice ['nəutis] *s* meddelelse; varsel; notits // *v* bemærke, mærke; *at short* ~ med kort varsel; *bring into* ~ henlede opmærksomheden på; *give* ~ sige op; *take* ~ *of* lægge mærke til; **~able** *adj* synlig, mærkbar; påfaldende; ~board *s* opslagstavle; **notify** ['nəutifai] *v* bekendtgøre; underrette.

notion ['nəuʃən] *s* begreb, idé; opfattelse.

notorious [nəu'tɔ:riəs] *adj* berygtet; bekendt; notorisk.

notwithstanding [,not-wið'stændiŋ] *adv* ikke desto mindre // *præp* trods, uanset // *konj* uagtet.

nought [nɔ:t] *s (mat* etc) nul; ~*s and crosses* 'kryds-og-bolle'.

noun [naun] *s (gram)* navneord, substantiv.

nourish ['nʌriʃ] *v* ernære; nære

(også *fig);* ~ing *adj* nærende; ~ment *s* (er)næring.

novel [nɔvl] *s* roman // *adj* ny (og usædvanlig); original; ~ist *s* romanforfatter; ~ty *s* nyhed.

November [nəu'vembə'] *s* november.

now [nau] *adv/konj* nu; nu (da); ~ *and then* nu og da; ~ *and again* fra tid til anden; *from* ~ *on* fra nu af; *by* ~ nu, ved denne tid; ~ *then!*se så! ~, *I told you...* jamen, jeg sagde jo til dig...; **~adays** ['nauədeiz] *adv* nutildags, nu for tiden.

nowhere ['nəuwɛə'] *adv* ingen steder, intetsteds; ingen vegne.

nozzle [nɔzl] *s* mundstykke, tud.

nuclear ['nju:kliə'] *adj* kerne-, atom-; ~ **disarmament** *s* atomnedrustning; ~ **power station** *s* atomkraftværk.

nude [nju:d] *s* nøgenmodel // *adj* nøgen, bar; *in the* ~ i bar figur, nøgen.

nudge [nʌdʒ] *v* puffe til (med albuen); lempe, lirke.

nudity ['nju:diti] *s* nøgenhed.

nuisance ['nju:sns] *s* plage, gene; onde; (om person) plageånd; *don't be a* ~!lad nu være med at plage (mig)!

null [nʌl] *adj:* ~ *and void* ugyldig; ~**ify** ['nʌlifai] *v* annullere; ophæve.

numb [nʌm] *adj* følelsesløs, stiv (af kulde).

number ['nʌmbə*] s nummer; antal; tal // v tælle; udgøre, omfatte; nummerere; *a ~ of people* et antal mennesker, en del mennesker; *his opposite ~* hans kollega (dvs. person i tilsvarende stilling som hans); *the staff ~s ten* personalet omfatter (el. består af) ti; *~ plate* s nummerplade; **N~s** spl (i bibelen) 4. mosebog.

numeral ['nju:mərəl] s tal; *(gram)* talord, numerale; **numerical** [nju:'merikl] adj numerisk, nummer-; **numerous** ['nju:mərəs] adj talrig(e); talstærk.

nun [nʌn] s nonne; **~nery** s nonnekloster.

nurse [nə:s] s sygeplejerske; barnepige // v amme; passe (børn); pleje; ruge over, nære (fx *hopes* håb); **~ry** s børneværelse; planteskole; **~ry school** s svt. børnehaveklasse (3-5 år); **nursing** ['nə:siŋ] s sygepleje; **nursing home** s (privat)klinik; plejehjem.

nurture ['nə:tʃə*] v nære, ernære; opfostre.

nut [nʌt] s *(bot)* nød; *(tekn)* møtrik; *(F)* hoved, nød; (om person) skør kule; **~case** s *(F)* skør kule; **~crackers** spl nøddeknækker; **~meg** s muskatnød.

nutrient ['nju:triənt] s næringsstof; **nutrition** [-'triʃən] s (er)næring; ernæringstilstand.

nuts [nʌts] adj: *he's ~* (F) han er skrupskør.

nutshell ['nʌtʃɛl] s nøddeskal.

O

O, o [əu].

oaf [əuf] s *(pl: oaves* [əuvz]) fjols, klodrian.

oak [əuk] s eg(etræ); **~en** adj ege-, egetræs-.

OAP (fork.f. *old-age pensioner*) pensionist.

oar [ɔ:*] s åre; roer; **~sman** s roer.

oasis [əu'eisis] s *(pl: oases* ['si:z]) oase.

oath [əuθ] s ed; banden; *take an ~* aflægge en ed; *on ~* under ed.

oatmeal ['əutmi:l] s havregryn; *~ porridge* s havregrød; **oats** spl havre.

oaves [əuvz] spl af *oaf*.

OBE fork.f. *Order of the British Empire* britisk orden.

obedience [ə'bi:djəns] s lydighed; *in ~ to* i lydighed mod; **obedient** adj lydig *(to* imod).

obese [əu'bi:s] adj fed, lasket; **obesity** s fedme; overvægt.

obey [ə'bei] v adlyde; rette sig efter (fx *rules* reglerne).

obituary [ə'bitjuəri] s nekrolog.

object s ['ɔbdʒikt] genstand, ting; hensigt, mål // v [əb'dʒekt] indvende; protestere; *~ to* protestere mod; ikke kunne lide; *I ~!* jeg protesterer! *he ~ed that* han indvendte at; **~ion**

[-'dʒɛkʃən] s indvending; protest; *if you have no ~ion* hvis ikke du har ngt imod (det); **~ionable** [-'dʒɛkʃənəbl] adj ubehagelig; stødende; **~ive** [-'dʒɛktiv] s mål; objektiv // adj saglig, objektiv; **~or** [-'dʒɛktə*] s modstander; *conscientious ~or* militærnægter.

obligation [əbli'geiʃən] s forpligtelse; skyldighed; **obligatory** [-'bligətəri] adj tvungen, obligatorisk; bindende.

oblige [ə'blaidʒ] v tvinge; nøde; imødegå; *~ sby* gøre en en tjeneste; *~ sby to* tvinge en til; *I am much ~d to you* mange tak skal du have; **obliging** adj imødekommende; elskværdig.

oblique [ə'bli:k] adj skrå; skrånende; indirekte (fx *threats* trusler).

oblivion [ə'bliviən] s glemsel; *fall into ~* gå i glemmebogen; **oblivious** adj: *be oblivious of* glemme; være ligeglad med.

oblong ['ɔblɔŋ] adj aflang.

obscene [əb'si:n] adj obskøn, sjofel; **obscenity** [əb'sɛniti] s uanstændighed, obskønitet; *(jur)* utugt.

obscure [əb'skjuə*] v formørke; skjule; tilsløre // adj mørk; utydelig, uklar; **obscurity** s dunkelhed; uklarhed; ubemærkethed.

obsequies ['ɔbsikwiz] spl begravelse.

observable [əb'zə:vəbl] adj

bemærkelsesværdig; mærkbar.

observance [əb'zə:vns] s overholdelse (fx *of rules* af regler); højtideligholdelse; skik; **observant** adj opmærksom, agtpågivende; **observation** [-'veiʃən] s iagttagelse; observation; bemærkning; **observe** [əb'zə:v] v iagttage; observere; overholde (fx *the law* loven); bemærke, udtale; **observer** s iagttager; observatør.

obsess [əb'sɛs] v besætte; forfølge; *~ed with* besat af; opslugt af; **~sion** s besættelse; fiks idé; **~ive** adj næsten sygelig.

obsolescence [ɔbsə'lɛsns] s forældethed; *built in* (el. *planned*) *~* (merk) indbygget forældelse; **obsolete** ['ɔbsəli:t] adj forældet, gammeldags.

obstacle ['ɔbstəkl] s hindring; *~ race* s forhindringsløb.

obstinacy ['ɔbstinəsi] s stædighed; genstridighed; **obstinate** adj stædig; vedvarende (fx *pain* smerte); hårdnakket.

obstruct [əb'strʌkt] v spærre; hindre; tilstoppe; **~ion** s spærring; tilstopning; **~ive** adj hæmmende; spærrende.

obtain [əb'tein] v opnå, få, skaffe sig; gælde; **~able** adj opnåelig; til at skaffe.

obtrusive [əb'tru:siv] adj påtrængende; gennemtrængende (fx *smell* lugt).

obvious ['ɔbviəs] adj tydelig,

åbenbar; indlysende; påfaldende; **~ly** *adv* åbenbart.
occasion [əˈkeiʃən] *s* lejlighed; begivenhed; grund, anledning // *v* forårsage; foranledige; *no ~ for...* ingen grund til...; *on the ~ of* i anledning af; **~al** *adj* tilfældig; lejlighedsvis.
occupant [ˈɔkjupənt] *s* beboer; besætter.
occupation [ɔkjuˈpeiʃən] *s* erhverv; beskæftigelse; *(mil)* besættelse; *unfit for ~* ubeboelig; **~al disease** *s* erhvervssygdom; **~al therapy** *s* ergoterapi.
occupy [ˈɔkjupai] *v* bebo; besidde; beklæde (fx *a position* en stilling); optage (fx *a seat* en plads); beskæftige; besætte.
occur [əˈkə:ˈ] *v* hænde; forekomme; *it ~s to me* jeg kommer i tanke om; **~rence** *s* hændelse; forekomst.
ocean [ˈəuʃən] *s* hav, ocean; **~ liner** *s* stort passagerskib.
ochre [ˈəukəˈ] *adj* okker(gul).
o'clock [əˈklɔk] *adv: it is five ~* klokken er fem.
October [ɔkˈtəubəˈ] *s* oktober.
octogenarian [ɔktədʒiˈnɛəriən] *s/adj* firsårig.
octopus [ˈɔktəpəs] *s* blæksprutte.
oculist [ˈɔkjulist] *s* øjenlæge.
odd [ɔd] *adj* mærkelig, underlig; ulige; umage; overskydende; *sixty ~* nogle og tres; *at ~ times* fra tid til anden, af

og til; *the ~ one out* den der er tilovers; **~ity** *s* særhed; sjældenhed; særlig; **~job man** *s* altmuligmand; **~ jobs** *spl* tilfældigt arbejde; **~ments** *spl* rester; småting, pakkenelliker.
odds [ɔdz] *spl* chancer; fordel; ulighed; odds; *the ~ are against his coming* der er ikke store chancer for, at han kommer; *it makes no ~* det gør ingen forskel; *at ~ with* uenig med; *~ and ends* diverse småting.
odious [ˈəudiəs] *adj* modbydelig, frastødende.
odour [ˈəudəˈ] *s* lugt, duft; **~less** *adj* lugtfri.
of [ɔv, əv] *præp* (udtrykker ofte genitiv:) *a friend ~ ours* en af vore venner, vores ven; *the son ~ the boss* chefens søn; (andre betydninger:) *the fifth ~ June* den femte juni; *~ late* i den senere tid; *for nylig; a boy ~ ten* en dreng på ti år; *think ~ sth* tænke på ngt; *complain ~* klage over; *all ~ you* jer allesammen; *all four ~ us* os alle fire.
off [ɔf] *adj/adv* bort, af sted; af; (om kontakt) slukket; (om vandhane) lukket; (om mad) dårlig; (om mælk) sur; (om vare) udgået; *~ and on* nu og da; *I must be ~* jeg er nødt til at gå (el. tage af sted); *she is well ~* hun er velhavende; *be ~ sick* være fraværende på grund af sygdom; *a day ~* en

fridag; *have an ~ day* have en dårlig dag; *the meeting is* ~ mødet er aflyst; *he had his coat* ~ han gik uden frakke; *the hook is* ~ krogen er taget af (dvs. døren er åben); *10%* ~ 10% rabat; *5 km* ~ *the road* 5 km (borte) fra vejen; ~ *the coast* ud for kysten; *a house* ~ *the main road* et hus et stykke fra hovedvejen; *I'm* ~ *meat* jeg er holdt op med at spise kød; *on the* ~ *chance that* i det svage håb at; for det tilfældes skyld at.

offbeat ['ɔfbi:t] *adj* (F) utraditionel; excentrisk.

off-colour ['ɔfkʌlə*] *adj* sløj, uoplagt; tvivlsom (fx *joke* vits).

offence [ə'fɛns] *s* fornærmelse; anstød; forseelse; forbrydelse; *give* (el. *cause*) ~ *to* såre, krænke; *take* ~ *at* tage anstød af; **offend** *v* fornærme, støde; forse sig; **offender** *s* forbryder, lovovertræder; **offensive** [-'fɛnsiv] *s (mil)* angreb, offensiv // *adj* fornærmelig; anstødelig; ækel (fx *smell* lugt).

offer ['ɔfə*] *s* tilbud // *v* tilbyde; byde (på); fremføre (fx *one's opinion* sin mening); tilbyde sig; *make an* ~ *of sth* tilbyde ngt; ~ *of marriage* ægteskabstilbud; **~ing** *s* gave, offer.

offhand ['ɔf'hænd] *adj* improviseret; henkastet // *adv* uden forberedelse, på stående fod.

office ['ɔfis] *s* kontor; ministerium; embede; *be in* ~ være ved magten; have regeringsmagten; være minister; *Reagan's second year in* ~ Reagans andet år i præsidentembedet; ~ **block** *s* kontorbygning; ~ **hours** *spl* kontortid.

officer ['ɔfisə*] *s* officer; også: *police* ~) politibetjent.

official [ə'fiʃl] *s* tjenestemand; embedsmand; funktionær // *adj* offentlig; officiel.

officious [ə'fiʃəs] *adj* nævenyttig, geskæftig.

offing ['ɔfiŋ] *s: in the* ~ i sigte; i farvandet.

off... ['ɔf-] sms: **~-licence** *s* ret til at sælge øl, vin og spiritus ud af huset; **~-season** *adj/adv* uden for sæsonen; **~set** *s* udløber; modvægt; *(typ)* offset // *v* modregne; kompensere; opveje; **~-shore** *adj* fralands; fra land; ud for kysten (fx *oil rig* boreplatform); kyst- (fx *fishing* fiskeri); **~side** *adj* (om bil) højre side (mod vejmidten); *(sport)* offside; **~spring** *s* afkom; *(fig)* produkt; **~stage** *adv* uden for scenen; i kulissen; **~-the-cuff** *adj* henkastet; på stående fod; **~-the-peg** *adj* konfektionssyet; **~-the-record** *adj* uofficiel; fortrolig.

often ['ɔfn] *adv* ofte, tit; *as* ~ *as not* i de fleste tilfælde.

oil [ɔil] *s* olie // *v* smøre, oliere; **~can** *s* smørekande; oliedunk; ~**ers** *spl* olietøj; ~**field** *s* oliefelt; ~ **heater** *s* oliefyr; ~ **painting** *s* oliemaleri; ~ **rig** *s* boretårn; (til søs) boreplatform; ~**skins** *spl* olietøj; ~ **slick** *s* oliepøl (på vand); ~ **strike** *s* oliefund; ~ **well** *s* oliekilde; ~**y** *adj* olieagtig; olieret; (om mad) fed, fedtet; *(fig)* slesk.

ointment ['ɔintmənt] *s* salve.

O.K. ['əu'kei] *v* godkende // *interj* i orden; o.k.

old [əuld] *adj (~er, ~est* el. elder, eldest) gammel; aldrende; erfaren; *how ~ are you?* hvor gammel er du? *he's ten years ~* han er ti år gammel; ~ **age** *s* alderdom; ~**age pensioner** *(O.A.P.) s* pensionist; ~**fashioned** *adj* gammeldags; ~ **maid** *s* gammeljomfru; ~ **man** *s* (F, tiltale) gamle ven; du gamle; *the* ~ *man* chefen; far; ~ **people's home** *s* plejehjem.

olive ['ɔliv] *s* oliven(træ) // *adj* (også: ~ *green*) olivengrøn.

omen ['əumən] *s* varsel; *bird of ill* ~ ulykkesfugl; **ominous** ['ɔminəs] *adj* ildevarslende; uheldsvanger.

omission [əu'miʃən] *s* undladelse, forsømmelse; **omit** *v* undlade, forsømme; udelade.

on [ɔn] *adv/præp* på; om; ved; i gang; (om lys, radio) tændt; (om vandhane) åben; *is the meeting still ~?* er der stadig møde? skal der stadig være møde? *when is this film ~?*

hvornår bliver denne film vist? *a house ~ the river* et hus ved floden; ~ *learning this, I left* da jeg hørte det, gik jeg; ~ *arrival* ved ankomsten; ~ *the left* på venstre side; ~ *Friday* på fredag; *a week ~ Friday* fredag otte dage; *go ~* gå videre; fortsætte; *it's not ~!* ikke tale om! ~ *and off* nu og da; *be ~ about sth* ustandselig tale om ngt; *I'm ~ to her* jeg ved hvad hun er ude på.

once [wʌns] *adv* en gang; engang // *konj* når først; så snart; *at ~* straks; med det samme; samtidig; *all at ~* pludselig; på én gang; ~ *a week* en gang om ugen; ~ *more* en gang til; ~ *and for all* en gang for alle; ~ *upon a time* (der var) engang.

oncoming ['ɔnkʌmiŋ] *adj* (om trafik) modgående.

one [wʌn] *num* én, et // *pron* en; nogen; man; *this* ~ denne (her); *that* ~ den (der); *the* ~ *book which...* den eneste bog som...; ~ *by* ~ en ad gangen; en efter en; ~ *never knows* man kan aldrig vide; ~ *another* hinanden; *be at* ~ *with sby* være helt enig med en; *the little* ~*s* de små, børnene; ~**man** *adj* enmands; ~**self** *pron* sig; sig selv; ~**way** *adj* (om gade, trafik) ensrettet.

ongoing ['ɔngəuiŋ] *adj* igangværende.

onion ['ʌnjən] *s* løg.

onlooker ['ɔnlukə*] s tilskuer.

only ['əunli] adj eneste // adv kun; blot // foto men; an ~ child et enebarn; not ~ ikke alene; if ~ hvis bare, gid; ~ just kun lige akkurat; først nu; he told me, ~ I didn't believe him han sagde det, men jeg troede ikke på ham.

onset ['ɔnset] s begyndelse; angreb.

onshore ['ɔnʃɔ:*] adj pålands-; kyst-; i land.

onto el. on to ['ɔntu] præp op på, over på, ned på.

onward(s) ['ɔnwəd(z)] adv fremad; from this time ~ fra nu af, fremover.

ooze [u:z] v sive, pible frem.

opaque [əu'peik] adj uigennemsigtig.

open [əupn] v åbne, lukke op // adj åben; (om fx møde) offentlig; (om beundring) uforbeholden; ~ on to vende ud mod; føre ud til; ~ out brede ud; udvikle; ~ up lukke op, åbne; in the ~ (air) i det fri; **~-air** adj frilufts-; **~ing** s åbning; indledning; ledigt job; chance; **~-minded** adj frisindet; ~ **sandwich** s stykke smørrebrød.

opera ['ɔpərə] s opera; ~ **glasses** spl teaterkikkert.

operate ['ɔpəreit] v virke; arbejde; betjene (fx a machine en maskine); operere; ~ on virke på; operere.

operatic |ɔpə'rætik] adj opera.

operating ['ɔpəreitiŋ] adj: ~ table operationsbord; ~ theatre operationsstue.

operation [ɔpə'reiʃən] s virksomhed; funktion; drift; betjening; operation; **operative** ['ɔpərətiv] s arbejder // adj virksom; gyldig; operativ; **operator** ['ɔpəreitə*] s operatør; (keyboard) operator tasteoperatør; (telephone) operator telefonist.

opinion [ə'piniən] s mening; synspunkt; opfattelse; udtalelse; get a second ~ spørge en anden også; in my ~ efter min mening; ~ **poll** s meningsmåling.

opponent [ə'pəunənt] s modstander; opponent.

opportune ['ɔpətju:n] adj belejlig, opportun; **opportunity** [-'tju:niti] s lejlighed; chance; rette øjeblik; take the opportunity benytte lejligheden.

oppose [ə'pəuz] v modsætte sig; as ~d to i modsætning til; **opposing** adj modsat.

opposite ['ɔpəzit] s modsætning // adj modsat (to, from af); overfor // præp over for; his ~ number hans kollega; hans modstykke; **opposition** [-'ziʃən] s modstand; modsætning; (pol) opposition.

oppress [ə'pres] v undertrykke, kue; tynge; **~ion** s undertrykkelse; nedtrykthed; **~ive** adj trykkende.

opt [ɔpt] v: ~ for vælge; ~ out (F) bakke ud, stå 'af.

optical ['ɔptikl] *adj* optisk; ~ *illusion* synsbedrag; **optician** [-'tiʃən] *s* optiker; **optics** *spl* optik.

option ['ɔpʃən] *s* valg; valgmulighed; *(merk)* forkøbsret, option; *keep one's* ~s *open* lade alle muligheder stå åbne; **~al** *adj* valgfri; frivillig.

opulent ['ɔpjulənt] *adj* rig; overdådig, opulent.

or [ɔ:*] *konj* eller; ellers; ~ *else* eller også.

oral ['ɔ:rəl] *s* (F) mundtlig eksamen // *adj* mundtlig, mund-; *(med)* som indtages gennem munden, oral.

orange ['ɔrindʒ] *s* appelsin // *adj* orangefarvet.

oration [ɔ'reiʃən] *s* højtidelig tale; præk; **orator** ['ɔrətə*] *s* taler.

orbit ['ɔ:bit] *s* kredsløb (i verdensrummet).

orchard ['ɔ:tʃəd] *s* frugtplantage.

orchestra ['ɔ:kistrə] *s* orkester.

orchid ['ɔ:kid] *s* orkidé.

ordain [ɔ:'dein] *v* ordinere; fastsætte.

ordeal [ɔ:'di:l] *s* prøvelse.

order ['ɔ:də*] *s* orden; ro; rækkefølge; ordning; ordre; bestilling; befaling // *v* ordne; beordre; bestille; *in* ~ i orden; *in* ~ *of size* efter størrelse; *in* ~ *to* (el. *that)* for at; *in working* ~ funktionsdygtig; *made to* ~ lavet på bestilling; ~ *form* *s* ordreseddel;

~**ly** *s (mil)* ordonnans; *(med)* sygepasser; (hospitals)portør // *adj* ordentlig, metodisk.

ordinal ['ɔ:dinl] *s* ordenstal.

ordinary ['ɔ:dnri] *adj* ordinær, almindelig; *(neds)* tarvelig, middelmådig; *sth out of the* ~ ngt ud over det almindelige, ngt for sig selv.

ordnance ['ɔ:dnəns] *s (mil)* materiel; **O~ Survey map** *s* sv.t. generalstabskort.

ore [ɔ:*] *s* malm; metal.

organ ['ɔ:gən] *s* organ; *(mus)* orgel; ~**ic** [-'gænik] *adj* organisk.

organize ['ɔ:gənaiz] *v* organisere; ~**r** *s* organisator.

orgy ['ɔ:dʒi] *s* orgie.

origin ['ɔridʒin] *s* oprindelse, herkomst; kilde; *the* ~ *of species* arternes oprindelse; ~**al** [ɔ'ridʒinl] *s* original // *adj* oprindelig, original; ægte; ~**ally** [ɔ'ridʒinəli] *adv* oprindelig, fra første færd; ~**ate** [ɔ'ridʒineit] *v*: ~*ate from* stamme (el. hidrøre) fra; ~*ate in* hidrøre fra; **originator** [ɔ'ridʒineitə*] *s* ophavsmand.

ornament ['ɔ:nəmənt] *s* ornament; pynt; smykke; udsmykning; ~**al** [-'mɛntl] *adj* ornamental; til pynt; ~**ation** [-'teiʃən] *s* udsmykning, dekoration.

ornate [ɔ:'neit] *adj* overpyntet.

orphan ['ɔ:fn] *s* forældreløst barn // *v*: *be* ~*ed* blive (gjort) forældreløs.

241   outlaw O

ostensible [ɔsˈtɛnsibl] adj påstået; tilsyneladende; **ostensibly** adv angivelig.

ostentatious [ɔstɛnˈteiʃəs] adj pralende; demonstrativ.

ostrich [ˈɔstritʃ] s (pl: ~es [ˈɔstridʒiz]) struds.

other [ˈʌðə*] adj anden, andet, andre; the ~ day forleden dag; every ~ week hveranden uge; sth or ~ et eller andet; ~ than end andet end; anderledes end; ud over; **~wise** adv/konj anderledes; ellers.

otter [ˈɔtə*] s odder.

ought [ɔ:t] v bør, burde; skulle; I ~ to do it jeg burde gøre det; this ~ to have been done dette skulle have været gjort; he ~ to win han vinder sandsynligvis; han skal nok vinde.

ounce [auns] s (vægtenhed: 28,35 gram); not an ~ (fig) ikke en disse.

our [auə*] pron vores, vor, vort vore; O~ Lord Vorherre; **~s** pron vores, vor, vort, vore; a friend of ~s en ven af os, en af vores venner; **~selves** [-ˈsɛlvz] pron pl os; (forstærkende) selv; let us do it ~selves lad os gøre det selv.

oust [aust] v fordrive; fortrænge.

out [aut] adv ud; ude; udenfor; opbrugt; (om fx lys) slukket; he's ~ han er ikke hjemme; han er bevidstløs; these hats are ~ disse hatte er gået af mode; be ~ in one's calcula-

tions regne forkert; forregne sig; ~ here herude; ~ loud højt; med kraftig stemme; ~ of udenfor; på grund af (fx anger vrede); ud af; ~ of petrol løbet tør for benzin; made ~ of wood lavet af træ; ~ of order ude af funktion; i uorden; ~ there derude; ~ **of-the-way** adj afsides; usædvanlig.

outboard [ˈautbɔ:d] adj udenbords; ~ (motor) påhængsmotor.

outbreak [ˈautbreik] s udbrud (fx of war krigs-); pludselig opstå; bølge (fx of riots af optøjer); opstand.

outburst [ˈautbə:st] s udbrud.

outcast [ˈautka:st] s paria; an ~ of society en social taber.

outcome [ˈautkʌm] s resultat; udslag.

outcry [ˈautkrai] s råb; nødråb; start an ~ opløfte et ramaskrig.

outdated [autˈdeitid] adj forældet, umoderne.

outdo [autˈdu:] v overgå.

outdoor [ˈautdɔ:*] adj udendørs; frilufts-; **~s** adv udendørs, i fri luft.

outer [ˈautə*] adj ydre, yder-; ~ space s det ydre (verdens)rum.

outfit [ˈautfit] s udstyr; udrustning; mundering; **~ter's** s herreekviperingshandler.

outgrow [autˈgrəu] v vokse fra.

outing [ˈautiŋ] s udflugt.

outlaw [ˈautlɔ:] s fredløs // v

gøre fredløs; forvise; forbyde
ved lov.

outlay ['autlei] s udlæg, udgifter.

outlet ['autlɛt] s udløb, afløb
(også *fig); (elek)* stikkontakt;
(merk, også: *retail* ~) afsætningssted.

outline ['autlain] s omrids,
kontur; *(fig)* resumé; skitse;
oversigt.

outlive [aut'liv] v overleve;
komme over.

outlook ['autluk] s udsigt;
(livs)syn; (fremtids)udsigter.

outnumber [aut'nʌmbə*] v
være overlegen i antal; *be*
~*ed* være i mindretal.

outpatient ['autpeiʃənt] s ambulant patient.

outpost ['autpəust] s forpost.

output ['autput] s produktion;
ydelse; udbytte; *(elek)* udgangseffekt; *(edb)* uddata.

outrage ['autreidʒ] s vold;
krænkelse; skandale // v øve
vold imod; krænke; ~**ous**
[aut'reidʒəs] adj skandaløs;
oprørende.

outright adj ['autrait] fuldstændig; gennemført (fx *lie* løgn);
kategorisk (fx *denial* nægtelse) // adv [aut'rait] straks;
fuldstændigt; direkte, lige ud.

outset ['autset] s begyndelse;
from the ~ fra første færd.

outside s ['autsaid] ydre; yderside // adj/adv [aut'said] udvendig; yderst; udendørs;
udenpå; udenfor; yder-; *at
the* ~ *(fig)* højst; ~**r** s frem-

med; udenforstående; outsider.

outsize ['autsaiz] s stor størrelse, fruestørrelse // adj ekstra
stor.

outskirts ['autskə:ts] spl udkant; *on the* ~ *of London* i
udkanten af London.

outspoken [aut'spəukən] adj
(lovlig) åbenhjertig; frimodig.

outstanding [aut'stændin] adj
fremragende; fremtrædende;
udestående; ['aut-] udstående.

outstretched [aut'stretʃt] adj
udstrakt (fx *hand* hånd).

outward ['autwəd] adj ydre,
udvendig; udgående; ~
bound (om skib) for udgående; ~**ly** adv udadtil; udvendigt.

outweigh [aut'wei] v opveje;
veje mere end.

outwit [aut'wit] v narre; være
snedigere end.

ovary ['əuvəri] s æggestok, ovarie; *(bot)* frugtknude.

oven [ʌvn] s ovn; ~**proof** adj
ovnfast; ~**ware** s ovnfaste
fade etc.

over ['əuvə*] adj/adv forbi,
ovre, omme; over, mere end;
via // præp (ud) over; på den
anden side af; mere end; ~
here her ovre (el. over); ~
there der ovre (el. over); *all* ~
over det hele, overalt; forbi,
overstået; ~ *and* ~ *(again)*
igen og igen; ~ *and above* ud
over; *is there any food* ~*?* er

der ngt mad tilovers? *ask sby*
~ invitere en (over til sig);
stay ~ *the weekend* blive
weekenden over.

overall ['əuvərɔ:l] *s* kittel // *adj*
total (fx *length* længde); sam-
let; generel // *adv* [əuvər'ɔ:l]
alt i alt; overalt; ~**s** *spl* over-
all, arbejdstøj.

overbearing [əuvə'bɛəriŋ] *adj*
myndig; overlegen.

overboard ['əuvəbɔ:d] *adv*
overbord; udenbords.

overcast ['əuvəka:st] *v* sy ka-
stesting (el. kaste) over // *adj*
overskyet; overtrukket.

overcome [əuvə'kʌm] *v* over-
vinde, besejre; sejre; ~ *by*
overmandet af; ~ *with* over-
vældet af (fx *grief* sorg).

overdo [əuvə'du:] *v* overdrive;
don't ~ *it* overanstreng dig
ikke; lad være med at over-
drive; **overdone** [-'dʌn] *adj*
kogt (el. stegt) for længe.

overdose ['əuvədəus] *s* over-
dosis.

overdraft ['əuvədra:ft] *s* over-
træk (på konto); **overdrawn**
[-'drɔ:n] *adj* overtrukket.

overdrive ['əuvədraiv] *s (auto)*
5. gear, økonomigear.

overdue [əuvə'dju:] *adj* forsin-
ket; for længst indfalden.

overestimate [əuvər'ɛstimeit]
v overvurdere.

overflow *s* ['əuvəfləu] over-
svømmelse; overflod // *v*
[əuvə'fləu] flyde (el. strøm-
me) over; oversvømme.

overgrown [əuvə'grəun] *adj*

overgroet, tilgroet.

overhaul ['əuvəhɔ:l] *s* eftersyn
og reparation; overhaling;
nøje gennemgang // *v*
[əuvə'hɔ:l] foretage grundigt
eftersyn; gennemgå nøje.

overhead *adj* ['əuvəhɛd] luft-
(fx *line* ledning); oven- (fx
light lys) // *adv* [əuvə'hɛd]
ovenover, oppe i luften; ~**s**
spl faste udgifter.

overhear [əuvə'hiə⁎] *v* høre;
komme til at høre.

overjoyed [əuvə'dʒɔid] *adj*
himmelhenrykt.

overlap *s* ['əuvəlæp] overlap-
ning; delvis dækning // *v*
[əuvə'læp] overlappe; falde
(delvis) sammen.

overleaf ['əuvəli:f] *adv* på næ-
ste side.

overload ['əuvələud] *v* over-
belaste, overlæsse.

overlook [əuvə'luk] *v* vende ud
imod (fx *the river* floden);
overse, ignorere; lade passe-
re; ~*ing the valley* med ud-
sigt over dalen.

overnight ['əuvə'nait] *adv* i
nattens løb; natten over; *(fig)*
fra den ene dag til den anden,
pludselig; *he stayed* ~ han
blev natten over; han over-
nattede; *he'll be away* ~ han
er væk til i morgen; ~ *bag* *s*
weekendkuffert.

overpower [əuvə'pauə⁎] *v*
overmande; overvinde; ~**ing**
adj overvældende; uimodstå-
elig.

override [əuvə'raid] *v* tilsidesætte (fx *rules* regler); negligere; underkende (fx *a decision* en beslutning; **overriding** *adj* altovervejende.

overrule [əuvə'ru:l] *v* underkende; afvise.

overseas ['əuvə'si:z] *adj (merk)* udenrigs- (fx *trade handel) // adv* oversøisk; udenlands.

oversight ['əuvəsait] *s* forglemmelse; uagtsomhed; opsyn, tilsyn.

oversleep [əuvə'sli:p] *v* sove over sig.

overstate ['əuvə'steit] *v* overdrive; angive for højt; **~ment** *s* overdrivelse.

overt [əu'və:t] *adj* åben; åbenlys.

overtake [əuvə'teik] *v* indhente; overhale (fx *a car* en bil).

overthrow [əuvə'θrəu] *v* kaste omkuld; vælte; styrte.

overtime ['əuvətaim] *s* overarbejde; *(sport)* forlænget spilletid; omkamp.

overweight ['əuvəweit] *s* (fx om bagage) overvægt // *adj* overvægtig.

overwhelm [əuvə'welm] *v* overvælde; overmande; **~ing** *adj* overvældende.

overwork *s* ['əuvəwə:k] overanstrengelse; overarbejde // *v* [əuvə'wə:k] overanstrenge sig.

overwrought [əuvə'rɔ:t] *adj* overanstrengt; overspændt.

owe [əu] *v* skylde; have at takke for; **owing** *adj* skyldig;

owing *to* på grund af.

owl [aul] *s* ugle.

own [əun] *v* eje; indrømme // *adj* egen, eget, egne; ~ *up* tilstå; *a room of one's* ~ eget værelse; *get one's* ~ *back* få revanche; *on one's* ~ alene; på egen hånd; **~er** *s* ejer; **~er-occupier** *s* selvejer; **~ership** *s* ejendomsret.

ox [ɔks] *s (pl: oxen)* okse; **~eye** *s (bot)* margerit; **~tail** *s:* **~***tail soup* oksehalesuppe.

oxygen ['ɔksidʒin] *s* ilt; ~ **mask** *s* iltmaske.

oyster ['ɔistə'] *s* østers; ~ **bed** *s* østersbanke.

oz. [auns, aunsiz] fork.f. *ounce(s)* (28,35 gram).

P

P, p [pi:].

p [pi:] fork.f. *penny/ pence.*

P.A. ['pi:'ei] se *public; personal.*

p.a. ['pi:'ei] fork.f. *per annum.*

pa [pa:] *s* (F) papa, far.

pace [peis] *s* skridt; gangart; fart, tempo; *set the* ~ bestemme farten // *v* skridte (af); ~ *up and down* gå (utålmodigt) frem og tilbage; *keep* ~ *with* holde trit med; følge med.

pacific [pə'sifik] *adj* fredelig, freds-; *the* P~ **(Ocean)** Stillehavet; **pacify** ['pæsifai] *v* berolige; tilfredsstille; pacificere.

pack [pæk] *s* pakke, bylt; indpakning; (om hunde) kobbel; (om røvere etc) bande, flok;

(om kort) spil // *v* pakke (ind
el. ned); fylde op, proppe; ~
(one's bags) pakke (sin baga-
ge); *the bus was* ~*ed* bussen
var stopfuld; ~**age** ['pækidʒ]
s pakning; pakke, balle;
~**age deal** *s* samlet overens-
komst; ~**age tour** *s* færdig-
pakket rejse; ~**et** *s* (lille)
pakke; ~**ing** *s* emballage; em-
ballering; ~**ing slip** *s* paksed-
del.

pad [pæd] *s* pude; hynde; træ-
depude; *(sport)* (ben)beskyt-
ter; stempelpude; helikopter-
landingsplads; (papirs)blok;
(F) hybel, lejlighed; ~**ded** *adj*
polstret; ~**ded cell** gummi-
celle; ~**ding** *s* polstring, ud-
stopning.

paddle [pædl] *s* padleåre, pa-
gaj // *v* padle; soppe; ~ **stea-**
mer *s* hjuldamper.

paddy ['pædi] *s:* ~ **field** ris-
mark.

padlock ['pædlɔk] *s* hængelås
// *v* sætte hængelås for.

paediatrics [pi:di'ætriks] *spl*
læren om børnesygdomme,
pædiatri.

pagan ['peigən] *s* hedning //
adj hedensk.

page [peidʒ] *s* (i bog) side,
pagina; *(gl)* page; brude-
svend.

paid [peid] *præt* og *pp* af *pay* //
adj betalt, lønnet; *well* ~ godt
lønnet; *put* ~ *to* afslutte;
skaffe ud af verden.

pail [peil] *s* spand.

pain [pein] *s* smerte; *be a* ~ *in*

the neck (F) være en plage;
~**ed** *adj (fig)* såret, forpint;
ilde berørt; ~**ful** *adj* smerte-
lig; pinlig; ~**killer** *s* smerte-
stillende middel; ~**less** *adj*
smertefri; ~**s** *spl* smerter;
veer; umage, ulejlighed; *take*
~*s to* gøre sig umage for;
~**staking** ['peinzteikin] *adj*
omhyggelig, samvittigheds-
fuld.

paint [peint] *s* maling; sminke
// *v* male; pensle; male sig;
(fig) skildre, udmale; *'wet* ~!'
'nymalet'; ~**box** *s* farvelade;
malerkasse; ~**brush** *s* pensel;
~**er** *s* maler; kunstmaler;
~**ing** *s* malerkunst; maleri;
~**stripper** *s* malingsfjerner,
lakfjerner.

pair [pɛə*] *s* par; *a* ~ *of horses*
et tospand; *a* ~ *of scissors* en
saks; *the* ~ *of them* dem
begge to.

Pakistan [pa:ki'sta:n] *s* Paki-
stan; ~**i** *s* pakistaner // *adj*
pakistansk.

pal [pæl] *s* (F) kammerat, ven.

palace ['pæləs] *s* slot, palads.

palatable ['pælitəbl] *adj* vel-
smagende; tiltalende.

palate ['pælit] *s* gane; *(fig)*
smag(ssans); *have a* ~ *for*
burgundy have smag for
bourgogne.

pale [peil] *adj* bleg, farveløs,
lys; *grow* ~ blegne; ~ *blue*
lyseblå; ~**face** *s* blegansigt.

Palestine ['pælistain] *s* Palæ-
stina; **Palestinian** [-'tiniən] *s*
palæstinenser // *adj* palæsti-

nensisk.
paling ['peiliŋ] s pæleværk; sta-
kit.
pallid ['pælid] adj bleg, gusten;
pallor ['pælə*] s blegished.
palm [pɑ:m] s håndflade; (bot)
palme(træ) // v beføle; (om
tryllekunstner) palmere;
have an itching ~ være grisk;
være bestikkelig; ~ *sth off
on sby* (F) prakke en ngt på.
palpable ['pælpəbl] adj hånd-
gribelig; til at tage og føle på.
palpitation [pælpi'teiʃən] s
hjertebanken.
pamper ['pæmpə*] v forkæle,
spolere.
pamphlet ['pæmflət] s pjece,
brochure.
pan [pæn] s pande; kasserolle;
(wc-)kumme.
panacea [pænə'siə] s univer-
salmiddel, patentløsning.
pancake ['pænkeik] s pande-
kage.
pandemonium [pændi'məu-
niəum] s vildt kaos; øredø-
vende spektakel.
pane [pein] s (også: *window
~)* rude; felt.
panel ['pænl] s panel; fyldning;
betjeningstavle; *(auto)* in-
strumentbræt; gruppe, ud-
valg; (i radio, tv etc) panel;
~ling s paneler, træværk.
pang [pæŋ] s smerte; stik, jag;
~s *of remorse* samvittigheds-
kvaler.
panic ['pænik] s panik, skræk
// v fremkalde panik; blive
panikslagen; **~ky** adj panik-

agtig; som let bliver paniksla-
gen.
pannier ['pæniə*] s kurv; cy-
keltaske.
pansy ['pænsi] s stedmoder-
blomst; (F) bøsse.
pant [pænt] v stønne, gispe,
puste; ~ *for* sukke efter, tør-
ste efter // s: se *pants.*
pantechnicon [pæn'teknikən]
s (stor) flyttevogn.
panties ['pæntiz] spl (dame)-
trusser.
pantomime ['pæntəmaim] s
pantomime; *(brit)* populær
eventyrkomedie, oftest op-
ført ved juletid.
pantry ['pæntri] s spiskam-
mer; anretterværelse.
pants [pænts] spl bukser; un-
derbukser; *catch sby with his
~ down* komme bag på en; *a
kick in the* ~ et spark bagi;
wet one's ~ tisse i bukserne.
panty ['pænti] s: ~ *hose*
strømpebukser.
papal ['peipəl] adj pavelig,
pave-.
paper ['peipə*] s papir; (også:
news~) avis, blad; (også:
wall~) tapet; artikel; (skrift-
lig) eksamensopgave // v
dække med papir; tapetsere
// *adj* papir-, papirs-; **~back** s
billigbog; **~bag** s papirspose;
~bound *adj* (om bog) hæf-
tet; ~ *hankie* s (F) papirs-
lommetørklæde; ~ *mill* s pa-
pirfabrik; ~ *money* s seddel-
penge; ~ *pushing* s papirnus-
seri; **~weight** s brevpresser;

~**work** *s* skrivebordsarbejde.
par [pa:*] *s* ligestilling; pari; *on
a ~ with* på linje med.
parable ['pærəbl] *s (rel)* lignelse.
parabolic [pærə'bolik] *adj: ~
reflector* parabolantenne.
parachute ['pærəʃu:t] *s* faldskærm // *v* springe (el. kaste)
ud med faldskærm; ~ **jump** *s*
faldskærmsudspring.
parade [pə'reid] *s* parade; optog, opvisning; promenade //
v (fig) skilte med, vise frem;
gå i optog.
paradise ['pærədais] *s* paradis.
paraffin ['pærəfin] *s* (også: ~
oil) petroleum; ~ **wax** *s* paraffin.
paragraph ['pærəgra:f] *s* paragraf; afsnit; artikel (i blad).
parallel ['pærəlel] *s* parallel;
sammenligning; sidestykke;
~ *(of latitude)* breddegrad //
adj parallel; tilsvarende.
paralysis [pə'rælisis] *s* lammelse; **paralyze** ['pærəlaiz] *v*
lamme, lamslå.
paramount ['pærəmaunt] *adj:
of ~ importance* af allerstørste vigtighed.
paraphernalia [pærəfə'neiliə]
spl tilbehør, udstyr; habengut.
paraphrase ['pærəfreiz] *s* omskrivning // *v* omskrive.
parasite ['pærəsait] *s* parasit,
snylter; (F) nasserøv.
paratrooper ['pærətru:pə*] *s*
faldskærmssoldat.
parboil ['pa:boil] *v* give et op-

kog, blanchere; skolde, svitse.
parcel [pa:sl] *s* pakke; jordlod,
parcel; ~ **post** *s* pakkepost.
parch [pa:tʃ] *v* svide, tørre ind
(el. ud); *be ~ed* (om person)
være ved at dø af tørst.
parchment ['pa:tʃmənt] *s* pergament.
pardon [pa:dn] *s* tilgivelse; benådning // *v* tilgive, benåde;
undskylde; ~ *(me)!* und-
skyld! *I beg your ~!* und-
skyld! om forladelse! *I beg
your ~?* hvad behager?
pare [pɛə*] *v* skrælle (fx *an
apple* et æble); klippe (fx
one's nails negle); nedskære.
parent ['pɛərənt] *s* far el. mor;
*single ~*enlig forsørger // *adj*
moder-; ~**al** [pə'rentl] *adj* faderlig, moderlig; forældre-.
parenthesis [pə'renθəsis] *s
(pl: parentheses* [-si:z]) parentes.
paring ['pɛəriŋ] *s* skræl, afskåret stykke, spån; osteskorpe;
nail ~s afklippede negle.
parish ['pærriʃ] *s* sogn // *adj*
sogne-; ~**ioner** [-'riʃənə*] *s*
sognebarn; indbygger i sogn;
~ **register** *s* kirkebog.
parity ['pæriti] *s* ligestilling, ligeberettigelse.
park [pa:k] *s* park, (offentligt)
anlæg; (sports)stadion // *v*
parkere; ~**ing** *s* parkering;
~**ing meter** *s* parkometer;
~**ing place** *s* parkeringsplads.
parliament ['pa:ləmənt] *s* parlament; ~**ary** [-'mentəri] *adj*
parlamentarisk, parlaments-.

parlour ['pɑ:lə*] s (gl) stue, salon; modtagelsesværelse.

parochial [pə'rəukiəl] adj sogne-, kommune-; (fig) provinsiel, snæversynet.

parody ['pærədi] s parodi.

parole [pə'rəul] s: on ~ prøveløsladt.

parquet ['pɑ:kit] s (også: ~ flooring el. parquetry) parket(gulv).

parrot ['pærət] s papegøje // v snakke efter.

parry ['pæri] v afparere, afbøde; ~ a question vige uden om et spørgsmål.

parsimonious [pɑ:si'məuniəs] adj påholdende, oversparsommelig.

parsley ['pɑ:sli] s persille.

parsnip ['pɑ:snip] s pastinak.

parson [pɑ:sn] s præst, sognepræst; ~age ['pɑ:sənidʒ] s præstegård.

part [pɑ:t] s del, part; (auto etc) reservedel; (mus) stemme, parti; (teat) rolle // v dele, adskille; dele sig // adj delvis, dels; take ~ in deltage (el. tage del) i; on his ~ fra hans side; for hans del; for my ~ for mit vedkommende; for min del; for the most ~ for det meste; ~ with skilles fra; tage afsked med; (F) skille sig af med.

partake [pɑ:'teik] v tage del (i); ~ of nyde.

partial [pɑ:ʃl] adj delvis, partiel; partisk; be ~ to have en svaghed for.

participate [pɑ:'tisipeit] v: ~ (in) deltage (i); **participation** [-'peiʃən] s deltagelse; medbestemmelse.

particle ['pɑ:tikl] s lille del; partikel (også gram).

particular [pɑ:'tikjulə*] adj særlig, speciel; (om person) nøjeregnende, kræsen; further ~s yderligere oplysninger; ~ly adj især, navnlig.

parting ['pɑ:tiŋ] s deling; adskillelse, afsked; (i håret) skilning // adj afskeds-.

partition [pɑ:'tiʃən] s deling; skel; skillevæg.

partly ['pɑ:tli] adv delvis, til dels.

partner ['pɑ:tnə*] s deltager; kompagnon, partner; (sport) medspiller, makker; ~ship s fælleskab; kompagniskab.

part payment [pɑ:t'peimənt] s afdrag, delvis betaling.

partridge ['pɑ:tridʒ] s agerhøne.

part-time ['pɑ:t'taim] adj/adv deltids-, halvdags-.

party ['pɑ:ti] s selskab, fest; parti; gruppe; be ~ to deltage i; være medskyldig i.

pass [pɑ:s] s overgang, passage; (i bjerge) pas; passerseddel; (sport) aflevering // v passere, gå (el. køre) forbi, overhale; (om tid) gå, forløbe; bestå (en eksamen); drive over; ~ sth through a ring stikke ngt gennem en ring; please ~ me the potatoes vær så venlig at række mig kartoflerne; ~ *away* dø; ~ *by* passere; komme forbi; ignorere, negligere; ~ *for* gå for at være; ~ *on* sende videre; ~ *out* besvime; **~able** *adj* fremkommelig, passabel; acceptabel, jævn.

passage ['pæsidʒ] *s* passage, gennemgang; overfart (med skib el. fly); korridor; afsnit (fx i bog); *have you booked your ~?* har du bestilt billet (til båden el. flyet)?

passenger ['pæsindʒə⁎] *s* passager; ~ **liner** *s* passagerskib.

passer-by ['pa:sə'bai] *s* (*pl: passers-by*) forbipasserende.

passing ['pa:siŋ] *adj* forbigående; *in* ~ i forbifarten.

passion ['pæʃən] *s* lidenskab, vrede; forkærlighed; begær; *the P~* Kristi lidelseshistorie; *have a* ~ *for* sth være vild med ngt; **~ate** ['pæʃənət] *adj* lidenskabelig.

passive ['pæsiv] *adj* passiv.

passport ['pa:spɔ:t] *s* pas.

password ['pa:swə:d] *s* feltråb, løsen.

past [pa:st] *s* fortid // *adj* fortidig, tidligere; forløben; forbi // *præp* forbi, længere end, ud over; *he's* ~ *forty* han er over fyrre; *it's* ~ *midnight* det er over midnat; *at half* ~ *one* klokken halvto; *for the* ~ *few days* i de sidste par dage; ~ *danger* uden for fare; ~ *hope* håbløs.

paste [peist] *s* masse; pasta; puré; klister; (om smykker)

simili // *v* klistre, lime; ~**board** *s* karton, pap.

pastime ['pa:staim] *s* tidsfordriv; fornøjelse.

pastoral ['pa:strəl] *adj* hyrde-; *(fig)* idyllisk; *(agr)* græsnings-.

pastry ['peistri] *s* dej; kager; *Danish* ~ wienerbrød.

pasture ['pa:stʃə⁎] *s* græsgang.

pat [pæt] *v* klappe, glatte, banke let; trippe // *adj/adv* tilpas; i rette øjeblik.

patch [pætʃ] *s* lap; klud; klap; stykke jord, plet // *v* lappe, flikke, stykke sammen; *a bad* ~ en uheldig periode; *a* ~ *of land* et stykke jord; ~ *up* lappe sammen; bilægge (fx *a quarrel* en strid).

pâté ['pætei] *s* postej.

patent [peitnt] *s* patent // *v* patentere; ~ *leather shoes* laksko; ~**ly** *adv* tydeligt, åbenlyst.

paternal [pə'tə:nl] *adj* faderlig, fædrene; **paternity** *s* faderskab.

path [pa:θ] *s* sti; havegang; passage; (om planet el. fly) bane.

pathetic [pə'θetik] *adj* ynkelig; gribende; patetisk.

pathologist [pə'θɔlədʒist] *s* patolog; **pathology** *s* patologi.

pathway ['pa:θwei] *s* (gang)sti; *(fig)* vej, bane.

patience ['peiʃəns] *s* tålmodighed; (også: ~ *game*) kabale; *she has no* ~ *with him* han irriterer hende; **patient** *s* patient // adj tålmodig; udholdende.

patio ['pætiəu] s gårdhave.

patrol [pə'trəul] s patrulje; patruljering // v (af)patruljere.

patron ['peitrən] s (i butik etc) kunde; velynder, mæcen; ~ of the arts kunstmæcen; ~**age** ['pætrənidʒ] s beskyttelse; protektion; ~**ize** ['pætrənaiz] v beskytte, protegere; handle hos; ~ **saint** s skytshelgen.

patter ['pætə*] s trommen, trippen; remse, snak // v trippe, tromme.

pattern ['pætən] s mønster; snitmønster; model; strikkeopskrift; stofprøve.

patty ['pæti] s lille postej.

paunch [pɔ:ntʃ] s (stor) mave, vom.

pauper ['pɔ:pə*] s fattiglem; fattig stakkel.

pause [pɔ:z] s pause, afbrydelse // v holde pause, standse.

pave [peiv] v brolægge; ~ the way for bane vej for; ~**ment** s fortov; brolægning; **paving** s vejbelægning; **paving stone** s brosten.

paw [pɔ:] s pote, lab // v stampe; gramse på.

pawn [pɔ:n] s pant; (i skak) bonde // v pantsætte; ~**broker** s pantelåner; ~**shop** s lånekontor.

pay [pei] s betaling, lønning, gage; hyre // v (paid, paid [peid]) betale; (af)lønne; betale sig; gengælde; ~ atten-

tion (to) lægge mærke (til), lytte (til); ~ up punge ud; ~**able** adj at betale; ~ **day** s lønningsdag; ~**master** s kasserer; ~**ment** s betaling; ~ **packet** s lønningspose; ~**roll** s lønningsliste; ~ **slip** s lønseddel.

P.C. ['pi:'si:] fork.f. police constable.

p.c. fork.f. per cent.

pea [pi:] s ært.

peace [pi:s] s fred, ro; ~**able** adj fredelig; ~**ful** adj fredelig, rolig; ~**keeping** adj fredsbevarende; ~ **talks** spl fredsforhandlinger.

peach [pi:tʃ] s fersken // adj ferskenfarvet.

peacock ['pi:kɔk] s påfugl.

peak [pi:k] s spids; (bjerg)top; højdepunkt; ~ **period** s periode med spidsbelastning.

peal [pi:l] s (om klokker) ringen, kimen; ~s of laughter rungende latter; a ~ of thunder et tordenskrald.

peanut ['pi:nʌt] s jordnød; ~s (F) småpenge, 'pebernødder'; P~s (om tegneserie) Radiserne; **peapod** s ærtebælg.

pear [peə*] s pære.

pearl [pə:l] s perle; ~ **barley** s byggryn, perlegryn; ~ **button** s perlemorsknap; ~ **oyster** s perlemusling.

peasant ['peznt] s bonde; ~**try** ['pezntri] s bondestand, almue.

pea soup ['pi:'su:p] s ærtesuppe; (fig) tæt, gul londontåge.

251 **pendent** p

peat [pi:t] *s* tørv; ~ **bog** *s* tørvemose.

pebble [pɛbl] *s* (lille og rund) sten; ~*s* småsten, rullesten.

peck [pɛk] *s* hak(ken), pikken; (let) kys // *v* hakke, pikke; ~ *at* hakke efter; *(fig)* hakke på; ~**ing order** *s* hakkeorden; ~**ish** *adj* (F) sulten.

peculiar [pi'kju:liə*] *adj* mærkelig, sær; særlig, særegen; ~ *to* særegen for; ~**ity** [-'æriti] *s* særhed, særegenhed.

pedal [pɛdl] *s* pedal // *v* cykle; træde (pedaler).

peddle [pɛdl] *v* gå rundt og sælge ved dørene, kolportere; ~*r s* omvandrende handelsmand, kolportør; *drug* ~*r* narkohandler.

pedestrian [pi'dɛstriən] *s* fodgænger // *adj* gående, til fods; ~ **crossing** *s* fodgængerovergang; ~ **street** *s* gågade.

pedigree ['pɛdigri:] *s* stamtavle; ~ **horse** *s* racehest.

pee [pi:] *v* (F) tisse.

peek [pi:k] *v* kigge.

peel [pi:l] *s* skræl, skind // *v* skrælle, pille; skalle af; ~**er** *s* skrællekniv; ~**ings** *spl* skræller, skaller.

peep [pi:p] *s* kig, glimt; pip, pippen // *v* kigge, titte; pippe; ~ *out* titte frem, vise sig; ~**hole** *s* kighul; **P**~**ing Tom** *s* vinduekigger.

peer [piə*] *s* adelsmand; ligemand; medlem af overhuset // *v*: ~ *at* stirre på; *without (a)* ~ uforlignelig; ~**age**

['piəridʒ] *s* adelsrang; ~**less** *adj* uden lige.

peeved [pi:vd] *adj* irriteret *(about* over); **peevish** ['pi:viʃ] *s* sur, vrissen.

peewit ['pi:wit] *s* vibe.

peg [pɛg] *s* pind, pløk; kile; knage; (også: *clothes* ~) tøjklemme; *off the* ~ færdigsyet.

pejorative [pi'dʒɔrətiv] *s* nedsættende ord // *adj* nedsættende.

peke [pi:k] *s* (F) d.s.s. **pekin(g)ese** [pi:ki'ni:z] *s* pekingeser(hund).

pellet ['pɛlit] *s* kugle; hagl; pille.

pell-mell ['pɛl'mɛl] *adv* hulter til bulter.

pelvic ['pɛlvik] *adj (anat)* bækken-; **pelvis** *s* bækken(parti).

pen [pɛn] *s* fold, indelukke, bås; pen; *(fig)* skrivestil.

penal [pi:nl] *adj* straffe-; straf-bar; ~**ize** *v* straffe; gøre strafbar; ~ **servitude** *s* strafarbejde; ~**ty** ['pɛnlti] *s* straf, bøde; *(sport)* straffespark (el. -kast); *on* ~**ty** *of death* under dødsstraf; ~**ty area** *s (sport)* straffesparkfelt.

pence [pɛns] *spl* af **penny**.

pencil ['pɛnsl] *s* blyant; *(fig)* strålebundt // *v* skrive (el. tegne) med blyant; ~ **case** *s* penalhus; ~ **sharpener** *s* blyantspidser.

pendant ['pɛndənt] *s* hængesmykke; øring; hængelampe; pendel; **pendent** *adj* hæn-

gende; *(fig)* svævende, uaf-
gjort.
pending ['pendiŋ] *præp* under,
i løbet af; indtil (fx *her arri-
val* hendes ankomst) // *adj*
uafgjort; forestående; som
står for døren; *patent* ~ pa-
tent anmeldt.
penetrate ['penitreit] *v* gen-
nemtrænge, trænge ind i;
gennembore; **penetrating** *adj*
gennemtrængende;
skarp(sindig); **penetration**
[-'treiʃən] *s* indtrængen, gen-
nemtrængen.
penguin ['peŋgwin] *s* pingvin.
peninsula [pə'ninsjulə] *s*
halvø.
penitent ['penitnt] *adj* angren-
de, bodfærdig; **penitentiary**
[-'tenʃəri] *s* forbedringshus.
penknife ['pennaif] *s* lille lom-
mekniv.
pen name ['penneim] *s* pseu-
donym.
penniless ['penilis] *adj* fattig,
uden en øre.
penny ['peni] *s (pl: pence*
[pens]) penny (1/100 £); *(pl:
pennies* ['peniz]) pennystyk-
ke; *in for a* ~, *in for a pound*
har man sagt a, må man også
sige b; *spend a* ~ (F) gå på
toilettet; *a* ~ *for your
thoughts* hvad tænker du på?
pen pal ['penpæl] *s* penneven.
pension ['penʃən] *s* pension;
pensionat; ~**able** *adj* pensi-
onsberettiget; ~**er** *s* pensio-
nist; ~ **fund** *s* pensionskasse.
pensive ['pensiv] *adj* tanke-

fuld; tungsindig.
pentagon ['pentəgən] *s* fem-
kant; *P*~ USA.s forsvarsmini-
sterium.
penthouse ['penthaus] *s* (eks-
klusiv) taglejlighed; overbyg-
ning.
pent-up ['pentʌp] *adj* inde-
stængt, undertrykt.
people [pi:pl] *spl* folk; man; *a*
~ *et* folkeslag // *v* befolke;
several ~ *came* der kom ad-
skillige mennesker; *the room
was full of* ~ værelset var
fuldt af folk; ~ *say that...*
man siger at...
pepper ['pepə*] *s* peber; peber-
frugt // *v* pebre; ~**mint** *s*
pebermynte.
pep pill ['pep'pil] *s* (F) ferietab-
let; **pep talk** *s* opildnende tale.
per [pə:*] *præp* igennem, ved;
pr.; via; ~ **annum** *(p.a.)* pr. år,
om året; ~ **capita** pr. person;
~ **cent** procent; ~ **hour** i
timen.
perceive [pə'si:v] *v* indse; op-
fatte, se; fornemme.
percentage [pə'sentidʒ] *s* pro-
centdel, procent; del; *get a* ~
få procenter.
perceptible [pə'septibl] *adj*
mærkbar; synlig; **perception**
s opfattelse(sevne); **percepti-
ve** *adj* hurtigt opfattende; føl-
som.
perch [pə:tʃ] *s* aborre // *v* sidde
(og balancere); være anbragt
højt oppe.
percolator ['pə:kəleitə*] *s* kaf-
femaskine; kaffekolbe.

percussion [pə'kʌʃən] s slag, sammenstød; *(mus)* slagtøj.

peremptory [pə'rεmtəri] *adj* bydende; kategorisk; *(jur)* afgørende.

perennial [pə'rεniəl] s staude // *adj* evig; (om plante) flerårig.

perfect s ['pə:fikt] (også: ~ *tense*) *(gram)* førnutid, perfektum // *v* [pə'fεkt] fuldende, fuldstændiggøre // *adj* ['pə:fikt] perfekt, fuldkommen, komplet; **~ion** [-'fεkʃən] s fuldkommenhed, fuldendelse; **~ly** ['pə:-] *adv* helt, fuldstændig.

perforate ['pə:fəreit] *v* gennembore, perforere; **perforation** [-'reiʃən] s perforering.

perform [pə'fɔ:m] *v* udføre; opfylde; opføre, spille; **~ance** s udførelse; optræden; fremførelse, forestilling; *(auto* etc) ydeevne; **~er** s optrædende, kunstner; **~ing** *adj* (om dyr) dresseret; (om fx musiker) udøvende.

perfume ['pə:fju:m] s parfume; vellugt, duft // *v* parfumere.

perhaps [pə'hæps] *adv* måske.

peril ['pεril] s fare, risiko; *in* ~ *of one's life* i livsfare; *do it at your own* ~ du kan vove på at gøre det; **~ous** *adj* farlig.

period ['piəriəd] s periode, tidsrum, epoke; (i skole) time, lektion; *(med)* menstruation // *adj* stil- (fx *furniture* møbler); **~ic** [-'ɔdik] *adj* periodisk; **~ical** [-'ɔdikl] s tidsskrift // *adj* periodisk.

peripheral [pə'rifərəl] *adj* periferisk, perifer; **periphery** s periferi.

perish ['pεriʃ] *v* omkomme, gå til grunde; **~able** *adj* forgængelig; letfordærvelig; **~ing** *adj* (F) forbandet; *I'm ~ing* jeg er ved at dø af kulde // *adv: it's ~ing cold* det er hundekoldt.

perjury ['pə:dʒəri] s mened.

perm [pə:m] s (F) permanent(krølning); *she had a* ~ hun blev permanentet.

permanence ['pə:mənəns] s varighed, bestandighed; **permanent** *adj* permanent, varig.

permeable ['pə:miəbl] *adj* gennemtrængelig; **permeate** ['pə:mieit] *v* trænge igennem.

permissible [pə'misibl] *adj* tilladelig; **permission** [-'miʃən] s tilladelse, lov; **permissive** [-'misiv] *adj* tolerant, liberal; eftergivende; *lead a permissive life* få lov til alting.

permit s ['pə:mit] (skriftlig) tilladelse // *v* [pə'mit] tillade; *be ~ted to* få lov til; *weather ~ting* hvis vejret tillader det.

pernicious [pə:'niʃəs] *adj* skadelig, ondartet.

pernickety [pə'nikiti] *adj* (F) pertentlig; kilden (fx *case* sag).

peroxide [pə'rɔksaid] s: ~ *(of hydrogen)* brintoverilte.

perpendicular [pə:pən'dikjulə*] *adj* lodret.

perpetual [pə'pεtjuəl] *adj* evig; evindelig.

perplex [pə'plɛks] v forvirre, gøre perpleks.

persecute ['pə:sikju:t] v forfølge; plage, genere; **persecution** [-'kju:ʃən] s forfølgelse; **persecution mania** s forfølgelsesvanvid.

persevere [pə:si'viə*] v holde ud; blive ved, fremture; **persevering** [-'viəriŋ] adj udholdende; ihærdig.

persist [pə'sist] v: ~ in blive ved med at; **~ence** s ihærdighed, hårdnakkethed; **~ent** adj vedholdende, hårdnakket.

person [pə:sn] s person; skikkelse, fremtræden; in ~ personlig, i egen person; **~al** adj personlig; **~al assistant** (P.A.) s sv.t. privatsekretær; **~al call** s (tlf) personlig samtale; **~ality** [-'næliti] s personlighed; **~ify** [-'sonifai] v personificere.

personnel [pə:sə'nɛl] s personale; personel; ~ **ceiling** s personaleloft; ~ **manager** s personalechef.

perspective [pə'spɛktiv] s perspektiv, udsigt.

perspex ['pə:spɛks] s ® gennemsigtig plastic, slags plexiglas.

perspiration [pə:spi'reiʃən] s sved, transpiration; **perspire** [pə'spaiə*] v svede, transpirere.

persuade [pə'sweid] v overtale; overbevise; he ~d me to... han overtalte mig til at...; he

~d me that... han overbeviste mig om at...; **persuasion** s overtalelse; overbevisning, anskuelse; **~ive** adj overbevisende.

pert [pə:t] adj næsvis, rapmundet.

pertaining [pə'teiniŋ] adj: ~ to angående, vedrørende.

pertinent ['pə:tinənt] adj relevant; træffende.

perturb [pə'tə:b] v forurolige; forstyrre.

perusal [pə'ru:zl] s (grundig) gennemlæsning, granskning; **peruse** v granske.

Peruvian [pə'ru:viən] s peruaner // adj peruansk.

pervade [pə'veid] v trænge ind (i), brede sig.

perverse [pə'və:s] adj forstokket; urimelig; **perversion** [-'və:ʃən] s fordrejelse; fordærv; perversion; **perversity** [-'və:siti] s urimelighed, trodsighed; **pervert** s ['pə:və:t] pervers person // v [pə'və:t] fordreje, fordærve; **perverted** [-'və:tid] adj pervers.

pessimism ['pɛsimizm] s pessimisme; **pessimist** s pessimist, sortseer; **pessimistic** [-'mistik] adj pessimistisk.

pest [pɛst] s plage, plageånd; skadedyr; pest; **~er** v genere, plage; **~icide** ['pɛstisaid] s skadedyrsmiddel; **~ilence** s pest; (fig) pestilens.

pet [pɛt] s kæledyr; yndling // v kæle for; forkæle; ~ **aversion** s yndlingsaversion; ~

name s kælenavn.

petal [petl] s *(bot)* kronblad.

Pete [piːt] *d.s.s.* Peter; *for* ~'s *sake* for Guds skyld.

peter ['piːtə*] v: ~ *out* løbe ud i sandet; ebbe ud; (om vind) løje af.

petition [pə'tiʃən] s ansøgning; bønskrift // v ansøge, indgive anmodning om.

petrified ['petrifaid] adj forstenet; *(fig)* stiv af skræk; **petrify** v forstene; blive forstenet.

petrol ['petrəl] s benzin.

petroleum [pə'trəuliəm] s råolie.

petrol... ['petrəl-] sms: ~ **station** s tankstation, benzintank; ~ **tank** s benzintank (i bil).

petticoat ['petikəut] s underkjole.

pettiness ['petinis] s smålighed; **petty** adj smålig; ubetydelig; små-; **petty cash** s småbeløb; **petty officer** s *(mar)* underofficer.

petulant ['petjulənt] adj gnaven, irritabel.

pew [pjuː] s kirkestol.

pewter ['pjuːtə*] s tin; ~ **ware** s tinvarer.

phantom ['fæntəm] s fantasibillede, fantom.

pharmacist ['faːməsist] s farmaceut; sv.t. apoteker; **pharmacy** s apotek.

phase [feiz] s fase, periode; stadie // v: ~ *in* (el. out) gradvis indføre (el. afskaffe).

Ph.D. ['piːeitʃ'diː] *(fork.f. Doc-*

tor of Philisophy) sv.t. dr.phil.

pheasant ['feznt] s fasan.

phenomenon [fə'nɔminən] s *(pl: phenomena)* fænomen, foreteelse.

phew [fjuː] *interj* pyh! føj! pyha!

phial ['faiəl] s lille flaske, medicinglas.

philanthropic [filæn'θrɔpik] adj menneskekærlig, filantropisk; **philanthropist** [-'lænθrəpist] s menneskeven, filantrop.

philatelist [fi'lætəlist] s frimærkesamler, filatelist.

Philippines ['filipiːns] spl (også: *the Philippine Islands)* Filippinerne.

philology [fi'lɔlədʒi] s sprogvidenskab, filologi.

philosopher [fi'lɔsəfə*] s filosof; **philosophy** s filosofi.

phlegm [flem] s koldsindighed, flegma; *(med)* (ophostet) slim.

phobia ['fəubjə] s fobi.

phone [fəun] s (F) telefon // v telefonere (til), ringe (til); *be on the* ~ have telefon; være ved at telefonere; ~ **booth** s telefonboks.

phonetics [fə'netiks] s lydskrift; fonetik.

phon(e)y ['fəuni] s (F) fupmager; humbug // adj falsk, forloren.

phosphorescent [fɔsfə'resnt] adj fosforescerende; selvlysende; **phosphorus** ['fɔsfərəs] s fosfor.

photo ['fəutəu] *s* foto(grafi); ~
composer *s (typ)* fotosætter;
~**copier** *s* (foto)kopimaski-
ne; ~**copy** *s* fotokopi; ~**genic**
adj fotogen; ~**graph** *s*
foto(grafi) // *v* fotografere;
~**grapher** [fə'tɔgrəfə˚] *s* fo-
tograf; ~**graphy** [fə'tɔgrəfi] *s*
fotografering; foto(grafi).

phrase [freiz] *s* udtryk, talemå-
de; frase // *v* udtrykke; frase-
re; ~ **book** *s* parlør.

physical ['fizikl] *adj* fysisk, le-
gemlig; sanselig.

physician [fi'ziʃən] *s* læge.

physicist ['fizisist] *s* fysiker;
physics ['fiziks] *s* fysik.

physiotherapist [fiziəu'θerə-
pist] *s* fysioterapeut.

physique [fi'zi:k] *s* legemsbyg-
ning, fysik; *a person of strong*
~ en fysisk stærk person; en
person med et godt helbred.

pianist ['piənist] *s* pianist;
piano [pi'ænəu] *s* klaver;
(også: *grand* ~) flygel.

piccalilli ['pikəlili] *s (gastr)*
slags stærk pickles.

pick [pik] *s* (også: ~*axe*) hak-
ke // *v* hakke; plukke (fx
flowers blomster); tage, stjæ-
le; vælge (ud); *take your* ~
værsgo at vælge; *the* ~ de(t)
bedste; eliten; ~ *a bone* gna-
ve et ben; ~ *a lock* dirke en
lås op; ~ *one's teeth* stange
tænder; ~ *on sby* være på
nakken af en; ~ *out* udvæl-
ge; skelne; ~ *up* samle på; få,
skaffe sig; lære; kvikke op; ~
up speed sætte farten op.

picket ['pikit] *s* pæl; strejke-
vagt, blokadevagt.

pickle [pikl] *s* (også: ~*s)* lage,
eddike; pickles; (F) knibe // *v*
marinere, lægge i lage; ~*d*
herrings marinerede sild; *be*
in a nice ~ være i en køn
suppedas.

pick-me-up ['pikmi:ʌp] *s* op-
strammer.

pickpocket ['pikpɔkit] *s* lom-
metyv.

pickup ['pikʌp] *s* pick-up; ngt
(el. en) man har samlet op.

picnic ['piknik] *s* skovtur, ud-
flugt; medbragt mad; *go for a*
~ tage på skovtur.

pictorial [pik'tɔ:riəl] *adj* illu-
streret; malerisk; billed-.

picture ['piktʃə˚] *s* billede // *v*
afbilde; forestille sig; *let's go*
to the ~*s* lad os gå i biogra-
fen; ~**sque** [-'resk] *adj* male-
risk, pittoresk; ~ **window** *s*
panoramavindue.

piddle [pidl] *v* (F) tisse; **pid-**
dling *adj* (F) sølle, ussel.

pidgin ['pidʒin] *adj*: ~ *English*
kineserengelsk.

pie [pai] *s* pie, postej; *have a*
finger in every ~ blande sig i
alting.

piece [pi:s] *s* stykke // *v* lappe,
sy sammen; *a* ~ *of furniture*
et møbel; *give sby a* ~ *of*
one's mind sige en et par
borgerlige ord; *in* ~*s* i styk-
ker, itu; *take to* ~*s* skille ad;
~ *together* stykke sammen;
~**meal** *adj* stykke for stykke;
~**work** *s* akkordarbejde.

pier [piə*] *s* mole, anløbsbro.
pierce [piəs] *v* gennembore; trænge ind i; **piercing** *adj* gennemtrængende (fx *cry* skrig).
piety ['paiəti] *adj* fromhed, pietet.
pig [pig] *s* gris, svin (også *fig*).
pigeon ['pidʒən] *s* due; **~hole** *s* hul; dueslag; (i reol etc) rum.
piggy bank ['pigibæŋk] *s* sparegris.
pigheaded ['pig'hedid] *adj* stædig; **piglet** *s* griseunge; *piglets* smågrise.
pigmy d.s.s. *pygmy.*
pig. . . ['pig-] sms: **~skin** *s* svinelæder; **~sty** ['pigstai] *s* svinesti; **~tail** *s* grisehale; **~tails** *spl* rottehaler.
pike [paik] *s* gedde.
pilchard ['piltʃəd] *s* sardin.
pile [pail] *s* stabel; dynge; *(fys)* atomreaktor; (om tæppe) luv // *v* (også: ~ *up*) stable (op); dynge (op); hobe sig op; **~s** *spl* hæmorroider; **~~up** *s* harmonikasammenstød.
pilfer ['pilfə*] *v* rapse; **~ing** *s* rapseri.
pilgrimage ['pilgrimidʒ] *s* pilgrimsfærd; valfart.
pill [pil] *s* pille; *be on the* ~ tage p-piller.
pillage ['pilidʒ] *s* plyndring // *v* (ud)plyndre.
pillar ['pilə*] *s* søjle, pille; støtte; ~ **box** *s* (fritstående) postkasse.
pillow ['piləu] *s* hovedpude; **~case, ~slip** *s* (hoved)pude-

betræk.
pilot ['pailət] *s* lods; pilot // *v* lodse; føre (et fly); styre // *adj* forsøgs-, pilot-; ~ **light** *s* vågeblus.
pimple [pimpl] *s* filipens, bums; **pimply** *adj* bumset.
pin [pin] *s* knappenål; stift // *v* fæste (med nåle), hæfte; *I have* ~s *and needles* mit ben (etc) sover; ~ *sby to sth* holde en fast ved ngt.
pinafore ['pinəfɔ:*] *s* (barne)forklæde.
pincers ['pinsəz] *spl: a pair of* ~ en knibtang.
pinch [pintʃ] *s* kniben, klemmen; nød, klemme; så meget man kan have mellem to fingre (fx *a* ~ *of salt*) // *v* knibe, klemme; (F) stjæle; *at a* ~ i en snæver vending.
pine [pain] *s* (også: ~ *tree*) fyr(retræ) // *v*: ~ *for* længes efter; ~ *away* hentæres.
pineapple ['painæpl] *s* ananas.
pink [piŋk] *s (bot)* nellike; lyserød farve // *adj* lyserød.
pinnacle ['pinəkl] *s* tinde, spir; bjergtop.
pinpoint ['pinpɔint] *s* nålespids; prik // *v* ramme præcis, præcisere // *adj* nøjagtig.
pinstriped ['pinstraipt] *adj* nålestribet, smalstribet.
pint [paint] *s* måleenhed sv.t. 0,56 liter; (F) et glas øl; **~a** ['paintə] *s* (F) d.s.s. *pint of* (oftest om mælk), sv.t. 1/2 sød.
pioneer [paiə'niə*] *s* pioner,

foregangsmand; nybygger.
pious ['paiəs] *adj* from.
pipe [paip] *s* rør, rørledning; (tobaks)pibe // *v* pibe; lægge rør i; ~ *down* (F) stikke piben ind, holde mund; ~ **dream** *s* ønskedrøm; ~**line** *s* rørledning (især til olie el. gas); ~**r** *s* fløjtespiller, sækkepibespiller; *pay the* ~*r* betale regningen (for festen); **piping** *s* rørsystem; piben // *adj* fløjtende // *adv*: piping hot kogende varm.
pipsqueak ['pipskwi:k] *s* pjevs.
piqued [pi:kd] *adj* stødt, pikeret.
piracy ['paiərəsi] *s* sørøveri; *(fig)* plagiat; **pirate** ['paiərət] *s* sørøver, pirat.
Pisces ['pisiz el. 'paisiz] *s (astr)* Fiskene.
piss [pis] *v* (V) pisse; ~ *around* (V) fjolle rundt; ~ *off!* (V) skrid! skrub af! *be* ~*ed* (V) være skidefuld.
pit [pit] *s* grav, hule; grube, skakt, mine; kule // *v* kule (ned); lave huller i; *coal* ~ kulmine; *orchestra* ~ orkestergrav; ~ *sby against sby* sætte ngn op mod hinanden.
pitch [pitʃ] *s* kast; *(mus)* tone, tonehøjde; højdepunkt; hældning; *(sport)* bane // *v* falde; skråne, hælde; kaste; ~ *camp* slå lejr; *be* ~*ed forward* blive kastet forover; ~**black** *adj* kulsort; ~**ed roof** *s* skråtag; ~**er** *s* krukke; *(sport)* kaster (i fx baseball);

~**fork** *s* høtyv, greb.
piteous ['pitiəs] *adj* ynkelig, sørgelig.
pitfall ['pitfɔ:l] *s* faldgrube, fælde.
pith [piθ] *s* marv; *(fig)* kerne, kraft; *orange* ~ det hvide under appelsinskallen; ~**y** ['piθi] *adj* marvfuld, kraftig.
pitiable ['pitiəbl] *adj* ynkelig, jammerlig; **pitiful** *adj* medlidende; ynkelig; **pitiless** *adj* ubarmhjertig.
pity ['piti] *s* medlidenhed // *v* have medlidenhed med, ynke, beklage; *what a* ~*!* det var en skam! *for* ~*'s sake* for Guds skyld; *take* ~ *on* forbarme sig over.
pivot ['pivət] *s* tap; akse; tyngdepunkt // *v* dreje (om en tap).
placate [plə'keit] *v* formilde.
place [pleis] *s* plads, sted; (om arbejde) stilling; (om hus) hjem; landsted // *v* anbringe, placere; identificere, bestemme; *at his* ~ hjemme hos ham; *to his* ~ hjem til ham; *take* ~ finde sted, foregå; *out of* ~ malplaceret; *in the first* ~ for det første; ~ *an order* afgive en bestilling; ~ **mat** *s* dækkeserviet.
placid ['plæsid] *adj* fredsommelig, rolig.
plagiarism ['pleidʒərizm] *s* plagiat.
plague [pleig] *s* pest; plage // *v* plage.
plaice [pleis] *s* rødspætte.

plaid [plæd] *s* skotskternet stof; klantern; plaid.

plain [plein] *s* slette; retstrikning // *adj* klar, tydelig; enkel; ensfarvet; (om person) jævn, ligefrem; (om udseende) grim; (om cigaret) uden filter; (i strikning) ret // *adv* ligefrem; simpelthen; *in ~ clothes* (om politi) i civil; *the ~ truth* den rene sandhed; **~ly** *adv* ligeud, uden omsvøb; **~ness** *s* simpelhed; grimhed; enkelhed.

plaintiff ['pleintif] *s* klager, sagsøger.

plait [plæt] *s* fletning; læg.

plan [plæn] *s* plan, projekt // *v* planlægge; organisere; have i sinde, agte.

plane [plein] *s* platan(træ); *(tekn)* høvl; *(fly)* flyvemaskine; flade, plan; niveau // *v* høvle // *adj* flad, plan.

plank [plæŋk] *s* planke.

planning ['plæniŋ] *s* planlægning.

plant [plɑːnt] *s* plante; (om maskineri) materiel; virksomhed, anlæg, fabrik // *v* plante; anlægge; grundlægge; placere, lægge; **~ation** [-'teiʃən] *s* plantage; plantning.

plaque [plæk] *s* platte; mindeplade; tandbelægning, plak.

plaster ['plɑːstə*] *s* gips, puds; (også: *sticking ~*) hæfteplaster // *v* kalke, gipse; oversmøre; ~ *with* overdænge med, oversmøre med; *in ~*

(om ben etc) i gips(bandage); ~ **cast** *s* gipsbandage; gipsafstøbning; **~ed** *adj* (F) fuld, pløret.

plastic ['plæstik] *s* plastic, plast // *adj* plastisk; plastic-.

plasticine ['plæstisiːn] ® *s* modellervoks.

plastic surgery ['plæstik 'səːdʒəri] *s* plastikkirurgi.

plate [pleit] *s* plade; planche; tallerken; portion; (også: *silver ~*) (sølv)plet; **~ful** *s* tallerken(fuld), portion; ~ **glass** *s* spejlglas (til fx butiksruder).

platform ['plætfɔːm] *s* perron; forhøjning, tribune; ~ **ticket** *s* perronbillet.

platinum ['plætinəm] *s/adj* platin(-).

platitude ['plætitjuːd] *s* banalitet; flad bemærkning.

plausible ['plɔːzibl] *adj* plausibel, ret sandsynlig.

play [plei] *s* leg, spil; (teater)stykke, skuespil // *v* lege, spille; ~ *down* bagatellisere; ~ *up* skabe sig; opreklamere; ~ *up to* spille op til, støtte, bakke op; **~act** *v* spille teater; **~er** *s* spiller; musiker; skuespiller; **~ful** *adj* legesyg; munter; **~goer** *s* teatergænger; **~ground** *s* legeplads; **~ing card** *s* spillekort; **~ing field** *s* sportsplads; **~mate** *s* legekammerat; **~off** *s* *(sport)* forlænget spilletid; **~pen** *s* kravlegård; **~time** *s* frikvarter; fritid; **~wright**

['pleirait] s skuespilforfatter, dramatiker.

plea [pli:] s bøn, appel; *(jur)* påstand.

plead [pli:d] v bede indtrængende, trygle; *(jur)* plædere, føre en sag; ~ *with sby* anråbe en; ~ *guilty* erkende sig skyldig; ~ *not guilty* nægte sig skyldig.

pleasant ['pleznt] adj behagelig; rar, elskværdig; hyggelig; **~ry** ['plezntri] s vittighed, spøgefuldhed; ~*ries* spl venligheder.

please [pli:z] v behage, tiltale; ~! vær så venlig! *my bill,* ~! må jeg få regningen; *yes,* ~! ja tak! ~ *yourself* gør som du vil; **~d** adj tilfreds; *be ~d with* være tilfreds med, være glad for; ~*d to meet you!* det er hyggeligt at hilse på Dem! goddag! **pleasing** adj behagelig, tiltalende.

pleasure ['pleʒə*] s glæde, fornøjelse; nydelse; ønske; *take ~ in* nyde, finde fornøjelse ved; ~ **ground** s tivoli, (folke)park; ~ **trip** s fornøjelsesrejse.

pleat [pli:t] s læg, fold // v folde, plissere; *a ~ed skirt* en lægget nederdel.

pledge [pledʒ] s pant; løfte // v sætte i pant; afgive løfte; forpligte (sig); *he ~d never to return* han lovede at blive væk for bestandig.

plentiful ['plentiful] adj rigelig; **plenty** ['plenti] s overflod, rig-

dom, velstand; *plenty of* nok af, rigeligt med; *there's plenty of time* der er god tid.

pleurisy ['pluərisi] s lungehindebetændelse.

pliable ['plaiəbl] adj bøjelig, smidig; føjelig.

pliers ['plaiəz] s *(tekn): a pair of* ~ en tang.

plod [plɔd] v traske; slide, hænge i; **~der** s slider; **~ding** adj møjsommelig; tungnem.

plonk [plɔŋk] s (F) billig vin, sprøjt // v: ~ *sth down* smække (el. smide) ngt ned.

plot [plɔt] s komplot, sammensværgelse; (i fx bog) handling, intrige; stykke jord // v planlægge, pønse på; konspirere; plotte.

plough [plau] s plov // v pløje; ~ *back (merk)* reinvestere; **~ing** s pløjning.

pluck [plʌk] s greb, tag; mod // v plukke; rykke, trække; *(mus,* om strenge) anslå, knipse; ~ *up courage* tage mod til sig; **~y** adj modig, tapper.

plug [plʌg] s prop, pløk; *(elek)* stikprop, stik(kontakt); *(auto,* også: *sparking ~)* tændrør // v tilproppe; ~ *in (elek)* tilslutte, sætte til; ~ *up* blive tilstoppet.

plum [plʌm] s blomme // adj: ~ *job* (F) ønskejob.

plumb [plʌm] s blylod, lod // v lodde // adj lodret, i lod // adv fuldstændig; **~er** ['plʌmə*] s blikkenslager; **~ing** s blikkenslagerarbejde; sanitære installationer; vandrør.

plump [plʌmp] *adj* buttet, fyldig.

plunder ['plʌndə⁺] *s* plyndring, bytte // *v* (ud)plyndre.

plunge [plʌndʒ] *s* dykning, dukkert // *v* dykke; springe; kaste sig; *take the* ~ vove springet; **plunging** *adj:* *plunging neckline* dyb halsudskæring.

pluperfect ['plu:'pə:fikt] *s* *(gram)* førdatid, pluskvamperfektum.

plural ['pluərəl] *s* *(gram)* flertal, pluralis // *adj* flertals-.

plus [plʌs] *s* (også: ~ *sign*) plus, additionstegn; *it's a* ~ det er en fordel; *ten* ~ti og derover.

plush [plʌʃ] *s* plys // *adj* dyr, luksus-.

ply [plai] *s* (i garn) tråd; (i krydsfinér) lag; *(fig)* tendens; *three* ~ *(wool)* tretrådet (uldgarn); **~wood** *s* krydsfinér.

P.M. ['pi:'ɛm] fork.f. *post-mortem; Prime Minister.*

p.m. ['pi:'ɛm] (fork.f. *post meridiem)* om eftermiddagen, efter kl. 12 middag.

pneumatic [nju:'mætik] *adj* pneumatisk, luft-, trykluft- (fx *drill* bor).

pneumonia [nju:'məuniə] *s* lungebetændelse.

P.O. fork.f. *postal order; post office.*

poach [pəutʃ] *v (gastr)* poche-re; drive krybskytteri; **~er** *s* krybskytte; **~ing** *s* krybskytteri; *(gastr)* pochering.

pocket ['pɔkit] *s* lomme; hul // *v* stikke i lommen; indkassere; skjule; *be in* ~ være ved muffen; *be out of* ~ have lommesmerter; **~book** *s* tegnebog; lommebog; billigbog; **~-knife** *s* lommekniv; ~ **money** *s* lommepenge.

poem ['pəuim] *s* digt; **poet** ['pəuit] *s* digter; **poetic** [pəu'ɛtik] *adj* poetisk, digterisk; **poetry** ['pəuitri] *s* poesi, digtning.

poignant ['pɔinənt] *adj* skarp, bitter, intens.

poinsettia [pɔin'sɛtiə] *s (bot)* julestjerne.

point [pɔint] *s* spids; punkt; sted; sag; hensigt, mening; point // *v* spidse; sigte; vende (mod); pege; *two* ~ *three* to komma tre (skrives på eng.: 2.3); ~ *a gun* at sigte på med et gevær; *make one's* ~ få ret; gøre sin mening klar; *get the* ~ forstå (el. begribe) ngt; *come to the* ~ komme til sagen; *there's no* ~ *in...* der er ingen mening i...; *good* **~s** gode sider, kvaliteter; ~ *out* udpege; pointere, understrege; **~-blank** *adv* direkte, ligefrem; *fire* **~-blank** skyde på nært hold; **~ed** *adj* spids, skarp; **~edly** *adv* spidst, demonstrativt; **~less** *adj* meningsløs; ~ **of view** *s* mening, synspunkt; **~s** *spl* (også:

jernb) sporskifte; *(auto)* platiner.

poise [poiz] *s* ligevægt, balance; ro // *v* balancere med; *be ~d for (fig)* være parat til.

poison ['poizən] *s* gift // *v* forgifte, forgive; **~ing** *s* forgiftning; **~ous** *adj* giftig; skadelig.

poke [pəuk] *v* stikke; rode op i; *~ one's nose in(to)* stikke sin næse i; *~ about* snuse rundt; **~er** *s* ildrager; *(kortspil)* poker.

Poland ['pəulənd] *s* Polen.

polar ['pəulə*] *adj* polar(-); *~ bear* *s* isbjørn; *~ light* *s* polarlys; nordlys.

Pole [pəul] *s* polak.

pole [pəul] *s* pæl, stolpe; *(elek)* mast; *(geogr)* pol; *~ star* *s* polarstjerne, nordstjerne; *~ vault* *s (sport)* stangspring.

police [pə'liːs] *s* politi; politifolk // *v* holde orden, føre opsyn med; *~ car* *s* politibil; *~ constable (P.C.)* *s* politibetjent; *~man* *s* politimand; *~ record* *s* generalieblad, straf feregister; *~ sergent* *s* sv.t. overbetjent; *~ station* *s* politistation; *~ superintendent* *s* sv.t. politikommissær; **~woman** *(PW)* *s* kvindelig politibetjent.

policy ['polisi] *s* politik; taktik; *(forsikrings)*police.

Polish ['pəuliʃ] *s/adj* polsk.

polish ['poliʃ] *s* pudsecreme, politur; *(også: floor ~)* bonevoks; blank overflade; *(fig)*

finhed; *(også: nail ~)* neglelak // *v* pudse, polere; *(om gulv)* bone; afpudse; *~ off* gøre kål på, ekspedere; **~ed** *adj (fig)* glat, sleben.

polite [pə'lait] *adj* høflig; dannet; *be ~ with* være høflig over for; **~ness** *s* høflighed; velopdragenhed.

politic ['politik] *adj* snedig, diplomatisk; **~al** [pə'litik] *adj* politisk; **~al science** *s* statskundskab; **~ian** [poli'tiʃən] *s* politiker, statsmand; **~s** *spl* politik.

poll [pəul] *s* valg, afstemning; stemmeprocent; *(også: opinion ~)* meningsmåling // *v* stemme.

pollen ['polən] *s* blomsterstøv, pollen; *~ count* *s* pollentælling; **pollination** [-'neiʃən] *s (bot)* bestøvning.

pollutant [pə'luːtənt] *s* forureningskilde; **pollute** [pə'luːt] *v* forurene; **pollution** [-'luːʃən] *s* forurening; *environmental pollution* miljøforurening.

polo-neck ['pəuləunɛk] *s* rullekrave(bluse).

polytechnic [poli'tɛknik] *s* sv.t. teknisk skole.

polythene ['poliθiːn] *s* polythen, polyethylen; *~ bag* *s* plasticpose.

pomp [pomp] *s* pomp, pragt; **~ous** *adj* svulstig; *a ~ous ass* (F) en blærerøv.

pond [pond] *s* dam; *(lille)* sø; *the P~* (F) Atlanterhavet.

ponder ['pondə*] *v* overveje,

263 pose **p**

spekulere; tænke over.
pony ['pəuni] *s* pony; ~ **tail** *s* hestehale(frisure); ~ **trekking** *s* udflugt (el. tur) på pony.
poodle [puːdl] *s* pudel(hund).
pool [puːl] *s* vandpyt, pøl, dam; bassin; (også: *swimming ~)* svømmebassin (el. -pøl); *(merk)* pulje // *v* slå sammen (i en pulje); samle; (også: *the football ~s) the* **~s** *spl* sv.t. tipstjenesten; *win the ~s* vinde i tipning; **~s coupon** *s* tipskupon.
poor [puə*] *adj* fattig, stakkels, ringe; dårlig; **~ly** *adj* (F) sløj.
pop [pɔp] *s* knald; skud; *(mus,* F) pop // *v* knalde, smælde; affyre; (om prop) springe; ~ *in* lige 'kigge indenfor'; ~ *off* dø; stikke af; gøre det af med; ~ *out* smutte ud; ~ *up* dukke op; ~ *the question* (F) tage sig sammen til at fri.
pope [pəup] *s* pave.
Popeye ['pɔpai] *s:* ~ *(the Sailor)* Skipper Skræk; **popeyed** *adj* med udstående øjne.
popgun ['pɔpgʌn] *s* legetøjspistol (med prop).
poplar ['pɔplə*] *s* poppel(træ).
poppy ['pɔpi] *s* valmue; ~ **seed** *s* birkes.
popular ['pɔpjulə*] *adj* populær, folkelig; **~ity** [-'læriti] *s* popularitet; **~ize** *v* popularisere.
populate ['pɔpjuleit] *v* befolke; **population** [-'leiʃən] *s* befolkning; folketal; **populous**

['pɔpjuləs] *adj* tæt befolket, folkerig.
porch [pɔːtʃ] *s* vindfang.
pore [pɔː*] *s* pore // *v:* ~ *over* fordybe sig i; hænge over.
pork [pɔːk] *s* svinekød, flæsk; *roast leg of* ~ flæskesteg; ~ **chops** *spl* svinekoteletter; ~ **loin** *s* stegeflæsk.
pornographic [pɔːnə'græfik] *adj* pornografisk; **pornography** [-'nɔgrəfi] *s* pornografi.
porous ['pɔːrəs] *adj* porøs.
porpoise ['pɔːpəs] *s* (om hvalart) marsvin.
porridge ['pɔridʒ] *s* (havre)grød.
port [pɔːt] *s* havn; havneby; portvin; *(mar,* også) bagbord.
portable ['pɔːtəbl] *adj* transportabel, bærbar.
porter ['pɔːtə*] *s* portner, dørvogter; portier; drager, portør; (om ølsort) porter.
porthole ['pɔːthəul] *s (mar)* koøje.
portico ['pɔːtikəu] *s* indgang med søjler; søjlegang.
portion ['pɔːʃən] *s* del, part; portion; skæbne, lod.
portly ['pɔːtli] *adj* korpulent; statelig.
portrait ['pɔːtrit] *s* portræt, billede; portræt; **portray** [pɔː'trei] *v* portrættere; skildre; **portrayal** [pɔː'treiəl] *s* portrætmaleri; skildring.
Portuguese [pɔːtju'giːz] *s* portugiser // *adj* portugisisk.
pose [pəuz] *s* stilling, positur; stillen sig an // *v* stå model,

posere; stille sig an; anbringe; fremsætte; ~ *as* give sig ud for at være.

posh [pɔʃ] *adj* (F) smart, fin.

position [pə'ziʃən] *s* stilling, position // *v* bringe på plads (el. i stilling); *be in a ~ to* være i stand til; *in ~* på plads.

positive ['pɔzitiv] *adj* positiv; bestemt; direkte; komplet; *a ~ fool* en komplet idiot; *be ~ (about)* være sikker på; **~ly** *adv* ligefrem, bogstavelig talt.

possess [pə'zes] *v* eje, besidde; beherske; besætte; *be ~ed with (fig)* være besat af; **~ion** *s* ejendom, besiddelse; eje; **~ive** *adj* rethaverisk; begærlig; **~or** *s* indehaver, ejer.

possibility [pɔsi'biliti] *s* mulighed *(of* for); **possible** ['pɔsibl] *adj* mulig; eventuel; gennemførlig; *if possible* om (el. hvis det er) muligt; **possibly** ['pɔsibli] *adv* måske, eventuelt; *if you possibly can* hvis du på nogen måde kan; hvis det er dig muligt; *I can't possibly come* det er umuligt for mig at komme.

post [pəust] *s* post, stilling; post(befordring); stolpe // *v* poste, sende med posten; (om opslag) slå op; (især *mil*) ansætte; **~age** ['pəustidʒ] *s* porto; **~al** *adj* post-; **~al order** *s* postanvisning; **~box** *s* postkasse; **~card** *s* postkort.

postdate ['pəustdeit] *v* (om fx check) fremdatere.

poster ['pəustə*] *s* plakat.

posterior [pɔs'tiəriə*] *s* (F) bagdel // *adj* senere; bag-;

posterity [pɔs'teriti] *s* eftertid; efterkommere.

postgraduate ['pəust'grædjuət] *adj*: *~ studies* videregående studier (efter kandidateksamen).

post. . . ['pəust-] *sms*: **~man** *s* postbud; **~mark** *s* poststempel; **~master** *s* postmester; *~ meridiem (p.m.)* om eftermiddagen; **~-mortem** *(P.M.)* ['pəust'mɔ:təm] *s* obduktion; *~ office* *s* posthus, postkontor; *~ office box (P.O. box)* *s* postboks.

postpone [pəs'pəun] *v* udsætte, udskyde; **~ment** *s* udsættelse, henstand.

postscript ['pəustskript] *s* efterskrift.

postulate ['pɔstjuleit] *v* hævde, postulere; gøre krav på.

posture ['pɔstʃə*] *s* stilling, positur; holdning.

postwar ['pəustwɔ:*] *adj* efterkrigs-.

posy ['pəuzi] *s* (lille) buket.

pot [pɔt] *s* potte, gryde, krukke; (F) marihuana // *v* plante (i potte); nedsylte; *go to ~* gå i fisk.

potato [pə'teitəu] *s* (pl: *~es*) kartoffel; *~ chips* *spl* pommes frites; *~ crisps* *spl* franske kartofler; *~ flour* *s* kartoffelmel.

potency ['pəutənsi] *s* styrke, kraft; indflydelse; potens; po-

tent *adj* stærk (fx *drink);* virkningsfuld; potent.

potential [pə'tenʃl] *s* potentiel; muligheder; ydeevne // *adj* mulig, eventuel, potentiel.

pot roast ['pɔtrəust] *s (gastr)* grydesteg.

potted ['pɔtid] *adj (gastr)* syltet, nedlagt; ~ **plant** *s* potteplante.

potter ['pɔtə*] *s* pottemager // *v:* ~ *around* (el. *about)* nusse rundt; ~**y** *s* lervarer; pottemagerværksted.

potty ['pɔti] *s* (F) potte // *adj* (F) skør, småtosset.

pouch [pautʃ] *s* pose, etui; *(zo)* kæbepose; pung.

poulterer ['pəultərə*] *s* vildthandler.

poultry ['pəultri] *s* fjerkræ, høns.

pounce [pauns] *s* nedslag, overfald // *v:* ~ *(on)* slå ned (på); kaste sig over.

pound [paund] *s* pund (453 g; 100 pence) // *v* dundre; male, støde (i morter); stampe, trampe.

pour [pɔ:*] *v* hælde, skænke (fx *tea* te) // *v* ose (ned); vælte frem; ~ *in* (om folk) strømme til; ~ *out* (om folk) vælte ud; ~**ing** *adj* øsende.

poverty ['pɔvəti] *s* fattigdom; ~-**stricken** *adj* forarmet; ludfattig.

powder ['paudə*] *s* pudder, pulver; krudt // *v* pudre; pulverisere; ~ **compact** *s* pudderdåse (til at have i tasken);

~ **puff** *s* pudderkvast; ~ **room** *s* dametoilet; ~**y** *adj* støvet; smuldrende; pudret.

power ['pauə*] *s* magt, styrke; evne; *(mat)* potens; *(elek)* strøm; *the* ~*s that be* myndighederne // *v* drive (frem); ~ **cut** *s* strømafbrydelse; ~**ed** *adj:* ~*ed by* drevet af; ~**ful** *adj* mægtig, stærk; ~**less** *adj* magtesløs, kraftløs; ~ **point** *s* stikkontakt; ~ **station** *s* kraftværk, elværk.

pox [pɔks] *s: the* ~ (F) syfilis (se også *chicken* ~).

practicable ['præktikəbl] *adj* gennemførlig, mulig; (om vej) fremkommelig, passabel.

practical ['præktikl] *adj* praktisk; ~ **joke** *s* grov spøg, nummer.

practice ['præktis] *s* praksis (også om læge etc); skik, sædvane; træning, øvelse; udøvelse; *in* ~ i praksis; *out of* ~ ude af træning; *piano* ~ klaverøvelser; **practise** ['præktis] *v* øve, træne; udøve; øve sig; praktisere; *practise for a match* træne til en kamp; *practise medicine* være praktiserende læge; *practise the piano* øve sig på klaver; **practitioner** [-'tiʃənə*] *s* praktiker; praktiserende; *general practitioner* almenpraktiserende læge.

prairie ['prɛəri] *s* prærie, græssteppe.

praise [preiz] *s* ros, pris // *v* rose, prise, berømme; ~**wor-**

thy [-wə:ði] *adj* prisværdig.
pram [præm] *s* (fork.f. *perambulator*) barnevogn.
prattle [prætl] *v* sludre, pludre.
prawn [prɔ:n] *s* stor reje.
pray [prei] *v* bede, bønfalde; *and what is that,* ~? og hvad er det, om jeg må spørge? ~**er** [preə*] *s* bøn; ~**er mat** (el. *rug*) *s* bedetæppe.
preach [pri:tʃ] *v* prædike, forkynde; ~ *at sby* præke for en; ~**er** *s* prædikant.
prearranged [′pri:ə′reindʒd] *adj* (forud)aftalt; forberedt.
precarious [pri′kɛəriəs] *adj* prekær; usikker, uholdbar.
precaution [pri′kɔ:ʃən] *s* forsigtighed; forholdsregel; *take* ~*s against sth* tage sine forholdsregler mod ngt; ~**ary** *adj* forsigtigheds-.
precede [pri′si:d] *v* gå forud (for), gå foran; ~*d by our teacher we...* med vores lærer i spidsen...; ~**nce** [′presidəns] *s* forrang; *have* ~*nce over* have forrang for; ~**nt** [′president] *s* præcedens, fortilfælde; ~**ding** [pri′si:diŋ] *adj* foregående; forrig.
precept [′pri:sept] *s* forskrift; rettesnor.
precinct [′pri:siŋkt] *s* område, distrikt; grænse; *within the city* ~*s* inden for bygrænsen; *cathedral* ~*s* kirkeplads; *pedestrian* ~ fodgængerområde; *shopping* ~ forretningskvarter.
precious [′preʃəs] *adj* kostbar,

dyrebar; *(fig)* køn, nydelig; ~ *little* ikke ret meget; ~ *stone* *s* ædelsten.
precipice [′presipis] *s* afgrund; stejl skrænt.
precipitate *v* [pri′sipiteit] fremskynde; styrte; *(kem)* udfælde, bundfælde // *adj* [pri′sipitit] forhastet, overilet; hovedkulds; **precipitation** [-′teiʃən] *s* styrt, fald; bundfald; nedbør; **precipitous** [-′sipitʌs] *adj* stejl, brat.
precise [pri′sais] *adj* præcis, nøjagtig; ~**ly** *adv* nøjagtigt; netop.
preclude [pri′klu:d] *v* forebygge; udelukke; forhindre; ~ *sby from sth* forhindre en i ngt.
precocious [pri′kəuʃəs] *adj* tidligt moden; fremmelig; gammelklog.
preconceived [pri:kən′si:vd] *adj* forudfattet (fx *opinion* mening).
predecessor [′pri:disesə*] *s* forgænger, forfader.
predestination [pri:desti′neiʃən] *s* forudbestemmelse.
predetermine [pri:di′tə:min] *v* forudbestemme; afgøre i forvejen.
predicament [pri′dikəmənt] *s* forlegenhed, knibe.
predicate [′predikit] *s* (*gram*) omsagnsled, prædikat.
predict [pri′dikt] *v* forudsige, spå; ~**ion** [-′dikʃən] *s* forudsigelse, spådom.
predominance [pri′dɔminəns]

s overvægt; overmagt; **predominant** *adj* dominerende, fremherskende; **predominate** *v* være fremherskende, dominere.

preen [priːn] *v*: ~ *oneself* (om fugl) pudse sig; (om person) pynte sig; ~ *oneself of sth* blære sig med ngt.

prefab(ricated) [ˈpriːfæb(rikeitid)] *adj* præfabrikeret; ~ *house* elementhus.

preface [ˈprefəs] *s* forord, indledning.

prefer [priˈfəˈ] *v* foretrække; *I* ~ *tea to coffee* jeg foretrækker te fremfor kaffe; **~able** [ˈprefrəbl] *adj* (som er) at foretrække; **~ably** [ˈprefrəbli] *adv* helst, fortrinsvis; **~ence** [ˈprefrəns] *s* forkærlighed; fortrinsret; begunstigelse.

prefix [ˈpriːfiks] *s (gram)* forstavelse, præfiks.

pregnancy [ˈpregnənsi] *s* graviditet, svangerskab; **pregnant** *adj* gravid; betydningsfuld; følelsesladet.

prehistoric [ˈpriːhisˈtɔrik] *adj* forhistorisk; **prehistory** *s* forhistorie; forhistorisk tid.

prejudice [ˈpredʒudis] *s* fordom; modvilje; skade, men // *v* forudindtage; være til skade for; *have a* ~ *against foreigners* være forudindtaget mod udlændinge; **~d** *adj* forudindtaget, partisk.

prelate [ˈprelət] *s* prælat.

preliminary [priˈliminəri] *adj* foreløbig; indledende; *preli-*

minaries indledende forhandlinger.

prelude [ˈpreljuːd] *s* forspil; indledning; *(mus)* præludium.

premature [ˈpremətʃuəˈ] *adj* for tidlig; overilet; ~ *baby* for tidligt født barn.

premeditated [priˈmediteitid] *adj* overlagt, forsætlig (fx *murder* mord); **premeditation** [-ˈteiʃən] *s* overlæg; forsæt.

premier [ˈpremiəˈ] *s* premierminister // *adj* fornemst; først.

premise [ˈpremis] *s* forudsætning; præmis; **~s** *spl* lokaliteter; ejendom; *on the* ~*s* på stedet; *keep off the* ~*s!* adgang forbudt!

premium [ˈpriːmiəm] *s* præmie; bonus.

premonition [preməˈniʃən] *s* forudanelse; varsel.

preoccupation [priːɔkjuˈpeiʃən] *s* optagethed; åndsfraværelse; **preoccupied** [-ˈɔkjupaid] *adj* optaget; distræt; fordybet.

prepackaged [ˈpriːˈpækidʒd] *adj* færdigpakket.

prepaid [ˈpriːˈpeid] *adj* forudbetalt.

preparation [prepəˈreiʃən] *s* forberedelse; tilberedelse; udfærdigelse; **preparatory** [priˈpærətəri] *adj* forberedende; **preparatory school** *s* (privat) forberedelsesskole (før adgang til *public school*);

prepare [pri'pɛə'] *v* forberede; gøre parat; tilberede; *prepare for* forberede sig på; *be prepared to* være parat til.

preponderance [pri'pɔndərəns] *s* overvægt; overlegenhed.

preposition [prepə'ziʃən] *s (gram)* forholdsord, præposition.

preposterous [pri'pɔstərəs] *adj* meningsløs, absurd; latterlig.

preschool ['pri:sku:l] *adj* førskole-.

prescribe [pris'kraib] *v* foreskrive; skrive recept (på), ordinere; **prescription** [-'kripʃən] *s* forskrift; recept.

presence [prezns] *s* tilstedeværelse, nærværelse; *in his ~* i hans påsyn; *~ of mind* åndsnærværelse.

present *s* [prezznt] gave; *(gram)* nutid, præsens // *v* [pri'zɛnt] give, forære; fremvise; udgøre // *adj* [prezznt] nærværende; til stede; *at ~* i øjeblikket, nu; *the ~* nutiden; **~able** [pri'zɛntəbl] *adj* præsentabel; velopdragen; **~ation** [-'teiʃən] *s* overrækkelse; præsentation; **~-day** *adj* nutids-; **~ly** *adv* snart, straks; for tiden.

preservation [prezə'veiʃən] *s* bevarelse; sikring; fredning; (om mad) konservering; syltning; henkogning; **preservative** [pri'zə:vətiv] *s* konserveringsmiddel // *adj* beskytten-

de, beskyttelses-; **preserve** [pri'zə:v] *s* (vildt)reservat; syltetøj // *v* beskytte; frede; konservere.

preside [pri'zaid] *v* præsidere, føre forsædet.

presidency ['prezidənsi] *s* præsidentperiode; **president** *s* præsident; formand; direktør.

press [prɛs] *s* presse; tryk; pres; trykkeri; (om møbel) kommode, klædeskab; presning // *v* presse; knuge; tvinge, nøde; trænges; mase; presse på, haste; *we are ~ed for time* vi er i tidnød, vi har dårlig tid; *~ for sth* rykke for ngt; *~ on* mase på; køre videre; **~ agency** *s* nyhedsbureau; **~ cutting** *s* avisudklip; **~ing** *s* presserende; indtrængende; **~ stud** *s* trykknap (i tøj).

pressure ['prɛʃə'] *s* tryk; pres; pression; **~ cooker** *s* trykkoger; **~ group** *s* pressionsgruppe; **pressurized** [-raizd] *adj* under tryk; *(fig)* under pres.

presumably [pri'zju:məbli] *adv* antagelig, formentlig; **presume** [pri'zju:m] *v* antage, formode; tillade sig; gå for vidt; **presumption** [pri'zʌmpʃən] *s* antagelse, formodning; indbildskhed; dristighed; **presumptuous** [pri'zʌmptjuəs] *adj* overmodig; anmassende.

pretence [pri'tɛns] *s* påskud; krav *(to* på); indbildskhed;

269   primeval **p**

false ~s falske forudsætninger; *make a* ~ *of* lade som om; *on the* ~ *of* under påskud af; **pretend** [pri'tend] *v* foregive, lade som om; lege; *pretend to* foregive at; *pretend to the throne* gøre krav på tronen; *they are only pretending* det er bare noget de leger.

pretentious [pri'tenʃəs] *adj* prætentiøs; fordringsfuld.

preterite ['pretərit] *s (gram)* datid, præteritum.

pretext ['pri:tekst] *s* påskud.

pretty ['priti] *adj* pæn, køn (også *iron*) // *adv* temmelig; ~ *awful* ret slem; ~ *well* temmelig godt; næsten.

prevail [pri'veil] *v* sejre; være fremherskende; ~ *(up)on sby to do sth* formå en til at gøre ngt; ~ing *adj* fremherskende.

prevent [pri'vent] *v* forhindre, forebygge; ~ *sby from sth* forhindre en i ngt; ~ion [-'venʃən] *s* forhindring; forebyggelse; bekæmpelse; ~ive [-'ventiv] *s* forebyggende middel // *adj* hindrende; forebyggende, præventiv.

preview ['pri:vju:] *s* fernisering; forpremiere.

previous ['pri:viəs] *adj* foregående, tidligere; ~ *to* før.

prewar ['pri:'wɔ:] *adj* førkrigs-.

prey [prei] *s* bytte, rov // *v:* ~ *on* angribe; nage; *bird of* ~ rovfugl.

price [prais] *s* pris; værdi // *v* prissætte; prismærke; ~**less** *adj* uvurderlig; ~**y** *adj* (F) dyr, pebret.

prick [prik] *s* prik; stik; (V) pik // *v* prikke; stikke; punktere; ~ *up one's ears* spidse ører.

prickle ['prikl] *s* (på plante) torn, pig; stikken, prikken; **prickly** *adj* tornet; stikkende; *(fig)* vanskelig; (om person) irritabel, ømtålig; **prickly heat** *s* varmeknopper.

pride [praid] *s* stolthed, hovmod // *v:* ~ *oneself on sth* være stolt af ngt; *take (a)* ~ *in* sætte en ære i at.

priest [pri:st] *s* (især katolsk) præst; ~**ess** *s* præstinde; ~**hood** *s* præsteskab; præsteembede.

prig [prig] *s* pedant; stivstikker.

prim [prim] *adj* pæn, sirlig; snerpet.

primal ['praiməl] *adj* oprindelig; vigtigst.

primarily ['praimərili] *adv* først og fremmest; oprindelig; **primary** ['praiməri] *adj* først; primær; oprindelig; **primary school** *s* grundskole (5-11 år).

prime [praim] *s: in his* ~ i sin bedste alder // *v* instruere; præparere // *adj* oprindelig, ur-; fornemst; prima; ~ **minister** *(P.M.)* s premierminister; ~ *s* begynderbog; (ved maling) grunding.

primeval [prai'mi:vəl] *adj* oprindelig, ur-.

primrose ['primrəuz] s primula, kodriver.

prince [prins] s fyrste, prins; **P~ Consort** s prinsgemal; **princess** [prin'ses] s fyrstinde, prinsesse.

principal ['prinsipl] s chef, arbejdsgiver; (i skole) forstander; (om penge) kapital, hovedstol // adj vigtigst, hoved-; **~ity** [-'pæliti] s fyrstendømme; fyrstemagt; **~ly** ['prinsipli] adv hovedsageligt.

principle ['prinsipl] s princip; in ~ principielt; a man of ~ en principfast mand.

print [print] s mærke; aftryk; (typ) tryk; (foto) kopi // v trykke; udgive; skrive med blokbogstaver; out of ~ udsolgt fra forlaget; ~ **dress** s mønstret bomuldskjole; **~ed matter** s tryksag; **~er** s (bog)trykker; **~er's error** s trykfejl; **~ing** s trykning; bogtryk; (foto) kopiering; **~ing press** s strykpresse; **~ out** s (edb) udskrift.

prior ['praiə*] s prior // adj tidligere; foregående; ~ to førend; forud for.

priority [prai'oriti] s fortrinsret; prioritet; top ~ første prioritet; øverst på listen.

priory ['praiəri] s munkekloster, priorat.

prise [praiz] v: ~ open bryde (el. lirke) op.

prison [prizn] s fængsel; **~er** s fange; **~er of war** krigsfange.

pristine ['pristi:n] adj uberørt,

jomfruelig.

privacy ['privəsi] s privatliv; uforstyrrethed; **private** ['praivit] s menig (fx soldier soldat) // adj privat; personlig; ene- (fx lesson time); in ~ i enrum; under fire øjne; ~ **eye** s privatdetektiv; ~ **parts** spl ædlere dele, kønsdele.

privilege ['privilidʒ] s privilegium; **~d** adj privilegeret.

privy ['privi] s (F) wc // adj: be ~ to være medvidende om.

prize [praiz] s pris, præmie; skat // v sætte pris på; værdsætte; ~ **fight** s professionel boksekamp; ~ **giving** s prisuddeling.

pro [prəu] s (sport) professionel; the ~s and cons for og imod.

probability [probə'biliti] s sandsynlighed; in all ~ efter al sandsynlighed; **probable** ['probəbl] adj sandsynlig; **probably** ['probəbli] adv sandsynligvis.

probation [prə'beiʃən] s prøvetid; (jur) betinget dom; release on ~ prøveløslade; ~ **officer** s tilsynsværge (for betinget dømt).

probe [prəub] s sonde; undersøgelse // v sondere; udforske.

problem ['probləm] s problem; (mat) opgave; **~atic** [-'mætik] adj problematisk.

procedure [prə'si:dʒə*] s fremgangsmåde; (jur) procedure.

proceed [prə'si:d] *v* gå fremad, fortsætte; ~ *to* gå over til (at); **~ing** *s* fremgangsmåde; **~ings** *spl* forhandlinger; *(jur)* sagsanlæg, proces; mødeprotokol.

process ['prəʊses] *s* proces; metode // *v* forarbejde; behandle; forædle; *in the ~ of* i færd med (at); **~ed cheese** *s* smelteost; **~ing** *s* behandling; forarbejdning.

procession [prə'seʃən] *s* procession, optog.

proclaim [prə'kleim] *v* proklamere; bekendtgøre; erklære (fx *war* krig); **proclamation** [prɒklə'meiʃən] *s* bekendtgørelse.

procure [prə'kjuə*] *v* skaffe; opdrive.

prod [prɒd] *v* prikke; puffe; pirke.

prodigal ['prɒdigl] *adj* ødsel, sløset; *the P~ Son* den fortabte søn.

prodigious [prə'didʒəs] *adj* fænomenal; formidabel.

prodigy ['prɒdidʒi] *s* vidunder.

produce *s* ['prɒdju:s] produktion; produkter; udbytte // [prə'dju:s] producere; tage frem, fremvise; skabe, avle; *(teat)* iscenesætte; **~r** *s* producent; *(teat)* instruktør.

product ['prɒdʌkt] *s* produkt; fabrikat; **~ion** [prə'dʌkʃən] *s* produktion; forevisning; fremstilling; værk; iscenesættelse; **~ion line** *s* samlebånd; **~ive** [-'dʌktiv] *adj* produktiv;

~ivity [-'tiviti] *s* produktivitet.

profane [prə'fein] *adj* verdslig, profan; blasfemisk.

profess [prə'fes] *v* erklære; udøve; bekende sig til; ~ *to be* give sig ud for at være; **~ion** [-'feʃən] *s* profession, fag, erhverv; bekendelse; **~ional** *s* professionel // *adj* faglig, professionel; *he's a ~ional man* han har et liberalt erhverv.

proffer ['prɒfə*] *v* tilbyde.

proficiency [prə'fiʃənsi] *s* dygtighed, færdighed; **proficient** *adj* dygtig; kyndig; kapabel.

profile ['prəʊfail] *s* profil; omrids.

profit ['prɒfit] *s* udbytte, gevinst; gavn // *v:* ~ *(by* el. *from)* tjene (på); **~ability** [-'biliti] *s* lønsomhed, rentabilitet; **~able** *adj* gavnlig, nyttig; indbringende.

profound [prə'faund] *adj* dyb; dybtgående; dybsindig.

profuse [prə'fju:s] *adj* overvældende, rigelig; ødsel; **profusion** [-'fju:ʒən] *s* overflod; ødselhed.

progeny ['prɒdʒini] *s* afkom.

programme ['prəʊgræm] *s* program // *v* programmere; **~r** *s (edb)* programmør.

progress *s* ['prəʊgres] fremskridt; fremrykken; forløb, udvikling // *v* [prə'gres] skride frem, gå fremad; *in ~* i gang; *make ~* gøre fremskridt; **~ion** [-'greʃən] *s* fremgang; rækkefølge; **~ive**

[-'grɛsiv] adj progressiv; voksende; (om person) fremskridtsvenlig; **~ively** [-'grɛsivli] adv mere og mere; progressivt.

prohibit [prə'hibit] v forbyde; forhindre; ~ sby from sth forbyde en at gøre ngt; **~ion** [prəui'biʃən] s forbud; **~ive** [-'hibitiv] adj (om pris) afskrækkende.

project s ['prɔdʒəkt] plan, projekt // v [prə'dʒəkt] planlægge, projektere; rage frem, stikke ud; **~ion** [prə'dʒəkʃən] s projektering; projicering; fremspring; **~or** [-'dʒəktə*] s planægger; projektør; (film- el. lysbilled)fremviser.

proliferate [prə'lifəreit] v formere sig (hurtigt); (fig) vokse (hurtigt); **proliferation** [-'reiʃən] s hurtig formering; hurtig vækst.

prolific [prə'lifik] adj frugtbar; (fig) frodig; produktiv.

prolong [prə'lɔŋ] v forlænge; **~ed** adj: a ~ed speech en langtrukken tale.

prom [prɔm] s fork.f. promenade concert.

promenade [prɔmə'na:d] s spadseretur, promenade; **~ concert** s promenadekoncert.

prominence ['prɔminəns] s fremspring; (fig) betydelighed; **prominent** adj fremstående; (fig) prominent.

promiscuous [prɔ'miskjuəs] adj som har tilfældige forhold.

promise ['prɔmis] s løfte // v love; tegne til; he shows much ~ han er meget lovende; **promising** adj lovende.

promontory ['prɔməntri] s forbjerg.

promote [prə'məut] v fremme, arbejde for (fx peace fred); reklamere for; (om person) forfremme; **~r** s (sport) promotor; **promotion** [-'məuʃən] s fremme, støtte; salgsarbejde; forfremmelse.

prompt [prɔmt] v tilskynde; fremkalde; (teat) sufflere // adj hurtig; beredvillig // adv omgående, prompte; ~ sby to få en til (at); **~er** s sufflør; **~itude** s beredvillighed.

prone [prəun] adj liggende (på maven); tilbøjelig; he's ~ to anger han bliver let vred.

pronoun ['prəunaun] s stedord, pronomen.

pronounce [prə'nauns] v udtale; erklære; ~ (up)on udtale sig om; **~d** adj udtalt; udpræget; **~ment** s udtalelse.

pronunciation [prənʌnsi'eiʃən] s udtale.

proof [pru:f] s bevis, prøve; (om alkohol) styrke; (typ) korrektur; (foto) prøveaftryk // adj uimodtagelig; tæt; be ~ against kunne modstå; **~ reader** s korrekturlæser.

prop [prɔp] s stiver, støtte(bjælke) (se også props) // v (også: ~ up) afstive, støtte; ~ sth against the wall stille ngt op ad muren.

propagation [prɔpə'geiʃən] s
formering; udbredelse.

propel [prə'pel] v drive frem;
~**ler** s (skibs)skrue, propel.

propensity [prə'pensiti] s hang,
tilbøjelighed.

proper ['prɔpə*] adj rigtig;
passende, egnet; anstændig;
give sby a ~ licking (F) give
en en ordentlig omgang tæv;
~ **noun** s (gram) egennavn,
proprium.

property ['prɔpəti] s ejendom;
ejendele; egenskab; ~ **owner**
s husejer, grundejer.

prophecy ['prɔfisi] s forudsi-
gelse, profet; **prophesy**
['prɔfisai] v forudsige, spå;
prophet ['prɔfit] s profet.

proportion [prə'pɔ:ʃən] s del;
forhold, proportion // v af-
passe; ~**al**, ~**ate** adj for-
holdsmæssig, proportionel.

proposal [prə'pəuzl] s forslag;
frieri; **propose** [-'pəuz] v fo-
reslå; forelægge, have i sinde;
fri; **proposition** [-'ziʃən] s for-
slag, projekt.

proprietary [prə'praiətəri] adj
navnebeskyttet; ejendoms-;
proprietor [-'praiətə*] s ejer.

propriety [prə'praiəti] s beret-
tigelse; rigtighed; sømmelig-
hed.

props [prɔps] spl (teater)re-
kvisitter.

propulsion [prə'pʌlʃən] s driv-
kraft, fremdrift.

prosaic [prəu'zeiik] adj kede-
lig, prosaisk.

proscription [prə'skripʃən] s
forbud; fordømmelse.

prose [prəuz] s prosa.

prosecute ['prɔsikju:t] v for-
følge; udøve; (jur) anklage,
sagsøge; **prosecution**
[-'kju:ʃən] s forfølgelse; (jur)
anklage(myndighed); **prose-
cutor** s anklager; sagsøger;
(også: public ~) offentlig an-
klager.

prospect s ['prɔspekt] udsigt;
(om person) emne // v
[prə'spekt] foretage undersø-
gelser; søge efter olie (, guld
etc); ~**ive** [-'spektiv] adj
eventuel; fremtidig; ~**or**
[-'spektə*] s guldsøger; en der
borer efter olie etc; ~**s** spl
udsigter; chancer.

prospectus [prə'spektəs] s
prospekt; program.

prosper ['prɔspə*] v have
fremgang; trives; ~**ity**
[prɔs'periti] s fremgang, held;
velstand; ~**ous** adj heldig;
velstående; blomstrende.

prostitute ['prɔstitju:t] s prosti-
tueret, luder.

prostrate ['prɔstreit] adj lig-
gende; næsegrus; (fig) knust.

protect [prə'tekt] v beskytte;
frede; ~**ion** s beskyttelse,
værn; ~**or** s beskytter.

protest s ['prəutest] protest,
indvending // v [prə'test]
protestere, gøre indsigelse;
she ~ed that... hun påstod
(el. hævdede) at...

protracted [prə'træktid] adj
langtrukken.

p protractor 274

protractor [prə'træktə*] *s* vinkelmåler.

protrude [prə'tru:d] *v* stikke ud; rage frem; **protruding** *adj* udstående (fx *eyes* øjne).

proud [praud] *adj* stolt; hovmodig; *he did me* ~ (F) han diskede op for mig; han gjorde det godt for mig.

prove [pru:v] *v* bevise; påvise; efterprøve; ~ *correct* vise sig at være rigtig; ~ *oneself* vise hvad man kan.

proverb [prɔvə:b] *s* ordsprog; ~**ial** [prə'və:biəl] *adj* legendarisk.

provide [prə'vaid] *v* skaffe; forsyne; foreskrive; ~ *sby with sth* skaffe en ngt; ~ *for* sørge for; tage højde for; ~*d (that)* forudsat (at); på betingelse af (at).

Providence ['prɔvidəns] *s* forsynet.

providing [prə'vaidiŋ] *konj* forudsat (at).

province ['prɔvins] *s* provins; område, felt; **provincial** [prə'vinʃəl] *adj* provinsiel, provins-.

provision [prə'viʒən] *s* anskaffelse; tilvejebringelse; omsorg; ~**al** *adj* foreløbig, provisorisk; ~**s** *spl* proviant; forråd, forsyninger.

provocation [prɔvə'keiʃən] *s* udfordring, provokation; **provocative** [prə'vɔkətiv] *adj* provokerende.

provoke [prə'vəuk] *v* fremkalde, vække; tilskynde; provo-

kere.

proximity [prɔk'simiti] *s* nærhed.

proxy ['prɔksi] *s* befuldmægtiget stedfortræder; fuldmagt; *vote by* ~ stemme ved fuldmagt.

prudence [pru:dns] *s* klogskab; forsigtighed; **prudent** *adj* klog; forsigtig.

prudery ['pru:dəri] *s* sippethed; **prudish** ['pru:diʃ] *adj* sippet.

prune [pru:n] *s* sveske // *v* (om træer, planter etc) beskære.

pry [prai] *v:* ~ *into* snage i, stikke sin næse i.

psalm [sa:m] *s* salme; *the P~s* Davids salmer.

psyche ['saiki] *s* psyke, sjæl.

psychiatric [saiki'ætrik] *adj* psykiatrisk; **psychiatrist** [-'kaiətrist] *s* psykiater; **psychiatry** [-'kaiətri] *s* psykiatri; **psychic(al)** ['saikik(l)] *adj* psykisk; (om person) telepatisk.

psycho... ['saikəu-] *sms:* ~**analysis** [-æ'nælisis] *s* psykoanalyse; ~**analyst** [-'ænəlist] *s* psykoanalytiker; ~**logical** [-'lɔdʒikl] *adj* psykologisk; ~**logist** [sai'kɔlədʒist] *s* psykolog; ~**path** ['saikəpæθ] *s* psykopat; ~**sis** [sai'kəusis] *s* psykose.

P.T.O. (fork.f. *please turn over)* vend! se næste side!

pub [pʌb] *s* (fork.f. *public house)* kro, værtshus; ~**-crawling** ['pʌb'krɔ:liŋ] *s* værtshusturné.

puberty ['pju:bəti] *s* pubertet.

public ['pʌblik] *s* publikum // *adj* offentlig, almen; *the general* ~ offentligheden; *in* ~ offentligt; ~ **address system** *(P.A.)* s højttaleranlæg.

publican ['pʌblikən] *s* værtshusholder, pubejer.

publication [pʌbli'keiʃən] *s* publikation; offentliggørelse, udgivelse; bekendtgørelse.

public... ['pʌblik-] sms: ~ **opinion** *s* den offentlige mening; ~ **relations** *(PR)* s public relations, reklame; ~ **school** *s* (i England) privat kostskole; (i Skotland) offentlig skole.

publish ['pʌbliʃ] *v* offentliggøre, publicere, udgive; ~**er** *s* forlægger; ~**ing** *s* forlagsvirksomhed; (om bog) udgivelse.

pucker ['pʌkə*] *v:* ~ *one's lips* knibe munden sammen.

pudding ['pudiŋ] *s* budding; dessert; *black* ~ blodpølse.

puddle ['pʌdl] *s* pyt, pøl.

puff [pʌf] *s* pust; røgsky; (også *powder* ~) pudderkvast // *v* puste; dampe; ~ *one's pipe* pulse på sin pibe; ~ *out smoke* sende røgskyer ud; ~*ed adj* (F) forpustet.

puff pastry ['pʌf'peistri] *s* butterdej.

puffy ['pʌfi] *adj* forpustet; oppustet.

pull [pul] *s* træk, ryk; *(fig)* tiltrækning // *v* trække (i), rykke (i); hale (i); (om muskel) forstrække; *give sth a* ~ rykke i ngt; ~ *a face* skære

ansigt; ~ *sth to pieces* rive ngt i stykker; ~ *oneself together* tage sig sammen; ~ *sby's leg* gøre grin med en; bilde en ngt ind; ~ *apart* rive i stykker; kritisere sønder og sammen; ~ *down* rive ned; fælde; slå ned, ydmyge; ~ *in* (om bil) køre ind til siden; (om tog) køre ind på stationen; ~ *off* trække af, tage af; klare, gennemføre; ~ *out* trække sig ud; gå (el. køre) ud; trække ud; trække sig (tilbage); ~ *round* komme sig; komme til sig selv; ~ *up* standse; trække op; holde an, stoppe.

pull-in [pulin] *s* holdeplads; cafeteria (ved bilvej).

pulp [pʌlp] *s* frugtkød; papirmasse.

pulpit ['pulpit] *s* prædikestol.

pulsate [pʌl'seit] *v* pulsere, banke.

pulse [pʌls] *s* puls(slag); (om musik el. maskine) (rytmisk) banken.

pulverize ['pʌlvəraiz] *v* pulverisere; forstøve.

pumice ['pʌmis] *s* pimpsten.

pump [pʌmp] *s* pumpe, vandpost // *v* pumpe.

pumpkin ['pʌmpkin] *s* græskar.

pun [pʌn] *s* ordspil.

punch [pʌntʃ] *s* slag, stød; kraft, energi; *(tekn)* dorn, stempel; (om drik) punch // *v* slå, støde til; klippe, hulle; *P~ and Judy show* mester Jakelteater.

punctual ['pʌnktjuəl] *adj* præcis, punktlig; **~ity** [-'æliti] *s* punktlighed.

punctuate ['pʌnktjueit] *v* pointere; *(gram)* sætte tegn i; **punctuation** [-'eiʃən] *s (gram)* tegnsætning.

puncture ['pʌnktʃə*] *s* punktering, stik // *v* punktere, stikke hul i.

pungent ['pʌndʒənt] *adj* skarp, kras; sarkastisk.

punish ['pʌniʃ] *v* straffe, afstraffe; **~able** *adj* strafbar; **~ment** *s* straf.

punt [pʌnt] *s* fladbundet båd, pram; (i fodbold) flugtning.

pup [pʌp] *s* (hunde)hvalp; (om ræv, ulv etc) unge.

pupil ['pju:pil] *s* elev; *(anat)* pupil.

puppet ['pʌpit] *s* (marionet)-dukke.

puppy ['pʌpi] *s* (hunde)hvalp; **~ fat** *s* hvalpefedt.

purchase ['pə:tʃəs] *s* køb, anskaffelse // *v* købe, erhverve; **~r** *s* køber.

pure [pjuə*] *adj* ren; ægte; uberørt; *it's ~ nonsense* det er det rene vrøvl; **~ly** *adv* rent; udelukkende; *it's ~ly my fault* det er udelukkende min skyld.

purgatory ['pə:gətəri] *s* skærsild; lidelse.

purge [pə:dʒ] *s* afføringsmiddel; udrensning, renselse // *v* rense, udrense.

purification [pjuərifi'keiʃən] *s* renselse; oprensning; **purify**

['pjuərifai] *v* rense, lutre.

puritan ['pjuəritən] *s* puritaner // *adj* puritansk.

purity ['pjuəriti] *s* renhed.

purl [pə:l] *s* vrangmaske // *v* strikke vrang.

purple [pə:pl] *adj* violet, lilla.

purpose ['pə:pəs] *s* hensigt, formål; *on ~* med vilje, forsætlig; *to no ~* til ingen nytte; **~ful** *adj* målbevidst, bestemt; **~ly** *adv* med vilje.

purr [pə:*] *s* (om kat) spinden // *v* spinde, snurre.

purse [pə:s] *s* (penge)pung // *v* snerpe sammen.

pursue [pə'sju:] *v* forfølge; tilstræbe; følge; blive ved med; **~r** *s* forfølger.

pursuit [pə'sju:t] *s* forfølgelse, jagt; stræben; beskæftigelse, erhverv; *scientific ~s* videnskabelige sysler.

purveyor [pə'veiə*] *s* leverandør.

push [puʃ] *s* skub, puf; kraftanstrengelse; energi; gåpåmod // *v* skubbe, puffe; trykke på; forcere, tilskynde; opreklamere, promovere; presse på; *don't ~!* lad være med at skubbe! **~ aside** skubbe til side; **~ off** (F) komme (el. tage) af sted; **~ on** mase på, komme videre; **~ over** vælte omkuld; **~ through** gennemføre; komme frem; **~ up** presse i vejret (fx *prices* priser); **~chair** *s* promenadevogn, klapvogn; **~ing** *adj* energisk, foretagsom; på-

trængende; ~**over** s: *it's a
~over* (F) det er en let sag;
~**y** *adj (neds) fremadstræ-
bende, med spidse albuer.

put [put] *v (put, put)* lægge,
sætte, stille, anbringe, putte;
fremstille; foreslå; anslå; ~
about (mar) gå over stag; ud-
sprede (fx *a rumour* et rygte);
(fig) ulejlige; ~ *across* gen-
nemføre, sætte igennem; ~
the idea across to sby få en til
at gå ind på tanken; ~ *away*
lægge til side, gemme væk;
(om dyr) aflive; (F) sætte til
livs; ~ *back* stille (, lægge
etc) tilbage; forsinke; ~ *by*
lægge til side, spare op; ~
down lægge fra sig; notere,
skrive ned; undertrykke,
kvæle; ~ *down to* tilskrive;
~ *forward* stille frem (fx *the
watch* uret); fremsætte, fore-
slå; ~ *in* installere; indgive,
indsende; ~ *off* opsætte, ud-
sætte; tage modet fra, skræm-
me; (om lys etc) slukke, lukke
(for); ~ *on* lægge på, sætte på,
tage på (fx *one's clothes* sit
tøj); (om lys etc) tænde, åbne
for; lave numre med; (om
kedel etc) sætte over; ~ *on
the brakes* bremse; ~ *out*
lægge ud, smide ud; række
frem (fx *one's hand* hånden);
sætte i omløb (fx *news* nyhe-
der); (om lys etc) slukke, luk-
ke (for); forvirre, irritere; be
quite ~ *out* (F) være helt fra
den; ~ *together* sætte sam-
men, lægge sammen; ~ *up*

opføre, rejse; hejse; hænge
op; give husly; ~ *up with*
finde sig i.

putrid ['pju:trid] *adj* rådden;
(F) ækel.

putter ['pʌtə*] *s* golfkølle; **put-
ting green** *s* (på golfbane)
green.

putty ['pʌti] *s* kit.

put-up ['putʌp] *adj: a ~ job*
aftalt spil.

puzzle [pʌzl] *s* gåde, problem,
mysterium; puslespil; (også:
crossword ~) kryds-og-tværs
// *v* forvirre; spekulere, bryde
sin hjerne; **puzzling** *adj* for-
virrende.

pygmy ['pigmi] *s* pygmæ,
dværg.

pyjamas [pi'dʒɑːməs] *spl* pyja-
mas.

pylon ['pailən] *s* el-mast, høj-
spændingsmast.

Pyrenees ['pirəni:z] *spl: the ~*
Pyrenæerne.

python ['paiθən] *s* pythonslan-
ge.

Q

Q [kjuː].
Q.C. fork.f. *Queen's Counsel.*
quack [kwæk] *s* (om and) rap-
pen, skræppen; kvaksalver.
quadrangle ['kwɔdræŋgl] *s* fir-
kant, kvadrat.
quadrate ['kwɔdrət] *s* firkant,
kvadrat.
quadruped ['kwɔdrupɛd] *s* fir-
benet dyr.
quadruple [kwɔ'drupl] *adj* fire-

dobbelt, firsidet // v firdoble;
~t [-'dru:plit] s firling.
quagmire ['kwægmaiə*] s
hængedynd, sump.
quail [kweil] s vagtel.
quaint [kweint] adj mærkelig;
kunstfærdig; gammeldags.
quake [kweik] s skælven, bæ-
ven; (også: earth~) jordskælv
// v skælve, ryste.
Quaker ['kweikə*] s kvæker.
qualification [kwolifi'keiʃən] s
kvalifikation; egnethed; for-
udsætning; eksamen; **qualifi-
ed** ['kwolifaid] adj kvalifice-
ret, egnet; betinget; uddannet
(fx nurse sygeplejerske); **qua-
lify** ['kwolifai] v kvalificere,
dygtiggøre; give kompetence;
uddanne sig; qualify as ud-
danne sig til, tage eksamen
som; qualify (for) være kvali-
ficeret til; **quality** ['kwoliti] s
kvalitet, egenskab.
qualm [kwo:m] s betænkelig-
hed, skrupel.
quantitative ['kwontitətiv] adj
kvantitativ; **quantity**
['kwontiti] s mængde, kvan-
tum; kvantitet; størrelse;
quantity discount s mæng-
derabat.
quarantine ['kworənti:n] s ka-
rantæne.
quarrel ['kworl] s skænderi,
strid // v skændes, blive
uvenner; pick a ~ with sby
yppe kiv med en; ~**some** adj
krakilsk.
quarry ['kwori] s stenbrud;
fangst, bytte // v (min) bryde.

quart [kwo:t] s (rummål: 2
pints sv.t. 1,136 liter).
quarter ['kwo:tə*] s fjerdedel,
kvart; (om tid) kvarter; kvar-
tal // v dele i fire; partere;
indkvartere; a ~ of an hour
et kvarter; ~-**deck** s (mar)
agterdæk; ~ **final** s kvartfi-
nale; ~**ly** adj kvartals-, kvar-
talsvis; ~**s** spl bolig, logi;
(mil) kvarter; (mar) mand-
skabsrum.
quartet [kwo:'tɛt] s (mus) kvar-
tet.
quartz [kwo:ts] s kvarts.
quasi- ['kweizai] kvasi-, tilsy-
neladende.
quaver ['kweivə*] s (mus) ot-
tendedelsnode; skælven // v
skælve, dirre.
quay [ki:] s kaj.
queen [kwi:n] s dronning; (i
kortspil) dame; ~ of hearts
hjerter dame; ~ **mother** s
enkedronning (moder til re-
genten); Q~'s **Counsel** (Q.C.)
s advokat der kan optræde
som anklager i kriminalsager
(og tage særlige honorarer).
queer [kwiə*] s (F) homosek-
suel, bøsse // adj mærkelig,
mistænkelig; sløj; (F) homo-
seksuel.
quell [kwɛl] v knuse, under-
trykke; dæmpe.
quench [kwɛntʃ] v slukke.
query ['kwiəri] s spørgsmål, fo-
respørgsel; spørgsmålstegn //
v tvivle på; sætte spørgsmåls-
tegn ved; forespørge.
quest [kwɛst] s søgen; in ~ of

279 quote **q**

sth på udkig efter ngt.
question ['kwestʃən] *s* spørgsmål; sag // *v* (ud)spørge; afhøre; undersøge; drage i tvivl; *it's a* ~ *of* det drejer sig om; *there is no* ~ *of that* der er ingen tvivl om det; *the house in* ~ det pågældende hus; *beyond* ~ uden tvivl; *out of the* ~ udelukket; **~able** *adj* tvivlsom, diskutabel; mistænkelig; **~ing** *s* forhør; undersøgelse; ~ **mark** *s* spørgsmålstegn.
questionnaire [kwestʃə'neə*] *s* spørgeskema.
queue [kju:] *s* kø // *v:* ~ *(up)* stille sig (el. stå) i kø.
quibble [kwibl] *v* hænge sig i detaljer; være smålig.
quick [kwik] *s: cut to the* ~ *(fig)* gå til marv og ben; ramme det ømme punkt // *adj* hurtig, kort, kvik; opvakt; (om hørelse, syn etc) skarp; (om temperament) hidsig; *be* ~*!* skynd dig! **~en** *v* fremskynde; sætte fart i; sætte farten op; **~sand** *s* kviksand; **~silver** *s* kviksølv; **~tempered** *adj* hidsig; **~witted** *adj* snarrådig, slagfærdig.
quid [kwid] *s (pl: quid)* (F) pund (sterling); *20* ~ £20.
quiet ['kwaiət] *s* ro, stilhed // *adj* rolig, stille; diskret; *keep* ~*!* ti stille! vær stille! *keep sth* ~ holde ngt hemmeligt; *on the* ~ i hemmelighed, i smug; ~ *down* falde til ro.
quill [kwil] *s* fjer; gåsefjer.

quilt [kwilt] *s* vatteret (el. quiltet) tæppe, vattæppe; *(continental)* ~ dyne; **~ing** *s* vattering, quiltning.
quinine [kwi'ni:n] *s* kinin.
quins [kwins] *spl* (fork.f. *quintuplets)* (F) femlinger.
quintet(te) [kwin'tet] *s* kvintet.
quintuplet [kwin'tju:plit] *s* femling.
quirk [kwə:k] *s* særhed, ejendommelighed.
quit [kwit] *v (~ted, ~ted* el. *quit, quit)* forlade, opgive; fratræde; holde op med, droppe; flytte, gå sin vej; ~ *smoking* holde op med at ryge; *notice to* ~ opsigelse.
quite [kwait] *adv* helt, fuldkommen; ubetinget, absolut; temmelig, ret; *I* ~ *understand* jeg forstår udmærket; ~ *a few* ikke så få, en hel del; *not* ~ ikke helt; *he's not* ~ *there* (F) han er ikke rigtig med; ~ *(so)!* netop! ganske rigtigt!
quits [kwits] *adj* kvit; *I'll be* ~ *with you!* det skal du få betalt!
quiver ['kwivə*] *s* pilekogger; skælven, bæven // *v* dirre, skælve.
quiz [kwiz] *s* spørgeleg, quiz // *v* udspørge; **~zical** *adj* spørgende; tvivlende.
quota ['kwəutə] *s* kvota, andel.
quotation [kwəu'teiʃən] *s* citat; *(merk)* notering, kurs; tilbud; ~ **marks** *spl* anførelsestegn.
quote [kwəut] *s* citat, anførel-

sestegn // v citere; *(merk)* notere; give tilbud; *quote ...unquote* citat begynder...citat slut; *please* ~ *(i* forretningsbrev) sv.t. 'vor reference'.

R

R, r [ɑ:*].
rabbit ['ræbit] s kanin.
rabble [ræbl] s pak, pøbel.
rabid ['ræbid] *adj* gal, rasende; fanatisk, rabiat.
rabies ['reibi:z] s rabies, hundegalskab.
raccoon [rə'ku:n] s vaskebjørn.
race [reis] s race; væddeløb, kapløb // v løbe (,køre, sejle etc) om kap (med); fare af sted, race; *(mek)* løbe løbsk; **~course** s væddeløbsbane; **~horse** s væddeløbshest; ~ **riots** spl raceoptøjer; ~ **track** s væddeløbsbane; **racial** [reifl] *adj* race-; **racialism** ['reifəlizm] s racisme; **racialist** ['reifəlist] s racist.
racing ['reisiŋ] s væddeløb; hestesport; ~ **car** s racerbil; ~ **driver** s væddeløbskører.
rack [ræk] s stativ; (også: *luggage ~)* bagagenet; (også: *roof ~) (auto)* tagbagagebærer; *(hist)* pinebænk // v pine;

dish ~ opvaskestativ; *magazine* ~ tidsskrifthylde; *toast* ~ holder til ristet brød; ~ *one's brains* bryde sin hjerne; **~ed with pain** forpint.
racket ['rækit] s larm, ståhej; liv og glade dage; *(sport)* ketsjer; svindel, fupnummer.
racy ['reisi] *adj* smart, dødlækker (fx *car* bil); saftig; dristig (fx *story* historie).
radiance ['reidiəns] s stråleglans; udstråling; **radiant** *adj* strålende; **radiate** [-eit] *v* udstråle; bestråle; **radiation** [-'eifən] s udstråling; stråling.
radiator ['reidieitə*] s varmeapparat, radiator; *(auto)* køler; ~ **cap** s *(auto)* kølerdæksel.
radii ['reidiai] spl af *radius.*
radio ['reidiəu] s radio; *on the* ~ i radioen; **~active** *adj* radioaktiv; **~grapher** [reidi'ɔgrəfə*] s røntgenassistent, radiograf; **~graphy** [-'ɔgrəfi] s røntgenfotografering; **~logy** [-'ɔlədʒi] s radiologi; **~therapy** [-'θerəpi] s røntgenbehandling.
radish ['rædif] s radise; ræddike.
raffle [ræfl] s tombola, lotteri.
raft [rɑ:ft] s (tømmer)flåde; (også: *life ~)* redningsflåde.
rafter ['rɑ:ftə*] s tagspær.
rag [ræg] s klud, las; *(neds,* om avis) sprøjte; sjov, løjer // v skælde ud; tage gas på.
rage [reidʒ] s raseri; mani // v rase; *it's all the* ~ det er sidste

skrig.

ragged ['rægid] *adj* laset; (om fx klippe) forreven; takket.

raid [reid] *s* angreb; strejftog; razzia // *v* angribe; lave razzia; plyndre.

rail [reil] *s* gelænder; rækværk; *(jernb)* skinne; *(mar)* ræling // *v* skælde ud *(at* på, over); *by* ~ med tog; *British R*~ de britiske statsbaner; ~**bus** *s* skinnebus; ~**ing(s)** *s(pl)* stakit, rækværk; ~**way** *s (brit)* jernbane; ~**wayman** *s* jernbanefunktionær; ~**way station** *s* jernbanestation.

rain [rein] *s* regn, regnvejr // *v* regne; *in the* ~ i regnvejret; ~**bow** *s* regnbue; ~**drop** *s* regndråbe; ~**fall** *s* regn; regnmængde; ~ **gauge** *s* regnmåler; ~**proof** *adj* regntæt; ~**storm** *s* voldsomt regnvejr; ~**y** *adj* regnfuld; regnvejrs-.

raise [reiz] *s* lønstigning // *v* løfte, hæve; opføre, rejse (fx *a building* en bygning); fremkalde; opløfte (fx *a cry* et skrig); dyrke, opdrætte; ~ *one's voice* hæve stemmen.

raisin [reizn] *s* rosin.

rake [reik] *s* rive // *v* rive; skrabe sammen; gennemrode; *(mil)* beskyde; ~ *one's brain* ransage hukommelsen; ~ *up* rippe op i; ~**-off** *s* (ulovlig) profit.

rally ['ræli] *s* samling, stævne; *(auto)* løb // *v* samle (sig); (om syg person) være i bedring; *(merk,* om kurser) ret-

te sig; ~ *round* samles om; stå sammen om.

ram [ræm] *s* vædder // *v* stampe; vædre; støde; proppe.

ramble ['ræmbl] *s* (vandre)tur // *v* vandre om; vrøvle, væve; ~**r** *s* vandrer; *(bot)* slyngrose; **rambling** *adj* (om tale) usammenhængende; vidtløftig; *(bot)* klatre-.

rampage [ræm'peidʒ] *s* rasen; *go on a* ~ slå sig løs // *v* hærge.

rampant ['ræmpənt] *adj* som breder sig stærkt; *be* ~ grassere.

ramshackle ['ræmʃækl] *adj* faldefærdig; vaklevorn.

ran [ræn] *præt* af *run*.

ranch [ra:ntʃ] *s* kvægfarm.

rancid ['rænsid] *adj* harsk.

rancour ['ræŋkə*] *s* bitterhed, nag.

random ['rændəm] *s: at* ~ på lykke og fromme; på må og få // *adj* tilfældig; på slump.

randy ['rændi] *adj* (F) liderlig.

rang [ræŋ] *præt* af *ring*.

range [reindʒ] *s* række; (om bjerge) kæde; rækkevidde; (også: *shooting* ~) skudvidde; (også: *kitchen* ~) komfur // *v* stille op (på række); placere; strejfe om; ~ *from... to...* variere mellem... og...; ~**r** *s* skovfoged; parkopsynsmand.

rank [ræŋk] *s* række, geled; *(mil)* grad, rang; (også: *taxi* ~) taxaholdeplads // *v*: ~ *among* regnes blandt; være

en af; ~ *above* stå over, være
bedre end; *the* ~ *and file
(mil)* de menige; **~ing-list** *s*
rangliste.
ransack ['rænsæk] *v* ransage;
plyndre.
ransom ['rænsəm] *s* løsepen-
ge; *hold sby to* ~ kræve løse-
penge for en (som man hol-
der fangen).
rap [ræp] *s* slag, rap; banken //
v banke, slå.
rape [reip] *s* voldtægt; bortfø-
relse; *(bot)* raps // *v* voldtage;
røve.
rapid ['ræpid] *adj* hurtig; ri-
vende; **~ity** [-'piditi] *s* rivende
hast; **~s** *spl* (i flod) strøm-
hvirvler.
rapist ['reipist] *s* voldtægtsfor-
bryder
rapport [ræ'pɔ:] *s* forståelse;
bølgelængde.
rapture ['ræptʃə] *s* henryk-
kelse, ekstase; *go into* ~s *over
sth* falde i svime over ngt.
rare [reə] *adj* sjælden; usæd-
vanlig; (om bøf etc) halvstegt,
rød; **~bit** *s* se *Welsh;* **~ly** *adv*
sjældent; **rarity** ['reəriti] *s*
sjældenhed.
rascal [ra:skl] *s* slyngel, skurk.
rash [ræʃ] *s* udslæt // *adj* over-
ilet; forhastet.
rasher ['ræʃə] *s* tynd skive.
rasp [ra:sp] *s* rasp; raspen.
raspberry ['ra:zbəri] *s* hind-
bær.
rasping ['ra:spiŋ] *adj* skurren-
de (fx *voice* stemme).
rat [ræt] *s* rotte; *smell a* ~

lugte lunten, få mistanke.
rate [reit] *s* takst; procent; ha-
stighed; hyppighed; tarif; sats
// *v* vurdere; regne; regnes; *at
any* ~ i hvert fald; *at this rate*
på denne måde; ~ *sby
among* regne en blandt;
~able value *s* skatteværdi; ~
of exchange *s* valutakurs; **~s**
spl kommunalskat.
rather ['ra:ðə] *adv* hellere;
helst; snarere; temmelig, ret;
it's ~ *expensive* det er tem-
melig dyrt; *I would* ~ *you
did it* jeg vil helst have at du
gør det; *is he rich?* ~! er han
rig? ja, mon ikke!
ratification [rætifi'keiʃən] *s*
stadfæstelse; **ratify** ['rætifai] *v*
stadfæste; anerkende.
rating ['reitiŋ] *s* vurdering; tje-
nestegrad.
ratio ['reiʃiəu] *s* forhold.
ration ['ræʃən] *s* ration // *v*
rationere; **~al** *adj* rationel,
fornuftig; **~alize** *v* rationali-
sere; **~ing** *s* rationering.
rattle [rætl] *s* raslen, klirren;
rangle; skralde // *v* rasle, klir-
re; ralle; rasle med; ~ **snake**
s klapperslange.
raucuous ['rɔ:kəs] *adj* ru, hæs.
ravage ['rævidʒ] *v* plyndre,
hærge; **~s** *spl* plyndring, øde-
læggelse.
rave [reiv] *v* fable; tale i vildel-
se; rase; ~ *about sth* fable om
ngt, være vild med ngt.
raven ['reivən] *s* ravn // *adj*
ravnsort.
ravenous ['rævinəs] *adj* skrup-

sulten; glubende.
ravine [rə'viːn] s slugt, bjerg-
kløft.
raving ['reiviŋ] adj: he's a ~
lunatic han er fuldstændig
vanvittig; ~ mad bindegal.
ravish ['ræviʃ] v henrykke;
~ing adj henrivende.
raw [rɔː] adj rå; uforarbejdet;
hudløs; uøvet.
ray [rei] s stråle; a ~ of hope et
svagt håb.
raze [reiz] v rive ned til grun-
den.
razor ['reizə*] s barbermaski-
ne, barberkniv; ~ **blade** s
barberblad.
Rd fork.f. road.
re [riː] præp angående.
reach [riːtʃ] s rækkevidde;
strækning // v række, stræk-
ke; nå (til); kontakte; out of
~ uden for rækkevidde; with-
in easy ~ (of) i umiddelbar
nærhed (af); ~ out for række
ud efter.
react [ri'ækt] v reagere; ~ion
[-'ækʃən] s reaktion; ~tiona-
ry [-'ækʃənri] adj reaktionær;
~or s reaktor; reagens.
read [riːd] v (read, read [red])
læse; forstå, opfatte; studere
(fx law jura); aflæse // adj
[red] læst; be well ~ være
belæst; ~ out læse op; ~able
adj letlæselig; læseværdig;
~er s læser; oplæser; aflæser;
læsebog; (univ) sv.t. universi-
tetslektor, docent.
readily ['rɛdili] adv gerne; let,
hurtigt; **readiness** s bered-

skab; beredvillighed; in rea-
diness parat.
reading ['riːdiŋ] s læsning; læ-
sestof; opfattelse; (om måler
etc) visning; ~ **glasses** spl
læsebriller.
ready ['rɛdi] adj parat; beredt;
villig; be ~ to cry være lige
ved at græde; ~ **cash** s rede
penge; ~**cooked** adj (om
mad) færdiglavet; ~**made**
adj færdiglavet; færdigsyet;
~**mix** s (til kager, creme etc)
færdig pulverblanding; ~**to-
wear** adj færdigsyet.
real [riəl] adj virkelig, ægte; ~
estate s fast ejendom; ~
estate agent s ejendoms-
mægler; ~**ism** s realisme;
~**istic** [-'listik] adj realistisk;
~**ity** [ri'æliti] s virkelighed;
~**ization** [-lai'zeiʃən] s gen-
nemførelse; opfyldelse; op-
fattelse; ~**ize** [-laiz] v gen-
nemføre; realisere; blive klar
over, indse.
realm [relm] s (konge)rige.
reap [riːp] v høste; meje; ~**er** s
høstarbejder; høstmaskine.
reappear [riːə'piə*] v vise sig
igen; dukke op igen; ~**ance** s
genopdukken.
rear [riə*] s bagside; bagtrop //
v rejse; stille sig på bagbene-
ne, stejle; opdrætte // adj
bag-; ~**engined** adj (auto)
med hækmotor; ~**guard** s
bagtrop.
rearm [riː'ɑːm] v genopruste;
~**ament** s genoprustning.
rearrange ['riːə'reindʒ] v flytte

om på; omordne.
rear-view ['riəvju:] *adj:* ~ *mir-
ror* bakspejl.
reason [ri:zn] *s* grund; fornuft,
forstand // *v* tænke (sig til);
ræsonnere; *by* ~ *of* på grund
af; *it stands to* ~ *det* siger sig
selv; ~ *with sby* prøve at tale
en til fornuft; ~**able** *adj* for-
nuftig, rimelig; ~**ably** *adv* ri-
meligt; nogenlunde; ~**ing** *s*
ræsonnement.
reassemble ['ri:ə'sɛmbl] *v*
samle(s) igen.
reassure [ri:ə'ʃuə*] *v* berolige;
reassuring *adj* beroligende.
rebel *s* [rɛbl] oprører // *v*
[ri'bɛl] gøre oprør; ~**lion**
[-'bɛljən] *s* oprør; ~**lious**
[-'bɛljəs] *adj* oprørsk.
rebound [ri'baund] *v* springe
tilbage; give bagslag.
rebuild [ri'bild] *v* genopbygge;
ombygge.
rebuke [ri'bju:k] *s* irettesættel-
se; reprimande // *v* irettesæt-
te.
recall [ri'kɔ:l] *s* tilbagekaldelse;
(mil) genindkaldelse // *v* til-
bagekalde; mindes, huske;
beyond ~ uigenkaldelig.
recapture [ri:'kæptʃə*] *v* gen-
erobre; genvinde.
recede [ri'si:d] *v* vige; trække
sig tilbage; dale, gå ned; **rece-
ding** *adj* vigende; skrå; *his
hair is receding* han er ved at
få høje tindinger.
receipt [ri'si:t] *s* kvittering;
modtagelse.
receive [ri'si:v] *v* modtage; få;

tage imod; opsamle; ~**r** *s*
modtager; telefonrør.
recent [ri:snt] *adj* nye, nyere;
in ~ *years* i de senere år; ~**ly**
adv for nylig; *as* ~*ly as* så
sent som.
receptacle [ri'sɛptikl] *s* behol-
der, opbevaringssted.
reception [ri'sɛpʃən] *s* modtag-
else; reception; ~ **desk** *s* (ho-
tel)reception; ~**ist** *s* ansat i
hotelreception; (hos læge etc)
klinikdame; ~ **room** *s* (på
hotel etc) selskabslokale; (i
privathjem) stue; **receptive**
[-'sɛptiv] *adj* modtagelig.
recess [ri'sɛs] *s* (i rum) niche;
alkove; *(parl* etc) ferie.
recipe ['rɛsipi] *s* madopskrift.
recipient [ri'sipiənt] *s* modta-
ger.
reciprocal [ri'siprəkl] *adj* gen-
sidig, indbyrdes; **reciprocate**
[-'siprəkeit] *v* gengælde; ud-
veksle.
recital [ri'saitl] *s* fortælling, re-
citation; opregning; koncert;
recite *v* deklamere; berette
om; opregne.
reckless ['rɛkləs] *adj* letsindig;
hensynsløs.
reckon ['rɛkən] *v* beregne; reg-
ne (for); ~ *on* regne med;
~**ing** *s* regnskab; *the day of*
~*ing* regnskabets (el. dom-
mens) dag.
reclaim [ri'kleim] *v* genvinde,
indvinde; udvinde; kræve til-
bage; **reclamation** [rɛklə'mei-
ʃən] *s* genvinding.
recline [ri'klain] *v* læne (sig)

tilbage; **reclining** *adj* tilbage-
lænet.

recluse [ri'klus] *s* eneboer.

recognition [rɛkəg'niʃən] *s* an-
erkendelse; erkendelse; gen-
kendelse; *transformed be-
yond* ~ forandret til ukende-
lighed; **recognize** ['rɛkəg-
naiz] *v* anerkende; erkende;
genkende.

recoil [ri'kɔil] *v* springe (el.
vige) tlbage; give bagslag;
(om gevær) rekylere.

recollect [rɛkə'lɛkt] *v* mindes;
huske; tænke efter; **~ion**
[-'lɛkʃən] *s* erindring, minde;
tænken efter.

recommend [rɛkə'mɛnd] *v* an-
befale; foreslå; **~ation**
[-'deiʃən] *s* anbefaling; for-
slag.

recompense ['rɛkəmpɛns] *v*
erstatte; belønne.

reconcile ['rɛkənsail] *v* forlige;
bilægge; ~ *oneself to sth* for-
sone sig med ngt; **reconcilia-
tion** [-sili'eiʃən] *s* forsoning;
forening.

reconnaissance [ri'kɔnisns] *s*
(mil) rekognoscering; **recon-
noitre** [rɛkə'nɔitə•] *v (mil)*
rekognoscere.

reconsider ['ri:kən'sidə•] *v*
tage under fornyet overvejel-
se.

reconstruct ['ri:kən'strʌkt] *v*
rekonstruere; genopbygge;
~ion [-'strʌkʃən] *s* genopbyg-
ning; ombygning.

record *s* ['rɛkɔːd] fortegnelse;
journal; dokument; fortid;

(også: *police* ~) generalie-
blad; papirer; rekord; gram-
mofonplade // *v* [ri'kɔːd] skri-
ve ned (el. op); skildre; opta-
ge, indspille, indsynge etc; *in
~ time* på rekordtid; *keep a
~ of* føre protokol over; *off
the* ~ uden for protokollen;
uofficielt; **~er** [ri'kɔːdə•] *s*
båndoptager; *(mus)* blokfløj-
te; ~ **holder** *s (sport)* rekord-
indehaver; **~ing** [ri'kɔːdiŋ] *s*
indspilning, optagelse; ~ **li-
brary** *s* musikbibliotek; ~
player *s* pladespiller.

recount [ri'kaunt] *v* berette
om; **re-count** *s* ['ri:kaunt] fin-
tælling // *v* [ri:'kaunt] tælle
efter.

recover [ri'kʌvə•] *v* få tilbage;
finde igen, komme sig; rette
sig; **re-cover** ['ri:'kʌvə•] *v* om-
betrække; ~ *s* genvinding;
bedring; helbredelse; *he is
past* ~*y* han står ikke til at
redde.

recreate ['ri:kri'eit] *v* forfriske;
rekreere sig; **recreation**
[-'eiʃən] *s* adspredelse; hobby.

recruit [ri'kru:t] *s* rekrut // *v*
rekruttere; ~**ing office** *s
(mil)* hvervningskontor.

rectify ['rɛktifai] *v* rette; korri-
gere; afhjælpe.

rector ['rɛktə•] *s* sognepræst;
rektor; ~**y** *s* præstebolig.

recuperate [ri'kju:pəreit] *v*
komme sig.

recur [ri'kəː] *v* vende tilbage;
dukke op; gentage sig; ~**ren-
ce** *s* gentagelse; ~**rent** *adj*

tilbagevendende.
recycling ['riːsaiklin] *s* genbrug.
red [rɛd] *s* rødt; (om venstreorienteret person) rød // *adj* rød; *in the* ~ i gæld; i farezonen; ~**breast** *s (zo)* rødkælk; ~ **brick** *s* rødsten; ~~**brick university** *s* nyere universitet, universitetscenter; ~ **cabbage** *s* rødkål; ~ **carpet treatment** *s* fyrstelig modtagelse; **R~ Cross** *s* Røde Kors; ~ **currant** *s* ribs; ~ **deer** *s* kronhjort; ~~**den** [rɛdn] *v* rødme; ~~**dish** *adj* rødlig.
redecorate ['riːˈdɛkəreit] *v* nyistandsætte.
red... [red-] sms: ~~**haired** *adj* rødhåret; ~~**handed** *adj:* be caught ~~**handed** blive grebet på fersk gerning; ~~**head** *s* rødhåret person; ~ **herring** *s* falsk spor; ~~**hot** *adj* rødglødende.
redo ['riːˈduː] *v* nyistandsætte; gøre igen.
redouble [riːˈdʌbl] *v* fordoble.
red-tape ['redˈteip] *s* papirnusseri, bureaukrati.
reduce [riˈdjuːs] *v* nedsætte; reducere; *'~ speed now''* ''sæt farten ned nu'; **reduction** [riˈdʌkʃən] *s* nedsættelse; indskrænkning.
redundancy [riˈdʌndənsi] *s* overskud; arbejdsløshed (p.g.a. rationalisering); ~ **money** *s* fratrædelsesgodtgørelse; **redundant** *adj* overflødig; arbejdsløs; *redundant manpower* overskydende

(fristillet) arbejdskraft.
reed [riːd] *s* (tag)rør; (om klarinet etc) rør(blad).
reef [riːf] *s* rev, skær; ~ **knot** *s* råbåndsknob.
reek [riːk] *v:* ~ *of* (el. *with*) stinke af.
reel [riːl] *s* rulle, trisse; (på fiskestang) hjul; (til film etc) spole // *v* vinde; spole (op); slingre, svaje; ~ *sth off* lire ngt af.
re-enter ['riːˈɛntə*] *v* komme ind igen; **re-entry** *s* tilbagevenden.
refer [riˈfə*] *v:* ~ *to* henvise til; tilskrive; angå; omtale; hentyde til; *~ring to your letter* under henvisning til Deres brev.
referee [rɛfəˈriː] *s (sport)* dommer.
reference ['rɛfrəns] *s* henvisning; forbindelse; omtale; anbefaling; *with* ~ *to* under henvisning til; ~**book** *s* opslagsbog, håndbog.
referendum [rɛfəˈrɛndəm] *s (pl: referenda)* folkeafstemning.
refill *s* ['riːfil] stift, patron; ny påfyldning // *v* [riːˈfil] efterfylde; sætte ny stift (, patron etc) i.
refine [riˈfain] *v* rense; (om olie, sukker) raffinere; forfine; ~**d** *adj* forfinet; raffineret; ~**ment** *s* forædling; raffinering; spidsfindighed; ~**ry** [riˈfainəri] *s* raffinaderi.
reflect [riˈflɛkt] *v* genspejle, re-

flektere; kaste tilbage; tænke efter; ~ *on* tænke over; kaste skygge over; **~ion** [-'flekʃən] s genspejling; eftertanke, overvejelse; *on* ~*ion* ved nærmere eftertanke; **~or** s reflektor; refleks(mærke); **reflex** ['ri:fleks] s refleks, afspejling; **reflexive** [-'fleksiv] adj (gram) tilbagevisende, refleksiv.

reflux ['ri:flʌks] s tilbageløb.

reforestation [ˌri:fɔrəs'teiʃən] s genplantning af skov.

reform [ri'fɔ:m] s reform // v reformere; forbedre; **re-form** v omdanne; rekonstruere; **~ation** [-'meiʃən] s reformation; forbedring; **~er** s reformator.

refrain [ri'frein] s omkvæd, refræn // v: ~ *from* afholde sig fra.

refresh [ri'freʃ] v forfriske; styrke; forny; **~er course** s genopfriskningskursus; **~ment room** s buffet, restaurant; **~ments** spl forfriskninger.

refrigerator [ri'fridʒəreitə*] s køleskab.

refuel ['ri:'fjuəl] v tanke op; få brændstof på.

refuge ['refju:dʒ] s tilflugt(ssted); (på gaden) helle; *take* ~ *in* søge ly i; **refugee** [ˌrefju'dʒi:] s flygtning.

refund s ['ri:fʌnd] refundering; godtgørelse // v [ri'fʌnd] refundere.

refusal [ri'fju:zl] s afslag; forkøbsret; **refuse** s ['refju:s] af-

fald, skrald // v [ri'fju:z] nægte; afslå, afvise; **refuse collection** s renovation; **refuse collector** s skraldemand; **refuse dump** s losseplads.

regain [ri'gein] v få tilbage, genvinde; nå tilbage til; ~ *consciousness* komme til bevidsthed.

regal [ri:gl] adj kongelig; prægtig; konge-; **~ia** [ri'geiliə] s kronregalier.

regard [ri'ga:d] s blik; agtelse; hensyn // v betragte; agte; angå; *give my* ~*s to your wife* hils din kone fra mig; *with kindest* ~s med venlig hilsen; **~ing** (el. as ~s el. with ~ to) med hensyn til; hvad angår; vedrørende; **~less** adj: ~*less of* uden hensyn til, uanset.

regency ['ri:dʒənsi] s rigsforstanderskab; **R~ style** s eng. stil fra 1811-20, svt. empirestil.

regenerate [ri'dʒɛnəreit] v genskabe; regenerere.

regent ['ri:dʒənt] s regent; rigsforstander.

regiment ['redʒimənt] s regiment.

region ['ri:dʒən] s område, region; *(adm)* svt. amt; **~al** adj regional-, distrikts-, egns-; **~al council** s svt. amtsråd; **~al council district** s svt. amtskommune.

register ['redʒistə*] s register; liste; protokol // v registrere, vise; skrive ind; indskrive sig; **~ed** adj (ind)registreret;

mønsterbeskyttet; (om brev) anbefalet.

registrar ['rɛdʒistra:'] s registrator; giftefoged; sv.t. vicedommer; (på sygehus) sv.t. reservelæge; **registration** [-'treiʃən] s (ind)registrering; indskrivning; (auto, også: registration number) bilregistreringsnummer; **registry** ['rɛdʒistri] s indskrivningskontor; (jur) dommerkontor; **registry office** s sv.t. folkeregister; get married in a registry office blive borgerligt viet.

regret [ri'grɛt] s beklagelse; anger, sorg // v beklage, fortryde; sørge over; much to my ~ til min store sorg; **~fully** adv beklageligvis; beklagende; **~table** adj beklagelig.

regular ['rɛgjulə'] s stamkunde; fastansat // adj regelmæssig; fast; normal; regulær; ordinær; a ~ bastard (S) en rigtig lort; **~ity** [-'lærity] s regelmæssighed; **~ly** adv regelmæssigt.

regulate ['rɛgjuleit] v regulere; **regulation** [-'leiʃən] s regulering; reglement; bestemmelse.

rehabilitation ['ri:həbili'teiʃən] s rehabilitering; revalidering; genoptræning.

rehash ['ri:'hæʃ] v (F) koge suppe på; give et opkog.

rehearsal [ri'hə:səl] s prøve; øvelse; **rehearse** [-'hə:s] v prøve; indstudere; holde prø-

ve; øve (sig).

reign [rein] s regering(stid) // v regere, herske; **~ing** adj regerende; førende.

reimburse ['ri:im'bə:s] v erstatte, refundere.

rein [rein] s (til hest) tømme; (til barn) sele.

reindeer ['reindiə'] s rensdyr, ren.

reinforce ['ri:in'fɔ:s] v forstærke; **~d concrete** s jernbeton; **~ment** s forstærkning; armering.

reissue ['ri:'isju:] v genudsende; genoptrykke.

reiterate [ri:'itəreit] v gentage.

reject s ['ri:dʒɛkt] udskudsvare // v [ri'dʒɛkt] forkaste, vrage; kassere; **~ion** [-'dʒɛkʃən] s forkastelse; afslag.

rejoice [ri'dʒɔis] v glæde (el. fryde) sig.

rejoin [ri'dʒɔin] v svare; stemme i; genforenes med.

relapse [ri'læps] s tilbagefald.

relate [ri'leit] v berette; bringe i relation; **~d** adj beslægtet (to med); **relating** adj: relating to angående; **relation** [-'leiʃən] s beretning; forhold, forbindelse; slægtning; **relationship** s forhold; slægtskab.

relative ['rɛlətiv] s slægtning // v relativ; gensidig; ~ to vedrørende; **~ly** adv forholdsvis.

relax [ri'læks] v slappe, løsne; slappe af; **~ation** [-'seiʃən] s (af)slappelse; afspænding.

relay ['ri:lei] s stafetløb; hold; omgang; relæ // v retransmittere; viderebringe.

release [ri'li:s] *s* løsladelse; befrielse; (om gas etc) udslip; (om film etc) udsendelse; udløser // *v* befri; udsende; slå fra (fx *the brake* bremsen); lade slippe ud; ~ *one's grip* slippe taget; ~ *the clutch* slippe koblingen.

relent [ri'lɛnt] *v* lade sig formilde; **~less** *adj* uforsonlig.

relevance ['rɛləvəns] *s* relevans; ~ *to* tilknytning til; **relevant** *adj* vedkommende, relevant.

reliability [rilaiə'biliti] *s* pålidelighed; **reliable** [ri'laiəbl] *adj* pålidelig; driftsikker; **reliably** [-'laiəbli] *adv: it is reliably informed that...* det meddeles fra pålidelig kilde at...; **reliance** [-'laiəns] *s* tillid.

relic ['rɛlik] *s* levn, minde; relikvie.

relief [ri'li:f] *s* befrielse; lindring; hjælp; *(mil)* afløsning; relief; **relieve** [ri'li:v] *v* befri; lindre; (af)hjælpe; fritage; afløse.

religion [ri'lidʒən] *s* religion; **religious** [ri'lidʒəs] *adj* religiøs.

relinquish [ri'liŋkwiʃ] *v* opgive; slippe; frafalde.

relish ['rɛliʃ] *s* velsmag; nydelse; *(gastr)* smagstilsætning // *v* give smag til; nyde; ~ *of* smage af.

reload ['ri:ləud] *v* omlade; lade igen.

reluctance [ri'lʌktəns] *s* mod-

villighed; **reluctant** *adj* modvillig; treven.

rely [ri'lai] *v:* ~ *on* stole på; være afhængig af.

remain [ri'mein] *v* være tilbage (el. tilovers); blive; vedblive; restere, mangle; **~der** *s* rest; **~ing** *adj* resterende.

remand [ri'ma:nd] *s* varetægtsfængsling // *v:* ~ *in(to) custody* varetægtsfængsle.

remark [ri'ma:k] *s* bemærkning // *v* bemærke; udtale sig, sige; **~able** *adj* bemærkelsesværdig; mærkelig.

remarry ['ri:'mæri] *v* gifte sig igen.

remedy ['rɛmədi] *s* middel; lægemiddel // *v* afhjælpe; afbøde.

remember [ri'mɛmbə*] *v* huske, mindes; tænke på; ~ *me to your wife* hils din kone fra mig; **remembrance** [ri'mɛmbrəns] *s* minde, erindringsgave.

remind [ri'maind] *v:* ~ *sby of sth* minde en om ngt; ~ *sby to...* minde en om at...; **~er** *s* påmindelse; rykkerskrivelse.

reminiscences [rɛmi'nisənsiz] *spl* minder, erindringer; **reminiscent** [-'nisənt] *adj: be reminiscent of* minde om.

remiss [ri'mis] *adj* forsømmelig.

remission [ri'miʃən] *s* eftergivelse; *(med)* bedring.

remit [ri'mit] *v* eftergive; sende (penge); betale; **~tance** *s*

pengeforsendelse, anvisning.
remnant ['remnənt] *s* (lille) rest.
remonstrate [ri'mɔnstreit] *v* protestere.
remorse [ri'mɔːs] *s* samvittighedsnag; **~ful** *adj* angerfuld; **~less** *adj* ubarmhjertig; skrupelløs.
remote [ri'məut] *adj* fjern, afsidesliggende; utilnærmelig; *I haven't got the ~st* jeg aner det ikke; **~ control** *s* fjernstyring.
removable [ri'muːvəbl] *adj* flytbar; **removal** [ri'muːvəl] *s* fjernelse; flytning; afskedigelse; **removal van** *s* flyttevogn; **remove** [ri'muːv] *v* flytte, fjerne; afskedige; **remover** *s* farve- og lakfjerner; **removers** *s* flyttefirma.
remuneration [rimjuːnə'reiʃən] *s* belønning; løn.
renaissance [ri'neisəns] *s* renæssance.
rend [rend] *v* (rent, rent) sønderrive, flænge; splittes.
render ['rendə*] *v* give; afgive; gøre; gengive; **~ing** *s* fortolkning, gengivelse.
rendez-vous ['rɔndivuː] *s* mødested // *v* mødes.
renegade ['renigeid] *s* frafalden, desertør; overløber.
renew [ri'njuː] *v* forny; genoptage; **~al** *s* fornyelse; forlængelse.
renounce [ri'nauns] *v* frafalde; give afkald på; fornægte.
renovate ['renəveit] *v* moder-

nisere; renovere; **renovation** [-'veiʃən] *s* istandsættelse.
renown [ri'naun] *s* ry, berømmelse; **~ed** *adj* berømt.
rent [rent] *s* husleje // *v* leje; udleje; (se også *rend*); **~al** *s* leje; *(tlf)* abonnement.
renunciation [rinʌnsi'eiʃən] *s* frafald; opgivelse; fornægtelse.
reopen ['riː'əupən] *v* genåbne; genoptage.
reorder ['riː'ɔːdə*] *v* genbestille; omdanne.
reorganize [riː'ɔːgənaiz] *v* omorganisere.
repair [ri'pεə*] *s* reparation; vedligeholdelse // *v* reparere; rette (fx *a mistake* en fejltagelse); *in good ~* godt vedligeholdt; **~ kit** *s* reparationsæske; lappegrejer; **~ man** *s* reparatør; **~ shop** *s* reparationsværksted.
repay [ri'pei] *v* betale tilbage; gengælde; **~ment** *s* tilbagebetaling.
repeat [ri'piːt] *s* gentagelse; (i tv etc) genudsendelse // *v* gentage; fortælle videre; repetere; **~edly** *adv* gentagne gange, igen og igen.
repel [ri'pel] *v* frastøde; sky; **~lent** *s: insect ~lent* insektbeskyttelsesmiddel // *adj* -skyende; frastødende.
repent [ri'pent] *v: ~ (of)* angre, fortryde; **~ance** *s* anger.
repercussion [riːpəˈkʌʃən] *s* genlyd, genklang; **~s** *pl* efterdønninger.

repertory ['repətəri] s forråd; repertoire.

repetition [repi'tiʃən] s gentagelse, repetition; **repetitive** [ri'petitiv] adj som gentager sig.

replace [ri'pleis] v lægge (, sætte etc) på plads; erstatte; afløse, udskifte; ~**ment** s erstatning; udskiftning; reserve; ~**ment part** s reservedel.

replenish [ri'pleniʃ] v fylde efter; supplere op.

replica ['replikə] s (tro) kopi, genpart.

reply [ri'plai] s svar // v svare.

report [ri'pɔ:t] s rapport; reportage; (om skud) brag; karakterbog // v rapportere; melde; indberette; aflægge beretning; ~ *to sby* melde sig hos en; *it is ~ed that* det forlyder at; ~**er** s journalist.

repose [ri'pəuz] s hvile, ro.

represent [repri'zent] v forestille; fremstille; repræsentere; ~**ation** [-'teiʃən] s fremstilling; repræsentation; ~**ative** [-'zentətiv] s repræsentant // adj repræsentativ; karakteristisk.

repress [ri'pres] v holde nede; undertrykke; ~**ion** s undertrykkelse; ~**ive** adj underkuende; repressiv.

reprieve [ri'pri:v] s henstand, udsættelse // v: be ~*d* blive benådet; få henstand.

reprimand ['reprima:nd] s reprimande, irettesættelse // v give en næse.

reprint s ['ri:print] genoptryk; særtryk // v [ri:'print] genoptrykke.

reprisal [ri'praizl] s gengældelse; repressalier.

reproach [ri'prəutʃ] s bebrejdelse; vanære // v: ~ *sby with sth* bebrejde en ngt; *beyond* ~ dadelfri; ~**ful** adj bebrejdende.

reproduce [ri:prə'dju:s] v fremstille igen; formere sig; gengive, reproducere; **reproduction** [-'dʌkʃən] s genfremstilling; gengivelse; formering; **reproductive** [-'dʌktiv] adj forplantnings-.

reproof [ri'pru:f] s irettesættelse; **reprove** v irettesætte.

reptile ['reptail] s krybdyr.

republican [ri'pʌblikən] s republikaner // adj republikansk.

repugnant [ri'pʌgnənt] adj frastødende.

repulse [ri'pʌls] v slå tilbage; afvise; **repulsion** [-'pʌʃən] s tilbagestød; **repulsive** adj frastødende.

reputable ['repjutəbl] adj agtet, anerkendt; **reputation** [-'teiʃən] s ry, omdømme; *have a reputation for being sth* have ord for at være ngt; **repute** [ri'pju:t] s ry; **reputed** adj anset.

request [ri'kwest] s anmodning // v anmode om, bede om; *do sth by* ~ gøre ngt på opfordring; ~ **stop** s stoppested hvor bussen kun holder, når ngn skal af el. på.

require [ri'kwaiə*] v kræve; behøve, trænge til; påbyde; ~**d** adj påbudt; ønsket; if ~d hvis det ønskes; betingelse; behov.

requisite ['rekwizit] s fornødenhed // adj fornøden; toilet ~s toiletsager; **requisition** [-'ziʃən] s betingelse; krav // v rekvirere.

rescue ['reskju:] s redning; undsætning // v redde; undsætte; ~ **party** s redningsmandskab; ~**r** s redningsmand.

research [ri'sə:tʃ] s forskning; undersøgelse // v foretage undersøgelser, forske; ~**er** s forsker; ~ **worker** s forsker.

resemblance [ri'zembləns] s lighed; **resemble** v ligne.

resent [ri'zent] v være krænket; ikke kunne lide; ~**ful** adj vred; fornærmet; ~**ment** s krænkelse; vrede.

reservation [rezə'veiʃən] s pladsbestilling; forbehold; (på vej, også: central ~) midterrabat; with certain ~s med visse forbehold; **reserve** [ri'zə:v] s reserve; reservat; forbehold // v reservere; holde tilbage; (forud)bestille; forbeholde sig; **reserved** adj reserveret.

reservoir ['rezəvwa:*] s beholder, bassin, reservoir.

reshuffle ['ri:'ʃʌfl] s (om kort) ny blanding; (også: cabinet ~) regeringsomdannelse.

reside [ri'zaid] v bo, residere;

~**nce** ['rezidəns] s ophold; bopæl; beboelse; residens; ~**nt** ['rezidənt] s beboer // adj fastboende; ~**ntial** [-'denʃəl] adj beboelses-, bolig-.

residue ['rezidju:] s rest.

resign [ri'zain] v opgive; sige op; gå af; ~ oneself to sth affinde sig med ngt; ~**ation** [rezig'neiʃən] s opsigelse; afgang; opgivelse; affindelse; ~**ed** adj resigneret.

resilience [ri'ziliəns] s elasticitet; ukuelighed; **resilient** adj fjedrende; ukuelig.

resin ['rezin] s harpiks.

resist [ri'zist] v modstå; gøre modstand (mod); kunne stå for; ~**ance** s modstand; modstandskraft; modstandskamp.

resolute ['rezəlu:t] adj resolut, beslutsom; **resolution** [-'lu:ʃən] s opløsning; løsning; beslutsomhed; beslutning.

resolve [ri'zɔlv] s beslutsomhed // v beslutte; opløse(s); ~**d** adj fast besluttet.

resonant ['rezənənt] adj som giver genlyd, rungende.

resort [ri'zɔ:t] s tilholdssted; udvej // v: ~ to ty til; in the last ~ som en sidste udvej; holiday ~ feriested.

resound [ri'zaund] v genlyde (with af); runge; a ~ing success en bragende succes.

resource [ri'sɔ:s] s hjælpekilde, ressource; ~**ful** adj opfindsom; ~**s** spl forråd; midler; natural ~s naturrigdomme.

respect [ris'pækt] s respekt; hensyn; henseende // v respektere, agte; angå; *with* ~ *to* med hensyn til; *in this* ~ i denne henseende; *pay one's* ~*s to sby* gøre en sin opvartning; *give my* ~*s to him* hils ham; **~able** *adj* respektabel; **~ful** *adj* ærbødig.

respective [ris'pæktiv] *adj* respektive; **~ly** *adv* henholdsvis.

respiration [respi'reiʃən] s åndedræt; **respiratory** [-'spirətəri] *adj* åndedræts-.

respite ['respait] s henstand; udsættelse.

respond [ris'pɒnd] v svare; reagere *(to* på).

response [ri'spɒns] s svar; reaktion; **responsibility** [-'biliti] s ansvar; **responsible** *adj* ansvarlig; ansvarsbevidst; **responsive** *adj* interesseret, lydhør; svar-.

rest [rest] s hvile; pause; læn, støtte, rest // v hvile (sig); støtte, læne; *take a* ~ holde hvil; *the* ~ *of them* resten af dem; *and all the* ~ *of it* og alt det andet; ~ *on* hvile på; støtte sig til; *it* ~*s with him to...* det er op til ham at...; ~**ful** ['restful] *adj* rolig; **r~home** s hvilehjem; ~**ive** ['restiv] *adj* urolig; utålmodig; ~**less** ['restlis] *adj* urolig; hvileløs.

restoration [restə'reiʃən] s restaurering; genoprettelse; tilbagegivelse; **restore** [ri'stɔ:*]

v restaurere; genoprette (fx *peace* freden); gengive.

restrain [ri'strein] v holde tilbage; betvinge, holde nede; ~ *oneself* styre sig; ~ *one's tears* holde tårerne tilbage; ~**ed** *adj* behersket; ~**t** s tvang; tilbageholdenhed.

restrict [ris'trikt] v begrænse; ~**ed area** s *(auto)* område med fartbegrænsning; ~**ion** s begrænsning; restriktion; ~**ive** *adj* indskrænkende.

result [ri'zʌlt] s resultat // v: ~ *in* resultere i; ende med.

resume [ri'zju:m] v tage igen; genoptage (fx *work* arbejdet); **resumption** [-'zʌmpʃən] s genoptagelse.

resurgence [ri'sə:dʒəns] s genopståen; genopblomstring.

resurrection [rezə'rekʃən] s genopstandelse; genoplivelse.

resuscitate [ri'sʌsiteit] v genoplive; **resuscitation** [-'teiʃən] s genoplivelse.

retail ['ri:teil] s *(om salg)* detail // v sælge en detail; bringe videre; ~**er** s detailhandler; ~ **price** s detailpris.

retain [ri'tein] v holde (på); bibeholde; beholde.

retaliate [ri'tælieit] v gøre gengæld; **retaliation** [-'eiʃən] s gengæld; repressalier.

retarded [ri'ta:did] *adj* forsinket; tilbagestående, retarderet.

retch [retʃ] v kaste op.

retentive [ri'tentiv] *adj: a* ~

memory en god hukommelse, en klæbehjerne.

reticence ['rɛtisns] s tilbageholdenhed; **reticent** *adj* tilbageholdende; tavs; forbeholden.

retina ['rɛtinə] s (anat) nethinde (i øjet).

retire [ri'taiə*] v trække sig tilbage; tage sin afsked; gå i seng; **~d** *adj* pensioneret; forhenværende; **~ment** s pensionering; early ~ment førtidspensionering.

retort [ri'tɔ:t] s skarpt svar // v svare igen, give svar på tiltale.

retrace [ri'treis] v: ~ one's steps gå samme vej tilbage.

retract [ri'trækt] v trække tilbage, trække ind; tage tilbage.

retrain ['ri:'trein] v genoptræne; omskole.

retread ['ri:tred] s slidbanedæk.

retreat [ri'tri:t] s tilbagetog; tilflugtssted // v trække sig tilbage, vige; beat the ~ (fig) trække i land.

retribution [retri'bju:ʃən] s gengældelse; straf.

retrieval [ri'tri:vəl] s genfindelse; godtgørelse; beyond ~ håbløs; **retrieve** v få tilbage; genfinde; råde bod på.

retrospect ['retrəspekt] s tilbageblik; in ~ når man ser tilbage; **~ive** [-'spektiv] *adj* tilbageskuende, retrospektiv.

return [ri'tə:n] s tilbagevenden; tilbagelevering; betaling; gengæld; (merk etc) udbytte; beretning; (i sms) retur- // v

vende tilbage; returnere; gengælde; give fortjeneste; indberette; in ~ til gengæld; **~able** *adj* (om flaske el) retur-; **~s** *spl* returgods; overskud, udbytte; tax ~s selvangivelse; many happy ~s! til lykke (med fødselsdagen)! ~ **ticket** s returbillet.

reunion [ri:'ju:niən] s genforening; møde; **reunite** ['ri:ju:'nait] v genforene(s); mødes igen.

rev [rev] s (fork.f. revolution) (auto) omdrejning // v (også: ~ up) speede motoren op; the engine is ~ving motoren er ved at varme op; **Rev.** fork.f. Reverend.

reveal [ri'vi:l] v afsløre; røbe; **~ing** *adj* afslørende.

revel ['revəl] v: ~ in sth svælge i ngt; nyde ngt i fulde drag.

revelation [revə'leiʃən] s afsløring; åbenbaring.

revelry ['revlri] s festen; sviren; svælgen.

revenge [ri'vendʒ] s hævn; hævnlyst; (i sport, spil etc) revanche // v hævne; **~ful** *adj* hævngerrig.

revenue ['revənju:] s indtægter (se også: Inland Revenue).

revere [ri'viə*] v agte, ære; **~nce** ['revərəns] s ærefrygt; ærbødighed; your R~ Deres velærværdighed; **~nd** ['revərənd] s (om præst) ærværdig; the R~nd (el. Rev.) Peter Smith pastor Smith; **~nt** ['revərənt] *adj* ærbødig.

reverse [ri'və:s] *s* det modsatte; bagside, vrangen; (også: ~ *gear)* bakgear // *v* vende (om); ændre; slå 'om; *(jur)* omstøde; *(auto)* bakke; sætte i bakgear // *adj* modsat, omvendt; **~d charge call** *s (tlf)* opringning som modtageren betaler; **revert** [ri'və:t] *v*: ~ *to* komme tilbage til; vende tilbage til.

review [ri'vju:] *s* overblik; tilbageblik; anmeldelse (af bog etc); tidsskrift; revy; **~er** *s* anmelder.

revise [ri'vaiz] *v* gennemse, revidere; rette; **revision** [-'viʒən] *s* revision.

revival [ri'vaivəl] *s* genoplivelse; genoptagelse; **revive** [ri'vaiv] *v* live (el. leve) op igen; blomstre op igen; genoptage; genopfriske.

revoke [ri'vəuk] *v* kalde tilbage; tage tilbage.

revolt [ri'vəult] *s* oprør // *v* gøre oprør; væmmes; **~ing** *adj* frastødende; oprørende; oprørsk.

revolution [revə'lu:ʃən] *s* revolution; omdrejning, omløb; **~ary** *s/adj* revolutionær; ~ **counter** *s* omdrejningstæller; **~ize** *v* revolutionere.

revolve [ri'vɔlv] *v* dreje; løbe rundt; **~r** *s* revolver; **revolving** *adj* roterende, dreje-; **revolving door** *s* svingdør.

revue [ri'vju:] *s* revy.

revulsion [ri'vʌlʃən] *s* modvilje, afsky.

reward [ri'wɔ:d] *s* belønning; dusør // *v* belønne; lønne; **~ing** *adj* lønnende; lønsom.

rewind ['ri:'waind] *v* spole tilbage; (om ur) trække op.

rewire ['ri:'waie°] *v*: ~ *a house* trække nye elektriske ledninger i et hus.

rhetoric ['rctərik] *s* talekunst, retorik.

rheumatic [ru:'mætik] *adj* reumatisk, gigt-; **rheumatism** ['ru:mətizm] *s* reumatisme, gigt.

rhinoceros [rai'nɔsərəs] *s* næsehorn.

rhubarb ['ru:ba:b] *s* rabarber.

rhyme [raim] *s* rim, vers // *v* rime; skrive rim.

rhythm [riðm] *s* rytme; **~ic(al)** *adj* rytmisk.

rib [rib] *s (anat)* ribben; ribbensstykke; ribstrikning; **~bed** [ribd] *adj* ribstrikket; ribbet, riflet.

ribbon [ribn] *s* bånd; strimmel.

rice [rais] *s* ris; *ground* ~ rismel; ~ **paddy** *s* rismark.

rich [ritʃ] *adj* rig; værdifuld; righoldig; fed (fx *sauce* sovs); *that's a bit* ~! nej, den er for tyk! **~es** *spl* rigdomme.

rickets ['rikits] *s (med)* engelsk syge.

rickety ['rikiti] *adj* vaklevorn; ledeløs.

rid [rid] *v (rid, rid):* ~ *sby of sth* befri en for ngt; *get* ~ *of* blive af med; skille sig af med; *good* ~*dance!* godt at vi slap af med...!

ridden [ridn] *pp* af *ride.*
riddle [ridl] *s* gåde // *v: be ~d with* være befængt med.
ride [raid] *s* tur (til hest, på cykel etc) // *v (rode, ridden* [rəud, ridn]) ride; køre (på, i, med); sidde; *take sby for a ~* tage en med på en tur; *(fig)* lave numre med en; *~ at anchor* ligge for anker; *~ out a storm* ride stormen af; *~ to hounds* drive rævejagt.
ridge [ridʒ] *s* ryg; højderyg, ås; bjergkam.
ridicule ['ridikju:l] *s* latterliggørelse // *v* gøre til grin; **ridiculous** [ri'dikjuləs] *adj* latterlig.
riding ['raidiŋ] *s* ridning.
rifle [raifl] *s* gevær, riffel // *v* røve, plyndre; **~ range** *s* skudhold; skydebane.
rig [rig] *s (mar)* rig; udstyr; (også: *oil ~)* boretårn; boreplatform // *v* rigge til; *~ an election* lave valgfusk; *~ out* maje (sig) ud; *~ up* rigge sammen; lave svindel med; **~ging** *s* rigning.
right [rait] *s* ret; rettighed; højre // *v* rette (til); ordne; gøre godt (igen) // *adj* ret, rigtig; højre *// adv* lige; rigtigt; til højre; *~ against the wall* helt op mod muren; *~ ahead* lige frem; *~ away* straks, med det samme; *~ in the middle* lige i midten; *by ~s* egentlig; hvis det gik rigtigt til; *on the ~* på højre hånd; *turn ~* dreje til højre; *~ about turn! (mil)* højre om! *~ angle* *s* ret vin-

kel; **~eous** ['raitʃəs] *adj* retfærdig; **~ful** *adj* retmæssig; **~hand drive** *s (auto)* højrestyring; **~handed** *adj* højrehåndet; **~hand side** *s* højre side; **~ly** *adv* rigtigt; med rette; **~minded** *adj* retsindig; rettænkende; *~ of way* *s* forkørselsret; *~ wing* *s* højre fløj.
rigid ['ridʒid] *adj* stiv; streng, ubøjelig; **~ity** [-'dʒiditi] *s* stivhed; usmidighed.
rigmarole ['rigmərəul] *s* lang remse; forvrøvlet sludder.
rigorous ['rigərəs] *adj* streng; hård; **rigour** ['rigə*] *s* strenghed.
rile [rail] *v* irritere, ærgre.
rim [rim] *s* rand; bræmme; (om briller) indfatning; **~less** *adj* (om briller) uindfattet; **~med** *adj* kantet.
rime [raim] *s* rim(frost).
rind [raind] *s* skræl; skal; (om bacon) svær; (om ost) skorpe.
ring [riŋ] *s* ring; kreds; klang; ringen // *v (rang, rung* [ræŋ, rʌŋ]) ringe; ringe på; klinge, lyde; telefonere til; *~ the bell* ringe med klokken, ringe 'på; *~ off (tlf)* ringe 'af; *give sby a ~* ringe til en; *~ binder* *s* ringbind; **~leader** *s* anfører, hovedmand.
ringlet ['riŋlit] *s* slangekrølle.
rink [riŋk] *s* (også: *ice ~)* skøjtebane.
rinse [rins] *s* skylning; toning (af hår) // *v* skylle; tone.
riot ['raiət] *s* uroligheder, optø-

jer // *v* lave optøjer; *a* ~ *of colours* et farveorgie; **~er** *s* urostifter; **~ous** *adj* løssluppen; ~ **squad** *s* (om politi) uropatrulje.

rip [rip] *s* flænge; rift // *v* rive, flå; trævle op; sprætte op; **~cord** *s* udløsersnor (i fx faldskærm).

ripe [raip] *adj* moden; **~n** *v* modne(s); udvikle sig.

ripple [ripl] *s* krusning; lille bølge // *v* kruse (sig); skvulpe.

rise [raiz] *s* skråning; forhøjning; stigning; lønforhøjelse; rejsning // *v* (*rose, risen* [rəuz, rizn]) rejse sig; stå 'op; stige, hæve sig; (om fisk) bide 'på; (om fugl) lette; stamme (*from* fra); *give* ~ *to* fremkalde, give anledning til; ~ *to the occasion* være situationen voksen; ~ *in the world* komme frem i verden.

risk [risk] *s* risiko, fare // *v* risikere; indlade sig på; *take* (el. *run*) *the* ~ *of* risikere at; *be at* ~ være i fare; *at one's own* ~ på egen risiko; **~y** *adj* risikabel, farlig.

rissole ['rissəul] *s* sv.t. kroket, frikadelle.

rival [raivl] *s* rival; konkurrent // *v* rivalisere med; kappes med // *adj* konkurrerende; **~ry** *s* rivalisering; kappestrid.

river ['rivə'] *s* flod; strøm; *the* ~ *Thames* Themsen; **~bank** *s* flodbred; **~bed** *s* flodleje; **~side** *s* flodbred.

rivet ['rivit] *s* nagle, nitte // *v*

nitte, klinke; **~ing** *adj* fascinerende.

RN fork.f. *Royal Navy.*

road [rəud] *s* vej; *he lives down the* ~ han bor (længere) nede ad vejen; '~ *up'* 'vejarbejde'; ~ **accident** *s* trafikulykke; **~block** *s* vejspærring; **~hog** *s* motorbølle; ~ **map** *s* vejkort; **~side** *s* vejside; **~sign** *s* vejskilt; færdselstavle; ~ **surface** *s* vejbelægning; ~ **user** *s* trafikant; **~way** *s* vejbane, kørebane; **~worthy** *adj* køredygtig, vejsikker.

roam [rəum] *v* strejfe om.

roar [rɔ:'] *s* brøl(en); vræl; buldren; larm // *v* brøle; vræle; buldre; bruse; drøne; *a* ~*ing fire* en buldrende ild; *a* ~*ing trade* et strygende salg.

roast [rəust] *s* steg // *v* stege, riste; ~ **chicken** *s* stegt kylling; ~ **duck** *s* andesteg.

rob [rob] *v* røve; (ud)plyndre; ~ *sby of sth* røve ngt fra en; berøve en ngt; **~ber** *s* røver; **~bery** *s* røveri, udplyndring.

robe [rəub] *s* (til fx dommer, præst) lang dragt, kjole; (også: *bath~*) badekåbe; gevandt // *v* iklæde.

robin ['robin] *s* (også: ~ *redbreast*) rødkælk.

rock [rok] *s* klippe; skær; bjergart; rokken; (S) ædelsten, diamant // *v* vugge, gynge; ryste; vippe; *on the* ~*s* (om drink) med isterninger; **~-bottom** *s (fig)* lavpunkt;

~ery s (i have) stenhøjsparti.
rocket ['rɔkit] s raket // v: ~
(off) (F) drøne af sted.
rock... ['rɔk-] sms: ~ **fall** s
klippeskred; ~**ing chair** s
gyngestol; ~**ing horse** s gyn-
gehest; ~y adj klippefuld;
klippe-; vaklende.
rod [rɔd] s kæp, stang; fiske-
stang.
rode [rəud] præt af ride.
rodent ['rəudnt] s (zo) gnaver.
roe [rəu] s rogn; (også: ~
deer) rådyr.
rogue [rəug] s skurk, slyngel;
skælm; **roguish** adj slyngelag-
tig; skælmsk.
role [rəul] s rolle.
roll [rəul] s rulle; rullen; (gastr)
svt. blødt rundstykke // v
rulle, trille; tromle; valse; ~
by (om tid) gå; ~ in strømme
ind; ~ over vende sig; vælte;
~ up rulle (sig) sammen;
(om fx ærmer) smøge op; ~
call s navneopråb, appel; ~**ed
oats** spl (valsede) havregryn;
~er s valse, rulle; tromle; ~**er
skates** spl rulleskøjter.
rolling ['rəuliŋ] s rullende; (om
landskab) kuperet, bølgende;
rulle-; ~ **pin** s kagerulle; ~
stock s (jernb) rullende ma-
teriel.
Roman ['rəumən] s romer //
adj romersk; ~ **Catholic** s
katolik // adj romersk-ka-
tolsk.
romance [rə'mæns] s roman-
tisk historie, romance; kær-
lighedsaffære // v fantasere;

overdrive.
Romanesque [rəumə'nɛsk]
adj (om stilart) romansk,
rundbue-.
Romania [rəu'meiniə] s Rum-
ænien; ~**n** s rumæner // adj
rumænsk.
romantic [rəu'mæntik] adj ro-
mantisk; eventyrlig; ~**icism**
[-'mæntisizəm] s (om kunst
etc) romantik.
romp [rɔmp] v: ~ (about) bol-
tre sig; ~**ers** spl kravledragt.
roof [ru:f] s tag // v lægge tag
på; tække; the ~ of the
mouth ganen; ~ **garden** s
tagterrasse; ~**ing** s tagbe-
klædning, tag; ~ **rack** s
(auto) tagbagagebærer.
rook [ruk] s råge; (i skak) tårn.
room [ru:m] s værelse, rum,
stue; plads; men's ~ herretoi-
let; ladies' ~ dametoilet;
make ~ for gøre plads for (el.
til); there's plenty of ~ der er
masser af plads; '~ to let'
'værelse til leje; ~**mate** s væ-
relseskammerat; ~**s** spl
(ung)karlelejlighed; live in
~s bo i (lejede) værelser.
rooster ['ru:stə'] s (zo) hane.
root [ru:t] s rod; (fig) kerne // v
slå rod; rode, rage; ~ about
rode rundt (i); ~ out rykke
op med rode; udrydde; square
~ kvadratrod.
rope [rəup] s reb, tov // v
binde med reb; indhegne
med tove; ~ sby in indfange
(el. kapre) en; know the ~s
(fig) kende fiduserne; ~ **lad-**

der s rebstige.

rosary ['rəuzəri] s *(rel)* rosen-
krans.

rose [rəuz] s rose; roset; (på
vandkande) bruser // v *præt*
af *rise* // adj rosen-; ~**bed** s
rosenbed; ~**bud** s rosenknop.

rosemary ['rəuzməri] s rosma-
rin.

rosewood ['rəuzwud] s rosen-
træ.

rostrum ['rɔstrəm] s talerstol;
podium; sejrsskammel.

rosy ['rəuzi] adj rosenrød.

rot [rɔt] s forrådnelse; rådden-
skab; sludder, vrøvl // v råd-
ne; mørne; *don't talk ~!* hold
op med det sludder! *dry ~* (i
hus etc) svamp.

rota ['rəutə] s liste, turnus; *on
a ~ basis* efter tur.

rotary ['rəutəri] adj roterende.

rotate [rəu'teit] v rotere, dreje
(sig); arbejde efter tur; skifte
afgrøder; **rotating** adj rote-
rende; **rotation** [-'teiʃən] s ro-
tation, omdrejning; skiften;
crop rotation (agr) veksel-
drift.

rotten [rɔtn] adj rådden; mør-
net; korrumperet; (F) elen-
dig, skidt; *feel ~* have det
skidt.

rotund [rəu'tʌnd] adj rund.

rough [rʌf] s bølle; rå diamant
// v være grov // adj ru, grov,
ujævn; hård, barsk; usleben;
løselig (fx *calculation* bereg-
ning); ~ *it* leve primitivt;
sleep ~ sove hvor det bedst
kan falde sig; ~**age** s kostfib-

re; ~ **customer** s balladema-
ger; ~**en** [rʌfn] v gøre (el.
blive) grov (el. ru); ~**ly** adv
groft; hårdhændet; cirka,
omtrent.

Roumania [ru:'meiniə] s Ru-
mænien.

round [raund] s kreds, ring;
runde; omgang; (ved lægge)
sygebesøg; *(mus)* kanon // v
afrunde; runde; dreje (sig) //
adj rund // *præp* rundt om;
omkring; om // adv rundt;
om(kring); uden om; *all ~*
hele vejen rundt; *the long
way ~* ad en omvej; *all the
year ~* hele året (rundt); *it's
just ~ the corner* det er lige
henne om hjørnet; *go ~* gå
omkring; gå uden om; *go ~
to sby's house* gå hen og besø-
ge en; *go ~ an obstacle* gå
uden om en forhindring; *go
~ the back* gå ind ad bagind-
gangen; *go ~ a house* gå
rundt i (el. inspicere) et hus;
go the ~s (med) gå stuegang;
(også:) gå en runde; ~ *up*
indkredse; omringe og fange;
(om beløb) runde op; ~**about**
s rundkørsel; karrusel // adj
indirekte; ~**ed** adj afrundet;
fyldig; ~**ly** adv rundt; lige-
frem; i store træk; ~**-shoul-
dered** adj rundrygget; ~ **trip**
s rundrejse; ~**up** s sammen-
trommen (af folk); razzia.

rouse [rauz] v vække; vågne
op; ruske op i; tirre.

route [ru:t] s rute // v dirigere.

routine [ru:'ti:n] s rutine, ar-

bejdsgang; formalitet // *adj*
rutinemæssig; rutine-.
roux [ru:] *s (gastr)* opbagning.
roving ['rəuviŋ] *adj* omstrej-
fende.
row [rəu] *s* række; (i strikning)
pind, omgang; rotur // *v* ro;
ro om kap med; *in a ~* på rad.
row [rau] *s* skænderi, ballade //
v skælde ud; skændes; *kick
up a ~* lave en scene, skabe
sig.
rowan ['rəuən] *s: ~ (tree)* røn;
~**berry** *s* rønnebær.
rowdy ['raudi] *s* bølle // *adj*
bølleagtig, larmende.
rowing ['rəuiŋ] *s* roning; ~
boat *s* robåd.
rowlock ['rɔlək] *s* åregaffel.
royal ['rɔiəl] *adj* kongelig, kon-
ge-; ~**ty** *s* kongelighed; kon-
gelig(e) person(er); licensaf-
gift; forfatterhonorar, royal-
ty.
r.p.m. (fork.f. *revs per minute)*
omdrejninger pr. minut
(o/m).
R.S.P.C.A. (fork.f. *Royal Soci-
ety for the Prevention of
Cruelty to Animals)* svt. For-
eningen til Dyrenes Beskyt-
telse.
R.S.V.P. (fork.f. *répondez s'il
vous plaît)* svar udbedes
(S.U.).
rub [rʌb] *s* afgnidning; ujævn-
hed, ulempe // *v* gnide, gnub-
be; viske (med viskelæder);
don't ~ it in! lad være med at
tvære i det! *~ sby up the
wrong way (fig)* stryge en

mod hårene; *~ off on* smitte
af på.
rubber ['rʌbə*] *s* gummi; vi-
skelæder; (F) kondom; ~
band *s* elastik, gummibånd;
~ **stamp** *s* gummistempel;
~-**stamp** *v* stemple; godken-
de; ~**y** *adj* gummiagtig.
rubbish ['rʌbiʃ] *s* affald, skrald;
(fig) vrøvl; møg; ~ **bin** *s*
skraldebøtte; ~ **chute** *s* af-
faldsskakt; ~ **dump** *s* losse-
plads.
rubble [rʌbl] *s* murbrokker;
grus.
ruby ['ru:bi] *s* rubin; rubinrødt.
rucksack ['rʌksæk] *s* rygsæk.
rudder ['rʌdə*] *s* (på fly el.
skib) ror.
ruddy ['rʌdi] *adj* rødmosset;
rødlig; (F) pokkers.
rude [ru:d] *adj* grov; uhøflig;
ubehøvlet; uanstændig;
~**ness** *s* uforskammethed.
rueful ['ru:ful] *adj* bedrøvet;
bedrøvelig.
ruffian ['rʌfiən] *s* bandit; volds-
mand.
ruffle [rʌfl] *v* (om hår) kruse;
(om tøj) bringe i uorden; *(fig)*
støde, krænke.
rug [rʌg] *s* lille tæppe.
rugged ['rʌgid] *adj* ujævn; for-
reven; (om ansigt) markeret;
grov, knudret; barsk.
rugger ['rʌgə*] *s* (F) rug-
by(fodbold).
ruin ['ru:in] *s* ruin; undergang
// *v* ruinere; ødelægge; ~**ous**
adj ødelæggende.
rule [ru:l] *s* regel; styre, rege-

ring // *v* styre, herske (over), regere; råde; *(jur)* afgive kendelse; liniere; *as a* ~ som regel; ~ *out* udelukke; **~d** *adj* (om papir) linieret; **~r** *s* hersker, statschef; lineal; **ru-ling** *s (jur)* kendelse // *adj* herskende, gældende.

rum [rʌm] *s* (om drik) rom // *adj* mærkelig, underlig.

Rumania [ru:ˈmeiniə] *s* d.s.s. *Romania*.

rumble [rʌmbl] *s* rumlen, bulder // *v* rumle, buldre.

ruminate [ˈru:mineit] *v* tygge drøv (på).

rummage [ˈrʌmidʒ] *v* ransage, gennemsøge; rode *(for* efter).

rumour [ˈru:mə*] *s* rygte // *v*: *be* ~*ed* rygtes.

rump [rʌmp] *s* ende, rumpe, gump; *(gastr)* halestykke; **~steak** *s* bøf af tykstegen.

rumpus [ˈrʌmpəs] *s* (F) ståhej; ballade.

run [rʌn] *s* løb; løbetur; køretur; tur; kørsel; strækning; efterspørgsel, run // *v (ran, run)* løbe; strømme; deltage i løb; køre; gå; sejle; jage; drive; lede; stille op; *break into a* ~ sætte i løb; *in the long* ~ i det lange løb; *in the short* ~ på kort sigt; *be on the* ~ være på flugt; *I'll* ~ *you to the station* jeg kører dig til stationen; ~ *a bath* tappe vand i badekarret; ~ *a risk* løbe en risiko;

~ *about* løbe rundt; ~ *across* løbe 'på, møde tilfæl-

digt; ~ *away* løbe væk; ~ *down* løbe ned (ad); jage og fange; køre ned, køre over; *be* ~ *down* (også:) være udkørt; ~ *for* løbe efter; ~ *for it* løbe for at prøve at nå ngt; ~ *for Parliament* stille op som kandidat ved parlamentsvalg; ~ *off* stikke af, flygte; ~ *out* løbe ud, udløbe; løbe tør; ~ *out of* løbe tør for; ~ *over* løbe over; løbe igennem; køre over; ~ *short of sth* være ved at løbe tør for ngt; ~ *through* løbe igennem; bruge op; ~ *up* løbe op; ~ *up against* komme op imod; **~away** *adj* undsluppen, undvegen; (om hest) løbsk.

rung [rʌn] *s* (på stige) trin; (i hjul) ege // *v* pp af *ring*.

runic [ˈru:nik] *adj* rune- (fx *stone* sten).

runner [ˈrʌnə*] *s* løber; (på slæde etc) mede; (på skøjte) klinge; *(bot)* udløber; ~ **bean** *s (bot)* pralbønne.

running [ˈrʌnin] *s* løb; drift; køreforhold // *adj* løbende, rindende; *six days* ~ seks dage i træk.

runny [ˈrʌni] *adj* som løber (fx *nose* næse); rindende (fx *eyes* øjne).

runway [ˈrʌnwei] *s (fly)* startbane; landingsbane.

rupture [ˈrʌptʃə*] *s* brud; sprængning; *(med)* brok // *v* sprænge(s), briste.

rural [ˈruərəl] *adj* landlig, land-.

ruse [ru:z] *s* list, kneb.

rush [rʌʃ] *s (bot)* siv; tilstrømning; brusen; hast, jag // *v* bringe i en fart; storme; styrte (sig); jage, skynde sig; *don't ~ me!* lad være med at jage med mig! *~es spl* siv, rør; *~ hour s* myldretid.

rusk [rʌsk] *s* tvebak.

Russia ['rʌʃə] *s* Rusland; *~n s* russer // *adj* russisk.

rust [rʌst] *s* rust; *green ~ ir* // *v* ruste.

rustic ['rʌstik] *adj* landlig; almue-.

rustle [rʌsl] *s* raslen, brusen // *v* rasle (med), knitre.

rusty ['rʌsti] *adj* rusten.

ruthless ['ru:θlis] *adj* hensynsløs; ubarmhjertig; *~ly adv* med hård hånd.

rye [rai] *s (bot)* rug.

S

S, s [es].

sabbath ['sæbəθ] *s* sabbat; søndag; **sabbatical** [sə'bætikl] *adj: ~ (year)* sabbatår.

sable [seibl] *s* zobel.

sabre ['seibə*] *s* sabel // *v* nedsable.

sack [sæk] *s* sæk, pose // *v* plyndre; afskedige, fyre; *get the ~* blive fyret; *hit the ~* (F) gå til køjs; *~ing s* sækkelærred.

sacred ['seikrid] *adj* hellig; indviet.

sacrifice ['sækrifais] *s* offer;

tab // *v* ofre.

sacrilege ['sækrilidʒ] *s* helligbrøde.

sacrosanct ['sækrəusæŋkt] *adj* fredhellig.

sad [sæd] *adj* bedrøvet, vemodig; sørgelig; *~den v* gøre (el. blive) trist, bedrøve.

saddle [sædl] *s* sadel; *(gastr)* ryg (fx *of lamb* lamme-) // *v* sadle.

s.a.e. (fork.f. *stamped addressed envelope*) frankeret svarkuvert.

safe [seif] *s* pengeskab; boks // *adj* sikker; uskadt; ufarlig; forsigtig; *~ from* i sikkerhed for; *~ and sound* i god behold; *just to be on the ~ side* for en sikkerheds skyld; *~conduct s* frit lejde; *~guard s* værn, beskyttelse // *v* beskytte; sikre; *~keeping s* forvaring.

safety ['seifti] *s* sikkerhed; *~ belt s* sikkerhedsbælte (el. -sele); *~ curtain s (teat)* jerntæppe; *~ pin s* sikkerhedsnål.

sag [sæg] *v* hænge; dale; synke.

sage [seidʒ] *s* vismand; *(bot)* salvie.

Sagittarius [sædʒi'tɛəriəs] *s (astr)* Skytten.

said [sɛd] *præt* og *pp* af *say* // *adj: the ~* ovennævnte, (tidligere) omtalte.

sail [seil] *s* sejl; sejltur, sejlads; *set ~* sætte sejl; afsejle *(for* til) // *v* sejle; besejle; *~ing s* sejlads; sejlsport; *go ~ing*

tage på sejltur; ~ing boat s
sejlbåd; ~ing ship s sejlskib;
~or s sømand; matros.

saint [seint] s helgen; ~ly adj
helgenagtig; hellig.

sake [seik] s: for the ~ of for
... skyld; af hensyn til; for
pity's ~ for Guds skyld.

salad ['sæləd] s salat; ~ bowl s
salatskål; ~ cream s salat-
dressing.

salaried ['sælərid] adj lønnet;
salary s løn, månedsløn.

sale [seil] s salg, udsalg; on (el.
for) ~ til salg; on ~ or return
med returret; ~s are up salget
er gået op; ~room s salgslo-
kale; auktionslokale; ~sman
s sælger; ekspedient; repræ-
sentant; ~smanship s salgs-
teknik; ~swoman s ekspedi-
trice.

saline ['seilain] s saltopløsning
// adj saltholdig, salt-.

saliva [sə'laivə] s spyt.

sallow ['sæləu] adj (bot) pil;
pilekvist.

salmon ['sæmən] s laks // adj
laksefarvet; lakse-; ~ trout s
laksørred.

saloon [sə'lu:n] s (på skib) sa-
lon; (auto) sedan.

salt [sɔlt] s salt // v salte,
komme salt på; ~cellar s salt-
kar; ~y adj salt; saltagtig.

salutary ['sæljutəri] adj sund;
gavnlig.

salute [sə'lu:t] s hilsen; hon-
nør; salut // v hilse; gøre
honnør; salutere.

salvage ['sælvidʒ] s bjærgning;

bjærgegods; bjærgeløn // v
redde, bjærge.

salvation [sæl'veiʃən] s frelse;
redning; the S~ Army Frel-
sens Hær.

salver ['sælvə*] s (metal)bak-
ke.

same [seim] adj/pron samme;
the ~ den (, det, de) samme;
all (el. just) the ~ alligevel,
ikke desto mindre; much the
~ ikke stort anderledes; the
~ to you i lige måde.

sample [sa:mpl] s prøve;
smagsprøve // v prøve; smage
på.

sanctify ['sæŋktifai] v hellige;
retfærdiggøre.

sanctimoneous [sæŋkti'məu-
niəs] adj skinhellig.

sanction ['sæŋkʃən] s sank-
tion; godkendelse // v god-
kende, stadfæste.

sanctuary ['sæŋktjuəri] s til-
flugtssted; (dyre)reservat.

sand [sænd] s sand // v kom-
me sand på (el. i); slibe med
sandpapir; ~bag s sandsæk;
~blast v sandblæse; ~ dune
s klit; ~pit s sandkasse.

sandwich ['sændwitʃ] s sand-
wich; ~ed between klemt
inde mellem; open ~ stykke
smørrebrød; ~ course s kur-
sus med skiftesvis teori og
praktik.

sandy ['sændi] adj sandet;
sand-; sandfarvet; rødblond.

sane [sein] adj sjæleligt sund;
normal.

sang [sæŋ] præt af sing.

S sanitary 304

sanitary ['sænitəri] *adj* sanitær; hygiejnisk; ~ **towel** *s* hygiejnebind; **sanitation** [-'teiʃən] *s* sanitære installationer; sanitetsvæsen.

sanity ['sæniti] *s* tilregnelighed; (sund) fornuft.

sank [sæŋk] *præt* af *sink*.

Santa Claus ['sæntə,klɔ:z] *s* julemanden.

sap [sæp] *s* (plante)saft // *v* underminere; **~ling** *s* ungt træ.

sapphire ['sæfaiə'] *s* safir; safirblåt.

sardine ['sɑ:di:n] *s* sardin; *be packed like* ~s stå som sild i en tønde.

sash [sæʃ] *s* skærf; vinduesramme; ~ **window** *s* skydevindue.

sat [sæt] *præt* og *pp* af *sit*.

satchel ['sætʃəl] *s* skuldertaske; skoletaske.

satellite ['sætəlait] *s* satellit.

satire ['sataiə'] *s* satire; **satirical** [-'tirikl] *adj* satirisk.

satisfaction [sætis'fækʃən] *s* tilfredsstillelse; tilfredshed; oprejsning; **satisfactory** [-'fæktəri] *adj* tilfredsstillende; **satisfy** ['sætisfai] *v* tilfredsstille; overbevise; **satisfying** ['sætisfaiiŋ] *adj* tilfredsstillende.

saturate ['sætʃəreit] *v* mætte; gennemvæde; **saturation** [-'reiʃən] *s* mætning.

Saturday ['sætədi] *s* lørdag.

sauce [sɔ:s] *s* sovs; **~boat** *s* sovseskål; **~pan** ['sɔ:spən] *s*

kasserolle.

saucer ['sɔ:sə'] *s* underkop; *cup and* ~ et par kopper; *flying* ~ flyvende tallerken.

saunter ['sɔ:ntə'] *v* slentre, drysse.

sausage ['sɔsidʒ] *s* pølse; ~ **meat** *s* pølsefars, rørt fars.

savage ['sævidʒ] *s* vild(mand) // *v* mishandle // *adj* vild; brutal; rasende; **~ry** ['sævidʒəri] *s* grusomhed; vildskab.

save [seiv] *s* (sport) redning // *v* redde; spare; gemme; (også: ~ *up*) spare op (el. sammen) // *præp* undtagen; på nær; *God* ~ *the Queen!* Gud bevare dronningen!

saving ['seiviŋ] *s* besparelse // *adj* frelsende; besparende; **~s** *spl* opsparing; **~s bank** *s* sparekasse.

saviour ['seivjə'] *s* frelser.

savour ['seivə'] *s* (vel)smag // *v* smage; nyde; **~y** *s* (let) anretning (ost etc) // *adj* velsmagende.

saw [sɔ:] *s* sav // *v* (~*ed, ~ed* el. *sawn* [sɔ:n]) save // *præt* af *see;* **~dust** *s* savsmuld; **~mill** *s* savværk.

say [sei] *s: have one's* ~ få sagt hvad man vil; *have a* ~ have et ord at skulle have sagt // *v* (*said, said* [sɛd]) sige; udtale; *could you* ~ *that again?* hvad behager? *that's to* ~ det vil sige; *to* ~ *nothing of* for ikke at tale om; ~ *that...* lad os sige at...; *that goes without*

~ing det siger sig selv; *you don't ~!* det siger du ikke?
~ing *s* talemåde; ordsprog.
scab [skæb] *s* skrubesårskanker.
scaffold ['skæfəuld] *s* skafot; stillads; ~ing *s* byggestillads.
scald [skɔːld] *v* skolde; ~ing *adj* skoldende varm.
scale [skeil] *s* (om fisk etc) skæl; skala; målestok; *a pair of* ~*s* en (skål)vægt; *on a large* ~ i stor målestok.
scallop ['skɔləp] *s* kammusling; *(gastr)* gratinskal.
scalp [skælp] *s* hovedbund, skalp // *v* skalpere.
scan [skæn] *v* studere nøje; kigge igennem; skanne.
scandal [skændl] *s* skandale; forargelse; sladder; ~**ize** *v* forarge; bagtale; ~**ous** *adj* skandaløs.
Scandinavia [skændi'neiviə] *s* Skandinavien; ~**n** *s* skandinav // *adj* skandinavisk.
scant [skænt] *adj* kneben, knap; ~**y** *adj* sparsom; mager; (om kjole) luftig.
scapegoat ['skeipgəut] *s* syndebuk.
scar [skaː] *s* ar; *(fig)* skramme // *v* danne (el. lave) ar; skramme.
scarce [skɛəs] *adj* sjælden; knap; *make oneself* ~ (F) stikke af; ~**ly** *adv* næsten ikke, næppe, knap; **scarcity** *s* mangel, knaphed.
scare [skɛəˈ] *s* skræk; panik // *v* skræmme; blive skræmt; ~ *sby stiff* gøre en stiv af skræk;

bomb ~ bombetrussel; ~**crow** [-krəu] *s* fugleskræmsel; ~**d** *adj:* be (el. *get*) ~*d* blive forskrækket; ~**monger** *s* panikmager.
scarf [skaːf] *s (pl:* scarves [skaːvz]) (hals)tørklæde.
scarlet ['skaːlit] *adj* purpurrød; ~ *fever* *s* skarlagensfeber.
scarves [skaːvz] *spl* af *scarf*.
scary ['skɛəri] *adj* (F) skræmmende; skræk-; frygtsom.
scathing ['skeiðiŋ] *adj* svidende; bidende.
scatter ['skætəˈ] *v* sprede(s); strø; ~**brained** *adj* forvirret; glemsom; bims.
scene [siːn] *s* scene; sted; ~**ry** ['siːnəri] *s* sceneri; dekoration; landskab; **scenic** ['siːnik] *adj* scenisk; naturskøn.
scent [sɛnt] *s* duft; spor; lugtesans; parfume // *v* lugte, vejre; parfumere.
sceptic ['skɛptik] *s* skeptiker // *adj* skeptisk; ~**al** *adj* skeptisk; ~**ism** [-sizm] *s* skepsis.
sceptre ['sɛptəˈ] *s* scepter.
schedule ['ʃɛdjuːl] *s* (tids)plan; køreplan; program; tarif, liste // *v* fastlægge; *as* ~*d* planmæssigt; *on* ~ i fast rute; *be behind* ~ være forsinket.
scheme [skiːm] *s* plan; system, ordning; intrige // *v* planlægge; smede rænker; **scheming** *adj* intrigant; beregnende.
scholar ['skɔləˈ] *s* videnskabsmand; lærd; stipendiat; ~**ly** *adj* lærd; ~**ship** *s* lærdom;

stipendium.

school [sku:l] *s* skole // *v* oplære; **~book** *s* skolebog; **~days** *spl* skoletid; **~ing** *s* skolegang; skoling; **~leaving age** *s* den alder hvor skolepligten ophører; **~master** *s* lærer; **~mistress** *s* lærerinde; **~ report** *s* karakterbog; **~room** *s* klasseværelse; **~teacher** *s* skolelærer.

schooner ['sku:nə*] *s* skonnert; stort ølglas.

sciatica [sai'ætikə] *s* iskias.

science ['saiəns] *s* videnskab; (også: *natural ~*) naturvidenskab; **scientific** [-'tifik] *adj* videnskabelig; **scientist** *s* (natur)videnskabsmand.

scintillating ['sintileitiŋ] *adj* glitrende, funklende.

scissors ['sizəz] *spl*: *a pair of ~* en saks.

scoff [skɔf] *v* (F) æde, drikke; *~ at* kimse ad; spotte.

scold [skəuld] *v* skælde ud på.

scone [skɔn] *s* slags tebolle.

scoop [sku:p] *s* øse, skovl; kup; godt stof // *v*: *~ out* øse; *~ up* skovle.

scooter ['sku:tə*] *s* løbehjul; scooter.

scope [skəup] *s* rækkevidde; omfang; spændvidde; spillerum.

scorch [skɔ:tʃ] *v* brænde, svide, branke, afsvide; **~er** *s* (F) brændende varm dag; **~ing** *adj* brændende, svidende.

score [skɔ:*] *s* regnskab; pointtal; *(mus)* partitur; snes;

scoring // *v* føre regnskab; kunne notere (fx *a success* en succes); få points; score; *on that ~* hvad det angår, af den grund; **~board** *s* måltavle; **~r** *s* regnskabsfører; målscorer.

scorn [skɔ:n] *s* foragt, hån // *v* foragte, håne; **~ful** *adj* hånlig.

Scorpio ['skɔ:piəu] *s (astr)* Skorpionen.

Scot [skɔt] *s* skotte; **Scotch** *s* (skotsk) whisky; **scot-free** *adj*: *go scot-free* slippe godt fra det; **Scots** [skɔts] *s/adj* skotsk; *spl* skotter; **Scottish** ['skɔtiʃ] *adj* skotsk.

scoundrel ['skaundrəl] *s* skurk.

scour [skauə*] *v* skure; **~er** *s* grydesvamp; skurepulver.

scout [skaut] *s* spejder // *v*: *~ around* spejde, være på udkig.

scowl [skaul] *v* skule; *~ at* se vredt på; *~ at* se skævt til.

scramble ['skræmbl] *s* klatretur; vild kamp // *v* klatre; vade; *~ for* skubbes for at få fat i; løbe om kap efter; **~d eggs** *spl* røræg.

scrap [skræp] *s* stump; smule; slagsmål; glansbillede; (også: *~ iron*) skrot // *v* kassere.

scrape [skreip] *s*: *get into a ~* komme i knibe // *v* skrabe, kradse; *~r* *s* skraber; spatel.

scrap. . . ['skræp-] *sms*: **~ heap** *s* affaldsbunke; *(fig)* brokkasse; **~ merchant** *s* skrothandler; **~py** *adj* sammenbrokket; planløs; **~s** *spl*

307 seamy S

affald; udklip; ~yard s bilkir-
kegård, skrotlager.
scratch [skrætʃ] s rift; krad-
sen; skratten // v kradse, rive,
klø (sig); start from ~ begyn-
de helt forfra.
scrawl [skrɔːl] s kragetæer,
skribleri // v kradse ned,
skrible.
scrawny ['skrɔːni] adj tynd,
splejset.
scream [skriːm] s skrig // v
skrige; that's a ~ det er hy-
lende grinagtigt.
screech [skriːtʃ] s skrig, hvin //
v skrige, hvine.
screen [skriːn] s skræm; (film)
lærred // v skærme; afskær-
me; filmatisere; screene;
skaffe oplysninger om; ~ing
s (med) kontrolundersøgelse,
screening.
screw [skruː] s skrue // v
skrue; dreje; presse; (V!)
'knalde'; have one's head ~ed
on have pæren i orden; ~dri-
ver s skruetrækker; ~y adj
(F) skør.
scribble [skribl] s kradseri,
skribleri // v skrible.
script [skript] s (teat etc) ma-
nuskript; drejebog; hånd-
skrevet dokument.
Scripture ['skriptʃə*] s: the
(Holy) ~ den hellige skrift,
bibelen.
scriptwriter ['skriptraitə*] s
tekstforfatter.
scroll [skrəul] s skriftrulle;
snirkel.
scrounge [skraundʒ] v hugge;

'redde sig'; ~ on sby nasse på
en; ~r s snylter, (F) nasserøv.
scrub [skrʌb] s skrubben;
krat(bevoksning) // v skrub-
be, skure; annullere.
scruple [skruːpl] s skrupel; ~s
pl betænkeligheder; scrupu-
lous ['skruːpjuləs] adj om-
hyggelig, skrupuløs.
scrutinize ['skruːtinaiz] v gran-
ske; ransage; forske; scrutiny
['skruːtini] s gransken; nøje
undersøgelse.
scullery ['skʌləri] s bryggers.
sculptor ['skʌlptə*] s billed-
hugger; sculpture ['skʌlptʃə*]
s skulptur, statue; billedhug-
gerkunst // v modellere.
scum [skʌm] s skum; afskum,
udskud.
scythe [saið] s le // v meje.
SDP [ˌɛsdiːˈpiː] fork.f. Social
Democratic Party.
sea [siː] s hav; sø; at ~ til søs;
be all at ~ være helt ude at
svømme; by ~ ad søvejen;
~bird s havfugl; ~food s fisk
(etc); 'alt godt fra havet'; ~
front s strandpromenade;
~going adj (om skib) søgåen-
de; ~gull s måge.
seal [siːl] s sæl; sælskind; segl;
plombe // v forsegle; besegle;
lukke.
sea level ['siːˌlævl] s middel-
vandstand; 2000 feet above
~ 2000 fod over havets over-
flade.
seam [siːm] s søm; stikning;
(om kul etc) åre, lag; ~less s
sømløs; ~y adj furet.

seaplane ['si:plein] s flyvebåd;
seaport s havn(eby).

search [sə:tʃ] s søgen; efter-
søgning; gennemsøgning;
ransagning // v søge; gen-
nemsøge; ransage; in ~ of
ude at lede efter; ude efter; ~
me! (F) det aner jeg ikke!
~**ing** adj forskende; indgåen-
de; ~**light** s projektør, søge-
lys; ~ **party** s eftersøgnings-
mandskab; ~ **warrant** s ran-
sagningskendelse.

sea... ['si:-] sms: ~**shore** s
strandbred; ~**sick** adj søsyg;
~**side** s kyst; ~**side resort** s
badested.

season [si:zn] s årstid; sæson
// v krydre, smage til; straw-
berries are in ~ det er jord-
bærsæson; ~**ing** s krydderi;
lagring; ~ **ticket** s abonne-
mentskort, togkort.

seat [si:t] s sæde; siddeplads;
mandat; residens; (om buk-
ser) bag // v sætte, anbringe;
rumme, kunne bænke; ~
belt s (auto) sikkerhedssele.

sea... ['si:-] sms: ~ **water** s
havvand; ~**weed** s tang; al-
ger; ~**worthy** adj sødygtig.

sec. fork.f. second(s).

secede [si'si:d] v: ~ from the
EEC træde ud af EF.

secluded [si'klu:did] adj isole-
ret; afsondret; **seclusion** s af-
sondrethed.

second ['sekənd] s sekund;
(sport) nummer to; (auto) an-
det gear // v sekundere, støtte
// adj/adv anden; næst-; eve-

ry ~ month hver anden må-
ned; be ~ to none ikke stå
tilbage for ngn; ~**ary** adj un-
derordnet; sekundær; ~**ary
school** s skole for børn over
10 år; ~**-best** adj næstbedst;
~**-class** adj andenklasses;
~**er** s en der støtter (et forslag
etc); ~**hand** adj brugt; på
anden hånd; ~ **hand** s (på ur)
sekundviser; ~**ly** adv for det
andet; ~**ment** [si'kəndmənt]
s forflyttelse; ~**-rate** adj an-
denrangs; ~ **thoughts** spl: on
~ thoughts ved nærmere ef-
tertanke.

secrecy ['si:krəsi] s hemmelig-
holdelse; in ~ i hemmelig-
hed; **secret** ['si:krit] s hem-
melighed // adj hemmelig.

secretarial [sekri'teəriəl] adj
sekretær-; **secretary**
['sekrətəri] s sekretær; Secre-
tary of State minister.

secrete [si'kri:t] v afsondre,
udsondre.

secretive ['si:krətiv] adj hem-
melighedsfuld; tavs.

section ['sekʃən] s snit; afde-
ling; del, sektion, udsnit // v
dele (i sektioner).

sector ['sektə*] s afsnit; områ-
de; sektor.

secular ['sekjulə*] adj verds-
lig; ikke-religiøs.

secure [si'kjuə*] v sikre (sig) //
adj sikker; tryg; forsvarlig; ~
from sikker mod; i sikkerhed
for; **security** s sikkerhed;
kaution; securities pl værdi-
papirer.

sedate [si'deit] *adj* sindig; adstadig // *v* give beroligende medicin; **sedative** ['sedətiv] *s* beroligende middel.

sedentary ['sedntri] *adj* fastboende; (stille)siddende.

sediment ['sedimənt] *s* bundfald; aflejring.

seduce [si'dju:s] *v* forføre; forlede; **seduction** [-'dʌkʃən] *s* forførelse; tillokkelse; **seductive** [-'dʌktiv] *adj* forførerisk; tillokkende.

see [si:] *v (saw, seen* [sɔ:, si:n]) se; indse; opleve; besøge; tale med; ~ *sby to the door* følge en til døren; *go to* ~ *sby* tage hen og besøge en; ~ *that he does it* sørge for at han gør det; ~ *sby off* følge en (fx til toget); ~ *through* gennemskue; gøre færdig; ~ *to* tage sig af; sørge for; ~ *you!* farvel så længe! *I* ~*!* jeg forstår! nå sådan!

seed [si:d] *s (bot)* frø; kerne; *(fig)* spire; *go to* ~ gå i frø, forsumpe; *the second* ~*ed* (i tennis) nummer to på ranglisten; ~**ling** *s* frøplante; ~**y** *adj* lurvet; forsumpet.

seeing ['si:iŋ] *konj:* ~ *that* i betragtning af (at).

seek [si:k] *v (sought, sought* [sɔ:t]) søge (efter); forsøge.

seem [si:m] *v* synes; virke som om; *there* ~*s to be...* der lader til at være...; ~**ingly** *adv* tilsyneladende.

seen [si:n] *pp* af *see.*

seep [si:p] *v* sive.

seersucker ['siəsʌkə*] *s* (om stof) bæk-og-bølge.

seesaw ['si:sɔ:] *s* vippe; vippen.

seethe [si:ð] *v* syde, koge; ~ *with anger* skumme af raseri.

see-through ['si:θru:] *adj* gennemsigtig.

segment ['segmənt] *s* stykke; udsnit, del.

segregation [segri'geiʃən] *s* (race)adskillelse; isolation.

seize [si:z] *v* gribe; bemægtige sig; pågribe; ~ *(up)on* gribe ivrigt (efter); *the brake has* ~*d (up)* bremsen har sat sig fast; **seizure** ['si:ʒə*] *s* pågribelse; *(med)* slagtilfælde; *(jur)* beslaglæggelse.

seldom ['seldəm] *adv* sjældent.

select [si'lekt] *v* (ud)vælge // *adj* udsøgt; eksklusiv; ~**ion** [-'lekʃən] *s* udvælgelse; udvalg; ~**ive** [-'lektiv] *adj* selektiv.

self [self] *s (pl: selves* [selvz]) jeg; *the* ~ jeg'et; *my better* ~ mit bedre jeg; ~**-adhesive** *s* selvklæbende; ~**-assertive** *adj* selvhævdende; ~**-assured** *adj* selvsikker; ~**-catering** *adj* på egen kost; ~**-centred** *adj* egocentrisk; ~**-confidence** *s* selvtillid; ~**-conscious** [-'kɔnʃəs] *adj* generet, forlegen; ~**-contained** *adj* selvstændig; med egen indgang; ~**-defence** *s* selvforsvar; ~**-employed** *adj* selvstændig; ~**-evident** [-'evidənt] *adj* selvindlysen-

de; ~**explanatory** adj som
forklarer sig selv; ~**indul-
gent** adj som forkæler sig
selv; nydelsessyg; ~**interest**
s egenkærlighed; ~**ish** adj
selvisk, egoistisk; ~**ishness** s
egoisme; ~**pity** s selvmedli-
denhed; ~**possessed** adj
fattet, behersket; ~**preser-
vation** s selvopholdelsesdrift;
~**righteous** [-'raitʃəs] adj
selvretfærdig; ~**sacrifice** s
selvopofrelse; the ~**same**
den selvsamme; ~**satisfied**
adj selvtilfreds; ~**seal** adj
selvklæbende (fx konvolut);
~**service** s selvbetjening; ~**
sufficient** adj selvtilstrække-
lig; selvforsynende; ~**sup-
porting** adj selvforsørgende;
~**taught** adj selvlært.

sell [sɛl] v (sold, sold [sɒuld])
sælge; blive solgt; ~ off ud-
sælge; ~**er** s sælger; ~**ing
price** s salgspris; ~**out** s ud-
salg; forræderi; it was a ~out
der blev udsolgt.

sellotape ['sɛləuteip] s ® klæ-
bestrimmel, tape.

selvedge ['sɛlvidʒ] s ægkant.

selves [sɛlvz] spl af **self**.

semen ['si:mən] s sæd(væske);
(bot) frø.

semi... ['sɛmi-] sms: ~**breve**
[-bri:v] s helnode; ~**circle** s
halvcirkel; ~**detached (hou-
se)** s halvt dobbelthus; ~**fi-
nals** spl semifinale.

seminar ['sɛmina:ˑ] s symposi-
um; (fagligt) kursus; ~**y** s
præsteseminarium.

semi... ['sɛmi-] sms: ~**quaver**
[-kweivəˑ] s sekstendedelsno-
de; ~**skilled worker** s specia-
larbejder; ~**skimmed milk** s
letmælk.

semolina [sɛmə'li:nə] s semul-
je(vælling).

senate ['sɛnit] s senat; (univ)
konsistorium.

send [sɛnd] v (sent, sent) sen-
de; ~ away sende væk; ~
away for rekvirere; ~ back
sende tilbage; ~ down (i sko-
len) bortvise; ~ for sende
bud efter; ~ off afsende;
(sport) udvise; ~ out udsen-
de, sende ud; ~ up drive i
vejret (fx prices priserne);
sætte i fængsel; lade springe;
~**er** s afsender; sender; ~**off**
s: a good ~off en god af-
skedsfest; en god start.

senile ['si:nail] adj senil.

senior ['si:niəˑ] s senior // adj
senior-; ~**ity** [-'ɒriti] s ancien-
nitet.

sensation [sɛn'seiʃən] s følel-
se, fornemmelse; sensation;
cause a ~ vække opsigt; ~**al**
adj sensationel, sensations-.

sense [sɛns] s sans; følelse;
fornuft; betydning // v mær-
ke, fornemme; ~ of duty
pligtfølelse; make ~ lyde for-
nuftig; være begribelig; there
is no ~ in... der er ingen
mening i...; det kan ikke nyt-
te at...; in more than one ~ i
mere end én forstand; any-
one in his ~s enhver der er
ved sine fulde fem.

sensibility [sɛnsiˈbiliti] s følsomhed; følelse; **sensible** [ˈsɛnsibl] adj fornuftig; mærkbar.

sensitive [ˈsɛnsitiv] adj følsom; ømfindtlig, sart; **sensitivity** [-ˈtiviti] s følsomhed, sensitivitet.

sent [sɛnt] præp og pp af send.

sentence [sɛntns] s sætning; (jur) dom; straf // v dømme; ~ sby to death dømme en til døden.

sentiment [ˈsɛntimənt] s følelse; mening; synspunkt; sentimentalitet; ~al [-ˈmɛntl] adj sentimental.

sentry [ˈsɛntri] s skildvagt, vagtpost.

separate v [ˈsɛpəreit] adskille; dele; skille sig ud; gå løs; skilles ad // adj [ˈsɛprit] adskilt; særskilt; ~ly adj hver for sig; **separation** [-ˈreiʃən] s adskillelse; udskillelse; separation.

September [sɛpˈtɛmbə*] s september.

septic [ˈsɛptik] adj septisk; (om sår) betændt.

sequel [ˈsiːkwəl] s fortsættelse; følge, konsekvens.

sequence [ˈsiːkwəns] s rækkefølge, sekvens.

sequin [ˈsiːkwin] s paillet.

serene [siˈriːn] adj rolig; fredelig; skyfri.

sergeant [ˈsaːdʒənt] s sergent; (om politi) sv.t. overbetjent.

serial [ˈsiəriəl] s fortsat roman // adj: ~ number løbenum-

mer; ~ize v udsende som føljeton.

series [ˈsiəriːs] s række; serie.

serious [ˈsiəriəs] adj alvorlig, seriøs; vigtig.

sermon [ˈsəːmən] s prædiken.

serpent [ˈsəːpənt] s slange.

servant [ˈsəːvənt] s tjener, tjenestepige.

serve [səːv] v tjene; servere; ekspedere; gøre tjeneste; afsone; (i tennis etc) serve; it ~s him right han har (rigtig) godt af det; ~ out (el. up) rette (maden) an.

service [ˈsəːvis] s tjeneste; servering; betjening; service; (i tennis) serve(bold); be of ~ to sby være til nytte for en; do sby a ~ gøre en en tjeneste; put one's car in for ~ sende sin bil til service; dinner ~ spisestel; divine ~ gudstjeneste; ~able adj anvendelig, tjenlig; ~ area s (på motorvej) nødspor; ~man s soldat; ~ station s benzinstation (med værksted).

session [ˈsɛʃən] s møde; samling; skoleår; be in ~ holde møde.

set [sɛt] s sæt; sortiment; apparat (fx tv-~); (omgangs)kreds; gruppe, klike; (teat etc) dekoration; (om hår) fald // v (set, set) sætte, stille; indstille; angive; (om gelé etc) stivne; (om solen) gå ned // adj fast; foreskreven; parat; be ~ on doing sth være opsat på at gøre ngt; be

S   setback   312

(dead) ~ *against* være stærkt
imod; ~ *to music* sætte mu-
sik til; ~ *on fire* sætte ild til;
~ *free* befri; ~ *sth going*
sætte ngt i gang; ~ *sail* sætte
sejl;
~ *about* gå i gang med; ~
aside sætte til side; se bort fra;
~ *back* sætte (el. stille) tilba-
ge; ~ *off* starte, tage af sted;
affyre; sætte i gang; ~ *out to*
gå i lag med at; sætte sig for
at; give sig ud for at; ~ *up*
etablere; nedsætte; installere;
~back *s* bagslag; nederlag.
settee [se'ti:] *s* sofa.
setting ['setiŋ] *s* ramme, bag-
grund; (til juvel) indfatning;
miljø.
settle [setl] *v* afgøre (fx *an
argument* en diskussion); be-
rolige; sætte (sig) til rette; slå
sig ned; aflejres; ~ *down*
falde til; gå til ro; ~ *for sth*
affinde sig med at; ~ *in*
indrette sig; ~ *to sth* finde
sig til rette med ngt; ~ *up*
with sby afregne med en;
~ment *s* afregning; dækning;
ordning; koloni, bebyggelse,
boplads; **~r** *s* kolonist.
setup ['setʌp] *s* ordning; situa-
tion; indretning.
seven [sevn] *num* syv; **~teen**
num sytten; **~th** *s* syvendedel
// *adj* syvende; **~ty** *num*
halvfjerds.
sever ['sevə'] *v* skille; dele;
afskære.
several ['sevrəl] *adj* adskillige,
flere; ~ *of us* flere af os; *they*

went their ~ *ways* de gik
hver sin vej.
severe [si'viə'] *adj* streng; al-
vorlig, slem; **severity** [si'veriti]
s strenghed, hårdhed.
sew [səu] *v (~ed, ~n)* sy; ~
up sy til, sy ind.
sewage ['su:idʒ] *s* kloakering;
spildevand; **sewer** ['su:ə'] *s*
kloak(ledning).
sewing ['səuiŋ] *s* syning, sytøj;
~ *machine* *s* symaskine.
sewn [səun] *pp* af *sew*.
sex [seks] *s* køn; kønslivet,
sex; *have* ~ *(with)* elske
(med); **~ual** ['seksjuəl] *adj*
kønslig, seksuel; **~y** *adj* sexet.
shabby ['ʃæbi] *adj* lurvet.
shack [ʃæk] *s* lille hytte; skur
// *v*: ~ *up with sby* flytte
sammen (i parforhold) med
en.
shade [ʃeid] *s* skygge; nuance;
(til fx lampe) skærm // *v*
skygge (for); afskærme; skra-
vere; *a* ~ *of* en anelse; *in the*
~ i skyggen; **~s** *of blue* blå
nuancer; *a* ~ *smaller* en
anelse mindre.
shadow ['ʃædəu] *s* skygge // *v*
skygge (en person).
shady ['ʃeidi] *adj* skyggefuld;
lyssky; tvivlsom.
shaft [ʃɑːft] *s* (om fx spyd)
skaft; (om fx mine) skakt;
(om lys) stråle, stribe; *(auto*
etc) aksel.
shaggy ['ʃægi] *adj* lådden;
langhåret.
shake [ʃeik] *v (shook, shaken*
[ʃuk, ʃeikn]) ryste; ruske; få til

at ryste; ryste sig; ~ *hands
with sby* give en hånden; hil-
se på en; ~ *off* ryste af; vifte
væk; ~ *up* omryste; ryste op;
~up *s* rystetur; omvæltning;
shaky *adj* rystende; vakkel-
vorn.
shale [ʃeil] *s* skifer(ler).
shall [ʃæl, ʃəl] *v (should* [ʃud])
skal; vil; *what ~ we do?*
hvad skal vi gøre? *I ~ tell
him* jeg siger (el. vil sige) det
til ham; *you ~ regret it* du vil
komme til at fortryde det; *he
should be here now* han bur-
de være her nu.
shallot [ʃəˈlɔt] *s* skalotteløg.
shallow [ˈʃæləu] *adj* lavvandet;
lav; (om person) overfladisk.
sham [ʃæm] *s* imitation; hum-
bug // *v* simulere, spille // *adj*
forloren, imiteret.
shambles [ˈʃæmblz] *s* roderi.
shame [ʃeim] *s* skam // *v* van-
ære; gøre skamfuld; gøre til
skamme; *for ~!* el. ~ *on you!*
skam dig! *what a ~!* sikken
en skam! det var synd! **~fa-
ced** *adj* flov, skamfuld; **~ful**
adj skammelig; **~less** *adj*
skamløs, fræk.
shampoo [ʃæmˈpu:] *s* hårvask;
shampoo // *v* vaske hår.
shamrock [ˈʃæmrɔk] *s* kløver-
blad (Irlands nationalsym-
bol).
shan't [ʃɑ:nt] d.s.s. *shall not*.
shanty [ˈʃænti] *s* hytte, skur;
sømandssang; ~ *town* skur-
by (slumkvarter med blik-
skure).

shape [ʃeip] *s* form, facon // *v*
forme, danne; udforme; for-
me sig; ~ *up* udvikle sig i
heldig retning; *take ~* få (el.
tage) form; **~less** *adj* ufor-
melig; **~ly** *adj* velskabt.
share [ʃeə*] *s* del, andel; aktie
// *v* dele; deltage; ~ *out* dele
ud; deles om; **~holder** *s* ak-
tionær.
shark [ʃɑ:k] *s* haj (også *fig*).
sharp [ʃɑ:p] *s (mus)* kryds //
adj skarp; spids; bidende, rå-
kold; markeret; vaks, kvik,
smart // *adv* skarpt; præcis;
C-~ major cis-dur; *at 2
o'clock ~* præcis kl. 2; *look
~!* lad det nu gå lidt kvikt!
rub dig! **~en** *v* hvæsse; spidse
(fx *a pencil* en blyant); skær-
pe; **~ener** *s* (også: *pencil
~ener)* blyantspidser; **~-
eyed** *adj* skarpsynet; **~-wit-
ted** *adj* skarpsindig; vågen.
shatter [ˈʃætə*] *v* knuse;
smadre; splintre; blive knust,
ødelægge; nedbryde.
shave [ʃeiv] *s* barbering // *v*
barbere (sig); *have a ~* barbe-
re sig; *it was a close ~* (F) det
var lige til øllet; **~r** *s* barber-
maskine; **shaving** [ˈʃeiviŋ] *s*
barbering; **shaving brush** *s*
barberkost; **shaving cream** *s*
barbercreme; **shavings** *spl*
(høvl)spåner.
shawl [ʃɔ:l] *s* sjal.
she [ʃi:] *pron* hun; den, det.
sheaf [ʃi:f] *s (pl: sheaves* [ʃi:vz])
neg, bundt.
shear [ʃiə*] *v (~ed, ~ed* el. *~e*d).

shorn [ʃɔːn]) klippe (fx *sheep får*); ~s *spl* saks; hækkesaks.

sheath [ʃiːθ] *s* skede; (om kjole) hylster; kondom.

shed [ʃed] *s* skur // *v* (*shed, shed*) fælde, kaste (af); udgyde (fx *tears* tårer).

she'd [ʃiːd] d.s.s. *she had; she would*.

sheep [ʃiːp] *s* (*pl: sheep*) får; ~dog *s* fårehund; ~ish *adj* flov; fåret; ~skin *s* fåreskind.

sheer [ʃiə*] *adj* let; ren (og skær); meget stejl // *adv* helt; *it's ~ nonsense* det er det rene vrøvl.

sheet [ʃiːt] *s* lagen; (om fx papir) ark; (om metal) plade; flade; ~ metal *s* metalplader.

shelf [ʃelf] *s* (*pl: shelves* [ʃælvz]) hylde; afsats.

shell [ʃel] *s* skal; konkylie; (*mil*) granat // *v* pille, afskalle; bælge; bombardere.

she'll [ʃiːl] d.s.s. *she shall; she will*.

shellfish [ʃelfiʃ] *s* skaldyr.

shelter [ʃeltə*] *s* ly, beskyttelse; tilflugtssted; beskyttelsesrum // *v* skærme; give ly; søge læ (el. ly); ~ed *adj* beskyttet; i læ.

shelve [ʃelv] *v* lægge på hylden; skrinlægge; ~s *pl* af *shelf*.

shepherd [ʃepəd] *s* (fåre)hyrde // *v* vogte; eskortere.

she's [ʃiːz] d.s.s. *she has; she is*.

shield [ʃiːld] *s* skjold; skærm // *v* skærme, værne (*from* imod).

shift [ʃift] *s* forandring; (om tøj) chemise; (om arbejde) skiftehold // *v* flytte (rundt på); ~ **work** *s* skifteholdsarbejde; ~y *adj* omskiftelig; (om blik) flakkende.

shilling [ʃiliŋ] *s* (indtil 1971 britisk mønt, £1 svt. 20 ~s).

shimmer [ʃimə*] *s* flimren // *v* glitre, flimre.

shin [ʃin] *s* skinneben.

shine [ʃain] *v* skin; glans // *v* (*shone, shone* [ʃɔn]) skinne, stråle; brillere; pudse; ~r *s* (F) blåt øje.

shingle [ʃiŋgl] *s* tagspån; rullesten; ~s *spl* (*med*) helvedesild.

shiny [ʃaini] *adj* blank; skinnende.

ship [ʃip] *s* skib // *v* sende (el. transportere) med skib; indskibe (sig); (for)sende; ~broker *s* skibsmægler; ~ment *s* forsendelse, sending; ~ping *s* søfart; forsendelse; ~ping office *s* rederikontor; spedition; ~shape *adj* sømandsmæssigt; i fineste orden; ~wreck *s* skibbrud; ~yard *s* skibsværft.

shire [ʃaiə*] (i sms: [-ʃə*] fx *York~* [ˈjɔːkʃə*]) *s* grevskab.

shirk [ʃəːk] *v* undgå; knibe udenom; pjække.

shirt [ʃəːt] *s* skjorte, skjortebluse.

shit [ʃit] *s* (F) lort, skid // *v* (*shit, shit*) skide.

shiver [ʃivə*] *s* rysten, gysen // *v* ryste.

shoal [ʃəul] *s* stime.

shock [ʃɔk] *s* rystelse, stød; chok // *v* ryste; chokere; **absorber** *s* støddæmper; **~ing** *adj* chokerende; skandaløs; **~proof** *adj* stødsikret.

shoe [ʃuː] *s* sko // *v* (*shod, shod* [ʃɔd]) sko; beslå; *step into sby's* **~s** træde i ens fodspor; **~black** *s* skopudser; **~brush** *s* skobørste; **~lace** *s* snørebånd; **~ polish** *s* skocreme; **~tree** *s* skolæst.

shone [ʃɔn] *præt* og *pp* af *shine.*

shook [ʃuk] *præt* af *shake.*

shoot [ʃuːt] *s* (*bot*) skud; jag; (om smerte) jag // *v* (*shot, shot* [ʃɔt]) skyde; affyre; gå på jagt; fare; ~ *in* fare ind; ~ *up* skyde i vejret; fare op; **~ing** *s* skydning; jagt; **~ing range** *s* skydebane; **~ing star** *s* stjerneskud.

shop [ʃɔp] *s* forretning, butik; værksted // *v* (også: *go* **~ping**) gå på indkøb; ~ **assistant** *s* ekspedient; **~keeper** *s* butiksindehaver; handlende; **~lifter** *s* butikstyv; **~lifting** *s* butikstyveri; **~per** *s* en der går på indkøb; **~ping** *s* indkøb; **~ping bag** *s* indkøbstaske; **~ping centre** *s* butikscenter; ~ **steward** *s* (på fabrik etc) tillidsmand; ~ **window** *s* udstillingsvindue.

shore [ʃɔː] *s* kyst; land.

shorn [ʃɔːn] *pp* af *shear.*

short [ʃɔːt] *adj* kort; kortvarig; for kort; kortfattet, studs; *be* ~ *of sth* mangle ngt; *I'm three* ~ jeg mangler tre; *in* ~ kort sagt; ~ *of* bortset fra; *everything* ~ *of* alt undtagen; *it is* ~ *for…* det er en forkortelse af…; *cut* ~ afkorte; afbryde; *fall* ~ *of* stå tilbage for; *stop* ~ standse brat; *stop* ~ *of sth* ikke gå helt hen til ngt; **~bread** *s* slags sprød mørdejskage; **~circuit** *s* kortslutning // *v* kortslutte; **~coming** *s* fejl, skavank; **~crust pastry** *s* mørdej; **~cut** *s* genvej; **~en** *v* forkorte; blive kortere; **~ening** *s* (*gastr*) fedtstof (til bagning); **~hand** *s* stenografi; **~hand typist** *s* stenograf og maskinskriver; **~lived** *adj* kortvarig; **~ly** *adv* kort; snart, inden længe; **~sighted** *adj* nærsynet; kortsynet; ~ **story** *s* novelle; **~tempered** *adj* irritabel; **~term** *adj* korttids-; **~wave** *s* kortbølge.

shot [ʃɔt] *s* skud; skytte; (F) forsøg; sprøjte; tår; foto; *have a* ~ *at sth* (F) forsøge sig med ngt; **~gun** *s* haglgevær.

should [ʃud] *præt* af *shall; I* ~ *go now* jeg burde gå nu; *I* ~ *go if I were you* hvis jeg var dig ville jeg gå; *I* ~ *like to* jeg vil(le) gerne.

shoulder [ˈʃəuldə] *s* skulder; (*gastr*) bov; (om vej) rabat // *v* tage over skulderen; (*fig*) tage af sine skuldre; ~ **bag** *s* skuldertaske; ~ **blade** *s* skulderblad; ~ **strap** *s* skul-

derstrop.
shouldn't [ʃudnt] d.s.s. *should not.*
shout [ʃaut] s råb // v råbe; skråle; *give sby a* ~ kalde på en; ~ *sby down* overdøve en; **~ing** s råben.
shove [ʃʌv] v skubbe; puffe; ~ *sth in* (F) stoppe ngt ind (i).
shovel [ʃʌvl] s skovl // v skovle.
show [ʃəu] s skue; udstilling; forestilling, opvisning; skin // v *(showed, shown* [ʃəun]) vise, udvise, fremvise, udstille; vise sig, kunne ses; ~ *sby in* vise en ind; ~ *off* vise sig, vigte sig; ~ *sby out* vise en ud; ~ *up* komme til sin ret; afsløre; vise sig; (F) dukke op; ~ **business** s underholdningsbranchen; **~case** s montre; udhængsskab; **~down** s styrkeprøve.
shower ['ʃauə*] s byge; regn; (også: ~ *bath)* brusebad // v tage brusebad; ~ *sby with* overøse en med; **~proof** s regntæt; **~y** *adj* byget; regnvejrs-.
show. . . ['ʃəu-] sms: **~ground** s markedsplads; **~ing** s fremvisning; ~ **jumping** s ridebanespringning; **~manship** s sans for PR; **~n** *pp* af *show;* **~piece** s udstillingsgenstand; bravournummer; **~room** s udstillingslokale.
shrank [ʃræŋk] *præt* af *shrink,*
shrapnel ['ʃræpnəl] s granatsplint.
shred [ʃrɛd] s trævl; stump,

smule // v rive (el. skære) i strimler; **~der** s råkostmaskine.
shrewd [ʃruːd] *adj* klog; fiffig; dreven.
shriek [ʃriːk] s skingrende skrig, hvin // v skrige, hyle.
shrill [ʃril] *adj* skingrende; skærende; skarp.
shrimp [ʃrimp] s reje; *(fig)* splejs.
shrine [ʃrain] s skrin; helligdom.
shrink [ʃriŋk] v *(shrank, shrank* [ʃræŋk]) krympe; vige tilbage; kvie sig *(at* ved); **~age** s krympning; svind; **~proof** *adj* krympefri.
shrivel [ʃrivl] v: ~ *(up)* skrumpe ind, visne.
shroud [ʃraud] s svøb; dække; liglagen // v: ~ed *in mystery* omgivet af mystik.
Shrovetide ['ʃrəuvtaid] s fastelavn.
shrub [ʃrʌb] s busk; **~bery** s buskads.
shrug [ʃrʌg] s skuldertræk // v: ~ *(one's shoulders)* trække på skuldrene; ~ *sth off* slå ngt hen; ryste ngt af.
shrunk [ʃrʌŋk] *pp* af *shrink;* **~en** *adj* indskrumpen.
shudder ['ʃʌdə*] s gysen; skælven // v gyse; ryste.
shuffle [ʃʌfl] v blande (kort); ~ *one's feet* slæbe med benene, sjokke.
shun [ʃʌn] v undgå, sky.
shunt [ʃʌnt] v lede (ind på et sidespor); rangere; **~ing** s

rangering.
shut [ʃʌt] *v (shut, shut)* lukke
(sig); ~ *down* lukke, nedlægge; ~ *off* lukke (af) for; spærre; ~ *up* lukke (inde); holde
mund; lukke munden på;
~**ter** *s* skodde; *(foto)* lukker.
shuttle [ʃʌtl] *s* (i væv) skytte;
(også: ~ *service)* pendultrafik, pendulfart; ~**cock** *s* badmintonbold.
shy [ʃai] *adj* genert, sky // *v:* ~
away from vige tilbage for,
sky.
sick [sik] *adj* syg; dårlig; sygelig; *be* (el. *feel)* ~ have kvalme; kaste op; *be* ~ *of* være
led og ked af; ~**ening** *adj*
kvalmende; ækel; ~ *leave* *s*
sygeorlov; ~**ly** *adj* sygelig;
vammel, kvalm; ~**ness** *s* sygdom; kvalme.
side [said] *s* side; (om vej)
rabat; (ved flod) bred // *v:* ~
with sby holde med en; *have
sth on the* ~ lave et sidespring; *on either* ~ *of* på
begge sider af; *to be on the
safe* ~ for at være på den
sikre side; *take* ~*s with* tage
parti for; holde med; ~**board**
s skænk; ~ *effect* *s* bivirkning; ~**light** *s (auto)* parkeringslygte; sidelygte; ~**line** *s
(sport)* sidelinje; *(fig)* bibeskæftigelse; ~**long** *adj* skrå,
sidelæns; ~**track** *v* føre (el.
komme) ind på et sidespor;
distrahere(s); ~**ways** *adv* sidelæns.
sidle [saidl] *v:* ~ *up (to)* kante

siege [si:dʒ] *s* belejring.
sieve [siv] *s* sigte, si // *v* sigte,
si.
sift [sift] *s* si; strø; *(fig)* gennemgå nøje.
sigh [sai] *s* suk // *v* sukke; (om
vinden) suse.
sight [sait] *s* syn; seværdighed;
(om gevær etc) sigte // *v* få
øje på; sigte; *at first* ~ ved
første blik; *I know him by* ~
jeg kender ham af udseende;
in ~ i syne; synlig; *out of* ~
ude af syne.
sign [sain] *s* tegn; skilt // *v*
gøre tegn; underskrive; signere; ~ *in* indskrive sig;
stemple ind; melde sig; ~ *up*
indmelde sig; *(mil)* lade sig
hverve.
signal [ˈsignəl] *s* signal // *v*
signalere, give tegn.
signature [ˈsignətʃəˈ] *s* underskrift; ~ *tune* *s* kendingsmelodi.
significance [sigˈnifikəns] *s*
betydning; **significant** *adj* betydningsfuld; talende (fx
look blik); **signify** [ˈsignifai] *v*
betegne, betyde; tilkendegive.
signpost [ˈsainpəust] *s* vejskilt; vejviser.
silence [sailns] *s* stilhed; tavshed // *v* lukke munden på; ~**r**
s lyddæmper; **silent** *adj* stille,
tavs; lydløs; **silent movie** *s*
stumfilm.
silicon [ˈsilikən] *s (kem)* silicium.
silk [silk] *s* silke; ~**lined** *adj*

silkeforet; ~y *adj* silkeagtig, silkeblød.

silly ['sili] *adj* dum; *the ~ season* agurketiden.

silt [silt] *s* dynd, slam.

silver ['silvə*] *s* sølv; (sølv)mønter; (også: ~*ware*) sølvtøj; ~**-plated** *adj* forsølvet; sølvplet-; ~**smith** *s* sølvsmed; ~**y** *adj* sølvskinnende.

similar ['similə*] *adj* lignende; ~**ity** [-'læriti] *s* lighed; ~**ly** *adv* ligeledes.

simmer ['simə*] *v* småkoge, snurre; ulme.

simple [simpl] *adj* enkel; simpel, ligetil; ~**-minded** *adj* enfoldig, naiv; ~**ton** *s* tosse.

simplicity [-'plisiti] *s* enkelhed, ligefremhed; **simplification** [-'keiʃən] *s* forenkling; **simplify** ['simplifai] *v* forenkle; **simply** *adv* simpelthen, kun.

simulate ['simjuleit] *v* foregive, efterligne; **simulation** [-'leiʃən] *s* efterligning; simulering.

simultaneous [siməl'teiniəs] *adj* samtidig, simultan.

sin [sin] *s* synd // *v* synde.

since [sins] *konj/præp* siden; da; *long ~ for* længst; *~ then* fra da af.

sincere [sin'siə*] *adj* oprigtig; ægte; *yours ~ly* (i brev) med venlig hilsen; **sincerity** [-'scriti] *s* oprigtighed.

sinew ['sinjuː] *s* sene; ~**s** *spl* kræfter, styrke.

sinful ['sinful] *adj* syndig.

sing [siŋ] *v (sang, sung* [sæŋ, sʌŋ]) synge; *~ sby's praise* prise en i høje toner.

singe [sindʒ] *v* svide.

singer ['siŋə*] *s* sanger; **singing** *s* sang, syngen // *adj* syngende.

single [siŋgl] *s* (også: *~ ticket*) enkeltbillet // *v: ~ out* udvælge, udtage // *adj* enkelt; alene, ene; ugift; *~ parent* enlig forsørger; ~**-breasted** *adj* (om jakke etc) enradet; *~ cream* s sv.t. kaffefløde; ~**-handed** *adj* alene, på egen hånd; ~**-minded** *adj* målbevidst.

singly ['siŋgli] *adj* enkeltvis.

singular ['siŋgjulə*] *s (gram)* ental, singularis // *adj* enestående; mærkelig, sær.

sinister ['sinistə*] *adj* truende; uhyggelig; ond.

sink [siŋk] *s* køkkenvask // *v (sank, sunk* [sæŋk, sʌŋk]) synke; dale; sænke; *~ sth into* sænke ngt ned i; *~ in* trænge ind; *it didn't ~ in* det gik ikke op for mig; *a ~ing feeling* et sug i maven, en forudanelse.

sinner ['sinə*] *s* synder.

sinus ['sainəs] *s (anat)* bihule; ~**itis** [-'saitis] *s* bihulebetændelse.

sip [sip] *s* slurk; nip // *v* nippe (til).

siphon ['saifən] *s* sifon.

sir [sə*] *s* hr.; *S~* titel for *knight.*

sirloin ['səːlɔin] *s* mørbrads-

steg, tyksteg.
sissy ['sisi] s tøsedreng.
sister ['sistə*] s søster;
(over)sygeplejerske; **~-in-law**
s svigerinde.
sit [sit] v *(sat, sat)* sidde; have
sæde; være samlet; ~ *an*
exam gå op til eksamen; ~
down sætte sig (ned); ~ *up*
sidde (el. sætte sig) op; sidde
oppe.
site [sait] s byggeplads, grund;
plads, sted; beliggenhed.
sitting ['sitiŋ] s samling, møde;
~ **room** s dagligstue.
situated ['sitjueitid] adj belig-
gende; anbragt.
situation [sitju'eiʃən] s belig-
genhed; situation; stilling; *'~s*
vacant''ledige stillinger'; *'~s*
wanted''stillinger søges'.
six [siks] num seks; **~teen**
num seksten; **~th** s sjettedel
// adj sjette; **~ty** num tres.
size [saiz] s størrelse // v: ~
up vurdere, tage bestik af; *try*
sth on for ~ prøve ngt for at
se, om størrelsen passer;
~able adj anselig, betragtelig.
skate [skeit] s skøjte; *(zo)* rok-
ke // v løbe på skøjter; **~-**
board s rullebræt; **~r** s skøj-
teløber; **skating** s skøjteløb;
skating rink s skøjtebane.
skeleton ['skelitən] s skelet; ~
key s hovednøgle.
sketch [sketʃ] s skitse, udkast;
sketch // v skitsere; **~y** adj
skitseret; overfladisk.
skewer ['skju:ə*] s (grill)spid.
ski [ski:] s ski // v løbe på ski.

skid [skid] s udskridning // v
skride (ud); **~mark** s brem-
sespor, skridtspor.
skier ['ski:ə*] s skiløber; **skiing**
['ski:iŋ] s skiløb; **ski jumper** s
skihopper; ~ **jumping** s ski-
hop.
skilful ['skilful] adj dygtig.
skill [skil] s dygtighed; færdig-
hed; **~ed** adj faglært; dygtig.
skim [skim] v skumme (fx
mælk); stryge hen over; kigge
igennem, skimme; **~med**
milk s skummetmælk.
skin [skin] s hud; skind; skræl
// v flå; pille; skrælle; **~-deep**
adj overfladisk; ~ **diving** s
svømmedykning; **~ny** adj
tynd, mager; **~tight** s (om tøj)
stramtsiddende.
skip [skip] s hop, spring; af-
faldscontainer // v hoppe,
springe; sjippe; springe over.
skipping rope ['skipiŋrəup] s
sjippetov.
skirmish ['skə:miʃ] s fægtning;
skærmydsel.
skirt [skə:t] s nederdel, skørt //
v løbe langs med; gå uden
om; **~ing board** s fodpanel.
ski-tow ['ski:təu] s skilift.
skittle [skitl] s kegle; **~s** spl
keglespil.
skull [skʌll] s kranie; hoved-
skal.
skunk [skʌnk] s stinkdyr.
sky [skai] s himmel; **~-blue**
adj himmelblå; **~lark** s lær-
ke; **~line** s synskreds; **~scra-**
per s skyskraber.
slab [slæb] s plade (fx *of stone*

sten-); flise; tavle.

slack [slæk] *adj* slap; træg; forsømmelig; ~ *wind* svag vind; ~**en** *v:* ~ *(off)* slappe(s); slække; løje af.

slag [slæg] *s* slagge.

slam [slæm] *v* smække (fx *the door* døren); skælde ud.

slander ['slɑ:ndə⁎] *s* bagvaskelse, sladder // *v* bagtale.

slant [slɑ:nt] *s* skråning, hældning; synsvinkel; ~**ed** *adj* skrå; tendentiøs, som har slagside; ~**ing** *adj* skæv, skrå.

slap [slæp] *s* klask, smæk // *v* slå, klaske // *adv* lige, pladask; *a* ~ *in the face* et slag i ansigtet; *(fig)* en afbrænder; ~**dash** *adj* forhastet, jasket.

slash [slæʃ] *v* flænge; slå; (om priser etc) nedskære drastisk.

slate [sleit] *s* skifer; tavle; *start with a clean* ~ begynde et nyt liv.

slaughter ['slɔ:tə⁎] *s* slagtning; massakre // *v* slagte; slå ned; massakrere; ~**house** *s* slagteri.

slave [sleiv] *s* slave, træl // *v* (også: ~ *away*) slide og slæbe; ~**ry** ['sleivəri] *s* slaveri.

Slavic ['slævik] *adj* slavisk.

slavish ['sleiviʃ] *adj* slavisk (fx *imitation* efterligning).

Slavonic [slə'vɒnik] *adj* slavisk.

sledge [slɛdʒ] *s* slæde, kælk; ~**hammer** *s* forhammer.

sleek [sli:k] *adj* (om hår etc) glat, glinsende; (om bil, båd etc) strømlinet, laber.

sleep [sli:p] *s* søvn // *v* (slept, slept* [slɛpt]) sove; *go to* ~ falde i søvn; *put to* ~ få til at falde i søvn, lægge til at sove; bedøve; ~ *in* sove længe, sove over sig; ~ *it off* sove rusen ud; ~**er** *s* sovende person; sovevogn; jernbanesvelle; *be a heavy* ~**er** sove tungt; ~**ing bag** *s* sovepose; **S~ing Beauty** *s* Tornerose; ~**less** *adj* søvnløs; ~**walker** *s* søvngænger; ~**y** *adj* søvnig; søvndyssende.

sleet [sli:t] *s* slud, tøsne.

sleeve [sli:v] *s* ærme; (plade)omslag; *have sth up one's* ~ have ngt i baghånden.

sleigh [slei] *s* slæde, kane // *v* køre i kane.

slender ['slɛndə⁎] *adj* slank, tynd, spinkel.

slept [slɛpt] *præt* og *pp* af *sleep.*

sleuth [slu:θ] *s* detektiv.

slice [slais] *s* skive; plade; paletkniv // *v* snitte, skære i skiver.

slick [slik] *s* (også: *oil* ~) oliepøl (på vandet) // *adj* glat, fedtet; smart.

slid [slid] *præt* og *pp* af *slide.*

slide [slaid] *s* gliden; skred; glidebane, rutschebane; lysbillede, dias; (også: *hair* ~) skydespænde // *v (slid, slid* [slid]) glide; smutte; ~ *rule* *s* regnestok; **sliding** ['slaidiŋ] *adj* glidende; skyde- (fx *door* dør).

slight [slait] *s* fornærmelse // *v*

negligere // *adj* spinkel; skrøbelig; ubetydelig; let; *not the ~est* ikke det (el. den) mindste; **~ly** *adv* let, lettere.

slim [slim] *v* slanke sig // *adj* slank; lille.

slime [slaim] *s* slim; slam; **slimy** *adj* slimet, ækel.

sling [sliŋ] *s* slynge; (skulder)rem; skråbind (til fx brækket arm) // *v* (slung, slung [slʌŋ]) slynge, kaste; **~backs** *spl* sko med hælrem.

slip [slip] *s* gliden; fejltrin; underkjole; pudebetræk; seddel, strimmel papir // *v* glide; smutte; liste; *give sby the ~* smutte fra en; *a ~ of the tongue* en fortalelse; *~ away* smutte (el. slippe) væk; *~ off one's clothes* smutte ud af tøjet; *~ out* liste (el. smutte) ud; **~ped disc** *s* discusprolaps.

slipper ['slipə*] *s* hjemmesko, sutsko.

slippery ['slipəri] *adj* glat, smattet.

slip... ['slip-] sms: *~ road s* tilkørselsvej, frakørselsvej (ved motorvej); **~shod** *adj* sjusket; udtrådt; **~way** *s* bedding.

slit [slit] *s* sprække; flænge // *v* (slit, slit) skære (op); flænge.

slither ['sliðə*] *v* glide; sno sig.

slog [slog] *v* ase, pukle.

slope [sləup] *s* skråning, skrænt; hældning // *v* skråne, stå skråt.

sloppy ['slopi] *adj* sjasket, sjusket; pløret; (om fx film) pladdersentimental.

slot [slot] *s* sprække, spalte; **~ machine** *s* automat.

slovenly ['slʌvənli] *adj* sjusket.

slow [sləu] *v* (også: *~ down, ~ up*) sætte farten ned // *adj* langsom; sen; tungnem; *be ~* (om ur) gå for langsomt; *the ~ season* den stille årstid; *a ~ fire* en sagte ild.

sludge [slʌdʒ] *s* mudder, søle.

slug [slʌg] *s* (zo) snegl; **~gish** *adj* doven, ugidelig; træg.

sluice [slu:s] *s* sluse.

slum [slʌm] *s* slumkvarter.

slumber ['slʌmbə*] *s* slummer // *v* slumre.

slump [slʌmp] *s* pludseligt fald (i priser etc); krise // *v* falde; sidde sammensunken.

slung [slʌŋ] *præt* og *pp* af *sling*.

slur [slə*] *s* utydelig tale; ulæselig tekst; (skam)plet // *v* tale utydeligt.

slush [slʌʃ] *s* tøsne, sjap; **~y** *adj* sjappet; *(fig)* pladdersentimental.

slut [slʌt] *s* sjuske; tøs; mær.

sly [slai] *adj* snedig, snu; *on the ~* i smug.

smack [smæk] *s* smæk, klask; lussing // *v* smække; *~ of* smage af; *~ one's lips* smække med læberne.

small [smɔ:l] *adj* lille; smålig; *the ~ of the back* lænden; *~ ads spl* rubrikannoncer; **~holder** *s* husmand; **~ish** *adj* ret lille; **~pox** *s (med)* kopper; ~ **talk** s småsnak.

smart [smɑ:t] s svie, smerte //
v svie; vride sig // adj svien-
de; rask; dygtig; smart; ~*en
up* fikse (sig) op.

smash [smæʃ] s sammenstød,
kollision; hårdt slag; brag // v
smadre, slå i stykker; knuse;
~ *into* smadre ind i; ~**ing** adj
(F) strålende, dundrende; ed-
dersmart.

smear [smiə*] s plet; *(fig)* til-
svining // v oversmøre, rakke
ned.

smell [smɛl] s lugt; lugtesans //
v *(smelt, smelt)* lugte; dufte;
snuse; ~ *trouble* ane uråd;
~**y** adj ildelugtende.

smile [smail] s smil // v smile;
keep smiling! hold humøret
oppe!

smirk [smə:k] s smørret grin //
v grine smørret.

smith [smiθ] s smed.

smithereens [smiðə'ri:nz] spl:
smash to ~ slå i stumper og
stykker.

smithy ['smiði] s smedje.

smitten [smitn] adj: ~ *with*
(be)smittet med, ramt af.

smock [smɔk] s kittel, busse-
ronne; smocksyning.

smog [smɔg] s tåge (blandet
med røg).

smoke [sməuk] s røg // v ryge,
ose; røge; *have a* ~ tage sig en
smøg; ~**r** s ryger; *(jernb)* ry-
gekupé; ~**screen** s røgslør;
smoky adj rygende; røget; til-
røget; røgfarvet.

smooth [smu:ð] v glatte (ud);

udjævne // adj glat, jævn;
blød; (om person) beleven.

smother ['smʌðə*] v kvæle(s);
undertrykke; overvælde.

smoulder ['sməuldə*] v ulme.

smudge [smʌdʒ] s (udtværet)
plet, plamage // v plette.

smug [smʌg] adj selvglad.

smuggle [smʌgl] v smugle; ~**r**
s smugler; **smuggling** s smug-
leri.

snack [snæk] s bid mad, mel-
lemmåltid; mundsmag.

snag [snæg] s hindring, van-
skelighed.

snail [sneil] s snegl.

snake [sneik] s slange.

snap [snæp] s smæld, klik;
snap(pen) // v snappe; knæk-
ke; klikke; *(foto)* knipse //
adj forhastet; ~ *one's fingers*
knipse med fingrene; ~ *open*
smække (el. springe) op; ~
off brække af; ~ *up* snuppe;
~ **fastener** s tryklås.

snare [snɛə*] s snare // v fange
i snare; forlokke.

snarl [snɑ:l] s snerren // v
snerre.

snatch [snætʃ] s snappen;
stump, brudstykke; tyveri // v
gribe; snappe; snuppe; stjæle.

sneak [sni:k] v snige sig; luske;
~**ers** spl gummisko; ~**ing** adj
lumsk; ~**y** adj lusket.

sneer [sniə*] s vrængen, hån-
ligt smil // v vrænge; spotte.

sneeze [sni:z] s nys(en) // v
nyse.

sniff [snif] s snøft, snusen // v
snøfte; snuse; ~ *at* rynke på

næsen ad.
snigger ['snigə*] s fnisen // v
fnise.
sniper ['snaipə*] s snigskytte.
snivel [snivl] s snot // v snøfte;
flæbe.
snobbish ['snɔbiʃ] adj snobbet.
snooker ['snu:kə*] s slags bil-
lardspil.
snoop [snu:p] v snuse, spione-
re; ~ on sby udspionere en.
snore [snɔ:*] v snorke; **snoring**
s snorken // adj snorkende.
snort [snɔ:t] s fnys(en) // v
fnyse.
snotty ['snɔti] adj snottet.
snout [snaut] s snude.
snow [snəu] s sne; snevejr; (S)
kokain // v sne; drysse; ~-
bound adj indesneet; ~**drift** s
snedrive; ~**drop** s (bot) vin-
tergæk; ~**flake** s snefnug; **S~
White** s Snehvide; ~**y** adj sne-
vejrs-.
snub [snʌb] v bide 'af; give en
næse; ~**-nosed** adj med op-
stoppernæse.
snuff [snʌf] s snus(tobak).
snug [snʌg] adj hyggelig, rar;
lun.
so [səu] adv så; sådan; derfor
// konj derfor, altså; ~ as to
for (el. således) at; ~ that for
at, sådan at; ~ do I det gør
jeg også; if ~ i så fald; you
don't say ~! det mener (el.
siger) du ikke! I hope ~ det
håber jeg; ten or ~ ti eller der
omkring, cirka ti; ~ far hid-
til, foreløbig; ~ long! farvel
(så længe)! and ~ on og så

videre; ~ what? og hvad så?
soak [səuk] v gennembløde;
lægge (el. ligge) i blød; be
~ed through være helt gen-
nemblødt; ~ in trænge (el.
sive) ind; ~ up opsuge.
so-and-so ['səuənsəu] s nok-
sagt.
soap [səup] s sæbe; ~**flakes**
spl sæbespåner; ~ **powder** s
vaskepulver; ~**suds** spl sæ-
bevand; ~**y** adj sæbeagtig,
glat; sentimental.
soar [sɔ:*] v flyve højt, svæve;
(om priser etc) ryge i vejret.
sob [sɔb] s hulken // v hulke.
sober ['səubə*] adj ædru; nøg-
tern, sober // v: ~ up blive
ædru.
so-called ['səukɔ:ld] adj så-
kaldt.
soccer ['fɔkə*] s (afledt af as-
sociation football) fodbold.
sociable ['səuʃəbl] adj om-
gængelig.
social ['səuʃəl] s selskabelig
sammenkomst // adj social;
samfunds-; selskabelig; ~
climber s stræber; opkom-
ling; ~**ist** s socialist // adj
socialistisk; ~ **science** s
samfundsvidenskab; ~ **se-
curity** s bistandshjælp; bi-
standskontor; ~ **welfare** s
socialforsorg; ~ **worker** s so-
cialrådgiver.
society [sə'saiəti] s samfund;
selskab, forening; high ~ de
højere kredse.
sock [sɔk] s sok; (F) slag // v
smide; slå.

socket ['sɔkit] *s* holder; *(anat)* (øjen)hule; (led)skål; *(elek)* stikdåse; (på lampe) fatning.

sodden ['sɔdn] *adj* gennemblødt.

sodium ['səudiəm] *s (kem)* natrium.

soft [sɔft] *adj* blød; dæmpet; mild, blid; dum; *have a ~ spot for* have en svaghed for; *a ~ drink* en alkoholfri drik; *be ~ on* være forelsket i; **~en** [sɔfn] *v* gøre (el. blive) blød; dæmpe; formilde(s); **~ware** *s (edb)* programmel.

soil [sɔil] *s* jord(bund) // *v* snavse til; blive snavset.

solar ['səulə*] *adj* solar-, sol-.

sold [səuld] *præt* og *pp* af *sell*.

solder ['səuldə*] *s* loddemetal // *v* lodde.

soldier ['səuldʒə*] *s* soldat, militærperson.

sole [səul] *s* sål; *(zo)* søtunge // *v* forsåle // *adj* eneste; ene-; **~ly** *adv* udelukkende.

solemn ['sɔləm] *adj* højtidelig.

solicitor [sə'lisitə*] *s* sagfører, advokat; **solicitous** *adj* omsorgsfuld; ivrig.

solid ['sɔlid] *adj* fast, massiv; solid; grundig; *~ify* [-'lidifai] *v* størkne; styrke; *~ity* [-'liditi] *s* fasthed, soliditet.

solitary ['sɔlitəri] *adj* enlig; ensom; isoleret; afsides; **~ confinement** *s* isolationsfængsel.

solitude ['sɔlitju:d] *s* ensomhed.

solstice ['sɔlstis] *s* solhverv.

soluble ['sɔljubl] *adj* opløselig;

til at løse.

solution [sə'lu:ʃən] *s* opløsning; løsning.

solve [sɔlv] *v* løse (fx *a puzzle* en gåde); **~nt** *s* opløsningsmiddel // *adj* solvent.

sombre ['sɔmbə*] *adj* mørk, dyster.

some [sʌm] *adj/adv/pron* en eller anden; et eller andet; nogen, noget; en del; *~ ten people* cirka ti personer; *~ (of it) was left* der blev noget tilovers; *will you have ~ tea?* vil du have en kop te? **~body** *pron* en eller anden; nogen; *~body else* en anden; *~ day* *adv* engang; en skønne dag; **~how** *adv* på en eller anden måde; af en eller anden grund; **~one** *pron* d.s.s. *~body*.

somersault ['sɔməsɔ:lt] *s* saltomortale, kolbøtte // *v* slå saltomortaler.

some. . . ['sʌm-] *sms:* **~thing** *pron* et eller andet; noget; *he's a teacher or ~thing* han er lærer eller sådan noget; **~time** *adv* engang; *~time last month* engang i sidste måned; **~times** *adv* somme tider, til tider; **~what** *adv* ret; noget; lidt; **~where** *adv* et eller andet sted; *~where else* andetsteds.

son [sʌn] *s* søn.

song [sɔŋ] *s* sang, vise; *buy sth for a ~* få ngt for en slik.

son-in-law *s* svigersøn.

soon [su:n] *adv* snart; tidligt;

be too ~ være for tidligt på
den; **~er** *adv* snarere; tidlige-
re; *I would* ~*er...* jeg ville
hellere...; *~er or later* før
eller senere.

soot [suːt] *s* sod.

soothe [suːð] *v* berolige; lin-
dre.

sop [sɔp] *s* pjok, vatnisse.

sophisticated [səˈfistikeitid]
adj forfinet; raffineret.

sopping [ˈsɔpiŋ] *adj* (også: ~
wet) dyngvåd.

sordid [ˈsɔːdid] *adj* beskidt,
smudsig; smålig, luset.

sore [sɔːˑ] *s* sår; ømt sted // *adj*
øm; smertende; fornærmet;
have a ~ *throat* have ondt i
halsen; **~ly** *adv* svært, yderst.

sorrow [ˈsɔrəu] *s* sorg, bedrø-
velse; smerte.

sorry [ˈsɔri] *adj* sørgelig, trist;
ked af det; ussel; *(so)* ~*!* und-
skyld! *feel* ~ *for sby* have
medlidenhed med en; *I'm* ~
to say desværre; jeg beklager
at.

sort [sɔːt] *s* sort, slags, art // *v:*
~ *(out)* sortere, ordne; *he's*
~ *of funny* (F) han er lige-
som lidt mærkelig.

so-so [ˈsəusəu] *adv* så som så,
nogenlunde.

sought [sɔːt] *præt* og *pp* af
seek.

soul [səul] *s* sjæl; ånd; *we
didn't see a* ~ vi så ikke en
levende sjæl; *poor* ~ stakkel;
~ful *adj* sjælfuld; smægten-
de; **~less** *adj* sjælløs.

sound [saund] *s* lyd; *(geogr)*

sund // *v* lyde; lade lyde;
ringe med (el. på); *(også:* ~
out) sondere // *adj* sund; so-
lid; god; dygtig; grundig //
adv: be ~ *asleep* sove trygt;
~ *the horn* tude i (el. med)
hornet; ~ *the bell* ringe med
(el. på) klokken; ~ *the alarm*
slå alarm; *of* ~ *mind* ved
sine fulde fem; ~ **barrier** *s*
lydmur; **~proof** *adj* lydtæt;
~track *s (film)* tonebånd;
lydside.

soup [suːp] *s* suppe; *be in the*
~ (F) være på spanden.

sour [ˈsauəˑ] *adj* sur, dårlig;
'it's ~ *grapes' (fig)* 'rønne-
bærrene er sure'.

source [sɔːs] *s* kilde; udspring.

south [sauθ] *s* syd // *adj* sydlig,
syd- // *adv* sydpå, mod syd; ~
of London syd for London;
he's gone ~ han er taget
sydpå; **S~ Africa** *s* Sydafrika;
S~ America *s* Sydamerika;
~east *s* sydøst; **~erly**
[ˈsʌðəli] *adj* sydlig, syd-; **~ern**
[ˈsʌðən] *adj* sydlig; syd-
landsk; syd-; **~ward(s)** *adj*
mod syd, sydpå; **~west** *s*
sydvest.

sovereign [ˈsɔvrin] *s* monark,
hersker // *adj* suveræn, uo-
vertruffen; **~ty** *s* overhøjhed,
suverænitet.

sow [səu] *s* so // *v (sowed,
sown)* så.

soy [sɔi] *s* (også: ~ *sauce)*
soja(sovs).

space [speis] *s* rum; plads;
mellemrum; periode; **~craft**

s rumfartøj; **~man** *s* rummand; **~ship** *s* rumskib; ~ **shuttle** *s* rumfærge; ~ **suit** *s* rumdragt; **spacing** *s* mellemrum, afstand; *double spacing* dobbelt linjeafstand; **spacious** ['speiʃəs] *adj* rummelig.

spade [speid] *s* spade; (i kortspil) spar.

Spain [spein] *s* Spanien.

span [spæn] *s* tidsrum; spand (fx heste); spændvidde; brofag // *præt* af span.

Spaniard ['spænjəd] *s* spanier.

Spanish ['spæniʃ] *s/adj* spansk.

spank [spæŋk] *v* give smæk; **~ing** *s* endefuld.

spanner ['spænə*] *s* skruenøgle; *adjustable* ~ svensknøgle; *throw a* ~ *in the works* stikke en kæp i hjulet.

spare [speə*] *s* reservedel // *v* skåne, spare (for); spare på; undvære, afse; have tilovers // *adj* ekstra; reserve-; *he has a week's holiday to* ~ han har en uges ferie tilovers; *can you* ~ *me a cigarette?* kan du afse en cigaret til mig? ~ **bed** *s* gæsteseng; ~ **part** *s* reservedel, løsdel; ~ **room** *s* gæsteværelse; ~ **time** *s* fritid.

sparing ['speəriŋ] *adj* sparsom.

spark [spɑ:k] *s* gnist // *v* slå gnister; (om motor) tænde; **~(ing) plug** *s* tændrør.

sparkle [spɑ:kl] *s* tindren; glitren; glimt, glans // *v* tindre, glitre, stråle; **sparkling** *adj*

funklende; sprudlende; boblende.

sparrow ['spærəu] *s* spurv.

sparse [spɑ:s] *adj* sparsom, spredt; **~ly** *populated* tyndt befolket.

spat [spæt] *præt* og *pp* af spit.

spatter ['spætə*] *v* sprøjte.

spawn [spɔ:n] *s* rogn; yngel // *v* gyde (rogn el. æg); yngle.

speak [spi:k] *v (spoke, spoken* [spəuk, spəukn]) tale; sige; holde tale; ~ *to sby of* (el. *about) sth* tale med en om ngt; ~ *up* tale højere (el. højt); sige sin mening; **~er** *s* taler; *the S*~ formanden i underhuset; **~ing** *s* tale(n); *be on* ~*ing terms* være på talefod.

spear [spiə*] *s* spyd, lanse // *v* spidde.

special [speʃl] *s* ekstranummer; særudgave // *adj* speciel, særlig; special-; *take* ~ *care* være ekstra forsigtig; *today's* ~ dagens ret; **~ist** *s* specialist; **~ity** [speʃi'æliti] *s* specialitet; **~ize** *v:* ~*ize (in)* specialisere sig (i); **~ly** *adv* særligt, specielt.

species ['spi:ʃiz] *s* art, slags; *the origin of* ~ arternes oprindelse; *the (human)* ~ menneskeslægten.

specific [spe'sifik] *adj* speciel; specifik; konkret; **specify** ['spesifai] *v* specificere; beskrive nærmere.

specimen ['spesimən] *s* eksemplar; prøve.

speck [spɛk] s plet; smule; stænk; **~led** [spɛkld] adj plettet; spættet.

specs [spɛks] spl (F) d.s.s. **spectacles** ['spɛktəkls] spl briller.

spectacular [spɛk'tækjulə*] adj iøjnefaldende, flot.

spectator [spɛk'teitə*] s tilskuer.

spectre ['spɛktə*] s spøgelse, genfærd.

speculate ['spɛkjuleit] v spekulere.

speech [spi:tʃ] s tale; taleevne; *make a* ~ holde en tale; ~ **day** s skoleafslutning; **~less** adj målløs, stum.

speed [spi:d] s fart; hastighed; gear; (S) euforiserende stoffer (fx amfetamin) // v (sped, sped [spɛd]) ile; køre (, gå etc) hurtigt; ~ **up** fremskynde; sætte farten op; *at full* (el. *top*) ~ for (el. i) fuld fart; **~ing** s (auto) overskridelse af fartgrænsen; ~ **limit** s fartgrænse; ~ **skating** s hurtigløb på skøjter; **~y** adj hurtig, snarlig.

spell [spɛl] s periode; omgang; fortryllelse // v (~ed, ~ed el. spelt, spelt) stave(s); betyde; *cast a* ~ *on sby* forhekse en; ~ *out* stave sig igennem; *(fig)* forstå; skære ud i pap; **~bound** adj tryllebundet; **~ing** s stavning.

spelt [spɛlt] præt og pp af **spell**.

spend [spɛnd] v (spent, spent)

(om penge) give ud, bruge; (om tid) tilbringe; udmatte; **~ing money** s lommepenge; **~ing power** s købekraft; **~thrift** ['spɛndθrift] s ødeland, ødsel person.

spent [spɛnt] præt og pp af **spend**.

sperm [spə:m] s sæd(celle); ~ **whale** s (zo) kaskelot.

sphere [sfiə*] s sfære; kugle, klode; felt, område.

spice [spais] s krydderi // v krydre.

spicy ['spaisi] adj krydret; pikant, vovet.

spider ['spaidə*] s edderkop; **~'s web** s edderkoppespind.

spill [spil] v (~ed, ~ed el. spilt, spilt) spilde; flyde (over); blive spildt.

spin [spin] s snurren, spin; lille (køre)tur // v (spun el. span, spun [spʌn]) spinde; snurre rundt; spinne; ~ *a yarn* (fig) spinde en ende; fortælle en historie; ~ *a coin* slå plat eller krone.

spinach ['spinitʃ] s spinat.

spinal [spainl] adj rygrads-, spinal-; ~ **cord** s rygmarv.

spindly ['spindli] adj tynd, ranglet.

spin-dryer ['spin‚draiə*] s (tørre)centrifuge.

spine [spain] s rygrad, rygsøjle; torn, pig; bogryg; **~less** adj vattet, uden rygrad; uden torne.

spinning ['spinin] s spinding, spinde-; skruning; ~ **wheel** s spinderok.

spinster ['spinstə*] s gammel-jomfru.

spiral ['spaiərəl] s spiral; ~ **staircase** s vindeltrappe.

spire [spaiə*] s spir; tinde.

spirit ['spirit] s ånd, sjæl; mod; humør; spiritus; *he's in good ~s* han er i godt humør; *she's in low ~s* hun er nedtrykt; ~**ed** *adj* livlig; åndrig; ~ **level** s vaterpas; ~**s** *spl* sprit, spiritus; ~**ual** ['spiritjuəl] *adj* åndelig, ånds-; ~**ualism** s spiritisme.

spit [spit] s (stege)spid; spyt // *v (spat, spat)* spytte; sprutte.

spite [spait] s ondskab; ond vilje; trods // *v* plage, chikanere; trodse; *in ~ of* trods, skønt; ~**ful** *adj* ondskabsfuld.

spitroast ['spitrəust] *v* spyd-stege.

spittle [spitl] s spyt.

splash [splæʃ] s plask(en); sprøjt; stænk // *v* plaske; (over)sprøjte; ~ *money a-bout* strø om sig med penge.

spleen [spli:n] s *(anat)* milt; *(fig)* livstræthed.

splendid ['splendid] *adj* strå-lende, storartet; **splendour** ['splendə*] s pragt; glans.

splint [splint] s flis, spån; *(med)* benskinne; ~**er** s flis, splint // *v* splintre(s), splitte(s).

split [split] s revne, spalte; splittelse // *v (split, split)* spalte, flække; splitte; revne; dele; ~ *up* (fx om par) gå

hver til sit; (om møde) oplø-ses; *a ~ second* en brøkdel af et sekund; *a ~ting headache* en dundrende hovedpine.

splutter ['splʌtə*] *v* sprutte.

spoil [spɔil] *v (~ed, ~ed* el. *spoilt, spoilt)* ødelægge(s); spolere; forkæle; ~**s** *spl* bytte, rov; ~**sport** s lyseslukker.

spoke [spəuk] s ege (i hjul); trin (på stige) // *præt* af *speak;* ~**n** *pp* af *speak;* ~**sman** s talsmand.

sponge [spʌndʒ] s svamp // *v* vaske af (med svamp); ~ *on* nasse på; ~ *bag* s toilettaske; ~ *cake* s sv.t. sandkage; ~**r** s snylter, (F) nasserøv.

spooky ['spu:ki] *adj* uhyggelig.

spool [spu:l] s spole, rulle.

spoon [spu:n] s ske; ~**-feed** *v* made (med ske); proppe (med); *(fig)* servere alt på et sølvfad; ~**ful** s skefuld.

sport [spɔ:t] s sport; fornøjel-se; sjov; flink fyr // *v* drive sport; optræde med; *be a good ~* være en flink fyr; ~**ing** *adj* sports-, jagt-; flink; *give sby a ~ing chance* give en en fair chance; ~**sman** s sportsmand; jæger; lystfisker; ~**manship** s god sportsånd; ~**s page** s (i avis) sportsside; ~**swear** s sportsbeklædning; ~**y** *adj* sporty; udsvævende.

spot [spɔt] s plet, prik; fili-pens; sted; smule, sjat // *v* plette; få øje på; genkende; *a ~ of whisky* en sjat whisky; *on the ~* på stedet; lige på

pletten; *come out in* ~s få
knopper; slå 'ud; ~ **check** *s*
stikprøve; ~**less** *adj* pletfri;
~**light** *s* projektør; spot(lys);
søgelys; ~**ted** *adj* plettet,
spættet; ~**ty** *adj* plettet; plet-
vis; med bumser.

spout [spaut] *s* (på fx kande)
tud; stråle; nedløbsrør // *v*
sprøjte.

sprain [sprein] *s* forstuvning //
v forstuve, forstrække (fx
one's ankle anklen).

sprang [spræŋ] *præt* af *spring*.

sprawl [sprɔ:l] *v* ligge og flyde;
brede sig.

spray [sprei] *s* sprøjt; sprøjte-
middel, spray // *v* sprøjte,
bruse, sprøjte.

spread [spred] *s* udbredelse;
spredning; *(gastr)* (smøre)på-
læg // *v* *(spread, spread)* bre-
de (ud), sprede; brede sig;
strække sig; *(gastr)* smøre.

sprightly ['spraitli] *adj* livlig.

spring [spriŋ] *s* spring; fjeder;
fjedren; forår; kilde // *v*
(sprang, sprung [spræŋ,
sprʌŋ]) springe; skyde op; ~
from stamme fra; ~ *up* (om
problem etc) pludselig dukke
op; ~**board** *s* springbræt,
trampolin; ~**clean(ing)** *s*
forårsrengøring, hovedren-
gøring; ~**time** *s* forårstid; ~**y**
adj fjedrende, elastisk.

sprinkle ['spriŋkl] *v* (over)drys-
se; (be)strø; stænke; ~ *with
sugar* strø sukker på; ~*d with
(fig)* oversået med.

sprint [sprint] *s* spurt // *v* spur-
te.

sprout [spraut] *s* spire, skud //
v spire, skyde; *Brussels* ~s
rosenkål.

spruce [spru:s] *s* gran(træ) //
adj smart, fiks.

sprung [sprʌŋ] *pp* af *spring*.

spun [spʌn] *præt* og *pp* af *spin*.

spur [spə:°] *s* spore; ansporel-
se // *v*: ~ *(on)* anspore, til-
skynde; *on the* ~ *of the mo-
ment* på stående fod; impul-
sivt.

spurn [spə:n] *v* afvise hånligt.

spurt [spə:t] *s* stråle, sprøjt;
kraftanstrengelse // *v* sprøjte;
spurte.

spy [spai] *s* spion // *v* få øje på;
~ *on* udspionere.

Sq., sq. fork.f. *square*.

squabble ['skwɔbl] *s* skænderi,
kævl // *v* skændes.

squad [skwɔd] *s* hold; patrul-
je.

squadron ['skwɔdrən] *s (fly)*
eskadrille; *(mil)* eskadron.

squalid ['skwɔlid] *adj* beskidt;
ussel; gemen.

squall [skwɔ:l] *s* byge; uvejr;
vræl.

squalor ['skwɔlə°] *s* smudsig-
hed; elendighed.

squander ['skwɔndə°] *v* frådse
med; ødsle; sprede(s).

square [skwεə°] *s* kvadrat, fir-
kant; plads, torv; vinkellineal
// *v* gøre firkantet, kvadrere;
opløfte til 2. potens; udligne;
passe // *adj* firkantet; firska-
ren; afgjort; ærlig, fair; *be
back to* ~ *one* være tilbage

hvor man begyndte; *get a ~ deal* få en fair behandling; *two metres ~* to gange to meter; *one ~ metre* en kvadratmeter; *~ shoulders* brede skuldre.

squash [skwɔʃ] *s* mos; masen; *(bot)* courgette // *v* mase (sig); trykke flad, undertrykke; *lemon* (el. *orange*) *~* citron- (el. appelsin)saft.

squat [skwɔt] *v* sidde på hug // *adj* lille og tyk; hugsiddende; *~ter s* husbesætter; BZ'er.

squeak [skwi:k] *s* hvin, piben // *v* hvine; knirke.

squeal [skwi:l] *v* hvine; *~ (on)* (F) sladre (om).

squeamish ['skwi:miʃ] *adj* sart, pivet.

squeeze [skwi:z] *s* tryk, pres; knus; klemme // *v* presse, klemme; omfavne.

squib [skwib] *s* kanonslag, kineser; *a damp ~* en fuser.

squillion ['skwiljən] *s* (F) fantasillion.

squint [skwint] *s: have a ~* skele // *v* skele; skæve, skotte.

squire [skwaiə*] *s* godsejer.

squirm [skwə:m] *v* vride sig; krympe sig.

squirrel ['skwirəl] *s* egern.

squirt [skwə:t] *s* sprøjt(en), stråle // *v* sprøjte.

stab [stæb] *s* stød (med dolk etc); stikkende smerte, jag; (F) forsøg // *v* stikke, dolke; *a ~ in the back* et bagholdsangreb.

stability [stə'biliti] *s* stabilitet;

stabilize ['stæbilaiz] *v* stabilisere.

stable [steibl] *s* (heste)stald // *adj* stabil, fast; varig.

stack [stæk] *s* stak; stabel, bunke // *v* stakke; stable; *kunne stables*.

stadium ['steidiəm] *s* stadion.

staff [sta:f] *s* stav; stang; stab, personale // *v* forsyne med personale; *~ participation s* medarbejderindflydelse.

stag [stæg] *s* (kron)hjort.

stage [steidʒ] *s* scene; estrade, platform; stadium, trin; stadie // *v* iscenesætte; foranstalte; opføre; *go on the ~* gå til scenen; *in ~s* trinvis; *~ a strike* arrangere en strejke; *~coach s* diligence; *~ fright s* lampefeber; *~ manager s* regissør.

stagger ['stægə*] *v* vakle; slingre; forbløffe, ryste; forskyde (fx ferien); *~ing adj* forbløffende, overvældende.

stagnant ['stægnənt] *adj* stillestående; stagnate [-'neit] *v* stå i stampe, stagnere.

stag party ['stæg,pa:ti] *s* mandfolkegilde; polterabend.

staid [steid] *adj* sat, adstadig.

stain [stein] *s* plet; farve, bejdse // *v* plette(s); farve, bejdse; *~ed adj* plettet; *~ed glass (window) s* vindue med glasmaleri; *~less adj* pletfri; *~less steel s* rustfrit stål; *~ remover s* pletfjerner.

stair [stɛə*] *s* trappetrin;

~**case** s trappe(gang); ~**s** spl trappe; ~**way** s trappe.

stake [steik] s stage, pæl; (i spil etc) indsats // v risikere, satse; be at ~ stå på spil.

stale [steil] adj gammel, overgemt; (om øl) doven; (om luft) indelukket.

stalk [stɔ:k] s (bot) stængel; stok // v spankulere, skride.

stall [stɔ:l] s bås; stand, stade // v køre fast; få motorstop; komme med udflugter; søge at vinde tid; ~**s** spl (i teater etc) parket.

stallion ['stæljən] s (avls)-hingst.

stamina ['stæminə] s udholdenhed, styrke.

stammer ['stæmə*] s stammen // v stamme.

stamp [stæmp] s stampen; frimærke; stempelmærke; præg // v stampe, trampe; stemple; frankere; ~ **collector** s frimærkesamler; ~ **duty** s stempelafgift.

stampede [stæm'pi:d] s voldsom tilstrømning; vild flugt.

stand [stænd] s holdt, stade, plads; tribune; stativ // v (stood, stood [stud]) stå; rejse sig; stille; gælde; holde til, tåle; make a ~ holde stand; take a ~ tage opstilling; tage stilling; I'll ~ you dinner jeg giver en middag; ~ for Parliament lade sig opstille til parlamentet; it ~s to reason det siger sig selv; ~ by være parat; vedstå; holde med; ~

for betyde, repræsentere; finde sig i; ~ in for sby være stedfortræder for en; ~ out skille sig ud; holde ud; ~ up stå op; rejse sig (op); ~ up for sby forsvare en; ~ up to sth klare (el. tåle) ngt.

standard ['stændəd] s fane; standard, norm; ~ of living levestandard; ~**ization** [-'zeifən] s standardisering; ~ **lamp** s standerlampe; ~**s** spl moral.

stand-by ['stændbai] s reserve; ~ **ticket** s (fly) afbudsbillet.

standing ['stændiŋ] s stilling; status; anseelse // adj stående; løbende (fx order ordre); of long ~ mangeårig, langvarig; ~ **committee** s stående udvalg; ~ **orders** spl reglement; ~ **room** s ståplads.

stand-offish ['stænd'ɔfiʃ] adj afvisende; utilnærmelig; **standpoint** s standpunkt; synspunkt.

standstill ['stændstil] s: be at a ~ ligge stille; være gået i stå; come to a ~ gå i stå.

stank [stæŋk] præt af stink.

staple [steipl] s hæfteklamme // v hæfte // adj vigtigst, hoved-; ~**r** ['steiplə*] s hæftemaskine.

star [sta:*] s stjerne // v: ~ (in) spille hovedrollen (i); præsentere i hovedrollen.

starboard ['sta:bəd] s (mar) styrbord.

starch [sta:tʃ] s stivelse // v stive.

stare [steə*] *s* stirren // *v*
stirre, glo.

starfish ['staːfiʃ] *s* søstjerne.

stark [staːk] *adj/adv:* ~ *naked*
splitternøgen; ~ *staring mad*
rablende sindssyg.

starling ['staːliŋ] *s* stær.

starlit ['staːlit] *adj* stjerneklar.

starry ['staːri] *adj* stjerneklar;
stjerne-; **~-eyed** *adj* blåøjet,
naiv.

start [staːt] *s* start, begyndelse;
sæt, spjæt // *v* begynde, starte;
tage af sted; fare sammen;
give et sæt; ~ *off* begynde,
indlede; ~ *up* fare op; *(auto)*
starte; **~er** *s* startknap; for-
ret; **~ing handle** *s* startsving;
~ing point *s* udgangspunkt.

startle ['staːtl] *v* fare 'op;
skræmme; **startling** *adj* cho-
kerende, rystende.

starvation [staːˈveiʃən] *s* sult;
starve [staːv] *v* sulte; dø af
sult; lade sulte; *I'm starving!*
jeg er ved at dø af sult!

state [steit] *s* tilstand; stat // *v*
erklære; konstatere, fastslå;
be in a ~ være ophidset; **~d**
adj fastslået; foreskreven;
~ly *adj* stateligt, majestætisk;
~ment *s* erklæring, medde-
lelse; *(jur)* forklaring; *the*
S~s *spl* Staterne (dvs. USA);
~sman *s* statsmand.

static ['stætik] *adj* statisk; stil-
lestående.

station ['steiʃən] *s* station; stil-
ling; rang; *(mil* etc) post // *v*
stationere; postere.

stationary ['steiʃnəri] *adj* stil-

lestående, stationær.

stationer ['steiʃənə*] *s* papir-
handler; **~'s (shop)** *s* papir-
handel; **~y** *s* papirvarer;
brevpapir.

station master ['steiʃənˌmaː-
stə*] *s* stationsforstander.

statistic [stəˈtistik] *s* statistik
// *adj* statistisk; **~al** *adj* stati-
stisk; **~s** *spl* statistik (som
videnskab).

stature ['stætʃə*] *s* statur;
skikkelse, format.

status ['steitəs] *s* status; stil-
ling; rang; *financial* ~øko-
nomiske forhold.

statute ['stætjuːt] *s* vedtægt;
lov; statut; **statutory** *adj* lov-
bestemt; lovmæssig.

staunch [stɔːntʃ] *adj* pålidelig;
standhaftig, stærk.

stay [stei] *s* ophold // *v* blive;
opholde sig, bo; ~ *put* blive
hvor man er; ~ *with friends*
besøge (og bo hos) venner; ~
the night overnatte; *where*
are you ~*ing?* hvor bor du?
~ *behind* være bagud; ~ *in*
holde sig inde; ~ *in bed* ligge
i sengen; ~ *on* blive; blive
boende; ~ *out* blive ude; ~
up blive (el. sidde) oppe.

steadfast ['stedfaːst] *adj* fast;
urokkelig.

steadily ['stedili] *adv* sindigt;
støt; **steady** *v* holde i ro;
stabilisere; berolige // *adj* sta-
bil, solid; sikker; rolig; fast;
bestandig; *go steady (with)*
komme fast sammen (med);
steady (now)! bare rolig!

333   stickler **S**

steak [steik] *s* bøf; **~house** *s* bøfrestaurant.

steal [sti:l] *v (stole, stolen* [stəul, stəuln]) stjæle; snige sig; smutte; ~ *a glance at* kaste et stjålent blik på.

steam [sti:m] *s* damp; dug (på rude etc) // *v* dampe; dampkoge; dugge; *let off* ~ afreagere; ~ *along* dampe afsted; ~ **engine** *s* dampmaskine; damplokomotiv; **~er** *s* damper; **~roller** *s* damptromle; **~y** *adj* fuld af damp; dampende; dugget.

steel [sti:l] *s* stål; **~works** *s* stålværk.

steep [sti:p] *v* lægge i blød; lade stå og trække // *adj* stejl, brat; *(om pris)* skrap.

steeple [sti:pl] *s* spir; kirketårn; **~chase** *s* forhindringsløb (til hest).

steer [stiə*] *s* tyrekalv; stud // *v* styre, lodse; **~ing** *s (auto)* styretøj; **~ing column** *s (auto)* ratsøjle; **~ing wheel** *s (auto)* rat.

stellar ['stelə*] *adj* stjerne-.

stem [stem] *s* (om træ etc) stamme; stilk; *(mar)* stævn, forstavn // *v* dæmme op for, standse; tilstoppe; ~ *from* stamme fra; ~ **cutting** *s* stikling.

stench [stentʃ] *s* stank.

step [step] *s* trin; skridt; fodtrin; *take* ~s træffe foranstaltninger // *v* træde; komme; ~ *down* træde ned; træde tilbage; nedtrappe; ~ *for-*

ward træde frem; ~ *off* komme ned fra; ~ *on it!* træd sømmet i bund! ~ *over* træde (el. gå) over; ~ *up* optrappe; sætte(s) i vejret; **~father** *s* stedfar; **~ladder** *s* trappestige; **~mother** *s* stedmor; **~ping-stone** *s* trædesten; *(fig)* springbræt; **~-up** *s* forfremmelse.

sterile ['sterail] *adj* steril; **sterilization** [sterilai'zeiʃən] *s* sterilisering.

sterling ['stə:liŋ] *adj* sterling; ægte, lødig.

stern [stə:n] *s (mar)* agterstavn // *adj* streng, barsk.

stevedore ['sti:vədɔ:*] *s* havnearbejder.

stew [stju:] *s* ragout; gryderet // *v* småkoge; *be in a* ~ være ude af flippen; **~ed tea** *s* te som har trukket for længe.

steward ['stju:əd] *s* hovmester; intendant; *(fly* etc) steward; **~ess** *s* stewardesse, flyværtinde.

stick [stik] *s* stok, kæp; stang // *v (stuck, stuck* [stʌk]) stikke; klæbe; lægge, putte; udstå, holde ud; sidde fast; forblive; ~ *out* (el. *up*) stikke frem (el. op); ~ *to* holde fast ved; klæbe til; ~ *up for* tage i forsvar; **~er** *s* selvklæbende etiket; **~ing plaster** *s* hæfteplaster.

stickleback ['stiklbæk]*s* hundestejle.

stickler ['stiklə*] *s: be a* ~ *for sth* holde (for) strengt på ngt.

sticky ['stiki] *adj* klæbende; klæbrig; klistret; (om vejret) lummer; vanskelig.

stiff [stif] *s* (S) lig // *adj* stiv; svær, vanskelig; kold, streng; hård; **~en** *v* stivne; stive (af); gøre stiv; **~ necked** *adj* stædig, stejl.

stifle [staifl] *v* kvæle; undertrykke; **stifling** *adj* kvælende (fx *heat* varme).

still [stil] *s* brændevinsbrænderi // *adj* stadig(væk); endnu; alligevel; stille; tavs; berolige; **~born** *adj* dødfødt; **~ life** *s* nature morte, stilleben.

stilted [stiltid] *adj* opstyltet; påtaget.

stimulant ['stimjulənt] *s* opkvikkende middel; stimulans; **stimulate** *v* stimulere; kvikke op; **stimulation** [-'leiʃən] *s* stimulering.

sting [stiŋ] *s* stik; (zo, bot) brod // *v* (stang, stung [stʌŋ]) stikke; svie; såre.

stingy ['stindʒi] *adj* nærig, fedtet.

stink [stiŋk] *s* stank; (fig) ballade // *v* (stank, stunk [stæŋk, stʌŋk]) stinke; være berygtet; **~ing** *adj* (F) skidefuld), sten- (fx *rich* rig).

stipulate ['stipjuleit] *v* fastsætte; stipulere; **stipulation** [-'leiʃən] *s* betingelse, aftale.

stir [stə:*] *s* røre, ståhej; omrøring // *v* røre (rundt i); sætte i bevægelse; vække; røre sig; **~ up** ophidse; hvirvle op;

~ring *adj* rørende, gribende.

stirrup ['stirəp] *s* stigbøjle.

stitch [stitʃ] *s* (i syning) sting; (i strikning etc) maske; sting i siden // *v* sy.

stock [stɔk] *s* forråd, lager; *(merk)* obligationer; *(agr)* (kreatur)besætning; *(gastr)* kraftsuppe, sky // *v* have på lager; oplagre // *adj* standard- (fx *reply* svar); **~s and shares** børspapirer, fonde; *in* ~ på lager.

stock. . . ['stɔk-] sms: **~broker** *s* børsmægler; **~ exchange** *s* fondsbørs; **~holder** *s* aktionær.

stocking ['stɔkiŋ] *s* strømpe; *in one's ~ed feet* på strømpefødder.

stockist ['stɔkist] *s* leverandør, forhandler.

stock. . . ['stɔk-] sms: **~ market** *s* børs, børskurser; **~ phrase** *s* fast udtryk; **~still** *adj* bomstille; **~taking** *s* *(merk)* lageropgørelse, status.

stoke [stəuk] *v* fyre (med brændsel); proppe i; **~r** *s* fyrbøder.

stole [stəul] *s* stola, sjal // *præt* af *steal*; **~n** *pp* af *steal*.

stolid ['stɔlid] *adj* upåvirket; upåvirkelig.

stomach ['stʌmək] *s* mave, mavesæk; appetit // *v* finde sig i; tage; **~ ache** [-eik] *s* mavepine.

stone [stəun] *s* sten; *(pl: stone) (brit* vægtenhed: 6,348 kg) // *v* stene; udstene; **~-cold** *adj*

iskold; ~-**cold** *sober* pinligt
ædru; ~**d** *adj* (S) døddruk-
ken; 'skæv', 'høj'; ~-**deaf** *adj*
stokdøv; ~**mason** *s* stenhug-
ger; ~**y** *adj* stenet.
stood [stud] *præt* og *pp* af
stand.
stool [stu:l] *s* skammel, tabu-
ret; afføring.
stoop [stu:p] *s* luden; bøjning
// *v* lude; være rundrygget;
bøje sig.
stop [stɔp] *s* stop, standsning;
(også: *full* ~) punktum // *v*
stoppe, standse; opholde sig,
bo; ~ *at a hotel* tage ind på et
hotel; ~ *dead* standse brat
op; ~ *it!* hold op! ~ *off* gøre
et kort ophold; ~ *up*
(til)stoppe; ~**lights** *spl* stop-
lys; *(auto)* bremselygter;
~**over** *s* kort ophold på rejse;
(fly) mellemlanding; ~**page**
['stɔpidʒ] *s* afbrydelse; ar-
bejdsnedlæggelse; ~**per** *s*
prop; stopper; ~ **watch** *s* sto-
pur.
storage ['stɔ:ridʒ] *s* opbeva-
ring; lagerrum; *(edb)* lagring.
store [stɔ:*] *s* lager, forråd;
depot; pakhus; varehus, stor-
magasin; *what is in* ~ *for us?*
hvad mon der venter os? // *v*
opbevare; opmagasinere; ~
up opsamle; oplagre; ~**room** *s*
lagerlokale; pulterkammer.
storey ['stɔ:ri] *s* etage.
storm [stɔ:m] *s* uvejr; stærk
storm // *v* (om vejr) rase; (om
person, *mil*) storme; ~-**bea-
ten** *adj* stormomsust; ~**y** *adj*

stormende.
story ['stɔri] *s* historie; beret-
ning; (i bog) handling; *short*
~ novelle; ~**teller** *s* fortæller;
løgnhals.
stout [staut] *s* stærkt øl (slags
porter) // *adj* stærk, kraftig;
kraftigt bygget.
stove [stəuv] *s* ovn; komfur;
kamin.
stow [stəu] *v* anbringe; stuve;
gemme væk; ~-**away** *s* blind
passager.
straddle [strædl] *v* skræve
(over); sidde overskrævs på.
straggle [strægl] *v* strejfe (el.
flakke) om; ~*d along the
coast* spredt langs kysten; ~**r**
s omstrejfer; efternøler;
straggling, straggly *adj* (om
hår etc) tjavset.
straight [streit] *adj/adv* lige;
(om hår) glat; i orden; ærlig,
oprigtig; (om drink) tør, u-
blandet; *put* (el. *get*) ~ bringe
i orden, ordne; ~ *ahead* lige-
ud, lige frem; ~ *away* lige,
ligefrem; øjeblikkelig; ~ *off*
(el. *out*) ligefrem; ~**en** *v*: ~**en**
(out) rette ud, glatte; ~**for-
ward** *adj* direkte; ligetil; ær-
lig.
strain [strein] *s* belastning;
(an)spændelse; forstrækning;
anlæg; anstrøg // *v* stramme,
spænde, anspænde; overan-
strenge; forvride; si; ~**ed** *adj*
(an)spændt; anstrengt; ~**er** *s*
si, sigte; ~**s** *spl* toner.
strait [streit] *s* (også: ~*s*) (ge-
ogr) stræde; ~ **jacket** *s* spæn-

detrøje; ~-laced adj snerpet.
strand [strænd] s snor, tråd //
v strande; be left ~ed stå på
bar bund.
strange [streindʒ] adj frem-
med; ukendt; underlig; ~ to
say mærkeligt nok; ~r s
fremmed.
strangle [stræŋgl] v kvæle;
blive kvalt; ~hold s kvæler-
tag.
strap [stræp] s strop; rem // v
spænde med remme; slå med
rem; ~ up (med) give hæfte-
plaster på.
strapping [stræpiŋ] adj stor og
stærk; flot.
stratagem ['strætidʒəm] s
krigslist.
strategic [strə'ti:dʒik] adj stra-
tegisk; **strategy** ['strætədʒi] s
strategi.
straw [strɔ:] s strå; sugerør;
the last ~ dråben der får
bægeret til at flyde over.
strawberry ['strɔ:bəri] s jord-
bær.
stray [strei] v strejfe om; kom-
me på afveje // adj omstrej-
fende; herreløs (fx dog
hund); spredt; a ~ bullet en
vildfaren kugle.
streak [stri:k] s stribe; streg;
anstrøg // v gøre stribet; slå
streger; stryge; ~ past stryge
forbi; ~y adj stribet (fx ba-
con).
stream [stri:m] s vandløb;
strøm; (i skole etc) niveau // v
strømme; (i skolen) niveau-
dele; ~er s vimpel; serpenti-

ne; (på bus etc) klæbemærke;
~lined adj strømlinet.
street [stri:t] s gade; in (el. on)
the ~ på gaden; it's right up
his ~ det er lige hans specia-
le; ~ lamp s gadelygte.
strength [streŋθ] s styrke,
kræfter; turn out in ~ møde
talstærkt op; ~en v styrke(s);
forstærke(s).
strenuous ['strenjuəs] adj
kraftig; ivrig; anstrengende.
stress [stres] s tryk; eftertryk;
spænding, stress // v betone;
fremhæve; påvirke.
stretch [stretʃ] s strækning;
stræk; periode // v strække
(sig); være elastisk; række; at
a ~ i ét stræk; ~ a muscle
spænde en muskel; ~ out
række ud; strække sig (ud);
~ out for sth række ud efter
ngt; ~er s båre.
strew [stru:] v (~ed, ~ed el.
~ed, ~n) strø (ud), overså;
~n with bestrøet med.
stricken [strikn] adj ramt;
hjemsøgt.
strict [strikt] adj nøje; streng;
~ly confidential strengt for-
trolig; ~ly speaking strengt
taget.
stride [straid] s langt skridt //
v skride; skridte ud; skræve
over; take sth in one's ~
klare ngt med lethed.
strident [straidnt] adj sking-
rende; højrøstet.
strike [straik] s slag; strejke;
(om olie etc) fund; (mil) an-
greb // v (struck, struck

[strʌk]) slå (på); ramme; stry-
ge (fx *a match* en tændstik);
slå 'til; strejke; *(fig)* have hel-
det med sig; ~ *up (mus)* spille op; ~ *up a
friendship with* slutte ven-
skab med; **~breaker** *s* strej-
kebryder; **~r** *s* strejkende;
striking *adj* slående, påfal-
dende; meget smuk.

string [striŋ] *s* snor, bånd; ræk-
ke; *(mus)* streng; stryger // ~
(strung, strung [strʌŋ]) træk-
ke på snor; sætte streng(e) på;
a ~ of pearls en perlekæde;
~ *bean* *s* snittebønne; **~(ed)
instrument** *s* strygeinstru-
ment, strengeinstrument; *the
~s* spl (i orkester) strygerne.

stringent ['strindʒənt] *adj*
stram, streng.

strip [strip] *s* strimmel // *v*
klæde (sig) af; tage af; (også:
~ *down)* skille ad; demonte-
re; *comic* ~ tegneserie.

stripe [straip] *s* stribe.

strive [straiv] *v (strove, striven*
[strəuv, strivn]) stræbe *(to* ef-
ter at); kæmpe *(against* mod).

strode [strəud] *præt* af *stride*.

stroke [strəuk] *s* slag; tag;
strøg; kærtegn; slagtilfælde; *a
~ of genius* et genialt indfald
// *v* slå streg; stryge, ae; *at a ~*
med ét slag; *on the ~ of five*
på slaget fem; *a two-~ engine*
en totaktsmotor.

stroll [strəul] *s* spadseretur // *v*
slentre (om).

strong [stroŋ] *adj* stærk, kraf-
tig; *they were fifty ~* de var

halvtreds mand høj; **~hold** *s*
borg; **~minded** *adj* vilje-
stærk; **~room** *s* bankhvæl-
ving; boksrum.

strove [strəuv] *præt* af *strive*.

struck [strʌk] *præt* og *pp* af
strike.

structure ['strʌktʃə˙] *s* kon-
struktion; struktur; bygning.

struggle ['strʌgl] *s* kamp // *v*
kæmpe; mase, bakse.

strum [strʌm] *v* klimpre (på).

strung [strʌŋ] *præt* og *pp* af
string.

stub [stʌb] *s* stump; træstub;
(på billet etc) talon // *v*: ~
out a cigarette slukke (el.
skodde) en cigaret.

stubble [stʌbl] *s* stub; skæg-
stubbe.

stubborn ['stʌbən] *adj* stædig;
genstridig.

stuck [stʌk] *præt* og *pp* af *stick*
// *adj*: *be* (el. *get)* ~ sidde fast;
gå i stå; *be* ~ *with sth* hænge
på ngt; **~up** *adj* (F) storsnu-
det.

stud [stʌd] *s* (bredhovedet)
søm; dup; manchetknap; (he-
ste)stutteri; (også: ~ *horse)*
avlshest; **~ded with** tæt besat
med.

student ['stjuːdənt] *s* studeren-
de; studenter-.

studied ['stʌdid] *adj* bevidst,
tilstræbt; raffineret.

studio ['stjuːdiəu] *s* atelier; *(tv*
etc) studie.

studious ['stjuːdiəs] *adj* flittig;
omhyggelig.

study ['stʌdi] *s* studium; stu-

die; arbejdsværelse; udkast //
v studere; læse (på); undersøge.

stuff [stʌf] s sager, ting; ragelse; stof, materiale // v proppe, stoppe; *(gastr)* farsere; **~ing** s fyld; **~y** adj (om værelse) indelukket; *(fig)* forstokket; fornærmet.

stumble [stʌmbl] v snuble; ~ on finde ved et tilfælde, falde over; **stumbling block** s anstødssten.

stump [stʌmp] s (træ)stub; stump.

stun [stʌn] v lamslå; chokere.

stung [stʌŋ] præt og pp af *sting*.

stunk [stʌŋk] pp af *stink*.

stunning ['stʌniŋ] adj chokerende; overvældende; pragtfuld.

stunt [stʌnt] s kraftpræstation; kunststykke // v hæmme (i væksten); lave kunststykker; **~ed** adj forkrøblet.

stupefy ['stju:pifai] v lamslå.

stupendous [stju:'pendəs] adj vældig; fantastisk.

stupid ['stju:pid] adj dum; *be ~ at sth* være dum til ngt; *too ~ for words* dummere end man har lov til at være; **~ity** [-'piditi] s dumhed.

stupor ['stju:pə*] s døs; bedøvet tilstand.

sturdy ['stə:di] adj robust; stærk, beslutsom.

stutter ['stʌtə*] s stammen // v stamme.

sty [stai] s (svine)sti.

stye [stai] s bygkorn (på øjet).

style [stail] s stil; mode; manér; *do sth in..* ~ gøre ngt med manér; **stylish** adj smart, stilig; **stylized** ['stailaizd] adj stiliseret.

suave [swa:v] adj (om person) åleglat, sleben.

sub... ['sʌb-] sms: **~conscious** [-'kɔnʃəs] adj underbevidst; **~divide** v underinddele; **~division** ['sʌbdiˌviʃən] s underinddeling.

subdue [sʌb'dju:] v undertrykke; betvinge; dæmpe; **~d** adj kuet; dæmpet, spagfærdig.

subject s ['sʌbdʒikt] genstand; emne; (stats)borger; *be ~ to* være udsat for // v [səb'dʒekt]: ~ *to* udsætte for; *be ~ to* være underkastet; være pligtig at; være tilbøjelig til; **~ion** [-'dʒekʃən] s underkastelse; undertrykkelse; **~ive** [-'dʒektiv] adj subjektiv; ~ **matter** s stof, emne.

subjunctive [səb'dʒʌŋktiv] s *(gram)* konjunktiv.

sublet ['sʌb'let] v fremleje.

sublime [sə'blaim] adj storslået; sublim.

submarine ['sʌbməri:n] s undervandsbåd, ubåd.

submerge [sʌb'mə:dʒ] v sænke ned i vand; dykke; oversvømme.

submission [səb'miʃən] s underkastelse; henstilling; **submissive** [-'misiv] adj underdanig; **submit** v forelægge; indsende; henstille; *submit one-*

self underordne sig.
subordinate [səb'ɔ:dinət] *s/adj* underordnet.
subpoena [səb'pi:nə] *s (jur)* indkaldelse af vidne // *v* indstævne som vidne.
subscribe [səb'skraib] *v* bidrage; abonnere *(to* på), subskribere; **subscription** [-'skripʃən] *s* kontingent; abonnement; *take out a subscription for sth* tegne abonnement på ngt.
subsequent ['sΛbsikwənt] *adj* (efter)følgende, senere; **~ly** *adv* så, derpå; senere.
subside [səb'said] *v* synke ned; stilne af, lægge sig.
subsidiary [səb'sidiəri] *s* hjælper // *adj* hjælpe-, bi-; **~ company** *s* datterselskab.
subsidize ['sΛbsidaiz] *v* give støtte (el. tilskud) til; **subsidy** ['sΛbsidi] *s* (stats)støtte.
subsistence [sΛb'sistəns] *s* eksistens; underhold.
substance ['sΛbstəns] *s* stof; substans; væsen; indhold; vægt; *a man of* ~ en velstående mand.
substantial [sΛb'stænʃəl] *adj* virkelig; håndgribelig; solid; væsentlig.
substitute ['sΛbstitju:t] *s* vikar, stedfortræder; erstatning // *v:* ~ *wine for beer* erstatte vin med øl; **substitution** [-'tju:ʃən] *s* indsættelse (i stedet for ngt andet); udskiftning.
subterranean [sΛbtə'reiniən]

adj underjordisk.
subtitle ['sΛbtaitl] *s* undertitel; *(film, tv)* undertekst.
subtle [sΛtl] *adj* fin; svag; spidsfindig; behændig; **~ty** *s* skarpsindighed; finhed; spidsfindighed.
subtract [səb'trækt] *v* trække fra; **~ion** *s* subtraktion.
suburb ['sΛbə:b] *s* forstad; *the ~s* omegnen; **~an** [sə'bə:bən] *adj* forstads-.
subversive [səb'və:siv] *adj* undergravende; nedbrydende.
subway ['sΛbwei] *s* fodgængertunnel.
succeed [sək'si:d] *v* lykkes, være heldig; efterfølge; *they ~ed in doing it* det lykkedes dem at gøre det; ~ *to the throne* arve tronen; **~ing** *adj* (efter)følgende.
success [sək'sεs] *s* held, succes; **~ful** *adj* heldig; vellykket; **~ion** *s* rækkefølge; arvefølge; **~ive** *adj* efterfølgende; i træk; **~or** *s* efterfølger.
succinct [sək'siŋkt] *adj* kortfattet, koncis.
succulent ['sΛkjulənt] *adj* saftig.
succumb [sə'kΛm] *v* bukke under *(to* for).
such [sΛtʃ] *adj/adv/pron* sådan, så; sådan ngt; ~ *books* sådan nogle bøger; den slags bøger; ~ *good books* så gode bøger; ~ *as* såsom, sådan som; *as* ~ som sådan(t); ~ *and* ~ den og den; det og det; de og de; **~like** *adj* den slags.

suck [sʌk] v suge; sutte (på); patte; **~er** s sugeskive; (F) tosse.

suckle [sʌkl] v amme, give bryst.

suction ['sʌkʃən] s sug(en); sugning.

sudden [sʌdn] adj pludselig; brat; all of a ~ med ét; **~ly** adv pludselig.

suds [sʌdz] spl sæbevand.

sue [su:] v lægge sag an (mod); sagsøge.

suede [sweid] s ruskind.

suet ['suit] s (gastr) nyrefedt; oksetalg.

suffer ['sʌfə*] v lide (from af); tage skade; gennemgå; tåle, finde sig i; tillade; **~ing** s lidelse.

suffice [sə'fais] v være nok; slå 'til; tilfredsstille; **sufficient** [-'fiʃənt] adj tilstrækkelig, nok.

suffocate ['sʌfəkeit] v kvæle(s); **suffocation** [-'keiʃən] s kvælning.

sugar ['ʃugə*] s sukker // v komme sukker i (el. på), søde; ~ **beet** s sukkerroe; ~ **cane** s sukkerrør; **~-coated** adj (sukker)glaseret; sukkerovertrukken; **~y** adj sukkersød.

suggest [sə'dʒest] v foreslå; tyde på; antyde; lede tanken hen på; **~ion** [-'dʒestʃən] s forslag; antydning; mindelse; **~ive** [-'dʒestiv] adj tankevækkende; sigende.

suicide ['suisaid] s selvmord; selvmorder.

suit [su:t] s sæt tøj, habit; spadseredragt; (i kortspil) farve // v passe (til); klæde; ~ yourself! gør som du vil! **~able** adj passende; egnet.

suitcase ['su:tkeis] s kuffert.

suite [swi:t] s suite; møblement.

sulk [sʌlk] v surmule; **~y** adj sur.

sulphur ['sʌlfə*] s svovl; **~ic** [-'fjuərik] adj: **~ic acid** svovlsyre.

sultana [sʌl'ta:nə] s (lille) rosin.

sultry ['sʌltri] adj trykkende, lummer.

sum [sʌm] s sum; regnestykke // v: ~ **up** tælle sammen, opsummere.

summarize ['sʌməraiz] v resumere; **summary** ['sʌməri] s resumé, uddrag.

summer ['sʌmə*] s sommer // adj sommer-; **~house** s (i have) lysthus; **~time** s sommertid; **~y** adj sommerlig.

summit ['sʌmit] s (bjerg)top; ~ (conference) topmøde.

summon ['sʌmən] v tilkalde; sammenkalde; ~ up all one's strength opbyde alle sine kræfter; **~s** s stævning, tilsigelse.

sumptuous ['sʌmptjuəs] adj overdådig, luksuriøs; ødsel.

sun [sʌn] s sol; **~bathe** v tage solbad; **~burnt** adj solbrændt; solskoldet.

sundae ['sʌndei] s (gastr) flødeis med frugt.

Sunday ['sʌndi] s søndag; *last* ~ i søndags; *on* ~ på søndag; *in one's* ~ *best* i søndagstøjet.

sundial ['sʌndaiəl] s solur.

sundry ['sʌndri] *adj* forskellige; diverse; *all and* ~ alle og enhver; *sundries pl* diverse udgifter; ~ **shop** s blandet landhandel.

sunflower ['sʌnflauə*] s solsikke.

sung [sʌŋ] *pp* af *sing*.

sunglasses ['sʌnglɑːsiz] *spl* solbriller.

sunk [sʌŋk] *pp* af *sink*; ~**en** *adj* sunket; indsunken.

sun... ['sʌn–] sms: ~**light** s sol(lys); ~**lit** *adj* solbeskinnet; ~**ny** *adj* solrig; solskins-; glad; ~**rise** s solopgang; ~**set** s solnedgang; ~**shade** s parasol; markise; ~**shine** s solskin; ~**stroke** s solstik; ~**tan** s solbrændthed; ~**tan oil** s sololie; ~**trap** s solkrog.

super... [ˌsuper–] sms: ~**cilious** [-'siliəs] *adj* overlegen, vigtig; ~**ficial** [-'fiʃəl] *adj* overfladisk, flygtig; ~**fluous** [suːˈpəːfluəs] *adj* overflødig; ~**human** [-'hjuːmən] *adj* overmenneskelig; ~**intendent** [-inˈtendənt] s forstander; tilsynsførende; (også: *police* ~*intendent*) sv.t. politiinspektør.

superior [suˈpiəriə*] s overordnet // *adj* højere; over-; overlegen; ~**ity** [-'ɔriti] s overlegenhed; overhøjhed.

super... ['suːpə–] sms: ~**natural** [-'nætʃrəl] *adj* overnaturlig; ~**sede** [-'siːd] *v* afløse; fortrænge; ~**stition** [-'stiʃən] s overtro; ~**stitious** [-'stiʃəs] *adj* overtroisk; ~**vise** ['suːpəvaiz] *v* overvåge; føre opsyn med; ~**vision** [-'viʒən] s overopsyn; ~**visor** ['suːpəvaizə*] s tilsynsførende; afdelingschef.

supper ['sʌpə*] s aftensmad; *the last* ~ den sidste nadver.

supple [sʌpl] *adj* smidig, bøjelig.

supplement s ['sʌplimənt] tillæg, supplement // *v* ['sʌpli'mənt] supplere; fylde op; ~**ary** [-'mentəri] *adj* ekstra, supplerende.

supplier [səˈplaiə*] s leverandør.

supply [səˈplai] s forsyning, forråd // *v* forsyne; levere; skaffe; ~ *and demand* udbud og efterspørgsel.

support [səˈpɔːt] s støtte; underhold // *v* støtte; understøtte; bære; forsørge; ~**er** s tilhænger; forsørger.

suppose [səˈpəuz] *v* antage, formode; *be* ~*d to* burde; *I* ~ *so* det tror (el. antager) jeg; **supposing** *konj* hvis nu; **supposition** [-'ziʃən] s antagelse; formodning.

suppress [səˈpres] *v* undertrykke; skjule, fortie; ~**ion** [-'preʃən] s undertrykkelse.

supremacy [səˈpreməsi] s overhøjhed; **supreme**

[sə'pri:m] s højest; øverst; **supreme court** s højesteret.

sure [ʃuə*] adj sikker, vis; ~ *enough* ganske rigtig; *make* ~ sikre sig; *just to make* ~ bare for en sikkerheds skyld; **~ly** adv sikkert; da vel; **~ty** ['ʃuərəti] s sikkerhed; kaution.

surf [sə:f] s (om bølger) brænding.

surface ['sə:fis] s overflade // v overfladebehandle; dukke op; ~ **mail** s alm. post (*mods*: luftpost).

surfboard ['sə:fbɔ:d] s bræt til surfriding; sejlbræt.

surfeit ['sə:fit] s overmål.

surge [sə:dʒ] s (stor) bølge; bølgen // v bruse, strømme.

surgeon ['sə:dʒən] s kirurg.

surgery ['sə:dʒəri] s kirurgi; konsultation(sværelse); *undergo* ~ blive opereret; ~ **hours** spl konsultationstid; **surgical** ['sə:dʒikl] adj kirurgisk; **surgical spirit** s hospitalssprit.

surly ['sə:li] adj sur, tvær.

surname ['sə:neim] s efternavn.

surpass [sə'pɑ:s] v overgå.

surplus ['sə:pləs] s overskud // adj overskuds-; overskydende.

surprise [sə'praiz] s overraskelse, forbavselse // v overraske, overrumple; **surprising** adj forbavsende.

surrender [sə'rendə*] s overgivelse; afståelse // v overgive

(sig); opgive, afstå.

surreptitious [sʌrep'tiʃəs] adj stjålen, hemmelig.

surround [sə'raund] v omgive; omringe; **~ing** adj omgivende; **~ings** spl omgivelser.

surveillance [sə:'veiləns] s opsyn.

survey s ['sə:vei] overblik, oversigt; inspektion; opmåling // v [sə:'vei] overskue; bese, inspicere; kortlægge; **~ing** [sə:'veiŋ] s landmåling; **~or** [-'veiə*] s tilsynsførende; landmåler.

survival [sə'vaivl] s overlevelse; levn; **survive** [sə'vaiv] v overleve; leve videre; **survivor** s overlevende.

susceptible [sə'septəbl] adj modtagelig (*to* for).

suspect s ['sʌspekt] mistænkt // adj mistænkelig, mistænkt // v [sə'spekt] mistænke.

suspend [səs'pend] v ophænge; suspendere; standse; udsætte; **~ed sentence** s betinget dom; **~er belt** s strømpeholder; **~ers** spl sokkeholder; **suspense** s udsættelse; spænding; **suspension** s ophængning; affjedring; suspendering; frakendelse (fx *af kørekort*); **suspension bridge** s hængebro.

suspicion [səs'piʃən] s mistanke; anelse; **suspicious** [-'piʃəs] adj mistænksom; mistænkelig, suspekt.

sustain [səs'tein] v støtte; opretholde; lide, tåle; **~ed** adj

vedvarende; langvarig.
swab [swɔb] *s* vatpind; tampon; *(med)* podning.
swallow ['swɔləu] *s (zo)* svale; mundfuld // *v* synke, sluge; *(fig)* æde i sig, sluge råt; ~*ed up* (op)slugt.
swam [swæm] *præt* af *swim*.
swamp [swɔmp] *s* sump // *v* oversvømme; ~**y** *adj* sumpet.
swan [swɔn] *s* svane.
swap [swɔp] *s* (bytte)handel // *v* bytte, udveksle; *I'll* ~ *you!* skal vi bytte?.
swarm [swɔ:m] *s* sværm, vrimmel // *v* sværme, myldre.
swarthy ['swɔ:ði] *adj* mørkladet; sortsmudset.
sway [swei] *v* svaje, slingre; påvirke.
swear [sweə*] *v (swore, sworn* [swɔ:*, swɔ:n]) sværge; bande; ~ *at sby* lade ederne hagle ned over en; ~ *sby in* tage en i ed; ~ *to sth* sværge på ngt; ~**word** *s* bandeord.
sweat [swet] *s* sved // *v* svede; *in a* ~*bath* i sved; ~**y** *adj* svedig; møjsommelig.
Swede [swi:d] *s* svensker; **s~** *s (bot)* kålroe; ~**n** *s* Sverige; **Swedish** [swi:diʃ] *s/adj* svensk.
sweep [swi:p] *s* fejning; tag; fejende bevægelse; strækning; *(også: chimney* ~*)* skorstensfejer // *v (swept, swept* [swept]) feje; stryge hen over; skride; strække sig; ~ *away* rive bort; feje til side; ~ *past* stryge forbi; ~

up feje op; ~**ing** *adj* fejende *(fx gesture* gestus).
sweet [swi:t] *s* dessert; bolsje etc; ~*s pl* slik // *adj* sød; elskværdig; frisk *(fx milk* mælk); *have a* ~ *tooth* holde af søde sager; *be* ~ *on sby* (F) være lun på en; ~**bread** *s (gastr)* brissel; ~**corn** *s* sukkermajs; ~**en** *v* søde; komme sukker i; forsøde; ~**heart** *s* kæreste, skat; ~**ly** *adv* sødt, blidt; ~ *pea s (bot)* lathyrus.
swell [swel] *s* (om havet) dønning; (op)svulmen // *v (~ed, ~ed* el. *swollen* ['swəulən]) svulme (op); bugne // *adj* (F) alle tiders; mægtig(t); ~**ing** *s* hævelse; bule.
sweltering ['sweltəriŋ] *adj* (om varme) kvælende.
swept [swept] *præt* og *pp* af *sweep*.
swerve [swə:v] *v* dreje (hurtigt) til siden; vige af.
swift [swift] *adj* hurtig, rap.
swim [swim] *s* svømmetur // *v (swam, swum* [swæm, swʌm]) svømme (over); flyde; svæve; *my head* ~*s* jeg er svimmel; ~**mer** *s* svømmer; ~**ming** *s* svømning; ~**ming baths** *spl* svømmehal; ~**ming cap** *s* badehætte; ~**ming costume**, ~**suit** *s* badedragt.
swindle [swindl] *s* svindelnummer // *v* svindle, fuppe; tilsvindle sig; ~**r** *s* svindler.
swine [swain] *s (pl: swine)* svin; (F) møgsvin.
swing [swiŋ] *s* gynge; gynge-

tur; sving(ning); swing // *v
(swung, swung* [swʌŋ]) gyn-
ge; svinge; dingle; blive
hængt; **~ing** *adj* rytmisk; som
swinger.

swipe [swaip] *s* hårdt slag // *v*
slå hårdt; knalde; (F) hugge.

Swiss [swis] *s* schweizer // *adj*
schweizisk.

switch [switʃ] *s* kontakt, afbry-
der; omslag, skifte // *v* skifte;
dreje, svinge; ~ *off* slukke
for; stoppe; ~ *on* tænde for;
starte; **~back** *s* rutschebane;
~board *s (tlf)* omstillings-
bord.

Switzerland ['switsələnd] *s*
Schweiz.

swivel [swivl] *v*: ~ *(round)*
dreje.

swollen ['swəulən] *pp* af *swell*
// *adj* hævet; ophovnet.

swoon [swu:n] *s* besvimelse //
v besvime.

sword [sɔ:d] *s* sværd, sabel.

swore [swɔ:ˈ] *præt* af *swear*;
sworn [swɔ:n] *pp* af *swear*.

swot [swɔt] *s* læsehest // *v*
pukle, slide, terpe.

swum [swʌm] *pp* af *swim*.

swung [swʌŋ] *præt* og *pp* af
swing.

syllable ['siləbl] *s* stavelse.

symbol [simbl] *s* tegn; symbol;
~ic(al) [sim'bɔlik(l)] *adj* sym-
bolsk; **symbolize** *v* symboli-
sere.

symmetrical [si'metrikl] *adj*
symmetrisk; **symmetry**
['simitri] *s* symmetri.

sympathetic [simpə'θetik] *adj*

forstående, medfølende; ~
towards velvilligt indstillet
over for.

sympathize ['simpəθaiz] *v*
sympatisere; have medfølel-
se; **~r** *s* sympatisør; **sympathy**
['simpəθi] *s* sympati, medfø-
lelse.

symphonic [sim'fɔnik] *adj*
symfonisk; **symphony**
['simfəni] *s* symfoni.

synagogue ['sinəgɔg] *s* syna-
goge.

synchronize ['sinkrənaiz] *v*
synkronisere.

syndicate ['sindikit] *s* konsor-
tium; syndikat.

synonym ['sinənim] *s* syno-
nym; **~ous** [si'nɔniməs] *adj*
synonym.

synopsis [si'nɔpsis] *s (pl: syn-
opses* [-si:z]) resumé, synop-
sis.

synthesis ['sinθəsis] *s (pl: syn-
theses* [-si:z]) syntese; **synthe-
tic** [-'θetik] *adj* syntetisk,
kunstig, kunst-; *synthetics pl*
(om tekstiler) kunststoffer.

Syria ['siriə] *s* Syrien; **~n** *s*
syrer // *adj* syrisk.

syringe ['sirindʒ] *s* (injek-
tions)sprøjte.

syrup ['sirəp] *s* sød frugtsaft;
(også: *golden* ~) sirup.

system ['sistəm] *s* system; me-
tode; ordning; **~atic**
[-'mætik] *adj* ordnet; syste-
matisk; **~s analyst** *s (edb)*
systemanalytiker.

345   talc **t**

T

T, t [tiː].
ta [taː] *interj* (F) tak.
table [teibl] *s* bord; tavle; tabel
// *v* stille op; fremsætte (fx *a
motion* et forslag); *lay* (el. *set*)
the ~ dække bord(et); ~ *of
contents* indholdsfortegnel-
se; ~**cloth** *s* dug; ~ **manners**
spl bordskik; ~**mat** *s* lunch-
serviet; bordskåner; ~**spoon**
s spiseske; ~**spoonful** *s* spi-
seskefuld.
tablet ['tæblit] *s* tablet, pastil;
tavle; (skrive)blok.
tabletop ['teibltɔp] *s* bordpla-
de.
tacit ['tæsit] *adj* stiltiende;
tavs; ~**urn** ['tæsitəːn] *adj* få-
mælt.
tack [tæk] *s* (tegne)stift; lille
søm; risting // *v* fæste, ri; *be
on the wrong* ~ *(fig)* være på
vildspor.
tackle [tækl] *s* udstyr, grej(er);
(tekn) talje; *(sport)* tackling
// *v (fig)* gå løs på; tackle.
tact [tækt] *s* finfølelse, takt;
~**ful** *adj* diskret.
tactical ['tæktikl] *adj* taktisk;
tactics *spl* taktik.
tactless ['tæktlis] *adj* taktløs;
indiskret.
tadpole ['tædpəul] *s* haletudse.
taffeta ['tæfitə] *s* taft.
tag [tæg] *s* etiket; prisskilt.
tail [teil] *s* hale; (om kjole)
slæb; bageste del, ende;
~**back** *s* bilkø; ~ **end** *s* ba-

gende; ~**gate** *s* (på station-
car) bagklap.
tailor ['teilə*] *s* skrædder; ~**ing**
s skræddersyning; snit; ~**
made** *adj* skræddersyet (også
fig).
tails [teils] *spl* (F) kjolesæt;
heads or ~ plat eller krone.
tailwind ['teilwind] *s* medvind.
tainted ['teintid] *adj* fordær-
vet; anløben; plettet.
take [teik] *v (took, took)* tage;
kræve; rumme; bringe; tage
med; ledsage; *I* ~ *it that* jeg
går ud fra at; ~ *sby for a
walk* tage en med ud at gå tur;
be ~*n ill* blive syg; ~ *after*
slægte på; ~ *apart* skille ad;
~ *away* fjerne; trække fra; ~
back tage tilbage; tage i sig
igen; ~ *down* nedrive (fx *a
house* et hus); skrive (ned);
~ *in* narre; (op)fatte; omfat-
te; modtage; ~ *off* tage væk;
tage af; imitere; (om fly) lette,
starte; ~ *on* påtage sig; an-
sætte, antage; tage på; ~ *out*
tage ud; skaffe sig; invitere
ud; ~ *over* overtage; afløse;
~ *to* komme til at synes om,
få smag for; ~ *up* tage op;
genoptage; optage (fx *room*
plads); fylde; slå sig på; be-
gynde på; ~**away** *adj* (om
mad) ud-af-huset; ~**home
pay** *s* nettoløn; ~**off** *s (fly)*
start; ~**over** *s* overtagelse.
takings ['teikinz] *spl (merk)*
indtægt.
talc [tælk] *s* (også: ~*um pow-
der)* talkum(pudder).

tale [teil] *s* fortælling, historie; *(neds)* løgnehistorie.

talent ['tɛlənt] *s* talent, anlæg; **~ed** *adj* talentfuld.

talk [tɔ:k] *s* snak, tale(n); samtale; foredrag // *v* snakke, tale; ~ *sby out of doing sth* tale en fra at gøre ngt; ~ *shop* tale forretninger (el. fag); ~ *sth over* diskutere ngt; **~ative** ['tɔ:kətiv] *adj* snakkesalig.

tall [tɔ:l] *adj* høj, stor; (F) utrolig; *that's a bit* ~ (F) den er for langt ude! **~boy** *s* høj kommode.

tally ['tæli] *s* regnskab // *v:* ~ *(with)* stemme (med).

tame [teim] *v* tæmme // *adj* tam; mat, sagtmodig.

tamper ['tæmpə*] *v:* ~ *with* pille ved; manipulere med.

tan [tæn] *s* solbrændthed // *v* garve; gøre (el. blive) solbrændt // *adj* gyldenbrun.

tangerine ['tændʒəri:n] *s* (om frugt) mandarin.

tangible ['tændʒəbl] *adj* håndgribelig.

tangle [tæŋgl] *s* sammenfiltret masse; vildnis // *v* sammenfiltres; *get into a* ~ komme i urede; ~ *up* lave uorden i.

tankard ['tæŋkəd] *s* ølkrus.

tanker ['tæŋkə*] *s* tankskib; tankvogn.

tanned [tænd] *adj* solbrændt.

tantalizing ['tæntəlaiziŋ] *adj* meget fristende.

tantamount ['tæntəmaunt] *adj:* ~ *to* ensbetydende med.

tap [tæp] *s* (let) slag; (vand)hane // *v* give et let slag; banke (let); tromme (med); tappe; **~-dancing** *s* stepdans.

tape [teip] *s* bånd; bændel; (også: *adhesive* ~) klæbestrimmel, tape // *v* sætte tape på; optage på bånd; ~ **measure** *s* målebånd.

taper ['teipə*] *s* kerte // *v* spidse til.

tape recorder ['teiprikɔ:də*] *s* båndoptager.

tapestry ['tæpistri] *s* billedtæppe, gobelin.

tape worm ['teipwə:m] *s* bændelorm.

taproom ['tæpru:m] *s* skænkestue; **tap water** *s* ledningsvand.

tar [ta:*] *s* tjære.

target ['ta:git] *s* mål; skydeskive; målsætning; ~ **practice** *s* skydeøvelse.

tarmac ['ta:mæk] *s* ® (på vej) asfaltbelægning; *(fly)* startbane (med belægning) // *v* asfaltere.

tarnish ['ta:niʃ] *v* (om fx kobber) anløbe; falme; *(fig)* plette.

tarpaulin [ta:'pɔ:lin] *s* presenning.

tarragon ['tærəgən] *s (bot)* estragon.

tart [ta:t] *s* tærte; (F, *neds*) tøs // *adj* skarp, besk.

tartan [ta:tn] *s* skotskternet mønster, klantern // *adj* skotskternet.

task [tɑːsk] s hverv, opgave;
pligt; ~ **force** s *(mil)* kom-
mandostyrke.

taste [teist] s smag; mund-
smag // v smage; *in good* ~
smagfuld; *in bad* ~ smagløs;
each to his ~ enhver sin
smag; **~ful** *adj* smagfuld;
~less *adj* smagløs; fad; **tasty**
['teisti] *adj* velsmagende, læk-
ker.

tatters ['tætəz] *spl: in* ~ i
laser.

tattoo [tæ'tuː] s tatovering; tat-
too // v tatovere.

tatty ['tæti] *adj* (F) nusset, tar-
velig.

taught [tɔːt] *præt* og *pp* af
teach.

Taurus ['tɔːrəs] s *(astr)* Tyren.

taut [tɔːt] *adj* spændt; stram.

tax [tæks] s skat; byrde // v
beskatte; pålægge; sætte på
prøve; bebrejde; **~able** *adj*
skattepligtig; **~ation**
[-'seiʃən] s beskatning; ~
collector s skatteopkræver;
~ **dodge** s skattefidus; ~
evasion s skattesnyderi; ~
exile s person som lever i
skattely; **~free** *adj* skattefri;
~ **haven** s skatteparadis.

taxi ['tæksi] s taxi, taxa // v
(fly) køre på jorden, taxie.

taxidermist ['tæksidəːmist] s
konservator; dyreudstopper.

taxidriver ['tæksidraivə*] s ta-
xachauffør; **taxi rank** s taxa-
holdeplads.

tax payer ['tækspeiə*] s skat-
teyder; **tax return** s selvangi-

velse.

tea [tiː] s te; *have* ~ drikke te;
high ~ eftermiddagsmåltid;
aftensmad; ~ **bag** s tepose,
tebrev; ~ **break** s tepause.

teach [tiːtʃ] v *(taught, taught*
[tɔːt]*)* lære, undervise; ~ *sby
to read* lære en at læse; ~
history undervise i historie;
~er s lærer; **~ing** s undervis-
ning; **~ing staff** s lærerstab.

tea cosy ['tiːkəuzi] s tevarmer.

team [tiːm] s hold; (om dyr)
spand; **~work** s samarbejde.

tea pot ['tiːpɒt] s tepotte.

tear [tiə*] s tåre; [tɛə*] flænge,
rift // v [tɛə*] *(tore, torn* [tɔː*,
tɔːn]*)* flå, rive; revne; *be in*
~s græde; *burst into* ~s bri-
ste i gråd; ~ *along* fare (el.
drøne) af sted; **~ful** ['tiəful]
adj tårevædet, grædende; ~
gas ['tiəgæs] s tåregas.

tearoom ['tiːruːm] s terestau-
rant.

tease [tiːz] s drilleri; (om per-
son) drillepind // v drille;
pirre; plage.

tea. . . ['tiː-] sms: ~ **set** s testel;
~spoon s teske; ~ **strainer** s
tesi.

teat [tiːt] s brystvorte; (på sut-
teflaske) sut.

tea towel ['tiːtauəl] s viskestyk-
ke.

technical ['teknikl] *adj* teknisk;
~ity [-'kæliti] s teknisk detal-
je; formalitet; **technician**
[-'niʃən] s tekniker; laborant;
technique [-'niːk] s teknik.

technologist [tek'nɒlədʒist] s

teknolog.

tedious ['ti:diəs] adj kedelig; trættende.

teem [ti:m] v myldre, vrimle *(with* med).

teens [ti:nz] *spl: be in one's ~s* være ung (under 20 år).

teeth [ti:θ] *spl* af *tooth.*

teethe [ti:ð] v få tænder; *be teething* være ved at få tænder; **teething ring** s bidering; **teething troubles** *spl* ondt for tænder.

teetotal ['ti:'təutl] adj totalt afholdende; afholds-.

tele... ['teli-] tele-; sms: **~graph** s telegraf; **~graphic** [-'græfik] adj telegrafisk; **~pathy** [tə'lepəθi] s tankeoverføring, telepati; **~phone** s telefon // v telefonere (til); **~phone booth** (el. *box) s* telefonboks; **~phone call** s telefonopringning; **~phone directory** s telefonbog; **~phone exchange** s telefoncentral; **~phone operator** s telefonist; **~photo** s telefoto; **~photo lens** s telelinse; **~scope** s kikkert, teleskop; **~viewer** [-vju:ə*] s (fjern)seer; **~vise** [-vaiz] v udsende i fjernsynet; **~vision** s (TV) fjernsyn (tv); **~vision set** s fjernsyn(sapparat).

tell [tel] v (told, told [təuld]) fortælle; sige; give besked; afgøre, skelne; mærkes; *~ sth from sth* skelne ngt fra ngt; *~ on sby* sladre om en; *there's no ~ing* det er ikke til

at vide; *be told to do sth* få besked på at gøre ngt; *be told off* få last og påskrevet; **~ing** adj rammende; sigende; **~tale** adj afslørende; forræderisk.

telly ['teli] s (F) fjernsyn.

temp [temp] s (fork.f. *temporary)* sekretærvikar.

temper ['tempə*] s sind; natur; humør; temperament; hidsighed // v temperere; mildne; *be in a ~* være gal i hovedet; *lose one's ~* blive vred; **~ament** ['temprəmənt] s temperament; **~ance** s mådehold; ædruelighed; **~ate** adj moderat, mådeholdende; (om klima etc) tempereret; **~ature** ['temprətʃə*] s temperatur; *have* (el. *run) a ~* have feber; **~ed** adj hærdet.

tempest ['tempist] s (stærk) storm.

temple [templ] s tempel; *(anat)* tinding.

temporarily ['temprərəli] adv for øjeblikket; midlertidigt; **temporary** adj midlertidig; provisorisk; kortvarig.

tempt [tem(p)t] v friste, lokke; **~ation** [-'teiʃən] s fristelse; **~ing** adj fristende.

ten [ten] *num* ti.

tenacious [tə'neiʃəs] adj fast; sej; klæbrig; vedholdende; **tenacity** [-'næsiti] s fasthed; ihærdighed.

tenancy ['tenənsi] s leje; forpagtning; **tenant** s lejer; forpagter; beboer.

tend [tɛnd] v passe, pleje; be-
tjene; ~ *to* være tilbøjelig til
at; gå i retning af, tendere
imod; **~ency** ['tɛndənsi] s
tendens, tilbøjelighed.
tender ['tɛndə*] s plejer, pas-
ser; *(merk)* tilbud; *put out to*
~ udbyde i licitation // v
tilbyde // *adj* blød; (om mad)
mør; sart, øm, kærlig; *legal* ~
lovligt betalingsmiddel; **~-
loin** s mørbradsteg.
tendon ['tɛndən] s *(anat)* sene.
tenement ['tɛnəmənt] s udlej-
ningsejendom; beboelseshus.
tennis ['tɛnis] s tennis; ~
court s tennisbane; ~ **racket**
s tennisketsjer.
tense [tɛns] s *(gram)* tid // *adj*
spændt; anspændende; **ten-
sion** ['tɛnʃən] s spænding; an-
spændthed.
tent [tɛnt] s telt // v ligge i telt.
tentacle ['tɛntəkl] s *(zo)* fang-
arm.
tentative ['tɛntətiv] *adj* prø-
vende; prøve-; foreløbig.
tenterhooks ['tɛntəhuks] *spl:
be on* ~ sidde som på nåle.
tenth [tɛnθ] *num* tiende // s
tiendedel.
tepid ['tɛpid] *adj* lunken.
term [tə:m] s termin, periode,
frist; udtryk, vending; (i skole
etc) semester // v benævne,
kalde; ~ *of imprisonment*
fængselsstraf; *in the long* ~ i
det lange løb; (se også *terms*).
terminal ['tə:minl] s endesta-
tion; terminal; (i batteri) pol
// *adj* endelig; ende-; yder-;

afsluttende.
terminate ['tə:mineit] v afslut-
te; ende; ~ *in* ende med;
munde ud i.
termination [tə:mi'neiʃən] s af-
slutning; ophævelse (af fx
kontrakt); udløb; ~ *(of preg-
nancy)* svangerskabsafbry-
delse.
terms [tə:ms] *spl* betingelser,
vilkår; *easy* ~ *(merk)* forde-
lagtige vilkår; *be on good* ~s
with stå på god fod med;
come to ~s *with* komme til
forståelse med; finde sig til
rette med.
terrace ['tɛrəs] s terrasse; hus-
række, rækkehuse; **~d** *adj*
terrasseformet.
terrible ['tɛribl] *adj* frygtelig,
skrækkelig; **terrific** [tə'rifik]
adj fantastisk; enorm; **terrify**
v skræmme, gøre bange.
territory ['tɛritəri] s territori-
um, område.
terror ['tɛrə*] s skræk, rædsel;
he's a (real) ~ han er en
skrækkelig karl; **~ism** s ter-
rorisme; **~ist** s terrorist; **~ize**
v terrorisere.
terry ['tɛri] s frotté.
test [tɛst] s prøve; undersøgel-
se; analyse // v prøve, teste;
undersøge; ~ **flight** s prøve-
flyvning.
testify ['tɛstifai] v (be)vidne;
attestere.
testimonial [tɛsti'məuniəl] s
vidnesbyrd; attest; **testimony**
['tɛstiməni] s vidneforkla-
ring; bevis.

test... ['test-] sms: ~ **match** s (i cricket) landskamp; ~ **paper** s skriftlig opgave; ~ **tube** s reagensglas, prøverør.

tetanus ['tetənəs] s stivkrampe.

tether ['teðə*] s: *be at the end of one's* ~ ikke kunne tage mere.

text [tekst] s tekst; ~**book** s lærebog.

textile ['tekstail] s tekstil.

texture ['tekstʃə*] s vævning, struktur; konsistens.

Thai [tai] s thailænder // adj thailandsk; ~**land** s Thailand.

Thames [temz] s: *the* ~ Themsen.

than [ðæn, ðən] konj end; *more* ~ mere end.

thank [θæŋk] v takke; ~ *you (very much)!* (mange) tak! ~**ful** adj taknemmelig; ~**less** adj utaknemmelig; ~**s** spl tak; ~*s very much!* mange tak! ~*s to* takket være; ~**sgiving** s taksigelse.

that [ðæt, ðət] pron (pl: *those*) den, det, de (der); der, som // konj at; fordi; så (el. for) at // adv så; ~*'s what he said* det sagde han; ~ *is* det vil sige; *I can't work* ~ *much* jeg kan ikke arbejde så meget; *at* ~ tilmed, oven i købet.

thatched [θætʃt] adj stråtækt.

thaw [θɔ:] s tø(vejr) // v tø; optø; (om køleskab) afrime.

the [ði:, ðə] den, det, de; jo, des(to); ~ *sooner* ~ *better* jo før jo bedre; *so much* ~

better så meget des(to) bedre; *you're just* ~ [ði:] *person I need* du er lige den jeg behøver.

theatre ['θiətə*] s teater; ~**goer** s teatergænger; **theatrical** [θi'ætrikl] adj teatralsk; teater-.

theft [θeft] s tyveri.

their [ðeə*] pron deres; ~**s** pron deres; *a friend of* ~s en af deres venner.

them [ðem, ðəm] pron dem, sig.

theme [θi:m] s tema; emne; (i skolen) stil; ~ *song* s kendingsmelodi.

themselves [ðəm'selvz] pron sig; (sig) selv; *they did it* ~ de gjorde det selv.

then [ðen] adj/adv da; dengang; daværende; så, derpå; *now and* ~ nu og da; *from* ~ *on* fra da af; *by* ~ på det tidspunkt; *till* ~ indtil da.

theology [θi'ɔlədʒi] s teologi.

theoretical [θiə'retikl] adj teoretisk.

therapist ['θerəpist] s terapeut; **therapy** ['θerəpi] s behandling, terapi.

there [ðeə*] adv der; derhen; ~, ~! så, så! ~ *he is* der er han; *he's in* ~ han er derinde; *he went* ~ han gik (el. tog) derhen; ~ *now!* der kan du selv se! ~**abouts** adv deromkring; ~**after** adv derefter; ~**fore** adv derfor; **there's** d.s.s. ~ *has;* ~ *is.*

thermal ['θə:ml] adj varme-;

thoroughbred **t**

termisk.

thermometer [θəˈmɒmitə⁎] s termometer.

thermos [ˈθəːməs] s ® (også: ~ *flask)* termoflaske.

thesaurus [θiˈsɔːrəs] s sv.t. synonymordbog; opslagsbog, leksikon.

these [ðiːz] *pron (pl* af *this)* disse.

thesis [ˈθiːsis] s *(pl: theses* [-siz]) tese; disputats.

they [ðei] *pron* de; man; ~ *say that...* man siger at...; *as* ~ *say* som man siger.

thick [θik] *adj* tyk; tæt; uklar; tykhovedet; *be* ~ *with sby* (F) være pot og pande med en; *that's a bit* ~ det er altså for galt; *in the* ~ *of* midt i; **~en** *v* gøre (el. blive) tyk; (om sovs) jævne; **~ness** s tykkelse; **~set** *adj* (om person) tætbygget, firskåren.

thief [θiːf] s *(pl: thieves* [θiːvz]) tyv; **thieving** [ˈθiːviŋ] *adj* tyvagtig.

thigh [θai] s lår; **~bone** s lårben.

thimble [θimbl] s fingerbøl.

thin [θin] *v* tynde ud; fortynde // *adj* tynd; spinkel; fin, let (fx *fog* tåge).

thing [θiŋ] s ting; tingest; sag; *for one* ~ for det første; *the best* ~ *would be to* det bedste ville være at; *that's just the* ~ det er lige sagen; *not feel quite the* ~ ikke være helt oppe på mærkerne; *poor* ~! den stakkel! **~s** *spl* sager; tøj;

kluns.

think [θiŋk] *v (thought, thought* [θɔːt]) tænke; tro, mene; forestille sig; synes; ~ *of sth* tænke på ngt; *what do you* ~ *of that?* hvad mener (el. synes) du om det? *I'll* ~ *about it* jeg skal tænke over det; *I* ~ *so* det tror jeg (nok); ~ *well of* have høje tanker om; ~ *up* finde på; udtænke; **~ing** s tænkning.

thinner [ˈθinə⁎] s fortynder(væske).

third [θəːd] s tredjedel; *(mus)* terts; *(auto)* tredje gear // *num* tredje; **~ly** adv for det tredje; ~ **party insurance** s ansvarsforsikring; **~-rate** *adj* tredjerangs; the **T~ World** s den tredje verden.

thirst [θəːst] s tørst; **~y** *adj* tørstig.

thirteen [ˈθəːtiːn] *num* tretten.

thirty [ˈθəːti] *num* tredive.

this [ðis] *pron (pl: these* [ðiːz]) denne, dette; den (el. det) her; de her, disse; ~ *day week* i dag otte dage; ~ *morning* i morges (el. i formiddags); *like* ~ på denne måde, sådan her; ~ *and that* dit og dat; *one of these days* en af dagene, en skønne dag.

thistle [θisl] s tidsel.

thorn [θɔːn] s torn; tjørn; **~y** *adj* tornet; *(fig)* tornefuld.

thorough [ˈθʌrə] *adj* grundig; omhyggelig; *(fig)* gennemført; **~bred** *adj* (om hest) fuldblods; (om person) dannet; ~**fare** s vej, færdselsåre; '*no* ~*fare*''gennemkørsel forbudt'; ~**ly** adv fuldkommen, til bunds; *he* ~*ly agreed* han var helt enig.

those [ðəuz] pl af *that.*

though [ðəu] adv alligevel, dog // konj skønt, selv om; *as* ~ som om; *even* ~ selv om; *you have to do it,* ~ du må alligevel gøre det.

thought [θɔ:t] s tanke; omtanke; overvejelse; tænkning; *on second* ~s ved nærmere eftertanke; *she's a* ~ *better today* hun har det lidt bedre i dag; ~**ful** adj tankefuld; betænksom; ~**less** adj tankeløs; ubetænksom.

thousand [ˈθauzənd] num tusind; ~s of tusindvis af; ~**th** s tusindedel.

thrash [θræʃ] v tæve, slå; ~ *about* slå om sig; ~ *out* gennemdrøfte.

thread [θred] s tråd; *(tekn)* gevind // v: ~ *a needle* træde en nål; ~**bare** adj tyndslidt.

threat [θret] s trussel; ~**en** v true *(to* med at).

three [θri:] num tre; ~**-piece suit** s sæt tøj med vest; ~**-piece suite** s sofagruppe (sofa og to lænestole).

thresh [θreʃ] v *(agr)* tærske; ~**ing machine** s tærskeværk.

threshold [ˈθreʃəuld] s tærskel, dørtrin.

threw [θru:] *præt* af *throw.*

thrift [θrift] s økonomisk sans; ~**y** adj økonomisk.

thrill [θril] s gys(en); spænding // v begejstre; gyse; *be* ~*ed with sth* være begejstret over ngt; ~**er** s (om bog, film etc) gyser; ~**ing** adj spændende.

thrive [θraiv] v (~*d,* ~*d* el. *throve, thriven* [θrəuv, θrivn]) trives; have fremgang; ~ *on sth* stortrives ved ngt.

throat [θrəut] s hals, svælg; *have a sore* ~ have ondt i halsen; *cut sby's* ~ skære halsen over på en; ~**y** adj (om stemme) dyb.

throb [θrɔb] s (om hjerte) slag, banken; (om maskine) dunken // v banke, slå, dunke.

throne [θrəun] s trone.

throttle [θrɔtl] s *(auto)* choker // v kvæle(s).

through [θru:] adj/adv igennem; (om tog, billet etc) gennemgående; færdig // præp gennem; ved; på grund af; *be put* ~ *to sby (tlf)* blive stillet ind til en; *be* ~ være færdig; '*no* ~ *way*''blindgade'; ~**out** [θruˈaut] adv helt igennem // præp gennem hele.

throve [θrəuv] *præt* af *thrive.*

throw [θrəu] s kast // v (*threw, thrown* [θru:, θrəun]) kaste, smide; ~ *a party* holde fest; ~ *away* smide væk; forspilde; ~ *off* skaffe sig af med; ryste af sig; ~ *up* kaste op; ~**away** adj engangs-; ~**in** s *(sport)* indkast.

thrush [θrʌʃ] s drossel.

thrust [θrʌst] s skub, puf; stød;

udfald // *v (thrust, thrust)*
skubbe; stikke; mase (sig);
~ing *adj* dynamisk.

thud [θʌd] *s* bump, brag.

thug [θʌg] *s* bølle.

thumb [θʌm] *s* tommelfinger
// *v* bladre; ~ *a lift* blaffe; *be
all* ~*s* have ti tommelfingre.

thump [θʌmp] *s* dunk; tungt
slag // *v* dunke; dundre; ham-
re.

thunder ['θʌndə*] *s* torden;
buldren // *v* tordne; drøne,
buldre; **~clap** *s* tordenskrald;
~ous *adj* tordnende; **~storm**
s tordenvejr; **~struck** *adj*
(fig) som ramt af lynet.

Thursday ['θə:zdi] *s* torsdag;
on ~ på torsdag.

thus [ðʌs] *adv* således; derfor;
~ *far* hidtil.

thyme ['taim] *s* timian.

thyroid ['θairɔid] *s* skjold-
bruskkirtel.

tick [tik] *s* tikken; hak, mærke;
(zo) skovflåt // *v* tikke; *(F)*
fungere; *in a* ~ *(F)* om et
sekund; *on* ~ *(F)* på kredit;
~ *off* checke af; ~ *sby off*
give en en næse.

ticket ['tikit] *s* billet; (mær-
ke)seddel; bon; lånerkort;
bøde; ~*s, please!* billettering!
that's the ~ *(F)* sådan skal det
være; ~ **collector** *s* billettør;
~ **office** *s* billetkontor.

tickle [tikl] *s* kilden // *v* kilde;
more; smigre; glæde; *be* ~*d
pink (F)* fryde sig; føle sig
smigret; **ticklish** *adj* kilden.

tidal [taidl] *adj* tidevands-.

tide [taid] *s* tidevand; *(fig)* ten-
dens; strøm; *the* ~ *is in* (el.
up) det er højvande (el. flod);
the ~ *is out* det er lavvande
(el. ebbe); *go with the* ~ følge
med strømmen.

tidiness ['taidinəs] *s* orden; or-
denssans; **tidy** *v: tidy (up)*
rydde op; nette sig // *adj* pæn,
ordentlig; hæderlig.

tie [tai] *s* slips; bånd, snor;
hæmsko; forbindelse // *v* bin-
de; *black* ~ (på indbydelse)
smoking; ~ *down* binde
(fast); ~ *sby down* være en
klods om benet på en; ~ *up*
binde (sammen); klare, af-
slutte; båndlægge; *be* ~*d up*
være ophængt, have travlt.

tiger ['taigə*] *s* tiger; vilddyr.

tight [tait] *adj* tæt; stram, snæ-
ver, trang; fast; *(F)* fuld, plø-
ret; *be in a* ~ *spot* være i
knibe; **~en** *v* stramme; spæn-
de; blive stram; **~-fisted** *adj*
nærig; **~-rope** *s* line; **~s** *spl*
strømpebukser; trikot.

tile [tail] *s* tagsten; flise, kak-
kel; ~**d** *adj* tagstens-; flise-.

till [til] *s* pengeskuffe // *v*
(op)dyrke // *præp* d.s.s. *until.*

tiller ['tilə*] *s* rorpind.

tilt [tilt] *v* vippe; sætte på skrå,
hælde; *at full* ~ for fuld fart.

timber ['timbə*] *s* tømmer;
~yard *s* tømmerplads.

time [taim] *s* tid; periode; tids-
punkt; gang; takt // *v* tage tid;
afpasse; vælge det rette øje-
blik; *any* ~ når som helst; *for
the* ~ *being* for øjeblikket;

from ~ *to* ~ fra tid til anden, til tider; *in* ~ i tide, i rette tid; med tiden; *five* ~s *five* fem gange fem; *what* ~ *is it?* hvad er klokken? *have a good* ~ more sig; have det godt; ~*'s up* så er tiden ude; *I've no* ~ *for that (fig)* det irriterer mig; *out of* ~ ude af takt; ~ **bomb** *s* tidsindstillet bombe; ~ **lag** *s* tidsforskel; ~**less** *adj* evig, tidløs; ~ **limit** *s* frist; tidsbegrænsning; ~**ly** *adj* i rette tid; belejlig; ~*r s* minutter; ~**-saving** *adj* tidsbesparende; ~**table** *s* køreplan; (i skolen) skema.

timid ['timid] *adj* frygtsom; sky; ængstelig.

timing ['taimiŋ] *s* tidtagning; valg af tidspunkt.

tin [tin] *s* tin; blik; (konserves)dåse; (bage)form; ~ **foil** *s* aluminiumsfolie, sølvpapir.

tingle [tiŋl] *v* prikke, snurre; dirre.

tinkle [tiŋkl] *s* ringen; klirren; *give me a* ~ (F) slå på tråden.

tinned [tind] *adj* på dåse, dåse-(fx *meat* kød); **tin opener** *s* dåseåbner.

tint [tint] *s* farvetone; (om hår) toning.

tiny ['taini] *adj* lillebitte.

tip [tip] *s* spids, top, dup; drikkepenge; losseplads; (til kul) slaggebunke; tips, fidus // *v* vippe; vælte; give drikkepenge; tippe; læsse af; ~**-off** *s* tip, fidus; ~**ped** *adj* (om cigaret) med filter.

tipsy ['tipsi] *adj* bedugget.

tiptoe ['tiptəu] *s: on* ~ på tåspidserne.

tire ['taiə*] *v* trætte, udmatte; blive træt; ~**less** *adj* utrættelig; ~**some** *adj* trættende, kedelig; **tiring** *adj* trættende.

tissue ['tiʃu:] *s* stof, væv; renseserviet, papirslommetørklæde; ~ **paper** *s* silkepapir.

tit [tit] *s* (zo) mejse; (F) brystvorte; *give* ~ *for tat* give svar på tiltale.

titbit ['titbit] *s* godbid; lækkerbisken.

title [taitl] *s* titel, navn; ret, krav; ~ **deed** *s* (jur) skøde.

to [tu, tə] *præp* at; for; til; *give it* ~ *me* giv mig den; *the key* ~ *the front door* nøglen til hoveddøren; *the main thing is* ~... det vigtigste er at...; *go* ~ *England* tage til England; *go* ~ *school* gå i skole; *go* ~ *and fro* gå frem og tilbage; komme og gå.

toad [təud] *s* tudse; ~**stool** *s* (bot) giftig svamp.

toast [təust] *s* ristet brød; skål // *v* riste; udbringe en skål for; ~**er** *s* brødrister; ~**rack** *s* holder til ristet brød.

tobacco [tə'bækəu] *s* tobak; ~**nist** *s* tobakshandler.

toboggan [tə'bogən] *s* slæde, kælk.

today [tə'dei] *s/adv* i dag.

toddler ['todlə*] *s* rolling, kravlebarn.

to-do [tə'du:] *s* ståhej, postyr.

toe [təu] *s* tå; (om sko) snude

// v: ~ the line holde sig på
måtten.
toffee ['tɒfi] s karamel.
together [tə'geðə'] adv sam-
men, tilsammen; samtidig; i
træk; **~ness** s det at komme
hinanden ved.
toil [tɔil] s slid; hårdt arbejde //
v slide, mase.
toilet ['tɔilit] s toilet; toilette;
~ **bowl** s wc-skål; ~ **paper** s
toiletpapir; **~ries** spl toiletar-
tikler; ~ **roll** s wc-rulle; ~
water s eau de toilette.
toing ['tu:iŋ] s: ~ and froing
faren (el. bevægen sig) frem
og tilbage.
token ['təukən] s tegn; mærke;
bevis; kupon; polet; in ~ of
som vidnesbyrd om.
told [təuld] præt og pp af tell.
tolerable ['tɒlərəbl] adj tålelig;
udholdelig; jævn; nogenlun-
de.
tolerant ['tɒlərənt] adj tole-
rant; modstandsdygtig.
tolerate ['tɒləreit] v tåle; tole-
rere.
toll [təul] s afgift; vejpenge // v
(om klokke) ringe.
tomato [tə'mɑːtəu] s (pl: ~es)
tomat.
tomb [tu:m] s grav.
tomorrow [tə'mɒrəu] s/adv i
morgen; the day after ~ i
overmorgen; ~ morning i
morgen tidlig.
ton [tɒn] s ton (1016 kg); (mar,
også: register ~) registerton
(2,83 m³); ~s of (F) masser af.
tone [təun] s tone, klang;

stemning // v tone; stemme;
harmonisere; ~ down dæm-
pe(s); mildne(s).
tongs [tɒŋz] spl: a pair of ~ en
tang.
tongue [tʌŋ] s tunge; sprog; ~
in cheek uden at mene hvad
man siger; hold one's ~ hol-
de mund; **~-tied** adj mund-
lam; **~-twister** s ord som er
svært at udtale; halsbrækken-
de sætning.
tonic ['tɒnik] s styrkende mid-
del; (mus) grundtone; (også:
~ water) tonicvand.
tonight [tə'nait] s/adv i aften, i
nat.
tonne [tʌn] s ton.
tonsil [tɒnsl] s (anat) mandel;
~litis [-'laitis] s halsbetændel-
se.
too [tu:] adv (alt)for; også;
oven i købet; ~ much for
meget; ~ bad! det var en
skam!
took [tuk] præt af take.
tool [tu:l] s redskab; stykke
værktøj // v bearbejde.
tooth [tu:θ] s (pl: teeth [ti:θ])
tand; tak; spids; have a sweet
~ være slikken; **~ache**
['tu:θeik] s tandpine; **~brush**
s tandbørste; **~paste** s tand-
pasta; **~pick** s tandstikker.
top [tɒp] s top; øverste del;
overdel; låg; tag; (på flaske)
kapsel // v stå øverst (på);
være førende // adj top-;
øverst; bedst; at the ~ of
one's voice ved fuld hals; on ~
of oven på; oven i; ~ up

fylde op (med fx benzin); *the ~ floor* øverste etage; ~ *secret* strengt fortroligt; ~**coat** s overfrakke; ~ **hat** s høj hat; ~**heavy** *adj* som er tungest foroven.

topic ['tɔpik] s emne; ~**al** *adj* aktuel.

top... ['tɔp-] sms: ~**less** *adj* topløs; ~ **level** s *(pol* etc) topniveau; ~**most** *adj* øverst, højest.

topple [tɔpl] *v* vakle, vælte.

topsy-turvy ['tɔpsi'tə:vi] *adj/adv* hulter til bulter; med bunden i vejret.

torch [tɔ:tʃ] s fakkel; lommelygte.

tore [tɔ:*] *præt* af *tear.*

torment s ['tɔ:mənt] pine, kval, plage // *v* [tɔ:'ment] pine, plage.

torn [tɔ:n] *pp* af *tear //* *adj:* ~ *between* vaklende mellem.

tornado [tɔ:'neidəu] s *(pl: ~es)* hvirvelstorm.

torrent ['tɔrənt] s stærk strøm; skybrud; ~**ial** [tɔ'renʃl] *adj* rivende; styrtende.

torsion ['tɔ:ʃən] s vridning, snoning.

tortoise ['tɔ:təs] s skildpadde; ~**shell** s skildpaddeskjold.

tortuous ['tɔ:tjuəs] *adj* snoet; forvreden, indviklet.

torture ['tɔ:tʃə*] *adj* tortur; kval // *v* torturere; pine; fordreje.

Tory ['tɔ:ri] *s/adj* konservativ.

toss [tɔs] s kast; lodtrækning (ved plat og krone) // *v* kaste;

smide; ~ *one's head* slå med nakken; ~ *the salad* vende salaten (i marinade); ~ *a coin* slå plat og krone; ~ *up for sth* trække lod om ngt; ~ *and turn (in bed)* vride og vende sig (i sengen).

total [təutl] s sum, facit // *v* beløbe sig til; udgøre // *adj* total, fuldkommen; ~**itarian** [təutəli'tɛəriən] *adj (pol)* totalitær.

totter ['tɔtə*] *v* stavre; vakle.

touch [tʌtʃ] s berøring; kontakt; strøg,; træk; anelse // *v* berøre, røre (ved); bevæge; måle sig med; *a ~ of* en anelse; en smule; *be in ~ with* have føling (el. forbindelse) med; *get in ~ with* sætte sig (el. komme) i kontakt med; *lose ~ with* miste forbindelsen med; ~ *on* komme ind på; angå; ~ *up* fikse op på; pynte på; ~ *wood* banke under bordet; ~**and-go** *adj* uvis, usikker; *it was ~and-go whether we did it* vi var lige ved ikke at gøre det; ~**down** s *(fly)* landing; (i rugby og *fig)* scoring; ~**ed** *adj* rørt, bevæget; ~**ing** *adj* rørende // *præp* vedrørende; ~**line** s (i fodbold) sidelinje; ~**y** *adj* sart; irritabel.

tough [tʌf] s gangster; hård negl // *adj* sej; skrap, hård, barsk; ~ *luck!* ærgerligt! ~**en** *v* gøre (el. blive) hård, sej etc.

tour [tuːəˈ] s rejse; rundtur, turné; (i museum etc) omvisning // v rejse (el. gå) rundt i; ~**ing** s turisme; rejsen (rundt); **tourist** s turist.

tournament [ˈtuənəmənt] s turnering.

tousled [tauzld] adj (om hår) uglet.

tow [təu] v bugsere; slæbe.

toward(s) [təˈwɔːd(z)] præp (hen)imod; overfor; for at.

tow-bar [ˈtəubaː] s (auto) anhængertræk.

towel [ˈtauəl] s håndklæde; viskestykke; (også: sanitary ~) hygiejnebind; ~**ling** s frotté; frottering; ~ **rail** s håndklædestang.

tower [ˈtauəˈ] s tårn // v hæve sig; knejse; ~ **block** s højhus; ~**ing** adj meget høj; imponerende.

towline [ˈtəulain] s slæbetov; trosse.

town [taun] s by; go to ~ tage til byen; (F) tage ud at feste; ~ **council** s byråd; ~ **hall** s rådhus; ~ **planning** s byplanlægning.

towpath [ˈtəupaːθ] s træksti (langs fx kanal); **towrope** s slæbetov; trosse.

toxic [ˈtɔksik] adj giftig.

toy [tɔi] s stykke legetøj // v: ~ **with** pusle med; lege med; ~ **shop** s legetøjsbutik.

trace [treis] s spor; mærke; sti; antydning // v spore; mærke; skelne; tegne; without ~ sporløst.

track [træk] s spor; aftryk; sti, bane // v (efter)spore; keep ~ on have føling med; have check på; ~ **down** støve op; forfølge og fange; ~**ed** adj (auto) med larvefødder; bælte-; ~**suit** s træningsdragt; overtræksdragt.

tract [trækt] s egn, område, trakt; traktat; pjece; the respiratory ~ (anat) luftvejene; ~**ion** [ˈtrækʃən] s træk(kraft).

trade [treid] s handel; erhverv; håndværk // v handle; udveksle; bytte; ~ **with** (el. in) handle med; ~ 'in give i bytte; ~**in (value)** s bytteværdi; ~**mark** s varemærke; firmamærke; ~**name** s varebetegnelse; varemærke; ~**r** s næringsdrivende; handelsskib; ~**sman** s handlende; ~ **union** s fagforening; ~ **unionist** s medlem af (el. forkæmper for) fagforening; **trading** s handel; omsætning.

tradition [trəˈdiʃən] s tradition; skik; ~**al** adj traditionel.

traffic [ˈtræfik] s trafik, færdsel; handel; samkvem // v: ~ **in sth** handle med ngt; ~ **jam** s trafikprop; ~ **lights** spl lyssignal, lyskurv; ~ **sign** s færdselsskilt; ~ **warden** s sv.t. parkeringsvagt.

tragedy [ˈtrædʒədi] s tragedie; ulykke; **tragic** [ˈtrædʒik] adj tragisk.

trail [treil] s spor; sti; hale; stribe (fx of smoke røg) // v følge sporet efter; slæbe; slynge sig; ~ *behind* komme bagud; ~**er** s påhængsvogn; anhænger; *(film)* trailer; ~**ing plant** s slyngplante.

train [trein] s tog; (på kjole etc) slæb; række // v uddanne (sig); oplære(s); træne; dressere; *his* ~ *of thought* hans tankegang; ~**ed** *adj* uddannet; øvet; faglært; ~**ee** [trei'ni:] s praktikant; ~**er** s træner, dressør; ~**ing** s uddannelse; træning; ~**ing college** s (lærer)seminarium.

trait [treit] s karaktertræk; ansigtstræk.

traitor ['treitə*] s forræder.

tram [træm] s sporvogn.

tramp [træmp] s vagabond // v trampe (på); traske; vagabondere; gennemstrejfe.

trample [træmpl] v: ~ *on* trampe på.

tramway ['træmwei] s sporvej.

tranquil ['træŋkwil] *adj* rolig, stille; ~**lity** [-'kwiliti] s ro, stilhed; ~**lizer** ['træŋkwilaizə*] s beroligende middel, nervepille.

transaction [træn'zækʃən] s udførelse; forretning.

transcript ['trænskript] s genpart; udskrift; gengivelse; ~**ion** [-'skripʃən] s omskrivning; transkription.

transept ['trænsεpt] s (i kirke) tværskib.

transfer s ['trænsfə:*] overførsel; overføring; overdragelse; overføringsbillede // v

[træns'fə:*] overføre; overdrage; overflytte; ~ *the charges (tlf)* lade modtageren betale samtalen.

transform [træns'fɔ:m] v omdanne; forandre; forvandle *(into* til); ~**ation** [-'meiʃən] s forandring; forvandling; ~**er** s *(elek)* transformator.

transfusion [træns'fju:ʒən] s overføring; transfusion.

transgress [træns'grεs] v overtræde; overskride; synde.

transient ['trænziənt] *adj* forbigående; kortvarig.

transit ['trænsit] s: *in* ~ på gennemrejse; ~**ion** [-'ziʃən] s overgang; ~**ional** [-'ziʃənəl] *adj* overgangs-; ~**ory** *adj* kortvarig; flygtig.

translate [træns'leit] v oversætte; fortolke; overføre; **translation** s oversættelse; omsætning; **translator** s oversætter, translatør.

transmission [trænz'miʃən] s overføring; udsendelse; transmission; **transmit** v fremsende; meddele; sende, transmittere.

transparency [træns'pεərənsi] s gennemsigtighed; transparent; **transparent** ['-'pεərənt] *adj* gennemsigtig.

transpire [træns'paiə*] v svede, transpirere; (om fx hemmelighed) sive ud, komme frem.

transplant s ['trænspla:nt] omplantning; transplantation; transplantat // v [træns'plɑːnt] omplante; transplantere.

transport s ['trænspɔːt] transport; forsendelse; henrykkelse // v [træns'pɔːt] transportere; henrykke; ~**ation** [-'teiʃən] s transport(middel); deportation (af fanger).

transverse ['trænzvəːs] adj tvær-; transversal.

trap [træp] s fælde; (i rør) vandlås // v fange (i en fælde); standse; shut one's ~ (F) klappe i; be ~ped sidde i saksen; sidde fast; ~ **door** s lem, luge.

trash [træʃ] s (F) bras, møg; ævl.

travel ['trævl] s rejse // v rejse; bevæge sig; gennemrejse; ~ **agency** s rejsebureau; ~**ler s** rejsende; ~**ler's cheque** s rejsecheck; ~**ling** s det at rejse; ~ **sickness** s transportsyge.

tray [trei] s bakke; brevbakke.

treacherous ['tretʃərəs] adj forræderisk; lumsk; **treachery** s forræderi.

treacle ['triːkl] s sirup.

tread [tred] s trin; gang; skridt; (om dæk) slidbane // v (trod, trodden) [trod, trodn) træde; betræde.

treason ['triːzn] s (lands)forræderi.

treasure ['treʒə*] s skat // v sætte stor pris på; gemme på; bevare; ~ **hunt** s skattejagt; ~**r** s kasserer; **treasury** s skatkammer; kasse; the Treasury sv.t. finansministeriet.

treat [triːt] s (lille) gave; (dejlig) overraskelse; (lækkert) traktement // v behandle; traktere; it was a ~ det var en oplevelse; ~ sby to sth spendere ngt på en.

treatise ['triːtiz] s afhandling.

treatment ['triːtmənt] s behandling.

treaty ['triːti] s traktat.

treble [trebl] s (mus) diskant // v tredoble(s) // adj tredobbel; (om stemme) høj, skinger; ~ **clef** s (mus) diskantnøgle, G-nøgle.

tree [triː] s træ; ~ **line** s trægrænse; ~**lined** adj omgivet af træer; ~ **trunk** s træstamme.

trek [trek] s tur, vandring // v tage på vandretur; pony ~king ferietur på pony.

trellis ['trelis] s gitter(værk); tremmer.

tremble [trembl] v ryste, skælve; vibrere; **trembling** s rysten, dirren // adj rystende, bævende.

tremendous [tri'mendəs] adj enorm, kolossal; frygtelig.

tremor ['tremə*] s rysten, skælven.

trench [trentʃ] s grøft; udgravning; skyttegrav.

trend [trend] s tendens; retning; mode; ~y adj (om tøj etc) in; (om person) med på noderne.

trepidation [trepi'deiʃən] s frygt og bæven.

trespass ['trespəs] v: ~ on

trænge ind på; gøre indgreb i; *'no ~ing'* 'adgang forbudt'; 'privat område'.

trial ['traiəl] *s* prøve; afprøvning; prøvelse; *(jur)* retssag; *be on* ~ være på prøve; være anklaget; *by* ~ *and error* ved at prøve sig frem.

triangle ['traiæŋgl] *s* trekant; *(mus* etc) triangel; **triangular** [-'æŋgjulə*] adj* trekantet, trekant(s)-.

tribal ['traibəl] *adj* stamme-; **tribe** *s* stamme; **tribesman** *s* stammemedlem.

tribunal [trai'bju:nl] *s* domstol; nævn.

tributary ['tribju:təri] *s* biflod.

tribute ['tribju:t] *s* hyldest; skat; *pay* ~ *to* hylde.

trick [trik] *s* kneb, trick; fidus; kunst(stykke); (i kortspil) stik // *v* narre, snyde; *a dirty* ~ en grim streg; *play a* ~ *on sby* lave et nummer med en; **~ery** *s* fup; svindel.

trickle ['trikl] *s* tynd strøm; piblen // *v* pible; sive; ~ *in* (om person) liste (el. sive) ind.

tricycle ['traisikl] *s* trehjulet cykel.

triennial [trai'eniəl] *adj* treårig; som sker hvert 3. år.

trifle ['traifl] *s* bagatel, smule; *(gastr)* trifli // *v*: ~ *with* lege med; **trifling** *adj* ubetydelig.

trigger ['trigə*] s* (om gevær etc) aftrækker; udløser // *v*: ~ *off* udløse, sætte i gang.

trim [trim] *s* orden; stand; udstyr; (om hår) studsning; (på

bil) pynteliste // *v* klippe, trimme, studse, gøre i stand, ordne; **~mings** *spl* pynt; udsmykning; *(gastr)* garnering, tilbehør; småkød.

Trinity ['triniti] *s: the* ~treenigheden.

trinket ['triŋkit] *s* nipsting; (billigt) smykke.

trip [trip] *s* rejse; udflugt; trippen, snublen // *v*: ~ *up* kludre; spænde ben for; *be on a* ~ være på rejse; (S) være høj.

tripe [traip] *s (gastr)* kallun; *(neds)* møg, bras.

triple [tripl] *adj* tredobbelt; **triplets** *spl* trillinger.

triplicate ['triplikit] *s: in* ~ i tre eksemplarer.

tripod ['traipod] *s (foto)* stativ.

trite [trait] *adj* banal, fortærsket.

triumph ['traiʌmf] *s* triumf, sejr // *v* triumfere, hovere, sejre; **~al** [-'ʌmfl] *adj* sejrrig; triumf-; **~ant** [-'ʌmfənt] *adj* sejrende; triumferende.

trivia ['triviə] *spl* bagateller; **~l** *adj* ubetydelig; banal, triviel; **~lity** [-'æliti] *s* ubetydelighed, bagatel.

trod [trod] *præt* af *tread*; **~den** [trodn] *pp* af *tread*.

trolley ['troli] *s* trækvogn; indkøbsvogn; rullebord.

troop [tru:p] *s* trop; flok, skare // *v* gå i flok; myldre; **~ing** *s*: ~*ing the colours* fanemarch; **~s** *spl* tropper.

trophy ['trəufi] *s* trofæ.

tropic ['tropik] *s* vendekreds;

in the ~*s* i troperne; *the T~ of Cancer* (el. *Capricorn*) krebsens (el. stenbukkens) vendekreds; ~**al** *adj* tropisk, trope-.

trot [trɔt] *v* trave, traske; ~**ter** *s* travhest; *pig's* ~*ters* grisetæer.

trouble ['trʌbl] *s* besvær; vrøvl; bekymring(er); sygdom // *v* besvære, ulejlige (sig); bekymre (sig); *stomach* ~ dårlig mave; *go to the* ~ *of* el. *take the* ~ *to* gøre sig den ulejlighed at; *it's no* ~ det er ingen ulejlighed; *what's the* ~? hvad er der i vejen? *ask for* ~ være ude på skrammer; ~**d** *adj* bekymret, urolig; ~-**free** *adj* problemfri; sorgløs; ~**maker** *s* urostifter, balladmager; ~**some** *adj* besværlig, vanskelig.

trough [trɔf] *s* trug, rende; *a* ~ *of low pressure (met)* et lavtryksområde.

trousers ['trauzəz] *spl* bukser; *a pair of* ~ et par bukser.

trout [traut] *s (pl:* ~) ørred, forel.

truant ['truənt] *s: play* ~ pjække, skulke.

truce [tru:s] *s* våbenstilstand.

truck [trʌk] *s* lastvogn, lastbil; trækvogn; bagagevogn; ~ **driver** *s* lastbilchauffør.

truculent ['trʌkjulənt] *adj* aggressiv.

trudge [trʌdʒ] *v* traske, trave.

true [tru:] *adj* sand; nøjagtig, tro; ægte; trofast; *come* ~ gå i

opfyldelse.

truffle ['trʌfl] *s* trøffel.

truly ['tru:li] *adv* sandt; virkelig; *yours* ~ (i breve) Deres ærbødige.

trumpet ['trʌmpit] *s* trompet; trompetist.

truncheon ['trʌntʃən] *s* politistav, knippel.

trunk [trʌŋk] *s* (træ)stamme; krop; (elefant)snabel; *(auto)* bagagerum; (stor) kuffert; ~ **call** *s (tlf)* udenbys samtale; ~ **road** *s* hovedvej; ~**s** *spl* bukser; badebukser.

trust [trʌst] *s* tillid, tiltro; betroede midler; båndlæggelse; *(merk)* trust // *v* stole på; betro; ~ *sth to sby* el. ~ *sby with sth* betro el. overlade en ngt; ~**ed** *adj* betroet; ~**ee** [trʌs'ti:] *s* formynder, værge; (i institution) bestyrelsesmedlem; ~**ful**, ~**ing** *adj* tillidsfuld; ~**worthy** *adj* pålidelig; ~**y** *adj* trofast.

truth [tru:θ] *s (pl:* ~s [tru:ðz]) sandhed; *to tell the* ~... (F) for at sige det rent ud...; ~**ful** *adj* sandfærdig; tro, sand.

try [trai] *s* forsøg; chance // *v (tried, tried)* prøve, forsøge; sætte på prøve; stille for retten, dømme; ~ *on* prøve (tøj); ~ *it on* (F) prøve at se om det går; ~ *out* gennemprøve; *be tried for murder* blive anklaget for mord; ~**ing** *adj* enerverende, ubehagelig.

tub [tʌb] *s* balje; badekar.

tube ['tju:b] *s* rør, tube; (i dæk)

slange; **tubing** s rørsystem;
valve tubing ventilgummi.
TUC ['tiːjuːˈsiː] s (fork.f. *Trade
Union Congress*) sv.t. LO.
tuck [tʌk] s (syet) læg // v
putte, stoppe; proppe; ~ *in*
(F) guffe i sig; (om barn)
putte, stoppe dynen ned om;
~ *up* putte (el. stikke) op;
smøge op.
Tuesday ['tjuːzdi] s tirsdag; *on*
~ på tirsdag.
tuft [tʌft] s dusk, tot; tue.
tug [tʌg] s træk; slæbebåd // v
trække, slæbe; **~-of-war** s
tovtrækning.
tuition [tjuˈiʃən] s undervis-
ning.
tulip ['tjuːlip] s tulipan.
tumble [tʌmbl] v falde; tumle
(omkuld); rode op i; **~down**
adj faldefærdig; forfalden; ~
dryer s tørretumbler; **~r** s
krus, glas.
tummy ['tʌmi] s (F) mave.
tumour ['tjuːmə*] s svulst, tu-
mor.
tuna ['tjuːnə] s *(pl: ~)* tunfisk.
tune [tjuːn] s melodi; harmoni
// v stemme (fx *the violin*
violinen); afstemme; tune; *be
in* ~ stemme; spille (el. syn-
ge) rent; *be in* ~ *with* stem-
me med, være i harmoni
med; ~ *in* indstille; ~ *up*
stemme (instrument); **~t** s
(radio) tuner; (også: *piano
~r)* klaverstemmer.
tunic ['tjuːnik] s tunika, kjortel;
gymnastikdragt.
tuning ['tjuːniŋ] s (af)stemning,

indstilling; ~ **fork** s stem-
megaffel.
Tunisia [tjuˈniziə] s Tunesien;
~n s tunesier // adj tunesisk.
tunnel [tʌnl] s tunnel;
(mine)gang // v grave sig
igennem.
tunny ['tʌni] s tunfisk.
turbot ['təːbət] s *(zo)* pighvar.
tureen [təˈriːn] s (suppe)terrin.
turf [təːf] s græstørv; grønsvær
// v: ~ *out* smide ud.
turgid ['təːdʒid] adj svulstig.
Turk [təːk] s tyrk; **~ey** s Tyrki-
et.
turkey ['təːki] s kalkun.
Turkish ['təːkiʃ] s/adj tyrkisk;
~ **delight** s sukkerovertruk-
ket frugtkonfekt.
turmoil ['təːmɔil] s oprør; uro.
turn [təːn] s drejning; sving;
tilbøjelighed; nummer; tur;
forskrækkelse; anfald // v
dreje; vende; forvandle; bli-
ve; (om mælk) blive sur; *do
sby a good* ~ gøre en en
tjeneste; *a bad* ~ en bjørne-
tjeneste; *it gave me quite a* ~
jeg blev helt forskrækket; *'no
left* ~''venstresving forbudt';
it's your ~ det er din tur; *in* ~
skiftevis, efter tur; *take* ~*s*
skiftes;
~ *about* vende; ~ *away* ven-
de (sig) bort; ~ *back* vende
tilbage (el. om); ~ *down* afvi-
se; ombøje; skrue ned (for);
~ *in* bukke om; (F) gå til
køjs; ~ *off* dreje 'af; slukke
(for); stoppe; ~ *on* tænde
(for); starte; (F) vække inter-

esse hos; gøre 'høj'; ~ *out* jage væk; vise sig at være; slukke for; ~ *up* dukke op, vise sig; skrue op (for); bukke op; smøge op; **~around** *s* kovending; **~ing** *s* (vej)svning; **~ing point** *s* vendepunkt.

turnip ['tə:nip] *s* turnips, roe; kålrabi.

turnkey ['tə:n'ki:] *adj: a* ~ *house* et nøglefærdigt hus.

turn... ['tə:n-] *sms:* **~out** *s* fremmøde, mødeprocent; udrykning; **~over** *s* omsætning; *(gastr)* sammenfoldet tærte; **~stile** [-stail] *s* tælleapparat; **~table** *s* pladetallerken; **~up** *s* opslag.

turpentine ['tə:pəntain] *s* (også: *turps)* terpentin.

turquoise ['tə:kwoiz] *s* turkis // *adj* turkis(farvet).

turret ['tʌrit] *s* lille tårn.

turtle [tə:tl] *s* skildpadde; *mock* ~ forloren skildpadde; **~neck (sweater)** *s* rullekravesweater.

tusk [tʌsk] *s* stødtand.

tutor ['tju:tə*] *s* universitetslærer; huslærer; **~ial** [-'to:riəl] *adj* manuduktion(stime).

TV [ti:'vi:] *s* (fork.f. *television)* fjernsyn (tv); **~am** *s* tidlige morgenudsendelser i tv.

twang [twæŋ] *s* svirpen; knips; snøvlen // *v* knipse; anslå (en streng).

tweezers ['twi:zəz] *spl: a pair of* ~ en pincet.

twelfth [twelfθ] *num* tolvte // *s* tolvtedel; **T~ Night** *s* hellig-

trekongers aften; **twelve** [twelv] *num* tolv.

twentieth ['twentiiθ] *num* tyvende // *s* tyvendedel; **twenty** ['twenti] *num* tyve.

twice [twais] *adv* to gange; ~ *as much* dobbelt så meget.

twig [twig] *s* kvist, lille gren.

twilight ['twailait] *s* tusmørke, skumring.

twin [twin] *s* tvilling; **~bed** *adj* tosengs-.

twine [twain] *s* sejlgarn; snoning // *v* sno (sig); slynge (sig).

twinkle [twiŋkl] *s* blink(en), glimt(en) // *v* blinke, tindre.

twin set ['twinset] *s* cardigansæt; **twin town** *s* venskabsby.

twirl [twə:l] *v* snurre (rundt); svinge (med).

twist [twist] *s* vridning, snoning; drejning // *v* sno (sig); vride (sig); forvride, forvrænge.

twitch [twitʃ] *s* trækning; ryk, spjæt // *v* rykke, spjætte; fortrække sig.

two [tu:] *num* to; *put* ~ *and together* lægge to og to sammen; *he can put* ~ *and together* han er ikke tabt bag af en vogn; *one or* ~ et par (stykker); ~**-faced** *adj* (om person) falsk; ~**-fold** *adv: increase* ~*fold* vokse til det dobbelte; fordobles; ~**pence** ['tʌpəns] *s* to pence; *I don't care* ~*pence* jeg er rivende ligeglad; ~**-piece (suit)** *s* spadseredragt; ~**-piece**

(swimsuit) s todelt badedragt;
~-**seater** s topersoners bil;
~-**way** adj (om trafik) i begge
retninger.
tycoon [tai'ku:n] s pamper.
type [taip] s type; forbillede,
model; skrift // v skrive på
maskine; ~-**script** s maskin-
skrevet manuskript; ~-**writer**
s skrivemaskine.
typhoid ['taifoid] s tyfus.
typhoon [tai'fu:n] s tyfon.
typical ['tipikl] adj typisk.
typing ['taipiŋ] s maskinskriv-
ning; ~ **error** s slåfejl; **typist** s
maskinskriver.
typographer [tai'pogrəfə*] s
typograf.
tyranny ['tirəni] s tyranni; **ty-
rant** ['taiərənt] s tyran.
tyre ['taiə*] s (om bil, cykel etc)
dæk; ~ **pressure** s dæktryk;
~ **track** s bilspor.

U

U, u
udder ['ʌdə*] s yver.
ugliness ['ʌglinis] s grimhed;
ugly adj grim, hæslig, styg.
UK ['ju:'kei] s (fork.f. United
Kingdom) Storbritannien og
Nordirland.
ulcer ['ʌlsə*] s mavesår.
ulterior [ʌl'tiəriə*] adj: ~ mo-
tive bagtanke.
ultimate ['ʌltimət] adj yderst;
endelig; sidst; ~-**ly** adv til
sidst, i sidste ende.
umbilical [ʌmbi'laikl] adj: ~
cord navlestreng.

umbrage ['ʌmbridʒ] s: take ~
at tage anstød af.
umbrella [ʌm'brelə] s paraply;
under the ~ of the UN under
FN.s auspicier.
umpire ['ʌmpaiə*] s forligs-
mand; (sport) dommer // v
være dommer.
umpteen ['ʌmpti:n] adj: for the
~th time for 117. gang.
UN ['ju:'ɛn] s (fork.f. United
Nations) FN.
unabashed ['ʌnə'bæʃt] adj
ufortrøden.
unable [ʌn'eibl] adj ude af
stand (to til at).
unaccompanied ['ʌnə'kʌmpə-
nid] adj alene; uden akkom-
pagnement.
unaccountable ['ʌnə'kaun-
təbl] adj uforklarlig; mystisk.
unaccustomed ['ʌnə'kʌs-
təmd] adj ikke vant (to til);
uvant (to med).
unaided [ʌn'eidid] adj uden
hjælp, på egen hånd.
unanimity [ju:nə'nimiti] s en-
stemmighed; **unanimous**
[ju:'næniməs] adj enstemmig.
unarmed ['ʌn'a:md] adj ube-
væbnet; forsvarsløs.
unashamed ['ʌnə'ʃeimd] adj
uden at skamme sig, ugenert.
unassuming ['ʌnə'sju:miŋ] adj
beskeden, fordringsløs.
unattended ['ʌnə'tɛndid] adj
(om barn etc) uden tilsyn (el.
opsyn); forsømt.
unattractive ['ʌnə'træktiv] adj
ucharmerende; usympatisk.
unauthorized ['ʌn'ɔ:θəraizd]

adj uautoriseret; ubemyndi-
get.
unavoidable ['ʌnə'vɔidəbl] *adj*
uundgåelig.
unaware ['ʌnə'wɛə⁎] *adj: be ~
of* være uvidende om; ikke
være klar over; **~s** *adv* ufor-
varende; uventet.
unbalanced [ʌn'bælənst] *adj*
uligevægtig.
unbearable [ʌn'bɛərəbl] *adj*
utålelig; uudholdelig.
unbeatable [ʌn'bi:təbl] *adj*
uovervindelig; **unbeaten** *adj*
ubesejret.
unbecoming ['ʌnbi'kʌmiŋ] *adj*
uklædelig, upassende.
unbelievable [ʌnbi'li:vəbl] *adj*
utrolig, ufattelig.
unbiased [ʌn'baiəst] *adj* upar-
tisk; saglig.
unbind [ʌn'baind] *v* binde op.
unbreakable [ʌn'breikəbl] *adj*
brudsikker; ubrydelig.
unbroken [ʌn'brəukn] *adj*
ubrudt, hel; uafbrudt.
unburden [ʌn'bə:dn] *v:* ~ *one-
self* lette sit hjerte.
unbutton [ʌn'bʌtn] *v* knappe
op.
uncalled [ʌn'kɔ:ld] *adj* ukal-
det; **~-for** *adj* malplaceret;
uberettiget.
uncanny [ʌn'kæni] *adj* my-
stisk; uhyggelig.
uncared-for [ʌn'kɛədfɔ:⁎] *adj*
forsømt.
uncertain [ʌn'sə:tn] *adj* usik-
ker, uvis; omskiftelig; **~ty** *s*
uvished, tvivl.
unchanged [ʌn'tʃeindʒd] *adj*

uforandret, uændret.
uncharitable [ʌn'tʃæritəbl] *adj*
fordømmende, streng.
uncle [ʌŋkl] *s* onkel.
unclean [ˌʌn'kli:n] *adj* uren.
unclothe [ʌn'kləuð] *v* klæde af.
uncoil [ʌn'kɔil] *v* rulle (sig) op
(el. ud).
uncomfortable [ʌn'kʌmfətəbl]
adj ubekvem; ubehagelig;
ilde til mode.
uncommon [ʌn'kʌmən] *adj*
ualmindelig, usædvanlig.
uncompromising [ʌn'kɔmprə-
maiziŋ] *adj* ubøjelig; kom-
promisløs.
unconditional [ˌʌnkən'diʃənl]
adj betingelsesløs; ubetinget.
unconscious [ʌn'kɔnʃəs] *adj*
bevidstløs; ubevidst; under-
bevidst; **~ness** *s* bevidstløs-
hed.
uncontrollable [ʌnkən'trəul-
əbl] *adj* ustyrlig, uregerlig.
uncork [ʌn'kɔ:k] *v* trække
proppen op (af).
uncover [ʌn'kʌvə⁎] *v* afdække,
afsløre.
unctuous ['ʌŋktjuəs] *adj* fed-
tet; salvelsesfuld.
undeniable [ʌndi'naiəbl] *adj*
ubestridelig; **undeniably** *adv*
unægtelig.
under ['ʌndə⁎] *adv* nede, ne-
denunder // *præp* under; ne-
den for; mindre end.
under. . . ['ʌndə⁎-] sms: **~-age**
[-'eidʒ] *adj* umyndig; **~carri-
age** *s* undervogn; *(fly)* land-
ingsstel; **~coat** *s* grundma-
ling; **~cover** [-'kʌvə⁎] *adj*

hemmelig, skjult; ~**cut** *s*
(gastr) mørbrad(stykke) // *v*
sælge billigere end; ~**devel-
oped** *adj* underudviklet;
~**done** *adj (gastr)* rødstegt;
(neds) ikke kogt (el. stegt)
nok.

under... ['ʌndə'-] sms: ~**esti-
mate** [-'estimeit] *v* undervur-
dere; ~**exposed** *adj (fot)* un-
derbelyst, undereksponeret;
~**fed** [-'fɛd] *adj* underernæ-
ret; ~**go** [-'gəu] *v* gennemgå,
udstå; ~**graduate** [-'grædjuit]
s student; studerende; ~**
ground** *s* undergrundsbane;
modstandsbevægelse;
~**growth** *s* bundvegetation.

under... ['ʌndə'] sms: ~**lie**
[-'lai] *v* danne basis for; ligge
til grund for; ~**line** [-'lain] *v*
understrege; ~**ling** *s (neds)*
underordnet; slave; ~**mine**
[-'main] *v* underminere;
~**neath** [-'ni:θ] *adv (ne-
den)under; på bunden //
præp under; ~**paid** [-'peid]
adj underbetalt; ~**pass** *s* fod-
gængertunnel; (på motorvej)
(vej)underføring; ~**rate**
[-'reit] *v* undervurdere.

understand [ʌndə'stænd] *v*
forstå; indse; få at vide; op-
fatte; *make oneself under-
stood* gøre sig forståelig; give
klar besked; ~**able** *adj* for-
ståelig; ~**ing** *s* forståelse; for-
stand; opfattelse // *adj* forstå-
ende.

understatement [ʌndə'steit-
mənt] *s* underdrivelse.

understood [ʌndə'stud] *præt*
og *pp* af *understand.*

under... ['ʌndə'-] sms: ~**stu-
dy** *s (teat)* dubleant; ~**take**
[-'teik] *v* foretage; påtage sig;
~**taker** *s* bedemand; ~**taking**
[-'teikiŋ] *s* foretagende; for-
pligtelse; ~**water** *adj* under-
vands- // *adv* under vandet;
~**wear** *s* undertøj; ~**weight**
adj undervægtig.

undesirable [ʌndi'zaiərəbl] *adj*
uønsket, mindre heldig.

undig [ʌn'dig] *v* grave op.

undisputed [ʌndis'pju:tid] *adj*
ubestridt.

undo [ʌn'du:] *v* løse (op);
knappe op; åbne; ødelægge.

undoubted [ʌn'dautid] *adj*
utvivlsom; ubestridelig; ~**ly**
adv uden tvivl.

undress [ʌn'drɛs] *v* klæde (sig)
af.

undue [ʌn'dju:] *adj* utilbørlig;
upassende; unødig.

undulating ['ʌndjuleitiŋ] *adj*
bølgende; kuperet.

unearned [ʌn'ə:nd] *adj;* ~ *in-
come* arbejdsfri indtægt.

unearth [ʌn'ə:θ] *v* grave op;
(fig) finde frem; ~**ly** *adj* over-
naturlig; ukristelig.

uneasy [ʌn'i:zi] *adj* ubekvem;
generende, usikker; genert;
urolig, bekymret.

uneducated [ʌn'edjukeitid] *adj*
ukultiveret; uddannet.

unemployed [ʌnim'plɔid] *adj*
arbejdsløs; **unemployment** *s*
arbejdsløshed; **unemploy-
ment benefit** *s* arbejdsløs-

hedsunderstøttelse.

unending [ʌnˈendiŋ] *adj* endeløs, uendelig.

unequalled [ˈʌnˈiːkwəld] *adj* uovertruffen.

uneven [ʌnˈiːvn] *adj* ujævn, ulige.

unexpected [ˌʌniksˈpektid] *adj* uventet; uforudset.

unfailing [ʌnˈfeiliŋ] *adj* ufejlbarlig; uudtømmelig; sikker.

unfaithful [ʌnˈfeiθful] *adj* utro; uærlig; unøjagtig.

unfamiliar [ʌnfəˈmiliəˀ] *adj* fremmed; uvant; ukendt.

unfasten [ʌnˈfaːsn] *v* løsne; lukke op.

unfeeling [ʌnˈfiːliŋ] *adj* ufølsom, hård.

unfinished [ʌnˈfiniʃt] *adj* ufuldendt.

unfit [ʌnˈfit] *adj* uegnet; ikke i form; ~ *for* uanvendelig til.

unfold [ʌnˈfəuld] *v* folde (sig) ud; røbe, afsløre.

unforeseen [ˈʌnfɔːˈsiːn] *adj* uforudset.

unfortunate [ʌnˈfɔːtʃənət] *adj* uheldig; beklagelig; stakkels; ~ly *adv* uheldigvis.

unfounded [ʌnˈfaundid] *adj* ubegrundet; uberettiget.

unfurnished [ʌnˈfəːniʃt] *adj* umøbleret.

ungainly [ʌnˈgeinli] *adj* klodset; uskøn.

unguarded [ʌnˈgaːdid] *adj* ubevogtet; tankeløs.

unhappiness [ʌnˈhæpinis] *s* ulykke; fortvivlelse; elendighed; **unhappy** *adj* ulykkelig;

ked af det; uheldig.

unharmed [ʌnˈhaːmd] *adj* uskadt.

unhealthy [ʌnˈhɛlθi] *adj* usund; skadelig; sygelig.

unheard-of [ʌnˈhəːdɔv] *adj* uhørt; enestående.

unhook [ʌnˈhuk] *v* take krogen af; haspe af; tage af krogen.

unhurt [ʌnˈhəːt] *adj* uskadt.

unicorn [ˈjunikɔːn] *s* enhjørning.

unidentified [ˌʌnaiˈdentifaid] *adj* uidentificeret; ~ *flying object* ufo.

uniform [ˈjuːnifɔːm] *s* uniform // *adj* ensartet, jævn.

unify [ˈjuːnifai] *v* forene; samle; gøre ensartet.

unilateral [juːniˈlætərəl] *adj* ensidig.

unimpaired [ˌʌnimˈpɛəd] *adj* usvækket; uskadt.

unimportant [ˌʌnimˈpɔːtənt] *adj* uvigtig; uvæsentlig.

uninhabited [ˌʌninˈhæbitid] *adj* ubeboet.

uninhibited [ˌʌninˈhibitid] *adj* uhæmmet.

unintentional [ˌʌninˈtɛnʃənəl] *adj* utilsigtet; ufrivillig.

union [ˈjuːnjən] *s* union; forbund; forening; (også: *trade* ~) fagforbund.

unique [juːˈniːk] *adj* enestående.

unison [ˈjuːnisn] *s: in* ~ enstemmigt; i kor.

unit [ˈjuːnit] *s* enhed; (bygge)element; blok; gruppe, afdeling.

unite [juːˈnait] v forene(s); samle(s); **~d** adj forenet; fælles; **U~d Kingdom** s *(U.K.)* Storbritannien og Nordirland; **U~d Nations (Organization)** s *(UN, UNO)* Forenede Nationer (FN); **U~d States (of America)** s *(US, USA)* Forenede Stater (USA).

unity [ˈjuːniti] s enhed; enighed; helhed.

universal [juːniˈvəːsl] adj universel; almindelig, almen;

universe [ˈjuːnivəːs] s univers; verden.

university [juːniˈvəːsiti] s universitet.

unjust [ʌnˈdʒʌst] adj uretfærdig.

unkempt [ʌnˈkempt] adj uredt; usoigneret.

unkind [ʌnˈkaind] adj uvenlig.

unknown [ʌnˈnəun] adj ukendt, ubekendt.

unleash [ʌnˈliːʃ] v slippe løs.

unless [ʌnˈles] konj medmindre; hvis ikke; ~ *otherwise stated* medmindre andet angives.

unlicensed [ʌnˈlaisənst] adj som ikke har tilladelse til at sælge vin og spiritus.

unlike [ʌnˈlaik] adj uens; ulig; forskellig // præp i modsætning til; **~ly** adj usandsynlig.

unlimited [ʌnˈlimitid] adj ubegrænset, grænseløs.

unload [ʌnˈləud] v læsse af; losse; ~ *one's heart* lette sig hjerte.

unlock [ʌnˈlɔk] v låse op.

unlucky [ʌnˈlʌki] adj uheldig.

unmarried [ʌnˈmærid] adj ugift.

unmistakable [ʌnmisˈteikəbl] adj umiskendelig; ufejlbarlig.

unmitigated [ʌnˈmitigeitid] adj absolut; rendyrket.

unnatural [ʌnˈnætʃrəl] adj unaturlig; unormal.

unnecessary [ʌnˈnesisri] adj unødvendig.

UNO [ˈjuːnəu] s (fork.f. *United Nations Organization)* FN.

unobtainable [ʌnəbˈteinəbl] adj uopnåelig; *(tlf)* ikke til at træffe.

unoccupied [ʌnˈɔkjupaid] adj ubeboet (fx *flat* lejlighed); ubesat, ledig (fx *seat* plads).

unofficial [ʌnəˈfiʃl] adj uofficiel; ~ *strike* ulovlig strejke.

unpack [ʌnˈpæk] v pakke op (el. ud).

unparalleled [ʌnˈpærəleld] adj uden sidestykke, uden lige.

unpleasant [ʌnˈpleznt] adj ubehagelig; usympatisk.

unplug [ʌnˈplʌg] v (om stik) trække ud; (om prop i vask etc) trække op.

unpopular [ʌnˈpɔpjulə*] adj uopulær; ildeset.

unpredictable [ʌnpriˈdiktəbl] adj uforudsigelig; uberegnelig.

unprepared [ʌnpriˈpɛəd] adj uforberedt; improviseret.

unqualified [ʌnˈkwɔlifaid] adj ukvalificeret; ubetinget.

unquestionable [ʌnˈkwestʃənəbl] adj ubestridelig; utvivlsom.

unravel [ʌnˈrævl] v udrede; bringe i orden; trevle(s) op.

unreal [ʌnˈriəl] adj uvirkelig.

unreasonable [ʌnˈriːznəbl] adj urimelig; overdreven.

unrelenting [ˌʌnriˈlentiŋ] adj uforsonlig; utrættelig.

unreliable [ˌʌnriˈlaiəbl] adj upålidelig; usikker.

unrest [ʌnˈrest] s uro.

unroll [ʌnˈrəul] v rulle (sig) op (el. ud); vikle ud.

unruly [ʌnˈruːli] adj uregerlig.

unsafe [ʌnˈseif] adj farlig; usikker.

unsaid [ʌnˈsed] adj: leave sth ~ lade ngt være usagt.

unsatisfactory [ˈʌnsætisˈfæktəri] adj utilfredsstillende.

unsavoury [ʌnˈseivəri] adj ulækker; ækel; usmagelig.

unscrew [ʌnˈskruː] v skrue løs (el. af).

unscrupulous [ʌnˈskruːpjuləs] adj skrupelløs; forhærdet.

unseemly [ʌnˈsiːmli] adj upassende.

unseen [ʌnˈsiːn] adj uset; ubeset.

unsettled [ʌnˈsetld] adj urolig; usikker; (om gæld etc) ikke betalt.

unshaven [ʌnˈʃeivn] adj ubarberet.

unskilled [ʌnˈskild] adj ukyndig; ~ worker ufaglært arbejder.

unspeakable [ʌnˈspiːkəbl] adj ubeskrivelig; afskyelig.

unsteady [ʌnˈstedi] adj usta-

dig; usikker; vaklende.

unstuck [ʌnˈstʌk] adj: come ~ gå løs (el. op); slå fejl.

unsuccessful [ˌʌnsəkˈsesful] adj mislykket; forgæves; be ~ ikke have held med sig; mislykkes.

unsuitable [ʌnˈsuːtəbl] adj upassende; uegnet.

unsuspecting [ˌʌnsəˈspektiŋ] adj intetanende; godtroende.

unthinkable [ʌnˈθiŋkəbl] adj utænkelig; utrolig.

untidy [ʌnˈtaidi] adj rodet; uordentlig, sjusket.

untie [ʌnˈtai] v løse (el. binde) op.

until [ənˈtil] præp/konj (ind)til; lige til; før(end); not ~ ikke før, først (når); ~ then indtil da.

untimely [ʌnˈtaimli] adj alt for tidlig (fx death død); uheldig, malplaceret.

untold [ʌnˈtəuld] adj uhørt; umådelig; utallig.

untoward [ˌʌntəˈwɔːd] adj uheldig; upassende; genstridig.

unusual [ʌnˈjuːʒuəl] adj usædvanlig; ualmindelig.

unveil [ʌnˈveil] v afsløre, afdække.

unwell [ʌnˈwel] adj utilpas.

unwilling [ʌnˈwiliŋ] adj uvillig; modvillig; ~ly adv nødig; mod sin vilje.

unwind [ʌnˈwaind] v vikle(s) op; rulle(s) ud; slappe af.

unwitting [ʌnˈwitiŋ] adj ubevidst; uden at vide det; ~ly

adv uforvarende.
unworthy [ʌnˈwəːði] *adj* uværdig *(of* til).
unwrap [ʌnˈræp] *v* pakke(s) ud.
unwritten [ʌnˈritn] *adj* uskrevet (fx *law* lov).
unzip [ʌnˈzip] *v* lyne op.
up [ʌp] *adv/præp* op; oppe; op ad; hen; forbi; på færde; *go ~ a ladder* gå op ad en stige; *be ~ the mountain* være oppe på bjerget; *she went ~ to him* hun gik hen til ham; *time is ~* tiden er ude; *it is ~ to you* det må du om; det bliver din sag; det kommer an på dig; *what are you ~ to?* hvad har du for? hvad er du ude på? *he is not ~ to it* han kan ikke klare det; *~s and downs* svingninger; medgang og modgang; **~-and-coming** *adj* på vej frem, lovende.
upbringing [ˈʌpbriŋiŋ] *s* opdragelse.
update [ʌpˈdeit] *v* ajourføre, opdatere.
upgrade [ʌpˈgreid] *v* forfremme; forbedre; opvurdere.
upheaval [ʌpˈhiːvl] *s* omvæltning; krise.
uphill [ˈʌpˈhil] *adj* op ad bakke.
upholstery [ʌpˈhəulstəri] *s* polstring; betræk; (i bil) indtræk.
upland [ˈʌplənd] *s* (ofte i *pl: ~s*) højland.
upon [əˈpɔn] *præp* d.s.s. *on*.
upper [ˈʌpə*] *adj* højere; øvre, øverst; over-; **~most** *adj*

øverst, højest.
upright [ˈʌprait] *s* stolpe // *adj* lodret; opretstående; retskaffen.
uprising [ˈʌpraiziŋ] *s* opstand; opgang, stigning.
uproar [ˈʌprɔː*] *s* tumult, råben og skrigen.
uproot [ʌpˈruːt] *v* rive op med rod; udrydde.
upset *s* [ˈʌpset] forstyrrelse, uorden; fald // *v* [ʌpˈset] vælte; forstyrre; gøre ked af det; bringe i uorden // *adj* [ʌpˈset] chokeret; ked af det; *have an ~ stomach* have dårlig mave.
upside [ˈʌpsaid] *s: ~-down* med bunden i vejret; *turn sth ~-down* vende op og ned på ngt.
upstairs [ˈʌpˈsteəz] *adj* ovenpå, på næste etage // *adv* op ad trappen; *there's no ~* der er ingen overetage.
upstart [ˈʌpstaːt] *s* opkomling.
upstream [ˈʌpstriːm] *adv* mod strømmen; op (el. oppe) ad floden.
uptake [ˈʌpteik] *s* optagelse; *quick on the ~* hurtig i optrækket, kvik.
uptight [ˈʌptait] *adj* nervøs; snerpet; mopset.
up-to-date [ˈʌptəˈdeit] *adj* à jour; moderne, tidssvarende.
upward [ˈʌpwəd] *adj* opadgående; opadvendt; **~(s)** *adv* opad; i vejret; foroven.
uranium [juəˈreiniəm] *s* uran.
urban [ˈəːbən] *adj* bymæssig, by-; ~ **district** *s* bymæssig

bebyggelse.

urbane [əː'bein] *adj* kultiveret; beleven.

urchin ['əːtʃin] *s* knægt, (lille) rod.

urge [əːdʒ] *s* (stærk) trang, drift; lyst // *v:* ~ *sby to do sth* indtrængende anmode en om at gøre ngt; tilskynde en til at gøre ngt; ~ *sby not to do sth* indstændigt fraråde en at gøre ngt; ~ *on* drive frem, ægge.

urgency ['əːdʒənsi] *s* pres; påtrængende nødvendighed; pågåenhed; **urgent** *adj* som haster, tvingende, presserende.

urinal ['juərinl] *s* pissoir; **urinate** ['juərineit] *v* tisse.

US ['juːˈɛs], **USA** ['juːɛsˈei] *s* (fork.f. *United States (of America))* USA.

us [ʌs] *pron* os.

usage ['juːzidʒ] *s* (skik og) brug; kutyme; behandling; *modern* ~ moderne sprogbrug.

use *s* [juːs] brug; skik; nytte // *v* [juːz] bruge; benytte (sig af); behandle; *he* ~*d to do it* han plejede at gøre det; *in* ~ i brug; *out of* ~ gået af brug; ubenyttet; *it's no* ~ det nytter ikke; *have the* ~ *of* kunne bruge; *be* ~*d to* være vant til; ~**ful** *adj* nyttig; *come in* ~**ful** komme lige tilpas; ~**less** *adj* nytteløs; ubrugelig; ~**r** *s* (for)bruger.

usher ['ʌʃə*] *s* dørvogter; kon-

trollør; ~**ette** [-'ret] *s* (i biograf) kvindelig kontrollør.

usual ['juːʒuəl] *adj* sædvanlig; almindelig; *as* ~ som sædvanlig; ~**ly** *adv* almindeligvis, i reglen, gerne.

usurp [juːˈzəːp] *v* bemægtige sig.

utensil [juːˈtensl] *s* redskab.

utility [juːˈtiliti] *s* nytte; (også: *public* ~) almennyttigt foretagende.

utilize ['juːtilaiz] *v* udnytte.

utmost ['ʌtməust] *s/adj* det højeste (el. yderste); *do one's* ~ gøre sit yderste.

utter ['ʌtə*] *v* udtale; udstøde, udtrykke // *adj* fuldstændig, komplet; ~**ance** *s* ytring, udtalelse.

V

V, v [viː].

v. fork.f. *verse; versus; vide; volt.*

vacancy ['veikənsi] *s* tomhed; tomrum; ledig stilling; ledigt værelse; *'no vacancies'* 'alt optaget'; **vacant** *adj* tom; ledig; (om blik) udtryksløs.

vacation [vəˈkeiʃən] *s* ferie.

vaccinate ['væksineit] *v* vaccinere; **vaccine** ['væksiːn] *s* vaccine.

vacuum ['vækjuəm] *s* tomrum, vakuum; ~ **cleaner** *s* støvsuger; ~ **flask** *s* termoflaske.

vagina [vəˈdʒainə] *s* skede, vagina.

vagrant ['veigrənt] *s* vagabond

// adj omstrejfende.

vague [veig] adj uklar, vag; ubestemt.

vain [vein] adj forfængelig; forgæves; in ~ forgæves.

valentine ['væləntain] s (også: ~ card) sv.t. gækkebrev (sendt til St. Valentins dag, 14. feb.).

valet ['vælit] s kammertjener; ~ing service s (på hotel) presning etc af tøj.

valiant ['væliənt] adj tapper.

valid ['vælid] adj gyldig; effektiv; ~ity s [-'liditi] s gyldighed.

valley ['væli] s dal.

valour ['vælə*] s tapperhed, mod.

valuable ['væljuəbl] adj værdifuld; ~s spl værdigenstande.

value ['vælju:] s værdi // v vurdere; værdsætte; ~ added tax s (VAT) sv.t. moms; ~d adj værdsat.

valve [vælv] s ventil; klap.

van [væn] s (auto) varevogn; (jernb) godsvogn.

vanish ['væniʃ] v forsvinde; ~ing cream s ansigtscreme, pudderunderlag.

vanity ['væniti] s forfængelighed; ~ case s kosmetikpung.

vantage ['væntidʒ] s fordel; ~ point s fordelagtig stilling.

vapour ['veipə*] s damp; em, dug.

variable ['væriəbl] adj foranderlig; variabel; skiftende.

variance ['væriəns] s: be at ~ (with) være i strid med; være uenig med.

variation [væri'eiʃən] s forandring; variation.

varicella [væri'selə] s skoldkopper.

varicose ['værikəus] adj: ~ veins åreknuder.

varied ['værid] adj afvekslende; varieret.

variety [və'raiəti] s afveksling, variation; slags, sort; type; afart; variant; ~ show s varietéforestilling.

various ['væriəs] adj forskellige; adskillige; diverse.

varnish ['va:niʃ] s fernis; lak; glans // v fernisere; lakere.

vary ['væri] v skifte; forandre (sig); variere.

vast [va:st] adj umådelig; vidtstrakt; enorm; the ~ majority det store flertal; ~ly adv umådeligt, enormt.

VAT [væt] (fork.f. value added tax) sv.t. moms.

vault [vo:lt] s hvælving; gravkælder; (i bank) boksafdeling; spring // v (også: ~ over) springe over.

VD ['vi:'di:] fork.f. venereal disease.

veal [vi:l] s kalvekød; roast ~ kalvesteg.

veg [vedʒ] s d.s.s. **vegetable** ['vedʒtəbl] s grøntsag // adj plante-; grøntsags-; ~ garden s køkkenhave; ~ marrow s courgette.

vegetarian [vedʒi'teəriən] s vegetar // adj vegetarisk.

vegetate ['vedʒiteit] v vegetere; **vegetation** [-'teiʃən] s ve-

373 very **V**

getation; plantevækst.

vehemence ['viːiməns] s voldsomhed; **vehement** adj heftig, voldsom.

vehicle ['viːikl] s køretøj, vogn; middel; **vehicular** [vi'hikjulə*] adj: 'no vehicular traffic' 'kørsel forbudt'.

veil [veil] s slør // v tilsløre.

vein [vein] s (blod)åre, vene; (på blad) streng; (fig) stemning.

velocity [vi'lɒsiti] s hastighed, fart.

velvet ['velvit] s fløjl; **~een** s bomuldsfløjl.

veneer [və'niə*] s finering; (fig) fernis.

venerable ['venərəbl] adj ærværdig.

venereal [vi'niəriəl] adj: ~ disease (VD) kønssygdom.

Venetian [vi'niːʃən] adj venetiansk; ~ **blind** s persienne.

vengeance ['vendʒəns] s hævn; with a ~ (fig) så det batter.

Venice ['venis] s Venedig.

venison ['venisn] s (dyre)vildt.

venom ['venəm] s gift; **~ous** adj giftig; ondskabsfuld.

vent [vent] s lufthul; afløb; (i tøj) slids // v lufte; give ~ to give frit afløb for.

ventilate ['ventileit] v udlufte; ventilere; **ventilation** [-'leiʃən] s ventilation.

ventriloquist [ven'triləkwist] s bugtaler.

venture ['ventʃə*] s foretagende; vovestykke // v driste sig

til; vove; ~ **out** vove sig ud.

verb [vəːb] s udsagnsord, verbum; **~al** adj verbal; mundtlig; ordret.

verbatim [vəː'beitim] adj/adv ordret.

verdict ['vəːdikt] s kendelse, dom.

verge [vəːdʒ] s kant, rand // v: ~ **on** grænse (op) til; 'soft ~s' 'rabatten er blød'; on the ~ of på randen af.

verification [verifi'keiʃən] s bekræftelse; bevis; **verify** ['verifai] v bekræfte; verificere.

vermin ['vəːmin] spl skadedyr, utøj.

vernacular [və'nækjulə*] s folkesprog; egnsdialekt.

versatile ['vəːsətail] adj alsidig.

versed [vəːst] adj: (well-)~ in velbevandret i.

version ['vəːʃən] s oversættelse; gengivelse; version.

versus ['vəːsəs] præp mod, kontra.

vertebra ['vəːtibrə] s (pl: vertebrae [-briː]) ryghvirvel; **~te** ['vəːtibrit] s hvirveldyr.

vertical ['vəːtikl] s lodlinje // adj lodret, opretstående.

vertigo ['vəːtigəu] s svimmelhed.

very ['veri] adj/adv meget; aller-; selv, selve; netop; the ~ book I wanted netop den bog jeg ville have; at the ~ end til allersidst; the ~ last den allersidste; at the ~ least i det mindste; ~ much meget.

vessel [vɛsl] s fartøj, skib; kar, beholder.

vest [vɛst] s undertrøje.

vestry ['vɛstri] s sakristi.

vet [vɛt] s (fork.f. *veterinary*) dyrlæge // v undersøge grundigt; **~erinary** ['vɛtrinəri] s dyrlæge // adj veterinær, dyrlæge-.

veto ['vi:təu] s (pl: ~es) veto // v nedlægge veto mod.

vex [vɛks] v ærgre, plage; oprøre.

vibrate ['vaibreit] v vibrere, svinge; ~ *with* genlyde af; **vibration** [-'breiʃən] s vibration, svingning; rystelse.

vicar ['vikə*] s sognepræst; **~age** ['vikəridʒ] s præstegård.

vice [vais] s last, synd; *(tekn)* skruestik; **~(-)** i sms: vice-; ~ **chairman** s viceformand; ~ **squad** s sædelighedspoliti.

vicinity [vi'siniti] s nærhed; nabolag.

vicious ['viʃəs] adj ondskabsfuld; voldsom.

victim ['viktim] s offer; *fall* ~ *to* blive offer for; **~ize** v lade det gå ud over.

victor ['viktə*] s sejrherre.

Victorian [vik'tɔ:riən] adj viktoriansk (1837-1901).

victorious [vik'tɔ:riəs] adj sejrrig; sejrende; **victory** ['viktəri] s sejr.

vide ['vaidi] v se; ~ *infra* se nedenfor.

Vienna [vi'ɛnə] s Wien; **Viennese** [viə'ni:z] adj wiener-.

view [vju:] s syn; udsigt; me-

ning // v bese; betragte; syne; *point of* ~ synspunkt; *in* ~ *of* i betragtning af; *have sth in* ~ have ngt i syne; *on* ~ (i fx museum) udstillet; *with a* ~ *to* med henblik på; **~er** s (fot) søger; (tv) seer; **~finder** s (foto) søger; **~point** s synspunkt.

vigil ['vidʒil] s (natte)vagt; **~ance** s årvågenhed; **~ant** adj vagtsom.

vigorous ['vigərəs] adj kraftig; frodig; **vigour** ['vigə*] s (livs)kraft.

vile [vail] adj led, nederdrægtig; ækel; ussel; *a* ~ *temper* et rædsomt humør.

village ['vilidʒ] s landsby; ~ **hall** s forsamlingshus; **~r** s landsbybeboer.

villain ['vilən] s skurk, bandit.

vindicate ['vindikeit] v forsvare; retfærdiggøre.

vindictive [vin'diktiv] adj hævngerrig.

vine [vain] s (bot) vin; vinranke; slyngplante.

vinegar ['vinigə*] s eddike.

vine grower ['vaingrəuə*] s vinavler.

vineyard ['vinja:d] s vingård, vinmark.

vintage ['vintidʒ] s (om vin etc) årgang; ~ *car* s veteranbil; ~ **wine** s årgangsvin.

viola [vai'əulə] s *(mus)* bratsch.

violate ['vaiəleit] v krænke; overtræde, bryde; voldtage; **violation** [-'leiʃən] s krænkelse; brud; voldtægt.

violence ['vaiələns] s vold;
voldsomhed; **violent** adj
voldsom; voldelig.

violet ['vaiələt] s viol // adj
violet.

violin ['vaiəlin] s violin; ~**ist**
[-'linist] s violinist.

VIP [vi:ai'pi:] s (fork.f. very
important person) stor ping.

viper ['vaipə*] s hugorm.

virgin ['və:dʒin] s jomfru // adj
jomfruelig; uberørt; the Bles-
sed V~ den hellige jomfru,
jomfru Maria; ~**ity** [-'dʒiniti]
s jomfruelighed; ~ **soil** s
uopdyrket jord.

Virgo ['və:gəu] s (astr) Jomfru-
en.

virile ['virail] adj mandlig;
mandig, viril; **virility** [-'riliti] s
manddom; mandighed.

virtual ['və:tjuəl] adj virkelig,
faktisk; ~**ly** adv praktisk talt.

virtue ['və:tju:] s dyd; fortrin;
by ~ of i kraft af.

virtuoso [və:tju'əuzəu] s virtu-
os.

virtuous ['və:tjuəs] adj dydig;
retskaffen.

visa ['vi:zə] s visum.

viscount ['vaikaunt] s viscount
(næstlaveste rang i brit høja-
del).

visibility [vizi'biliti] s sigtbar-
hed; **visible** ['vizəbl] adj syn-
lig; visibel.

vision ['viʒən] s syn; synsevne;
udsyn; vision; ~**ary** adj
synsk; uvirkelig.

visit ['vizit] s besøg; visit; op-
hold // v besøge; hjemsøge;

~**ing card** s visitkort; ~**ing
professor** s gæsteprofessor;
~**or** s gæst; besøgende; til-
synsførende.

visor ['vaizə*] s visir; (auto)
solskærm.

visual ['vizjuəl] adj synlig,
syns-; ~ **aid** s (i skole etc)
visuelt hjælpemiddel; ~**ize** v
se for sig; forestille sig; visua-
lisere.

vital ['vaitl] adj livsvigtig; væ-
sentlig, vital; livs-; ~ **stati-
stics** spl befolkningsstatistik;
(F) personlige mål.

vitamin ['vitəmin] s vitamin; ~
deficiency s vitaminmangel.

vivacious [vi'veiʃəs] adj livlig,
levende; **vivacity** [-'væsiti] s
livlighed.

vivid ['vivid] adj livlig; levende.

V-neck ['vi:nɛk] s v-udskæring.

vocabulary [vəu'kæbjuləri] s
ordforråd; ordliste.

vocal [vəukl] adj stemme-;
sang-; vokal; højrøstet; ~**ist** s
sanger.

vocation [vəu'keiʃən] s kald;
erhverv; ~**al** adj erhvervs-.

vociferous [və'sifərəs] adj
bralrende, højrøstet.

vogue [vəug] s mode; in ~ på
mode.

voice [vois] s stemme, røst;
mening // v udtrykke; (om
sproglyd) stemme.

vol. fork.f. volume.

volatile ['voletail] adj flygtig;
livlig.

volcanic [vol'kænik] adj vul-
kansk; **volcano** [-'keinəu] s

(pl: ~es) vulkan.

volley [ˈvɔli] *s* skudsalve; strøm, byge; *(sport)* flugtskud.

volt [vəult] *s* volt; ~**age** *s (elek)* spænding.

volume [ˈvɔlju:m] *s* (om bog) bind; rumfang, volumen; *turn down the ~!* skru ned for lyden!

voluntary [ˈvɔləntəri] *adj* frivillig; forsætlig.

volunteer [vɔlənˈtiə*] *s* frivillig // *adj* melde sig frivilligt; tilbyde.

voluptuous [vəˈlʌptjuəs] *adj* vellystig.

vomit [ˈvɔmit] *s* opkastning, bræk // *v* kaste op, brække sig.

vote [vəut] *s* stemme; afstemning; stemmeret // *v* stemme; vedtage; *~ of censure* mistillidsvotum; *~ of thanks* takkeskrivelse (el. -tale); *~r s* vælger; **voting** *s* votering; (om)valg.

vouch [vautʃ] *v: ~ for* garantere, indestå for; ~**er** *s* kupon; rabatkupon; polet; kvittering, bon; *(også: gift ~)* gavekort.

vow [vau] *s* (højtideligt) løfte, ed // *v* love, sværge.

vowel [ˈvauəl] *s* medlyd, vokal.

voyage [ˈvɔiidʒ] *s* sørejse.

vulgar [ˈvʌlgə*] *adj* vulgær; tarvelig; grov.

vulnerable [ˈvʌlnərəbl] *adj* sårbar.

vulture [ˈvʌltʃə*] *s (zo)* grib;

(fig) blodsuger, haj.

W

W, w [ˈdʌblju:].

wad [wɔd] *s* tot; klump; (om penge) seddelbundt.

wade [weid] *v* vade (over); ~ *through (fig)* pløje sig igennem.

wafer [ˈweifə*] *s* (tynd, sprød) vaffel; *(rel)* oblat.

waffle [ˈwɔfl] *s* (blød) vaffel; (F) vrøvl, øregas // *v* ævle, hælde vand ud af ørerne.

wag [wæg] *v* bevæge fra side til side; logre; vippe med.

wage [weidʒ] *s* (bruges oftest i *pl: ~s)* løn, hyre // *v: ~ war* føre krig; ~ **claim** *s* lønkrav; ~ **earner** *s* lønmodtager; familieforsørger; ~ **freeze** *s* lønstop.

wager [ˈweidʒə*] *s* væddemål // *v* vædde.

waggle [ˈwægl] *v* svinge; vrikke; logre.

wag(g)on [ˈwægən] *s* vogn; hestevogn; godsvogn; *be on the ~* (F) være på vandvognen.

wail [weil] *s* jammer, hylen // *v* jamre, hyle.

waist [weist] *s* talje, liv; ~**coat** *s* vest; ~**line** *s* talje; taljemål.

wait [weit] *s* venten; ventetid // *v* vente (på); varte op, servere; *lie in ~ for* ligge på lur efter; *I can't ~ to get there* jeg kan ikke komme hurtigt nok derhen; ~ *behind* blive hjemme og vente; ~ *for* vente på; ~ *on* servere for, betjene; ~**er** *s* tjener; ~**ing** *s* venten; *'no* ~*ing'*'stopforbud'; ~**ress** *s* serveringsdame.

wake [weik] *s* gravøl; kølvand // *v* (woke el. ~d, woken [wəuk, wəukn]) (også: ~ *up*) vække; vågne; ~**n** *v* d.s.s. *wake*.

walk [wɔːk] *s* (spadsere)tur; gang, sti // *v* gå, spadsere; gå med; få til at gå; *take* (el. *go for) a* ~ gå en tur; *10 minutes'* ~ *from* 10 minutters gang fra; ~ *the dog* gå tur med hunden; ~**er** *s* fodgænger, gående; ~**ing** *s* gang; føre // *adj* vandre-; omvandrende; ~**ing shoes** *spl* spadseresko; ~**out** *s* arbejdsnedlæggelse; ~**over** *s* (F) let sejr.

wall [wɔːl] *s* mur; væg; vold; ~**ed** *adj* (om by) befæstet.

wallet ['wɔlit] *s* tegnebog.

wallflower ['wɔːlflauə*] *s (bot)* gyldenlak; *(fig)* bænkevarmer.

wallow ['wɔləu] *v* vælte sig; ~ *in* vade i.

wallpaper ['wɔːlpeipə*] *s* tapet.

walnut ['wɔːlnʌt] *s* valnød(detræ).

walrus ['wɔːlrəs] *s (pl:* ~ el. ~*es)* hvalros.

waltz [wɔːlts] *s* vals // *v* danse vals.

wan [wɔn] *adj* bleg, trist.

wand [wɔnd] *s* (også: *magic* ~) (trylle)stav.

wander ['wɔndə*] *v* strejfe om (i); (om tanke el. tale) ikke

holde sig til sagen; være uopmærksom; ~**er** *s* vandringsmand.

wangle [wæŋgl] *v* (F) luske sig til; sno sig.

want [wɔnt] *s* mangel; trang; fornødenhed // *v* ønske (sig); mangle; behøve; gerne ville; søge; *for* ~ *of* af mangel på; *in* mangel af; *be in* ~ *of* trænge til; *you won't be* ~*ed any more* vi har ikke brug for dig længere; *your hair* ~*s cutting* dit hår trænger til at blive klippet; *be* ~*ed by the police* være eftersøgt af politiet; *be* ~*ing* mangle, savnes.

war [wɔː*] *s* krig; *be at* ~ *with* være i krig med; *go to* ~ gå i krig.

ward [wɔːd] *s* (hospitals)afdeling, stue; *(jur,* om barn) mynding; formynderskab // *v:* ~ *off* afværge.

warden [wɔːdn] *s* opsynsmand; bestyrer; (også: *traffic* ~) parkeringsvagt; (også: *church* ~) kirkeværge.

warder ['wɔːdə*] *s* fangevogter.

wardrobe ['wɔːdrəub] *s* klædeskab; (om tøj etc) garderobe.

warehouse ['wεəhaus] *s* pakhus, lager.

wares [wεəz] *spl* varer.

warfare ['wɔːfεə*] *s* krig(sførelse).

warhead ['wɔːhεd] *s (mil)* sprænghladning.

warily ['wεərili] *adv* forsigtigt.

warm [wɔːm] *v* varme; blive

varm // *adj* varm; hjertelig;
ivrig; ~ *up* varme op; ~-
hearted *adj* varmhjertet; ~**th**
[wɔ:mθ] *s* varme; begejstring.
warn [wɔ:n] *v* advare; forma-
ne; gøre opmærksom på;
~**ing** *s* advarsel, varsel, med-
delelse; *give* ~*ing* sige op;
~**ing light** *s* advarselslys.
warrant [wornt] *s* sikkerhed,
garanti; *(jur)* arrestordre;
fuldmagt // *v* berettige (til);
garantere.
warrior ['wɔriə•] *s* kriger.
Warsaw ['wɔ:sɔ:] *s* Warszawa.
warship ['wɔ:ʃip] *s* krigsskib.
wart [wɔ:t] *s* vorte.
wartime ['wɔ:taim] *s: in* ~ i
krigstid.
wary ['wɛəri] *adj* forsigtig.
was [wɔz] *præt* af *be*.
wash [wɔʃ] *s* vask; vasketøj;
skvulpen // *v* vaske (sig);
kunne vaskes; skylle, skvul-
pe; *give sth a* ~ vaske ngt;
have a ~ vaske sig; ~ *away*
vaske af; skylle(s) væk; ~
down vaske, spule; ~ *off* va-
ske af; ~ *up* vaske op; ~**able**
adj vaskeægte; vaskbar; ~-
and-wear *adj* strygefri; ~**ba-**
sin *s* vaskekumme; hånd-
vask; ~**er** *s* vaskemaskine;
(tekn) pakning; ~**ing** *s* vask;
vasketøj; ~**ing machine** *s* va-
skemaskine; ~**ing powder** *s*
vaskepulver; ~**ing-up** *s* op-
vask; ~**out** *s* (F) fiasko;
~**room** *s* toilet.
wasn't [wɔznt] d.s.s. *was not*.
wasp [wɔsp] *s* hveps.

waste [weist] *s* ødemark;
spild, ødslen; affald // *v* spil-
de; ødsle væk; ødelægge; ~
away tæres hen; *go to* ~ gå til
spilde; ~**bin** *s* skraldebøtte;
~ **disposal unit** *s* affalds-
kværn; ~**ful** *adj* ødsel; uøko-
nomisk; ~**paper basket** *s* pa-
pirkurv; ~ **pipe** *s* afløbsrør.
watch [wɔtʃ] *s* ur; vagt // *v* se
på; overvære; holde udkig;
våge; passe (på); holde øje
med; ~ *TV* se fjernsyn; ~
out passe på; ~**dog** *s* vagt-
hund; ~**ful** *adj* påpasselig, år-
vågen; ~**maker** *s* urmager;
~**man** *s* vægter; ~ **strap** *s*
urrem.
water ['wɔ:tə•] *s* vand // *v*
vande; løbe i vand; *in smooth*
~*s* i smult vande; *in British*
~*s* i britisk farvand; ~ *down*
fortynde; udvande; ~**colour** *s*
vandfarve, akvarel; ~**cress** *s*
brøndkarse; ~ **ice** *s (gastr)*
sorbet; ~**ing can** *s* vandkan-
de; ~ **level** *s* vandstand;
vandoverflade; ~ **lily** *s* åkan-
de; ~**logged** *adj* vandfyldt,
sumpet; ~ **main** *s* hoved-
vandledning; ~**mark** *s* (om
papir) vandmærke; ~ **meter**
s vandmåler; ~**proof** *s* regn-
frakke // *adj* vandtæt; ~**shed**
s (geol) vandskel; *(fig)* skel;
~**side** *s* kyst; ~ **softener** *s*
blødgøringsmiddel; ~**splash**
s sted hvor fx en bæk løber
over vejen; ~ **supply** *s* vand-
forsyning; ~**tight** *adj* vand-
tæt; ~ **trap** *s* vandlås;

~**works** *spl* vandværk; *a* ~*works* et vandværk; **~y** *adj* vandet; tynd; (om øjne) rindende.

wave [weiv] *s* bølge; vinken // *v* vifte (med); vinke, bølge; **~length** *s* bølgelængde.

waver ['weivə*] *v* vakle; dirre; flakke.

wavy ['weivi] *adj* bølgende; slynget.

wax [wæks] *s* voks // *v* vokse; bone; (om ski) smøre; (om månen) tiltage; **~en** *adj* voksagtig, bleg; **~works** *spl* voksfigurer; vokskabinet.

way [wei] *s* vej; afstand; retning; måde; skik; vane; væsen; *which* ~? hvilken vej? hvordan? *this* ~ denne vej; på denne måde; *I'm on my* ~ jeg er på vej; *be in the* ~ stå i vejen; *out of the* ~ af vejen; *go out of one's* ~ *to (fig)* gøre sig ulejlighed for at; *it is* ~ *out!* det er fantastisk; '~ *out*' 'udgang'; *in a* ~ på en måde; *in some* ~s på en vis måde; *by the* ~ forresten; *by* ~ *of excuse* som (el. til) undskyldning; *'give* ~ *'* 'hold tilbage'; *be in a bad* ~ have det dårligt; **~lay** *v* ligge på lur efter; kapre; **~ward** ['weiwəd] *adj* lunefuld.

we [wi:] *pron* vi, man; *it is* ~ det er os.

weak [wi:k] *adj* svag, skrøbelig; (om fx te) tynd; **~en** *v* svække(s); **~ling** *s* svækling; **~ness** *s* svaghed; skavank.

wealth [welθ] *s* rigdom; righoldighed; **~y** *adj* rig, velhavende.

wean [wi:n] *v:* ~ *a baby* vænne et barn fra.

weapon ['wepən] *s* våben.

wear [wɛə*] *s* brug; slid; tøj // *v (wore, worn* [wɔ:*, wɔ:n]) have på; bære; slide; holde (til); ~ *and tear* engangstøj; ~ *away* slides (væk); (om tid) slæbe sig hen; ~ *down* slide(s) ned (el. op); ~ *off* slide(s) af; fortage sig; ~ *on* slæbe sig hen; ~ *out* slide op; udmatte.

weariness ['wiərinis] *s* træthed, lede; **weary** *v* blive træt; trætte // *adj* træt; nedslået; kedsommelig.

weather ['weðə*] *s* vejr // *v* forvitre; klare sig igennem; overstå; *be under the* ~ (F) være sløj (el. uoplagt); **~beaten** *adj* vejrbidt; forvitret; ~ **cock** *s* vejrhane; ~ **forecast** *s* vejrudsigt; **~proof** *adj* vind- og regntæt; ~ **vane** *s* d.s.s. ~ *cock*.

weave [wi:v] *v (wove, woven* [wəuv, wəuvn]) væve; flette; sætte sammen; **weaving** *s* vævning.

web [web] *s* væv; net; spind; *(zo)* svømmehud; **~bing** *s* (på møbler) gjord.

wed [web] *v (~ded, ~ded)* gifte sig (med), ægte; vie; *the newly* ~*s* de nygifte.

we'd [wi:d] d.s.s. *we had; we would.*

wedding ['wediŋ] *s* bryllup; ~ **anniversary** *s* bryllupsdag; ~ **dress** *s* brudekjole; ~ **ring** *s* vielsesring.

wedge [wedʒ] *s* kile; (om lagkage etc) stykke kage // *v* kløve; fastkile; **~-heeled** *adj* (om sko) med kilehæl.

wedlock ['wedlok] *s* (H) ægtestand; *born out of* ~ født uden for ægteskab.

Wednesday ['wednzdi] *s* onsdag; *on* ~ på onsdag.

wee [wi:] *adj* (især skotsk) lille; *a* ~ *bit* en lille smule.

weed [wi:d] *s* ukrudtsplante // *v* luge; rense (ud); **~-killer** *s* ukrudtsmiddel.

week [wi:k] *s* uge; *a* ~ *today* el. *this day* ~ (i dag) om en uge; *Sunday* ~ søndag otte dage; *last Sunday* ~ i søndags for en uge siden; **~-day** *s* hverdag; **~-end motorist** *s* søndagsbilist; **~-ly** *s* ugeblad; tidsskrift // *adj* ugentlig // *adv* en gang om ugen.

weep [wi:p] *v* (wept, wept [wept]) græde; ~ *for joy* græde af glæde; ~ *for sby* sørge over en; **~-ing willow** *s* (bot) grædepil, hængepil.

weigh [wei] *v* veje; bedømme; ~ *anchor* lette anker; ~ *down* tynge ned; nedbøje.

weight [weit] *s* vægt; tyngde; byrde; *sale by* ~ salg i løs vægt; **~-less** *adj* vægtløs; ~ **lifter** *s* vægtløfter; **~-y** *adj* tung, vægtig.

weird [wiəd] *adj* uhyggelig;

overnaturlig; mærkelig.

welcome ['welkəm] *s* velkomst, modtagelse // *v* hilse velkommen; tage imod // *adj* velkommen; *you're* ~ *to...* du må gerne...; *you're* ~! selv tak!

weld [weld] *s* svejsning // *v* svejse (sammen); **~-er** *s* svejser; svejseapparat.

welfare ['welfeə*] *s* velfærd; *child* ~ børneforsorg; *the public* ~ det almene vel; ~ **state** *s* velfærdsstat; ~ **work** *s* socialt arbejde.

well [wel] *s* brønd, kilde // *v* strømme, vælde // *adj* (better, best) vel; rask; god // *adv* godt; ordentligt; nok; *be* ~ være rask, have det godt; ~ *done!* godt (klaret)! *get* ~ *soon!* god bedring! *do* ~ *to* gøre klogt i at.

we'll [wi:l] d.s.s. *we will; we shall.*

well... ['wel-] *sms:* **~-behaved** *adj* velopdragen; **~-bred** *adj* kultiveret; **~-defined** *adj* velafgrænset, skarp; **~-developed** *adj* veludviklet; **~-earned** *adj* velfortjent; **~-founded** *adj* velfunderet; **~-groomed** *adj* velplejet.

wellingtons ['weliŋtənz] *spl* gummistøvler, røjsere.

well... ['wel-] *sms:* **~-known** *adj* velkendt; **~-made** *adj* velskabt; **~-meaning** *adj* velmenende; **~-off** *adj* velhavende; **~-read** *adj* belæst; **~-to-do** *adj* velhavende.

Welsh [welʃ] *adj* walisisk;
~**man** *s* waliser; ~ **rarebit** *s*
(*gastr*) ristet brød med smel-
tet ost.
went [went] *præt* og *pp* af *go*.
wept [wept] *præt* og *pp* af
weep.
were [wə:ˈ] *præt* af *be*.
we're [wiəˈ] d.s.s. *we are*.
weren't [wə:nt] d.s.s. *were not*.
west [west] *s* vest; vestlig del //
adj vest-; vestlig // *adv* vest-
på; mod vest; ~**erly** *adj* vest-
lig, vestre; ~**ern** *s* cowboy-
film, western // *adj* vestlig,
vest-; **W~** *Germany* *s* Vest-
tyskland; *the* **W~** *Indies* *spl*
Vestindien; ~**ward(s)** *adv*
vestpå, mod vest.
wet [wet] *s* regn // *v* gøre våd //
adj våd, fugtig; regnfuld; ~
one's pants tisse i bukserne;
~ *through* gennemblødt; *get*
~ *blive våd;* '~ *paint*''nyma-
let'; ~ **blanket** *s* (*fig*) lyses-
lukker; ~**lands** *spl* vådområ-
der; ~ **suit** *s* våddragt.
we've [wi:v] d.s.s. *we have*.
whacking [ˈwækiŋ] *adj* (F)
mægtig, kæmpe-.
whale [weil] *s* hval; **whaling** *s*
hvalfangst.
wharf [wɔ:f] *s* (*pl: wharves*
[wɔ:vz]) brygge, kaj.
what [wɔt] *pron* hvad; hvil-
ken; sikken; den (, det, de)
der; hvad for; ~ *are you
doing?* hvad laver du? ~ *has
happened?* hvad er der sket?
~ *a mess!* sikken et rod! ~ *is
it called?* hvad hedder det?

~ *about (having) some tea?*
hvad med (at drikke) en kop
te? ~ *about me?* hvad med
mig? *so* ~? og hvad så?
~**ever** *pron* hvad som helst;
alt hvad; overhovedet; ~*ever
book* ligemeget hvilken bog;
do ~*ever you like* gør hvad
du vil; ~*ever happens* hvad
der end sker; *no reason*
~*ever* (el. ~*soever*) overho-
vedet ingen grund.
wheat [wi:t] *s* hvede.
wheel [wi:l] *s* hjul; rat; ror // *v*
køre (med); trille; dreje (sig);
(også: ~ *round*) dreje rundt;
~**barrow** *s* trillebør; ~**chair** *s*
rullestol.
wheeze [wi:z] *v* hvæse; hive
efter vejret.
when [wen] *adv/konj* hvornår;
når; hvor; *on the day* ~ *I met
him* den dag (hvor) jeg mødte
ham; ~**ever** *adv* når som
helst; hver gang; hvornår.
where [weəˈ] *adv/konj* hvor;
hvorhen; der hvor; *this is* ~
her er det; *she has gone to
you know* ~ hun er gået et
vist sted hen; ~**abouts** *spl*
opholdssted // *adv* hvor om-
trent; ~**as** *adv* hvorimod;
~**upon** *adv* hvorefter; **wher-
ever** [weərˈevəˈ] *adv* hvor...
end; hvor i alverden.
whet [wet] *v* slibe, hvæsse; (*fig*)
skærpe.
whether [ˈweðəˈ] *konj* om;
hvorvidt; *it's doubtful* ~...
det er tvivlsomt om...; ~ *you
go or not* hvad enten du går

eller ej.

which [witʃ] *pron* hvem; hvad; hvilken; som, der; ~ *of you* hvem af jer? *tell me* ~ *one you want* sig (mig) hvad for en du vil have; *I don't mind* ~ jeg er ligeglad hvilken; *the book of* ~ *he was talking* den bog (som) han talte om; *after* ~ hvorefter; *in* ~ *case* i hvilket fald; **~ever** [witʃ'ɛvə*] *pron* hvilken (, hvilken) som helst; *take ~ever book you prefer* tag hvilken bog du end foretrækker; *~ever book you take* lige meget hvilken bog du tager.

while [wail] *s* tid, stund; øjeblik // *v*: ~ *away the time* fordrive tiden // *konj* medens, mens; selv om, skønt; *go away for a* ~ rejse bort et stykke tid.

whim [wim] *s* lune, indfald.

whimper ['wimpə*] *s* klynken // *v* klynke.

whimsical ['wimzikl] *adj* lunefuld; excentrisk.

whine [wain] *s* jamren // *v* jamre.

whip [wip] *s* pisk; piskeslag; *(parl)* indpisker // *v* piske; fare; snappe; **~ed cream** *s* flødeskum; **~round** *s* (F) indsamling; **~stitch** *s* kastesting.

whirl [wə:l] *s* hvirvel; tummel // *v* hvirvle, snurre, svinge; **~pool** *s* strømhvirvel; malstrøm; **~wind** *s* hvirvelvind.

whirr [wə:*] *v* snurre; svirre.

whisk [wisk] *s* piskeris // *v* piske; viske; fare (af sted), snuppe; ~ *sby away* (el. *off)* bortføre en; ~ *out* hive frem.

whiskers ['wiskəz] *spl* bakkenbarter; (om dyr) knurhår, børster.

whisper ['wispə*] *s* hvisken; rygte // *v* hviske.

whistle [wisl] *s* fløjte; fløjten; piben // *v* fløjte; pifte, pibe.

white [wait] *adj* hvid, bleg; ren; **~wash** *s* hvidtekalk // *v* hvidte.

Whitsun [witsn] *s* pinse.

whiz(z) [wiz] *v* suse, fare; svirre; ~ **kid** *s* (F) vidunderbarn.

who [hu:] *pron* hvem; som, der; ~'*s speaking? (tlf)* hvem taler jeg med? **~dunit** [hu:'dʌnit] *s* (F) krimi; **~ever** *pron* hvem der end; hvem i alverden; *~ever you marry* hvem du end gifter dig med; *~ever was that?* hvem i alverden var det?

whole [həul] *s* hele, helhed // *adj* hel (, helt, hele); velbeholden; *the* ~ *of the town* hele byen; *on the* ~ el. *as a* ~ i det store og hele, som helhed; **~hearted** *adj* uforbeholden; **~sale** *s* engrossalg // *adj* engros-; *(fig)* masse-; **~saler** *s* grossist; **~some** *adj* sund; gavnlig; **wholly** ['həuli] *adv* helt; fuldstændig.

whom [hu:m] *pron* (af *who)* hvem; som; ~ *did you meet?* hvem mødte du? *the boy* ~ *I told you about* den dreng

(som) jeg fortalte dig om.
whoop [hu:p] *v* huje; hive efter vejret; **~ing cough** *s* kighoste.
whopping ['wɔpiŋ] *adj* (F) enorm, kæmpestor.
whore [hɔ:*] *s* (F, *neds*) hore, mær.
whose [hu:z] *pron (gen af who* el. *which)* hvis; ~ *book is this?* hvis er denne bog? *the man* ~ *son you saw* den mand hvis søn du så; ~ *is this?* hvis er den (, det) her?
Who's Who ['hu:z'hu:] *s* sv.t. Kraks Blå Bog.
why [wai] *adv* hvorfor // *interj* nå da! ih! jah! jamen; ~ *is it that...?* hvordan kan et være at...? *the reason* ~ grunden til at; ~, *here's Jean!* jamen, der er jo Jean! **~ever** *adv* hvorfor i alverden.
wick [wik] *s* væge.
wicked ['wikid] *adj* ond; slem; ondskabsfuld; drilagtig.
wicker ['wikə*] *s* vidje; (også: **~work)** kurvefletning.
wicket ['wikit] *s* låge, luge; (i cricket) gærde.
wide [waid] *adj* bred; udstrakt; vid, stor // *adv* vidt; *stare with* ~ *eyes* glo med store øjne; *shoot* ~ skyde (el. ramme) langt ved siden af; **~ angle** *s (foto)* vidvinkel; **~ awake** *adj* lysvågen; **~ly** *adv* vidt (fx *different* forskellig); vidt og bredt; almindeligt (fx *known* kendt); **~n** *v* udvide; blive bredere; ~ *open adj* vidt åben; **~spread** *adj* (al-mindeligt) udbredt; vidtstrakt.
widow ['widəu] *s* enke; *be* ~*ed* blive enke; **~er** *s* enkemand.
width [widθ] *s* bredde; vidde; *(fig)* spændvidde.
wield [wi:ld] *v* håndtere; bruge; udøve.
wife [waif] *s (pl: wives* [waivz]) kone, hustru.
wig [wig] *s* paryk.
wiggle [wigl] *v* vrikke (med); sno sig.
wild [waild] *adj* vild; uopdyrket; øde; uregerlig; fantastisk; **~erness** ['wildənis] *s* vildmark; vildnis; **~goose chase** *s (fig)* forgæves forsøg; **~life** *s* naturens verden; dyreliv; **~s** *spl* ødemarker.
wilful ['wilful] *adj* (om person) egenrådig; (om mord etc) overlagt, forsætlig.
will [wil] *s* vilje; testamente // *v (præt: would* [wud]) vil; skal; (ofte ikke oversat); *(~ed, ~ed)* ville; tvinge til; *I* ~ *do it soon* jeg skal nok gøre det snart; *he* ~ *come* han kommer; *I* ~ *show you how* jeg skal (nok) vise dig hvordan; *he* ~*ed himself to go on* han tvang sig til at fortsætte; ~ *sby to do sth* få en til at gøre ngt; **~ing** *adj* villig; parat; *be* ~*ing to* være villig til at; **~ingly** *adv* gerne, med glæde; **~ingness** *s* villighed.
willow ['wiləu] *s* pil(etræ).
willpower ['wilpauə*] *s* viljestyrke.

wilt [wilt] *v* tørre hen; visne.
win [win] *s* (i sport etc) sejr // *v (won, won* [wʌn]) vinde, sejre; nå; ~ *sby over* (el. *round)* få en over på sin side.
wince [wins] *v* krympe sig.
winch [wintʃ] *s* håndsving, spil.
wind [wind] *s* vind, luftstrøm; fjert, prut; *the* ~*s (mus)* blæserne.
wind [waind] *v (wound, wound* [waund]) sno (sig); vikle; (om ur) trække op; ~ *up* afslutte, afvikle.
wind. . . ['wind-] sms: ~**bag** *s* (F) blærerøv; ~**break** *s* læhegn; ~**fall** *s* uventet held.
winding ['waindiŋ] *adj* snoet, bugtet.
wind. . . ['wind-] sms: ~ **instrument** *s* blæseinstrument; ~**mill** *s* vindmølle.
window ['windəu] *s* vindue; rude; ~ **box** *s* blomsterkasse; ~ **cleaner** *s* vinduespudser; ~ **pane** *s* vinduesrude; ~**sill** *s* vindueskarm.
wind. . . ['wind-] sms: ~**pipe** *s (anat)* luftrør; ~**screen** *s* vindskærm; *(auto)* forrude; *rear* ~*screen* bagrude; ~**screen washer** *s (auto)* sprinkler; ~**screen wiper** *s* vinduesvisker; ~**swept** *adj* vindblæst; forblæst; ~**y** *adj* (om vejret) blæsende; (om sted) forblæst.
wine [wain] *s* vin; vinrødt; ~ **cellar** *s* vinkælder; ~ **list** *s* vinkort; ~ **merchant** *s* vinhandler; ~ **tasting** *s* vin-

smagning; ~ **waiter** *s* kyper.
wing [wiŋ] *s* vinge; *(mil)* flyverafdeling; (på hus) fløj; *on the* ~ i flugten; på farten; ~ **mirror** *s (auto)* sidespejl.
wink [wiŋk] *s* blink(en); øjeblik; lur // *v* blinke *(at* til).
winner ['winə*] *s* vinder; **winning** *adj* sejrende, vinder-; **winnings** *spl* gevinst.
winter ['wintə*] *s* vinter // *v* overvintre; ~ **sports** *spl* vintersport; **wintry** *adj* vinteragtig, kold.
wipe [waip] *s* aftørring // *v* tørre (af); ~ *off* tørre væk; slette; ~ *out* slette; viske ud; udrydde; slå en streg over; ~ *up* tørre op.
wire ['waiə*] *s* ståltråd; ledning; (F) telegram // *v* sætte ståltrådshegn om; trække ledninger i; (F) telegrafere; ~ **brush** *s* stålbørste.
wireless ['waiəlis] *s* trådløs telegrafi; (også: ~ *set)* radio(apparat).
wiretap ['waiətæp] *v* lave telefonaflytning.
wiry ['waiəri] *adj* stiv, strittende; (om person) sej, senet.
wisdom ['wizdəm] *s* visdom, klogskab.
wise [waiz] *adj* klog; forstandig; vis. . . **.wise** [-waiz] på. . .-vis; -mæssigt; *time*~ tidsmæssigt.
wish [wiʃ] *ø* ønske; hilsen // *v* ønske; *best* ~*es* (til jul etc) de bedste ønsker; *with best* ~*es* (i brev etc) med venlig hilsen;

give her my best ~*es* hils hende fra mig; ~ *sby goodbye* sige farvel til en; *he* ~*ed me well* han ønskede mig held og lykke; ~ *for* ønske sig; ~ *to* (el. *that)* ønske at; gerne ville have at; **~ful** *adj: it's* ~*ful thinking* det er ønsketænkning.
wisp [wisp] *s* tjavs, tot; (om røg) stribe; *a* ~ *of hair* en hårtot.
wistful ['wistful] *adj* længselsfuld; tankefuld.
wit [wit] *s* (oftest bruges *pl:* ~*s)* forstand, intelligens; kvikhed, vid; *be at one's* ~*s' end* ikke ane sine levende råd.
witch [witʃ] *s* heks; **~craft** *s* hekseri.
with [wið, wiθ] *præp* med; af; trods; til; *bring the book* ~ *you* tag bogen med; *tremble* ~ *fear* ryste af skræk; ~ *all his kindness, he's a dangerous man* trods al hans venlighed er han en farlig mand; *he took beer* ~ *his lunch* han drak øl til frokosten; *be* ~ *it (fig)* være med på noderne; *I'm* ~ *you there* det holder jeg med dig i.
withdraw [wiθ'drɔ:] *v* trække tilbage; inddrage; tage tilbage; ophæve; gå 'af; **~al** *s* tilbagetrækning; *(med)* abstinens.
wither ['wiðə*] *v* visne; **~ed** *adj* visnet; lammet.
withhold [wiθ'həuld] *v* tilbageholde, nægte at give; ~ *sby from sth* hindre en i ngt; ~ *sth from sby* unddrage en ngt.
within [wið'in] *adv* indvendig; indenfor // *præp* inden for; inden i; inden; fra; ~ *sight* inden for synsvidde; ~ *a mile of* mindre end en *mile* fra; ~ *the week* inden ugens udgang; ~ *doors* inden døre.
without [wið'aut] *præp* uden; udenfor; *from* ~ udefra.
withstand [wiθ'stænd] *v* modstå.
witness ['witnis] *s* vidne(udsagn) // *v* være vidne til, overvære; bevidne; *bear* ~ *to* bevidne; vidne om; ~ **box** *s* vidneskranke.
witticism ['witisizm] *s* vits, vittighed; **witty** *adj* vittig, åndrig.
wives [waivz] *spl* af *wife.*
wizard ['wizəd] *s* troldmand.
wk fork.f. *week.*
wobble [wɔbl] *v* rokke; vakle.
woe [wəu] *s* sorg; smerte, kval; **~ful** *adj* sørgmodig; ynkelig.
woke [wəuk] *præt* af *wake;* **~n** *pp* af *wake.*
wolf [wulf] *s (pl: wolves* [wulvz]) ulv // *v* æde.
woman ['wumən] *s (pl: women* ['wimin]) kvinde; dame; kone; ~ **chaser** *s* skørtejæger; ~ **doctor** *s* kvindelig læge; **~izer** *s* d.s.s. ~ *chaser;* **~ly** *adv* kvindelig; **~-power** *s* kvindelig arbejdskraft.
womb [wu:m] *s* livmoder.
women ['wimin] *spl* af *woman; the* **~'s movement** *s* kvindebevægelsen.
won [wʌn] *præt* og *pp* af *win.*

wonder ['wʌndə*] s mirakel; (vid)under; undren // v undre sig; spekulere over; *it's no ~ that...* det er ikke så mærkeligt at...; *I ~ whether* (el. *if)* jeg gad vide om; *~ at* undre sig over; **~ful** adj vidunderlig, dejlig.

won't [wəunt] d.s.s. *will not.*

woo [wu:] v gøre kur til; fri til.

wood [wud] s skov; (om materialet) træ; *touch ~* bange under bordet; *~ carving* s træskærerarbejde; **~cut** s træsnit; **~ed** adj skovklædt; **~en** adj træ-; *(fig)* stiv; **~pecker** s *(zo)* spætte; **~wind** s *(mus)* træblæser; **~work** s trævarer; træværk; sløjd; **~worm** s træorm.

wool [wul] s uld; uldent tøj; uldgarn; *pull the ~ over sby's eyes (fig)* føre en bag lyset; **~len** adj ulden, uld-; **~lens** spl uldvarer; **~ly** adj ulden, uld-; uldhåret; *(fig)* uklar, tåget.

word [wə:d] s ord; løfte; besked // v formulere; *in other ~s* med andre ord; *break one's ~* bryde sit løfte; *be as good as one's ~* holde ord; *I'll take your ~ for it* jeg tror dig på ordet; *send ~ that...* sende besked om at...; **~ing** s ordlyd; ordvalg; **~y** adj ordrig.

wore [wɔ:*] præt af *wear.*

work [wə:k] s arbejde, værk // v arbejde; fungere, virke; drive; bearbejde; udnytte; *out of*

~ arbejdsløs; *Minister of W~s* minister for offentlige arbejder; *~ loose* arbejde sig (el. gå) løs; *~ on* arbejde med; udnytte; *~ out* udarbejde; løse; ordne; lave (hård) motionstræning; *it ~s out at £100* det beløber sig til £100; *get ~ed up* blive ophidset; **~able** adj gennemførlig; **~er** s arbejder; **~ing** adj arbejdende; arbejds-; drifts-; *in ~ing order* funktionsdygtig; **~ing class** s arbejderklasse; **~ing environment** s arbejdsmiljø; **~ing man** s arbejder.

work... ['wə:k-] sms: **~man** s arbejder; **~manship** s håndværksmæssig dygtighed; kvalitet; **~shop** s værksted; seminar; **~to-rule** s arbejde-efter-reglerne aktion.

world [wə:ld] s verden; folk; *think the ~ of* have meget høje tanker om; *out of this ~* skøn, pragtfuld; *for all the like* nøjagtig ligesom; **~ly** adj verdslig, jordisk; **~wide** adj verdensomspændende; verdens-.

worm [wə:m] s orm // v: *~ sth out of sby* liste ngt ud af en.

worried ['wʌrid] adj bekymret; plaget; **worry** ['wʌri] s bekymring; ærgrelse // v bekymre sig; være urolig; plage; *don't worry!* lad være med at tage dig af det! tag det roligt!

worse [wə:s] s det der er værre // adj *(komp af bad, ill)* værre, dårligere; *a change for the*

~en forandring til det værre;
be none the ~ for ikke have
taget skade af; **~n** *v* blive (el.
gøre) værre.

worship ['wə:ʃip] *s* dyrkelse;
gudstjeneste // *v* tilbede, dyr-
ke; *your W~* (titel for borg-
mester el. dommer); **~per** *s*
tilbeder, dyrker.

worst [wə:st] *s: the ~* det
værste // *adj* (*sup* af *bad, ill*)
værst, dårligst; *~ of all* aller-
værst; *at ~* i værste fald; *get
the ~ of it* trække det korte-
ste strå.

worsted ['wustid] *s* kamgarn.

worth [wə:θ] *s* værdi // *adj*
værd; *it's ~ it* det er det
værd; *50p ~ of apples* for 50
p æbler; **~less** *adj* værdiløs;
uduelig; **~while** *adj* som er
umagen værd; *a ~while book*
en læseværdig bog.

worthy ['wə:ði] *adj* værdig; agt-
værdig; *~ of* som fortjener.

would [wud] *præt* af *will; he ~
have come* han ville være
kommet; *~ you like some
tea?* vil du have lidt te? **~-be**
adj vordende; såkaldt.

wound [wu:nd] *s* sår // *v* såre;
krænke.

wound [waund] *præt* og *pp* af
wind.

wove [wəuv] *præt* af *weave;*
~n *pp* af *weave*.

wrangle [rængl] *s* skænderi //
v skændes.

wrap [ræp] *s* sjal; kåbe; ind-
pakning // *v* (også: *~ up*)
pakke ind; svøbe (ind); **~per**

s indpakning; (om bog)
(smuds)omslag; **~ping paper**
s indpakningspapir.

wrath [rɔθ] *s* (H) vrede, rasen.

wreath [ri:ð] *s* krans; snoning.

wreck [rek] *s* forlis, skibbrud;
vrag // *v* ødelægge; få til at
forlise (el. forulykke); **~age**
['rekidʒ] *s* ødelæggelse; vrag-
rester; murbrokker.

wren [ren] *s* (*zo*) gærdesmutte.

wrench [rentʃ] *s* ryk; vridning;
smerte; skruenøgle, svens-
knøgle // *v* rykke; rive; vriste;
forvride.

wrestle [resl] *v* brydes, kæmpe;
~r *s* bryder; **wrestling** *s* bryd-
ning; **wrestling match** *s* bry-
dekamp.

wretch [retʃ] *s* skrog, stakkel;
~ed ['retʃid] *adj* elendig; us-
sel, sølle; (F) forbandet.

wriggle [rigl] *v* sno, vriden;
vrikken // *v* vrikke (med); vride (sig).

wring [riŋ] *v* (*wrung, wrung*
[rʌŋ]) vride; fordreje.

wrinkle [riŋkl] *s* rynke; fold // *v*
rynke; krølle; blive rynket.

wrist [rist] *s* håndled; **~ watch**
s armbåndsur.

writ [rit] *s* skrivelse; (*jur*) stæv-
ning; *issue a ~ against sby*
udtage stævning mod en.

write [rait] *v* (*wrote, written*
[rəut, ritn]) skrive; *~ down*
skrive op (el. ned); notere; *~
off* afskrive; *~ out* udfærdi-
ge; renskrive; *~ up* skrive
om; ajourføre; **~-off** *s* af-
skrivning; *the car is a ~-off*
bilen er totalskadet; **~r** *s* for-

fatter, skribent.
writhe [raið] v vride sig.
writing ['raitiŋ] s skrift; skrivning; skriveri; *in* ~ skriftligt; ~ **paper** s brevpapir.
written [ritn] pp af *write*.
wrong [rɔŋ] s uret // v gøre uret; krænke // adj forkert // adv galt; *you are* ~ el. *you've got it* ~ du tager fejl; *be in the* ~ have uret; *what's* ~? hvad er der i vejen? *go* ~ gå galt, mislykkes; komme i uorden; ~**ful** adj urigtig, uretfærdig; ~ **side** s vrangside.
wrote [rəut] *præt* af *write*.
wrought [rɔ:t] adj: ~ *iron* smedejern.
wrung [rʌŋ] *præt* og *pp* af *wring*.
wry [rai] adj skæv; tør; besk.
wt. fork.f. *weight*.

X

X, x [ɛks].
Xerox ['ziərɔks] s ® fotokopi // v fotokopiere.
Xmas ['ɛksməs] s (fork.f. *Christmas*) jul.
X-ray ['ɛksrei] s røntgenstråle // v røntgenfotografere.

Y

Y, y [wai].
yacht [jɔt] s lystbåd; sejlbåd // v dyrke sejlsport; ~**ing** s sejlsport; ~**sman** s sejlsportsmand; lystsejler.
Yank [jæŋk] s *(neds)* yankee,

amerikaner; **yank** s (F) ryk.
yap [jæp] v bjæffe, gø; (F) braldre op.
yard [ja:d] s gård, gårdsplads; (også: *ship*~) værft; yard (914 mm, *3 feet); the* Y~ Scotland Yard; ~**stick** s *(fig)* målestok.
yarn [ja:n] s garn, tråd; (F) (røver)historie.
yawn [jɔ:n] s gaben // v gabe; ~**ing** adj gabende (også om afgrund el.).
yd. fork.f. *yard(s)*.
year [jiə*] s år; ~ *by* ~ år for år; *this* ~ i år; *every* ~ hvert år; *twice a* ~ to gange om året; *for* ~s i årevis; ~**ly** adj årlig // adv en gang om året.
yearn [jə:n] v: ~ *for* længes efter; ~**ing** s voldsom længsel.
yeast [ji:st] s gær; *dry* ~ tørgær.
yell [jɛl] s hyl, skrål // v hyle.
yellow ['jɛləu] adj gul; *(fig)* fej; ~ **fever** s gul feber.
yelp [jɛlp] s bjæf; vræl // v bjæffe, hyle.
yes [jɛs] s/interj ja, jo; ~? ja, og hvad så? virkelig!
yesterday ['jɛstədi] s i går; ~ *morning* i går morges (el. formiddags); *the day before* ~ i forgårs.
yet [jɛt] adv endnu; dog, alligevel; *as* ~ endnu; *not* ~ ikke endnu; *must you go just* ~? skal du allerede gå? *the best* ~ den hidtil bedste; *a few days* ~ et par dage endnu; *and* ~ *we must go* og dog er

vi nødt til at gå.
yew [ju:] *s (bot)* taks(træ).
Yiddish ['jidiʃ] *s/adj* jiddisch.
yield [ji:ld] *s* udbytte; ydelse // *v* give, yde; give efter; overgive.
YMCA ['waiɛmsi:'ei] *s (fork.f. Young Men's Christian Association)* KFUM.
yodel [jəudl] *v* jodle.
yog(h)ourt, yog(h)urt ['jəugət] *s* yoghurt.
yoke [jəuk] *s* åg; (om okser) spand; (på kjole etc) bærestykke.
yolk [jəuk] *s* æggeblomme.
yonder ['jɔndə*] *adv* derhenne; derovre.
you [ju:] *pron* du; dig; De; Dem; I; jer; man; ~ *never know* man kan aldrig vide; *you're a fool!* du er et fjols! *(and) so are* ~*!* det kan du selv være! det er du også!
you'd [ju:d] d.s.s. *you had; you would*.
you'll [ju:l] d.s.s. *you will; you shall*.
young [jʌŋ] *s* (om dyr) unger; *the* ~ de unge // *adj* ung; lille; ~**ish** ['jʌŋgiʃ] *adj* ret ung, yngre; ~**ster** *s* ungt menneske.
your [jɔ:*] *pron* din, dit, dine; jeres; Deres.
you're [juə*] d.s.s. *you are*.
yours [jɔ:z] *pron* din, dit, dine; jeres; Deres; *is it* ~*?* er det din (, jeres, Deres)? ~ *sincerely* din (, Deres) hengivne.
yourself [jɔ:'sɛlf] *pron (pl:*

yourselves [-'sɛlvz]) du (,dig) selv; De (, Dem) selv; dig, Dem; selv.
youth [ju:θ] *s* ungdom; *(pl:* ~*s* [ju:ðz]) ung mand; ~**ful** *adj* ungdommelig; ~ *hostel s* ungdomsherberg; vandrerhjem.
you've [ju:v] d.s.s. *you have*.
Yugoslav ['ju:gəu'sla:v] *s* jugoslav // *adj* jugoslavisk; ~**ia** [-'sla:vjə] *s* Jugoslavien.
yukky ['jʌki] *adj* (F) ækel, ulækker, klam.
YWCA ['wai'dʌbljuːsiː'ei] *s* (fork.f. *Young Women's Christian Association)* KFUK.

Z

Z, z [zɛd].
zany ['zeini] *adj* skør, tosset.
zeal [zi:l] *s* iver, nidkærhed; ~**ous** ['zɛləs] *adj* ivrig; begejstret; nidkær.
zebra ['zi:brə] *s* zebra; ~ **crossing** *s* fodgængerovergang.
zero ['ziərəu] *s* nul; nulpunkt; *10 degrees below* ~ 10 graders frost; ~ **growth** *s* nulvækst.
zest [zɛst] *s* veloplagthed; (F) fut, pif.
zigzag ['zigzæg] *s* siksak // *v* siksakke.
zinc [ziŋk] *s* zink.
zip [zip] *s* (også: ~ *fastener*, ~*per*) lynlås // *v* svirpe; suse; (også: ~ *up*) lyne; ~ **code** *s* *(am)* postnummer.

zodiac ['zəudiæk] *s: the ~
(astr)* dyrekredsen.
zombie ['zɔmbi] *s* (F) sløv pad-
de; robot.
zone ['zəun] *s* område, zone.
zoo [zuː] *s* zoo(logisk have).
zoological [zuə'lɔdʒikl] *adj*
zoologisk; **zoologist**
[zu'ɔlədʒist] *s* zoolog; **zoolo-
gy** [zu'ɔlədʒi] *s* zoologi.
zoom [zuːm] *v* zoome; ~ *past*
fare forbi; ~ **lens** *s* zoomlin-
se.

A

à *præp:* to æsker ~ 20 *stk* two
boxes of 20 each; *10 øller* ~ 5
kr 10 beers at five kr each;
det står ~ *tre (i fodbold etc)*
it is three all.

abe *s* monkey; *(menneske~)*
ape // *v:* ~ *efter* mimic, ape;
~gilde *s* do, beano; **~unge** *s*
young monkey.

abnorm *adj* abnormal.

abonnement *s* subscription;
~skort *s* season ticket; **abonnent** *s* subscriber; **abonnere**
v: abonnere *på* subscribe to.

abort *s (provokeret)* abortion;
(spontan) miscarriage; *få foretaget* ~ have an abortion;
~ere *v* have a miscarriage.

abrikos *s* apricot.

absolut *adj* absolute // *adv*
absolutely; *(helt sikkert)* definitely; *skal du* ~ *se den
film?* must you see that film?
~ *ikke* definitely not.

abstinenser *spl:* have ~ have
withdrawal symptoms.

abstrakt *adj* abstract.

absurd *adj* absurd.

accelerere *v* accelerate.

accent *s* accent; *tale med* ~
speak with an accent.

acceptabel *adj* acceptable; **acceptere** *v* accept.

a conto on account.

ad *præp* by; *gå ind* ~ *døren*
come in by *(el.* through) the
door; *le* ~ *en* laugh at sby;
spørge en ~ ask sby.

adel *s* nobility; **~ig** *adj* noble.

adfærd *s* behaviour; **~svanskelig** *adj* maladjusted.

adgang *s (~stilladelse)* admission; *(~smulighed)* acces; *'~
forbudt"* No admittance';
gratis ~ admission free;
~sbegrænsning *s* restricted
entry; **~seksamen** *s* entrance
examination; **~skort** *s* entrance card; **~stilladelse** *s*
permission to enter.

adjektiv *s (gram)* adjective.

adjunkt *s (i skolen)* schoolmaster; *(univ) sv.t.* lecturer.

adlyde *v* obey.

administrere *v* manage; **~nde
direktør** managing director.

adoptere *v* adopt; **adoption** *s*
adoption.

adressat *s* addressee.

adresse *s* address; *ubekendt
efter* ~n not known at this
address; **~forandring** *s* change of address; **~kort** *s* dispatch form; **~re** *v* address.

Adriaterhavet *s* the Adriatic
(Sea).

adræt *adj* agile; **~hed** *s* agility.

adskille *v* separate; **~lse** *s* separation.

adskillig *adj:* **~e** several, various; **~t** *adv* a good deal, considerably.

adskilt *adj* separate; *leve* ~
live apart.

adstadig *adj* sedate.

advare *v* warn *(mod* against);
~ *en om at...* warn sby
that...

advarsel *s* warning; *få en* ~ *(i*

sport) be cautioned; *slippe med en* ~ be let off with a warning; **~stavle** s warning sign; **~strekant** s warning triangle.

advent s Advent; **~skrans** s advent wreath.

adverbium s *(gram)* adverb.

advokat s lawyer; **~fuldmægtig** s *sv.t.* trainee lawyer; **~praksis** s legal practice.

ae v stroke, caress.

aerodynamisk adj aerodynamic; **aerogram** s air letter.

af præp *(om materiale, del, dato)* of; *(om årsag)* of, with; *(ved passiv form:)* by; *(væk fra)* off; *(om oprindelse, kilde, ud fra)* from; *(se også de enkelte ord som* ~ *forbindes med); lavet* ~ *jern* made of iron; *flere* ~ *dem* several of them; *dø* ~ *kræft* die of cancer; *bleg* ~ *skræk* pale with fear; *stiv* ~ *kulde* stiff with cold; *Deres brev* ~ *femte juni* your letter of June the fifth; *blive kørt over* ~ *en bil* be run over by a car; *et digt* ~ *Burns* a poem by Burns; *knappen er gået* ~ the button has come off; *låne ngt* ~ *en* borrow sth from sby; *jeg ser* ~ *Deres brev at...* I see from your letter that... // *adv (om ngt der fjernes)* off; *tage tøjet* ~ take off one's clothes; ~ *og til* from time to time.

afbalancere v balance.

afbestille v cancel; **afbestilling** s cancellation.

afbetaling s *(rate)* instalment; *købe ngt på* ~ buy sth on hire purchase (HP).

afbleget adj bleached *(fx hår* hair); *(falmet)* faded.

afbryde v interrupt; *(standse helt)* stop; *(lukke for strøm etc)* switch off, turn off; *blive afbrudt (dvs. forstyrret)* be interrupted; *(tlf)* be cut off; **~lse** s interruption; stopping, breaking off; switching off, cutting off; *uden* ~*lse (dvs. uforstyrret)* uninterrupted; *(dvs. uden pause)* non-stop; ~**r** s *(elek)* switch.

afbrænder s: *det var en* ~ it was a slap in the face.

afbud s: *sende* ~ send one's apologies; ~**sbillet** s stand-by ticket.

afbøde v: ~ *et slag* ward off a blow.

afdeling s *(på hospital, i forretning, firma)* department; *(del)* part, section; *(mil)* unit; ~**schef** s head of department; ~**ssygeplejerske** s (ward) sister.

afdrag s part-payment, instalment; *betale ngt i* ~ pay sth by instalments.

afdød adj deceased; *min* ~*e mand* my late husband.

affald s *(skrald etc)* rubbish; *(køkken~)* garbage; *(som er smidt i naturen etc)* litter; *(radioaktivt etc)* waste; ~**skurv** v litter bin; ~**spose** s waste bag; *(til at føre skraldespanden med)* bin liner; ~**sskakt** s refuse chute; ~**sspand** s (rubbish) bin; *(skraldespand)* (dust)bin; *(i køkkenet)* (waste)bin.

affarve v *(om hår etc)* bleach.

affekteret adj affected.

affinde v: ~ sig med ngt put up with sth.

affjedring s *(auto)* suspension.

affyre v fire; *(om missil)* launch.

affældig adj decrepit; *(om person)* frail.

affærdige v: ~ en snub sby.

affære s business, affair; *tage* ~ take action; *(gribe ind)* intervene.

afføring s bowel movement; *(ekskrementer)* stools pl; ~**smiddel** s laxative.

afgang s departure; *(fra stilling)* resignation, retirement; *naturlig* ~ natural wastage; ~**sbevis** s diploma; ~**seksamen** s *(i skolen)* school leaving examination; ~**shal** s departure hall; ~**stid** s time of departure.

afghaner s, **afghansk** adj Afghan.

afgift s duty; tax; *(told)* customs duty; *gebyr)* fee; *(i garderobe, toilet etc)* change; *(vej~, bropenge)* toll; ~**sfri** adj duty-free.

afgive v *(afstå)* give up; *(fremkomme med, fx rapport)* make; *(udsende, fx lugt)* give off; ~ *bestilling på ngt* order sth; ~ *sin stemme* vote; ~**lse** s *(afståelse)* surrender; *(af*

rapport etc) submission; *(af ordre)* placing.

afgjort adj *(ordnet)* settled // adv certainly, decidedly.

afgrund s precipice; *(fig)* abyss; *falde i ~en* fall all over the precipice; *på ~ens rand* on the edge of the precipice.

afgrøde s crop.

afgud s idol.

afgøre v *(bestemme)* decide; *(fx en sag, strid)* settle; *(finde ud af)* make out, tell; *det er svært at* ~ it is difficult to tell; ~**lse** s decision; *(ordning)* settlement; *træffe en* ~*lse* make a decision; ~**nde** adj crucial; *(endelig)* final, conclusive.

afgå v *(starte)* depart, leave; ~ *ved døden* (H) pass away; ~**ende** adj *(om fx tog)* departing; ~**et** adj *(fra stilling)* retired.

afhandling s treatise; *(disputats)* thesis, dissertation.

afhente v fetch, collect; **afhentning** s collection.

afholde v hold; *(fx koncert, selskab)* give; *(betale)* pay; ~ *en fra at gøre ngt* prevent sby from doing sth; ~ *sig fra at gøre ngt* refrain from doing sth; ~**nde** adj abstemious; ~**nhed** s abstinence.

afholdsmand s teetotaller.

afholdt adj popular *(af* with).

afhopper s *(pol)* defector.

afhænde v sell.

afhænge v: ~ *af* depend on; **afhængig** adj dependent *(af* on); **afhængighed** s dependence *(af* on).

afhøre v question; **afhøring** s questioning, interrogation.

afkald s: give ~ på ngt *(dvs. opgive)* give sth up; *(om fx arv, trone)* renounce sth.

afkalke v decalcify.

afkom s offspring.

afkrog s *(om del af landet)* backwater.

afkræfte v *(gøre svag)* weaken; *(mods: bekræfte)* deny; ~t *adj* weakened.

afkræve v: ~ en ngt demand sth from sby; ~ gebyr charge a fee.

afkøle v cool, chill; *serveres* ~t serve chilled.

aflagt *adj*: ~ tøj cast-offs *pl.*

aflang *adj* oblong.

aflaste v relieve *(for* of); **aflastning** s relief.

aflede v *(lede væk)* deflect; *(adsprede)* distract; *(om afstamning)* derive *(af* from); ~ ens opmærksomhed distract sby's attention; **afledning** s deflection; diversion; distraction; *(af ord)* derivation; *(~t ord)* derivative.

aflejre v deposit; ~s settle; **aflejring** s *(lag)* deposit; *(bundfald)* sediment.

aflevere v deliver; *(opgive, give fra sig)* hand over, give up; *(levere tilbage, fx lånt bog)* return; *(i fodbold)* pass; **aflevering** s delivery; *(i fodbold)* pass.

aflive v kill; *(om dyr)* put

down; **aflivning** s killing.

aflukke s cubicle; ~t *adj* closed; *(aflåst)* locked.

aflyse v cancel; **aflysning** s cancellation; **aflyst** *adj* cancelled, off.

aflytte v *(med skjult mikrofon)* bug; *(tlf)* tap.

aflægge v *(fx ed, løfte)* make; *(opgive, fx vane)* drop; ~ besøg hos en call on sby; ~ prøve take a test; ~r s *(bot)* cutting.

afløb s outlet; *(~srør)* drain; *få* ~ *for* ngt give vent to sth; ~**srør** s drain, wastepipe.

aflønne v pay; **aflønning** s pay, salary.

afløse v *(fx om vagt)* relieve; *(erstatte)* replace; *(følge efter)* succeed; ~r s relief; *(efterfølger)* successor; **afløsning** s relief; replacement; succession.

afmagring s *(ufrivillig)* loss of weight; *(med vilje)* slimming; ~**skur** s slimming diet.

afmærke v mark; *(med sedler, etiketter etc)* label.

afpasse v adapt; *(efter tiden)* time.

afpresning s blackmail; **afpresse** v: afpresse en penge blackmail sby.

afprøve v test, try; **afprøvning** s test, trial.

afrakket *adj* shabby.

afreagere v let off steam.

afregne v: ~ med en settle with sby; **afregning** s settlement; *(skriftlig)* statement.

afrejse s departure.
Afrika s Africa; a~ner s, a~nsk adj African.
afrime v defrost.
afruste v disarm; **afrustning** s disarmament.
afsats s (på trappe) landing; (klippe~ etc) ledge.
afse v spare.
afsende v send off, dispatch; (med posten) post; ~lse s sending, dispatch; posting; ~r s sender; ~radresse s return address.
afsides adj out-of-the-way; (fjern) remote; bo ~ live in a remote place; gå ~ (dvs. på toilettet) follow the call of nature.
afsindig adj mad, crazy // adv madly, terribly.
afskaffe v abolish; ~lse s abolition.
afsked s (fyring) dismissal; (fratræden) resignation; (p.g.a. alder) retirement; (det at skilles) parting; (farvel) leave; tage ~ med en take leave of sby; tage sin ~ resign; retire; ~ige v dismiss, sack; ~sansøgning s resignation; ~sfest s farewell party.
afskrække v deter; ~nde adj deterrent.
afsky s disgust, revulsion // v detest, loathe.
afskyde v fire; (om missil) launch.
afskyelig adj disgusting.
afskære v cut off; **afskåret** adj cut off; (om brød, pålæg) sli-

ced; være afskåret fra at gøre ngt be unable to do sth; afskåret fra omverdenen cut off from the outside world.
afslag s refusal; (i pris) discount; få ~ be refused; få ~ i prisen get a discount.
afslappet adj relaxed.
afslutning s end, finish; (måde hvorpå det ender, det at nå til ende) ending; (skole~) end-of-term (celebration); **afslutte** v end; (gøre helt færdig) finish.
afsløre v (en statue etc) unveil; (røbe etc) disclose; (åbenbare) reveal; blive ~t be found out; ~nde adj revealing; **afsløring** s unveiling; disclosure; revelation.
afslå v refuse, decline.
afsmag s (grim smag, smag af ngt) aftertaste; (væmmelse) distaste (for for).
afsnit s section; (om tid) period; (af tekst) passage; (på side) paragraph; (af tv-serie) episode.
afsondret adj isolated; **afsondring** s isolation; (udskillelse) secretion.
afsone v: ~ en straf serve a sentence; **afsoning** s imprisonment; afsoning af straf serving of a sentence.
afspadsere v counterbalance overtime.
afspore v derail; **afsporing** s derailment.
afspænding s (afslapning) relaxation; (pol) detente.

afspærre v close off, block; **afspærring** s *(fx brædder)* barrier; *(politi~)* cordon.

afstamning s descent, origin.

afstand s distance; *holde ~ (om fx biler)* keep one's distance; *i en ~ af fem km* at a distance of five km; *på ~* at a distance; *tage ~ fra ngt* dissociate oneself from sth; **~tagen** s dissociation.

afsted adv *se sted.*

afstemning s *(afpasning)* tuning, matching; *(valg)* voting, vote; *(hemmelig)* ballot.

afstikker s *(lille tur)* trip; *(omvej)* detour.

afstraffe v punish; **~lse** s punishment.

afstøbning s *(det at afstøbe)* casting; *(det afstøbte)* cast.

afstå v *(opgive, afhænde)* give up; *~ fra at kommentere ngt* abstain from commenting on sth.

afsyre v acid-wash; **afsyring** s acid washing.

afsætning s *(salg)* sale.

afsætte v *(sælge)* sell; *(afskedige)* dismiss; *(om fx konge)* depose; *(sætte til side, reservere)* set aside; **~lse** s dismissal; deposition.

aftage v *(købe)* buy; *(fjerne)* remove; *(mindskes)* decrease; *(om fx sygdom, blæst etc)* ease off; **~lig** adj detachable; **~r** s buyer.

aftale s arrangement; *(overenskomst)* agreement, deal; *(møde~)* appointment // v arrange; agree; *efter ~* as arranged; *det er en ~!* that's a deal! that's settled then! *træffe en ~ om at, ~ at* agree to.

aften s evening, night; *god ~!* good evening! *i ~* tonight; *i (går) aftes* last night, yesterday evening; *i morgen ~* tomorrow night *(el.* evening); *om ~en* in the evening, at night; *spise til ~* have supper; *hvad skal vi have til ~?* what are we having for supper? **~bøn** s evening prayer; **~kursus, ~skole** s evening classes pl; **~smad** s supper.

aftjene v: *~ sin værnepligt* do one's military service.

aftrapning s de-escalation.

aftryk s impression; *(trykt)* reprint; *(foto)* print.

aftrækker s trigger.

afvande v drain; **afvanding** s drainage.

afvej s: *komme på ~e* go astray; **~e** v weigh; **~ning** s weighing.

afvekslende adj varied; **afveksling** s variation; *til en afveksling* for a change.

afvente v await, wait for; **~nde** v: *forholde sig ~nde* wait and see.

afvige v deviate *(fra* from); **~lse** s deviation; **~nde** adj different; **~r** v deviant; *(systemkritiker etc)* dissident.

afvikle v *(gennemføre)* conclude; *(lukke fx firma)* wind up; **afvikling** s conclusion; winding up.

afvise v turn down, refuse;
(forkaste) reject; **~nde** adj
negative; *(af væsen)* aloof;
~rblink s flashing indicator;
~rskilt s signpost; **afvisning** s
refusal, rejection.

afværge v prevent.

agent s agent; **~film** s spy film;
~ur s agency.

agere v act, play.

agerhøne s partridge.

agern s acorn.

agitere v: ~ *for ngt* make
propaganda for sth, promote
sth, boost sth.

agt s *(hensigt)* intention, pur-
pose; *give* ~ look out; *'giv* ~,
højspænding'' Danger, high
voltage'; *tage sig i* ~ take
care, look out; *tage sig i* ~ *for
ngt* beware of sth; **~e** v *(re-
spektere)* respect; *(have pla-
ner om)* intend *(at* to); **~else**
s respect, esteem; *han steg i
min* **~else** he rose in my
esteem.

agter adv *(mar)* astern;
~ende, **~stavn** s stern; **~ud**
adv: *sakke* **~ud** fall behind.

agtpågivende adj attentive;
agtpågivenhed s attention.

agurk s cucumber; **~etid** s
(fig) silly season.

ahorn s maple.

ajle s liquid manure; **~behol-
der** s liquid-manure tank.

à jour: *holde sig* ~ keep infor-
med; *føre ngt* ~ bring sth up
to date; **ajourføre** v update.

akademi s academy; **~ker** s
academic; **~sk** adj academic;

~sk grad university degree.

akavet adj awkward.

akillessene s Achilles' tendon.

akkompagnement s accompa-
niment; **akkompagnere** v ac-
company.

akkord s *(mus)* chord; *arbejde
på* ~ do piecework; *anslå en*
~ strike a chord; **~arbejde** s
piecework; **~løn** s piece wa-
ges *pl.*

akkumulator s accumulator;
akkumulere v accumulate.

akkurat adj *(nøjagtig)* accurate
// adv *(netop)* exactly, just.

akrobatik s acrobatics *pl.*

aks s *(korn~)* ear; *(bot)* spike.

akse s axis.

aksel s *(i hjul)* axle; *(driv~)*
shaft.

akt s *(teat)* act; *(papir)* docu-
ment; *sagens* **~er** the dossier,
the file.

aktie s share; **~børs** s stock
exchange; **~kapital** s share
capital; **~majoritet** s majority
interest; **~post** s holding;
~selskab s limited (liability)
company; *A/S Olsen og Jen-
sen* Olsen and Jensen, Ltd.;
~udbytte s dividend.

aktion s action; *gå i* ~ go into
action.

aktionær s shareholder.

aktiv s *(merk, fig)* asset // adj
active; **~ere**, **~isere** v activa-
te; **~ist** s activist; **~itet** s
activity.

aktualitet s relevance.

aktuar s actuary.

aktuel adj relevant; *(om emne,*

spørgsmål) topical; *(nuvæ-rende)* current; *hvis det skul-le blive* ~t if the question should arise; *det bliver ikke* ~t it won't come up.

akupunktur s acupuncture.

akustik s acoustics *pl.*

akut *adj* acute.

akvarel s watercolour.

akvarium s aquarium.

al *adj* all; *(se også alt, alle).*

alarm s alarm; *slå* ~ sound the alarm; *for min skyld ingen* ~ it is all right as far as I am concerned; **~beredskab** s: *i ~beredskab* on the alert; **~erende** *adj* alarming; **~ering** s alarm (call).

albue s elbow; *have spidse* ~*er* have sharp elbows // *v:* ~ *sig frem* use one's elbows; **~rum** s elbow-room.

aldeles *adv* completely, quite; ~ *ikke* not at all; ~ *intet* nothing at all.

alder s age; *være stor af sin* ~ be tall for one's age; *i en* ~ *af...* at the age of...; *i din* ~ at your age; *være i sin bedste* ~ be at the prime of one's life; *i en høj* ~ at an advanced age; *i en ung* ~ at an early age; *hun er på hans* ~ she is his age; *atom~en* the atomic age.

alderdom s (old) age; **~shjem** s old people's home, rest home.

alders... sms: **~forskel** s difference in age; **~grænse** s age limit; **~klasse** s age-group.

aldrig *adj* never; ~ *mere* never again, no more; ~ *nogensinde* never ever; *jeg har* ~ *hørt magen!* well, I never!

alene *adj* alone; *være* ~ *om ngt (også:)* do sth single-handed // *adv* only; ~ *det at...* the mere fact that...; *ene og* ~ only; ~ *tanken om det...* the mere thought of it...

alenlang *adj* mile-long, lengthy.

alf s fairy.

alfabet s alphabet; **~isk** *adj* alphabetical.

alfons s pimp; **~eri** s pimping.

alge s alga *(pl:* algae); *(tang)* seaweed.

algerier s, **algerisk** *adj* Algerian; **Algeriet** s Algeria.

alibi s alibi.

alkohol s alcohol; *(som drik-kes)* spirits *pl;* **~fri** *adj* non-alcoholic; **~fri drikke** non-alcoholic beverages, soft drinks; **~holdig** *adj* alcoholic; **~iker** s alcoholic; **~isme** s alcoholism; **alkotest** s breathalyzer.

alkove s box bed.

alle *adj* all; *(~ og enhver)* everybody; *(hvem som helst)* anybody; ~ *bøgerne* all the books; ~ *siger at...* everybody says that...; ~ *andre* everybody else; ~ *de andre* all the others; ~ *andre end dig* everybody except you; ~ *mennesker* everybody; ~ *menneskene* all the people; *de kom* ~ *fire* all four of

alt **a**

them came.

allé s avenue.

allehånde s *(krydderi)* allspice // *adj (alle slags)* all sorts of.

allerbedst *adj/adv* best of all.

allerede *adv* already; *(selv, endog)* even.

allerflest *adj:* i de ~e tilfælde in the majority of cases; **allerførst** *adj* very first // *adv* first of all.

allergi s allergy; ~**ker** s allergic; ~**sk** *adj* allergic *(overfor* to).

aller. . . sms: ~**helst** *adj:* jeg vil ~helst have øl I much prefer beer; ~**helvedes** *adj:* en ~helvedes larm a hell of a noise; ~**højst** *adj* at the utmost; ~**mest** *adj* most of all; ~**mindst** *adj:* det er det ~mindste vi kan gøre it is the (very) least we can do // *adv* least of all; ~**senest** *adj* very latest // *adv* at the very latest; ~**sidst** *adj* last of all; ~**værst** *adj* worst of all.

allesammen *pron* all of them (, you, us), everybody; *de kom* ~ they all came.

allevegne *adv* everywhere.

alliance s alliance; ~**fri** *adj* non-aligned.

alliere v: ~ sig med en ally oneself with sby; ~**t** s ally // *adj* allied; *de* ~*de* the Allies.

alligevel *adv* still, yet, all the same; *(under alle omstændigheder)* anyway; *det var* ~ *dumt af dig* it was stupid of you all the same; *du kan* ~

ikke lide det you don't like it anyway; *det blev solskin* ~ it was sunshine after all.

almen *adj* common, general; *(for offentligheden)* public; ~**gyldig** *adj* universal; ~**heden** s the public; ~**nyttig** *adj* non-profit making.

almindelig *adj (mods: sjælden)* common; *(som omfatter de fleste)* general; *(ordinær, sædvanlig)* ordinary; *(dagligdags)* plain; *det er* ~ *praksis* it is common practice; ~ *brugt* in general use; ~*e mennesker* ordinary people; *det er ngt ud over det* ~*e* it is sth out of the ordinary; ~**vis** *adj* generally, usually.

almue- *adj* peasant, rustic.

almægtig *ajd* omnipotent; *du* ~*e!* almighty God!

alpehue s beret; **Alperne** *spl* the Alps; **alpeviol** s cyclamen.

alpin *adj* alpine; ~*e discipliner (i skisport)* alpine combined.

alsidig *adj* versatile; *(omfattende)* all-round; ~**hed** s versatility.

alt s *(om stemme)* contralto // *adj* all, everything; *(hvad som helst)* anything; ~ *efter som. . .* according as. . .; ~ *for* (far) too; *gøre* ~ *hvad man kan* do everything one can; *skynde sig* ~ *hvad man kan* hurry as much as one can; *det er* ~ *for meget* it is far too much; *vi bliver 20 i* ~ we will be 20 in all; ~ *i* ~altogether; *når* ~ *kommer til* ~after all.

altan s balcony; **~gang** s access balcony; **~kasse** s flower box.

alter s altar; *gå til ~s* take Communion; **~gang** s Holy Communion; **~kalk** s chalice.

alternativ s/adj alternative.

altertavle s altarpiece.

altid adv always.

alting pron everything.

altmuligmand s odd-job-man.

altomfattende adj all-embracing, global.

altså adv so, therefore; *(dvs)* that is; *(forstærkende)* really; *det er ~ for galt!* it is really too much! *du mener det ~?* *(også:)* you mean it then?

alverden s all the world; *hvad i ~* what on earth; *hvorfor i ~* why on earth; *den koster ikke ~* it does not cost the earth.

alvor s seriousness; *er det dit ~?* are you serious? *det er mit ~* I am serious; *for ~* seriously; *i ramme ~* in dead earnest; **~lig** adj serious // adv seriously.

amatør s amateur; **~agtig** adj amateurish.

ambassade s embassy; **ambassadør** s ambassador; *den danske ambassadør i Storbritannien* the Danish ambassador to Britain.

ambition s ambition; **ambitiøs** adj ambitious.

ambolt s anvil.

ambulance s ambulance.

ambulant adj: *~ behandling* outpatient treatment; *~ patient* outpatient; **ambulatorium** s outpatients' clinic.

Amerika s America; **a~ner** s, **a~nsk** adj American.

amme v nurse, breastfeed.

ammoniak s ammonia.

ammunition s ammunition.

amnesti s amnesty.

amok s: *gå ~* run amuck.

amoralsk adj amoral.

amputation s amputation; **amputere** v amputate.

amt s sv.t. region; **~mand** s sv.t. prefect; **~skommune** s sv.t. regional council district; **~sråd** s sv.t. regional council.

amulet s charm.

analfabet s illiterate; **~isme** s illiteracy.

analyse s analysis; **~re** v analyze.

ananas s pineapple.

anatomi s anatomy; **~sk** adj anatomical.

anbefale v recommend; *(om brev)* register; **~t** adj *(om brev)* registered (R); **anbefaling** s recommendation; *(ved jobansøgning)* reference.

anbringe v put, place; *(om penge)* invest; **~lse** s putting, placing; investment.

anciennitet s seniority; *efter ~* by seniority.

and s duck; *(avis~)* hoax (story).

andagt s *(i kirke)* prayers pl; *lytte med ~* listen with rapt attention; **~sfuld** adj devout.

andel s share, part; *have ~ i*

401 anførsel **a**

ngt have a share in sth; **~s-**co-operative *(fx bevægelse* movement); **~slejlighed** *s* cooperative housing unit.

andemad *s (bot)* duckweed.

anden *pron* other; *en ~ (om person)* somebody else, another person; *(om ting)* another; *en el. ~* somebody; *en el. ~ ting* something or other; *den ene efter den ~* one after the other; *ingen ~ (om person)* nobody else; *(om ting)* no other; *(se også andet, andre) // num* second; *anden præmie* second prize; *den anden maj* the second of May el. May the second; *for det andet* secondly.

anderledes *adj* different // *adv* otherwise, differently; *(mere)* far more; *~ end* different from; *hvis det ikke kan være ~* if it must be.

andesteg *s* roast duck.

andet *pron* other; *et ~ hus* another house; *alt ~ end* anything but; *blandt ~ (om mennesker)* among others; *(om ting)* among other things; *ikke ~* nothing else; *ikke ~ end* nothing but; *ngt ~* something else; anything else; *(se også anden, andre);* **~steds** *adv* elsewhere; **~stedsfra** *adv* from somewhere else; **~stedshen** *adv* somewhere else.

andre *pron* other; *alle ~ (om personer)* everybody else; *(om ting)* all others; *alle de ~* all the others; *ingen ~* nobody else; *de ~* the others, the rest of them; *vi ~* the rest of us.

andægtig *adj* reverent; *(opmærksom)* attentive, rapt.

ane *s* ancestor // *v* suspect; *(mærke svagt)* sense; *(se svagt)* glimpse; *jeg ~r det ikke* I have not the faintest idea; *jeg ~r ikke hvad jeg skal gøre* I don't know what to do; *du ~r ikke hvad det koster* you have no idea what it costs; **~lse** *s* suspicion; *(smule)* touch; *have en ~lse om at...* suspect that. ..; *jeg har ingen ~lse om det* I have not got a clue; *bange ~lser* misgivings.

anemone *s* anemone.

anerkende *v (berettigelsen af)* acknowledge; *(godkende)* recognize; *~ modtagelsen af et brev* acknowledge receipt of a letter; **~lse** *s* acknowledgement; recognition; *(ros)* appreciation; **anerkendt** *adj (godkendt)* approved, recognized; *(kendt, med godt ry)* reputable; *almindelig anerkendt* generally accepted.

anfald *s* attack; *(kort og pludseligt)* fit; *han fik et ~ over skrammen på bilen* he had a fit over the scratch on the car.

anføre *v* lead; *(nævne)* mention; **~lsestegn** *spl* quotation marks, inverted commas; **~r** *s* leader; *(hold~, sport)* captain; **anførsel** *s* leadership;

under anførsel af led by.
anger *s* regret.
angive *v (anføre, opgive)* give, state; *(vise)* indicate; *(hævde, påstå)* profess, claim; *(stikke, melde)* inform on;
~ *tidspunktet* state the time (of day); ~ *en til politiet* report sby to the police; ~ *at være læge* claim to be a doctor; ~**lig(t)** *adv* allegedly;
~**lse** *s* statement; *nøjere* ~*lse* specification; ~**r** *s* informer.
angre *v* regret.
angreb *s* attack; *(luft~)* raid; *gå til* ~ *på* make an attack on; ~**et** *adj:* ~*et af en sygdom* suffering from a disease; ~**spiller** *s (i fodbold)* forward; ~**svåben** *s* offensive weapon.
angribe *v* attack; *(fra luften)* raid; *(skade)* damage; *(om sygdom)* affect; ~**r** *s (også sport)* attacker; *(i krig)* aggressor.
angst *s* fear; *(ængstelse)* anxiety // *adj* afraid, anxious.
angå *v* concern; *hvad* ~*r as to;* *hvad* ~*r mig* for my part; *det* ~*r ikke dig* it is none of your business;* ~**ende** *adj* concerning, about.
anholde *v* arrest; ~ *om ens hånd* ask for sby's hand in marriage; ~**lse** *s* arrest.
anhænger *s* trailer.
anke *s (klage)* complaint; *(appel)* appeal // *v (klage)* complain *(over* of); *(appellere)* appeal.

ankel *s* ankle.
ankenævn *s* board of appeal.
anker *s* anchor; *(tønde)* barrel; *ligge for* ~ lie at anchor; ~**plads** *s* anchorage.
anklage *s* accusation, charge // *v* accuse, charge; ~ *en for ngt* accuse sby of sth, charge sby with sth; *være under* ~ be on trial; ~**bænk** *s* dock; ~**myndigheden** *s* the prosecution; ~**r** *s* accuser; *(i retten)* prosecutor; ~**skrift** *s* indictment; ~**t** *adj: den* ~*de* the accused, the defendant.
ankomme *v* arrive *(til* at, in);
ankomst *s* arrival *(til* at, in); *ved ankomsten* on arrival;
ankomsttid *s* time of arrival.
ankre *v:* ~ *(op)* anchor.
anledning *s (lejlighed)* occasion; *(grund)* reason, cause; *(mulighed)* opportunity; *i dagens* ~ in honour of the occasion; *give* ~ *til mistanke* give cause for suspicion; *få* ~ *til at gøre ngt* get an opportunity to do sth; *i* ~ *af Deres skrivelse...* referring to your letter...
anlæg *s (fabrik etc)* plant, works; *(park)* park; *(have)* gardens; *(evne, talent)* talent; ~**ge** *v (bygge etc)* build; *(grundlægge)* found; *(have etc)* lay out; ~*ge sag* take legal action; ~*ge sag mod en* sue sby; ~*ge skæg* grow a beard; ~**sarbejde** *s* construction work.
anløbe *v (om skib)* call at;

(irre, blive sort etc) be tarnished; **anløbsbro** s jetty.

anmarch s: *være i* ~ be on the way.

anmelde v *(til politiet etc)* report; *(bebude, annoncere)* announce; *(deltagelse i fx konkurrence)* enter; *(som kritiker)* review; ~**lse** s notification; *(til konkurrence etc)* entry; *(indtegning)* registration; *(kritik)* review; ~**lsesblanket** s registration form; ~**r** s *(kritiker)* critic, reviewer; *(jur)* informer.

anmode v: ~ *om* ask for; ~ *en om at gøre ngt* ask sby to do sth; **anmodning** s request *(om* for*)*; *efter anmodning* by request; *på ens anmodning* at sby's request.

annonce s advertisement, (F) ad; ~**kampagne** s advertising campaign; ~**re** v advertise; ~*re et program* announce a program; ~**ring** s advertising; *(tv, radio)* announcing.

annullere v cancel; **annullering** s cancellation.

anonym adj anonymous; ~**itet** s anonymity.

anordning s device.

anretning s *(opdækning)* table arrangement; *(ret mad)* course; **anrette** v *(mad)* serve; *(forårsage)* cause *(fx skade* damage*)*.

anse v: ~ *for* consider (to be), regard as; ~ *ngt for givet* take sth for granted; ~**else** s *(godt ry)* reputation; ~**lig** adj

(ret stor) considerable; *(om person)* notable; ~**t** adj distinguished.

ansigt s face; *sige ngt op i ens åbne* ~ tell sby sth to his face; ~**sfarve** s complexion; ~**sløftning** s facelift; ~**smaske** s face mask; ~**stræk** s feature; ~**sudtryk** s *(facial)* expression.

ansjos s anchovy.

anskaffe v: ~ *sig ngt* get oneself sth; ~**lse** s acquisition.

anskuelse s view, opinion; *jeg er af den* ~ *at...* in my view...

anslag s *(på klaver etc)* touch; *200* ~ *i minuttet* sv.t. 40 words per minute.

anslå v *(om streng etc)* strike; *(vurdere)* estimate.

anstalt s institution.

anstandsdame s chaperon(e).

anstrenge v strain; *(trætte)* tire; ~ *sig for at gøre ngt* make an effort to do sth; ~**lse** s effort; *(stærk)* strain; ~**nde** adj strenuous; *(trættende)* tiring; **anstrengt** adj *(spændt)* tense; *(fx smil)* forced.

anstændig adj decent; ~**hed** s decency.

anstød s: *tage* ~ *af ngt* take offence at sth; *vække* ~ cause offence; ~**elig** adj offensive.

ansvar s responsibility; *(skyld)* blame; *på eget* ~ on one's own responsibility; *stå til* ~ *for ngt* be held responsible for sth; ~**lig** adj responsible;

~**sforsikring** s personal liability insurance; *(auto)* third-party insurance; ~**sfuld** *adj* responsible; ~**sløs** *adj* irresponsible.

ansætte v *(i stilling)* employ; *(i embede etc)* appoint; *(vurdere, skønne)* estimate *(til* at); *(i skat)* assess; *være ansat i et firma* be with a firm; ~**lse** s employment; estimation; assessment; *tryghed i ~lsen* job security.

ansøge v apply *(om* for); ~**r** s applicant *(til* for); **ansøgning** s application *(om* for).

antage v *(formode)* suppose; *(ansætte)* engage; *(godkende, acceptere)* accept; ~ *et nyt navn* adopt a new name; ~**lig** *adj (god nok)* acceptable; *(ret stor)* considerable // *adv (formentlig)* presumably.

antal s number; *i et* ~ *af flere hundrede* several hundred in number.

Antarktis s the Antarctic.

antenne s aerial.

antiatom- *adj* anti-nuclear.

antibiotika *spl* antibiotics; **antibiotisk** *adj* antibiotic.

antik s antique; ~**ken** s Antiquity.

antikvariat s second-hand bookshop.

antikveret *adj* obsolete.

antikvitet s *(som købes)* antique; *(fortidsminde)* antiquity; ~**sforretning** s antique shop; ~**shandler** s antique dealer.

antilope s antelope.

anti. . . sms: ~**pati** s antipathy *(mod* to); ~**semitisk** *adj* anti-semitic; ~**septisk** *adj* anti-septic; ~**statisk** *adj* antistatic; ~**stof** s antibody.

antræk s *(påklædning)* get-up.

antyde v hint, suggest; *(tyde på)* indicate; *det tør svagt* ~*s!* you may say so! **antydning** s hint, suggestion.

antænde v set fire to; ~*s* catch fire; ~**lse** s ignition.

anvende v use *(til* for); ~**lig** *adj (nyttig)* useful; *(brugbar)* applicable; ~**lse** s use.

anvise v *(vise)* show; *(give, tildele)* assign; *anvise beløbet til udbetaling* order the amount to be paid out; ~ *en en plads* show sby to his/her seat; **anvisning** s *(penge~)* money order; *(vejledning)* direction, instructions *pl*.

aparte *adj* peculiar, odd.

apatisk *adj* apathetic.

apostrof s apostrophe.

apotek s chemist's *(shop)*, pharmacy; ~**er** s pharmacist, dispensing chemist.

apparat s device, (F) contraption; *(radio, tv)* set; ~**ur** s apparatus.

appel s appeal; ~**domstol** s court of appeal; ~**lere** v appeal; ~**sag** s appeal case.

appelsin s orange; ~**marmelade** s (orange) marmalade; ~**skal** s orange peel.

appetit s appetite; ~**lig** *adj* appetizing; ~**vækker** s appetizer.

applikation s appliqué; **applikere** v appliqué.

appretur s finish; *(selve midlet)* starch.

april s April; *den første ~* the first of April *el.* April the first; *narre en ~* make sby an April fool; **~snar** s April fool.

apropos adv *(forresten)* by the way; *~ penge, så har jeg ingen* talking of money, I don't have any.

ar s scar.

araber s Arab; **Arabien** s Arabia; **arabisk** s *(om sproget)* Arabic // adj Arab, Arabian.

arbejde s work; *(hårdt)* labour; *(beskæftigelse)* employment; *få ~* get a job, find work; *gå på ~* go to work; *være i ~* be working; *være uden ~* be unemployed // v work; *(hårdt)* labour; *~ med ngt* work at sth; *~ på at opnå ngt* work at achieving sth.

arbejder s worker, workman; **~beskyttelse** s maintenance of industrial health and safety standards; **~klassen** s the working class; **~parti** s labour party.

arbejds . . . sms: **~anvisning** s *sv.t.* job centre; **~byrde** s work load; **~dag** s working day; **~deling** s division of labour; **~evne** s working capacity; **~forhold** s *pl* working conditions; **~formidling** s *sv.t.* job centre; **~giver** s employ-

er; **~giverforening** s employers' federation; **~gruppe** s team; **~kammerat** s colleague, workmate; **~konflikt** s labour conflict; **~kraft** s *(arbejdere)* manpower; *(evne til at arbejde)* capacity for work; **~krævende** adj labour-intensive; **~liderlig** adj: *han er ~liderlig* he is a workaholic; **~løn** s wages pl.

arbejdsløs adj unemployed, redundant; *blive ~* lose one's job; **~hed** s unemployment, redundancy; **~hedskasse** s unemployment fund; **~hedsunderstøttelse** s unemployment benefit; *få ~hedsunderstøttelse* (F) be on the dole.

arbejds . . . sms: **~marked** s labour market; **~medicin** s industrial medicine; **~ministerium** s Ministry of Labour; **~moral** s work ethic; **~nedlæggelse** s walkout.

arbejdsom adj hard-working.

arbejds . . . sms: **~plads** s place of work; **~ret** s *sv.t.* industrial tribunal; **~søgende** s job hunter; **~tager** s employee; **~tid** s working hours; *efter ~tid* after work; **~tilladelse** s work permit; **~tøj** s working clothes; **~ulykke** s industrial accident; **~uge** s working week; **~værelse** s study.

areal s *(område)* area; *(mål)* acreage.

Argentina s the Argentine, Argentina; **argentiner** s, **argen-**

tinsk *adj* Argentinian.
argument *s* argument; ~**ere** *v* argue.
aristokrat *s* aristocrat; ~**i** *s* aristocracy; ~**isk** *adj* aristocratic.
aritmetik *s* algebra.
ark *s* sheet *(fx papir* of paper); *Noas* ~ Noah's ark.
arkitekt *s* architect; ~**lampe** *s* anglepoise ® (lamp); ~**tegnet** *adj* designed by an architect; ~**ur** *s* architecture.
arkiv *s* archives *pl; (på kontor)* file; ~**ar** *s* archivist; ~**ere** *v* file.
Arktis *s* the Arctic; **a~k** *adj* arctic.
arkæolog *s* archeologist; ~**i** *s* archaeology.
arm *s* arm; *tage ngt i stiv* ~ take sth without flinching // *adj:* ~*e dig!* poor you! ~**bevægelse** *s* gesture; ~**bøjninger** *spl (gymnastik)* pushups; ~**bånd** *s* bracelet; ~**båndsur** *s* (wrist)watch.
armere *v* arm; *(pansre)* armour; ~*t jernbeton* reinforced concrete; **armering** *s* armament; *(panser)* armour.
arm. . . sms: ~**hule** *s* armpit; ~**læn** *s* armrest; ~**ring** *s* bangle; ~**stol** *s* arm chair; ~**sved** *s* body odour.
arrangement *s* arrangement; **arrangere** *v* arrange; *arrangere sig med en* make an arrangement with sby; **arrangør** *s* organizer.
arrest *s* custody; *(stedet)* pri-

son; ~**ere** *v* arrest; *være* ~*eret* be held in custody; ~**ordre** *s* warrant.
arrig *adj* bad-tempered; ~**skab** *s* bad temper.
arrogant *adj* arrogant.
arsenik *s* arsenic.
art *s (slags)* kind, sort; *(væsen, beskaffenhed)* nature.
arterie *s* artery.
artig *adj* good, well-behaved.
artikel *s* article; *(videnskabelig også:)* paper.
artiskok *s* artichoke; ~**bund** *s* artichoke heart.
artist *s* artiste.
arv *s* inheritance; *(ved testamente)* legacy; *få ngt i* ~ inherit sth; *gå i* ~ *til* pass on to; ~*e v* inherit; ~*e sin onkel* be heir to one's uncle; ~*e ngt efter en* get sth after sby; ~**eafgift** *s* death duties *pl;* ~**eanlæg** *s* hereditary factor; ~**efølge** *s* line of succession; ~**elig** *adj* hereditary; ~**estykke** *s* heirloom; ~**ing** *s* heir.
A/S *se* aktieselskab.
asbest *s* asbestos; ~**ose** *s* asbestosis.
ascorbinsyre *s* ascorbic acid.
ase *v* struggle *(med* with).
asfalt *s* asphalt, tarmac; ~**ere** *v* asphalt, tarmac.
asiat *s,* ~**isk** *adj* Asian.
asie *s: syltet* ~ pickled gherkin.
Asien *s* Asia.
ask *s* ash.
aske *s* ashes *pl; (fra cigaret el. vulkan)* ash; ~**bæger** *s* ash-

tray; **A~pot** Cinderella;
~**skuffe** s ash pan.

asketisk adj ascetic.

asocial adj antisocial.

asparges s asparagus; ~**hoved**
s asparagus tip.

assistance s assistance; **assi-
stent** s assistent; **assistere** v
assist (ved at).

assurance s insurance; **assu-
randør** s insurance man.

astma s asthma; ~**tisk** adj
asthmatic.

astro. . . sms: ~**log** s astrolo-
gist; ~**logi** s astrology; ~**naut**
s astronaut; ~**nom** s astrono-
mer; ~**nomi** s astronomy;
~**nomisk** adj astronomical.

asyl s asylum; ansøge om poli-
tisk ~ apply for political asy-
lum.

at (foran infinitiv) to; prøv at
gøre det try to do it; bogen er
svær at læse the book is diffi-
cult to read; (infinitiv uden
to:) få en til at græde make
sby cry; (ofte kan man vælge
mellem to + infinitiv el.
-ing-form:) han begyndte at
løbe he started to run el. he
started running; (efter præp
altid -ing-form:) de talte om
at gøre det they talked about
doing it; de gik uden at spise
they left without eating.

at (foran sætning, udelades
dog ofte) that; jeg ved at det
er for sent I know (that) it is
too late; (andre forbindelser:)
tale om ~ rejse til London
talk about going to London;

jeg kan ikke fordrage ~ se på
det I cannot stand watching
it; få en til ~ gøre ngt make
sby do sth; ~ du ikke skam-
mer dig! you ought to be
ashamed of yourself! (tænk)
~ det skulle ske nu! that it
should happen now!

atelier s studio.

Athen s Athens.

Atlanterhavet s the Atlantic
(Ocean); **Atlantpagten** s the
Atlantic Charter.

atlas s atlas.

atlet s athlete; ~**ik** s athletics;
~**isk** adj athletic.

atmosfære s atmosphere; **at-
mosfærisk** adj: atmosfæriske
forstyrrelser (radio, tv) at-
mospherics pl.

atom s atom; (for sms se også
kerne); ~**affald** s nuclear
waste; ~**bombe** s atom(ic)
bomb, nuclear bomb;
~**brændstof** s nuclear fuel;
~**drevet** adj nuclear-power-
ed; ~**energi** s nuclear ener-
gy; ~**forsøg** s nuclear test;
~**fri** adj: ~fri zone denuclea-
rized zone; ~**fysik** s nuclear
physics; ~**fysiker** s nuclear
physicist; ~**kraft** s nuclear
power; ~**kraftværk** s nuclear
power station (el. plant).
~**krig** s nuclear war; ~**våben**
spl nuclear weapons.

atten num eighteen; ~**de** adj
eighteenth.

attentat s (dvs. forsøg) assassi-
nation attempt; (dvs. mord)
assassination.

atter *adv* again, once more.
attest *s* certificate; **~ere** *v* certify (to).
attrap *s* dummy.
attråværdig *adj* desirable.
audiens *s* audience.
auditorium *s* lecture hall; *(lille)* lecture room.
august *s* August; *den femte ~* the fifth of August *el.* August the fifth.
auktion *s* auction (sale); *sætte ngt på ~* put sth up for auction; **~arius** *s* auctioneer.
aula *s* assembly hall.
Australien *s* Australia; **australier** *s,* **australsk** *adj* Australian.
autentisk *adj* authentic.
autograf *s* autograph.
autohandler *s* car dealer.
automat *s* *(salgs~)* vending machine; *(spille~)* slot-machine; *(robot og fig)* automaton; **~isering** *s* automation; **~isk** *adj* automatic // *adv* automatically.
automekaniker *s* car mechanic.
automobil *s* (motor) car; **~fabrik** *s* car factory; **~forhandler** *s* car dealer; **~forsikring** *s* motor (car) insurance; **~værksted** *s* garage.
autorisation *s* authorization; **autorisere** *v* authorize, license; **autoritet** *s* authority; **autoritær** *adj* authoritarian.
autovask *s* carwash; **autoværn** *s* crash-barrier.
av *interj* ouch.

avance *s* profit.
avancement *s* promotion; **avancere** *v (i blive forfremmet)* be promoted; **avanceret** *adj* advanced.
avertere *v* advertise *(efter* for); *~ med ngt* advertise sth.
avis *s* paper, newspaper; **~kiosk** *s* newsstand; **~papir** *s* newsprint; **~udklip** *s* (press) cutting.
avl *s (høstudbytte)* crop; *(dyrkning)* growing; *(opdræt)* breeding; **~e** *v (dyrke)* grow; *(opdrætte)* breed; *(få unger)* procreate; *(fig)* breed; **~sdyr** *s* breeding animal.
avocado *s* avocado.

B

baby *s* baby; **~lift** *s* carrycot; **~sitter** *s: være ~sitter* babysit; **~udstyr** *s* layette, baby things.
bacille *s* germ.
bad *s (kar~)* bath; *(bruse~)* shower; *(i fri luft)* swim, bathe; *tage ~* have a bath; *værelse med ~* room with a private bath; **~e** *v* have a bath; *(~e fx øjne)* bathe; *bade et barn* bath a child; **~eanstalt** *s* baths *pl;* **~ebro** *s* bathing jetty; **~ebukser** *spl* bathing trunks; **~edragt** *s* bathing suit, swimsuit; **~ehætte** *s* swimming cap; **~ehåndklæde** *s* bath towel; **~ekar** *s* bath tub; **~ekåbe** *s* bathrobe; **~esalt** *s* bath salts *pl;* **~ested**

s seaside resort; ~**estrand** *s* beach; ~**eværelse** *s* bathroom.

badminton *s* badminton; ~**bold** *s* shuttlecock; ~**ketsjer** *s* badminton racket.

badning *s* bathing.

bag *s (bagdel)* backside, bottom; *(bagside)* back // *adj/adv* behind; *gå* ~ *en* walk behind sby; ~ *på* on the back of; *det kom* ~ *på os* it took us by surprise; ~ *ved* behind.

bagage *s* luggage, baggage; ~**bærer** *s (på bil)* luggage rack; *(på cykel)* carrier; ~**rum** *s (i bil)* boot.

bagatel *s* trifle.

bagben *s* hindleg.

bagbord *s (mar)* port; ~**s** *adj* port.

bagdel *s* backside, bottom; *(ulempe, mods: fordel)* drawback; **bagdør** *s* back door.

bage *v* bake; ~**form** *s* baking tin.

bagefter *adv (senere)* afterwards; *(bagved)* behind; *mit ur er* ~ my watch is slow; *være* ~ *med huslejen* be in arrears with the rent.

bage... *sms:* ~**opskrift** *s* baking recipe; ~**ovn** *s (baking)* oven; ~**plade** *s* baking tray; ~**pulver** *s* baking powder.

bager *s* baker; ~**butik** *s* baker's; ~**l** *s* bakery.

bagerist *s* wire rack.

bagest *adj* hindmost // *adv* at the back; ~ *i salen* at the

back of the hall.

bagfra *adv* from behind.

baggrund *s* background; *på* ~ *af* in the light of; ~**s-** *adj* background *(fx støj* noise).

bag... *sms:* ~**gård** *s* backyard; ~**gårds-** *adj* slum *(fx børn* children); ~**have** *s* back garden; ~**hjul** *s* rear wheel; ~**hjulsbremse** *s* rear-wheel brake; ~**hjulstræk** *s* rear-wheel drive; ~**hold** *s* ambush; *falde i* ~**hold** be ambushed; ~**hus** *s* back building; ~**hånd** *s (fx i tennis)* backhand; *have ngt i* ~**hånden** have sth up one's sleeve.

bagi *adv* in the back.

bag... *sms:* ~**klap** *s (auto)* tail-gate; ~**lomme** *s* hip pocket; ~**lygte** *s* rear light, tail light; ~**læns** *adj* backward // *adv* backwards; ~**lås** *s: gå i* ~*lås* jam; ~**mand** *s (fig)* wire-puller; ~**mandspolitiet** *s* (F) the fraud squad.

bagning *s* baking.

bagom *adv* behind; *gå* ~ *(fx i forretning)* go round the back; **bagover** *adv* backwards; *falde (el. gå)* bagover fall backwards; **bagpå** *adv* behind, on the back.

bag... *sms:* ~**rude** *s* rear window; ~**side** *s* back; ~**smæk** *s (auto)* tailboard; *(mar)* stern; ~**stavn** *s (mar)* stern; ~**sæde** *s* back seat; *(på motorcykel)* pillion; ~**tale** *v* slander; ~**tanke** *s* ulterior motive; ~**trappe** *s* back stairs *pl*; ~**ud** *adv* to the rear; *(i betaling)* in arrears; *betale ~ud* pay in arrears; *sakke ~ud* lag behind; **~ude** *adv* behind; **~vaskelse** *s* slander; **~ved** *adv* behind; **~vendt** *adj* turned the wrong way; *(fig)* awkward.

bagværk *s* pastry.

bajer *s: en* ~ a beer.

bajersk *adj:* ~ *pølse* frankfurter.

bakgear *s* reverse gear.

bakke *s (i terrænet)* hill; *(til servering)* tray; *(til frugt og grønt)* punnet // *v (gå, køre etc baglæns)* reverse, back; *(ryge på fx pibe)* puff; **~drag** *s* range of hills; **~t** *adj* hilly.

baklygte *s* reversing lamp.

bakse *v:* ~ *med* sth manouvre sth; *(slås med)* struggle with sth.

bakspejl *s* rear-view mirror.

bakterie *s* germ.

bal *s* dance; *(stort, formelt)* ball; *(billardkugle)* ball.

balance *s* balance; **~re** *v* balance; *få ngt til at* ~*re* balance sth.

balje *s (fx opvaske~)* bowl, basin; *(større kar)* tub.

balkon *s* balcony; *(teat)* (dress) circle.

ballade *s (halløj)* row; *(folkevise)* ballad; *lave* ~ kick up a row.

balle *s (til varer)* bale.

ballet *s* ballet; **~danser** *s* ballet dancer; **~kjole** *en* tutu; **~sko** *s* ballet shoe.

ballon *s* balloon; **~gynge** *s*

Ferris wheel; **~tyggegummi** *s* bubble gum.

balsam *s* balm; *(til håret)* hair conditioner; **~ere** *v* embalm.

bambus *s* bamboo.

bamse *s* bear; *(som legetøj)* teddy bear.

banal *adj* banal; **~itet** *s* banality.

banan *s* banana; **~klase** *s* bunch of bananas; **~skræl** *s* banana skin; **~stik** *s (elek)* jack plug.

bandage *s* bandage.

bande *s* gang; *(på ishockeybane)* barrier // *v* swear, curse; *det kan du* ~ *på!* you can bet your life on it! ~ *på at...* swear that...; **~n** *s* swearing, cursing; **~ord** *s* swearword.

bandit *s* bandit, scoundrel; *(spøg)* rascal.

bandlyse *v* ban.

bane *s* track, course; *(jernb)* railway; *(papir, tæppe, stof)* length; *(om planet, rumskib)* orbit; *(sport, fx fodbold)* pitch; *der er fri* ~ the path is clear; *mad i lange* ~*r* lots of food; *bringe ngt på* ~ bring sth up // *v* level, clear; ~ *vej for ngt* prepare the way for sth; ~ *sig vej* force one's way; **~brydende** *adj* pioneering; **~gård** *s* railway station; **~legeme** *s* railway track; **~linje** *s* railway line; **~pakke** *s* railway parcel.

bange *adj* afraid, scared *(for of)*; *jeg er* ~ *for at...* I am afraid that...; *er vi for sent på* *den? Ja, jeg er* ~ *for det* are we late? Yes, I'm afraid so; **~buks** s coward.

bank s *(klø)* beating; *(pengeinstitut)* bank; *sætte penge i* **~en** deposit *(el.* put) money in the bank; *sprænge* **~en** break the bank; **~bog** s savings book; **~boks** s safe-deposit box.

banke v knock, tap; *(om hjerte)* beat; *(tæve)* beat, thrash; *(slå i spil etc)* beat; *det* **~r** somebody is knocking; ~ *på* knock; **~kød** s *v.t.* stewed beef; **~n** s knock(ing).

bankerot s bankruptcy // adj bankrupt; *gå* ~ go bankrupt.

bankier s banker.

bank... sms: **~konto** s bank account; **~lån** s bank loan; **~mand** s bank employee.

bankospil s bingo.

bankrøver s bank robber; **~i** s bank robbery.

bar s bar // adj bare; *(nøgen)* naked; *(lutter)* sheer, pure; *starte på* ~ *bund* start from scratch; *stå på* ~ *bund* not have a clue; *gå på* **~e** *fødder* walk barefoot; *(se også bare)*.

barak s hut.

barbarisk adj barbaric.

barbenet adj bare-legged.

barber s barber; *(herrefrisør)* hairdresser; **~blad** s razor blade; **~creme** s shaving cream; ~ **e** v: **~e** *(sig)* shave; **~ing** s shave; **~kniv** s razor; **~kost** s shaving brush; **~maskine** s *(elek)* electric shaver;

~skum s shaving foam; **~sprit** s after-shave (lotion); **~sæbe** s shaving soap.

bare adv just, only // konj if only; *du kan* ~ *vente dig!* you just wait! *det var* ~ *for sjov* it was only for fun; ~ *tanken om det...* the mere thought of it...; *(se også bar)*.

barfodet adj barefoot(ed).

bark s *(på træ)* bark.

barm s bosom.

barmhjertig adj merciful; *(godgørende)* charitable; **~hed** s mercy; charity.

barn s child; *få et* ~ *med en* have a child by sby; *de skal have et* ~ they are having a baby; *have kone og børn* have a wife and family; **~agtig** adj childish.

barndom s childhood; *gå i* ~ be in one's second childhood.

barne... sms: **~barn** s grandchild; **~billet** s half ticket; **~dåb** s christening; **~mad** s infant food; *(fig)* child's play; **~pige** s nanny; **~pleje** s child care; **~seng** s cot; **~vogn** s pram.

barnlig adj childish; **~hed** s childishness.

barnløs adj childless.

barok s/adj baroque.

barometer s barometer.

baron s baron; **~esse** s baroness.

barre s *(guld etc)* bar; *(i gymnastik)* parallel bars; *(forskudt* ~*)* uneven bars.

barriere s barrier.

barrikade s barricade; **~re** v barricade.

barsel s childbirth; **~sorlov** s maternity leave.

barsk adj (klima etc) rough; (person) hard, tough.

bas s (om sanger, guitar) bass; (kontra~) double bass.

basar s bazaar.

base s base; **~re** v base.

basis s basis; på ~ af on the basis of.

bassin s pool; (havne~ etc) basin.

bassist s bass player.

bast s raffia

bastant adj (fx om mad) substantial; (om person) stout.

bastard s hybrid, crossbreed.

basun s trombone; **~ist** s trombone player; **~kinder** spl chubby cheeks.

batist s cambric.

batte v: ~ ngt have effect; så det ~r with a vengeance.

batteri s battery.

bautasten s standing stone.

bavian s baboon.

bearbejde s work; prepare; (om fx manuskript) adapt (fx for tv for television); (presse en person) try to persuade; **~lse** s working, preparation; adaptation; persuasion.

bebo v live in, occupy; **~else** s habitation; residence; **~elseshus** (etageejendom) block of flats; **~elseskvarter** s residential area; **~er** s occupant; (lejer) tenant; (indbygger) inhabitant; **beboet** adj occupied; inhabited.

bebrejde v: ~ en ngt blame sby for sth; **~lse** s reproach; **~nde** adj reproachful.

bebude v announce; **~lse** s announcement; jomfru Marias ~lsesdag Annunciation Day.

bebygge v build on; (om byområde) build up, develop; **~lse** s (det at bygge) building; (bygninger) buildings pl; (bebygget område) built-up area; **~t** adj built-up.

bed s (i have etc) bed.

bedding s slipway.

bede v ask; (tigge) beg; (til gud) pray; man ~s... please...; ~ en bøn say a prayer; ~ om ask for; ~ en om at gøre ngt ask sby to do sth; ~ en om forladelse beg sby's pardon; jeg be'r! don't mention it! **~mand** s undertaker; **~nde** adj entreating.

bedrag s delusion; **~e** v (snyde) cheat, deceive; (lave ~ mod) swindle; (lede på vildspor) delude; (i ægteskab) be unfaithful to; **~er** s swindler, impostor; **~eri** s deceit, swindling.

bedre adj/adv better; det var ~! that's better! få det ~ get better; have det ~ be better; det ville passe ~ i morgen it would be better tomorrow; jeg kan ~ lide te I prefer tea; **~vidende** adj know-all.

bedrift s achievement; (firma) concern; (fabrik) factory;

(landbrug) farm; ~**slæge** s works doctor.

bedring s improvement; *god* ~*!* I wish you a speedy recovery!

bedrøve v distress; ~**lig** adj sad; ~**lse** s sadness; ~**t** adj sad.

bedst adj best; *i* ~*e fald* at best; *du gør* ~ *i at...* you had better...; ~ *som...* just as...

bedste s: *det er til dit eget* ~ it is for your own good; *til ens* ~ for the benefit of sby; *til fælles* ~ for the common good; ~**far** s grandfather; ~**forældre** spl grandparents; ~**mor** s grandmother.

bedømme v assess, judge (about); ~**lse** s assessment, judgement.

bedøve v anaesthetize; *(med slag)* stun; ~**lse** s anaesthesia; ~**lsesmiddel** s anaesthetic.

befale v order; *(give ordrer)* give orders.

befaling s command, order; *på* ~ to order, under orders *(af* from); ~**smand** s officer.

befinde v: ~ *sig* be; *(føle sig, også:)* feel.

befolkning s population; ~**en** the inhabitants.

befordre v *(transportere)* convey; *(fremme)* promote; **befordring** s conveyance; **befordringsmiddel** s means of transport.

befri v free, release; ~ *en for ngt* free sby from sth; *det var helt* ~*ende* it was quite a

relief; ~**else** s liberation; *B~elsen* the Liberation.

befrugte v fertilize; **befrugtning** s fertilization; *kunstig befrugtning* artificial insemination.

beføjelse s authority.

begavelse s gifts, talents pl; **begavet** adj gifted, talented.

begejstret adj enthusiastic *(over* about); **begejstring** s enthusiasm.

begge both; *(den ene el. den anden af to mulige)* either; *vi kommer* ~ to we are both coming; *de er* ~ *to millionærer* both of them are millionaires; ~ *dele* both.

begive v: ~ *sig til* go to.

begivenhed s event; *(hændelse)* incident; ~**srig** adj eventful.

begrave v bury; ~**lse** s funeral; *(det at begrave)* burial.

begreb s idea, conception; *have* ~ *om ngt* know about sth; *jeg har ikke* ~ *om det* I have no idea about it; ~*et rigdom* the concept of wealth.

begribe v understand, grasp.

begrundelse s reason; *med den* ~ *at* for the reason that.

begrænse v limit; *(indskrænke)* reduce; ~**t** adj limited; **begrænsning** s limitation; reduction.

begynde v start, begin; ~ *at løbe* start running, begin to run; *til at* ~ *med* to begin with; ~ *på at gøre ngt* start doing sth; ~**lse** s beginning, start; *i ~lsen* at first; *i ~lsen af januar* in the beginning of January; *~r s* beginner.

behag *s* pleasure; *efter ~* as you like; *smag og ~...* everyone to his taste; *~e v* please; *som man ~er* as you like it; **~elig** *adj* pleasant; *(rar, bekvem)* comfortable; *gøre sig det ~eligt* make oneself comfortable; **~elighed** *s* pleasantness; *(ngt rart)* comfort; *(fordel, gode)* advantage.

behandle *v* treat; *(diskutere)* discuss; **behandling** *s* treatment; discussion.

beherske *v (regere over)* rule over; *(kunne)* master; *(være fremtrædende)* dominate; *~ sig* control oneself; **~lse** *s* control; **~t** *adj* moderate.

behold *s: i god ~* safe (and sound); **~e** *v* keep; **~er** *s* container; **~ning** *s (forråd)* supply; *(lager)* stock.

behov *s* need; *have ~ for ngt* need sth; *efter ~* as required.

behændig *adj* nimble, agile; **~hed** *s* nimbleness, agility.

behøve *v* need; *(være nødt til)* have to; *du ~r ikke at ringe* there is no need to call; *det ~s ikke* it is not necessary.

bejdse *s/v* stain.

bekende *v (indrømme)* admit; *(tilstå)* confess; *~ kulør (fig)* show one's hand; *~ s* confession; *gå til ~lse* confess.

bekendt *s/v adj* acquaintance // *adj (kendt af alle)* well-known; *(som man er fortrolig med)*

familiar; *~ med* acquainted with; *(så vidt) mig ~* as far as I know; *som ~* as is you know; *vi kan ikke være ~ at...* it won't do for us to...; *det kan du ikke være ~!* you ought to be ashamed of yourself! **~gøre** *v* announce; **~gørelse** *s* announcement, notice; **~skab** *s* acquaintance; *stifte ~skab med en* make sby's acquaintance.

beklage *v (angre)* regret; *(have ondt af)* be sorry for; *~ sig over ngt* complain about sth; **~lig** *adj* unfortunate; *(yderst ~lig)* deplorable; **~ligvis** *adv* unfortunately; **~lse** *s* regret; *(medlidenhed)* pity; *(klage)* complaint; *det er med den største ~lse at vi må...* much to our regret we have to...

beklæde *v (betrække, dække)* cover; *(med brædder)* board; *(en stilling)* hold.

beklædning *s (påklædning)* clothes *pl*; *(betræk etc)* cover(ing); *(med brædder)* boarding; **~sgenstand** *s* garment.

bekoste *v* pay for; **~lig** *adj* costly; **bekostning** *s* cost, expense; *på bekostning af* at the expense of.

bekræfte *v (attestere etc)* certify; *(anerkende, bestyrke)* confirm; **~lse** *s* certification; confirmation; **~nde** *adj* affirmative // *adv* in the affirmative; *i ~nde fald* if so.

bekvem *adj (behagelig)* com-

fortable; *(praktisk)* handy, convenient; **~melighed** *s* comfort; convenience; *moderne ~meligheder* modern conveniences.
bekymre *v* worry; ~ *sig om ngt* worry about sth; *(tage sig af)* concern oneself with sth; **~t** *adj* worried *(for, over* about); **bekymring** *s* worry.
bekæmpe *v* fight; *(nedkæmpe)* control; *(sætte sig imod)* oppose; ~ *forureningen* fight pollution; ~ *myndighederne* oppose the authorities; **~lse** *s* fight *(af* against).
belaste *v* put weight on; *(anstrenge fx muskler)* strain; *(tynge på, fig)* burden; **belastning** *s (last)* load; *(fig)* strain; *(ngt graverende)* burden *(for* on).
belave *v:* ~ *sig på at gøre ngt* prepare oneself for doing sth.
belejlig *adj* convenient; *snarest ~t* at your earliest convenience, soonest possible; *det kom ~t* it came at just the right time; *det var ikke ~t* it was inconvenient.
belejre *v* besiege; **belejring** *s* siege; *være under belejring* be besieged.
belemre *v:* ~ *en med ngt* encumber sby with sth.
Belgien *s* Belgium; **belgier** *s,* **belgisk** *adj* Belgian.
beliggende *adj* situated; **beliggenhed** *s* situation.
bellis *s (bot)* daisy.
belyse *v (lyse på)* illuminate;

(foto) expose; *(fig, kaste lys over)* throw light on.
belysning *s (det at lyse på)* illumination; *(elek, sol etc)* light; *(fig, af emne etc)* illustration; **~småler** *s (foto)* light meter; **~stid** *s* exposure time; **~svæsen** *s* gas and electricity board.
belægge *v (dække)* cover; *(med lag af fx glasur)* coat; *(lægge beslag på, optage)* occupy; ~ *med håndjern* handcuff; ~ *med tæpper* carpet; *hotellet er fuldt belagt* the hotel is booked up; **belægning** *s* cover(ing); coating; *(på vej)* surface.
belære *v:* ~ *en om ngt* teach sby sth; **~nde** *adj* instructive.
belæst *adj* well-read.
beløb *s* amount; *samlet ~* total amount; **~e** *v:* ~*e sig til* amount to.
belønne *v* reward; **belønning** *s* reward; *få ngt i (el. til) belønning* get sth as a reward.
bemande *v* man; **bemanding** *s (mandskab)* crew; *(det at bemande)* manning.
bemyndige *v* authorize; **~lse** *s* authorization.
bemægtige *v:* ~ *sig ngt* take possession of sth.
bemærke *v (lægge mærke til)* notice; *(bide mærke i)* note; *(sige)* remark; *gøre sig ~t* draw attention to oneself; *man bedes ~ at...* please note that...; **~lsesværdig** *adj* remarkable; *(værd at bide*

mærke i) noteworthy; **bemærkning** s remark, comment; *komme med bemærkninger om ngt* comment on sth.

ben s leg; *(knogle, fiske~, materialet)* bone; *(bijob)* sideline; *have ~ i næsen* have grit; *det er der ingen ~ i* that's child's play; *have ondt i ~ene* have sore legs; *komme på ~ene* get back on one's feet; *spænde ~ for en* trip sby up; **~beskytter** s shin pad; **~e** v: *~e rundt* run about; **~ende** s *(i seng)* foot of the bed; **~fri** *adj* boneless; **~klæder** *spl* trousers; **~skade** s leg injury; **~skinne** s splint.

benytte v use, employ; *~ sig af ngt* make use of sth; *~ lejligheden til at gøre ngt* take the opportunity to do sth.

benzin s *(til bil etc)* petrol; *(rense~)* benzine; **~dunk** s petrol can; **~måler** s fuel gauge; **~tank** s *(tankstation)* petrol station; *(i bil)* petrol tank.

benægte v deny; **~lse** s denial; **~nde** *adj* negative // *adv:svare* **~nde** answer in the negative.

benåde v pardon; **benådning** s pardon.

beordre v order.

beplantning s *(det at plante)* planting; *(plantage)* plantation.

beredskab s readiness; *holde ngt i ~* have sth ready; *holde sig i ~* be on standby; **beredt**

adj ready, prepared *(til* for, *til at* to); **beredvillig** *adj* willing.

beregne v calculate; *(anslå)* estimate; *~t til (el. på)* intended for; *~t til (el. på) at* intended to; *~ sig procenter* charge a percentage; **~nde** *adj* calculating.

beregning s calculation; *efter ~en* as expected; *uden ~* free of charge.

beretning s report; *(historie)* account, story *(om* of); *aflægge ~ om ngt* make a report on sth; **berette** v tell *(om* about).

berettige v entitle; **~lse** s *(myndighed)* authority; *(ret)* right; *(rimelighed)* justice; **~t** *adj* entitled; *(rimelig)* just.

bero v *(henligge, være uafklaret)* be pending; *~ på (dvs. skyldes)* be due to; *(dvs. komme an på)* depend on.

berolige v calm (down), reassure; *(med medicin)* sedate; **~lse** s reassurance; *til min ~lse sagde han at...* I was relieved to hear him say that...; **~nde** *adj* reassuring; *(om medicin)* sedative; *et* **~nde middel** a sedative.

beruse v intoxicate; **~lse** s intoxication; **~t** *adj* intoxicated, drunk.

berygtet *adj* notorious.

berømmelse s fame; **berømt** *adj* famous; **berømthed** s *(det at være berømt)* fame; *(person)* celebrity.

berøre v touch; *(gøre indtryk*

på, påvirke, angå) affect; *føle sig ilde berørt af ngt* feel embarrassed by sth; **berøring** s touch, contact.

berøve v: ~ *en ngt* deprive sby of sth; *(groft, uberettiget)* rob sby of sth.

besejre v beat, defeat; *(fig)* overcome.

besidde v possess, have; **~lse** s possession; **~lser** *(dvs. ejendom, jord)* property; *komme i ~lse af ngt* get hold of sth; *være i ~lse af ngt* be in possession of sth.

besk adj acrid.

beskadige v damage; *(såre)* injure; **~lse** s damage, injury.

beskatning s taxation; **beskatte** v tax.

besked s message; *(oplysning)* information; *(ordre)* instruction; *få ~ om at...* be told that...; *få ~ på at gøre ngt* be told to do sth; *vide ~ om ngt* know about sth; **~en** adj modest; **~enhed** s modesty.

beskidt adj dirty, filthy.

beskikket adj: ~ *forsvarer* sv.t. Legal Aid counsel.

beskrive v describe; **~lse** s description.

beskylde v: ~ *en for ngt* accuse sby of sth; **beskyldning** s accusation.

beskytte v protect *(mod* from); **~lse** s protection; **~lseshjelm** s protective helmet; **~lsesrum** s bomb shelter; **~r** s protector; **~t** adj protected; sheltered *(fx bolig*

dwelling; *værksted* workshop).

beskæftige v *(give arbejde, have ansat)* employ; *(holde i gang med ngt)* keep occupied; ~ *sig med ngt (dvs. tage sig af, ordne)* deal with sth; *(dvs. være optaget af)* be occupied with sth; *være travlt ~t med ngt* be very busy doing sth; **~lse** s *(arbejde)* employment; *uden ~lse (dvs. arbejdsløs)* unemployed.

beskære v cut; *(om træer)* prune; **beskæring** s cutting; pruning.

beslag s *(til pynt)* fitting; *(søm~)* studding; *lægge ~ på ngt* confiscate sth; *lægge ~ på ens tid* take up sby's time; **~læggelse** s confiscation.

beslutning s decision, resolution; *tage en ~ om ngt* make a decision on sth; *vedtage en ~ (ved møde etc)* pass a resolution; **beslutsom** adj resolute; **beslutsomhed** s resolution, resolve; **beslutte** v decide; *(ved møde)* resolve; *beslutte sig* make up one's mind.

besparelse s cut, reduction.

bespise v feed; **bespisning** s feeding; *gratis bespisning* free meal(s).

bestalling s: *få ~ som advokat* sv.t. be called to the bar; *blive frataget ~en* be disbarred.

bestand s *(af fx hjorte)* population; *(kvæg~ på gård)* stock; **~del** s component, ingradient; **~ig** adj continual; for ~ig for good.

bestemme v decide; (afgøre) determine; (fastsætte) fix; det må du ~ it is for you to decide; ~ sig make up one's mind; ~ sig for (el. til) at... decide to...; ~ over control; **~lse** s decision; (vedtægt etc) regulation; (fastsættelse af fx art, type) determination; (skæbne) destiny; efter ~lserne according to regulations; tage en ~lse make a decision; **~lsessted** s destination.

bestemt adj definite; (fig, viljefast etc) determined, firm; (speciel) particular, specific; (vis) certain; holde ~ på ngt be very definite about sth; nægte på det ~este deny categorically // adv (sikkert) definitely; (afgjort) decidedly; ~ ikke certainly not; **~hed** s (vished, sikkerhed) certainty; (fasthed) firmness.

bestige v (fx et bjerg) climb; (fx en hest) mount.

bestik s (spisegrej) cutlery; (tegne~) drawing set; tage ~ af ngt size sth up; **~ke** v bribe; **~kelse** s bribery; tage imod ~kelse take bribes.

bestille v (gøre) do; (reservere) book, reserve; (afgive ordre på) order; ~ billet book (a ticket); vi har meget at ~ we are very busy; du skal få med mig at ~! I'll be after you!

bestilling s (arbejde) work; (stilling) occupation, job;

(ordre) order; afgive ~ på ngt place an order for sth; gøre ngt på ~ do sth to order; **~sseddel** s order form.

bestræbe v: ~ sig på at endeavour to; **~lse** s effort.

bestråle v irradiate; **bestråling** s irradiation.

bestyre v be in charge of, manage; **~lse** s management; (direktion) board (of directors); (i forening) committee; sidde i ~lsen be on the board; **~lsesmedlem** s director; (i forening) member of the committee; **~lsesmøde** s board meeting, committee meeting; **~r** s manager; (af skole) headmaster.

bestøve v pollinate; **bestøvning** s pollination.

bestå v (findes) exist; (vare ved) last, endure; (tage eksamen) pass; ~ af consist of; **~et** (om eksamen) passed; ikke ~et (om eksamen) failed.

besvare v answer; (gengælde) return; **~lse** s answer; return; (af opgave i skole etc) paper; (i konkurrence) entry; i ~lse af Deres skrivelse... in reply to your letter...

besvime v faint; **~lse** s faint.

besvær s trouble; (anstrengelse) effort; (vanskelighed) difficulty; ~ med motoren engine trouble; vi havde et farligt ~ med dem they gave us a lot of trouble; gøre ngt med ~ do sth with difficulty; være til ~

for en be a nuisance to sby;
~e v trouble; *~e sig over ngt*
complain about sth; *~lig adj*
troublesome; *(svær)* difficult;
~lighed s difficulty.

besynderlig *adj* odd, strange.

besætning *s (mandskab)* crew;
(af kvæg) livestock; *(pynt etc
på tøj)* trimming.

besætte *v (om land etc)* occupy; *(om embede)* fill; *~lse s*
occupation; *(af djævel etc)*
possession; *(af tomt hus)*
squatting.

besøg *s* visit; *komme på ~
hos en* come to see sby, visit
sby; *have ~* have visitors; *~e
v* visit; *(kort og uanmeldt)*
drop in on; *~ende s* visitor;
~stid s (på sygehus etc) visiting hours.

betage *v* thrill, impress; *~lse s*
thrill, excitement; *~nde adj*
thrilling, impressive.

betale *v* pay *(for* for); *det skal
du få betalt* you'll have to
pay for this; *~ sig* pay, be
worth it.

betaling *s (som man yder)* payment; *(som man får)* pay,
charge; *mod ~* for money;
tage ~ for ngt charge for sth;
standse ~erne suspend one's
payments; *~sbalance s* balance of payments.

betegne *v:* *~ ngt som ngt*
describe sth as sth; *~lse s
(navn)* name; *(angivelse)* indication.

betinge *v:* *~ sig ngt* reserve
the right to sth; *~lse s* condi-

tion; *gå ind på ens ~lser*
accept sby's terms; *opfylde
~lserne* fulfil the demands;
på ~lse af at... on condition
that...; *~t adj* conditional;
~t af (dvs. nødvendiggjort af)
necessitated by; *(dvs. afhængig af)* dependent on; *en ~t
dom* a suspended sentence.

betjene *v* serve; *(varte op)* wait
on; *~ sig af* use; **betjening** *s*
service; *(tjenere)* staff; *(af
maskine)* operation.

betjent *s* policeman, police officer.

beton *s* concrete; *armeret ~,
jern~* reinforced concrete.

betragte *v* look at; *(tænke
over, anse)* consider; *~ en
som sin ven* consider sby (as)
one's friend.

betragtning *s* consideration; *i
~ af at...* considering that...;
tage ngt i ~ consider sth;
komme i ~ be considered;
lade ngt ude af ~ ignore sth.

betro *v (give)* entrust; *(fortælle)* confide; *~ en sin bil*
entrust sby with one's car; *~
en sine hemmeligheder* confide one's secrets to sby; *~
sig til en* confide in sby; *~et
adj: en ~et medarbejder* a
trusted employee.

betryggende *adj* reassuring.

betræk *s* cover; *~ke v* cover.

betyde *v* mean; *hvad ~r det?*
what does it mean? *hvad skal
det ~?* what is that supposed
to mean? *~ ngt (dvs. være
vigtig)* matter; *det ~r ikke*

ngt it does not matter; **~lig** adj considerable; (fremragende) outstanding // adv considerably.

betydning s meaning, sense; (vigtighed) importance; det er af ~ it is important; bruge et ord i en bestemt ~ use a word in a certain sense; få ~ for en become important to sby; det er uden ~ it does not matter.

betændelse s inflammation (i of); der er gået ~ i såret the wound has become inflamed; **betændt** adj inflamed.

betænke v (tænke, på, huske) bear in mind, remember; ~ en i sit testamente remember sby in one's will; ~ sig (dvs. tænke over det) think it over; (dvs. ombestemme sig) change one's mind; (dvs. tøve) hesitate (på at to); uden at ~ sig without hesitating; **~lig** adj (risikabel) dangerous, risky; (bekymret, urolig) uneasy; finde ngt ~ligt feel doubtful about sth; **~lighed** s doubt; **betænkningstid** s time to think; **betænksom** adj thoughtful; **betænksomhed** s thoughtfulness.

beundre v admire; **~r** s admirer; (fan) fan; **beundring** s admiration.

bevare v keep, preserve; bevar mig vel! dear me! **~s** (dvs. selvfølgelig) by all means.

bevidne v testify; (skriftligt) certify.

bevidst adj conscious; (gjort med vilje) deliberate; være sig ngt ~ be conscious of sth; ikke mig ~ not that I know of; **~hed** s consciousness (om of); komme til ~hed come round; **~løs** adj unconscious; **~løshed** s unconsciousness; kunne ngt til ~løshed know sth ad nauseam.

bevilge v grant; **bevilling** s (af penge) grant; (tilladelse til fx handel med spiritus) licence; få bevilling get licensed.

bevirke v cause.

bevis s proof; (retsligt) evidence; ~ på proof of, evidence of; **~e** v prove.

bevogte v guard; **~t** jernbaneoverskæring level crossing with barrier; **bevogtning** s guard; (opsyn) surveillance.

bevokset adj overgrown; **bevoksning** s growth.

bevæbne v arm; **bevæbning** s arming; (våben) weapons pl.

bevæge v move; ~ sig move; **~lig** adj (som kan flyttes) mobile; **~lse** s movement, motion; (sindsbevægelse) emotion; sætte sig i ~lse start moving; **~t** adj (rørt) moved; (begivenhedsrig) eventful.

beværte v treat; ~ en med ngt treat sby to sth; **beværtning** s (værtshus) pub; (mad og drikke) food and drink.

bh s bra.

bi s bee // adv: stå ~ stand by; **~avl** s beekeeping.

bibel s bible; **~sk** adj biblical.

bibliotek *s* library; **~ar** *s* librarian.

bid *s* bite; *(stykke)* bit; *få ~ (ved fiskeri)* get a rise; *en ~ mad* a bite; **~e** *v* bite; **~e efter en** snap at sby; **~e i ngt** bite sth; **~e mærke i ngt** make a note of sth; **~e smerten i sig** bear the pain; **~e tænderne sammen** clench one's teeth; **~e på (krogen)** rise to the bait; **~ende** *adj* biting; **~ende koldt** bitterly cold; **~etang** *s* (pair of) wirecutters.

bidrag *s* contribution; *(til børn)* maintenance; *(til ægtefælle)* alimony; **~e** *v* contribute *(til* to); **~e med 100 kr** contribute 100 kr; **~yder** *s* contributor.

bidsel *s* bridle.

bidsk *adj* fierce.

bierhverv *s* sideline, extra job.

bifag *s* minor subject.

bifald *s* applause; **~sråb** *s* cheers.

bigami *s* bigamy.

bihulebetændelse *s* sinusitis.

biks *s (butik)* shop; *(møg)* rubbish; **~e** *v:* **~e ngt sammen** concoct sth; **~emad** *s sv.t.* hash.

bikube *s* beehive.

bil *s* car; *(taxa)* taxi; *køre ~* drive a car; *køre i ~* go by car; *tage en ~* take a taxi.

bilag *s (vedr. udgifter)* voucher; *(vedlagt i brev)* enclosure.

bilde *v:* **~ en ngt ind** make sby

believe sth; **~ sig ind at. . .** imagine that. . .; *hvad ~r du dig ind?* who do you think you are?

bil. . . sms: **~dæk** *s* (car) tyre; *(på færge)* car deck; **~forsikring** *s* motor car insurance; **~færge** *s* car ferry; **~ist** *s* motorist; **~kørsel** *s* motoring.

billard *s* billiards *pl;* **~bord** *s* billiard table.

bille *s* beetle.

billedbog *s* picture book.

billede *s* picture; *(foto)* photo(graph); *tage et ~* take a photo.

billed. . . sms: **~hugger** *s* sculptor; **~huggerkunst** *s* sculpture; **~kunst** *s* visual art; **~lotteri** *s* picture lottery; **~rør** *s (tv)* picture tube.

billet *s* ticket; **~automat** *s* ticket machine; **~kontor** *s* booking office; *(teat)* box office; **~kontrollør** *s* ticket collector; **~pris** *s* admission; *(for tog, skib etc)* fare; **~tere** *v* collect fares; **~tering** *s* ticket control.

billig *adj* cheap; **~bog** *s* paperback; **~t** *adv* cheap(ly); *købe ngt ~t* buy sth cheap.

bil. . . sms: **~lygte** *s (forlygte)* headlight; **~motor** *s* car engine; **~nummer** *s* registration number; **~tur** *s* drive; *tage på ~tur* go for a drive; **~ulykke** *s* car accident; **~værksted** *s* repair shop, garage.

bilægge *v* settle.

bind *s (bandage)* bandage; *(hygiejne~)* (sanitary) towel; *(bog~)* cover, binding; *(del af bogværk)* volume; *gå med armen i ~* have one's arm in a sling; *have ~ om foden* have a bandaged foot.

binde *v* tie; bind; *(klæbe)* stick; *(sidde fast, fx om dør)* jam; *~ knude på ngt* tie a knot in sth; *~ an med ngt* tackle sth; *~ snor om ngt* tie a piece of string round sth; *~ en knude op* untie a knot; *~ sig til at gøre ngt* commit oneself to do sth; *~ord* s conjunction; *~streg* s hyphen.

binding *s* binding.

bindingsværk *s* half-timbering.

binyre *s* adrenal gland.

biodynamisk *adj* biodynamic.

biograf *s* cinema; *gå i ~en* go to the cinema.

biografi *s* biography; *~sk adj* biographical.

biokemi *s* biochemistry; *~ker s* biochemist; *~sk adj* biochemical.

biolog *s* biologist; *~i s* biology; *~isk adj* biological.

biord *s* adverb.

birk *s* birch (tree).

birkes *s* poppy seeds *pl.*

biskop *s* bishop.

bismag *s* after-taste.

bisp *s* bishop; *~edømme s* diocese.

bisse *s* rough, thug.

bistand *s* aid, assistance; *(social ~)* social security; *~shjælp*

s (til u-lande) development aid; *(til personer)* social security; *~skontor* s social security office.

bistik *s* bee sting.

bistå *v* aid, assist.

bisætning *s* subordinate clause.

bisættelse *s* funeral.

bitter *adj* bitter; *~hed s* bitterness.

bivej *s* secondary road.

bivirkning *s* side effect.

bivoks *s* beeswax.

bjerg *s (bakke, mindre ~)* hill; *(højt ~, fjeld)* mountain; *bestige et ~* climb a mountain; *~bestiger s* mountaineer; *~bestigning s* mountaineering; *~kæde s* mountain range; *~landskab s* mountain scenery; *~rig adj* hilly, mountainous; *~skred s* landslide; *~top s* mountain peak; *~værk s* mine; *~værksdrift s* mining.

bjæffe *v* bark, yelp.

bjælde *s* bell.

bjælke *s* beam; *(i loftet)* rafter; *~hus s* timbered house; *~hytte s* log cabin.

bjærge *v* rescue; *(om skib)* salvage; **bjærgning** *s* rescuing; salvage.

bjørn *s* bear; *~eskindshue s* bearskin; *~etjeneste s* disservice; *~eunge s* bear's cub.

blad *s (på træ, i bog)* leaf; *(tidsskrift etc)* magazine; *(avis)* paper; *holde et ~* subscribe to a magazine *(el. pa-*

per); *spille (el. synge) fra* ~*et*
sight-read; ~*e* v: ~*e i en bog*
turn over the leaves of a
book; ~*e et blad igennem*
leaf through a magazine;
~**handler** s newsagent;
~**kiosk** s news stand; ~**lus** s
greenfly.
blaffe v hitchhike; ~*r* s hitch-
hiker.
blafre v *(om lys)* flicker; *(om
flag etc)* flap.
blande v mix; ~ *kortene* shuf-
fle the cards; ~ *ngt i dejen*
mix sth into the dough; ~ *sig
i ngt* meddle in sth; ~ *ngt
sammen med* mix with; *(ikke kun-
ne kende forskel)* mix sth up;
~ *sig uden om* mind one's
own business; ~*t adj* mixed;
~*t chokolade* assorted choco-
lates; *det var en* ~*t fornøjelse*
it was a doubtful pleasure; ~*t
ægteskab* mixed marriage.
blanding s mixture; *(det at
blande)* mixing; ~**sbatteri** s
mixer tap.
blandt *præp* among; *(ud af)*
from among; ~ *andet* among
other things; ~ *andre* among
others.
blank *adj* shining, bright; *(med
højglans)* glossy; *(tom, ube-
skrevet)* blank; *et* ~*t afslag* a
flat refusal; ~*e* v polish.
blanket s form; *udfylde en* ~
fill in a form.
ble s nappy; ~**bukser** spl nap-
py pants.
bleg *adj* pale; *blive* ~ turn
pale; ~*e* v bleach; ~**fed** *adj*

pasty; ~**hed** s paleness, pal-
lor; ~**næbbet** *adj* pale.
blender s blender, liquidizer.
blesnip s (disposable) nappy
holder.
blid *adj* gentle, soft; *(rar, sød)*
kind; ~**hed** s gentleness, soft-
ness; kindness; ~**t** *adv* gently,
softly; kindly.
blik s *(metal)* tin; *(øjekast)*
look, glance; *have* ~ *for ngt*
have an eye for sth; *kaste et*
~ *på ngt* take a look at sth;
sende en et ~ give sby a look;
ved første ~ at first sight;
~**dåse** s tin.
blikkenslager s plumber; ~**ar-
bejde** s plumbing.
blikstille *adj* dead calm.
blind *adj* blind *(for* to); *blive* ~
go blind; *en* ~ a blind person;
~ *passager* stowaway; ~ *vej*
cul-de-sac; ~*e* s: *i* ~*e* in the
dark, blindly; ~**ebuk** s blind
man's buff; ~**eskrift** s Braille;
~**hed** s blindness; ~**skrift** s
(på maskine) touch-typing.
blindtarm s appendix; ~**sbe-
tændelse** s appendicitis.
blink s flash, gleam; *(med øjne-
ne)* wink; *(til fiskeri)* blinker;
~*e* v flash, gleam; wink; ~*e
med en lygte* flash a light;
~**lys** s flashlight; *(auto)* ind-
icator; *(på udrykningskøre-
tøj)* flashing blue light.
blist s blister.
blitz s *(foto)* flash; ~**pære** s
flashbulb; ~**terning** s flash-
cube.
blive v be; *(om ændring, over-*

gang, efterhånden ~) become; *(foran adj også:)* get; *(lidt efter lidt* ~) grow; *(pludseligt* ~) turn; *(forblive)* stay, remain; *(vise sig at være)* be, turn out to be; ~ *glemt* be forgotten; ~ *gift* get married; *han er blevet direktør* he has become a director; ~ *berømt* become famous; ~ *rig* get rich; *han er blevet fed* he has grown fat; ~ *vred* get angry, go mad; ~ *rød i hovedet* turn red; ~ *hjemme* stay at home; *de blev i en uge* they stayed for a week; *bogen blev en bestseller* the book was a bestseller; *det ~r 55 p (om pris)* that will be 55 p; *hun ~r 50 i maj* she will be 50 in May; *det ~r regnvejr* it is going to rain;

hvad blev der af ham? what became of him? *det ~r der ikke ngt af* that won't happen; ~ *af med en (el. ngt)* get rid of sby *(el.* sth); ~ *'til (dvs. opstå)* come into being; *(dvs. fødes)* be born; ~ *til ngt (om person)* succeed, get somewhere; *(blive gennemført)* come off; *det ~r ikke til ngt* nothing will come of it; ~ *ved* go on, continue; ~ *ved med at gøre ngt* go on doing sth, continue to do sth; ~ *ved med at være ngt* remain sth; ~ *væk (dvs. holde sig væk)* stay away; *(dvs. gå tabt, forsvinde)* disappear, be lost.

blod *s* blood; **~bøg** *s* copper

beech; **~donor** *s* blood donor; **~dråbe** *s* drop of blood; **~forgiftning** *s* blood poisoning.

blodig *adj (med blod på)* blood-stained; *(bloddryppende)* gory.

blod. . . sms: **~kar** *s* blood vessel; **~legeme** *s* blood corpuscle; **~mangel** *s* anaemia; **~omløb** *s* circulation; **~plet** *s* bloodstain; **~procent** *s* haemoglobin percentage; **~prop** *s* blood clot; *~prop ved hjertet* coronary (thrombosis); **~prøve** *s* blood sample, blood test; **~pølse** *s* black pudding; **~skam** *s* incest; **~skudt**, **~sprængt** *adj* bloodshot; **~sudgydelse** *s* bloodshed; **~sukker** *s* blood sugar; **~sænkning** *s* sedimentation rate; **~tab** *s* loss of blood; **~transfusion** *s* blood transfusion; **~tryk** *s* blood pressure; *forhøjet ~tryk* hypertension; **~type** *s* blood group; **~tørstig** *adj* bloodthirsty; **~åre** *s* vein.

blok *s (klods)* block; *(skrive~ etc)* pad.

blokade *s* blockade; *lave ~ mod et firma* boycott a firm; **~vagt** *s* picket.

blokbogstaver *spl* block capitals.

blokere *v (spærre)* block; *(firma etc)* boycott; **blokering** *s* blocking; *(af hjul)* locking; *(psyk)* block.

blokfløjte *s* recorder; **bloktil-**

blæselampe **b**

skud s block grant.
blomkål s cauliflower.
blomme s *(bot)* plum; *(i æg)* yolk; ~**træ** s plum tree.
blomst s flower; *stå i* ~ be in bloom; *afskårne* ~*er* cut flowers; *en buket* ~*er* a bunch of flowers.
blomster. . . *sms:* ~**bed** s flowerbed; ~**forretning** s florist's; ~**frø** s flower seed; ~**gødning** s fertilizer; ~**handler** s florist; ~**krans** s floral wreath; ~**løg** s bulb.
blomstre v flower, be in flower; *(trives)* flourish; ~**nde** *adj* flowering; *(fig)* flourishing; ~**t** *adj* flowered; **blomstring** s flowering; *(fig)* bloom.
blond *adj* blonde, fair.
blonde s lace.
blondine s blonde.
blot *adj (bar, nøgen)* naked; *(alene)* mere, very; *med det* ~*te øje* with the naked eye; ~ *ved tanken om det. . .* at the mere thought of it. . . // *adv (kun)* only, simply, merely; *hvis* ~ if only; *når* ~ so long as.
blotte v uncover; *(afsløre)* reveal; *(røbe)* betray; ~ *hovedet* bare one's head; ~ *sig (dvs. dumme sig)* blunder; *(røbe sig)* give oneself away; *(krænke blufærdigheden)* expose oneself indecently; ~**lse** s exposure; ~**r** s flasher; ~**t** *adj (bar)* bare, naked; ~**t for** devoid of.
blufærdig *adj* modest; ~**hed** s

modesty; ~**hedskrænkelse** s indecent exposure.
blus s *(bål)* fire; *(ild)* blaze; *(gas~)* jet; *svagt* ~ *(på komfur etc)* low heat.
bluse s blouse.
blusse v *(brænde)* blaze; *(rødme)* blush.
bly s lead // *adj* shy.
blyant s pencil; *skrive med* ~ write in pencil; ~**spidser** s pencil sharpener; ~**stift** s pencil lead.
blyindfattet *adj* leaded.
blæk s ink; ~**hus** s inkpot; ~**sprutte** s cuttlefish, squid; *(ottearmet)* octopus; *(til at fastspænde bagage med)* luggage holder.
blænde v *(med lys)* blind; *(imponere)* dazzle; *(en dør etc)* cover up; ~ *ned (om lygter)* dip the (head)lights; ~**nde** *adj* dazzling; ~**r** s *(foto)* aperture.
blære s *(anat)* bladder; *(vable)* blister; *(luft~)* bubble // v: ~ *sig* show off; ~**betændelse** s cystitis; ~**t** *adj (om person)* stuck-up.
blæse v blow; *det* ~*r* it is windy; *vinduet blæste op* the window blew open; ~ *en ballon op* inflate a balloon; ~ *være med det!* never mind! *det vil jeg* ~ *på* I could not care less; ~ *i horn (, trompet etc)* blow the horn (, the trumpet etc); ~**bælg** s bellows; ~**instrument** s wind instrument; ~**lampe** s blow-

torch; **~nde** *adj* windy; **~r** *s (mus)* wind player; **~rne** *(i orkester)* the winds; **~vejr** *s* windy weather; **blæst** *s* wind.

blød *s: lægge ngt i ~* put sth to soak; *lægge hovedet i ~* rack one's brains // *adj* soft; *(følsom)* sensitive; *(for blød, eftergivende)* weak; **~dyr** *s* mollusc.

bløde *v* bleed; *~ ngt op* steep sth; **~r** *s (med)* haemophiliac; **~rsyge** *s* haemophilia.

blød... *sms:* **~gøre** *v* soften; **~hed** *s* softness; *(eftergivenhed)* weakness; **~kogt** *adj* softboiled.

blødning *s* bleeding; *(voldsom)* haemorrhage; *(menstruation)* period.

blå *adj* blue; **~t mærke** bruise; *B~ Bog sv.t.* Who's Who; **~bær** *s* bilberry; **~klokke** *s* bluebell; **~lig** *adj* bluish; **~mejse** *s* blue titmouse; **~musling** *s* mussel; **~øjet** *adj* blue-eyed; *(naiv)* naïve, simple.

bo *s (jur, fx døds~)* estate; *(hjem)* home; *(dyre~)* nest, den; *sætte ~* settle; *opgøre et ~ wind up an estate* // *v* live; *(på besøg, kortere ophold)* stay; *~ hos en* live *(el.* stay) with sby.

boble *s/v* bubble.

bod *s (bøde)* fine; *(handels~)* stall, booth; *(butik)* shop; *gøre ~* do penance; *råde ~ på ngt* make sth good.

bog *s* book; *føre ~ over ngt*

keep a record of sth; **~bind** *s* cover, binding; **~binder** *s* bookbinder; **~finke** *s* chaffinch; **~føre** *v* enter; **~føring** *s* book-keeping.

boghandel *s (butik)* bookseller's; *(det at sælge bøger)* bookselling; **boghandler** *s* bookseller.

bogholder *s* book-keeper; **~i** *s (afdeling)* book-keeping department; *(det at føre bøger)* book-keeping.

boghvede *s* buckwheat.

bogmærke *s* book marker; **bogreol** *s* bookcase, book shelves.

bogstav *s* letter, character; *små ~er* lower-case *(el.* small) letters; *store ~er* upper-case *(el.* capital) letters; **~elig** *adj* literal; *tage ngt ~eligt* follow sth to the letter; **~elig talt** literally (speaking).

bogstøtte *s* book end.

bogtrykker *s* printer; **~i** *s* printer's, printing works.

boks *s* box; *(bank~)* safe-deposit (box); *(tlf)* (tele)phone booth.

bokse *v* box; **~handske** *s* boxing glove; **~kamp** *s* boxing match; **~r** *s (også om hund)* boxer; **~ring** *s* ring; **boksning** *s* boxing.

bold *s* ball; *spille ~* play ball; **~spil** *s* ball game; **~træ** *s* bat.

bolig *s* residence; *(hus)* house; *(lejlighed)* flat; *skaffe ~* provide housing; **~anvisning** *s (kontor)* housing agency;

~**forhold** spl housing conditions; ~**haj** s slum landlord; ~**kvarter** s residential area; ~**mangel** s housing shortage; ~**ministerium** s Ministry of Housing; ~**nævn** s rent control board; ~**selskab** s housing society; ~**sikring** s housing allowance; ~**søgende** adj flat-hunting; ~**udstyr** s furnishings pl.

bolle s (af brøddej) bun, muffin; (kød~) ball // v (V!) screw.

bolsje s sweet.

bolt s bolt; ~**e** v bolt.

boltre v: ~ sig romp about.

bolværk s wharf.

bom s bar; (jernb) gate; (til gymnastik) beam.

bombardere v bombard; (med bomber) bomb.

bombe s/v bomb; ~**fly** s bomber; ~**sikker** adj (fig, helt sikker) positive, dead certain.

bommert s blunder.

bomstille adj stock-still; (tavs) quite silent; **bomstærk** adj strong as a horse.

bomuld s cotton; ~**sgarn** s cotton (yarn); ~**sstof** s cotton (material).

bon s ticket.

bonde s farmer; (hist) peasant; (i skak) pawn; ~**fange** v con; ~**fangeri** s confidence tricks pl; ~**gård** s farm; ~**kone** s farmer's wife; ~**mand** s farmer.

bone v polish; ~**voks** s floor polish.

boplads s settlement.

bopæl s address.

bor s (tekn) drill; (kem) boron.

bord s table; dække ~ lay (el. set) the table; tage af ~et clear the table; rejse sig fra ~et leave the table; gå fra ~e go ashore; gå om ~ i ngt (fig) tackle sth; falde over ~ fall overboard; gå til ~s go in to dinner (, lunch etc); sidde til ~s be at table; ~**bøn** s grace; bede ~**bøn** say grace; ~**dame** s dinner partner.

borde v (et skib) board.

bordel s brothel.

bord. . . sms: ~**ende** s head of the table; ~**herre** s dinner partner; ~**kort** s place card; ~**plade** s table top; ~**skåner** s (dish) mat; ~**tennis** s table tennis, ping-pong ®.

bore v bore, drill; ~ efter ngt drill for sth; ~**maskine** s (elektrisk) power drill; ~**platform** s oilrig; ~**tårn** s derrick.

borg s castle, stronghold.

borger s citizen; ~**krig** s civil war; ~**lig** adj civil; (middelklasse) middle-class; (neds) bourgeois; (jævn) plain; de ~**lige partier** the non-socialist parties; ~**lig vielse** civil marriage; ~**repræsentation** s town (el. city) council; ~**ret** s citizenship.

borgmester s mayor.

boring s boring, drilling; (i fx revolver) bore.

bornholmer s person from

Bornholm; *røget* ~ *kipper*
from Bornholm; ~**ur** s grand-
father clock.

borsyre s boric acid.

bort s border; *(bånd)* ribbon //
adv away, off; *gå* ~ go away;
(dø) pass away; ~**e** *adv* away,
gone; *blive* ~**e** disappear;
(holde sig væk) stay away;
langt ~**e** far away; ~**føre** *v*
abduct; *(kidnappe)* kidnap;
~**føre et fly** hijack a plane;
~**førelse** s abduction; kid-
napping; *(af fly)* hijacking;
~**fører** s abductor; kidnap-
per; hijacker; ~**lede** *v:* ~**lede
ens opmærksomhed fra ngt**
divert sby's attention from
sth; ~**rejst** *adj* away, out of
town; ~**set** *adj:* ~**set fra** ex-
cept for, apart from; ~**set fra
at** except that.

bosiddende *adj* resident.

bosætte *v:* ~ *sig* settle; ~**lse** s
settlement.

botanik s botany; ~**er** s bota-
nist; **botanisk** *adj* botanical
(fx have gardens).

bouillon s stock; ~**terning** s
stock cube..

bourgogne s burgundy.

bov s *(på dyr)* shoulder; *(mar)*
bow.

boykotte *v* boycott.

bradepande s roasting pan.

brag s bang, crash; ~**e** *v* crash.

brak s: *ligge* ~ lie fallow; *(fig)*
be left unexploited; ~**mark** s
fallow field; ~**næse** s snub
nose; ~**vand** s brackish wa-
ter.

branche s trade, line.

brand s fire; *stikke i* ~ set fire
to; *komme i* ~ catch fire;
~**alarm** s fire alarm; ~**bil** s
fire engine; ~**bælte** s fire
break; ~**dør** s fire door;
~**fare** s danger of fire; ~**far-
lig** *adj* inflammable; ~**forsik-
ring** s fire insurance; ~**mand**
s fireman; ~**mur** s firewall;
~**sikker** *adj* fireproof; ~**sik-
ring** s fire precautions *pl:*
~**slange** s fire hose; ~**sluk-
ker** s fire extinguisher; ~**sta-
tion** s fire station; ~**stiftelse** s
arson; ~**sår** s burn; ~**trappe**
s fire escape; ~**væsen** s fire
brigade.

branke *v* burn.

bras s rubbish, trash.

brase *v:* ~, *ind i stuen* barge
into the room; ~ *sammen*
crash; ~ *kartofler* fry potato-
es.

brasilianer s, **brasiliansk** *adj*
Brazilian; **Brasilien** s Brazil.

brat *adj (stejl)* steep; *(pludse-
lig)* sudden; *standse* ~ stop
short.

bratsch s viola.

bravur s: *med* ~ with style;
~**nummer** s star turn.

bred s *(af sø)* shore; *(af flod
etc)* bank; *gå over sine* ~**der**
(om flod) break the banks //
adj broad, wide; ~**de** s
breadth, width; *(geogr)* latitu-
de; *i* ~**den** across; ~**degrad** s
degree of latitude; *på vore
~degrader* in our latitudes;
~**e** *v* spread; ~**e (ud)** spread;

~e sig *(dvs. fylde for meget)* take up room; *(blive bredere)* broaden; *(blive kendt)* spread; ~**skuldret** *adj* broad-shouldered; ~**t** *adv* broadly, widely; *tale vidt og* ~*t om ngt* talk about sth in every detail.

bregne *s* fern, bracken.

bremse *s (zo)* horsefly; *(bil-etc)* brake // *v* brake; *(fig)* check; ~ *op* brake, apply the brakes; ~**belægning** *s* brake lining; ~**lygte** *s* brake light; ~**længde** *s* braking distance; ~**pedal** *s* brake (pedal); ~**spor** *s* skid marks *pl;* ~**væske** *s* brake fluid; **bremsning** *s* braking.

brev *s* letter; *(kort* ~*)* note; *et* ~ *knappenåle* a packet of pins; ~**bombe** *s* letter bomb; ~**due** *s* carrier pigeon; ~**kasse** *s (i hoveddør etc)* letter-box; *(på gaden etc)* post-box; *(i blad, avis)* letters to the editor; ~**ordner** *s* file; ~**papir** *s* notepaper; ~**presser** *s* paperweight; ~**sprække** *s* letter-box; ~**stemme** *s* postal vote.

brik *s (i spil)* piece, man; *(bordskåner)* table mat; *(smørebræt)* platter.

briks *s (seng)* plank bed.

brilleetui *s* spectacle case; **brilleglas** *s* (spectacle) lens.

briller *spl* spectacles, glasses; *gå med* ~ wear spectacles.

brillestang *s* (spectacle) arm; **brillestel** *s* (spectacle) frame.

bringe *v (til den der taler)*

bring; *(væk fra den der taler)* take; *(hente)* fetch; ~ *en til fornuft* bring sby to his senses; ~ *varer ud* deliver goods.

brint *s* hydrogen; ~**overilte** *s* (hydrogen) peroxide.

brise *s* breeze.

brissel *s* sweatbread.

briste *v* burst; *(knække)* snap; *(gå galt)* fail; *det fik mit hjerte til at* ~ it broke my heart; *vores håb* ~*ede* our hopes were shattered; ~ *i gråd* burst into tears.

brite *s* Briton; ~**rne** the British; **britisk** *adj* British.

bro *s* bridge.

broche *s* brooch.

brochure *s* leaflet, pamphlet.

brod *s* sting.

broder *s* brother; *han er* ~ *til Susy* he is a brother of Susy's, he is Susy's brother.

brodere *v* embroider; **broderi** *s* embroidery.

broder. . . *sms:* ~**land** *s* sister country; ~**parten** *s* the lion's share; ~**skab** *s* brotherhood.

broget *adj (farverig)* colourful; *(plettet)* mottled; *(rodet)* confused; *en* ~ *forsamling* a motley crowd; *nu bliver det for* ~*!* that is too much!

brok *s* hernia; ~**bind** *s* truss.

brokke *v:* ~ *sig over ngt* grumble about sth; *(klage)* complain about sth.

brolægning *s* paving.

brombær *s* blackberry; ~**busk** *s* bramble.

bronkitis *s* bronchitis.

bronze s bronze; **~alder** s bronze age.

bropenge spl bridge toll; **bro-pille** s pier.

bror s d.s.s. broder.

brud s (kvinde) bride; (hul, sprængning) break (på in), bursting (på of); (på rør også:) leak (på in); (overtrædelse, fx af regler) breach (på of); (kalk~, sten~ etc) quarry; (knogle~) fracture.

brude... sms: **~buket** s wedding bouquet; **~kjole** s wedding dress; **~par** s bride and groom; (efter vielsen) newlyweds; **~pige** s bridesmaid; **~slør** s bridal veil.

brudgom s bridegroom.

brudstykke s fragment.

brug s use; gøre ~ af ngt make use of sth; have ~ for ngt need sth; tage ngt i ~ put sth into use; være i ~ be in use; til ~ for en for the use of sby; det er skik og ~ it is the custom; **~bar** adj useable; (til nytte) useful; **~e** v use; (gå med, fx briller) wear; (penge, tid) spend; han ~er nr. 45 i sko he takes a 45 in shoes; **~e mælk i teen** take milk in one's tea; **~er** s user.

brugs s co-op; **~anvisning** s directions for use; (til maskine etc) operating instructions; **~forening** s co-operative (consumer) society.

brugt adj used, second-hand; **~vogn** s second-hand car.

brumme v hum; (knurre)

growl, grumble.

brun adj brown; (solbrændt) tanned; **~e** v brown; (om solen) tan; **~ede kartofler** caramelled potatoes.

brunst s (om han) rut; (om hun) heat; **~ig** adj rutting; in heat; **~tid** s mating season.

brus s roar; (i drik) fizz; **~e** v roar; (om drik) fizz; (med vand, sprøjte over) spray; **~ebad** s shower; **~eniche** s shower cabinet; **~er** s shower.

brusk s (i kød) gristle; (anat) cartilage.

brutal adj brutal, cruel; **~itet** s brutality, cruelty.

bruttoløn s gross income; **bruttovægt** s gross weight.

Bruxelles s Brussels.

bryde v break; ~ lyset refract the light; ~ af break off; ~ igennem break through; ~ ind break in; ~ ind i en samtale interrupt a conversation; ~ løs break out; (om storm etc) break; ~ op (dvs. tage af sted) leave; ~ en lås op break open a lock; ~ sammen break down; ~ ud break out; ~ sig om like, care for; (tage sig nær) care, mind; (høre efter, tage notits af) pay attention to; jeg ~r mig ikke om at gøre det I don't like to do it; jeg ~r mig ikke om hvad de siger I don't care what they say; **~kamp** s wrestling match; **~r** s wrestler; **~ri** s trouble; **brydning** s breaking; *(af kul etc)* mining; *(sport)* wrestling.

bryg *s* brew; **~ge** *v* brew; **~geri** *s* brewery; **~gers** *s* scullery; **~ning** *s* brewing.

bryllup *s* wedding; *holde ~ (dvs. gifte sig)* get married; *(dvs. fejre ~)* have a wedding party; **~sdag** *s* wedding anniversary; **~srejse** *s* honeymoon.

bryst *s* breast; *(brystkasse)* chest; *give et barn ~* nurse a baby; **~barn** *s* breast-fed baby; **~holder** *s* brassiere, bra; **~kasse** *s* chest; **~lomme** *s* breast pocket; **~mål** *s (om mand)* chest; *(om kvinde)* bust; **~svømning** *s* breaststroke; **~vorte** *s* nipple.

bræ *s* glacier.

brædder *spl* boards; **bræddevæg** *s* wooden wall.

bræge *v* bleat; **~n** *s* bleating.

bræk *s (opkast)* vomit; *(indbrud)* break-in; **~jern** *s* crowbar; **~ke** *v* break; *(knække med et smæld)* snap; **~ke ngt op** break sth open; **~ke sig** be sick; **~ning** *s* vomiting.

brænde *s* (fire)wood // *v* burn; *(være tændt)* be on; *(keramik etc)* fire; *~ efter at* be dying to; *~ inde* die in a fire; *~ ned* burn down; *~ op* be burnt; *~ på (om mad)* be burnt; *~ sig* burn oneself; **~knude** *s* log; **~nde** *adj* burning; **~nælde** *s (stinging)* nettle; **~ovn** *s (til opvarmning)* stove; *(til keramik etc)*

kiln; **~skur** *s* woodshed; **~vin** *s* spirits *pl.*

brænding *s (det at brænde)* burning; *(af keramik etc)* firing; *(om bølger)* surf.

brændpunkt *s* focus.

brændsel *s* fuel; **~solie** *s* fuel oil.

brændstof *s* fuel.

brændt *adj* burnt, burned; *lugte ~* smell of sth burning.

bræt *s* board; **~sejlads** *s* windsurfing; **~spil** *s* board game.

brød *s* bread; *et ~* a loaf; *to ~* two loaves; *smøre et stykke ~* spread a piece of bread; *ristet ~* toast; *en skive ~* a slice of bread.

brødebetynget *adj* guilty.

brød... *sms:* **~kasse** *s* bread bin; **~kniv** *s* bread knife; **~krumme** *s* breadcrumb; **~rister** *s* toaster; **~skorpe** *s* breadcrust.

brøk *s* fraction; **~del** *s* fraction; *på en ~del af et sekund* in a split second; **~streg** *s* fraction line.

brøl *s* roar; **~e** *v* roar; *(råbe)* shout; *(om ko)* low; **~er** *s* blunder, howler.

brønd *s* well; **~karse** *s* watercress.

bud *s (besked)* message; *(som bringer varer ud)* delivery man; *(som bringer besked)* messenger; *(tilbud)* offer; *de ti ~* the ten commandments; *sende ~ efter* send for sby; *give et ~ på ngt* make an

b buddhist 432

offer for sth; *(ved auktion)*
make a bid for sth.
buddhist *s, ~***isk** *adj* Buddhist.
budding *s* pudding.
budget *s* budget; *lægge ~* draw
up a budget; *være på ~tet* be
in the budget; ~**tere** *v* budget.
budskab *s* message; *(nyhed)*
news.
bue *s (flits~, violin~ etc)* bow;
(tegnet, dannet ~) curve;
(bygn) arch // *v* arch, curve;
~**gang** *s* arcade; ~**skydning** *s*
archery; ~**skytte** *s* archer.
buffet *s (møbel)* sideboard;
(med servering) buffet.
bug *s (mave)* stomach; *(under-
liv)* abdomen; ~**hindebetæn-
delse** *s* peritonitis.
bugne *v* bulge; *~ med* abound
with.
bugserbåd *s* tug; **bugsere** *v*
tow, tug; **bugsering** *s* towing.
bugspytkirtel *s* pancreas.
bugt *s* bay, gulf; *(mindre, vig)*
creek; *(bugtning)* curve,
bend; *få ~ med ngt* overcome sth.
bugtaler *s* ventriloquist.
bugte *v: ~ sig* wind; ~**t** *adj*
winding.
buk *s (om ged)* billy goat; *(om
hjort)* buck; *(støtte~, fx til
bord)* trestle; *(til gymnastik)*
buck; *(hilsen etc)* bow; *sprin-
ge ~* play leapfrog.
buket *s: en ~ blomster* a
bunch of flowers; *(om vins
duft)* bouquet.
bukke *v* bend; *(hilse også:)*

bow *(for* to); *~ ngt sammen*
bend sth, double sth up; *~ sig*
bend down; *~ under for* succumb to.
bukse... *sms:* ~**bag** *s* trouser
seat; ~**ben** *s* trouser leg;
~**dragt** *s* trouser suit; ~**lom-
me** *s* trouser pocket.
bukser *spl* trousers; *et par ~* a
pair of trousers; *gå med ~*
wear trousers; *tisse i ~ne* wet
one's pants.
buldre *v (banke på etc)* bang;
(larme) rumble.
bule *s (i panden)* bump; *(i
bilen etc)* dent; *(beværtning)*
joint // *v: ~ ud* bulge; ~**t** *adj*
dented.
bullen *adj* swollen.
bumletog *s* local train.
bump *s (stød)* jolt; *(lyd)* thud;
(bule el. hul i vej) bump; ~**e**
v jolt; thud.
bums *s (filipens)* pimple; *(om
person)* bum.
bund *s* bottom; *i (el. på) ~en af*
in *(el.* at) the bottom of; *gå til
~s* go down; *komme til ~s i
ngt* get to the bottom of sth;
~e v touch bottom; *~e i* be
due to; ~**en** *adj:* ~**en opgave**
set subject; ~**en opsparing**
compulsory saving; ~**fald** *s*
deposit; ~**løs** *adj* bottomless;
i ~løs gæld up to one's ears in
debt.
bundt *s* bunch; *(uordentligt)*
bundle; *et ~ persille* a bunch
of parsley.
bunke *s* heap; *(masse også:)*
lot; ~**r** *s (beskyttelsesrum)*

bomb shelter.
buntmager s furrier.
bur s cage; *sætte et dyr i ~cage* an animal.
burde v ought to; *det ~ du ikke gøre* you ought not to do that.
bure v: *~ sig inde* coop up.
bureau s office; **~krati** s bureaucracy; *(neds)* red tape.
burhøns spl battery hens.
burre s *(bot)* burdock; **~lukning** s velcro-fastening.
bus s bus; *(turistbus også:)* coach.
busk s bush, shrub; *komme ud af ~en* come out in the open; **~ads** s shrubbery; *(tæt)* thicket; **~et** adj bushy.
bussemand s *(som skræmmer)* bogeyman; *(i næsen)* nose pick.
busseronne s smock.
buste s bust.
bustur s bus-ride.
butik s shop; *gå i ~ker* go shopping; *se på ~ker* go window-shopping; **~scenter** s shopping centre; **~skæde** s chain of shops; **~spris** s retail price; **~styv** s shoplifter; **~svindue** s shopwindow.
butterdej s puff pastry.
butterfly s bow tie.
buttet adj plump.
by s town; *(storby)* city; *være i ~en* be out; *(på indkøb)* be shopping; *gå i ~en (på indkøb)* go shopping; *(ud at more sig)* go out; **~bud** s messenger; *(som bringer va-*

rer ud) delivery man.
byde v *(befale)* command; *(tilbyde)* offer; *(komme med et bud)* bid *(på* for); *(indbyde)* ask; *~ en velkommen* bid sby welcome; *~ en indenfor* ask sby in; *~ på ngt* offer sth; *(afgive bud på)* bid for sth; *~ ngt rundt* pass sth round.
bydel s part of town.
bydende adj commanding; *(tvingende)* urgent; *~ nødvendig* absolutely necessary.
bydreng s delivery boy.
byg s barley.
byge s shower.
bygge v build; *~ om* rebuild; *~ til* make additions; **~grund** s building site; **~klodser** spl toy bricks; **~legeplads** s adventure playground; **~plads** s building site; **~ri** s building; **~sjusk** s jerry-building; **~sæt** s do-it-yourself kit; *(som legetøj)* building set; **~tilladelse** s building permit.
byggryn s barley groats.
bygkorn s *(i øjet)* sty.
bygning s building; **~stejl** s *(i øjet)* astigmatism; **~shåndværker** s builder; **~singeniør** s construction engineer; **~sværk** s building.
byld s abscess.
by. . . sms: **~mæssig** adj: *~mæssig bebyggelse* built-up area; **~område** s urban area; **~planlægning** s town planning.
byrde s burden, load.

byret s city court; **byråd** s town council.

bytte s *(ombytning)* exchange; *(røvet ~)* spoils pl, loot; *(dyrs ~)* prey; *få ngt i ~ for ngt* get sth in exchange for sth; *give ngt i ~ for ngt* trade sth in for sth; *være et let ~* be an easy prey // v change; *(udveksle)* exchange; *~ ngt for ngt* change sth for sth; *~ om på ngt* change sth about; *~ (billeder af) popstjerner* exchange pop stars; **~handel** s exchange; **~penge** s change.

byvåben s town *(el. city)* arms.

bz'er s squatter.

bæger s cup.

bæk s brook; *~ og bølge (om stof)* seersucker.

bækken s *(anat)* pelvis; *(mus)* cymbal; *(til sengeliggende)* bedpan.

bælg s *(ærte~ etc)* pod; *(i harmonika, blæse~ etc)* bellows; **~e** v: *~e ærter* shell peas; **~øjet** adj wall-eyed.

bælle v: *~ sig med ngt* swill sth (down).

bælte s belt; **~køretøj** s caterpillar vehicle.

bændel s tape; **~orm** s tapeworm.

bænk s bench, seat; **~evarmer** s wallflower.

bær s berry.

bære v carry; *(have på)* wear; *(tåle, udholde)* bear; *~ frugt* bear fruit; *~ over med en* bear with sby; *~ på ngt* carry sth; *~ sig ad med at... mana-* ge to...; *det er ikke til at ~!* I can't bear it! **~pose** s carrier bag; **~sele** s carrying sling; **~stykke** s *(på tøj)* yoke.

bærfrugt s soft fruit.

bæst s beast; *slide som et ~* work like a slave.

bæve v tremble, shake; **~n** s trembling.

bæver s beaver.

bøddel s executioner.

bøde s fine; *få en ~ på 200 kr* be fined 200 kr // v: *~ for ngt* pay for sth; *~ på ngt* remedy sth.

bøf s steak; *(hakke~)* hamburger steak.

bøffel s buffalo.

bøg s beech; **~eskov** s beech forest; **~etræ** s beech; *(materialet)* beechwood.

bøje s buoy // v bend, bow; *(gram)* inflect; *~ af* turn off; *(give efter)* yield; *~ sig* bend; *(give efter)* give in; **~lig** adj flexible.

bøjle s *(til tøj)* hanger; *(til tænder)* brace.

bøjning s bow; *(gram)* inflection; *(af verber)* conjugation.

bølge s wave // v wave; **~blik** s corrugated iron; **~bryder** s breakwater; **~gang** s rough sea; **~længde** s wavelength; **~pap** s corrugated cardboard.

bølle s hooligan, thug; **~hat** s sunhat; **~optøjer** spl hooliganism, riots.

bøn s prayer; *(anmodning)* request *(om* for); *(indtrængen-*

de anmodning) plea *(om* for);
bede en ~ say a prayer; **~fal-
de** *v* implore; **~høre** *v* hear;
grant.

bønne *s* bean.

bønnespirer *spl* bean sprouts.

børne. . . *sms:* **~begrænsning**
s birth control; **~bidrag** *s*
maintenance; **~bog** *s* child-
ren's book; **~børn** *spl* grand-
children; **~have** *s* kindergar-
ten; **~haveklasse** *s* nursery
school; **~lammelse** *s* polio;
~læge *s* paediatrician;
~mishandling *s* child batter-
ing; **~sygdom** *s* children's
disease; **~sår** *s* impetigo;
~tilskud *s* family allowance;
~tøj *s* children's wear; **~væ-
relse** *s* nursery.

børs *s* exchange; *på* **~en** on
the Exchange.

børste *s* brush; *rejse* **~r** *(om
dyr)* bristle; *(fig)* show fight //
v brush; ~ *tænder* brush
one's teeth.

bøsse *s (til penge)* box; *(vå-
ben)* gun; *(homoseksuel)* gay.

bøtte *s* bin; *(maler~)* pot; *hold
~!* shut up!

bøvs *s* burp, belch; **~e** *v* burp,
belch; *få en baby til at* **~e**
burp a baby.

båd *s* boat; *gå i* **~ene** take to
the boats.

både *adv:* ~ . . . *og* both . . .
and; ~ *John, Peter og Bill
kom* John, Peter and Bill all
came.

både. . . *sms:* **~bygger** *s* boat-
builder; **~havn** *s* boat har-

bour; **~hus** *s* boathouse.

bådshage *s* boathook; **båds-
mand** *s* boatswain.

bål *s* fire; *(fx til St. Hans)*
bonfire; *lave* ~ build a fire.

bånd *s* string; *(bændel)* tape;
(pynte~) ribbon; *(til båndop-
tager)* tape; *optage ngt på* ~
tape sth; **~kassette** *s* tape
cassette; **~lægge** *v* tie up;
~optagelse *s* tape recording;
~optager *s* tape recorder.

båre *s* stretcher; *(ved begravel-
se)* bier.

bås *s* stall, box; *(til parkering)*
bay; *sætte en i* ~ label sby.

C

C *(fork.f. Celsius)* centigrade
(C).

ca. *(fork.f. cirka)* approxima-
tely, about.

camouflere *v* camouflage;
(fig) disguise.

campere *v* camp; **camping-
plads** *s* camping ground,
campsite; **campingvogn** *s* ca-
ravan.

cand. *i sms:* ~ *jur. sv.t.* Bache-
lor of Laws *(LL.B.)*; ~ *mag.
sv.t.* Bachelor of Arts (B.A.)
el. Master of Arts (M.A.); ~
polit. sv.t. Bachelor of Science
(Econ.) (B.Sc.); ~ *scient. sv.t.*
Master of Science; ~ *theol.
sv.t.* Bachelor of Divinity.

celle *s* cell.

cellist *s* cellist; **cello** *s* cello.

celsius *s (C): 30 grader* ~ 30
degrees centigrade.

cembalo s harpsichord.

cement s cement; *(beton)* concrete; **~ere** v cement.

censor s *(ved eksamen)* external examiner; *(film etc)* censor; **censur** s censorship; **censurere** v *(ved eksamen)* mark; *(film etc)* censor.

center s centre.

central s central office; *(tlf)* exchange // adj central; *et ~t spørgsmål* a crucial question; **~administration** s central administration; **~skole** s district school (in the country); **~varme** s central heating.

centrifuge s centrifuge; *(til tøj)* spin-drier; **~re** v centrifuge; *(om tøj)* spin-dry.

centrum s centre.

ceremoni s ceremony; **~el** adj ceremonious, ceremonial.

certifikat s certificate.

cerut s cheroot.

chalotteløg s shallot.

chalup s *(mar)* barge.

champignon s mushroom.

chance s chance; *(lejlighed)* opportunity; *lad os tage ~n* let us risk it; *der er ikke store ~r for, at de kommer* there is not much chance of their coming.

changere v *(om stof etc)* shimmer.

charcuteri s delicatessen.

charme s charm // v: ~ *sig til ngt* use one's charm to obtain sth; **~re** v charm; **~rende** adj charming; **~trold** s charmer.

charteque s folder.

charterflyvning s charter flight; **chartre** v charter.

chatol s bureau.

chauffør s driver; *(privat~)* chauffeur; *(som kører varer ud)* delivery man.

check s cheque; *(kontrol)* check; *betale med ~* pay by cheque; *hæve en ~* cash a cheque; *skrive en ~ ud* make out a cheque; *have ~ på ngt* have sth under control; *tage et ~ på en* check (up on) sby; **~e** v check; **~e efter** check up on; **~hæfte** s cheque book; **~konto** s cheque account.

chef s head; *(arbejdsgiver)* employer, (F) boss; **~stilling** s top position.

chiffer s cipher, code.

chik adj smart.

chikane s harassment; *(mobning)* bullying; **~re** v harass; bully.

chimpanse s chimpanzee.

chok s shock, (F) turn; *jeg fik et helt ~* it gave me quite a turn.

choker s *(auto)* choke, throttle.

chokere v shock.

chokolade s chocolate; **~mælk** s drinking chocolate.

ciffer s number, figure; *(taltegn)* digit; **-cifret** adj -digit; *et tocifret millionbeløb* tens of millions.

cigar s cigar.

cigaret s cigarette, (S) fag; *en pakke ~ter* a packet of cigarettes; **~skod** s cigarette end.

cigarkasse s cigar box; **cigar-klipper** s cigar cutter.

cikorie s chicory.

cirka adv *(ca.)* approximately, about; **~pris** s approximate price.

cirkel s circle; *en ond ~* a vicious circle; **~rund** adj circular; **cirkle** v circle.

cirkulation s circulation; **cirku-lere** v circulate; **cirkulære** s circular.

cirkus s circus; **~artist** s circus artiste; **~forestilling** s circus performance.

cisterne s cistern, tank.

citat s quotation; *~ begyn-der...~ slut* quote...unquote; **~ionstegn** s quotation marks, inverted commas; **ci-tere** v quote.

citron s lemon; **~gul** adj lemon(-coloured); **~saft** s lemon juice; **~skal** s lemon peel; **~skive** s slice of lemon; **~syre** s citric acid.

civil s: *i ~* in plain clothes // adj *(mods: mil)* civilian, civil; *(ikke i uniform)* in plain clothes; **~befolkningen** s the civilian population; **~forsvar** s civil defence; **~ingeniør** s graduate engineer; **~isation** s civilization; **~isere** v civilize; **~klædt** adj in plain clothes.

clementin s clementine.

clips s *(papir~)* paper clip; *(øre~)* ear-clip; *(hår~)* hair-clip.

clou s: *festens ~* the climax of the party.

cognac s brandy; *(fransk)* cognac.

cola s (F) Coke ®.

colibakterie s coli bacillus.

complet s *(om måltid)* continental breakfast; *(om dragt)* suit, costume.

courgette s squash.

cowboy... *i sms:* **~bukser** s jeans; **~film** s western; **~stof** s (blue) denim.

CPR-nummer s civil registration number.

creme s cream; *(kage~)* custard; *(pudse~)* polish; *~ fraiche* s sour cream.

crepe s crepe; **~nylon** s crepe nylon; **~papir** s crepe paper.

culotte s *(gastr)* sv.t. rump-steak.

cyankalium s potassium cyanide.

cykel s bicycle; (F) bike; *køre på ~* ride a bicycle; **~bane** s cycle-racing track; **~handler** s bicycle dealer; **~kurv** s bicycle basket; **~lygte** s bicycle lamp; **~løb** s bicycle race; **~rytter** s racing cyclist; **~slange** s bicycle tube; **~smed** s (F) bike-mender; **~stativ** s bicycle stand; **~sti** s bicycle path; **~taske** s pannier; **cykle** v cycle, ride a bicycle; (F) bike; **cyklist** s cyclist.

cyklon s cyclone.

cyklus s cycle.

cylinder s cylinder; *en bil med 12 cylindre* a twelve-cylinder car.

cølibat s celibacy.

D

da adv then, at that time // konj (dengang ~) when; (lige idet) (just) as; (fordi) as, since; nu og ~ now and then; fra ~ af since then; det var ~ godt de kom I'm so glad they came; ja, ja ~! well, all right then! ~ du nu spørger since you ask; ~ vi skulle til at gå as we were leaving.

daddel s (bot) date.

dadel s (kritik) blame; **dadle** v blame (for for).

dag s day; en af ~ene one of these days; det går galt en ~ some day it will end in disaster; god ~! hello! (formelt) good morning (, afternoon, evening); ~ens ret (på menu) today's special; i ~ today; i ~ otte ~e today week; i vore ~e nowadays; i gamle ~e in the old days; om ~en by day; flere gange om ~en several times a day; ved højlys ~ in broad daylight.

dagblad s (daily) newspaper; **dagbog** s journal; føre dagbog keep a diary.

dagevis adv: i ~ for days.

daggry s dawn.

daglig adj daily; (almindelig) everyday // adv daily, a day; ~ påklædning informal dress; i ~ tale in everyday language; **~dags** adj everyday; **~stue** s living room;

~**vare** s everyday necessity.

dag. . . sms: ~**penge** spl (ved sygdom) sickness benefit; (ved arbejdsløshed) unemployment benefit; ~**pleje** s (offentlig) day care; (privat) child-minding; ~**plejemor** s childminder.

dags. . . sms: ~**lys** s daylight; ~**orden** s agenda; (beslutning) resolution; ~**pressen** s the daily press.

dal s valley; ~**e** v fall.

dam s (lille sø) pond; (spil) draughts.

dame s lady; (i kort) queen; (borddame etc) partner; ~**bekendtskab** s lady friend; ~**cykel** s lady's bicycle; ~**frisør** s (ladies') hairdresser; ~**konfektion** s ladies' wear; ~**sko** s ladies' shoes; ~**skrædder** s dressmaker; ~**t** adj ladylike; ~**taske** s handbag; ~**toilet** s ladies' (room), cloakroom; ~**tøj** s ladies' wear.

damp s steam; for fuld ~ at full speed; sætte ~en op get up steam; ~**e** v steam; (ryge) smoke; ~**er** s steamer; ~**koge** v steam; ~**maskine** s steam engine; ~**skib** s steamship; ~**strygejern** s steam iron.

Danmark s Denmark; **d~skort** s map of Denmark; **d~smester** s Danish champion.

danne v form, make; (tildanne, skabe) create; ~ sig en idé om ngt get an idea of sth.

dannebrog s the Dannebrog.

439   degenerere **d**

dannelse s *(opstået)* formation; *(kultur)* education; *(gode manerer)* good manners; **dannet** adj *(kultiveret)* cultured; *(med gode manerer)* well-bred.

dans s dance; *(det at danse)* dancing; *gå til ~* take dancing lessons; *~e* v dance; *~e godt* be a good dancer; *~emusik* s dance music; *~er* s dancer; *~eskole* s dancing school.

dansk s/adj Danish; *på ~* in Danish; *tale ~* speak Danish; *~ vand* mineral water; *~er* s Dane; *hun er ~er* she is Danish; *~sproget* adj Danish-speaking.

dase v laze.

dask s slap; *~e* v slap; *hænge og ~e* flap.

data spl facts; *(edb)* data; *~base* s data base; *~behandling* s data processing; *~log* s computer scientist; *~logi* s computer science; *~lære* s *(i skolen)* computing; *~maskine*, *~mat* s computer; *~skærm* s display unit; *~styret* adj computerized; *~terminal* s data terminal, monitor.

datere v date; **datering** s dating; *(datoen)* date.

datid s *(gram)* the past tense, the preterite.

dativ s *(gram)* the dative.

dato s date; *af nyere ~* of recent date; *af ældre ~* of an earlier date; *dags ~* this day,

today; *til ~* to date, so far; *~mærkning* s date stamp(ing).

datter s daughter; *~selskab* s subsidiary (company).

dav(s) interj hello! hi!

daværende adj: *den ~ statsminister* the prime minister at that time.

DDR *(Østtyskland)* the GDR.

de pron *(personligt)* they; *(demonstrativt)* those; *(bestemt artikel)* the; *De* you; *~ børn der kommer er søde* the children that are coming are nice; *~ børn er uartige* those children are naughty; *~ laver ballade* they make trouble; *~ tilstedeværende* those present; *kan De sige mig...?* could you please tell me...?

debat s debate; *vække ~* be much discussed; *~tere* v debate.

debitere v: *~ en for ngt* charge sby for sth; **debitor** s debtor.

debut s first appearance, début; *~ere* v make one's début; *~koncert* s first concert.

december s December; *den 24. ~* the twenty-fourth of December *el.* December the twenty-fourth.

defekt s defect, fault // adj defective.

defensiv adj defensive.

definere v define; **definition** s definition; **definitiv** adj final; **definitivt** adv finally.

degenerere v degenerate.

degn s *sv.t.* sexton, verger.
degradere v degrade.
dej s *(især gær~)*; *(især finere ~, fx til tærter)* pastry; *(flydende)* batter.
dejlig adj lovely; *(lækker)* delicious; *det smager ~t* it is delicious; *det var ~t vejr i går* it was a lovely day yesterday; *her er ~ varmt* it is nice and warm here.
deklaration s declaration; *(på vare)* (informative) labelling; *(om indholdet i fx madvarer)* (declaration of) contents; **deklarere** v declare.
dekoration s *(pynt)* decoration; *(teat etc)* set; **dekorere** v decorate.
dekret s decree; **~ere** v decree.
del s part; *(andel)* share; *(afsnit)* section; *en ~ af sommeren* part of the summer; *jeg fik min ~ af pengene* I got my share of the money; *begge ~e* both; *der er en (hel) ~ fejl i bogen* there are quite a few errors in the book; *han har en hel ~ bøger* he has quite a lot of books; *tage ~ i ngt* take part in sth; *ingen af ~ene* neither; *største ~en af dem* most of them; *til ~s* partly; **~agtig** adj involved; **~agtighed** s *(i ngt kriminelt)* complicity.
dele v *(i stykker, fordele)* divide; *(være fælles om)* share, split; *~ en ngt i otte stykker* divide sth into eight pieces; *vi delte udgifterne* we shared

(el. split) the expenses; *~ ngt op* divide sth; *~ sig* divide; *~ ud* distribute, hand out.
delegeret s delegate // adj delegated.
delfin s dolphin.
delikat adj *(lækker)* delicious; *(prekær)* delicate.
delikatesse s delicacy.
deling s division; *(som man er fælles om)* sharing; *(mil)* platoon; *få ngt til ~* get sth to share.
delle s roll of fat.
dels adv partly; *~ ... ~ partly ... partly.*
delt adj divided; *det kan der være ~e meninger om* that is a matter of opinion.
deltage v take part, participate *(i* in); **~lse** s participation; *(medfølelse)* sympathy; **~r** s *(i møde etc)* participant; *(i konkurrence)* competitor.
deltid s part-time; *arbejde på ~* work part-time; **~sbeskæftigelse** s part-time employment.
delvis adj partial // adv partly, in part.
dem pron them; *~ der (el. som)* those who; **Dem** pron you.
dementere v deny; **dementi** s denial.
demokrati s democracy; *~ på arbejdspladsen* staff participation; *økonomisk ~* economic democracy; **~sk** adj democratic.
demonstration s demonstra-

tion; (F, *om protesttog også:*) demo; **demonstrativ** *adj* demonstrative; **demonstrere** *v* demonstrate.

den *pron (personligt)* it; *(demonstrativt)* that; *(om dyr ofte)* he, she; *(foran adj)* the; *jeg har set ~ film;* ~ *er god* I have seen that film; it is good; ~ *idiot!*the fool! *der er en is til* ~ *der vinder* there is an icecream for whoever wins; *hun er nu* ~ *hun er* she is what she is; *den sorte kat og* ~ *med pletter* the black cat and the one with spots.

denatureret *adj:* ~ *sprit* methylated spirits.

dengang *adv* at that time, then // *konj:* ~ *da* when.

denne *pron* this; *(sidstnævnte)* the latter, he, she; *den 31.* ~s the thirty-first of this month.

dens *pron* its.

deodorant *s* deodorant.

departementschef *s svt.* permanent secretary.

deponere *v* deposit.

deportere *v (forvise)* deport.

depositum *s* deposit; *betale* ~ put down a deposit.

depot *s* depot; *(ved motorløb)* pit.

depression *s* depression; **deprimeret** *adj* depressed.

der *pron (om personer)* who; *(om andet)* which; *han* ~ *spiller er min fætter* it is my cousin who is playing; *den avis* ~ *kom i går* the newspaper which arrived yesterday

// *adv* there; *de var* ~ *ikke* they were not there; ~ *er min taske* there is my bag; ~ *hvor vi kommer fra* where we come from; *det var* ~ *han faldt* that was where he fell; ~ *er 42 km til Helsingør* it is 42 km to Elsinore; *hvem* ~? who is there? ~ *flages i byen* they are flying flags in town; ~ *blev gjort rent i huset* they cleaned the house; *ved du hvem* ~ *kommer?* do you know who is coming? ~ *kan du se!* there you see!

deraf *adv* of this, from this; ~ *følger at...* hence it follows that...

derefter *adv* after that, afterwards; *(ifølge dette)* accordingly; *vi handlede* ~ we acted accordingly; *resultatet blev* ~ the result was as might have been expected.

deres *pron* their; *(stående alene)* theirs; *det er* ~ *hus* it is their house; *huset er* ~ the house is theirs; **Deres** *pron* your; *er det Deres hund?* is it your dog? *bogen er Deres* the book is yours; *Deres hengivne (i brev)* yours sincerely.

derfor *adv (af den grund)* so, therefore; *(alligevel)* yet, all the same; *det var* ~ *de gik* that was why they left; ~ *kan det jo godt passe* it may be true, all the same.

derfra *adv* from there; *de rejste* ~ they left there.

derhen *adv* there; ~**ne** *adv*

over there.

deri adv in that, therein;
~**gennem** adv through there;
~**mod** adv on the other hand.
derind adv in there, into it; ~**e**
adv in there.

dermed adv with that; (med
disse ord) so saying; ~ var
sagen klar that settled the
matter; ~ være ikke sagt
at... that is not to say that...;
~ forlod han mødet so say-
ing, he left the meeting.
derned, ~**e** adv down there.
deromkring adv (i nærheden)
somewhere near there; (cir-
ka) thereabouts.
derop, ~**pe** adv up there.
derover adv over there; (oven
over) above (it); folk på 67 år
og ~ people of 67 plus; **der-
ovre** adv over there.
derpå adv then, after that; ~
sagde han... then he said...;
dagen ~ the next day; (efter
fest) the morning after.
dertil adv to that; (hen til sted)
there; (med det formål) for
that purpose; (desuden) besi-
des; ~ kommer at... add to
this that...; vi kom ~ om
aftenen we got there in the
evening; det skulle nødig
komme ~ I hope it does not
come to that.
derud adv out there; ~**ad** adv:
det kører bare ~ad every-
thing is fine; ~**e** adv out
there.
derved adv (ved hjælp af det)
in that way; de bor nær ~

they live near there; lad det
blive ~ leave it at that.
des adv the; jo mere ~ bedre
the more the better; så meget
~ bedre so much the better;
jo mere han råber, ~ værre
bliver det the more he shouts,
the worse it gets.
desertere v desert; **desertør** s
deserter.
desinficere v disinfect.
desorienteret adj confused.
desperat adj desperate; ~**ion** s
desperation.
dessert s dessert, sweet.
destillation s distillation; **des-
tillere** v distil.
desto adv d.s.s. **des**.
destruere v destroy.
desuden adv besides, more-
over.
desværre adv unfortunately;
vi kan ~ ikke komme unfor-
tunately we can't come, I'm
sorry but we can't come; vi
må ~ meddele Dem at... we
regret to have to inform you
that...
det pron (personligt) it; (re-
fleksivt) he, she, they; (de-
monstrativt) that; (foran adj)
the; har du set ~ hus? ~ er
pænt! have you seen that
house? it is nice! hvad er ~?
what is that? ~ er for sent nu
it is too late now; hvem er
det? who is it? er det (der)
din far? is that your father?
detailhandel s retail trade; **de-
tailhandler** s retailer.
detalje s detail; gå i ~**r** go into

detail; **~ret** *adj* detailed //
adv in detail.
detektiv *s* detective; **~roman** *s*
detective story.
detention *s* drying-out cell.
detonere *v* detonate.
dets *pron* its.
dette *pron* this; *(se også denne, disse).*
devaluering *s* devaluation.
dia *s (foto)* slide.
diabetiker *s* diabetic.
diagnose *s* diagnosis; *stille en ~* make a diagnosis.
diagonal *s/adj* diagonal.
diagram *s* diagram; *(kurve)* graph.
dialekt *s* dialect.
dialog *s* dialogue.
diamant *s* diamond.
diameter *s* diameter; **diametral** *adj* diametrical; *diametralt modsat* diametrically opposed.
diapositiv *s (foto)* slide.
diarré *s* diarrhoea.
die *v* suck.
dieselmotor *s* diesel engine; **dieselolie** *s* diesel oil.
diffus *adj* diffuse.
dig *pron* you; *(refleksivt)* yourself; *nu skal jeg sige ~ ngt* I'll tell you sth; *morer du ~?* are you having fun? *keder du ~?* are you bored?
dige *s* dyke.
digt *s* poem; *(opspind)* fiction; **~e** *v (skrive vers)* write poetry; *(opdigte)* invent; **~er** *s* poet; *(forfatter)* writer; **~ning** *s* writing; *(om poesi)*

poetry; **~samling** *s* collection of poems.
diktat *s (ordre)* dictate; *skrive efter ~* write from dictation; **~or** *s* dictator; **~ur** *s* dictatorship; **diktere** *v* dictate.
dild *s* dill.
dilettant *s* amateur; *(neds)* dilettante.
dille *s* mania, craze.
dimension *s* dimension, scale; *en sag af ~er* a very sizable matter.
dims *s* thingummy, what'sit.
din *pron* your; *(stående alene)* yours; *er det ~ bil?* is it your car? *denne bog er ~* this book is yours; *~ idiot!* you fool!
dingle *v* dangle; *(vakle, rave)* stagger; *~ med benene* dangle one's legs.
diplom *s* diploma.
diplomat *s* diplomat; **~i** *s* diplomacy; **~isk** *adj* diplomatic.
direkte *adj (lige)* direct, straight; *(umiddelbar)* immediate; *(om person)* direct, blunt; *(komplet)* perfect // *adv* directly, straight; *(ligefrem)* positively, downright; *gå ~ hjem* go straight home; *udsende ~ (radio, tv)* transmit live; *~ valg* direct elections; *han var ~ grov* he was positively rude.
direktion *s* management; **direktør** *s* manager, managing director.
dirigent *s (mus)* conductor;

(ved møde) chairman; **dirigere** v conduct; *(styre)* direct.
dirk s skeleton key; ~**e** v: ~**e** *en lås op* pick a lock; ~**efri** *adj* burglar-proof.
dirre v tremble.
dis s *(tåge)* mist.
disciplin s discipline.
diset *adj* misty.
disk s counter.
diskant s *(mus)* treble; ~**blokfløjte** s treble recorder.
diske v *(sport, F)* disqualify; ~ *op med ngt* serve up sth; *(neds)* concoct sth; ~ *op for en* do sby proud; ~**r** s (S) disco fan.
diskette s *(edb)* floppy disk, diskette.
diskoskast s *(sport)* discus(-throwing).
diskotek s discotheque.
diskret *adj* discreet; ~**ion** s discretion.
diskriminere v discriminate.
diskusprolaps s *(med)* slipped disc.
diskussion s discussion; **diskutere** v discuss.
diskvalificere v disqualify.
dispensation s dispensation; **dispensere** v exempt.
disponent s sub-manager.
disponere v dispose; ~ *over ngt* have sth at one's disposal; *være* ~**t** *for kræft* be predisposed to cancer.
disponibel *adj* available, at disposal.
disposition s *(rådighed)* disposal; *(i stil etc)* plan, layout;

(beslutning) arrangement; *stå til ens* ~ be at sby's disposal; *træffe sine* ~**er** make one's arrangements.
disputats s thesis.
disse *pron* these; *(påpegende)* those; *(se også denne, dette)*.
dissekere v dissect.
distance s distance; *stå* ~**n** go the distance; ~**re** v outdistance.
distrahere v distract; **distraktion** s absent-mindedness.
distribuere v distribute.
distrikt s district, region; ~**slæge** s *svt.* medical officer of health; ~**sygeplejerske** s district nurse.
distræt *adj* absent-minded.
dit *pron* your; *(stående alene)* yours; *det er* ~ *hus* it is your house; *huset er* ~ the house is yours.
divan s couch.
diverse s sundries *pl // adj* various.
dividende s dividend.
dividere v divide; *otte* ~**t** *med to er fire* eight divided by two makes four; **division** s division.
diæt s diet; *holde* ~ be on a diet; ~**er** *spl (dagpenge)* maintenance money; ~**mad** s dietary food.
djævel s devil; ~**sk** *adj* devilish; *det gør* ~**sk** *ondt* it hurts like hell.
dobbelt *adj* double *// adv* double, twice; *det koster det* ~**e** it costs twice as much; ~**e**

vinduer double glazing: *kvit el.* ~ double or quits; **~gænger** *s* double; **~hage** *s* double chin; **~radet** *adj (om fx frakke)* double-breasted; **~seng** *s* double bed; **~spil** *s* double game; **~stik** *s* two-way adapter; **~tydig** *adj* ambiguous; **~værelse** *s* double room.
doble *v:* ~ *op* double.
docent *s* reader; **docere** *v* lecture.
dog *adv (alligevel)* however, yet; *(imidlertid)* after all; *(sandelig)* really; *men* ~*!* dear me! *det er* ~ *for galt!* this is really too much! *sig det* ~ *bare* go on and say it; *hvis jeg* ~ *bare var blevet i sengen* if only I had stayed in bed; *hvor er han* ~ *rar!* he really is nice! *hvad er der* ~ *i vejen?* what on earth is the matter?
dok *s* dock.
doktor *s* doctor; **~afhandling** *s* thesis; **~grad** *s* doctorate.
dokument *s* document; **~arfilm** *s* documentary; **~ation** *s* documentation; **~ere** *v* document, prove; **~mappe** *s* briefcase.
dolk *s* knife; **~e** *v* stab.
dom *s* judg(e)ment; *(i kriminalsag)* sentence; *(fig)* verdict; *afsige* ~ deliver judg(e)ment, pronounce sentence; **~mens dag** the Day of Judg(e)ment; *betale i dyre* ~*me* pay through the nose; **~hus** *s* court.

dominere *v* predominate; *(om person)* dominate.
domkirke *s* cathedral.
dommedag *s* the Day of Judg(e)ment.
dommer *s (jur)* judge; *(i fodbold, boksning)* referee; *(i tennis, badminton)* umpire; **~komité** *s* jury.
domprovst *s* dean (of a cathedral).
domstol *s* court, law court; *gå til* ~*ene med en sag* take a matter to court.
Donau *s* the Danube.
donkraft *s* jack; *hæve bilen med* ~ jack up the car.
donor *s* donor.
dosis *s* dose.
doven *adj* lazy; *(om øl etc)* flat, stale; **~dyr** *s (zo)* sloth; *(om person)* lazybones; **~skab** *s* laziness; **dovne** *v* idle.
drab *s (det at dræbe)* killing; *(overlagt)* murder, homicide; *(uoverlagt)* manslaughter; **~smand** *s* killer.
drag *s: tømme flasken i ét* ~ empty the bottle in one go; *nyde ngt i fulde* ~ enjoy sth to the full.
drage *s (fantasidyr)* dragon; *(legetøj)* kite; *sætte en* ~ *op* fly a kite.
drage *v (rejse)* go; *(trække)* draw, pull; ~ *af sted* set out; ~ *omsorg for at...* see to it that...; ~ *en til ansvar for ngt* hold sby responsible for sth; **~flyvning** *s (sport)* hanggliding; **~r** *s* porter.

dragkiste *s* chest of drawers.
dragt *s (påklædning)* clothing, clothes *pl; (spadsere~)* suit; *(til udklædning)* costume; *~pose s* moth-proof bag.
dram *s* drink.
drama *s* drama; *~tiker s* dramatist; *~tisere v* dramatize; *~tisk adj* dramatic.
dranker *s* drunkard.
drapere *v* drape; **draperi** *s* drapery.
drastisk *adj* drastic.
dreje *v* turn; *(sno)* twist; *(på tlf)* dial; *~ af* turn; *~ om hjørnet* turn the corner; *~ nøglen om* turn the key; *hvad ~r det sig om?* what is it about? *~bog s (film)* script; *~bænk s* lathe; *~scene s (teat)* revolving stage; *~skive s (tlf)* dial; *(til keramik)* potter's wheel; **drejning** *s* turn(ing).
dreng *s* boy; *da han var ~* when he was a boy; *~estreger spl* boyish pranks; *~et adj* boyish; *~etøj s* boys' clothes.
dressere *v* train.
dreven *adj* skilled; *(snedig)* shrewd.
drible *v* dribble.
drift *s (af virksomhed etc)* running; *(tilbøjelighed)* instinct, urge; *(tog~)* service; *i ~* running; *ude af ~* not working; *gøre ngt af egen ~* do sth on one's own initiative; *billig i ~* cheap to run; *der er 20 minutters ~ på ruten* there is a twenty-minute service on the line.
drifts. . . *sms:* *~leder s* manager; *~omkostninger spl (i firma)* overheads; *(for maskine)* operating costs; *~sikker adj* reliable.
drik *s* drink; *~fældig adj* (F) on the booze; *~ke s: mad og ~ke* food and drink // *v* drink; *hvad vil du have at ~ke?* what would you like to drink? *~ke ens skål* drink to sby; *~ke sig fuld* get drunk; *~ke af flaske* drink out of the bottle; *~ke ud* finish one's drink; *~kegilde s* drinking session; *~kepenge spl* tip; *give en ~kepenge* tip sby; *~keri s* drinking; *~kevand s* drinking water.
drilagtig *adj* teasing; *(om irriterende el. vanskelig ting)* tricky.
drille *v* tease; *motoren ~r* the engine is playing up; *~pind s* tease; *~ri s* teasing.
driste *v: ~sig til at* venture to; **dristig** *adj* bold; *(vovet)* daring; **dristighed** *s* boldness; daring.
drive *s (sne~ etc)* drift // *v (jage, tvinge, tilskynde)* drive; *(maskine, firma etc)* run; *(~ af sted)* drift; *(dovne)* idle; *~ et hotel* run a hotel; *~ den af* loaf, laze; *~nde adj: ~nde våd* soaking wet.
driv. . . *sms:* *~hus s* greenhouse, hothouse; *~kraft s* drive *(også fig);* *~våd adj* soaking

wet.
dronning s queen.
droppe v drop, give up.
drue s grape; **~klase** s bunch of grapes; **~saft** s grape juice; **~sukker** s glucose.
druk s drinking; **~ken** adj drunk; **~kenbolt** s alcoholic.
drukne v (~ en el. ngt) drown; (~ selv) be drowned; være ved at ~ i arbejde be up to one's ears in work; ~ i mængden be lost in the crowd; **~ulykke** s drowning.
dryp s drip; (dryppen) dripping; **~pe** v drip; (om steg) baste; **~pe øjne** (etc) put drops in one's eyes (etc); **~tørre** v drip-dry.
drys s sprinkle; (om person) dawdler; **~se** v (strø) sprinkle; (falde ned, om fx sne) fall; (smøle) dawdle; **~se sukker på kagen** sprinkle the cake with sugar; **~se aske på gulvet** drop ashes on the floor.
dræbe v kill; **~nde** adj deadly.
drægtig adj pregnant; **~hed** s pregnancy.
dræn s drain; **~rør** s drain pipe.
dræve v drawl; **~n** s drawl.
drøbel s uvula.
drøfte v discuss, debate; **~lse** s discussion, debate.
drøj adj (som strækker langt) economic; (slidsom) tough; (grov) coarse.
drøm s dream; i **~me** in one's dreams; **~me** v dream; **~me**

om at komme til England dream of going to England; **~meri** s dreaming; **~meseng** s camp bed.
drøn s boom, roar; for fuldt ~ (om lyd) at full blast; (om fart) at full speed; **~e** v boom; (køre larmende) roar; (køre hurtigt) belt; **~nert** s oaf.
drøv s: tygge ~ (også fig) ruminate.
drøvel s d.s.s. drøbel.
drøvtygger s ruminant.
dråbe s drop; en ~ vand a drop of water; **~vis** adv drop by drop.
du pron you.
du v be good; det ~er ikke it is no good; vise hvad man ~er til prove one's worth.
dubleant s substitute; (teat etc) understudy; **dublere** v double; substitute; understudy; **dublet** s duplicate.
due s pigeon; (fig, fx pol) dove.
duel s duel.
duelig adj fit (til for).
duellere v duel.
dueslag s dovecot, pigeon loft.
duet s duet.
duft s scent, smell; **~e** v smell; **~ende** adj fragrant.
dug s (i græsset etc) dew; (på rude) steam; (bord~) tablecloth; der er ~ på ruden the window is steamed up; **~dråbe** s dewdrop; **~ge** v (om rude etc) steam up, mist up.
dukke s doll; (marionet) puppet // v (dyppe) duck; (dykke)

dive; ~ *frem (el. op)* emerge; ~ *hovedet* duck one's head; ~ *sig* duck; **~dreng** s *(neds)* sissy; **~hus** s doll's house; **~rt** s dive; *give en en ~rt* duck sby; *tage sig en ~rt (dvs. springe i)* dive in; *(dvs. bade)* go for a swim; **~teater** s toy theatre; *(med marionetter)* puppet theatre; **~tøj** s doll's clothes; **~vogn** s doll's pram.

duknakket *adj* stooping.

duks s top boy, top girl.

dulle s doll.

dulme v ease, soothe; **~nde** *adj* soothing.

dum *adj* stupid, foolish; **~dristig** *adj* foolhardy; **~hed** s stupidity, foolishness; *lave ~heder* do sth stupid; **~me** v: *~me sig* make a fool of oneself.

dump *adj* dull.

dumpe v *(falde)* fall; *(til eksamen)* fail; *(smide affald etc)* dump; **dumpning** s *(af affald etc)* dumping.

dumrian s fool, ass.

dun s down.

dundre v rumble, thunder; *(banke)* hammer; *en ~nde hovedpine* a splitting headache; **~n** s rumble, thunder; hammering.

dundyne s duvet, continental quilt.

dunk s *(beholder)* can; *(slag)* knock; **~e** v knock.

dunkel *adj* dark; *(utydelig)* dim; *(fig)* obscure.

duntæppe s quilt.

dup s *(på stok etc)* knob; *(på fodboldsko etc)* stud; *være oppe på ~perne* (F) be with it.

duplikere v duplicate.

dur s *(mus)* major; *as-~* A flat major.

dus: *være ~ med en* be on first name terms with sby; *være ~ med ngt* be familiar with sth.

dusin s dozen.

dusk s tuft, wisp.

dusør s reward.

dvale s lethargy; *(vinterhi)* hibernation; *ligge i ~ (om dyr)* hibernate; *(fig)* lie dormant.

dvask *adj* lethargic.

dvs. *(fork.f. det vil sige)* that is (i.e.).

dvæle v linger; *lad os ikke ~ ved det* let's not dwell on that.

dværg s midget, dwarf.

dy v: *kan du så ~ dig!* behave yourself! *vi kunne ikke ~ os for at gøre det* we could not resist doing it.

dyb s depth; *(afgrund)* abyss // *adj* deep; *~est set* basically; *i ~este hemmelighed* in the utmost secrecy; *~ tallerken* soup plate; *i ~e tanker* deep in thought; *(se også dybt)*.

dybde s depth; *gå i ~n med ngt* be thorough about sth.

dybfrost s deep freeze; **~varer** spl frozen foods; **dybfryse** v deep-freeze; **dybfryser** s deep freeze.

dybhavs- deep-sea *(fx fiskeri* fisheries).

dybsindig adj profound; ~**hed** s (bemærkning) profound remark.

dybt adv deeply; deep; ~ chokeret deeply shocked; ~ inde i skoven deep in the forest; ~**gående** s (om skib) deepdraught // adj (fig) thorough.

dyd s virtue; ~**ig** adj virtuous; ~**smønster** s paragon (of virtue).

dygtig adj good; (kvik) clever; (med godt håndelag) skilful; hun er ~ i skolen she is doing well at school; være ~ til sprog be good at languages; ~**hed** s cleverness, competence, skill.

dyk s dive; ~**ke** v dive; ~**ke ned i** ngt (fig) delve into sth; ~**ker** s diver; ~**kerdragt** s diving-suit; ~**kerhjelm** s diver's helmet; ~**kerudstyr** s diving equipment; ~**ning** s diving; (sportsdykning) skindiving.

dynamik s dynamic(s); **dynamisk** adj dynamic.

dynamit s dynamite.

dynamo s dynamo.

dynd s mud.

dyne s duvet, continental quilt; nu vil jeg se ~r! (F) I'm going to hit the sack; som at slå i en ~ like banging one's head against a brick wall; ~**betræk** s duvet cover.

dynge s heap, pile // v: ~ ngt op pile sth up.

dypkoger s immersion heater.

dyppe v dip; ~**lse** s (gastr) sauce.

dyr s animal; vilde ~ wild animals; (om rovdyr også:) wild beasts.

dyr adj expensive; betale i ~e domme pay through the nose; det kommer til at koste dig ~t (fig) you will have to pay for it; ~**ebar** adj precious.

dyre. . . sms: ~**forsøg** s animal experiment; ~**handel** s pet shop; ~**have** s deer park; ~**kredsen** s (astr) the zodiac; ~**købt** adj hard-earned; ~**kød** s venison; ~**kølle** s haunch of venison; ~**liv** s wildlife; ~**passer** s (zoo-) keeper; ~**riget** s the animal kingdom; ~**ryg** s (gastr) saddle of venison.

dyrisk adj animal; (fig) bestial.

dyrke v (op~) cultivate; (avle) grow; (beskæftige sig med) go in for; (tilbede) worship; ~ jorden cultivate the land; ~ kartofler grow potatoes; ~ sport go in for sports; ~**r** s cultivator; **dyrkning** s cultivation; growing.

dyr. . . sms: ~**læge** s vet, veterinary surgeon; ~**plageri** s cruelty to animals; ~**skue** s cattle show; ~**tidsreguleret** adj with cost-of-living adjustment; ~**tidstillæg** s cost-of-living bonus.

dysse s (hist) dolmen // v: ~ en i søvn lull sby to sleep.

dyster adj sombre.

dyt s (om bilhorn) honk; ~**te** v

honk.

dæk s *(bil~ etc)* tyre; *(skibs~)* deck; **~jern** s tyre lever.

dække v cover; ~ *bord* lay *(el. set)* the table; ~ *over en* cover up for sby; ~ *ngt til* cover sth up.

dækken s cloth, cover.

dækkeserviet s place mat; **dækketøj** s table linen.

dækning s *(ly)* cover, shelter; *(betaling)* payment; *gå i ~* seek shelter; *der er ~ for checken* the cheque will be met; **~sløs** s: en ~sløs check a rubber cheque.

dæksel s cover.

dæmme v: ~ *op for ngt* dam up sth; *(fig)* check sth.

dæmning s dam.

dæmpe v *(om lyd)* muffle; *(mindske)* damp; *(undertrykke, fx følelse)* subdue; *(holde igen på)* curb; *~t belysning* subdued light; *~t musik* soft music; *tale med ~t stemme* speak in a low voice; *~r s* damper; *(mus)* mute; *lægge en ~r på ngt* put a damper on sth.

dæmre v dawn; *nu ~r det (for mig)* it is beginning to dawn (on me); **dæmring** s *(om morgenen)* dawn; *(om aftenen)* twilight.

dø v die; ~ *af kræft* die of cancer; ~ *af sult* starve to death; *jeg er ved at ~ af sult* I'm starving; *~ af kedsomhed* bored to death; *hun var ved at ~ af grin* she

nearly died laughing; ~ *hen* die away; ~ *ud* die out.

døbe v christen; **~font** s baptismal font.

død s death // adj dead; ~ *og pine!* golly! *det er den visse ~* it is certain death; *det bliver min ~* it will be the death of me; *ligge for ~en* be dying; *der var over 20 ~e* there were more than 20 dead; *mere ~ end levende* more dead than alive; *~t løb* dead heat.

død... sms: ~bider s dope; **~bringende** adj deadly, lethal; **~drukken** adj dead-drunk.

dødelig adj mortal; *(som man dør af)* deadly, lethal; *~t forelsket* madly in love; *~t såret* fatally wounded; **~hed** s mortality.

dødfødt adj stillborn; **dødkedelig** adj deadly dull.

dødningehoved s skull.

døds... sms: ~dom s death sentence; **~dømt** adj sentenced to death; *(om fx projekt)* doomed; **~fald** s death; **~fjende** s mortal enemy; **~hjælp** s euthanasia; **~leje** s deathbed; **~offer** s victim; **~straf** s capital punishment; **~stød** s deathblow; **~syg** adj mortally ill; *(fig, F)* rotten; **~årsag** s cause of death.

dødtræt adj tired to death; **~vægt** s dead weight.

døgn s day and night, 24 hours; *rejsen varer tre ~* the journey takes three days and

nights; *sove otte timer i ~et*
sleep eight hours a night; *~et
rundt* day and night; **~box** *s*
night safe; **~drift** *s* round-
the-clock work; **~radio** *s*
round-the-clock programs.
døje *v: jeg kan ikke ~ hende* I
can't stand her; *hun ~r med
gigt* she is suffering from
rheumatism.
døjt *s: ikke en ~* not a bit.
dømme *v* judge; *(idømme
straf)* sentence; *(idømme
bøde)* fine; *(ved fodbold-
kamp)* referee; *efter alt at ~*
to all appearances; *~ om ngt*
judge of sth; *~ en til døden*
sentence sby to death; *du kan
selv ~* judge for yourself;
~kraft *s* judg(e)ment.
dønning *s* swell; *(fig)* repercus-
sion.
dør *s* door; *komme ind ad ~en*
come in through the door;
holde sig inden ~e stay in-
doors; *gå stille med ~en
(fig)* pussyfoot it; *smække
med ~en* slam the door; *ban-
ke på ~en* knock at the door;
ringe på ~en ring the door-
bell; *gå ud ad ~en* go out of
the door; **~hammer** *s* door-
knocker; **~håndtag** *s* door
handle; **~karm** *s* doorframe;
~klokke *s* doorbell; **~lukker**
s door spring; **~måtte** *s* door-
mat; **~slag** *s (sigte)* colander;
~spion *s (kighul i døren)*
peephole; **~sprække** *s* chink;
(til post) slot; **~trin** *s* door-
step; **~vogter** *s* doorkeeper,

~åbning *s* doorway.
døs *s* doze; **~e** *v* doze; **~ig** *adj*
drowsy.
døv *adj* deaf; *vende det ~e øre
til ngt* turn a deaf ear to sth;
~hed *s* deafness.
dåb *s* christening; **~sattest** *s
sv.t.* birth certificate; **~skjole**
s christening robe.
dåd *s* deed; *vågne op til ~*
wake up and get on with it.
dådyr *s* fallow deer.
dåne *v* faint.
dårlig *adj* bad; *(ringe)* poor;
(utilpas) unwell; *(syg)* ill //
adv badly; poorly; *(næppe)*
hardly; *blive ~ (dvs. få kval-
me)* get sick; *(dvs. blive syg)*
be taken ill; *du ser ~ ud* you
don't look well; *vi har ~ tid*
we are pressed for time; *(dvs.
vi har travlt)* we are busy; *det
er ~t vejr* the weather is bad;
vi kunne ~t kende ham igen
we hardly recognized him;
~ere *adj* worse; **~st** *adj*
worst; *høre til de ~st stillede*
be among those who are
worst off.
dåse *s* box; *(konserves~)* tin,
can; *kød på ~* tinned meat;
~latter *s* canned laughter;
~mad *s* tinned food; **~øl** *s*
canned beer; **~åbner** *s* tin-
opener.

E

ebbe *s* low tide, ebb; *~ og flod*

tide; *det er ~ (også:)* the tide is out // *v: ~ ud* ebb away.

ed *s* oath; *aflægge ~* take the oath *(på on)*; *~er og forbandelser* cursing and swearing.

edb *s* electronic data processing, EDP; *~anlæg* *s* computer system; *~styring* *s* computerizing.

edder... *sms:* *~dunsdyne* *s* eiderdown; *~kop* *s* spider; *~koppespind* *s* spider's web; *~smart* *adj* smashing; *~spændt* *adj* livid.

eddike *s* vinegar; *~sur* *adj (fig)* acid; *~syltet* *adj* pickled; *~syre* *s* acetic acid.

EF *s* the EEC.

efeu *s* ivy.

effekt *s* effect; *~er* *spl (ting)* things; *(varer)* goods; *(værdipapirer)* securities; *~iv* *adj* effective; *(om person)* efficient; *~ivitet* *s* efficiency.

efg *s* *sv.t.* Vocational School.

efter *adv* after(wards); *dagen ~* the next *(el.* following) day; *længe ~* a long time afterwards; *se ngt ~* go over sth // *præp* after; *(ifølge)* according to, to; *(i retning mod)* at; *(for at hente etc)* for; *bruden ankom ~ brudgommen* the bride arrived after the bridegroom; *han er den dygtigste (næst) ~ John* he is the best after John; *det gik ~ planen* it went according to plan; *leveret ~ ordre* delivered to order; *hun smed en tallerken ~ ham* she threw a plate at him; *se ~ ngt (dvs. lede)* look for sth; *(dvs. passe på)* keep an eye on sth; *sende bud ~ en* send for sby; *skrive ~ ngt* write for sth; *en ~ en* one by one; *dag ~ dag* day after day; *~ min mening* in my opinion; *de er ude ~ ham* they are after him.

efterdønninger *spl (fig)* repercussions.

efterforske *v* investigate; **efterforskning** *s* investigation.

efter:følger *v* successor.

efterhånden *adv* gradually; *~ som* as; *man bliver ~ træt af det* it tends to get tiring.

efterkommer *s* descendant.

efterkrav *s: sende ngt pr. ~* send sth cash on delivery *(el.* C.O.D.).

efterlade *v* leave (behind); *han efterlod sig en formue* he left a fortune; *de efterladte* the bereaved; *~nskaber* *spl (om affald)* litter; *(om hundelort etc)* droppings.

efterligne *v* imitate, copy; **efterligning** *s* imitation.

efterlyse *v (ngt tabt)* advertise for; *(om savnet)* call a search for; **efterlysning** *s (politi~)* search.

efterløn *s (efter afskedigelse)* redundancy money; *(frivillig)* early retirement.

eftermiddag *s* afternoon; *i ~* this afternoon; *i går ~s* yesterday afternoon; *om ~en* in the afternoon; *~sforestilling* *s* matinée; *~skaffe* *s* *sv.t.* (afternoon) tea.

efternavn s surname; *han hedder Smith til ~* his surname is Smith.

efterret s second course; *(om dessert)* sweet.

efterretning s piece of information; *de seneste ~er* the latest news; *tage ngt til ~* take note of sth; *~svæsen* s intelligence service.

efterse v examine; *(kontrollere)* check; *få vognen ~t* get the car looked over.

efterskole s continuation school.

eftersom konj since.

efterspurgt adj in demand; **efterspørgsel** s demand.

eftersyn s *(før auktion)* view; *(af fx bil)* overhaul; *ved nærmere ~* on closer inspection.

eftersynkronisere v dub.

eftersøgning s search; **eftersøgt** adj wanted.

eftertanke s: *ved nærmere ~* on second thoughts.

eftertragtet adj in great demand.

eftertryk s emphasis; *lægge ~ på* emphasize; *~ forbudt* all rights reserved; *~kelig* adj emphatic.

eftervirkninger s after-effects.

efterår s autumn; *~sagtig* adj autumnal; *~sferie* s autumn school holiday.

eg s oak.

ege s *(i hjul)* spoke.

egen adj *(eget, egne)* own; *(sær)* odd, strange; *(særskilt)*

separate; *hun har ~ bil* she has a car of her own; *de bor i eget hus* they live in a house of their own; *han har sin ~ mening om tingene* he has his own opinion of things; *de har eget badeværelse* they have a separate bathroom.

egen... sms: *~art* s peculiarity; *~hændig* adj personal // adv with one's own hands; *~navn* s *(gram)* proper name; *~sindig* adj headstrong, stubborn.

egenskab s characteristic; quality; *i ~ af* in the capacity of.

egentlig adj real, actual // adv really; after all; *han er ~ helt rar* he is really quite nice; *hvad vil du ~ her?* what do you want here anyway? *hvad gør det ~?* after all, what does it matter?

egern s squirrel.

eget se egen.

egetræ s oak tree; *~smøbler* spl oak furniture.

egn s area, district, region; part of the country; *der er smukt her på ~n* it's beautiful in this part of the country.

egne v: *~ sig til (el. for) ngt* be suitable for sth.

egoisme s egoism; **egoist** s egoist; **egoistisk** adj selfish, egoistic.

Egypten Egypt; **egypter** s, **egyptisk** adj Egyptian.

ej adv: *hvad enten... eller ~* whether... or not.

eje s: *hans kæreste ~* his dearest possession // v own, possess; *jeg vil hverken ~ eller have den* I would not have it as a gift.

ejendele *spl* belongings, possessions.

ejendom s property; *fast ~* real estate; *bilen er min private ~* the car is my property.

ejendommelig *adj* strange, curious.

ejendomsmægler s estate agent.

ejer s owner; *skifte ~* change hands; **~lejlighed** s owner-occupied flat.

ekko s echo; *give ~* echo.

eks- *(forhenværende) i sms:* ex- *(fx ~konge* ex-king).

eksamen s examination, (F) exam; *tage ~* pass an examination; *(univ)* graduate; *gå op til ~* sit (for) an examination; **~sbevis** s diploma; **eksaminere** v examine.

eksem s eczema.

eksempel s example; *for ~ (fx* for instance, for example *(fork.* e.g.); *statuere et ~* set an example.

eksemplar s specimen; *(af bog, blad etc)* copy; **~isk** *adj* exemplary.

eksercits s drill.

eksil s exile.

eksistens s existence; **~minimum** s subsistence level; **eksistere** v exist.

ekskludere v *(udelukke)* exclude; *(smide ud)* expel.

eksklusiv *adj* exclusive; **~e** *adv* exclusive of *(fx moms* VAT).

eksotisk *adj* exotic.

ekspandere v expand.

ekspedere v *(kunder)* serve; *(ordne)* see to, attend to; *(sende)* send off, dispatch; *(udføre)* carry out; *så blev han ~t* (F) that took care of him.

ekspedient s shop assistant.

ekspedition s *(kontor)* office; *(af kunder)* service, attendance; *(forsendelse)* dispatch; *(rejse)* expedition.

eksperiment s experiment; **~ere** v experiment.

ekspert s expert *(i* in, on); **~ise** s expert knowledge.

eksplodere v explode, blow up; *(om dæk, ballon)* burst; **eksplosion** s explosion; **eksplosiv** *adj* explosive.

eksport s export(s) *(pl);* **~ere** v export; **~forbud** s export ban, embargo; **~fremstød** s export drive; **~ør** s exporter.

ekspres s *(om tog)* express // *adv* express; **~brev** s special delivery letter.

ekstase s ecstasy.

ekstern *adj* external.

ekstra *adj/adv* extra; *(reserve-, som er til overs)* spare *(fx* værelse room); **~arbejde** s extra work; **~fin** *adj* superior, choice; **~indtægt** s extra income; **~nummer** s *(om blad)* special (issue); *(ved koncert etc)* encore; **~ordinær** *adj* extraordinary; **~skat** s additional tax; ~**tog** s special train; ~**udgave** s *(af blad)* d.s.s. ~*nummer; (af bog)* special edition.

el s *(bot)* alder; *(elek)* d.s.s. elektricitet.

elastik s elastic; *(gummibånd)* rubber band; **elastisk** adj elastic, springy.

elefant s elephant; ~**hue** s balaclava; ~**ordenen** s the Order of the Elephant.

elegance s elegance; **elegant** adj elegant.

elektricitet s electricity; ~**småler** s (electric) meter; *(for sms med ~ se også el-, fx elværk).*

elektriker s electrician; **elektrisk** adj electric; *elektrisk stød* electric shock; *elektrisk udstyr* electrical appliances.

elektrode s electrode.

elektron s electron; ~**blitz** s electronic flash; ~**ik** s electronics; ~**ikbranchen** s the electronics industry; ~**isk** adj electronic.

element s element; *(elek)* cell, battery; *(del af køkken)* unit; ~**hus** s prefab(ricated house); ~**køkken** s fitted kitchen.

elementær adj elementary; *(grundlæggende)* basic.

elendig adj miserable; (F) rotten, lousy *(fx vejr* weather); ~**hed** s misery; *(fattigdom)* poverty.

elev s pupil; *(studerende)* student; *(lærling)* apprentice.

elevator s lift.

elevråd s pupils' council; **elevskole** s *(teat)* school of drama.

elfenben s ivory; **E~skysten** s the Ivory Coast.

elg s *(zo)* elk.

elite s élite; ~**sport** s competitive sport.

el... sms: ~**komfur** s electric cooker; ~**kraft** s electric power; ~**køkken** s electric kitchen.

eller konj or; *enten* ... ~ either ... or; *hverken* ... ~ neither ... nor; ~**s** adv or (else); *(hvis ikke)* if not; *(som regel)* generally, usually; *han er* ~s *meget rar* he is quite nice really; *hvis* ~s *du kan* that is if you can; *hvem* ~s? who else? *var der* ~s *ngt*? anything else? *nej,* ~s *tak!* (iron) not for me, thank you!

elleve adj eleven.

ellevte num eleventh; ~**del** s eleventh.

ellipse s ellipse; ~**formet** adj elliptic(al).

elm s *(bot)* elm.

elske v love; *(have sex)* make love *(med en* to sby); ~**lig** adj lovable; ~**r** s lover; ~**rinde** s mistress.

elskov s love.

elskværdig adj kind, amiable; *vil De være så* ~ *at...?* would you kindly...?

elv s river.

elverfolk spl elves.

elværk s electric power plant *(el.* station).

em s vapour.

emalje *s* enamel; ~**maling** *s* enamel paint; ~**re** *v* enamel.

emballage *s* packing; *(kasser etc)* container(s) *(pl)*; **emballere** *v* pack.

embede *s* post, office; *blive ansat i et* ~ be appointed to a post; *hans første år i* ~*t* his first year in office; *på embeds vegne* officially.

embeds... *sms*: ~**eksamen** *s* university degree; ~**mand** *s* official; *(i ministeriet)* civil servant; ~**misbrug** *s* abuse of one's position; ~**periode** *s* period of office.

emblem *s* badge.

emhætte *s* (extractor) hood.

emigrant *s* emigrant; **emigrere** *v* emigrate.

emne *s* subject; *(materiale)* material; *(om person)* candidate.

empirestil *s* French Empire.

emsig *adj* officious.

en *(et) ubest. artikel:* a, *(foran vokal)* an; *(ubest om tid, trykstærkt foran substantiv:)* one; *(stående alene:)* one, somebody, someone; ~ *skønne dag* some day; *det er vel* ~ *to år siden at...* it is some two years since...; ~ *efter* ~ one by one; *hun snakkede i én køre* she talked continuously; *hans* ~*e arm er brækket* one of his arms is broken; *det kommer ud på ét* it comes to the same thing; ~ *gang for alle* once and for all; *han er en værre én* he is a bad guy;

(rosende) he is quite a guy; ~ *eller anden* someone (or other); *vi ses* ~ *af dagene!* see you one of these days! *der var* ~ *der ringede* somebody called.

encifret *adj:* ~ *tal* digit.

end *adv* -ever; *hvad du* ~ *siger* whatever you say // *konj* than; except, but; *han er større* ~ *sin bror* he is bigger than his brother; *hun er alt andet* ~ *dum* she is anything but stupid; *der var ikke andre* ~ *mig* there was no-one but me; *hvor gerne vi* ~ *ville* no matter how much we wanted to; ~ *ikke* not even.

endda *adv* even; *(tilmed)* at that; *det var ikke så galt* ~ it was not so bad after all; *hun er* ~ *kun 14 år* and she is only 14 at that; *det er galt nok* ~ it is bad enough as it is; *han grinede* ~ he even laughed.

ende *s (afslutning)* end; *(bagdel)* behind, bottom; *den øverste* ~ the top; *den nederste* ~ the bottom; *gøre en* ~ *på ngt* put an end to sth; *i alle* ~*r og kanter* from top to bottom, inside out; *stå på den anden* ~ be on end; *der var ingen* ~ *på det* there was no end to it; *nå til vejs* ~ come to the end of the road; *i sidste* ~... ultimately... // *v* end; *(fuldende)* finish; *det endte med at...* the outcome was that...; *det* ~*r galt med dem* they will come to a bad end; *historien endte godt* the story had a happy ending; **~fuld** *s* spanking.

endelig *adj* final; *træffe en ~ beslutning* make a final decision // *adv* finally; *(langt om længe)* at last; *han kom ~ he* finally came, he came at last; *du må ~ blive* do stay; *vi må ~ ikke komme for sent* it won't do for us to be late.

endelse *s* ending.

endeløs *adj* endless.

endeskive *s (af brød)* end.

endevende *v* turn upside down.

endnu *adv (stadig)* still; *(hidtil)* yet; *(ved komp:)* even; *de er ~ ikke kommet* they have not arrived yet; *han kan nå det ~* he can still make it; *hun bliver et par dage ~* she is staying for another couple of days; *~ bedre* even better; *~ en gang* once more.

endog(så) *adv* even.

ene *adj* alone; *(kun)* only; *~ og alene* only; *~ barn s: han er ~barn* he is an only child; **~boer** *s* hermit.

enebær *s* juniper berry; **~busk, ~træ** *s* juniper tree.

eneforhandler *s* sole agent; **~hersker** *s* sole ruler, autocrat; **~mærker** *spl* premises.

ener *s* one; *han er en ~* he is sth out of the ordinary.

eneret *s* monopoly *(på* of); exclusive rights *(på* to).

energi *s* energy; **~besparende**

adj energy-saving; **~kilde** *s* energy source; **~krise** *s* energy crisis; **~sk** *adj* energetic; **~spild** *s* waste of energy.

enerverende *adj* enervating.

enes *v* agree; *(om* on, about; *om at* to); *(forliges)* get on.

eneste *adj* only; single; *de ~ der kom* the only ones who came; *ikke en ~ ven* not a single friend; *hver ~ dag* every single day.

ene...: *sms:* **~stue** *s (på hospital)* private ward; **~stående** *adj* unique; **~time** *s* private lesson; **~vælde** *s* absolute monarchy.

enfamiliehus *s* one-family house.

enfoldig *adj* simple.

eng *s* meadow; *ude på ~en* (out) in the meadow.

engang *adv (i fortiden)* once; *(i fremtiden)* one day, some day; *der var ~... (i eventyr)* once upon a time there was...; *han har været gift ~* he used to be married; *det vil du fortryde ~* you will regret that some day; *~ imellem* sometimes, from time to time; *ikke ~* not even; *tænk ~!* (just) imagine!

engangs... : *sms:* **~bestik** *s* disposable cutlery; **~flaske** *s (uden pant)* non-returnable bottle; **~forestilling** *s* sole performance; *(fig)* one-off affair; **~glas** *s* disposable glass; **~sprøjte** *s* disposable syringe.

458

engagere v engage; ~ sig i ngt
engage in sth, commit oneself
to sth.

engel s angel.

engelsk s/adj English; på ~ in
English; hvad hedder det på
~? what is that in English?
~**-dansk** adj Anglo-Danish;
~**sindet** adj anglophile;
~**sproget** adj English-speak-
ing; **England** s England.

engleagtig adj angelic.

englænder s Englishman; ~**ne**
the English; han/hun er ~
he/she is English.

en gros adv wholesale; **en-**
grospris s wholesale price.

enhed s unity; (fx flåde~,
hær~) unit.

enhver pron (alle) every; (stå-
ende alene:) everybody; (af to
el. af gruppe:) each; (hvilken
som helst) anybody; (hvem som
helst) anybody; alle og ~
everybody, anybody; ~ an-
den end dig anybody but you;
til ~ tid any time.

enig adj united; (enstemmig)
unanimous; blive ~e agree
(om on, om at to, that); det er
jeg ~ i I agree with that; de
er ikke ~e they don't agree;
~**hed** s agreement; (harmo-
ni) unity; (enstemmighed)
unanimity; nå til ~hed come
to an agreement.

enke s widow; blive ~ be
widowed; ~**dronning** s dowa-
ger queen.

enkel adj simple, plain; ~**hed** s
simplicity.

enkelt adj (mods: dobbelt)
single; (ukompliceret) sim-
ple; (særskilt) individual; der
er kun en ~ fejl there is only
one error; bare en ~ just one;
en ~ gang once (in a while);
~**e gange** occasionally; ~**bil-**
let s single (ticket), one-way
ticket; ~**hed** s detail; i de
mindste ~**heder** in every de-
tail; ~**vis** adj one by one;
~**værelse** s single room.

enkemand s widower; **enke-**
pension s widow's pension.

enlig adj single; ~ forsørger
single parent; de er ~e (om
ægtepar) they are childless.

enorm adj enormous, huge;
det var ~t godt (F) it was
terrific.

enrum s: i ~ in private.

ens adj (helt ~) identical;
(omtrent ~) alike; de er ~ af
størrelse they are the same
size; børnene er ~ klædt på
the children are dressed a-
like; ~**betydende** adj: det er
~betydende med at... it
means that...; ~**farvet** s
plain; ~**formig** adj monoto-
nous; ~**formighed** s monoto-
ny.

ensidig adj unilateral; (par-
tisk) one-sided, biassed (fx
syn view); ~ kost unbalan-
ced food.

ensom adj lonely; ~t belig-
gende solitary; ~**hed** s loneli-
ness; solitude.

ensrette v standardize; ensret-
tet trafik one-way traffic.

enstemmig *adj* unanimous.
ental *s (gram)* the singular.
enten *adv* either; ~... *eller* either... or.
entré *s (gang)* hall; *(adgang)* admission; *(adgangsbetaling)* entrance fee; *gratis* ~ admission free; ~**dør** *s* front door.
entreprenør *s* contractor.
entusiasme *s* enthusiasm; **entusiastisk** *adj* enthusiastic.
entydig *adj* clear, unambiguous.
enzym *s* enzyme.
enægget *adj: enæggede tvillinger* identical twins.
epidemi *s* epidemic; ~**sk** *adj* epidemic.
episode *s* episode; *(optrin)* incident.
epoke *s* epoch; ~**gørende** *adj* epoch-making.
erantis *s (bot)* (winter) aconite.
erfare *v (høre)* learn; *(opleve)* experience; ~**n** *adj* experienced.
erfaring *s* experience *(u.pl)*; *gøre sine* ~*er* learn by experience; *tale af* ~ talk from experience.
erhverv *s (fag)* profession; *(arbejde)* occupation; *(del af* ~*slivet)* industry; ~**e** *v: ~e (sig)* acquire; ~**saktiv** *adj* working; ~**sarbejde** *s* paid work; ~**sdrivende** *s* businessman; ~**sfiskeri** *s* industrial fishing; ~**shæmmet** *adj* partially disabled; ~**sliv** *s: ~slivet* industry; *(forretningslivet)* business; ~**sorientering** *s*

vocational guidance;
~**spraktik** *s (i skolen)* work experience; *(i uddannelse)* practical trainee work;
~**ssygdom** *s* occupational disease.
erindre *v* remember.
erindring *s (hukommelse)* memory; *(minde)* souvenir; *til* ~ *om* in memory of; *udgive sine* ~*er* publish one's memoirs; ~**sforskydning** *s* lapse of memory.
erkende *v (indrømme)* acknowledge; *(tilstå)* admit; *(indse)* recognize; *(blive klar over)* realize; ~ *sig skyldig (i retten)* plead guilty; ~**lse** *s* acknowledgement; *(det at indse)* recognition; *(det at blive klar over)* realisation.
erklære *v* declare; ~ *krig mod* declare war on; **erklæring** *s* declaration; *(udtalelse)* statement.
ernæring *s* nutrition; *(føde)* nourishment; *rigtig (el. forkert)* ~ a wrong *(el.* proper) diet; ~**stilstand** *s* state of nutrition.
erobre *v* win, conquer; *(indtage)* capture; *hun* ~*de verdensmesterskabet* she won the world championship; ~ *ngt fra en* capture sth from sby; **erobring** *s* conquest.
erotik *s* eroticism; **erotisk** *adj* erotic.
erstatning *s (godtgørelse)* compensation; *(som man skal betale)* damages *pl*; *(sur-*

rogat) substitute; *(som sættes i stedet)* replacement; *betale* ~ pay damages; *slik er en dårlig ~ for mad* sweets are a bad substitute for food; **~skrav** s claim for compensation; **erstatte** v replace; *(give erstatning for)* compensate for.

es s *(i kortspil)* ace; *være i sit* ~ be in one's element.

esdragon s tarragon.

et *se en; med* ~ all of a sudden, suddenly; *under* ~ altogether.

etablere v: ~ *sig* establish oneself, set up *(fx som bager* as a baker).

etage s floor, storey; *første* ~ the first floor; *øverste* ~ the top floor; *et hus med fire* ~*r* a four-storeyed house; **~ejendom** s block of flats; **~seng** s bunk bed.

etape s stage.

ethvert *se* **enhver**.

etiket s label; *sætte* ~ *på ngt* label sth.

Etiopien Ethiopia; **etiopier** s, **etiopisk** *adj* Ethiopian.

etisk *adj* ethical.

etplanshus s bungalow.

ettal s one; **etter** s *(om bus)* number one; **ettid** s: *ved ettiden* about one o'clock.

etui s case.

etværelses *adj* one-room.

etårig *(om plante)* annual; *se også* **-årig**.

Europa Europa; **e~mesterskab** s European champion-

ship; **~rådet** s the Council of Europe; **europæer** s, **europæisk** *adj* European.

evakuere v evacuate; **evakuering** s evacuation.

evangelium s gospel; *Markusevangeliet* the Gospel according to St. Mark.

eventuel *adj* possible; **~t** *adv (måske)* perhaps, possibly; *(om nødvendigt)* if necessary; *jeg kunne* ~*t besøge dig* I might visit you; *hvis de* ~*t skulle dukke op* if they should turn up.

eventyr s *(oplevelse)* adventure; *(fortælling)* fairytale; *han er ude på* ~ he is out looking for adventure; **~er** s adventurer; **~lig** *adj* fantastic; **~lyst** s thirst for adventure.

evig *adj* eternal; *(evindelig)* perpetual // *adv* for ever, eternally; ~ *og altid* perpetually, always; *hver* ~*e dag* every single day; ~ *sne* perpetual snow; **~hed** s eternity; *aldrig i* ~*hed* never ever; *for tid og* ~*hed* for ever; *det er* ~*heder siden at. . .* it has been ages since. . .; *være en* ~*hed om at. . .* take ages to. . .; **~hedsblomst** s everlasting flower.

evindelig *adj* eternal; *i det* ~*e* eternally, perpetually.

evne s ability; *(arbejds~)* capacity; *han har gode* ~*r* he is talented; *han har en vis* ~ *til at gøre ngt* he has a certain knack of doing sth; *leve over*

461 falde f

~ live beyond one's means;
efter (bedste) ~ to the best of
one's ability; ~**svag** *adj* men-
tally handicapped.
excellere *v:* ~ *i ngt* excel in
sth.
excentrisk *adj* eccentric.
exet *adj (om hjul)* buckled; *en
smart bil gør ham helt* ~ (F)
a fancy car makes him go
nuts.

F

fabel *s* fable; ~**agtig** *adj* fabu-
lous; **fable** *v: fable om (dvs.
snakke om) /(dvs.
drømme om)* dream about.
fabrik *s* factory, plant, *(teks-
til~, papir~ etc)* mill; ~**ant** *s*
manufacturer; *(som ejer fa-
brikken)* industrialist; ~**at** *s
(om vares art)* make, brand;
(om selve varen) product;
~**ation** *s* manufacture; ~**ere**
v manufacture, make.
fabriks... *sms:* ~**arbejder** *s*
factory worker; ~**by** *s* indus-
trial town; ~**fremstillet** *adj*
factory-made.
facade *s* front.
facit *s* result, total; ~**liste** *s*
key.
facon *s* shape; *(måde)* manner.
fad *s (serverings~)* dish; *(va-
ske~)* basin; *(tønde)* barrel //
adj (om smag) insipid.
fadder *s* godfather, godmother.
fader *s* father, (F) dad(dy); *han
er* ~ *til John* he John's fa-
ther; ~**skab** *s* paternity; ~**vor**

s the Lord's Prayer.
fadæse *s* blunder.
fadøl *s* draught beer.
fag *s (i undervisning)* subject;
(felt, område) field; *(hånd-
værk etc)* trade; *han er maler
af* ~ he is a painter by profes-
sion; ~**blad** *s* periodical, jour-
nal; ~**bog** *s* reference book;
(tlf) *sv.t.* yellow pages; ~**for-
bund** *s* federation of trade
unions; ~**forening** *s* trade
union; ~**lig** *adj* technical,
professional; *(vedr. fagfor-
ening)* union; ~**litteratur** *s*
non-fiction; ~**lært** *adj* skil-
led; ~**mand** *s* expert.
fagot *s* bassoon; *spille* ~ play
the bassoon.
fagskole *s* technical college.
fakkel *s* torch.
faktisk *adj* real, actual // *adv*
actually, as a matter of fact.
faktor *s* factor; *(på trykkeri)*
supervisor.
faktum *s* fact.
faktura *s* invoice; **fakturere** *v*
invoice.
fakultet *s* faculty.
fald *s fall; (tilfælde)* case; *have
~ i håret* have a natural
wave; *i al* ~ in any case, at
any rate; *i bedste* ~ at best; *i
så* ~ in that case; *i værste* ~
at worst.
falde *v* fall; *lade sagen* ~ drop
the case; ~ *af* fall off; ~ *for
en* fall for sby; ~ *for fristel-
sen* give in to the temptation;
~ *fra (fx studier, skole)* drop
out; ~ *i krigen* be killed in

the war; ~ *i vandet* fall into
the water; ~ *i øjnene* be
conspicuous; *det kunne ikke
~ mig ind at gøre det* I would
not dream of doing it; *hvor
kunne det ~ dig ind?* how
could you? ~ *ned* fall down;
~ *ned af (el. fra)* fall off; ~
om fall down, drop; ~ *over
ngt* fall *(el.* stumble) over sth;
(finde ngt tilfældigt) come
across sth; ~ *på hovedet* fall
headfirst; ~ *på ryggen* fall
on one's back; ~ *sammen*
collapse; *(om hustag etc)* fall
in; ~ *til (dvs. vænne sig til)*
settle down; ~ *ud af vinduet*
fall out of the window; **~fær-
dig** *adj* ramshackle.
faldskærm *s* parachute; **~sud-
spring** *s* parachute jump.
falk *s* falcon.
fallit *s* bankruptcy // *adj* bank-
rupt; *gå* ~ go bankrupt; **~er-
klæring** *s*: *det var en ~erklæ-
ring* it showed me (, you, him,
her etc) up.
falme *v* fade.
falsk *adj* false; *(forfalsket)*
fake *(fx diamant* diamond),
forged *(fx pengeseddel* bank-
note) // *adv* falsely; *(om mu-
sik)* out of tune.
falskmøntner *s* forger; **~i** *s*
forgery.
familie *s* family; *være i ~ med
en* be related to sby; *hun
hører til ~n* she is one of the
family; **~forsørger** *s* bread-
winner; **~medlem** *s* member
of the family; **~planlægning**

s family planning; **~vejled-
ning** *s sv.t.* family counselling.
famle *v* grope *(efter* for); *(fig
og om tale)* hesitate.
fanatiker *s* fanatic; **fanatisk**
adj fanatic.
fanden *s* the devil; *for ~!*
damn! hell! *kan du for ~
ikke holde op!* can't you stop
it, damn you! *hvem ~ siger
det?* who the hell says so? ~
tage det! blast it! *som bare ~*
like hell; **~s** *adj* damned,
bloody // *adv* damn, bloody;
en ~s karl one hell of a man.
fange *s* prisoner; *blive taget til
~* be taken prisoner // *v*
catch; **~lejr** *s* prison camp;
~nskab *s* captivity; *(i fæng-
sel)* imprisonment.
fanger *s (grønlandsk)* sealer;
(hval~) whaler.
fangevogter *s* gaoler.
fangst *s* hunting, catching;
(bytte) catch.
fantasere *v* fantasize, dream.
fantasi *s* imagination; *(drøm)*
fantasy; *en livlig ~* a lively
imagination; *fri ~* pure in-
vention; **~fuld** *adj* imaginati-
ve; *(idérig også:)* inventive;
~løs *adj* unimaginative.
fantastisk *adj* fantastic.
far *d.s.s. fader.*
farbar *adj* passable; *ikke ~
(om vej)* closed to traffic.
farbror *s* (paternal) uncle.
fare *s* danger; *(risiko)* risk; *det
er der ingen ~ for* there is no
risk of that; *være i ~* be in
danger // *v* rush; *(suse, køre*

hurtigt) speed; ~ *af sted* tear along; ~ *løs på en* fly at sby; ~ *op* start up; *(blive vred)* fly into a rage; ~ *sammen* start; ~ *vild* lose one's way; **~signal** s danger signal; **~tillæg** s danger money; **~truende** *adj* ominous; **~zone** s danger zone.

farfar s (paternal) grandfather.

farlig *adj* dangerous; *(risikabel)* risky; *(skrækkelig)* awful // *adv* dangerously; awfully; *et ~t spektakel* an awful noise; *hun ser ~ ud* she looks awful.

farmaceut s pharmacist.

farmor s (paternal) grandmother.

fars *(kød~)* forcemeat; *(fiske~)* sv.t. creamed fish; *rørt ~ (af kød)* sv.t. sausage meat; **~ere** v stuff.

fart s speed; *(travlhed, hast)* hurry; *bestemme ~en* set the pace; *i en ~* in a hurry, quickly; *i fuld ~* at full speed; *have ~ på* be going fast; *(skulle skynde sig)* be in a hurry; *sætte ~en ned (el. op)* reduce *(el.* increase) speed; **~begrænsning** s speed limit; **~måler** s speedometer; **~plan** s timetable.

fartøj s vessel.

farvand s water; *være i ~et (fig)* be in the offing.

farve s colour; *(til farvning af tøj, hår etc)* dye; *(til levnedsmidler)* colouring // v colour; *(om tøj etc)* dye; **~blind** *adj*

colour-blind; **~blyant** s crayon; **~bånd** s ribbon; **~film** s colour film; **~fjernsyn** s colour-TV; **~foto** s colour photo; **~handel** s paint shop; **~kridt** s crayon; *(til tavle)* coloured chalk.

farvel s goodbye // *interj* goodbye, bye-bye; ~ *så længe* see you (later).

farve... *sms:* **~lade** s paintbox; **~lægge** v colour; **~løs** *adj* colourless; **~rig** *adj* colourful; **~stof** s dye; *(til levnedsmidler)* colouring; **~t** *adj* coloured *(også om hudfarve); hun har ~t hår* her hair is dyed; **~ægte** *adj* colourfast.

farvning s colouring; *(af tøj etc)* dyeing.

fasan s pheasant.

fascinerende *adj* fascinating.

fascisme s fascism; **fascist** s, **fascistisk** *adj* fascist.

fase s phase; **-faset** *adj:* trefaset three-phase.

fast *adj* firm; *(mods: flydende)* solid; *(mods: løs)* tight, firm; *(fastsat)* fixed; *(varig)* permanent; *(tilbagevendende)* regular // *adv* firmly, solidly, fixedly, permanently, regularly; *et ~ greb* a firm grip; ~ *overbevisning* firm conviction; ~ *føde* solid food; *~e priser* fixed prices; ~ *ansættelse* permanent employment; ~ *ejendom* real estate; *holde ~ ved ngt* stick to sth; *(stædigt)* insist on sth;

sidde ~ be stuck; **~ansat** *adj* employed on a regular basis.

faste *v* fast; **~lavn** *s* Shrovetide; **~nde** *adj* fasting; *på ~nde hjerte* on an empty stomach.

faster *s* (paternal) aunt.

fasthed *s* firmness.

fastland *s (ikke ø)* mainland; *(kontinent)* continent; *(ikke hav)* dry land; **~sklima** *s* continental climate; **~ssokkel** *s* continental shelf.

fastlægge *v (om tid, pris, rækkefølge etc)* fix; *(afgøre)* determine.

fastmaske *s* double crochet.

fastslå *v (erklære)* state; *(vise)* prove, establish.

fastsætte *s* fix.

fat *adv: få* ~ *i* get hold of; *have* ~ *i* sth have got hold of sth; *hvordan er det* ~? how are things? *tage* ~ *på ngt* get down to sth.

fatning *s (ro)* composure; *(på lampe)* socket; *bevare (el. tabe)* ~*en* maintain *(el. lose)* one's composure.

fatte *v (begribe)* understand, grasp; **~s** *v (mangle)* lack; **~t** *adj* composed, calm.

fattig *adj* poor; *de* ~*e* the poor; ~ *på* lacking in; **~dom** *s* poverty; **~kvarter** *s* poor district.

favn *s* arms *pl; (mål)* fathom; *med* ~*en fuld af ngt* with an armful of sth.

favorisere *v* favour; **favorit** *s* favourite; **favør** *s: i ens favør*

in sby's favour; **favørpris** *s* special price.

fe *s* fairy.

feber *s* fever, temperature; *have* ~ be running a temperature; **~fri** *adj* with a normal temperature; **febrilsk** *adj* feverish.

februar *s* February; *den første* ~ the first of February *el.* February the first.

fed *s (garn)* skein; *(hvidløg)* clove // *adj* fat; *(S, mægtig)* great; ~ *kost* fatty food; *blive* ~ get fat; *det kan være lige* ~*t* it is all one (to me); *det skal* ~*t hjælpe!* a fat lot of good that's going to do!

fede *v* fatten; *det* ~*r* it is fattening.

fedme *s* fatness.

fedt *s* fat; *(svine~)* lard; *(til smøring)* grease; **~e** *v* grease; ~*e for en* fawn on sby; **~erøv** *s (slesk person)* crawler, bootlicker; **~et** *adj* greasy; *(glat, fx om vej)* slippery; *(nærig)* mean, stingy; **~fri** *adj* fatfree; **~plet** *s* grease spot; **~stof** *s* fat; *(til bagning)* shortening.

fej *adj* cowardly.

feje *v* sweep; ~ *ngt til side (fig)* brush sth aside; **~bakke** *s* dustpan; **~kost** *s* broom; **~maskine** *s* sweeper.

fejhed *s* cowardice.

fejl *s (fejltagelse, ngt man har gjort forkert)* mistake, error; *(mangel ved ngt)* fault, defect; *lave en* ~ make a mistake *(el.* an error)*; det er ikke min* ~ it is not my fault.

fejl *adj* wrong *(fx adresse* address) // *adv* wrong(ly)*; gå* ~ *af en* miss sby*; slå* ~ go wrong*; tage* ~ be mistaken, be wrong*; tage* ~ *af ngt* mistake sth*; tage* ~ *af A og B* mistake A for B*; det er ikke til at tage* ~ *af* it is unmistakable.

fejlagtig *adj* wrong.

fejle *v: hvad* ~*r du?* what is the matter with you? *ikke* ~ *ngt* be all right.

fejl. . . *sms:* ~**fri** *adj* perfect; ~**kilde** *s* source of error; ~**tagelse** *s* mistake; *ved en* ~*tagelse* by mistake; ~**trin** *s: begå et* ~*trin* make a slip.

fejre *v* celebrate.

f.eks. *(fork.f. for eksempel, i skriftsprog)* e.g.

felt *s* field; ~**flaske** *s* canteen; ~**seng** *s* campbed; ~**tog** *s* campaign.

fem *num* five.

feminin *adj* feminine; *(om mand)* effeminate; ~**um** *s (gram)* the feminine; ~**ist** *s* feminist; ~**istisk** *adj* feminist.

fem. . . *sms:* ~**kamp** *s (sport)* pentathlon; ~**kant** *s* pentagon; ~**kantet** *adj* pentagonal; ~**linger** *spl* quintuplets.

femmer *s* five; *(pengestykke el. -seddel)* fiver; *(bus etc)* number five; **femtal** *s* five; **femte** *adj* fifth; **femtedel** *s* fifth.

femten *num* fifteen; ~**de** *adj*

fifteenth.

femtid *s: ved* ~*en* (at) about five o'clock.

fennikel *s* fennel.

ferie *s* holiday(s) *(pl); holde* ~ be on holiday; *i* ~*n* during the holiday(s); *tage på* ~ go on holiday; ~**afløser** *s* holiday relief; ~**job** *s (for studerende etc)* vacation job; ~**koloni** *s* holiday camp; ~**penge** *spl* holiday allowance; ~**re** *v* be on holiday; ~**rejse** *s* holiday trip; ~**rejsende** *s* holiday-maker; ~**sted** *s* holiday resort; ~**tablet** *s* pep pill.

fernis *s* varnish; ~**ere** *v* varnish; ~**ering** *s (åbning af udstilling)* preview.

fersk *adj* fresh; *(om smag)* insipid; *tage en på* ~ *gerning* catch sby red-handed.

fersken *s* peach.

ferskvand *s* fresh water; ~**s-** freshwater *(fx fisk* fish).

fest *s* party; *(by*~*, musik*~ *etc)* festival; *holde* ~ throw *(el.* have) a party, celebrate; *ved* ~*en* at the party; ~**e** *v* have a party; ~**forestilling** *s* gala performance; ~**ival** *s* festival; ~**klædt** *adj* in evening dress; ~**lig** *adj* festive; *(underholdende, morsom)* very funny; *det var* ~*ligt* it was great fun; ~**lighed** *s* celebration; ~**middag** *s* banquet; ~**spil** *s* festival.

feteret *adj* celebrated.

fiasko *s* failure.

fiber *s* fibre; ~**rig** *adj* high-fibre.

fidus s *(kneb)* trick; *(vink, råd)* tip; *(snyd)* fiddle.

fiffig *adj* smart; *(snu)* shrewd; **~hed** s smartness; shrewdness.

figen s fig.

figur s figure; *i bar* ~ *(dvs. nøgen)* naked, in the nude; *(dvs. uden overtøj)* without a coat; *passe på* **~en** watch one's figure; **~ere** v figure; **~løb** s *(på skøjter)* figure skating.

fiks *adj* smart; *en* ~ *idé* an obsession; ~ *på fingrene* dexterous.

fiksere v fix; **fiksering** s fixation; **fiksersalt** s fixing salt; **fikstid** s core time.

file v file.

filet s fillet; *rødspætte~* fillet of plaice; **~tere** v fillet.

filial s branch.

filipens s pimple, spot.

filippiner s Filipino; **filippinsk** *adj* Philippine; **Filippinerne** *spl* the Philippines.

film s film; **~apparat** s *(optager)* cine camera; *(fremviser)* projector; **~atisere** v film; **~atisering** s film version; **~e** v *(lave ~)* film; *(kokettere etc)* flirt; **~fotograf** s camera-man; **~instruktør** s film director; **~kamera** s film camera; *(til smalfilm)* cine camera; **~lærred** s screen; **~stjerne** s filmstar.

filo. . . *sms:* **~log** s philologist; **~logi** s philology; **~sof** s phi-

losopher; **~sofere** v philosophize *(over* about); **~sofi** s philosophy.

filt s felt.

filter s filter; *(på cigaret)* filter tip; *med* ~ filter-tipped.

filtrere v filter.

fin *adj* fine; *(ekstra~)* choice; *(moderne, in)* fashionable; **~t!** fine! great! *have det* **~t** be fine, feel fine.

finale s finale; *(i sport etc)* final.

finanser *spl* finances; **finansiere** v finance; **finansiering** s financing.

finans. . . *sms:* **~loven** s the Budget; **~ministerium** s Ministry of Finance; **~år** s fiscal year.

finde v find; *(mene, synes)* think; ~ *vej* find one's way; ~ *sig i ngt* put up with sth; ~ *på ngt* think of sth; *(opdigte)* make sth up; ~ *ud af ngt (dvs. opdage)* discover sth; *(forstå)* make sth out; **~løn** s reward; **~r** s finder; **~s** v exist.

finér s veneer.

finesse s finesse; *(trick)* trick; *(smart opfindelse etc)* gadget.

finger s finger; *holde fingrene fra ngt* keep one's hands off sth; *få fingre i ngt* get hold of sth; *kunne ngt på fingrene* have sth at one's fingertips; **~aftryk** s fingerprint; **~bøl** s thimble.

fingere v simulate; **~t** *adj* simulated, mock; *(falsk)* faked.

finger... *sms:* ~**færdig** *adj* dexterous; ~**færdighed** *s* dexterity; ~**peg** *s* hint; ~**ring** *s* ring; ~**spids** *s* fingertip; ~**sprog** *s* finger language.

Finland *s* Finland.

finmekaniker *s* precision engineer.

finne *s (fra Finland)* Finn; *(på fisk)* fin; **finsk** *adj* Finnish.

fintfølende *adj* sensitive; *(overfor andre)* tactful.

firben *s* lizard.

firdobbelt *adj* quadruple.

fire *v (sænke, fx flag)* lower; ~ *på et tov* ease off a rope // *num* four; *på alle* ~ on all fours; ~**personers** *adj (auto)* fourseater; ~**r** *s* four; *(om bus etc)* number four; ~**taktsmotor** *s* four-stroke engine; ~**tiden** *s: ved* ~**tiden** (at) about four o'clock.

firhjulet *adj* four-wheel(ed); **firhjulstræk** *s* four-wheel drive.

firkant *s* square; *(aflang)* rectangle; ~**et** *adj* square; rectangular; *(kluntet)* awkward.

firkløver *s* four-leaf clover.

firkort *s: spille* ~ play happy families.

firlinger *spl* quadruplets.

firma *s* firm; ~**bil** *s* company car; ~**mærke** *s* trade mark.

firs *num* eighty; *han er i* ~**erne** he is in his eighties; *han er født i* ~**erne** he was born in the eighties.

firskåren *adj* square-built.

firstemmig *adj* four-part.

firtal *s* four.

fis *s* fart; *lave* ~ *med en* (F) have sby on; ~**e** *v* fart; ~**efornem** *adj* stuck-up.

fisk *s* fish; *F~ene (astr)* Pisces; *mange* ~ lots of fish; *ti* ~ ten fishes; *fange* ~ catch fish; *gå i* ~ go haywire; *hverken fugl el.* ~ neither fish nor fowl; ~**e** *v* fish; *tage ud at* ~**e** go fishing; ~**e efter ngt** *(fig)* angle for sth; ~**eben** *s* fish bone; ~**ebolle** *s* fish ball; ~**efars** *s sv.t.* creamed fish; ~**efilet** *s* fillet of fish; ~**efrikadelle** *s* fishcake; ~**egarn** *s* fishing net; ~**ehandler** *s* fishmonger; ~**ekrog** *s* fish-hook; ~**ekutter** *s* fishing boat; ~**eplads** *s* fishing ground.

fisker *s* fisherman; ~**båd** *s* fishing boat; ~**i** *s* fishing; ~**igrænse** *s* fishing limit; ~**ihavn** *s* fishing port; ~**iministerium** *s* Ministry of Fisheries; ~**leje** *s* fishing village.

fiske... *sms:* ~**snøre** *s* fishing line; ~**stang** *s* fishing rod; ~**tur** *s: tage på* ~**tur** go fishing.

fjante *v* fool around; ~**t** *adj* silly; *(pjattet, fnisende)* giggling.

fjeder *s* spring; **fjedre** *v* be springy.

fjeld *s* mountain; *(klippegrund)* rock.

fjende *s* enemy; **fjendskab** *s* enmity; **fjendtlig** *adj (af indstilling)* hostile; *(som tilhører* *fjenden)* enemy *(fx tropper* troops); **fjendtlighed** *s* hostility.

fjer *s* feather; *(stor hatte~)* plume; *have en ~ på (fig)* be tipsy; **~bold** *s* shuttlecock.

fjerde *adj* fourth; **~del** *s* fourth, quarter; **~delsnode** *s* crotchet.

fjerkræ *s* poultry; **~avl** *s* poultry farming.

fjern *adj* distant, faraway; *(af-sides)* remote; *(langt væk i tankerne etc)* far away; *i en ~ fortid* in the distant past; *se ngt i det ~e* see sth in the distance; **~e** *v* remove; *~e sig* go away; **~ere** *adj* more distant, further (away); more remote; **~est** *adj* most distant, furthest; remotest; *det betyder ikke det ~este* it does not make the least bit of difference; **~lys** *s* (auto) main beam; **~seer** *s* viewer; **~skriver** *s* teleprinter; **~sty-ret** *adj* remote-controlled; **~styring** *s* remote control.

fjernsyn *s* television; *(om apparatet)* television set, (F) telly; *se ~* watch television; *se ngt i ~et* see sth on television; *være i ~et* be on television; *sende ngt i ~et* televise sth; **~santenne** *s* television aerial; **~sapparat** *s* television set; **~slicens** *s* television licence fee; **~snarkoman** *s* television addict; *(neds, om kvinde)* telly-nelly; **~spro-gram** *s* television program-

me; **~sskærm** *s* television screen; **~sudsendelse** *s* television programme.

fjernt *adv* far-off; *(fig)* distantly.

fjernvarme *s* district heating.

fjoget *adj* foolish.

fjolle *v:* *~ rundt* fool around; **~ri** *s* nonsense; **~t** *adj* silly.

fjols *s* fool.

fjor *s: i ~* last year.

fjord *s* inlet; *(i Skotland)* firth; *(i Norden)* fiord.

fjorten *num* fourteen; *om ~ dage* in a fortnight; **~de** *adj* fourteenth; *hver ~nde dag* every two weeks.

f.Kr. *(fork.f. før Kristi fødsel)* B.C.

flabet *adj* cheeky; **~hed** *s* cheek.

flad *adj* flat; *(uden penge)* broke; *en ~ tallerken* a plate; *det var en ~ fornemmelse* it made me feel stupid.

flade *s (overflade)* surface; *(om landskab)* expanse.

flad... sms: ~fisk *s* flatfish; **~lus** *s* crab louse; **~tang** *s: en ~tang* a (pair of) flat-nose pliers; **~trykt** *adj* flattened.

flag *s* flag; *hejse ~et* hoist the flag; *hejse ~et ned* lower the flag; *gå ned med ~et (fig)* have a nervous breakdown; **~dug** *s* bunting.

flage *s* flake; *(af is)* floe // *v* fly a flag; *~ for kongens fødsels-dag* fly the flags for the King's birthday.

flagermus *s* bat; **~lygte** *s* hurricane lantern.

flagstang s flagpole.

flakke v (om lys) flicker; (om øjne) wander; ~ om roam about.

flamberet adj flambée.

flamingo s (zo) flamingo; (tekn) expanded polystyrene.

flamme s flame // v flame, blaze.

flamsk adj Flemish.

flaske s bottle; fylde ngt på ~ bottle sth; slå sig på ~en (F) hit the bottle; ~barn s bottle-fed baby; ~gas s bottled gas; ~hals s bottleneck (også fig); ~renser s bottle-brush.

flekstid s flextime.

flere adj (rar) nice; (dygtig) good, clever; være ~ til ngt be good at sth.

more; (adskillige) several; (diverse, forskellige) various; ~ end more than; ~ tusind several thousand; har du ~ penge? do you have any more money? regering og folketing med ~ government, parliament and others.

fler... sms: ~etages adj multi-storey; ~stavelses adj polysyllabic; ~stemmig adj: ~stemmig sang part-song; (det at synge..) part-singing.

flertal s majority; (gram) the plural; vedtaget med stort ~ carried by a large majority; være i ~ be in the majority.

flest adj most; de ~e most; (om personer) most people.

fletning s plait; (det at flette) plaiting; **flette** v plait; flette fingre med en hold hands with sby; flette en krans

make a wreath; **fletværk** s wickerwork.

flid s diligence; (arbejdsomhed) industry; (iver, vedholdenhed) application.

flig s corner, snip.

flimmer s, **flimre** v flicker; det flimrer for øjnene everything is dancing in front of my eyes; **flimren** s shimmer, flicker.

flink adj (rar) nice; (dygtig) good, clever; være ~ til ngt be good at sth.

flintesten s flint(stone).

flintre v: ~ af sted belt along.

flip s collar; (stiv ~ starched collar; være ude af ~pen be flustered; det var et ~ it was a flop; ~pe v: ~pe ud freak out.

flirte v flirt.

flis s splinter.

flise s (på vej etc) flagstone; (væg~, gulv~ etc) tile; ~belægning s tiling; ~bord s tile-top table; ~gulv s tiled floor; ~væg s tiled wall.

flitsbue s bow.

flittig adj diligent; (arbejdsom) industrious; (travl) busy.

flod s river; (højvande) high tide; sejle ned ad ~en sail downstream; falde i ~en fall into the river; sejle op ad ~en sail upstream; ~bred s riverside, river bank; ~bølge s tidal wave; ~hest s hippopotamus; ~leje s river bed; ~munding s river mouth.

flok s (af mennesker) crowd,

(mindre) group; *(om kvæg)* herd; *(om får, geder, fugle)* flock; *i samlet ~* in a body; *~ke v: ~kes, ~ke sig* flock *(om round); (om stor flok, trænges)* crowd.

flonel *s* flannel.

flormel *s* white flour; **flormelis** *s* icing sugar.

floskel *s* empty phrase.

flosse *v* fray.

flot *adj (smart etc)* elegant; *(large)* generous; *(ødsel)* lavish; *(om ting)* fine; *en ~ fyr (el. pige)* a good-looker; *det var ~ klaret!* well done! **~hed** *s* elegance; generosity; lavishness; **~te** *v: ~te sig med ngt* treat oneself to sth.

flov *adj (som skammer sig)* ashamed; *(pinligt berørt, forlegen)* embarrassed, awkward; *(om smag)* flat; *~e v: ~e sig* (F) be ashamed; **~hed** *s* embarrassment, awkwardness.

flue *s* fly; *han kunne ikke gøre en ~ fortræd* he would not hurt a fly; **~papir** *s* fly-paper; **~smækker** *s* fly-swatter; **~svamp** *s* fly agaric; **~vægt** *s (sport)* flyweight.

flugt *s (det at flygte el. flyve)* flight; *(det at undslippe)* escape; *gribe ngt i ~en* catch sth in the air; *på ~* on the run; **~bilist** *s* hit-and-run driver; **~e** *v (være på højde) (med* with); *(i tennis etc)* volley; **~stol** *s* deck chair; **~vej** *s* escape route.

fluor *s* fluorine; **~tandpasta** *s* fluoride toothpaste.

fly *s* aeroplane; **~billet** *s* plane ticket; **~bortførelse** *s* hijacking; **~bortfører** *s* hijacker; **~forbindelse** *s* air service; *(se også flyve-)*.

flyde *v (svømme ovenpå)* float; *(rinde)* run; *(om roderi)* be in a mess; *ligge og ~ (om ting)* be lying around; *(om person)* be sprawling; *gulvet flød med legetøj* the floor was littered with toys; *~ over* overflow; **~nde** *adj (om væske etc)* liquid, fluid; *(om sprog, tale)* fluent; *tale ~nde engelsk* speak fluent English.

flygel *s* grand piano.

flygte *v* run away; *(undslippe)* escape.

flygtig *adj* passing; *(overfladisk)* casual; *(som let fordamper)* volatile; *en ~ berøring* a casual touch; *et ~t blik* a passing glance; *~t adv* casually; *se ~t på ngt* glance at sth.

flygtning *s* fugitive; *(p.g.a. krig, forfølgelse etc)* refugee; **F~e-hjælpen** *s (dvs. Dansk F~e-hjælp)* the Danish Refugee Council; **~elejr** *s* refugee camp.

fly... *sms:* **~kaprer** *s* hijacker; **~kapring** *en* hijacking; **~katastrofe** *s* air disaster; **~rute** *s* air service; **~styrt** *s* air crash.

flytning *s* removal.

flytte *v* move; *(fjerne)* remove;

~ *fra hinanden* split up; ~ *ind* move in; ~ *om på ngt* move sth around; ~ *sammen med en* move in with sby; ~ *sig* move; **~folk** s removal men; **~kasse** s packing case; **~vogn** s furniture van.

flyve v fly; *(suse, styrte)* dash, rush; ~**base** s air base; ~**bil-let** s plane ticket; **~båd** s *(med bæreplaner)* hydrofoil boat; *(luftpudebåd)* hovercraft; **~leder** s air-traffic controller; **~maskine** s aeroplane; **~nde** adj flying; *i ~nde fart* at top speed; **~nde** *tallerken* flying saucer; **~nde** *tæppe* magic carpet; **~plads** s *(lufthavn)* airport; *(mindre)* airfield.

flyver s *(om maskine)* aeroplane; *(om pilot)* pilot; **~certifi-kat** s flying certificate; **~dragt** s *(til børn)* sv.t. snowsuit.

flyvetur s flight; **flyveulykke** s air crash; **flyvevåben** s air force.

flyvning s flight; *(det at flyve)* aviation.

flække s small town // v split.

flæng s: *i ~* at random.

flænge s *(i tøj, papir etc)* tear; *(mindre sår)* scratch; *(større sår)* gash // v tear; scratch; gash; *få bukserne ~t* tear one's trousers.

flæse s ruffle.

flæsk s *(~ekød)* pork; *(bacon)* bacon; **~efars** s minced pork; **~esteg** s *(kødstykke)* sv.t.

joint of pork; *(som ret)* roast pork; **~esvær** s *(spæklaget på grisen)* bacon rind; *(sprød)* crackling.

fløde s cream; **~chokolade** s milk chocolate; **~farvet** adj cream; **~is** s ice cream; **~ka-ramel** s toffee; **~skum** s whipped cream.

fløj s wing; **~dør** s double door.

fløjl s velvet; *(jernbane~)* corduroy; **~sbukser** spl corduroys.

fløjt s whistle; **~e** s *(tværfløj-te)* flute; *(blokfløjte)* recorder; *(legetøj, signal~ etc)* whistle; *han spiller (på) ~e* he plays the flute // v whistle; **~ekedel** s whistling kettle; **~en** s whistling; **~enist** s flute player, flautist.

flå v skin; *(rive)* tear; ~ *en hare* skin a hare; *blive ~et (p.g.a. høj pris)* be fleeced.

flåde s *(samling af skibe)* fleet; *(tømmer~, rednings~ etc)* raft; *(marine)* navy // v float, raft *(fx tømmer* timber); **~base** s naval base.

FN *(fork.f. Forenede Nationer)* the UN *(fork.f. United Nations)*.

fnat s scabies; **~tet** adj *(sølle)* lousy.

fnise v giggle; *(hånligt)* snigger; **~n** s giggling, sniggering.

fnug s fluff; *(støv~)* speck; *(sne~)* flake; **~ge** v fluff; **~get** adj fluffy.

fnyse v snort *(ad* at).

fod s foot; ~ *for* ~ step by step; *have ømme fødder* have sore feet; *fryse om fødderne* have cold feet; *gå på bare fødder* walk barefoot; *på fri* ~ free; *stå på god* ~ *med en* be on good terms with sby; *til* ~s on foot.

fodbold s football; ~**bane** s football ground *(el. pitch)*; ~**hold** s football team; ~**kamp** s football match; ~**spiller** s football player; ~**træner** s (football) coach.

fodbremse s foot brake; *(på cykel)* pedal brake.

foder s feed; *(om hø etc)* fodder; ~**bræt** s bird feeder; ~**kage** s oil cake; ~**stof** s feeding stuff.

fodfolk spl *(mil)* infantry.

fodformet adj pediform; *(om meninger)* ready-made.

fodfæste s footing.

fodgænger s pedestrian; ~**område** s pedestrian precinct; ~**overgang** s pedestrian crossing; *(med striber)* zebra crossing; ~**tunnel** s subway.

fod. . . sms: ~**klinik** s chiropodist's; ~**note** s footnote; ~**panel** s skirting board.

fodre v feed; **fodring** s feeding.

fod. . . sms: ~**spor** s footprint; ~**svamp** s athlete's foot; ~**sved** s: *have ~sved* have sweaty feet; ~**sål** s sole of the foot; ~**trin** s (foot)step; ~**tøj** s footwear.

foged s *(kongens ~)* sv.t. bailiff.

fok s *(mar)* foresail, jib.

fokus s focus; ~**ere** v focus *(på* on).

fold s *(indhegning)* pen; *(i tøj etc)* fold; *(rynke)* wrinkle; *(presse~)* crease; *lægge ngt i* ~r fold sth (up); *nederdel med ~er* pleated skirt; ~**e** v fold; ~*e ngt sammen* fold sth up; ~*e ngt ud* unfold sth; ~*e sig ud* unfold; *(om person)* let oneself go; ~**ekniv** s jackknife; ~**er** s folder.

folk s people; *(arbejdere)* men; ~*et* the people; *hvad mon ~ vil sige?* I wonder what people will say.

folke. . . sms: ~**afstemning** s referendum; ~**dans** s *(det at danse)* country dancing; *(selve dansen)* country dance; ~**dragt** s national costume; ~**højskole** s folk high school; ~**kirke** s national church; ~**lig** adj popular; *(jævn)* simple; ~**mængde** s *(indbyggertal)* population; *(masse mennesker)* crowd; ~**pension** s old age pension; ~**pensionist** s old age pensioner, O.A.P.; ~**register** s national register; ~**sagn** s legend; ~**sanger** s folk singer; ~**skole** s primary and lower secondary school (for children between 7 and 16); ~**slag** s people; ~**tinget** s sv.t. the parliament; ~**tælling** s census; ~**vandring** s migration; ~**vise** s ballad.

fond s fund; *(legat)* foundation; ~**saktie** s bonus share;

~**sbørs** s stock exchange.

for s (i tøj) lining.

for præp (beregnet for, på grund af, om tid, som betaling for, i stedet for) for; (foran, i overværelse af) before, at, in front of; (til beskyttelse imod) from, to; (med hensyn til) to, from; (~ at + infinitiv) to, in order to; (~ at + sætning) so that, in order that; (se også de enkelte ord, som ~ forbindes med); den bog er ~ børn that book is for children; de lejede et værelse ~ en uge they took a room for a week; han ville have 10.000 ~ bilen he wanted 10,000 for the car; takke en ~ ngt thank sby for sth; ~ øjnene af børnene in front of the children; hele verden ligger ~ hans fødder the whole world is at his feet; han har hele livet ~ sig he has his whole life before him; søge ly ~ regnen seek shelter from the rain; han var døv ~ hendes forklaringer he was deaf to her explanations; være fri ~ ngt be free from sth; sætte sig ned ~ at spise sit down to eat; ~ ikke at glemme Peter so as not to forget Peter, not forgetting Peter; gøre ngt ~ at forhindre krig do sth (in order) to prevent war; ~ at være sikker (in order) to make sure; ~ at de ikke skulle komme for sent so that they should

not be late; ~ længe siden a long time ago; ~ et år siden a year ago; være ngt ~ sig selv be sth out of the ordinary; hvad ~ ngt? what? hvad er det ~ en bog? what book is that? // adv (alt ~) too; spille ~ højt play too loudly; har du ngt ~ i dag? are you doing anything today? ~ og imod for and against // konj (fordi) because, for; hun råbte højt, ~ hun var vred she yelled, for she was angry.

foragt s contempt; ~**e** v despise; ~**elig** adj contemptible, despicable.

foran præp in front of; (forud for) ahead of // adv ahead; (i spidsen) in front; vi standsede ~ kirken we stopped in front of the church; han var langt ~ os he was far ahead of us; gå ~ walk in front.

forandre v change; ~ sig change (til into); **forandring** s change; til en forandring for a change.

foranstaltning s arrangement; træffe ~er take measures.

forarge v shock, offend; ~**lse** s indignation; vække ~lse cause a scandal.

forbande v curse; ~**lse** s curse; ~**t** adj/adv damned.

forbarme v ~ sig over en take pity on sby.

forbavse v surprise; ~**lse** s surprise; ~**t** adj surprised // adv in surprise.

forbedre v improve; ~ sig

improve; **forbedring** s improvement.

forbehold s reservation; *tage* ~ make a reservation; *uden* ~ unconditionally; ~**e** v: ~*e sig ret til* reserve the right to; ~**en** adj reserved.

forben s foreleg.

forberede v prepare; ~ *en (el. sig) på ngt* prepare sby (el. oneself) for sth; ~**lse** s preparation *(til* for); *under* ~*lse* in preparation; ~**nde** adj preliminary.

forbi adv/præp (om bevægelse) past; *(slut, ovre)* over; *(færdig)* finished; *gå (, køre etc)* ~ *ngt* walk (, drive etc) past sth; *det er* ~ it is over.

forbier s miss.

forbifart s: *i* ~*en* (in) passing.

forbigå v *(ignorere)* overlook; *blive* ~*et (ved forfremmelse etc)* be passed over; ~**ende** adj passing, temporary.

forbillede s model, example; **forbilledlig** adj exemplary.

forbinde v connect *(med* with); *(sætte sammen)* join *(med* to); *(forene)* combine *(med* with); *(lægge forbinding på)* dress, bandage; ~**lse** s connection; *(rute, fast* ~*lse)* service; *(forhold)* relationship; *(sammenhæng)* context; *(kemisk)* compound; *få* ~*lse med en (tlf)* get through to sby; *holde* ~*lsen ved lige* keep in touch; *i denne* ~*lse* in this connection; *miste* ~*lsen med en* lose touch with

sby; *sætte sig i* ~*lse med en* get in touch with sby.

forbinding s bandage; *(det at forbinde)* bandaging, dressing; **forbindskasse** s first-aid box.

forbitret adj *(bitter)* bitter *(på* with); *(vred)* furious.

forbjerg s promontory, headland.

forblive v remain; *(på stedet)* stay.

forbløde v bleed to death.

forbløffe v amaze, astonish; ~**lse** s amazement, astonishment.

forbogstav s initial.

forbrug s consumption; ~**er** s consumer; ~**erråd** s consumers' advisory council; ~**safgift** s excise duty; ~**sgoder** spl consumer goods; *varige* ~*sgoder* consumer durables.

forbryde v: ~ *sig mod en* commit an offence against sby; ~**lse** s crime, offence; *begå en* ~*lse* commit a crime; ~**r** s criminal.

forbrænding s combustion; incineration; ~**sanlæg** s incineration plant; ~**sovn** s incinerator.

forbrændt adj burnt; *(af solen)* sunburnt.

forbud s prohibition *(mod* against), ban *(mod* on); *give en* ~ *mod at gøre ngt* forbid sby to do sth; *nedlægge* ~ *mod ngt* prohibit *(el. ban)* sth; *ophæve et* ~ lift a ban.

forbudt adj forbidden, prohibited; *'adgang* ~''no admittance'; ~ *for børn* for adults only.

forbund *s* union, league; *(stats~)* federation; *(alliance)* alliance.

forbundet *adj* connected; combined; joined; *(se også forbinde); det var* ~ *med en vis risiko* it involved a certain risk.

forbunds. . . *sms:* ~**fælle** *s* ally; ~**kansler** *s* federal chancellor; ~**republik** *s* federal republic; ~**stat** *s* federal state.

forbyde *v* forbid, prohibit, ban; ~ *en adgang* forbid sby to enter; ~ *spiritus ved fodboldkampe* ban liquor from football matches.

force *s* strong point; ~**re** *v* force; ~**ret** *adj* forced.

fordampe *v* evaporate; **fordampning** *s* evaporation.

fordel *s* advantage; *have* ~ *frem for en* have an advantage over sby; *til* ~ *for* in favour of; *til ens* ~ to sby's advantage; ~**agtig** *adj* advantageous; *(indbringende)* lucrative.

fordele *v* distribute; *(dele)* divide; **fordeling** *s* distribution; division.

fordi *konj* because; *det er ikke* ~ *han er dum, men. . .* it is not that he is stupid but. . .

fordoble *v* double; **fordobling** *s* doubling.

fordom *s* prejudice *(mod* against); ~**sfri** *adj* unpreju-

diced.

fordrage *v: jeg kan ikke* ~ *det* I can't stand it; *jeg kan ikke* ~ *at gøre det* I hate to do it.

fordre *v* demand; *(have krav på)* claim.

fordring *s* demand; *(jur, krav)* claim; *gøre* ~ *på ngt* claim sth; ~**sfuld** *adj* demanding.

fordrive *v:* ~ *tiden* pass the time.

fordybe *v:* ~ *sig i ngt* become engrossed in sth; **fordybning** *s* hollow, depression; *(rille etc)* groove.

fordæk *s (på skib)* foredeck; *(på bil)* front tyre.

fordærv *s* ruin, disaster; ~**e** *v (om mad etc)* spoil, ruin; *(om person)* deprave; ~**elig** *adj: let* ~*elig* perishable; ~**et** *adj (om person)* depraved; *(om mad etc)* bad.

fordøje *v* digest; ~**lig** *adj: let* ~*lig* digestible; ~**lse** *s* digestion; *dårlig* ~*lse* indigestion.

fordømme *v* condemn; ~**lse** *s* condemnation; **fordømt** *adj* condemned; *(pokkers)* damned.

fordør *s* front door.

fore *v* line.

forebygge *v* prevent; ~**lse** *s* prevention; ~**nde** *adj* preventive; *(med)* prophylactic *(fx behandling* treatment).

foredrag *s* talk *(om* on); *(forelæsning)* lecture *(om* on); *holde* ~ *for* give a talk *(el.* lecture) to; ~**sholder** *s* lecturer.

foregive v pretend, feign.
foregribe v: ~ begivenhedernes gang anticipate events.
foregå v happen, go on; hvad ~r der? what is happening? what is going on? mødet ~r på rådhuset the meeting is taking place at the town hall; ~ende adj previous.
forekomme v (ske) happen; (findes) occur; (virke) seem, appear; det ~r mig at... it seems to me that...; ~nde adj (venlig) courteous.
forekomst s occurrence.
forel s trout.
foreligge v (findes) be available; der må ~ en misforståelse there must be some mistake; ~nde adj existing.
forelske v: ~ sig fall in love (i with); ~lse s love (i for); ~t adj in love (i with).
forelægge v present.
forelæsning s lecture; holde ~ om ngt give a lecture on sth; gå til ~ attend a lecture.
foreløbig adj temporary // adv (for en tid) temporarily; (indtil videre) for the time being; (hidtil) so far; ~ går det fint so far it is all right.
forene v combine, join; (i en helhed) unite; De ~de Nationer (FN) the United Nations (UN); De ~de Stater (USA) the United States (US(A)); ~lig adj consistent (med with).
forening s society.
forenkle v simplify; **forenkling**

s simplification.
foreskrive v prescribe; (beordre) order.
foreslå v suggest.
forespørge v enquire; **forespørgsel** s enquiry.
forestille v (skulle være, gengive) represent; (præsentere) introduce; hvad skal det ~? what is that supposed to be? ~ sig ngt imagine sth; du kan ikke ~ dig, hvor skønt det var you have no idea how nice it was.
forestilling s (teat etc) performance; (begreb, idé) idea (om of).
forestå v (lede) be in charge of; (nærme sig) be near.
foretage v make; ~ sig ngt do sth; ~ en rejse make a journey; ~ en operation perform an operation; ~nde s undertaking; (firma) business.
foretagsom adj enterprising; ~hed s enterprise.
foretrække v prefer; ~ vin for øl prefer wine to beer.
forevise v show; **forevisning** s showing.
forfald s (ødelæggelse etc) decay; (dag hvor beløb skal betales) settlement date; ~e v (om hus) fall into disrepair; (skulle betales) fall due; ~e til ngt take to sth; ~en adj dilapidated, in disrepair; (til betaling) due.
forfalske v (fx smykker, billeder) fake; (fx dokumenter) forge; (penge) counterfeit;

forfalskning *s (det at ~)* faking; forgery; counterfeiting; *(det ~de)* fake; forgery.

forfatning *s (grundlov)* constitution; *(tilstand)* state.

forfatter *s* author, writer *(til of)*; **~skab** *s (det en ~ har skrevet)* works *pl.*

forfinet *adj* sophisticated.

forfjamsket *adj* flustered.

forfra *adv (fra forsiden)* from in front; *(om igen)* again, from the beginning.

forfremme *v* promote; **~lse** *s* promotion.

forfriske *v* refresh; **~nde** *adj* refreshing; **forfriskning** *s* refreshment.

forfrossen *adj* cold; **forfrysning** *s* frostbite.

forfædre *spl* ancestors.

forfængelig *adj* vain; **~hed** *s* vanity.

forfærde *v* terrify; *(forarge)* shock; **~lig** *adj* terrible, awful // *adv* terribly, awfully; *hun staver ~ligt* her spelling is awful; **~lse** *s* horror, terror; **~t** *adj* terrified.

forfølge *v* persecute; *(løbe efter, jage)* pursue; *(genere, plage)* pester; **~lse** *s* persecution; pursuit; chase; **~lsesløb** *s* pursuit race; **~lsesvanvid** *s* persecution mania.

forføre *v* seduce; **~lse** *s* seduction.

forgifte *v* poison; **forgiftning** *s* poisoning; **forgive** *v* poison.

forglemmelse *s* oversight.

forglemmigej *s* forget-me-not.

forgribe *v*: ~ *sig på ngt* misappropriate sth; ~ *sig på en* lay hands on sby.

forgrund *s* foreground.

forgude *v* idolize.

forgyldt *adj* gilt.

forgængelig *adj* perishable.

forgænger *s* predecessor.

forgæves *adj* vain; *et* ~ *forsøg* a vain attempt // *adv* in vain.

forgårs *s*: *i* ~ the day before yesterday.

forhadt *adj* hated.

forhal *s* vestibule.

forhandle *v* negotiate; *(diskutere)* discuss; *(sælge)* deal in; ~ *om en løsning* negotiate *(el.* discuss) a solution; **~r** *s* negotiator; *(sælger)* dealer.

forhandling *s* negotiation; *(diskussion)* discussion; *(om løn)* bargaining; *(salg)* sale; *indlede* **~***er med en* enter into negotiations with sby; **~spartner** *s* negotiating party; **~svenlig** *adj* ready to negotiate.

forhaste *s*: ~ *sig* be rash; **~t** *adj* rash, hasty; *(for tidlig)* premature.

forhekset *adj* bewitched.

forhenværende *adj* former, ex-.

forhindre *v* prevent; ~ *en i at gøre ngt* prevent sby from doing sth.

forhindring *s (det at forhindre)* prevention; *(som spærrer etc)* obstacle; **~sløb** *s* obstacle race.

forhistorisk *adj* prehistoric.

forhjul *s* front wheel; **~stræk** *s* front-wheel drive.

forhold *s (omstændigheder, tilstand)* conditions *pl*, circumstances *pl; (forbindelse, ~ mellem mennesker)* relationship; *(sag)* fact, matter, affair; *sociale ~* social conditions; *private ~* private affairs; *have et ~ til en* have an affair with sby; *have et godt ~ til en* be on good terms with sby; *i ~ til (dvs. sammenlignet med)* (as) compared to; *under de nuværende ~* under the present circumstances.

forholde *v:* ~ *sig* be; *det ~r sig sådan at...* the fact is that...; ~ *sig roligt* keep quiet; *vide hvordan man skal* ~ *sig* know what to do.

forholdsmæssig *adj* proportional; **~t** *adv (temmelig)* relatively.

forholdsord *s* preposition.

forholdsregel *s* precaution, measure; *tage sine forholdsregler mod ngt* take measures against sth.

forholdsvis *adv* relatively, comparatively.

forhæng *s* curtain.

forhøje *v* raise, increase.

forhøjning *s (i terrænet)* rise; *(i rum)* platform.

forhør *s* questioning, interrogation; *(i retten)* examination; *holde* ~ hold an inquiry; *tage en i* ~ interrogate sby; **~e** *v* question; interrogate; examine; **~e sig** enquire, ask.

forhåbentlig *adv* I hope, hopefully.

forhånd *s (i tennis)* forehand; *være i* **~en** *(i kortspil)* have the lead; *på* ~ in advance, beforehand.

forhåndenværende *adj (til at få fat i)* available; *(eksisterende)* existing.

forkalket *adj (om person)* senile.

forkaste *v* reject; **forkastning** *s (geol)* fault.

forkert *adj* wrong // *adv* wrong(ly); *(ved verber erstattes wrong ofte af:* mis-, *fx:* misspell, miscalculate); *huske* ~ be mistaken; *uret går* ~ the watch is wrong; *træde* ~ stumble.

forklare *v* explain; ~ *en ngt* explain sth to sby; **forklaring** *s* explanation; *(vidne~)* evidence.

forklæde *s* apron // *v* disguise; **forklædning** *s* disguise.

forkorte *v* shorten; *(om tekst, bog)* abridge; **~lse** *s* abbreviation.

forkromet *adj* chromium-plated.

forkvinde *s* chairwoman; *(for arbejdere)* forewoman.

forkynde *v (meddele)* proclaim, announce; ~ *evangeliet* preach the gospel; **~lse** *s* proclamation; preaching.

forkæle *v* spoil, *(neds)* pamper; *et* **~t** *barn* a spoilt child.

forkæmper *s* advocate *(for* of).

479   form **f**

forkærlighed *s* partiality *(for* for); *have* ~ *for* be partial to.
forkøb *s: komme en i* ~*et (dvs. komme først)* anticipate sby; *(dvs. hindre)* forestall sby; ~**sret** *s* first option *(til* on).
forkølelse *s* cold; **forkølet** *adj: blive forkølet* catch cold; *være forkølet* have a cold.
forkørselsret *s: have* ~ *for...* have right of way over...
forlade *v* leave; *(rømme)* desert; ~ *sig på ngt* depend on sth; ~**lse** *s (tilgivelse)* pardon; *om* ~*lse!* I'm sorry!
forladt *adj (øde, tom)* deserted, desolate.
forlag *s* publishing house; ~**sredaktør** *s* publishing editor.
forlange *v (bede om)* ask for; *(kræve)* demand; *(som sin ret)* claim; *(om pris)* charge; ~ *ngt af en* demand sth from sby; *det kan man ikke* ~ one can't expect that; ~**nde** *s* demand.
forleden *adj:* ~ *dag* the other day.
forlegen *adj* shy, self-conscious; ~**hed** *s (generthed)* shyness, self-consciousness; *(knibe)* difficulty; *være i* ~*hed* be in trouble.
forlig *s (aftale)* agreement, deal; *slutte* ~ come to an agreement, (F) make a deal; ~**e** *v* reconcile; ~**e sig med** *ngt* become reconciled to sth; ~**es** *v* get on; ~**smand** *s* mediator.

forlis *s* shipwreck; ~**e** *v* be shipwrecked.
forloren *adj* false; ~ *skildpadde* mock turtle; *forlorne tænder* false teeth.
forlove *v:* ~ *sig med en* get engaged to sby; ~**lse** *s* engagement; ~**lsesring** *s* engagement ring; ~**r** *s (for brud)* he who gives away the bride; *(for brudgom)* best man; ~**t** *adj* engaged *(med* to); *hendes* ~*de* her fiancé; *hans* ~*de* his fiancée.
forlygte *s* headlight.
forlyste *v* amuse, entertain; ~**lse** *s* amusement, entertainment; ~**lsessyg** *adj* pleasure-seeking.
forlægge *v (så det er blevet væk)* mislay; *(flytte)* remove; ~ *residensen til* adjourn to; ~**r** *s* publisher.
forlænge *v (udbygge etc)* extend; *(gøre længere)* length en; ~**lse** *s* extension; lengthening; ~**r(led)**, ~**r(ledning)** *s* extension.
forlængst *adv* long ago.
forlæns *adv* forward(s).
forløb *s* course; *efter ngn tids* ~ after some time; *inden en måneds* ~ within a month; ~**e** *v (om tid)* pass; *(foregå)* go; ~**e godt** go well; *i den forløbne uge* during the past week; ~**e sig** go too far; ~**er** *s* forerunner *(for* of).
form *s* form, shape; *(støbe~)* mould; *(bage~)* tin; *jeg er ikke i* ~ *til det* I'm not in

form *(el.* the shape) for it; *han er i fin* ~ he is in very good shape; *i* ~ *af* in the shape of; *holde på* ~*erne* stand on ceremony.

formalitet *s* formality.

formand *s (i forening etc)* president *(for* of); *(i bestyrelse etc)* chairman; *(arbejds~)* foreman; ~**skab** *s* presidency; chairmanship.

formane *v* admonish; **formaning** *s* admonition, warning.

format *s* size; *(om bog, papir også:)* format; *(om persons karakter)* standing; *en fest af* ~ a great party; *en person af* ~ a person of standing; *i lille (el. stort)* ~ on a small *(el.* large scale

formation *s* formation.

forme *v* form, shape.

formedelst *præp:* ~ *100 kr* for 100 kr.

formel *s* formula // *adj* formal.

formentlig *adv* presumably, I believe.

formere *v:* ~ *sig* reproduce, multiply; **formering** *s* reproduction.

formgive *v* design; ~**r** *s* designer; **formgivning** *s* design.

formiddag *s* morning; *i* ~*(s)* this morning; *i går* ~*s* yesterday morning; *i morgen* ~ tomorrow morning.

formidle *v (skabe, sørge for)* arrange; *(give videre)* give, convey; ~**r** *s* mediator; **formidling** *s* arrangement; *(udbredelse af viden om)* promo-

tion.

formilde *v (berolige etc)* calm, soothe.

formindske *v* reduce, diminish, lessen; ~**lse** *s* decrease.

formning *s* forming, shaping; *(i skolen)* art.

formode *v* suppose, presume; ~**ntlig** *adj* presumably, I suppose; **formodning** *s* supposition; *(gæt)* guess; *have formodning om at. . .* suspect that. . .

formue *s* capital; *(stor ~)* fortune; ~**nde** *adj* wealthy; ~**skat** *s* wealth tax.

formular *s* form.

formulere *v* express, put into words.

formynder *s* guardian; ~**skab** *s* guardianship.

formøble *v* squander, throw away.

formørke *v* darken; ~**lse** *s (om sol, måne etc)* eclipse.

formå *v (kunne)* be able (to), be capable (of); *(overtale)* induce.

formål *s* purpose, aim; *have til* ~ *at* be intended to; *lavet til* ~*et* purpose-made; ~**sløs** *adj* pointless; ~**stjenlig** *adj* suitable.

fornavn *s* Christian name, first name.

forneden *adv* below, at the bottom.

fornem *adj* distinguished.

fornemme *v* feel, sense; ~**lse** *s* feeling; *have ngt på* ~*lsen* have a feeling about sth.

fornuft s reason; *det er sund ~ det* it is common sense; *tale en til ~* make sby see reason; **~ig** adj sensible; *(rimelig)* reasonable.

forny v renew; *(lave i stand)* renovate; *(udskifte)* replace; *efter ~et overvejelse* after further consideration; **~else** s renewal; renovation; replacement.

fornærme v offend, insult; **~lse** s insult *(mod* to); **~t** adj offended; *(mopset)* miffed; *blive ~t over ngt* take offence at sth; *blive ~t på en* be miffed with sby.

fornøden adj necessary.

fornøje v amuse; **~lig** adj amusing; **~lse** s pleasure; *(forlystelse)* amusement; *god ~lse!* have a good time! *med ~lse* with pleasure; *det er ikke for min ~lses skyld* it is not for fun; **~t** adj pleased, content *(med* with); *(glad)* cheerful.

forord s preface.

foroven adv above, at the top.

forover adv forward.

forpagte v rent; *~ bort* lease; *~r* s tenant; **forpagtning** s tenancy, lease.

forpeste v poison.

forpjusket adj tousled.

forplante v: *~ sig (om dyr)* reproduce; *(om lyd etc)* spread; **forplantning** s reproduction.

forpligte v: *~ sig til at gøre ngt* commit oneself to doing sth;

~lse s commitment, obligation *(over for* towards, *til at* to); **~nde** adj binding; **~t** adj bound.

forpustet adj breathless.

forrest adj front, foremost // adv in front, first.

forret s *(gastr)* starter, first course; *(førsteret)* priority.

forretning s business; *(butik)* shop; *(enkel handel)* deal; *gøre en god ~* make a bargain; *snakke ~er* talk shop; **~sdrivende** s *(med butik)* shopkeeper; *(i større stil)* businessman; **~sforbindelse** s business connection; **~sgade** s shopping street; **~smand** s businessman; **~srejse** s business trip.

forrige adj previous; *~ år* last year.

forringe v reduce; *(i værdi)* depreciate; **~lse** s reduction; depreciation.

forrude s *(auto)* windscreen.

forrygende adj furious; *(fig)* wild, fantastic.

forrykt adj mad, crazy.

forræder s traitor; **~i** s treachery; *(lands~i)* treason; **~isk** adj treacherous.

forråd s store, stock.

forråde v betray.

forrådnelse s decay, rot.

forsagt adj timid.

forsamle(s) v gather; **forsamling** s meeting, gathering; *(publikum)* audience; *(menneskemængde)* crowd; **forsamlingshus** s village hall.

forsatsvinduer *spl* double glazing.

forse *v:* ~ *sig mod en* do sby wrong; ~ *sig på en (dvs. ikke kunne lide)* get annoyed with sby; *(dvs. falde for)* fall for sby; ~**else** *s* offence.

forsegle *v* seal (up).

forsendelse *s (det at sende)* sending; *(hold varer)* shipment; *(pakke)* parcel.

forside *s* front; *(i avis, blad)* front page.

forsigtig *adj* careful; *(blid)* gentle; *'F~!' (på pakke etc)* 'Handle With Care'; ~**hed** *s* care; caution.

forsikre *v* insure; *(hævde, sværge på etc)* assure; ~ *en om ngt* assure sby of sth.

forsikring *s* insurance; *(hævdelse etc)* assurance; ~**police** *s* insurance policy; ~**spræmie** *s* insurance premium; ~**sselskab** *s* insurance company; ~**stager** *s* policy holder.

forsinke *v* delay; ~**lse** *s* delay.

forske *v* do research *(i* into).

forskel *s* difference; *gøre* ~ *på* distinguish between; *kende* ~ *på Peter og Henry* tell Peter from Henry.

forskellig *adj* different *(fra* from); ~*e (dvs. ikke ens)* different; *(dvs. diverse)* various; *det er meget* ~*t* it varies a lot.

forsker *s* researcher; *(naturvidenskabelig)* scientist; *(humanistisk)* scholar; **forskning** *s* research *(i* into).

forskrift *s (reglement)* regulation; *(vejledning)* directions *pl.*

forskrække *v* frighten, scare; ~**lse** *s* fright.

forskud *s* advance; ~**sopgørelse** *s* estimate of next year's income.

forslag *s* proposal *(om* for); *(lov~)* bill; *(~ til afstemning ved møde)* motion; *komme med et* ~ make a proposal; *(ved møde)* put a motion.

forsone *v* reconcile; ~ *sig med ngt* reconcile oneself to sth; **forsoning** *s* reconciliation.

forsorg *s* care; *(social ~)* welfare.

forspil *s* prelude.

forspilde *v* waste; ~ *sin chance* miss one's chance.

forspring *s* lead; *have* ~ be in the lead.

forstad *s* suburb; ~**s-** suburban.

forstand *s (fornuft)* reason; *(tænkeevne)* intellect; *(intelligens)* intelligence; *(sind)* mind; *gå fra* ~*en* go mad; *er du fra* ~*en?* are you out of your mind? *i en vis* ~ in a sense; *i den* ~ *at...* in the sense that...; *have* ~ *på ngt* know about sth.

forstander *s (for skole)* headmaster, *(kvindelig)* headmistress; *(for institution etc)* director.

forstavelse *s* prefix.

forstavn *s* bow.

forstene *v* petrify; ~**t** *adj* pe-

trified; *(om fx søpindsvin)*
fossilized; **forstening** s *(af dyr el. plante)* fossil.
forstmand s forester.
forstoppe v block; *(med)* constipate; **~lse** s *(med)* constipation.
forstrække v *(fx en muskel)* strain; *(give penge)* advance.
forstue s hall.
forstue v sprain; **forstuvning** s sprain.
forstvæsen s forestry.
forstyrre v disturb; **~lse** s disturbance; **~t** adj confused; *(skør)* crazy.
forstærke v strengthen; *(om lyd og fig)* increase; **~r** s *(radio)* amplifier; **forstærkning** s strengthening; *forstærkninger (mil)* reinforcements.
forstørre v enlarge; **~lse** s enlargement; **~lsesglas** s magnifying glass.
forstøve v atomize; **~r** s atomizer.
forstå v understand; *(indse)* realize, see; *hun forstod på ham at...* she understood from what he said that...; ~ *sig på ngt* know about sth; **~elig** adj comprehensible; *(som kan undskyldes)* understandable; *gøre sig ~elig* make oneself understood; **~else** s understanding; **~ende** adj understanding.
forsvar s defence; *tage en i ~* stand up for sby; **~e** v defend *(mod* against); **~er** s defen-

der; *(jur)* counsel for the defence; **~lig** adj justifiable; *(sikker)* secure; **~sløs** adj defenceless; **~sministerium** s Ministry of Defence; **~spolitik** s defence policy; **~svåben** s defensive weapon.
forsvinde v disappear, vanish; *(blive væk)* get lost; *forsvind med dig!* get lost! scram! **forsvundet** adj lost; *(savnet)* missing.
forsyne v: ~ *en med ngt (dvs. levere ngt)* supply sby with sth; *(dvs. udstyre en)* provide sby with sth; ~ *sig (med mad etc)* help oneself; **forsyning** s supply.
forsæde s *(i bil)* front seat.
forsæt s intention, purpose; *med ~* on purpose; **~lig** adj intentional, deliberate.
forsøg s *(prøve)* test, trial; *(eksperiment)* experiment; *(bestræbelse)* attempt; *gøre et ~ på at...* make an attempt to...; *det var ~et værd* it‿was worth a try; **~e** v try, attempt *(på at* to); **~sdyr** s laboratory animal; **~skanin** s *(fig)* guinea-pig.
forsømme v *(ikke passe på)* neglect; *(gå glip af, udeblive fra)* miss; *(være fraværende)* be absent; **~lse** s neglect; absence; **~lser** *(i skolen etc)* absenteeism; **forsømt** adj neglected.
forsørge v keep, provide for; *(økonomisk)* support; **~lse** s support; **~r** s breadwinner;

enlig ~r single parent.
forsåle v sole; **forsåling** s soling.
fortabe v forfeit; **fortabt** adj lost; *føle sig fortabt* feel lost; *give fortabt* give up; *de er fortabt* they are done for.
fortage v: ~ *sig* wear off; *(om lyd)* die down.
fortand s front tooth.
fortegnelse s list; *(systematisk)* record.
fortid s past; *(gram)* the past (tense).
fortil adv in front.
fortilfælde s precedent.
fortjene v deserve; *det har du fortjent* it serves you right; ~**ste** s (overskud) profit; *(indtægt)* earnings pl; *(ngt man har opnået etc)* merit; *det er din ~ste at...* it is due to you that...; *sælge ngt med ~ste* sell sth at a profit; **fortjenstfuld** s deserving.
fortjent adj: *gøre sig ~ til ngt* deserve sth.
fortløbende adj consecutive.
fortolde v declare; *(betale told af)* pay duty on; **fortoldning** s clearance; *(betaling)* payment of duty.
fortolke v interpret; ~**r** s interpreter; **fortolkning** s interpretation.
fortov s pavement; ~**srestaurant** s pavement restaurant.
fortrin s advantage.
fortrinlig adj excellent.
fortrinsret s priority; **fortrinsvis** adj preferably; *(især)*

chiefly.
fortrolig adj confidential; *(som man kender godt)* familiar; *blive ~ med ngt* make oneself familiar with sth; *en ~ ven* an intimate friend; ~**hed** s confidence.
fortryde v regret; ~**lse** s regret; *(irritation etc)* annoyance.
fortrylle v charm, bewitch; ~**lse** s charm; *(trylleri)* spell; ~**nde** adj charming.
fortræd s harm; *gøre en ~* harm sby, hurt sby.
fortrække v *(gå væk)* go away; *(om ansigtet etc)* distort; *ikke ~ en mine* not turn a hair.
fortsat adj continuous; *(historie, artikel)* continued // adv still.
fortsætte v continue, go on; ~ *med at gøre ngt* continue to do sth, go on doing sth; ~**lse** s continuation.
fortvivle v despair; ~**lse** s despair; ~**t** adj in despair.
fortynde v dilute, thin; ~**r** s *(til maling etc)* thinner; **fortynding** s dilution.
fortælle v tell; *hun fortalte at de var syge* she told me (, him, her, us, them) that they were ill; ~ *en om ngt* tell sby about sth; **fortælling** s story.
fortøje v moor; **fortøjning** s mooring; **fortøjningspæl** s bollard; *(ude i vandet)* dolphin.
fortørnet adj angry.
forud adv in advance; *være ~ for en* be ahead of sby; ~**be-**

forældet **f**

stemt *adj* predetermined; ~**bestille** *v* book; *(om varer)* order in advance; ~**bestilling** *s* reservation; ~**e** *adv* ahead; ~**en** *præp* besides; ~**gående** *adj (tidligere)* previous; ~**sat** *adj:* ~**sat at** provided that; ~**se** *v* foresee; ~**sige** *v* predict; ~**sigelig** *adj* predictable.

forudsætning *s* condition; *(antagelse)* assumption; *have* ~**er for at gøre ngt** be qualified to do sth; *ud fra den* ~ *at...* on the assumption that...; *under* ~ *af at...* on condition that...; **forudsætte** *v (gå ud fra)* presuppose; *(antage)* assume; *forudsætte som givet at* take it for granted that.

forulykke *v (om bil, fly etc)* crash; *(om person)* have an accident; *(dvs. dø)* be killed in an accident.

forundret *adj* surprised *(over at, over at* that); **forundring** *s* surprise.

forurene *v* pollute; **forurening** *s* pollution; **forureningskilde** *s* pollutant.

forurolige *v* disturb; ~**nde** *adj* disturbing.

forvalte *v* manage; ~**r** *s* manager; *(af landejendom)* (farm) bailiff; **forvaltning** *s* administration.

forvandle *v* change *(til* into); ~ *sig* change; **forvandling** *s* change.

forvaring *s* keeping; *(fængsel)* custody.

forvask *s* prewash; ~**et** *adj* washed-out.

forvejen *s: gå i* ~ go ahead; *gøre ngt i* ~ do sth beforehand; *det var varmt nok i* ~ it was already warm enough.

forveksle *v* mix up; ~ *A med B* mistake A for B, mix A up with B; **forveksling** *s* mistake; *de ligner hinanden til forveksling* they are hard to tell from one another.

forvente *v* expect.

forventning *s* expectation; *mod* ~ contrary all expectations; *leve op til* ~**erne** come up to expectations; *i* ~ *om...* expecting...; *over* ~ beyond expectation; ~**sfuld** *adj* expectant.

forvirre *v* confuse; **forvirring** *adj* confusion.

forvise *v (fx til Sibirien)* deport; *(landsforvise)* exile; **forvisning** *s* exile.

forvisse *v:* ~ *sig om at...* make sure that...

forvolde *v* cause.

forvride *v* twist; *(forstuve)* sprain; **forvridning** *s* twisting; spraining.

forvrænge *v* distort; **forvrængning** *s* distortion.

forvænt *adj* spoilt.

forværre *v* worsen, aggravate; *(syn, hørelse etc)* impair; ~**s** get worse; **forværring** *s* worsening; aggravation; impairment.

forældet *adj* out-dated, obsolete.

forældre *spl* parents; ~**løs** *adj* orphaned; ~**myndighed** *s* custody *(over of)*.

forære *v* give; *jeg har fået den ~nde* it was given to me; **foræring** *s* gift, present.

forøge *v* increase *(med* by); ~**lse** *s* increase.

forår *s* spring; *i ~et 1986* in the spring of 1986; *til ~et* next spring.

forårsage *v* cause, bring about.

fos *s* waterfall.

fosfor *s* phosphorus.

fosse *v:* ~ *ud* gush out.

foster *s* embryo, foetus; ~**vand** *s* amniotic fluid; ~**vandsprø-ve** *s* amniocentesis; **fostre** *v* produce.

foto *s* photo; ~**graf** *s* photographer; *(tv, film)* cameraman; ~**grafere** *v* photograph; ~**grafi** *s (billede)* photo(graph); *(det at fotografere)* photography; ~**grafiapparat** *s* camera; ~**handler** *s* camera dealer, photo shop; ~**kopi** *s* photocopy, Xerox ®; ~**kopie-re** *v* photocopy, Xerox ®; ~**kopimaskine** *s* photocopier; ~**stat** *s* photostat ®.

fra *præp/konj* from; *(væk fra)* off; *(se også de enkelte ord som ~ forbindes med); de kommer ~ Skotland* they come from Scotland; *holde sig ~ cigaretter* stay off cigarettes; *fem ~ otte er tre* five from eight is three; *~ i dag af* from this day on; *hun har talt engelsk ~ han var lille* she

has been speaking English since she was a child // *adv* off; *tapetet er gået* ~ the wallpaper has come off; *det gør hverken ~ el. til* it makes no difference.

frabede *v:* ~ *sig ngt* refuse sth; *det vil jeg gerne have mig frabedt* I won't have that.

fradrag *s (i selvangivelsen etc)* deduction; *(som skattevæse-net giver)* allowance; ~**sbe-rettiget** *adj* tax-deductible.

fradømme *v:* ~ *en kørekortet* suspend sby's licence.

fragt *s* freight; ~**brev** *s* waybill; ~**e** *v* carry; ~**gods** *s* goods *pl;* ~**mand** *s* carrier; ~**skib** *s* freighter.

frakke *s* coat; *tage ~n på* put on one's coat; ~**skåner** *s* dress guard.

frakørsel *s (fra motorvej)* exit, slip road.

fralandsvind *s* off-shore wind.

fralægge *v:* ~ *sig ansvaret* refuse to take responsibility.

frankere *v* stamp.

Frankrig *s* France; **fransk** *adj* French; *på fransk* in French; *franske kartofler* potato crisps; **franskbrød** *s* white bread; **franskmand** *s* Frenchman; *franskmændene* the French.

fraråde *v:* ~ *en at gøre ngt* advise sby against doing sth.

frasepareret *adj* separated.

frasige *v:* ~ *sig* renounce.

fraskilt *adj* divorced.

fraskrive *v:* ~ *sig* renounce.

frastødende *adj* repulsive.
fratage *v:* ~ *en ngt* deprive sby of sth.
fratræde *v* resign; *(p.g.a. alder)* retire; **~lse** *s* resignation; retirement.
fravær *s* absence; **~ende** *adj* absent; *(langt væk i tankerne)* absent-minded.
fred *s* peace; ~ *og ro* peace and quiet; *lade en være i* ~ leave sby alone; *slutte* ~ make peace.
fredag *s* Friday; *i* ~*s* last Friday; *om* ~*en* on Fridays; *på* ~ on Friday, next Friday.
frede *v* protect, preserve.
fredelig *adj* peaceful.
fredet *adj* protected, preserved; ~ *område* conservation area.
fredløs *adj* outlawed; *en* ~ an outlaw; **~hed** *s* outlawry.
fredning *s* preservation, conservation; **~snævnet** *s* the Conservation Board; **~stid** *s (for dyr)* close season.
freds... *sms:* **~aktivist** *s* peace activist; **~bevarende** *adj* peace-keeping *(fx styrker* forces); **~bevægelse** *s* peace movement.
fredsommelig *adj* peaceable; **~hed** *s: i al* ~hed peacefully.
freds... *sms:* **~prisen** *s* the Nobel Peace Prize; **~slutning** *s* peace agreement; **~styrker** *spl (FN)* peace-keeping forces; **~tid** *s: i* ~tid in times of peace.
fregat *s* frigate.

fregne *s* freckle; **~t** *adj* freckled.
frekvens *s* frequency.
frekventere *v* frequent.
frelse *s (redning)* rescue; *(åndelig* ~) salvation // *v* save, rescue; **F~ns Hær** *s* the Salvation Army; **~r** *s* saviour; **frelst** *adj* saved, rescued; *(neds)* self-righteous.
frem *adv (videre)* on; *(ud, til syne)* out; *(fremad)* forward(s); *træde* ~ step forward; *gå længere* ~ walk further on; *komme* ~ *fra mørket* come out of the dark; *tage ngt* ~ take sth out, produce sth; *trave* ~ *og tilbage* walk up and down, walk to and fro.
fremad *adv* forward(s); *(videre)* on; *(ud i fremtiden)* a-head; **~stræbende** *adj* up-and-coming.
frembringe *v* produce; **~lse** *s* production; *(det der er frembragt)* product.
fremdatere *v* postdate.
fremfor *præp* before, rather than; ~ *alt* above all.
fremgang *s* progress; *(held)* success; **~småde** *s* procedure; *(metode)* method.
fremgå *v* appear; *heraf* ~*r at...* from this it appears that...
fremherskende *adj* prevailing.
fremhæve *v* accentuate; *(lægge vægt på, understrege)* emphasize.
fremkalde *v* cause, evoke;

(føre til) bring about; *(foto)* develop; *(med)* induce; **~lse** s *(foto)* development; *(teat)* curtain call; **~r** s *(foto)* developer.

fremkommelig adj *(om vej)* passable, practicable.

fremleje v sublet.

fremlægge v present; *(til bedømmelse)* submit.

fremme s advancement // v promote, further; *(bringe videre frem)* advance, forward // adv *(foran)* in front; *(kommet frem, til at se)* out; *(i medierne etc)* in the news; *lade ngt ligge* ~ leave sth lying about; *være langt ~ med ngt* be far ahead with sth.

fremmed s *(ukendt person)* stranger; *(udlænding)* foreigner; *(gæst)* visitor // adj *(ukendt)* strange; *(fra udlandet)* foreign; *føle sig* ~ feel a stranger; *være* ~ *for ngt* be a stranger to sth; ~ *valuta* foreign currency; **~arbejder** s immigrant worker; **~gøre** v alienate; **~gørelse** s alienation; **~legeme** s foreign body; **~ord** s foreign word; **~politiet** s the aliens branch (of the police).

fremmelig adj *(om barn)* precocious.

fremover adv ahead; *(for fremtiden)* in the future.

fremragende adj outstanding.

fremsende v forward; *vedlagt* ~*s...* enclosed you will

find...

fremskridt s progress; *et* ~ *a* step forward; **~svenlig** adj *(også pol)* progressionist.

fremskynde v speed up, hasten; **~lse** v speeding up, hastening.

fremspring s projection.

fremstille v *(lave)* make, produce, manufacture; *(fortælle om)* describe; *(afbilde, gengive)* represent; **fremstilling** s production, manufacture; representation; *(beretning)* account.

fremsætte v put forward; *(foreslå)* propose; ~ *et lovforslag* introduce a bill.

fremtid s future; *for* ~*en* in future; *en gang i* ~*en* some time in the future; **~ig** adj future; **~sudsigter** spl prospects.

fremtrædende adj prominent.

fremtvinge v force.

fremvise v show; **~r** s *(til dias)* slide projector; *(til film)* film projector; **fremvisning** s showing, presentation.

fri v *(bejle)* propose *(til* to) // adj free; *holde* ~ take time off; *slippe* ~ *fra ngt* escape sth; *jeg vil helst være* ~ I would rather not; *må vi så være* ~! now, that's enough! *være* ~ *for ngt* be free from sth; *blive* ~ *for at gøre ngt* be excused from doing sth; *ude i det* ~ in the open air; **~billet** s free ticket; **~dag** s day off, holiday.

frier *s* suitor; **~i** *s* proposal.
frifinde *v* acquit; **~lse** *s* acquittal.
frigive *v* release, set free; *(gøre tilladt)* legalize; **~lse** *s* release; legalization.
frigjort *adj* emancipated; **~hed** *s* emancipation.
frihed *s* freedom, liberty; *tage sig den ~ at…* take the liberty to…; **~sberøvelse** *s (jur)* imprisonment; **~sbevægelse** *s* liberation movement; **~skamp** *s* struggle for liberty; *(modstandskamp)* resistance; **~skæmper** *s* freedom-fighter; *(i modstandskamp)* resistance fighter.
frihjul *s: køre på ~* coast, freewheel.
frikadelle *s* meat cake, rissole; *(om person)* ham.
frikassé *s* stew.
frikende *v* acquit *(for* of); **~lse** *s* acquittal.
frikort *s (billet)* free pass; *(skattekort)* card showing how much you may earn without paying tax.
frikvarter *s* interval, break.
frilandsmuseum *s* open-air museum.
frilufts… *sms:* **~forestilling** *s* open-air performance; **~liv** *s* outdoor life; **~menneske** *s* nature lover; **~teater** *s* open-air theatre.
friløb *s (på skøjter)* free skating.
frimurer *s* freemason.
frimærke *s* stamp; **~automat** *s*

stamp machine; **~hæfte** *s* book of stamps; **~samling** *s* stamp collection.
friplads *s (i skole etc)* free place.
frisere *v* comb; **~** *sig* comb *(el.* do) one's hair.
frisindet *adj* broad-minded.
frisk *adj* fresh; *(rask)* well; *(livlig)* lively; *begynde på en ~* start afresh; **~bagt** *adj* freshly baked; **~e** *v* freshen; *~e op (forfriske)* refresh; *(pynte på, om vind: blæse stærkere)* freshen up; *~e sit engelsk op* brush up one's English; **~lavet** *adj* freshly made.
friskole *s* free school, private school.
frispark *s* free kick; *lave ~ mod en* foul sby.
frist *s (tidsrum)* period; *(tidspunkt hvor ngt skal ske)* deadline; *sidste ~* final date; *få en ~ til på mandag* get until Monday.
fristad *s* freetown.
friste *v* tempt; **~lse** *s* temptation; **~nde** *adj* tempting.
frisure *en* hairdo, hairstyle; **frisør** *s* hairdresser.
fritid *s* leisure time, spare time; **~sbeskæftigelse** *s* hobby; **~center** *s* leisure centre; **~shjem** *s* after-school centre; **~shus** *s* holiday house.
friturestege *v* deep-fry.
frivillig *s* volunteer // *adj* voluntary; *melde sig som ~ til ngt* volunteer for sth.

frodig adj (om jord) fertile; (om kvinde) buxom; ~hed s fertility.

frokost s lunch; spise ~ have lunch; han er gået til ~ he is at lunch; gå ud og spise ~ lunch out; ~pause s lunch break.

from adj pious; (blid) gentle; ~ som et lam meek as a lamb.

fromage s sv.t. cold soufflé.

fromhed s piety.

front s front.

frontal adj frontal; ~t sammenstød head-on collision.

frossen adj frozen.

frost s frost; få ~ i tærne get frost-bitten toes; ~boks s freezer; ~vejr s frosty weather; ~væske s (auto) antifreeze.

frotté s towelling; ~håndklæde s towel; **frottere** v rub.

frue s (i huset) mistress; (hustru) wife; fru Hansen Mrs. Hansen; javel, ~! yes, madam! hr. Henning Poulsen og ~ Mr. and Mrs. Henning Poulsen.

frugt s fruit; ~avl s fruit-growing; ~bar adj fertile; ~barhed s fertility; ~farve s food colouring; ~grød s sv.t. stewed fruit; ~have s orchard; ~saft s fruit juice; ~salat s fruit salad; ~træ s fruit tree.

frustreret adj frustrated.

fryd s joy; delight; ~e v delight; ~e sig over ngt (dvs. glæde sig) enjoy sth; (dvs.

hovere) gloat over sth.

frygt s fear; af ~ for for fear of; af ~ for at for fear that; ~e v fear, be afraid of, dread; ~e for ngt fear (el. dread) sth; ~e for at fear that; ~elig adj terrible, dreadful // adv terribly, dreadfully; ~indgydende adj terrifying; ~løs adj fearless; ~som adj timid.

frynse s fringe; ~gode s fringe benefit.

fryse v (om person) be cold; (nedfryse etc) freeze; det ~r it is freezing; det ~r ti grader it is ten degrees below zero; ~ ihjel freeze to death; ~ om fingrene have cold fingers; ~boks s freezer; ~punkt s freezing point; ~r s freezer; ~tørre v freeze-dry.

fræk adj impudent, cheeky; (dristig) daring; (uartig) naughty; ~hed s impudence, cheek; daring; naughtiness.

fræse v mill; ~ af sted belt along; ~r s milling machine.

frø s (zo) frog; (bot) seed.

frøken s young lady, miss; ~ Jensen Miss Jensen.

frømand s frogman; ~sdragt s frogman suit.

fråde s froth, foam // v foam; ~nde adj foaming.

fråse v gorge; ~ i ngt gorge oneself with sth; ~ri s gluttony; (ødslen) waste (med of).

fugl s bird; det er hverken ~ el. fisk it is neither here nor there; ~ebur s bird-cage; ~erede s bird's nest;

~**eskræmsel** s scarecrow; ~**eunge** s young bird.

fugt s moisture; *(i fx hus, uønsket)* damp; ~**e** v moisten, damp; ~**er** s moistener; ~**ig** adj moist, damp; ~**ighed** s humidity; dampness; ~**ighedscreme** s moisturizer; ~**ighedsmåler** s hygrometer.

fuld adj full; *(om bus etc også:)* crowded, packed; *(beruset)* drunk; *blive* ~ get drunk; ~ *af... full of...*; *køre for* ~ *kraft* go at full steam; *køre i* ~ *fart* go at full tilt; ~*e navn* full name; *arbejde på* ~ *tid* work full time; *(se også fuldt).*

fuldautomatisk adj fully automatic.

fuldblods- adj thoroughbred.

fuldbyrde v accomplish; *(voldtægt etc)* consummate; ~**lse** s accomplishment; consummation.

fuldende v complete, finish; ~**lse** s completion; **fuldendt** adj (hel) complete; *(perfekt)* perfect; **fuldendthed** s perfection.

fuldkommen adj perfect // adv perfectly, quite.

fuldkornsbrød s coarse wholemeal bread; **fuldkornsmel** s coarse wholemeal.

fuldmagt s *(skriftlig)* written authority; *(til at stemme for en anden)* proxy; *(jur)* power of attorney.

fuldmægtig s sv.t. head clerk; *(i ministerium)* principal.

fuldmåne s full moon.

fuldskab s drunkenness.

fuldskæg s (full) beard.

fuldstændig adj complete; *(perfekt)* perfect.

fuldt adv completely, fully; *tro* ~ *og fast på ngt* believe firmly in sth; *have* ~ *op at gøre* have plenty to do; *gøre ngt* ~ *ud* do sth to the full.

fuldtallig adj complete.

fuldtids- full-time.

fuldtræffer s direct hit.

fumle v fumble, fiddle *(med* with); **fummelfingret** adj fumble-fisted.

fund s find; *(billigt køb)* bargain.

fundament s foundation, base; *(fig)* basis; ~**al** adj fundamental, basic.

fundere v *(spekulere)* ponder *(over* on).

fungere v *(handle)* act; *(virke)* work; *(om person)* function; ~**nde** adj acting.

funktion s function; *(om maskine)* functioning; *i* ~**working**; ~**sdygtig** adj in working order; ~**sfejl** s malfunction; ~**ær** s *(på kontor)* office worker; *(i det offentlige)* official.

fup s cheat, trickery; ~**mager** s cheat; ~**nummer** s trick; ~**pe** v cheat, swindle.

fure s *(fx plov~)* furrow; *(rille)* groove; *(i ansigtet)* line.

fuser s damp squib.

fusion s merger; ~**ere** v merge.

fuske v *(kludre)* bungle; ~

med ngt dabble in sth; **~ri** *s (kludder)* bungling; *(snyd)* cheating.

fut *s (liv)* go, pep; **sætte ~ i** *ngt* jazz up sth; **~te** *v: ~te ngt af* burn sth.

fx *d.s.s. f.eks.*

fy *interj: ~ for pokker!* ugh! *~ skam dig!* you ought to be ashamed of yourself!

fyge *v* drift, fly.

fyld *s* filling; *(i fx kylling, i møbler)* stuffing; **~e** *v* fill; *(tage plads op)* take up room; *(om fjerkræ etc)* stuff; *han ~er 20 i morgen* he will be 20 tomorrow; *~e tanken op (auto)* fill up the tank; *~e på* pour.

fyldepen *s* fountain pen.

fylderi *s (druk)* boozing.

fyldest *s: gøre ~ be* satisfactory; *ske ~ be* done; **~gørende** *adj* adequate.

fyldig *adj* plump; *(fig, omfangsrig)* copious; **~hed** *s* plumpness; copiousness.

fyldt *adj* full *(med* of), filled *(med* with).

Fyn *s* Funen; **f~bo** *s* native of Funen.

fyndig *adj* terse.

fynsk *adj* from Funen.

fyr *s (mar)* light; *(~tårn)* lighthouse; *(varme~)* furnace; *(person)* chap, bloke; *(bot)* pine; **~aften** *s* closing time; **~bøder** *s* stoker.

fyre *v (afskedige)* sack; *(tænde ild)* fire; *(have ild i kakkelovnen el. pejsen)* have a fire;

(have tændt for varmeapparatet) have the heating on; *~ en kanon af* fire a gun; *~ vittigheder af* crack jokes; *~ op* make a fire; **~seddel** *s* notice of dismissal.

fyrig *adj* fiery, ardent; **~hed** *s* fire, ardour.

fyring *s (afskedigelse)* sacking; *(optænding)* firing; *(opvarmning)* heating.

fyrkedel *s* boiler.

fyrre *num* forty; *han er født i ~rne* he was born in the forties; *han er i ~rne* he is in his forties.

fyrre. . . *sms:* **~skov** *s* pine forest; **~træ** *s* pine (tree); *(materialet)* pine(wood); **~træsmøbler** *spl* deal *(el. pine)* furniture.

fyrretyvende *adj* fortieth.

fyrskib *s* lightship.

fyrste *s* prince; **~lig** *adj* princely; **~ndømme** *s* principality; **fyrstinde** *s* princess.

fyrtårn *s* lighthouse; **fyrværkeri** *s* fireworks.

fyråb *s* booing.

fysik *s* physics; *(kropsbygning etc)* physique; **~er** *s* physicist.

fysiolog *s* physiologist; **~i** *s* physiology; **~isk** *adj* physiological.

fysioterapeut *s* physiotherapist; **fysioterapi** *s* physiotherapy.

fysisk *adj* physical.

fæ *s* fool, ass.

fædreland *s* native country; **~ssang** *s* patriotic song.

fædrene adj: på ~ side on the father's side.

fægte v (kæmpe) fight; (sport) fence; ~ med armene gesticulate; **fægtning** s (sport) fencing.

fæl s nasty.

fælde s trap; gå i ~n fall into the trap; sætte en ~ for en set a trap for sby // v (træ etc) cut down, fell; (tabe hår) shed; (tabe fjer) moult; ~ en dom over en pass sentence on sby; ~ en tåre shed a tear; **~nde** adj (fx bevis) damning.

fælg s (i hjul) rim.

fælles adj common (for to), joint; (ngt man deler) shared; have ngt til ~ have sth in common; være ~ om ngt share sth; ~ anstrengelser joint effort; ved ~ hjælp between us (, them, you); vores ~ ven our mutual friend.

fællesantenne s block aerial.

fælleseje s joint property.

fællesmarked s: ~et the Common Market; **~s-** Common Market, Community.

fællesskab s community; gøre ngt i ~ do sth together.

fællesskole s coeducational school.

fællestillidsmand s senior shop steward.

fænge v kindle, catch fire.

fængsel s prison, gaol; (~straf) imprisonment; **~sbetjent** s warder; **~sstraf** s imprisonment.

fængsle v imprison, put in prison; (fig, gribe, betage) fascinate; **~nde** adj fascinating; **fængsling** s imprisonment.

fænomen s phenomenon; **~al** adj phenomenal.

færd s: fra første ~ right from the beginning; være i ~ med at gøre ngt be doing sth; hvad er der på ~e? what is going on? der er fare på ~e there is danger brewing.

færdes v move about; (gå) walk; (i keretøj) go; ~ blandt de rige mix with the rich.

færdig adj finished, done; (parat) ready; gøre sig ~ get ready; er du snart ~? when will you be finished? fiks og ~ cut-and-dried; **~gørelse** s finishing; **~hed** s skill, accomplishment; **~pakket** adj prepacked; **~syet** adj ready-made, off-the-peg; **~varer** spl manufactured goods.

færdsel s traffic; **~sloven** s the Road Traffic Act; **~spoliti** s traffic police; **~sregler** spl traffic regulations; **~ssikkerhed** s road safety; **~sskilt** s traffic sign; **~suheld** s road accident; **~såre** s (i by) thoroughfare; (på landet) arterial road.

færge s/v ferry; **~fart** s ferry service; **~leje** s ferry berth.

færing s Faroese.

færre adj fewer; **~st** adj fewest; de ~ste ved at... few people know that...

Færøerne spl the Faroe Islands; **færøsk** adj Faroese.

fæste v fasten, secure, fix; ~ *sig ved ngt* notice sth.

fæstning s fortress.

fætter s cousin; *være ~ og kusine* be cousins.

føde s food; *(næring)* nourishment; *tage ~ til sig* take nourishment, eat; *tjene til ~n* earn one's living // v *(få barn/unge)* give birth (to); *(forsørge, ernære)* support; *hun har født tre gange* she has had three children; *hun er født i 1950* she was born in 1950; *fru Jensen født Hansen* Mrs. Jensen née Hansen; **~afdeling** s maternity ward; **~by** s native town; **~klinik** s maternity clinic; **~kæde** s food-chain; **~sted** s birthplace; **~varer** spl foodstuffs.

fødsel s birth, childbirth; *(nedkomst)* delivery; *hun er engelsk af ~* she is English by birth; **~sattest** s birth certificate; **~sdag** s birthday; **~sdagsgave** s birthday present; *give en ngt i ~sdagsgave* give sby sth for his/her birthday; **~sforberedelse** s antenatal exercises pl; **~skontrol** s birth control; **~slæge** s obstetrician; **~stal** s birthrate; **~sveer** spl labour pains; **~sår** s year of birth.

føje v: ~ *en* give in to sby; ~ *ngt sammen* join sth; *have ngt at ~ til* have sth to add; **~lig** adj compliant; *(eftergivende)* indulgent; **~lighed** s

compliance; indulgence.

føjte v roam around; *være ude at ~* be out gallivanting.

føl s foal.

føle v feel; *jeg ~r med dig!* I feel for you! ~ *på ngt* feel sth; ~ *sig for* feel one's way; ~ *sig glad* feel happy; **~horn** s antenna; **~lse** s feeling; **~lsesbetonet** adj emotional; **~lsesløs** adj numb; **~r** s: *sende en ~ ud* put out a feeler; **~sans** s sense of touch.

følge s *(ledsagelse)* escort; *(rækkefølge)* succession; *(resultat)* consequence; *have til ~* result in; *som ~ af* as a result of // v follow; *(ledsage)* accompany, escort; ~ *et råd* take a piece of advice; **~s ad** go together; ~ *en hjem* see sby home; ~ *med tiden* keep up with the times; ~ *en ud* see sby out; ~ *en til toget* see sby to the station.

følgende adj following; *han skrev ~* he wrote as follows.

følgeseddel s delivery note; **følgeskrivelse** s covering letter.

føljeton s serial story.

følsom adj sensitive; **~hed** s sensitivity.

før adv/præp/konj before; *(tidligere)* earlier on; *(snarere, hurtigere, hellere)* sooner; *ikke ~ (dvs. først når)* not until; *(dvs. tidligst)* not before; *har du set ham ~?* have you seen him before? *nej,* *ikke* ~ *nu* no, not until now; ~ *el. senere* sooner or later; *jo* ~ *jo bedre* the sooner the better; *næppe var vi kommet* ~*...* no sooner had we arrived when...

føre s: *det er fint* ~ *(om veje)* the roads are fine; *(om sne)* the snow is fine; *det er dårligt* ~ the roads are in a bad state; *(om sne)* the snow is bad // v *(lede,* ~ *an)* lead, guide; *(transportere)* carry, take; *(være i gang med, fx forhandlinger)* carry on; *(køre bil)* drive; *vejen* ~*r til stranden* the road leads to the beach; ~ *en samtale* carry on a conversation; ~ *bil* drive a car; ~ *an* lead; ~ *med fem meter* lead by five metres; ~ *til* result in, lead to; ~**greb** s armlock; *tage* ~*greb på en* frogmarch sby.

fører s *(anfører)* leader; *(turist*~*)* guide; *(chauffør)* driver; ~**bevis** s driving licence; ~**hus** s (driver's) cab; ~**sæde** s driver's seat.

føring s lead; *have* ~*en* be in the lead; *tage* ~*en* take the lead.

førnævnt adj above-mentioned.

først adj first; *for det* ~*e* in the first place // adv *(i begyndelsen)* at first; *(ikke før)* not until; *komme* ~ be first, come first; ~ *sagde hun ja* at first she said yes; *jeg så det* ~ *i går* I did not see it until

yesterday; ~ *og fremmest* first of all; *han er* ~ *i trediverne* he is in his early thirties; ~ *lige* only just; ~ *nu* not until now; ~ *på måneden* in the beginning of the month.

første... sms: ~**født** adj firstborn; ~**hjælp** s first aid; ~**hjælpskasse** s first-aid box; ~**klasses** adj first-class; ~**præmie** s first prize; ~**rangs** adj first-rate; ~**styrmand** s first mate.

førstkommende adj next.

førstnævnte adj the first mentioned; *(af to)* the former.

førtidspension s early retirement.

få v *(modtage)* get, receive, have; *(opnå)* obtain; *(mad el. drikke)* have; ~ *et brev* get *(el.* receive) a letter; ~ *en prop* (fig) have a fit; *du* ~*r pladen i morgen* you will get the record tomorrow; ~ *vin til maden* have wine with one's meal; ~ *bilen ordnet* have the car seen to; *få ngt gjort (dvs. af andre)* have sth done; *(dvs. gøre det selv)* get sth done; ~ *det overstået* get it over with; ~ *fat i ngt* get hold of sth; *jeg fik ikke fat i navnet* I did not get the name; ~ *en til at gøre ngt* make sby do sth; *(ved overtalelse)* get sby to do sth; *hun kunne ikke* ~ *sig til at gøre det* she could not bring herself to do it; *fik du ngt ud af det?* did it get you anywhere?

496

få adj few; (efter in, only, not, no more than:) a few; om ~ timer in a few hours; ikke så ~ quite a few; nogle ~ a few; vi har kun ~ penge we only have a little money.

fåmælt adj taciturn.

får s sheep; **~ehyrde** s shepherd; **~ekød** s mutton; **~esyge** s mumps; **~et** adj sheepish.

fåtal s: et ~ a minority.

G

gab s mouth; (afgrund etc) chasm; døren stod på vid ~ the door was wide open; **~e** v (åbne munden) open one's mouth; (være søvnig) yawn; (stå åben) be wide open.

gade s street, road; gå hen (el. ned) ad ~n go down the street; gå over ~en cross the street; på ~en in the street; blive sat på ~n be turned out; **~dør** s front door; **~dørsnøgle** s latchkey; **~handler** s street vendor; **~kryds** s: et ~kryds a crossroads; (om hund) a mongrel, a crossbreed; **~lygte** s streetlamp; **~teater** s street theatre; **~uorden** s breach of the peace.

gaffel s fork; **~bidder** spl fillets of pickled herring; **~formet** adj forked; **~truck** s fork-lift truck.

gage s pay, salary; **~forhøjelse** s increment.

gal adj (vred) angry; (meget vred) mad; (forkert) wrong; (tosset) crazy, mad; blive ~ get angry; (blive sindssyg) go mad; det er for ~t! that's too much! det er alt for ~t (dvs. venligt) you are too kind! fare rundt som en ~ rush about like mad; få ngt i den ~e hals get sth down the wrong way; komme på ~e veje go wrong; (se også galt).

galant adj courteous.

galde s (hos mennesker) bile; (hos dyr og fig) gall; **~blære** s gall-bladder; **~sten** s gallstone.

gale v (om hane) crow; ~ op (om person) shout.

galge s gallows; **~nhumor** s grim humour.

gallaforestilling s gala performance.

galleri s gallery.

gallupundersøgelse s ® Gallup poll.

galop s gallop; i ~ at a gallop; **~bane** s racecourse; **~ere** v gallop; **~løb** s horserace.

galskab s (sindssyge) madness; (raseri) rage; det er den rene ~ it is sheer madness.

galt adv wrong(ly); det gik ~ it went wrong; der er ngt ~ there is sth wrong; det var nær gået ~ it was a near thing; komme ~ af sted get into trouble; (dvs. komme til skade) get hurt; køre ~ have an accident.

gamacher *spl* leggings.

gammel *adj* old; *(antik)* ancient; *(forhenværende)* former, old; *(brugt)* second-hand; *han er blevet* ~ he has grown old; *han er 80 år* ~ he is 80 years old; *i gamle dage* in the old days; *de er lige gamle* they are the same age; *davs, du gamle!* hello, old boy!

~dags *adj* old-fashioned; *(som ikke længere bruges)* obsolete; **~jomfru** *s* old maid, spinster; **~kendt** *adj* familiar; **~klog** *adj* precocious.

gane *s* palate; **~spalte** *s (med)* a cleft palate.

gang *s (det at gå)* walk(ing); *(gangart)* gait; *(forløb)* course; *(om maskine etc)* running; *(om tidspunkt)* time; *(entré)* hall; *(have~)* path; *(passage, korridor)* passage; *en* ~ *(i fortiden)* once; *(i fremtiden)* some day; *lad gå for denne* ~ let it pass for now; *tiden går sin* ~ time passes on; *en* ~ *imellem* once in a while, sometimes; *hver* ~ *vi ses* every time we meet; *fire* ~*e fem er tyve* four times five makes twenty; *gøre ngt to* ~*e* do sth twice; *for en* ~*s skyld* for once; *gå i* ~ *med arbejdet* set to work; *motoren er i* ~ the engine is running; *en ad* ~*en* one at a time; *lidt ad* ~*en* little by little; *på en* ~ at once; ~ *på* ~ time after time.

gange *v* multiply *(med* by);

~tegn *s* multiplication sign.

gangsti *s* footpath.

ganske *adj (fuldstændig)* absolutely, very; *(temmelig)* quite; *hun har det* ~ *godt* she is feeling quite well; *det var* ~ *forfærdeligt* it was absolutely awful; ~ *vist* certainly; ~ *vist ... men* of course ... but.

garage *s* garage.

garantere *v* guarantee; *(indestå for)* vouch for; *jeg* ~*r dig for at...* I promise you that...; **garanti** *s* guarantee; *(for lån)* security; **garantibevis** *s* guarantee slip.

garde *s* guard; ~*r s* guardsman; ~*re v* guard *(sig mod* against).

garderobe *s* wardrobe; *(i restaurant etc)* cloakroom; **~skab** *s* wardrobe.

gardin *s* curtain; *(rulle~)* blind; **~kappe** *s* pelmet; **~stang** *s* curtain rail.

garn *s (strikke~)* yarn; *(sy~)* thread; *(uld~)* wool; *(bomulds~)* cotton; *(fiskenet)* net.

garnering *s (flæse etc)* trimming; *(gastr)* garnish.

garnison *s* garrison.

garniture *s* set; *(gastr, om tilbehør)* garnish.

garnnøgle *s* ball of yarn (, wool, cotton).

gartner *s* gardener; *(på planteskole)* nurseryman; **~i** *s (handelsgartneri)* market garden; *(planteskole)* nursery.

garvesyre *s* tannic acid.
garvet *adj (om skind)* tanned;
(fig, om person) hardened.
gas *s (også fig)* gas; *give den ~*
(F) put one's foot down; *tage*
~ på en (F) have sby on;
~apparat *s* gas ring; **~behol-**
der *s (til camping etc)* gas
cylinder; **~forgiftning** *s* gas
poisoning; **~hane** *s* gas tap;
~komfur *s* gas cooker; **~led-**
ning *s* gas pipe; **~maske** *s* gas
mask; **~måler** *s* gas meter; **~**
og vandmester *s* plumber;
~ovn *s* gas oven; **~pedal** *s*
(auto) accelerator (pedal);
~vandvarmer *s* gas water
heater; **~værk** *s*: *et ~værk* a
gasworks.
gave *s* present, gift; **~kort** *s*
gift voucher.
gavl *s* gable.
gavmild *adj* generous; **~hed** *s*
generosity.
gavn *s (nytte)* use, good; *(for-*
del) benefit; *have ~ af ngt*
benefit from sth; *gøre ~* be
useful; *være til ~ for* be of
benefit to; *~e v* be of use, be
useful; benefit; *hvad skal det*
~e? what is the good of that?
~lig *adj* useful; beneficial.
gaze *s* gauze; **~bind** *s* gauze
bandage.
gear *s* gear; *første (, andet,*
trejde, fjerde) gear; *(bottom (,*
low, third, top) gear; *skifte ~*
change gear; *~e v*: *~e op*
change up; *~e ned* change
down; **~et** *adj*: *højt ~et*
highly strung; **~kasse** *s* gear

box; **~stang** *s* gear lever.
gebis *s* denture, false teeth.
gebrokken *s*: *tale ~t dansk*
speak broken Danish.
gebyr *s* fee.
ged *s* goat.
gedde *s* pike.
gede. . . *sms*: **~hams** *s* hornet;
~kid *s* kid; **~ost** *s* goat's milk
cheese.
gehør *s* ear; *spille efter ~* play
by ear; *absolut ~* absolute
pitch.
gejstlig *adj* clerical; *en ~* a
clergyman; *de ~e* the clergy;
~hed *s* clergy.
gelé *s* jelly; *ål i ~* jellied eels.
geled *s* rank; *i række og ~*
(drawn up) in ranks.
gelænder *s* railing; *(på trappe)*
bannister.
gemal, gemalinde *s* consort.
gemen *adj* mean.
gemme *s* hiding place // *v*
(skjule) hide; *(lægge til side)*
put away; *(opbevare)* keep;
(ikke bruge) save; *~ sig for*
en hide from sby; **~sted** *s*
hiding place.
gemyse *s (gastr)* vegetables *pl.*
gemyt *s (væsen)* disposition;
(temperament) temper; **~lig**
adj jovial.
gen *s (biol)* gene.
genbo *s* opposite neighbour.
genbrug *s* recycling, reuse; **~e**
v recycle, reuse; **~sbutik** *s*
second-hand shop; **~sflaske**
s returnable bottle; **~spapir** *s*
recycled paper; **~støj** *s* se-
cond-hand clothes.

gene s nuisance; *(forhindring)* impediment.

general s general; **~direktør** s director general; **~forsamling** s annual general meeting (a.g.m.).

generalieblad s police record.

generalisere v generalize.

general... sms: **~konsul** s consul general; **~prøve** s rehearsal; *(teat)* dress rehearsal; **~sekretær** s secretary general; **~stabskort** s Ordnance Survey map; **~strejke** s general strike.

generation s generation; **~skløft** s generation gap.

generator s generator.

genere v bother; *(irritere)* annoy; *(forstyrre)* disturb; **~** *sig (dvs. være genert)* be shy *(over* about); **~** *sig for at gøre ngt* be ashamed to do sth; **~***r det hvis jeg ryger?* do you mind if I smoke?

generel adj general.

genert adj shy; *være* **~** *over ngt* be shy about sth.

genetisk adj genetic.

genforening s reunion.

genfortælle v retell.

genfærd s ghost.

genganger s *(ngt der kommer igen)* repeat; *(spøgelse)* ghost.

gengive v *(give tilbage)* give back; *(reproducere)* reproduce; *(forestille)* picture, represent; *(referere)* report; *(gentage)* repeat; **~** *ngt på engelsk* render sth in English; **~lse** s reproduction; representation; report; repetition.

gengæld s return; *gøre* **~** get one's own back; *han er grim, men til* **~** *rar* he is ugly, but on the other hand he is nice; *jeg skal give dig ngt til* **~** I'll give you sth in return; **~e** v *(gøre gengæld)* repay; *(hævne sig)* pay back; *(besvare, fx følelser)* return; **~***e ondt med godt* return good for evil; **~else** s *(om hævn)* retaliation.

geni s genius; **~al** adj brilliant; *(om opfindelse etc)* ingenious; *en* **~***al idé (også:)* a stroke of genius.

genindføre v reintroduce.

genitiv s *(gram)* the genitive.

genkende v recognize; **~lse** s recognition.

genlyd s: *give* **~** d.s.s. **~e** v echo; *(runge etc)* resound *(af* with).

genne v chase.

gennem d.s.s. *igennem*.

gennemblødt adj soaked, wet through.

gennembrud s breakthrough; **gennembryde** v break through.

gennemføre v carry through; **gennemført** adj thorough.

gennemgang s *(af fx pensum)* going through; *(kontrol)* going over; *(vej etc)* passage.

gennemgribende adj thorough.

gennemgå v *(gennemleve)* go through, undergo; *(kontrollere)* go over, check; **~** *en* *operation* undergo surgery; ~**ende** *adj (almindeligvis)* generally; *(om tog)* through.

gennemkørsel *s (vej, passage)* passage, thoroughfare; '~ forbudt' 'No thoroughfare'.

gennemsigtig *adj* transparent.

gennemslag *s (ved maskin-skrivning)* carbon copy.

gennemsnit *s* average; *i* ~ on average; ~**lig** *adj* average // *adv* on average.

gennemstegt *adj* well done.

gennemsyret *adj*: ~ *af* permeated with.

gennemsøge *v* search.

gennemtræk *s* draught; *(på ar-bejdsplads om ansatte)* quick turnover.

gennemtrænge *v* pierce, penetrate; ~**nde** *adj* piercing.

genopbygge *v* rebuild; **genop-bygning** *s* reconstruction.

genoplive *v* revive, resuscitate; **genoplivning** *s* revival; *(af fx druknet)* resuscitation.

genoprette *v* re-establish.

genoprustning *s* rearmament.

genopstå *v* rise again; ~ *fra de døde* rise from the dead.

genoptryk *s* reprint.

genoptræne *v* rehabilitate; **genoptræning** *s* rehabilitation.

genpart *s (kopi)* copy.

gense *v* see again.

gensidig *adj* mutual.

gensplejsning *s* genetic engineering.

genstand *s (ting)* object, thing; *(anledning, emne)* subject;

(mål) object *(for* of); *(drink)* drink; *gøre ngt til* ~ *for diskussion* make sth a subject for discussion; *være* ~ *for beundring* be admired; *være* ~ *for misundelse* be envied; ~**sled** *s (gram)* object.

genstridig *adj* obstinate.

gensyn *s* reunion, meeting *(el. seeing)* again; *på* ~*!* see you (later)! ~ *med barndoms-hjemmet* return to one's childhood home.

gentage *v* repeat; ~ *sig* be repeated, happen again; *det gentog sig flere gange* it happened several times; ~**lse** *s* repetition.

genudsendelse *s (radio, tv)* repeat.

genvalg *s* re-election.

genvej *s* short cut; *skyde* ~ take a short cut.

genvinde *v* regain; *(om jord, land)* reclaim.

genvordigheder *spl* troubles.

genvælge *v* re-elect.

genåbne *v* reopen.

geodætisk *adj* geodesic.

geograf *s* geographer; ~**i** *s* geography; ~**isk** *adj* geographic(al).

geolog *s* geologist; ~**i** *s* geology; ~**isk** *adj* geologic(al).

geometri *s* geometry; ~**sk** *adj* geometric(al).

germansk *adj* Germanic.

gerne *adv (som regel)* usually, generally; *(med glæde)* willingly; *vi sover* ~ *længe om søndagen* we usually have a long lie on Sundays; *jeg ville ~ gøre det, hvis…* I should like to do it, if…; *jeg vil ~ have tre bananer (i forretning)* three bananas, please; *det vil jeg meget ~!* I should love to! *du må ~ være med* you may join us, if you like; *ja, så ~!* certainly! yes, sir! yes, madam!

gerning *s (handling)* action, act; *(virksomhed)* work; *blive grebet på fersk ~* be caught red-handed; *~smanden s* the culprit; *~sstedet s* the scene of the crime.

gerrig *adj (nærig)* stingy; *(havesyg)* avaricious; *~hed s* stinginess; avarice.

gesandt *s* envoy; *~skab s* legation.

gesims *s* cornice.

geskæftig *adj* officious; *en ~ person (også:)* a busybody.

gestikulere *v* gesticulate; **gestus** *s* gesture.

gevaldig *adj* enormous.

gevind *s (på skrue)* thread; *gå over ~* get out of control.

gevinst *s (udbytte)* profit; *(i lotteri)* prize; *(i spil)* winnings *pl.*

gevir *s* antlers *pl.*

gevær *s* rifle, shotgun; *præsentere ~* present arms.

gib *s: det gav et ~ i mig* I started, I jumped.

gid *adv* I wish, if only; *~ han ville komme* if only (*el.* I wish) he would come.

gide *v* take the trouble to, be

bothered to; *(have lyst til)* feel like, like to; *han ~r ikke gå i skole* he can't be bothered to go to school; *det gad jeg nok se!* I should like to see that! *jeg gad vide om…* I wonder if…

gidsel *s* hostage; *tage en som ~* take sby hostage; *~tager s* hostage-taker.

gift *s* poison // *adj* married; *give en ~* poison sby; *blive ~* get married; *være dansk ~* be married to a Dane; *~e v: ~e sig* marry, get married; *vi skal ~es i morgen* we are getting married tomorrow; *~ermål s* marriage; *~fri adj* non-poisonous; *~gas s* poison gas; *~ig adj* poisonous; *(fig, om fx bemærkning)* venomous; *(om kemikalier, kemisk affald etc)* toxic; *~mord s* poisoning; *~slange s* poisonous snake; *~stof s* poison.

gigantisk *adj* gigantic.

gigt *s* rheumatism; *(lede~)* arthritis; *~feber s* rheumatic fever.

gilde *s* party; *(orgie)* orgy; *holde ~* throw (*el.* hold) a party; *han betalte ~t* it was on him.

gine *s* (dressmaker's) dummy.

gips *s* plaster; *~bandage s* plaster cast; *~e v* plaster; *~figur s* plaster figure.

giraf *s* giraffe.

giro *s* giro; *~konto s* giro account; *~kort s (til indbetaling)* giro inpayment form; *(til udbetaling)* giro cheque;

~**nummer** s giro number.
gisp s gasp; ~**e** v gasp, pant.
gitter s grille; (til pynt, til planter etc) lattice; ~**port** s wrought-iron gate.
give v give; (yde, indbringe) yield; ~ **en hånden** shake hands with sby; ~ **kort** deal cards; ~**r du en smøg?** can you spare me a fag? ~ **efter** yield, give (in); ~ **ngt fra sig** give sth up; **ikke** ~ **en lyd fra sig** not utter a sound; ~ **igen** (dvs. penge) give change; (dvs. ~ tilbage) return; (dvs. hævne sig) pay back; ~ **op** give up; ~ **penge ud på ngt** spend money on sth; ~ **sig** (dvs. give op) give in; (dvs. klage) groan; ~ **sig af med ngt** have to do with sth; **det ~r sig af sig selv** it goes without saying; ~ **sig til at gøre ngt** start doing sth.
givet adj: **tage ngt for** ~ take sth for granted; **det er** ~ it is certain; **i** ~ **tilfælde** if occasion arises.
gjord s (i møbler) webbing.
glad adj glad, happy; (munter) cheerful; (henrykt) delighted; **være** ~ **for ngt** be glad about sth; **være** ~ **for at se dig** I am glad to see you; **du kan sagtens være** ~! lucky you! **du ~e verden!** goodness me! **have en** ~ **aften** have an evening out.
glans s (om ngt blankt) gloss, shine; (som stråler) sparkle;

(pragt) splendour; **bestå eksamen med** ~ pass an exam with flying colours; **tage ~en af ngt** rub the shine off sth;
~**billede** s coloured scrap;
~**nummer** s: **det er mit ~nummer** it is my specialty;
~**papir** s glossy paper.
glarmester s glazier.
glas s glass; (til syltetøj etc) jar; **et** ~ **vand** a glass of water; ~**dør** s glass door.
glasere v glaze; (om kage etc) ice.
glas. . . sms: ~**fiber** s fibre glass; ~**maleri** s stained-glass; ~**skår** spl piece of broken glass; ~**uld** s glass wool.
glasur s glazing; (på kage) icing.
glasværk s: **et** ~ a glassworks.
glat adj smooth; (smattet, som man glider på) slippery; (om hår) straight; **det gik** ~ **it** went smoothly; ~**barberet** adj clean-shaven; ~**strikning** s stocking stitch; ~**te** v: ~**te ngt ud** smooth sth (out); (med strygejern) iron sth out.
glemme v forget; (efterlade) leave; **jeg glemte paraplyen i bussen** I left my umbrella on the bus; ~**bog** s: **gå i ~bogen** be forgotten.
glemsel s oblivion; **glemsom** adj forgetful.
gletscher s glacier.
glide v (jævnt) glide, slide; (miste fodfæste) slip; (om hjul) skid; ~ **i en bananskræl** slip on a banana skin; **få ngt**

til at ~ *ned* make sth go down; *vi er gledet* (F) we're off; **~bane** *s* slide.

glimmer *s* tinsel; **glimrende** *adj* splendid, excellent.

glip *s: gå* ~ *af ngt* miss sth; **~pe** *v (gå galt)* fail.

glo *v* stare *(på* at); *(måbe)* gape *(på* at).

globus *s* globe.

gloende *adj (glødende)* red-hot // *adv:* ~ *varm* burning hot.

glorie *s* halo.

glose *s* word; **~hæfte** *s* vocabulary.

glubende *s* ravenous.

glubsk *adj* ferocious.

glæde *s* joy; *(fornøjelse, nydelse)* pleasure // *v* please; *(gøre glad, også:)* make happy; *græde af* ~ weep with joy; *gøre ngt med* ~ do sth gladly; *gøre en den* ~ *at...* do sby the pleasure of...; *det* ~*r mig at høre det* I am glad to hear it; ~ *sig over* be happy about; ~ *sig til ngt* look forward to sth; **~lig** *adj* happy; *(behagelig)* pleasant; *en* ~*lig meddelelse* a piece of good news; ~*lig jul!* merry Christmas! ~*ligt nytår!* happy New Year; **~strålende** *adj* radiant.

glød *s* glow; *(i bål, pejs etc)* ember; *(fig)* ardour; **~e** *v* glow; **~etråd** *s (elek)* filament.

gnaske *v:* ~ *på ngt* munch sth.

gnave *v* gnaw; *(om sko etc)* chafe; **~n** *adj* cross *(over*

about; *på* with); *(irritabel)* fretful; *(sur og mut)* sulky; **~r** *s (zo)* rodent.

gnide *v* rub; ~ *sig i hænderne* rub one's hands; **gnidning** *s* rubbing; *(strid)* friction; **gnidningsløs** *adj* smooth; **gnidret** *adj* cramped.

gnier *s* miser.

gnist *s* spark; *slå* ~*er* throw sparks.

gnubbe *v* rub; ~ *sig op ad en* rub shoulders with sby.

gobelin *s* tapestry.

god *adj* good; *det er det* ~*e ved det* that is the good thing about it; *det vil gøre dig* ~*t* it will be good for you; *hvad skal det gøre* ~*t for?* what is the use of that? *han har rigtig* ~*t af det* it serves him right; *så er det* ~*t!* that will do! *vær så* ~*!* here you are! *(dvs. maden er klar)* dinner (, lunch, tea etc) is ready! *være* ~ *ved en* be good to sby; *hun er* ~ *til at synge (, danse etc)* she is a good singer (, dancer etc); *have ngt til* ~*e* have sth coming; *gøre sig til* ~*e med ngt* tuck into sth; *(se også godt).*

god... *sms:* **~artet** *adj* benign; **~dag** *interj* hello! good morning! (, afternoon! evening!); **~e** *s* advantage; *det er et stort* ~*e* it is a good thing; *nyde livets* ~*er* enjoy the good things in life; **~este:** *du* ~*este!* good God! dear me! **~kende** *v (tillade)* sanction; *(sige ja til)* approve;

~**kendelse** s sanction; approval; ~**modig** adj good-natured; ~**modighed** s good-naturedness; ~**morgen** interj good morning; ~**nat** interj good night; ~**natlekture** s bedside reading.

gods s (varer) goods pl; (ejendele) property; (herregård etc) estate; ~**banegård** s goods station; ~**ejer** s landowner; ~**tog** s goods train; ~**vogn** s goods wagon.

godt adv well; (cirka, lidt over) rather more than; (knap) just under; det gik ~ it went well; hav det ~! take care (of yourself)! (dvs. mor dig) have a good time! vi har det ~ we are fine; han har det ikke så ~ he is not well; se ~ ud look well; (være smuk) be good-looking; så ~ man kan as best one can; der kom så ~ som ingen hardly anybody came.

godter spl sweets.

godtgørelse s (erstatning) compensation; (betaling) fee.

godtroende adj naïve.

godvilligt adv voluntarily.

golf. . . sms: ~**bane** s golf course, golf links; ~**kølle** s golf club; ~**spiller** s golfer.

gonorré s gonorrhea.

gorilla s gorilla (også fig).

gotisk adj gothic.

gotte: ~ sig over gloat over.

graciøs adj graceful.

grad s degree; (rang) rank; det er ti ~ers frost it is ten de-

grees below zero; i den ~ to such an extent; i høj ~ extremely; i hvor høj ~? to what extent? i nogen ~ to some extent; til en vis ~ to a certain extent; ~**bøjning** s (gram) comparison; ~**vis** adj gradual // adv gradually.

grafiker s graphic artist (el. designer); **grafisk** adj graphic.

grahamsbrød s wholemeal bread.

gram s gramme; 100 ~ smør a hundred grammes of butter.

grammatik s grammar; **grammatisk** adj grammatital.

grammofon s gramophone, record player; ~**optagelse** s (gramophone) recording; ~**plade** s (gramophone) record.

gramse v: ~ på ngt paw sth.

gran s (bot) spruce; (smule) bit.

granat s grenade; shell; (ædelsten) garnet; ~**æble** s pomegranate.

grand danois s (om hund) Great Dane.

grandonkel s great-uncle; **grandtante** s great-aunt.

grangivelig adj down to the last detail.

granit s granite; ~**brud** s granite quarry.

grankogle s spruce cone.

granske v examine; (grundigt) scrutinize.

granskov s spruce forest; **grantræ** s spruce.

gratiale s bonus.

gratin s: *blomkåls~* cauliflower au gratin; **~ere** v put under the grill.

gratis adj free // adv free of charge; *få ngt* ~ get sth for nothing; ~ *adgang* admission free; **~t** s fare dodger.

gratulation s congratulation; **gratulere** v congratulate.

grav s grave, tomb; *(udgravning)* pit; *(fx grøft)* ditch; *følge en til* ~*en* go to sby's funeral; *være på* ~*ens rand* be near death; **~e** v dig; *~e ngt frem* dig sth out; *~e ngt ned* bury sth; **~emaskine** s excavator; **~er** s *(på kirkegård)* gravedigger; *(ansat ved kirken)* sexton.

gravere v engrave; **~nde** adj grave.

grav. . . sms: **~fund** s grave find; **~hund** s dachshund; **~høj** s burial mound; *(dysse)* barrow.

gravid adj pregnant; **~itet** s pregnancy.

grav. . . sms: **~ko** s excavator; **~sted** s burial place, tomb; **~sten** s gravestone; **~øl** s funeral feast.

greb s *(redskab)* fork; *(tag)* hold, grip; *(dør~)* handle; *holde en i et fast* ~ have a firm hold of sby; *slippe* ~*et på ngt* let go of sth; *have godt* ~ *om tingene* have a good grip of things; *stramme* ~*et* tighten one's hold.

grej(er) s*(pl)* gear.

grel adj loud, glaring.

gren s branch; *(kvist)* twig.

greve s count; **grevinde** s countess; **grevskab** s county.

grib s *(zo)* vulture.

gribe v catch; *(med fast tag)* grasp, grip; *(rive til sig)* snatch, grab; *(pågribe)* catch; ~ *chancen* take the opportunity; ~ *efter ngt* catch (, grasp, snatch etc) at sth; ~ *en i armen* grab sby by the arm; ~ *ind (dvs. skride ind)* intervene; *(dvs. forstyrre, blande sig)* interfere.

grille s: *få* ~*r* get ideas // v *(el. grillere)* grill; **grillstegt** adj grilled.

grim adj ugly; *(ækel)* nasty; *(om person, ikke særlig køn)* plain.

grimasse s grimace; *gøre* ~*r* make faces.

grin s laugh; *få sig et billigt* ~ have a good laugh; *det er helt til* ~ it is quite ridiculous; *det er til at dø af* ~ *over* it is a scream; **~agtig** adj funny; **~e** v laugh.

gris s pig; *en gammel* ~ *(om person)* a dirty old man; **~e** v: ~ *med ngt* mess with sth; ~*e sig til* get dirty; **~eri** s mess; **~esylte** s brawn; **~etæer** spl pig's trotters.

grisk adj greedy *(efter* for); **~hed** s greed.

gro v grow; ~ *sammen (om sår)* heal; ~ *til (om have etc)* become overgrown; *(om sø etc)* become choked.

groft adv grossly; *(se grov).*

grosserer s wholesaler.
grotte s cave.
grov adj coarse; (ru) rough; (uhøflig) rude; i ~e træk roughly; nej, det er for groft! that's the limit! nu skal du ikke blive ~! don't be rude now! ~**brød** s wholemeal bread; ~**hed** s coarseness, roughness, rudeness; komme med ~heder be rude; ~**kornet** adj (fig) coarse; ~**køkken** s scullery; ~**smed** s blacksmith; ~**æder** s glutton.
gru s horror; han praler så det er en ~ he boasts something terrible.
grube s pit, mine; (se også mine).
gruble v ponder; (melankolsk) brood; ~ over ngt ponder on (el. over) sth.
grue v: ~ for ngt dread sth; ~**lig** adj awful.
grufuld adj horrible.
grums s dregs pl, grounds pl; ~**et** adj muddy.
grund s (bund) ground; (grundlag) foundation; (lavvandet sted) shoal; (bygge~) site; (anledning, fornufts~) reason; (årsag) cause; sejle på ~ go aground; af gode ~e for good reasons; begynde fra ~en start from the beginning; han er i ~en rar he is really rather nice; på ~ af because of; der er ingen ~ til at tro det there is no reason to think so; der er al mulig ~ til at tro det there is every rea-

son to think so; brænde ned til ~en burn down.
grund... sms: ~**bog** s basic reader; ~**e** v (grundlægge) found; (oprette) establish; (male første gang) prime; (gruble) ponder (over, på on, over); ~**ejer** s house owner; (af jord uden hus) landowner; ~**flade** s base.
grundig adj thorough; (gennemgribende) radical; tage ~t fejl be quite mistaken; ~**hed** s care.
grundlag s foundation, basis; på ~ af on the basis of.
grundled s (gram) subject.
grundlov s constitution; ~**sdag** s svt. national day; ~**sforhør** s preliminary questioning; ~**sstridig** adj unconstitutional.
grund... sms: ~**lægge** v found; (oprette) establish; ~**læggelse** s foundation; establishment; ~**lægger** s founder; ~**maling** s primer; ~**plan** s ground plan; ~**skyld** s land tax; ~**sten** s foundation stone; ~**stof** s element; ~**vand** s ground water; ~**værdi** s land value.
gruopvækkende adj terrible.
gruppe s group; ~**arbejde** s group work; ~**praksis** s (om læger) group practice; ~**pres** s group pressure; ~**rejse** s party tour; ~**vis** adv in groups.
grus s gravel; synke i ~ fall into ruins; ~**grav** s gravel pit.

grusom adj cruel (mod to); (stor) terrible; han er ~t stor he is terribly big; ~hed s cruelty.

grusvej s gravel road.

gry s dawn // v dawn; dagen ~r the day is dawning.

gryde s pot; (kasserolle) saucepan; (stege~) casserole; ~klar adj oven-ready, ready for use; ~lap s pot holder; ~låg s lid; ~ret s casserole; ~ske s ladle; ~steg s pot-roast; ~stegt adj pot-roasted; ~svamp s pot scrubber.

gryn s (i flager, fx havre~) meal; (som korn) grits; ~et adj gritty.

grynt s grunt; ~e v grunt.

græde v cry, weep; ~ af glæde weep for joy; det er ikke ngt at ~ for it is nothing to cry about; få grædt ud have a good cry; ~færdig adj on the verge of tears.

Grækenland Greece; **græker** s Greek.

græmme v: ~ sig over ngt be vexed at sth.

grænse s (lande~) frontier, border; (naturlig) boundary; (~område) border; (fig) limit; køre over ~n cross the frontier (el. border); der må være en ~ there must be a limit; inden for visse ~r within certain limits; det var lige på ~n (fig) it was a near thing // v: ~ (op) til border on; det ~r til det utrolige it is almost incredible; ~egn s bor-

der(land); ~løs adj infinite; ~tilfælde s borderline case.

græs s grass; køerne er på ~ the cows are grazing; slå ~ cut grass; ~enke s grass widow; ~enkemand s grass widower; ~hoppe s grasshopper.

græsk adj Greek.

græs. . . sms: ~kar s pumpkin; ~plæne s lawn; slå ~plæne mow the lawn; ~rodsbevægelse s grassroots movement; ~se v graze; ~slåmaskine s lawn mower; ~tørv s turf.

grævling s badger; ~ehund s dachshund.

grød s (af gryn etc) porridge; (af frugt) stewed fruit; ~et adj (om stemme) thick; ~hoved s oaf; ~is s slush.

grøft s ditch; køre i ~en go into the ditch; ~ekant s roadside.

grøn adj green; det ~ne køkken vegetarian cuisine; give ~t lys for ngt give the go-ahead to sth; ~ bølge (om trafiklys) phased traffic lights pl; i hans ~ne ungdom in his early youth; De G~ne (pol) the Green; ~kål s kale, kail.

Grønland s Greenland; **g~sk** adj Greenland(ic); **g~sk slædehund** husky; **grønlænder** s Greenlander.

grøn. . . sms: ~sager spl vegetables; ~sagssuppe s vegetable soup; ~skolling s puppy; ~svær s turf.

grønthandler s greengrocer.
grønærter spl green peas.
grå adj grey; *det barn giver mig ~ hår i hovedet* that child makes my hair turn grey.
gråd s *(det at græde)* crying; *(tårer)* tears; *briste i ~* burst into tears.
grådig adj greedy *(efter* for); ~**hed** s greed.
grå... sms: ~**håret** adj grey-haired; ~**lig** adj greyish; ~**sprængt** adj with a touch of grey; ~**vejr** s: *det er ~vejr* it is overcast.
gud s god; *(Vorherre)* God; ~ *ske lov!* thank God! *for ~s skyld* for God's sake; ~ *ved om de kommer* God knows if they are coming; *det må ~erne vide* God knows; *ved ~ by Jove;* *gu' vil jeg ej!* I'll be damned if I do! ~**barn** s godchild; ~**dommelig** adj divine; ~**elig** adj *(from)* pious; *(neds)* sanctimonious; ~**far** s godfather; ~**inde** s goddess; ~**mor** s godmother.
guds... sms: ~**bespottelse** s blasphemy; ~**forladt** adj godforsaken; ~**tjeneste** s service; *afholde ~tjeneste* hold a service.
guf s *(slik)* sweets; *(ngt lækkert)* goody; ~**fe** v: ~*fe i sig* stuff oneself; ~*fe kager i sig* scoff down cakes.
guirlande s festoon.
guitar s guitar; ~**ist** s guitar player.

gul adj yellow; *der er ~t lys (i trafiklys)* the lights are amber; ~*e ærter (gastr)* pea soup.
guld s gold; *hun er ~ værd* she is worth her weight in gold; ~**barre** s gold bar; ~**brand** s ring finger; ~**bryllup** s golden wedding; ~**fisk** s goldfish; ~**grube** s gold mine; ~**indfattet** adj *(om briller)* gold-rimmed; ~**medalje** s gold medal; ~**plombe** s *(i tand)* gold filling; ~**randet** adj gilt-edged; ~**regn** s *(bot)* laburnum; ~**smed** s goldsmith; *(zo)* dragonfly; ~**tand** s gold tooth; ~**vinder** s *(sport etc)* gold medallist.
gulerod s carrot; *reven ~* grated carrot.
gullig adj yellowish.
gulv s floor; *tabe ngt på ~et* drop sth on the floor; *(fig)* bungle sth; *gå i ~et* go down; ~**belægning** s flooring; ~**bræt** s floor board; ~**klud** s floorcloth; ~**måtte** s *(lille tæppe)* mat; *(løber)* runner; ~**skrubbe** s scrubbing brush; ~**spand** s bucket; ~**tæppe** s carpet; ~**varme** s underfloor heating.
gumle v munch *(på ngt* sth).
gumme s gum.
gummi s rubber; *(kondom)* contraceptive sheath, (S) rubber; ~**bold** s rubber ball; ~**båd** s rubber dinghy; ~**bånd** s *(elastik)* rubber band; ~**celle** s padded cell;

~**ged** s loader tractor; ~**slange** s rubber tube; ~**støvle** s wellington; ~**sål** s rubber sole.

gunstig adj favourable // adv favourably.

gurgle v gargle.

gurkemeje s turmeric.

guvernante s governess.

guvernør s governor.

gyde s (smal gade) alley // v (om fisk) spawn.

gylden s (hollandsk mønt) guilder // adj golden; den gyldne middelvej the golden mean.

gyldig adj valid; med ~ grund with good reason; ~**hed** s validity.

gylp s (i bukser) fly; (om fx baby) vomit; (om fx ugle) cast; ~**e** v: ~**e** (op) vomit.

gymnasium s sv.t. grammar school.

gymnastik s (som sportsgren) gymnastics; (~øvelser) (physical) exercises; gøre ~ do exercises; ~**dragt** s gym suit; ~**redskab** s gymnastic apparatus; ~**sal** s gymnasium; ~**sko** s gym shoe.

gynge s swing // v swing; (i ~stol) rock; (om skib) roll; være på ~nde grund be on thin ice; ~**hest** s rocking horse; ~**stol** s rocking chair.

gynækolog s gynaecologist; ~**i** s gynaecology.

gys s (af frygt, kulde etc) shiver; (af fryd etc) thrill; ~**e** v (af kulde etc) shiver; (af fryd)

be thrilled; jeg ~er ved tanken I shudder at the thought; ~**elig** adj (hæslig) hideous; (væmmelig) atrocious; ~**er** s (om film, bog etc) thriller.

gysser spl (F) brass.

gyvel s (bot) broom.

gæld s debt; komme i ~ get into debt; stå i ~ til en be indebted to sby.

gælde v (være gyldig) be valid, be good; (tælle med) count; (dreje sig om) concern, apply to; billetten ~r ikke længere the ticket is no longer valid; det point ~r ikke that point does not count; nu ~r det! this is it! det ~r liv og død it is a matter of life and death; når det ~r penge, så spørg mig when it comes to money, ask me; det ~r om at få det gjort the thing is to get it done; hvad ~r det? what is it about? ~**nde** adj (om billet etc) valid; (som er i kraft) in force; (eksisterende) current, existing; ifølge ~nde lov according to the existing laws; gøre sig ~nde (om person) assert oneself; (om ting, fænomen etc) have its effect.

gælds. . . sms: ~**bevis**, ~**brev** s IOU ['aiəu'ju:] (dvs. I owe you); ~**post** s item of a debt; ~**sanering** s restructuring of debts.

gælle s gill; ånde ved ~r breathe by gills.

gængs adj current; (fremherskende) prevailing; (almin-

delig) common.
gær *s* yeast.
gærde *s* fence.
gære *s: der er ngt i* ~ there is
sth brewing // *v* ferment;
gæring *s* fermentation.
gæst *s* visitor; *(indbudt)* guest;
vi får ~er til middag (også:)
we are having some people
for dinner; *have liggende
~er* have people staying; **~e**
v visit; **~earbejder** *s* guest
worker; **~eoptræden** *s* guest
performance; **~etoilet** *s* extra
toilet; **~eværelse** *s* spare
bedroom; **~fri** *adj* hospitable;
~frihed *s* hospitality.
gæt *s: et kvalificeret* ~ an
educated guess; **~te** *v* guess;
hun ~tede rigtigt she guessed
right; **~teri** *s* guessing; *det
rene ~teri* pure guesswork.
gø *v* bark.
gøde *v* fertilize; **gødning** *s (om
midlet)* fertilizer; *(naturlig
~)* manure; *(det at gøde)* fer-
tilization; manuring.
gøen *s* bark(ing).
gøg *s* cuckoo; **~eunge** *s* young
cuckoo; *(fig)* cuckoo in the
nest.
gøgler *s* buffoon; *(som laver
tricks)* juggler.
gør-det-selv *adj* do-it-yourself.
gøre *v* do; *(lave, foretage)*
make; ~ *ondt* hurt; *det gør
mig ondt at høre det* I am
sorry to hear it; *hvad skal det
~ godt for?* what is the good
of that? *det gør ikke ngt* it
does not matter; *hvor har du*

gjort af nøglen? where did
you put the key? ~ *det af
med en* dispose of sby; *han
kan ikke* ~ *for det* he can't
help it; *have at* ~ *med ngt*
have to do with sth; *(beskæf-
tige sig med)* deal with sth; ~
kassen op balance the cash;
~ *en til anfører* make sby the
leader; ~ *sig til af ngt* brag
about sth; *hvad skal vi* ~ *ved
det?* what shall we do about
it?
gå *v* go; *(på benene)* walk; *(om
film etc, opføres)* be on; *(gå
an)* do; *(om maskine etc,
køre)* run; *(om tog, afgå)* lea-
ve; *(om tiden)* pass; *være ude
at* ~ be out for a walk; *Stjer-
nekrigen* ~ *r i biografen i
aften* Star Wars is on at the
cinema tonight; *toget ~r kl.
16* the train leaves at 4 p.m.;
tiden ~r hurtigt time passes
quickly; *hvordan ~r det?*
(dvs. hvordan har du det)
how are you? *(dvs. hvordan
glider tingene)* how are
things? *det ~r godt (dvs. jeg
har det godt)* I'm all right;
(dvs. tingene glider) it is
going all right; ~ *af (løsne
sig)* come off; *(fra stilling)*
retire; *hvad* ~ *der af dig?*
what is the matter (with)
you? ~ *an* do; ~ *(hen) efter
ngt* go and get sth; ~ *ngt
efter* go over sth; ~ *for at
være ngt* pass for sth; *hvad
~r her for sig?* what is going
on here? ~ *fra (løsnes)* come

loose; ~ *fra en* leave sby; ~
fra kone og børn desert one's
wife and family; ~ *frem
(dvs. gøre fremskridt)* make
progress; *hvor ~r I hen?*
where are you going? ~ *i
skole* go to school; ~ *i vandet*
bathe; ~ *igennem byen* go
through the town; *han har
~et meget igennem* he has
gone through a lot; ~ *ind* go
in, enter; ~ *ind for ngt* go in
for sth; ~ *i stykker* to to
pieces, break; ~ *med briller*
wear spectacles; ~ *med til
ngt* agree to sth; ~ *ned* go
down; *(om solen)* set; ~ *ne-
denom og hjem* go to the
dogs; ~ *op* go up; *(åbne sig)*
open; *(om snor)* come undo-
ne; *(om regneopgave)* come
right; *det er ~et op for mig
at...* I have realized that...;
~ *over gaden* cross the
street; *det ~r snart over* it
will soon pass; *det ~r ham
meget på* it is bothering him a
lot; ~ *på besøg* go visiting; ~
rundt go round; *hvordan er
det ~et til?* how did that
happen? *her ~r det lystigt til*
things are lively here; *penge-
ne ~r til transport* the money
is spent on transport; ~ *til
læge* see a doctor; ~ *ud* go
out; *(om træ)* die; *(udgå)* be
left out; ~ *ud ad døren* go
out of the door; ~ *ud af
stuen* leave the room; ~ *ud
fra at...* assume that...; *det
gik ud over børnene* it was

the children who suffered;
hvad ~r det ud på? what is it
supposed to mean? *det ~r ud
på at vinde* the thing is to
win.
gåde *s* riddle; *(ngt mystisk)*
mystery; *(ngt forvirrende)*
puzzle; *løse en* ~ solve a
riddle; *det er mig en* ~ it is a
mystery to me, (F) it beats
me.
gå.. .. sms: ~**ende** *s* pedestrian
// *adj* going, walking; *holde
den* ~**ende** keep it up; ~**felt** *s*
(pedestrian) crossing; ~**gade**
s pedestrian street; ~**påmod** *s*
go, drive; *(foretagsomhed)*
enterprise.
går *s: i* ~ yesterday; *i* ~ *aftes*
last night, yesterday evening;
i ~ *morges* yesterday mor-
ning.
gård *s (gårdsplads)* court(-
yard); *(skolegård)* playground
(bonde~) farm;
(herregård) estate; *køkkenet
vender ud til* ~*en* the kitchen
looks out on the courtyard,
the kitchen is at the back;
~**ejer** *s* farmer; ~**have** *s* pa-
tio; ~**mand** *s (som fejer gård
etc)* caretaker; ~**splads** *s*
courtyard; *(på bondegård)*
yard.
gås *s* goose; ~**efjer** *s* goose
feather; *(til at skrive med)*
quill; ~**egang** *s: gå i* ~*egang*
walk in single file; ~**ehud** *s*
gooseflesh; *det giver mig
~ehud (også:)* it gives me the
creeps; ~**eleverpostej** *s* pâté

de foie; **~esteg** s roast goose;
~eøjne spl quotation marks,
inverted commas.
gåtur s walk.

H

habit s suit.
had s hatred *(til* of); *nære ~ til
en* hate sby; **~e** v hate; *(afsky
også:)* loathe.
hage s *(anat)* chin; *(krog)*
hook; **~kors** s swastika;
~smæk s bib.
hagl s *(nedbør)* hail; *(til skyd-
ning)* shot; **~byge** s hail sho-
wer; **~bøsse** s shotgun; **~e** v
hail.
haj s shark; **~tænder** spl *(på
gade)* give-way markings.
hak s notch; *(i fx tallerken)*
chip; *ikke et ~* not a bit; **~ke**
s *(redskab)* hoe // v *(med
redskab)* hoe; *(med fx kniv)*
hack; *(om fugl)* peck; *(om fx
løg, purløg)* chop; *(om kød)*
mince; *~ke i det (om tale)*
stammer; *(økon)* be hard up;
~kebræt s chopping board;
~kebøf s hamburger steak;
~kemaskine s mincer; **~kniv**
s chopper.
hale s tail; *(numse)* bottom // v
pull; *(slæbe)* drag; *~ i ngt*
pull at sth; *~ ind på en* gain
on sby; **~stykke** s *(gastr)*
rump; **~tudse** s tadpole.
hallo interj hello.
halløj s fun; *(ballade)* row; (F)
hullabaloo.
halm s straw; **~strå** s straw.

hals s neck; *(det indre af hal-
sen, svælget)* throat; *brække
~en* break one's neck; *skære
~en over på en* cut sby's
throat; *få ngt i den gale ~* get
sth down the wrong way;
have ondt i ~en have a sore
throat; *det hænger mig langt
ud af ~en* I'm fed up with it;
~betændelse s laryngitis,
tonsillitis; **~brand** s heart-
burn; **~brækkende** adj: i
~brækkende fart at break-
neck speed; **~bånd** s *(smyk-
ke)* necklace; *(til hund)* col-
lar; **~e** v *(gø)* bark; *~e af sted*
pant along; **~hugge** v be-
head; **~hugning** s beheading;
~kæde s necklace; **~tørklæ-
de** s scarf, *(stort, uldent)* muf-
fler; **~udskæring** s neckline.
halte v limp; *(fig)* halt; **~n** s
limp.
halv adj half; *det ~e af det* half
of it; *de glemte det ~e* they
forgot half of it; *den koster
kun det ~e* it only costs half;
klokken er ~ it is half past;
den er fem minutter i ~ it is
twenty-five (minutes) past;
tre en ~ dag three and a half
days; *en ~ time* half an hour;
om et ~t år in six months.
halv.. . sms: **~anden** adj one
and a half; **~andet år** a year
and a half; **~cirkel** s semicir-
cle; **~dagsarbejde** s half-
time job; **~del** s half; **~delen
af pengene** half of the mo-
ney; **~fems** num ninety; *han
er født i ~femserne* he was

born in the nineties; *han er i ~femserne* he is in his nineties; ~**fjerds** *num* seventy; *i ~fjerdserne se ~fems;* ~**færdig** *adj* half-finished; ~**gammel** *adj* elderly; ~**kugle** *s (om Jorden)* hemisphere; ~**kvalt** *adj* stifled; ~**leg** *s (i fodbold etc)* half; *(pausen mellem ~legene)* halftime, interval; ~**mørke** *s* half-light; ~**måne** *s* half-moon; ~**pension** *s* half board.

halvt *adv* half; *dele ngt ~ med en* go halves with sby on sth; *~ så meget* half as much.

halv... *sms:* ~**tag** *s* lean-to, shed; ~**treds** *num* fifty; *hun er født i ~tredserne* she was born in the fifties; *hun er i ~tredserne* she is in her fifties; ~**vej** *s: på ~vejen* halfway; ~**vejs** *adj: vi er ~vejs* we have come half-way // *adv* half; ~**voksen** *adj (om barn)* adolescent; *(om dyr)* half-grown; ~**ø** *s* peninsula; ~**år** *s* six months; ~**årlig** *adj* half-yearly // *adv* every six months.

ham *s* slough // *pron: det er ~* it is him; *det er ~ der kommer* it is he who is coming.

hamburgerryg *s* smoked saddle of pork.

hammer *s* hammer; ~**kast** *s (sport)* throwing the hammer.

hamp *s* hemp.

hamre *v* hammer; ~**n** *s* hammering.

hamster *s* hamster; **hamstre** *v* hoard; **hamstring** *s* hoarding.

han *s* male, he // *pron* he; *det sagde ~ selv!* he said so himself!

handel *s* trade; ~**sbalance** *s* balance of trade; ~**sflåde** *s* merchant navy; ~**sforetagende** *s* business (concern); ~**sgartner** *s* market gardener; ~**shøjskole** *s* commercial college; ~**sministerium** *s* Ministry of Commerce; ~**spartner** *s* trading partner; ~**srejsende** *s* commercial traveller; ~**sskib** *s* merchant ship; ~**sskole** *s* commercial school; ~**svare** *s* commodity.

handicap *s* handicap; ~**pet** *adj* handicapped; *(fysisk også:)* disabled.

handle *v* act; *(drive handel)* trade, deal; *(gå på indkøb)* go shopping; *~ med en* do business with sby; *~ med ngt* deal in sth; *det ~r om os* it is about us; *~ om prisen* bargain over the price; ~**kraft** *s* energy; ~**kraftig** *adj* energetic; ~**nde** *s* tradesman; *(detailhandler også:)* shopkeeper.

handling *s* action; *(i bog etc)* story, plot; *(ceremoni etc)* ceremony.

handske *s* glove; ~**rum** *s* glove compartment.

hane *s* cock; *(vand~)* tap; ~**gal** *s* cockcrow.

hangarskib *s* aircraft carrier.

hank *s* handle; ~**e** *v: ~e op i*

ngt grab sth.
hankøn *s* male sex; *(gram)* the masculine; *af* ~ male.
hans *adj* his; *bilen er* ~ it is his car, the car belongs to him.
hare *s* hare.
harem *s* harem.
hareskår *s (med)* harelip; **haresteg** *s* roast hare.
harme *s* indignation; ~**s** *v* feel indignant *(over* at); **harmløs** *adj* harmless.
harmonere *v* harmonize, be in harmony; **harmoni** *s* harmony.
harmonika *s* accordion; *(lille)* concertina; ~**sammenstød** *s* pile-up.
harmoniorkester *s* brass band; **harmonisere** *v* harmonize; **harmonisk** *adj* harmonious.
harpe *s (mus)* harp; *(neds, om kvinde)* harridan; ~**nist** *s* harpist.
harpiks *s* resin.
harsk *adj* rancid.
hasarderet *adj* rash; **hasardspil** *s* gambling.
hasselnød *s* hazelnut.
hast *s* haste, hurry; *gøre ngt i* ~ do sth in a hurry; *det har ingen* ~ there is no hurry; ~**e** *v* hasten, hurry; *det* ~*er* it is urgent; *det* ~*er ikke* there is no hurry; ~**esag** *s* urgent matter.
hastig *adj* quick; *(overilet)* hasty; ~**hed** *s (fart)* speed; *køre med en* ~*hed på 100 km i timen* go at (a speed of) 100 km per hour; ~**hedsbe-**

grænsning *s* speed limit.
hastværk *s* hurry; ~**sarbejde** *s* slapdash work.
hat *s* hat; ~**teskygge** *s* hat brim.
hav *s* sea; *(ocean)* ocean; *et* ~ *af breve* heaps of letters; *være på* ~*et* be at sea; *de bor ved* ~*et* they live at the seaside.
havarere *v* be wrecked; *(om bil)* break down; **havari** *s (forlis)* shipwreck; *(skade)* damage, loss; *(om maskine)* break-down; *lide havari (om skib)* be shipwrecked; *(blive skadet)* break down.
havbugt *s* bay, gulf; **havbund** *s* ocean bed, sea bed.
have *s* garden; *botanisk* ~ botanical gardens *pl; zoologisk* ~ zoo.
have *v* have, have got; *(om tilstand, levevilkår, form, farve)* be; *han har kone og børn* he has a wife and family; *har du en tændstik?* have you got a match? do you have a match? *hvordan har I det?* how are you? *vi har det fint* we are fine; *have det varmt* be warm; *hvad farve har bilen?* what colour is the car? *hvad vil du have* what do you want? *jeg vil gerne have et æble* I would like an apple, please; *har du noget imod at. . .?* do you mind if. . .? *have briller på* wear spectacles.
have. . . *sms:* ~**fest** *s* garden party; ~**forening** *s (med kolonihaver)* allotment society;

~**gang** s garden path; ~**låge**
s gate; ~**saks** s: *en* ~*saks* a
pair of garden shears; ~**slan-**
ge s garden hose.

hav... sms: ~**forskning** s ma-
ritime research; ~**frue** s mer-
maid; ~**mand** s merman;
~**måge** s herring gull.

havn s harbour; *(stor, ~eby)*
port; *gå i* ~ put into harbour
(el. port).

havne v *(ende)* land, end up.

havne... sms: ~**arbejder** s
docker; ~**by** s port; ~**foged** s
harbour master.

havre s oats *pl;* ~**gryn** s oat-
meal; ~**grød** s oatmeal por-
ridge.

havsnød s distress; **havvand** s
seawater.

hebraisk adj Hebrew.

hed adj *(varm)* hot; *blive* ~
om ørerne get the wind up.

hedde v be called; *hvad* ~*r*
du? what is your name? *jeg*
~*r Ann* my name is Ann; *det*
~*r sig at...* it is said that...

hede s *(~strækning)* moor,
heath; *(varme)* heat; ~**bølge**
s heatwave.

hedensk adj heathen.

hedeslag s heatstroke.

hedning s heathen.

hedvin s dessert wine.

heftig adj violent; *(af natur)*
impetuous; ~**hed** s violence.

hegn s fence; *levende* ~
hedgerow; ~**e** v: ~*e ngt*
ind fence sth in.

hejre s heron.

hejse v hoist; ~**værk** s hoist-

ing apparatus.

heks s witch; *en gammel* ~
(neds) an old hag; ~**e** v prac-
tise witchcraft; ~**ejagt** s
witch hunt; ~**eri** s witchcraft;
~**eskud** s lumbago; ~**esting** s
(i syning) herringbone stitch.

hektisk adj hectic.

hel adj *(fuldstændig)* whole;
complete; *klokken slog* ~ the
clock struck the hour; *en* ~
del quite a few; *han tog det*
~*e* he took all of it; *det var*
det ~*e, tak* that was all, thank
you; *i det* ~ *taget* on the
whole; *(overhovedet)* at all;
jeg har ondt over det ~*e* I'm
aching all over; *der var støvet*
over det ~*e* it was dusty all
over the place; *over* ~*e lan-*
det all over the country.

helbred s health; *have et godt*
(el. svagt) ~ have a strong *(el.*
weak) constitution; *det er*
godt for ~*et* it is good for
you; ~**e** v cure; ~**else** s cure;
(det at komme sig) recovery;
~**sattest** s health certificate;
~**stilstand** s (state of) health.

held s luck; *have* ~ *med sig* be
lucky; *det var et* ~*!* what
luck! *have* ~ *til at gøre ngt*
succeed in doing sth; ~ *og*
lykke! good luck!

heldagsarbejde s full-time
job.

heldig adj lucky; ~**vis** adv for-
tunately.

heldækkende adj: ~ *tæppe*
wall-to-wall carpet.

hele s whole; ~**s** v heal up.

helgen s saint.
helhed s whole; *i sin* ~ in full; **~sløsning** s overall solution.
helikopter s helicopter; **~landingsplads** s *(på jorden)* heliport; *(på fx boreplatform)* helipad.
hellang adj ankle length.
helle s *(trafik~)* traffic island; **~fisk** s halibut.
heller adv: *jeg kan* ~ *ikke gøre det* I can't do it either; *du må* ~ *ikke gøre det* you must not do it either; *det havde jeg* ~ *ikke tænkt mig* I was not planning to.
hellere adv rather; *vi må* ~ *skynde os* we had better hurry; *jeg vil* ~ *køre selv* I would rather drive myself; ~ *end gerne!* with pleasure! *jeg ville* ~ *end gerne gøre det* I should love to do it.
hellig adj holy; *(from)* pious; *(indviet, fx bygning)* sacred; ~ *krig* holy war; **~dag** s holiday; **~dom** s sanctuary; **~e** v devote, dedicate; **~e sig arbejdet** devote oneself to work; **~trekongersaften** s Twelfth Night; **~ånden** s the Holy Spirit.
helsecenter s health centre; **helsekost** s health food.
Helsingør s Elsinore.
helskindet adj: *slippe* ~ *fra ngt* escape sth unscathed.
helst adj preferably; *jeg vil* ~ *have te* I prefer tea; *du må* ~ *ikke gå* I would rather you did not go.

helt s hero.
helt adv quite, completely; *(ganske)* quite; *det er* ~ *forkert!* it is all wrong! *de kommer* ~ *fra Bornholm* they have come all the way from Bornholm; *han er* ~ *igennem pålidelig* he is thoroughly reliable.
heltids... *i sms:* full-time *(fx beskæftigelse* employment).
heltinde s heroine.
helulden adj all-wool, pure-wool.
helvede s hell; *det er varmt som bare* ~ it is hot like hell; *for* ~! oh hell! **~s** adj damned, a hell of a // adv damned, like hell; *han tror han er en* ~s *karl* he thinks he is one hell of a man; *det er* ~s *varmt* it is damned hot.
helårshus s house for living in all the year round.
hemmelig adj secret; ~ *afstemning* secret vote; ~t *nummer (tlf)* ex-directory number; **~hed** s secret; *(det at holde ngt hemmeligt)* secrecy; *i* ~hed in secret; *i dybeste* ~hed in the deepest secrecy; **~hedsfuld** adj secretive; *(mystisk)* mysterious.
hen adv: ~ *ad vejen* along the road; *(fig, efterhånden)* as we go along; ~ *imod* towards; ~ *over engen* across the meadow; *gå* ~ *til en* go up to sby; *kom* ~ *og se til mig* come round and see me; *han gik* ~ *til døren* he went (over) to

the door.

henad *præp:* ~ *aften* towards evening.

henblik *s: med* ~ *på (vedrørende)* concerning; *(for at)* with a view to.

hende *pron* her; *der er brev til* ~ there is a letter for her; *det var* ~ *der sagde det* it was she who said it.

hengiven *adj* devoted; *Deres hengivne...* Yours sincerely...; *din hengivne...* Yours...; **~hed** *s* devotion.

henhold *s: i* ~ *til* referring to; *(ifølge fx regler)* according to; **~e** *v:* ~e *sig til* refer to.

henimod *præp (om tidspunkt)* towards; *(om tal)* nearly.

henkoge *v* preserve; **henkogningsglas** *s* preserving jar.

henlede *v:* ~ *ens opmærksomhed på ngt* draw sby's attention to sth.

henlægge *v (lægge på hylden)* shelve; *(opgive)* drop; *(om forråd, gemme)* store; **~lse** *s* shelving; storage.

henne *adv: der* ~ over there; *her* ~ over here; *han er* ~ *hos bageren* he is at the baker's; *hvor er du* ~? where are you? *hvor har du været* ~? where have you been? *være 4 måneder* ~ *(i graviditet)* be four months gone.

henrette *v* execute; **~lse** *s* execution.

henrivende *adj* lovely, charming.

henrykkelse *s* delight; **henrykt**

adj delighted.

henseende *s* respect; *i den* ~ in that respect; *i enhver* ~ in every respect.

hensigt *s* intention; *(formål)* purpose; *i den* ~ *at gøre ngt* with the intention of doing sth; *gøre ngt i bedste* ~ do sth with the best of intentions; *det var ikke* ~*en* it was not my intention; *hvad er* ~*en med det?* what is the purpose of that? **~smæssig** *adj* suitable.

henstand *s* respite.

henstille *v (anbefale)* recommend; *(anmode)* request; **henstilling** *s* recommendation; request; *rette henstilling til en om at gøre ngt* appeal to sby to do sth.

hensyn *s* consideration; *af* ~ *til* because of; *(om fx person)* for the sake of; *med* ~ *til* concerning; as regards; *tage* ~ *til* consider; *tage* ~ *til en* show consideration for sby; *uden* ~ *til* regardless of; **~sfuld** *adj* considerate; **~sfuldhed** *s* consideration; **~sløs** *adj* ruthless; **~sløshed** *s* ruthlessness.

hente *v* fetch; get; *(komme hen og* ~*)* come for, collect; pick up; ~ *børnene i børnehaven* fetch *(el.* collect) the children from the kindergarten.

hentyde *v:* ~ *til* refer to; *(antyde)* hint at; **hentydning** *s* reference; *(antydning)* hint.

henvende v: ~ sig ved skranken enquire at the counter; ~ sig til en (dvs. tale til) talk to sby; (med forespørgsel etc) apply to sby; **~lse** s (forespørgsel) enquiry; (skriftlig) letter; (med bøn om ngt) application.

henvise v: ~ til refer to; **henvisning** s reference; **henvist** adj: være henvist til at have to.

heppe v cheer.

her adv here; ~ og der here and there; kom ~! come here! er han ~ fra egnen? is he from this area? ~ i huset in this house.

heraf adv from this.

heraldik s heraldry.

herberg s (kro etc) inn; (vandrehjem etc) hostel.

her. . . sms: **~efter** adv (så) after this, then; (for fremtiden) from now on; **~fra** adv from here, from this; de skal rejse ~fra they are leaving here; **~hen** adv (over) here; **~hjemme** adv here; (her i landet) in this country; **~i** adv in this; (på dette punkt) on this point; **~iblandt** adv including; **~ind, ~inde** adv in here.

herkomst s origin.

herlig adj wonderful.

hermed adv with this; (med disse ord) so saying; (således) thus; ~ følger enclosed please find.

hermetisk adj: ~ lukket hermetically sealed.

herned, hernede adv down here.

herom adv about this; (denne vej) round here; **~kring** adv somewhere here, hereabouts; **~me** adv round here.

herop, heroppe adv up here.

herover, herovre adv over here.

herre s (mand) gentleman; (hersker, chef) master; hr. Poulsen Mr. Poulsen; javel, hr.! yes, sir! der så ~ns ud it looked awful; være sin egen ~ be one's own master; mine ~r! gentlemen! blive ~ over ngt get control of sth; være ~ over ngt be master of sth, control sth; **~bukser** spl men's trousers; **~cykel** s gentleman's bicycle; **~døm-me** s control (over of, over); **~gård** s manor (house); **~kor** s male (voice) choir; **~løs** adj abandoned; (om hund) stray; **~mand** s squire; **~sko** spl men's shoes; **~skrædder** s tailor; **~toilet** s men's room, gents; **~tøj** s men's clothes.

herse v: ~ med en order sby around.

herskabelig adj luxurious.

herske v (styre, regere) rule; (som konge el. dronning) reign; (findes) be; (være fremherskende) prevail; ~ over ngt rule sth, reign over sth; **~r** s ruler (over of); **~rin-de** s mistress (over of); **~syg** adj domineering; (ivrig efter

magt) greedy for power.
hertil *adv* here; *(til denne brug)* for this purpose; ~ *kommer at...* add to this that...

hertug *s* duke; ~**dømme** *s* duchy; ~**inde** *s* duchess.

her... *sms:* ~**ud**, ~**ude** *adv* out here; ~**under** *adv* under here; *(inkluderet)* including; ~**ved** *adv* by this, hereby; ~**ved meddeles det at...** we hereby inform you that...

hest *s* horse; *(redskab til gymnastik)* vaulting horse; *til* ~ on horseback; *spring over* ~ *(i gymnastik)* horse vault; ~**eavl** *s* horse breeding; ~**edækken** *s* horsecloth; ~**ehale** *s* horsetail; *(om frisure)* ponytail; ~**ekraft** *s (hk)* horsepower, h.p.; *20* ~**ekræfter** 20 horsepower; ~**ekød** *s* horseflesh, horsemeat; ~**estald** *s* stable; ~**evogn** *s* horse cart; ~**evæddeløb** *s* horse-racing; *(selve løbet)* horse-race.

HFI-relæ *s (elek)* cutout.

hi *s* lair; *gå i* ~ *(fig)* go underground; *ligge i* ~ hibernate.

hidse *v:* ~ *en op* excite sby; *(gøre vred)* make sby angry; ~ *sig op over ngt* get excited about sth; *hids dig ned!* don't get excited! calm down! ~**e ngn op mod hinanden** set sby on each other; **hidsig** *adj* hotheaded; *blive hidsig* lose one's temper; *et hidsigt gemyt* a hot temper; **hidsighed** *s*

hot temper.

hidtil *adv* so far, up to now.

hikke *s* hiccup // *v* hiccup; *have* ~ have the hiccups.

hilse *v* say hello (, good morning, good afternoon, good evening); *(~ velkommen)* greet; *vil du* ~ *din kone?* give my regards to your wife! *jeg skal* ~ *fra familien* the family send their regards; ~ *ngt velkommen* welcome sth; ~ *på en* say hello (etc) to sby; ~**n** *s* greeting; *(med nik)* nod; *med* ~**n** *fra køkkenchefen* with the compliments of the chef; *mange* ~**ner** *(i brev)* best regards; *med venlig* ~**n** yours sincerely.

himmel *s* sky; *(himmerig)* heaven; *det kom som sendt fra himlen* it was a godsend; *stjernerne på himlen* the stars in the sky; *for himlens skyld* for heaven's sake; ~**blå** *adj* azure; ~**fart** *s: Kristi* ~**fartsdag** Ascension Day; ~**legeme** *s* celestial body; ~**råbende** *adj* crying; ~**seng** *s* four-poster; ~**sk** *adj* heavenly.

himmerig *s* Heaven.

hinanden *pron* one another; *i to dage efter* ~ for two days in succession; *gå (el. falde) fra* ~ go (el. fall) to pieces; *være forelskede i* ~ be in love (with one another).

hindbær *s* raspberry.

hinde *s* membrane; *(tyndt overtræk etc)* film.

hindre v *(standse, spærre for)* block, obstruct; *(forhindre)* prevent; *(sinke)* hinder; ~ *en i at gøre ngt* prevent sby from doing sth; **hindring** s *(som standser ngt)* obstacle, obstruction; *(forhindring)* prevention; *(som sinker)* hindrance; *lægge hindringer i vejen for en* put obstacles in the way of sby, obstruct sby.

hingst s stallion.

hinke v skip; *(humpe)* limp; *(i hinkerude)* ~ *rude, ~sten* hopscotch.

hirse s millet.

hist adv: ~ *og her* here and there.

historie s *(faget)* history; *(fortælling)* story; *(sag)* affair; *studere* ~ read history; *det er en længere* ~ it is a long story; *en pinlig* ~ an awkward affair; **historiker** s historian; **historisk** adj historical.

hitte v find; ~ *rede i ngt* make sth out; ~ *på ngt* think of sth; *(digte)* think up sth; ~ *ud af ngt* find out about sth, make sth out; ~ **gods** s lost property.

hive v pull; *(stærkt, pludseligt)* tug; ~ *efter vejret* gasp for breath; ~ *i snoren* pull the string; ~ *op i bukserne* hitch up one's trousers.

hjelm s helmet.

hjem s home // adv home; *komme* ~ come home; *invitere en* ~ ask sby home; ~**ad** adv homeward; ~**by** s home

town; ~**kalde** v recall; ~**komst** s homecoming; ~**kundskab** s *(i skolen)* home economics; ~**land** s native country; ~**lig** adj domestic; *(rar, hyggelig)* cosy, homely; ~**løs** adj homeless.

hjemme adv at home; *(kommet hjem)* home; *høre* ~ et *sted* belong somewhere; *(bo)* live somewhere; *være* ~ be (at) home; *er han* ~? *(også:)* is he in? ~**arbejde** s homework; ~**arbejdende husmor** housewife; ~**bagt** adj homebaked; ~**bane** s *(sport)* home ground; *(fig)* feel at home; ~**computer** s personal computer, PC; ~**fra** adv: *rejse (el. flytte)* ~*fra* leave home; ~**hjælp** s home help; ~**hjælper** s home help; ~**hørende** adj: ~*hørende i Danmark* a native of Danmark; *(bosat i)* resident in Denmark; ~**kamp** s *(sport)* home match; ~**lavet** adj home-made; ~**sko** s slipper; ~**styre** s Home Rule; ~**sygeplejerske** s *(på landet)* district nurse; *(i byen)* sv.t. health visitor; ~**værn** s Home Guard.

hjem. . . sms: ~**rejse** s journey home; *på* ~*rejsen mødte vi. . .* on our way home we met. . .; ~**sende** v send home; *(om tropper etc)* demobilize; ~**sted** s domicile; ~**søge** v: *være* ~*søgt af ngt* be afflicted by *(el.* with) sth; ~**vej** s way home; *på ~vejen så vi kirken* we saw the church on our way home.

hjerne *s* brain; *(forstand)* brains *pl; få på ~n* get on the brain; **~arbejde** *s* brainwork; **~blødning** *s* cerebral haemorrhage; **~død** *s* brain death; **~rystelse** *s* concussion; *have ~rystelse* be concussed; **~skade** *s* brain injury; **~skal** *s* skull; **~vask** *s* brainwashing.

hjerte *s* heart; *have dårligt ~* have a heart disease; *have svagt ~* have a weak heart; *have ondt i ~t* have a pain in one's heart; *have ngt på ~* have sth on one's mind; *hånden på ~t!* honest to God! **~anfald** *s* heart attack; **~banken** *s* palpitation; *(se også ~slag); ~fejl s* organic heart disease; **~lammelse** *s* heart failure; **~lig** *adj* hearty; *(dybfølt)* heartfelt; *(oprigtig)* sincere; *en ~lig latter* a hearty laugh; **~løs** *adj* heartless; **~musling** *s* cockle; *~t s (i kort)* hearts; *~r dame* queen of hearts; **~skærende** *adj* heart-rending; **~slag** *s (om hjertets banken)* heartbeat; *(om hjertetilfælde)* heart failure; **~stop** *s* heart failure; **~styrkning** *s* refreshment; **~sygdom** *s* heart disease; **~tilfælde** *s* heart attack; **~transplantation** *s* heart transplant.

hjort *s* deer; *to ~e* two deer.

~**etaksalt** *s* ammonium carbonate.

hjul *s* wheel; **~benet** *adj* bow-legged; **~damper** *s* paddle steamer; **~kapsel** *s* hub cap; **~pisker** *s* rotary beater; **~spor** *s (efter bil)* car track; *(efter anden vogn)* wheel track.

hjælp *s* help; *(assistance også:)* assistance; *(undsætning)* rescue; *(understøttelse)* support, aid; *(nytte)* use, help; *råbe om ~* cry for help; *komme en til ~* come to sby's assistance (el. rescue); *ved ~ af* by means of; **~e** *v* help; assist; rescue; support, aid; be of use; *det ~er ikke (også:)* it is no good; *hvad skal det ~e?* what is the good of that? *~es ad* help one another; *~e en med at gøre ngt* help sby to do sth; *~e på ngt* improve sth; *~e til* give a hand, help.

hjælpe. . . *sms:* **~løs** *adj* helpless; **~løshed** *s* helplessness; **~middel** *s* aid.

hjælper *s* helper, assistant.

hjælpsom *adj* helpful; **~hed** *s* helpfulness.

hjørne *s* corner; *gå om ~t* go round the corner; *dreje om ~et* turn the corner; *på ~t af* at the corner of; **~spark** *s* corner; **~tand** *s* eye tooth.

hob *s* crowd; *(større mængde af ngt)* multitude.

hof *s* court; *ved ~fet* at Court; **~dame** *s* lady-in-waiting; **~leverandør** *s: kongelig ~le-*

verandør purveyor to His *(el. Her)* Majesty the King *(el. Queen)*; ~**nar** *s* court jester.

hofte *s* hip; ~**ben** *s* hip bone; ~**holder** *s* girdle; ~**led** *s* hip joint.

hold *s* team; *(mindre gruppe, selskab etc)* group, party; *(greb, tag)* hold, grasp; *(side, kant)* quarter; *(i ryg, nakke etc)* pain; *være med på* ~*et (sport)* be on the team; *på nært* ~ *af* close to.

holdbar *adj (stærk, solid)* durable; *(om mad)* non-perishable; *(om farve)* fast; *(om påstand)* tenable; ~**hed** *s* durability; *have lang* ~**hed** *(om mad)* keep well.

holde *v* hold; *(vedlige~, bevare, underholde, fejre etc)* keep; *(abonnere på)* take; *(standse)* stop; *(~ stille for kortere tid)* wait; ~ *avis* take a newspaper; ~ *hund* keep a dog; ~ *af en* be fond of sby; ~ *af at gøre ngt* like to do sth; ~ *fast i ngt* hold on to sth; ~ *igen på ngt* hold sth; ~ *inde (med fx skydning)* cease; *(fx med at tale)* stop; ~ *med en* side with sby; ~ *en med tøj* keep sby equipped; ~ *en nede* keep sby down; ~ *op med at gøre ngt* stop doing sth; *hold nu op!* stop it now! ~ *på (dvs. beholde)* hold on to; *(dvs. hævde)* insist *(at that)*; *(ved væddemål)* bet on; ~ *sammen* stick together; ~ *til et sted* live *(el. stay)* in a

place; *jeg kan ikke* ~ *til det mere* I can't stand it any longer; ~ *tilbage* hold back; *(i trafikken)* give way; ~ *ud (dvs. blive ved)* hold out; *(dvs. udstå)* stand; ~ *sig (dvs. ikke blive dårlig)* keep; *(dvs. forblive)* stay; *(dvs. ikke gå på toilettet)* contain oneself; ~ *sig fra ngt* stay away from sth; ~ *sig inde* stay indoors; ~ *sig oppe (i vandet)* keep afloat; *(ikke gå i seng)* stay up; ~ *sig parat* keep ready; ~ *sig til reglerne* stick to rules; ~ *sig tilbage* hold back.

holdeplads *s (for bus etc)* stop; *(for taxa)* taxi rank.

holder *s (til fx blyanter)* holder; *(til fx tape)* dispenser.

holdning *s (af kroppen)* posture, bearing; *(måde at opføre sig på)* conduct; *(indstilling)* attitude; *(standpunkt)* position.

holdsammensætning *s (sport)* line-up.

Holland *s* Holland; **h~sk** *adj* Dutch; **hollænder** *s* Dutchman; *hun er hollænder* she is Dutch.

homo. . . *sms:* ~**fil** *adj* homophile; ~**gen** *adj* homogenous; ~**seksuel** *s/adj* homosexual.

honning *s* honey; ~**kage** *s sv.t.* gingerbread; ~**melon** *s* honey dew melon.

honnør *s: gøre* ~ *for en* salute sby.

honorar *s* fee; **honorere** *v (be-*

tale) pay; *(opfylde)* fulfil.
hop *s* jump; *(stort)* leap; ~**bak-ke** *s (til skihop)* ski jump.
hoppe *s (om hest)* mare // *v* jump; *(med store spring)* leap; ~ *over ngt* jump (over) sth; *(fig)* skip sth; *den ~r jeg ikke på!* I don't buy that one!
hor *s (utroskab)* adultery; *be-drive* ~ commit adultery; ~ *v* fornicate.
horisont *s* horizon; *ude i ~en* on the horizon; ~**al** *adj* horizontal.
hormon *s* hormone; ~**mangel** *s* hormone deficiency; ~**til-skud** *s* hormone supplement.
horn *s* horn; *(mus)* (French) horn; *(om brød)* croissant; *tude i ~et* blow the horn; *spille på* ~ play the horn; ~**fisk** *s* garfish; ~**hinde** *s (i øjet)* cornea; ~**ist** *s* horn player.
horoskop *s* horoscope; *få stil-let sit* ~ have one's horoscope cast.
hos *præp: være på besøg* ~ *en* be visiting sby; *bo* ~ *en* ven stay with a friend; *han er henne* ~ *bageren* he is at the baker's; *vil du sidde* ~ *mig?* will you sit by me?
hospital *s* hospital; *komme på* ~*et* go to hospital; *ligge på* ~*et* be in hospital; ~**ssprit** *s* surgical spirit.
hoste *s* cough; *(det at ~)* coughing; *have* ~ have a cough; ~**anfald** *s* fit of coughing; ~**n** *s* cough(ing);

~**saft** *s* cough mixture.
hotel *s* hotel; *bo på* ~ stay at a hotel; ~**reservation** *s* room reservation; ~**værelse** *s* hotel room; ~**vært** *s* hotel keeper.
hov *s (på dyr)* hoof // *interj* hey! ~, ~! come, come!
hoved *s* head; *få ngt i* ~*et* be hit on the head by sth; *have ondt i* ~*et* have a headache; *regne ngt i* ~*et* calculate sth in one's head; *falde på* ~ *ned ad trappen* fall headfirst down the stairs; *springe på* ~*et ud i vandet* dive head-first into the water; *stille ngt på* ~*et* stand sth on its head, turn sth upside down; ~**ba-negården** *s* the central station; ~**bestyrelse** *s* executive committee; ~**bund** *s* scalp; ~**bygning** *s* main building; ~**dør** *s* front door; ~**fag** *s* major subject; ~**formål** *s* chief aim.
hoved. . . *sms:* ~**gade** *s* main street; ~**indgang** *s* main entrance; ~**kontor** *s* head office; ~**kulds** *adj* headlong // *adv* headfirst; ~**kvarter** *s* headquarters *pl* (H.Q.); ~**ledning** *s* main; ~**nøgle** *s* master key; ~**parten** *s* the greater part; *(de fleste)* the majority; ~**pine** *s* headache; *have* ~**pine** have a headache; ~**pude** *s* pillow; ~**pudebe-træk** *s* pillowcase, pillowslip; ~**regning** *s* mental arithme-tic; ~**rengøring** *s* spring clea-

ning; ~**rolle** s leading part; ~**sagen** s the main thing; ~**sagelig** adj mainly; ~**stad** s capital; ~**stads-** metropolitan; ~**stød** s (i fodbold) header; ~**sæde** s head office; ~**telefoner** spl earphones; ~**trappe** s front stairs pl; ~**træk** s: i ~**træk** in outline; ~**tørklæde** s (head)scarf; ~**vej** s main road.

hovere v: ~ over ngt gloat over sth; ~**nde** adj gloating.

hovmester s (på skib) steward.

hovmod s arrogance; ~**ig** adj arrogant.

hovne v: ~ op swell.

hud s skin; med ~ og hår skin and all; hård ~ callous skin; ~**afskrabning** s abrasion; ~**farve** s colour (of the skin); ~**løs** adj raw; ~**løshed** s rawness; ~**orm** s blackhead; ~**pleje** s skin care; ~**sygdom** s skin disease.

hue s cap.

hug s (med fx økse) stroke; sidde på ~ squat.

hugge v (med økse etc) cut, chop; (stjæle) pinch; (gribe) catch; ~ brænde chop firewood; ~t sukker lump sugar; ~ træer fell trees; ~**blok** s chopping block.

hugorm s viper; **hugtand** s (om slange) fang; (om andre dyr) tusk.

hukommelse s memory; efter ~n from memory; ~**stab** s loss of memory.

hul s hole; (sted hvor der mangler ngt) gap; (i fx vandrør) leak; stikke ~ i ngt prick a hole in sth, puncture sth; det er ~ i hovedet it is madness; få lavet ~ler i ørerne have one's ears pierced; der gik ~ på posen there was a hole in the bag.

hul adj hollow; have en i sin ~e hånd hold sby in the hollow of one's hand.

hule s cave; (om dyrs bo, om hybel) den // v: ~ ngt ud hollow out sth; ~**maleri** s cave painting.

hulke v sob; ~**n** s sobbing.

hulkort s punched card; ~**operatør** s punch card operator.

hullet adj full of holes.

hul... sms: ~**mur** s cavity wall; ~**rum** s cavity; ~**ske** s skimmer; ~**spejl** s concave mirror; ~**strimmel** s punch tape; ~**søm** s hemstitch.

hulter adv: ~ til bulter pell-mell.

human adj (god ved mennesker) humane; (angående mennesker) human; ~**iora** spl the humanities; ~**isme** s humanism; ~**istisk** adj humanistic; ~**itær** adj humanitarian.

humle s hop; ~**bi** s bumble-bee.

hummer s lobster; (om værelse) den.

humor s humour; ~**ist** s humorist; ~**ristisk** adj humorous; han har ~istisk sans he has got a sense of humour.

humpe v limp.

humør s mood; *være i godt (el. dårligt)* ~ be in a good *(el. bad)* mood; *være i* ~ *til at gøre ngt* be in the mood for doing sth; *op med* ~*et!* cheer up!

hun s *(om dyr)* female, she; *(om fugl)* hen // *pron* she; *det sagde* ~ *selv!* she said so herself.

hund s dog; *have* ~ keep a dog; *lufte* ~*en* walk the dog; *føre en* ~ *i snor* have a dog on a leash; *slippe* ~*ene løs* unleash the dogs; *gå i* ~*ene* go to the dogs.

hunde. . . sms: ~**angst** adj scared stiff; ~**galskab** s rabies; ~**halsbånd** s dog-collar; ~**hus** s doghouse, kennel; ~**hvalp** s puppy; ~**kiks** s dog biscuit; ~**lort** s dog shit; ~**pension** s boarding kennels; ~**slæde** s dog sleigh; ~**stejle** s stickleback; ~**sulten** adj famished; ~**væddeløb** s dog racing, (F) the dogs.

hundrede num a hundred; *et* ~ one hundred; *fem* ~ five hundred; *der var* ~ *r af mennesker* there were hundreds of people; *en ud af* ~ one in a hundred; ~**del** s hundredth.

hundred. . . sms: ~**tusind** s a hundred thousand; ~*tusinder* hundreds of thousands; ~**vis** adv: *i* ~*vis af biler* hundreds of cars; ~**årsjubilæum** s centenary.

hundse v: ~ *med en* bully sby.

hungersnød s famine.

hunhund s she-dog, bitch; **hunkøn** s female sex; *(gram)* the feminine; *af hunkøn* female.

hurra interj hurrah, hurray; *(et* ~*råb)* cheer; *råbe* ~ *for en* cheer sby; ~ *for det!* hurray for that! *det var ikke ngt at råbe* ~ *for* it was nothing to write home about; ~**råb** s cheer.

hurtig adj quick; *(om bevægelse)* fast // adj quickly; *(snart)* soon; *(med stor fart)* fast; *kom så* ~*t du kan* come as soon as you can; *så* ~*t som muligt* as quickly *(el. soon)* as possible; ~**løb** s sprinting; *(på skøjter)* speed skating; ~**løber** s sprinter; ~**tog** s fast train, express; ~**virkende** adj quick-acting.

hus s house; *(bygning også:)* building; *føre* ~ keep house; *holde* ~ *med ngt* economize on sth; *her i* ~*et* in this house; *være i* ~*et (som ung pige etc)* be a mother's help; *have til* ~*e et sted* live somewhere; ~**arrest** s house arrest; ~**assistent** s housemaid, mother's help; ~**behov** s: *kunne ngt til* ~*behov* do sth moderately well; ~**bestyrerinde** s housekeeper; ~**besætter** s squatter; ~**blas** s gelatine; ~**båd** s houseboat; ~**dyr** s domestic animal.

huse v house; ~**re** v *(være på spil)* be at work; *(hærge, rase)* ravage.

hus... *sms:* ~**gerning** *s* housework; *(i skolen)* domestic science; ~**hjælp** *s* maid; *(til rengøring)* charwoman, daily; ~**holderske** *s* housekeeper.

husholdning *s (det at føre hus)* housekeeping; *(familie, husstand)* household; ~**spenge** *spl* housekeeping money; ~**sregnskab** *s* household accounts *pl; (indkøbsliste)* shopping list.

huske *v* remember; **husk det nu!** don't forget! ~ **galt** be mistaken; *hvis ikke jeg* ~*r meget galt* unless I'm much mistaken; *så vidt jeg* ~*r* as far as I (can) remember; ~**seddel** *s* note; *(indkøbsliste)* shopping list.

husleje *s* rent; ~**nævn** *s* rent tribunal; ~**tilskud** *s* housing benefit.

huslig *adj* domestic.

hus... *sms:* ~**ly** *s* shelter; ~**mand** *s* smallholder; ~**mandssted** *s* smallholding; *(om huset)* cottage; ~**mor** *s* housewife; ~**morafløser** *s* home help; ~**stand** *s* household; ~**telefon** *s (i firma etc)* inter-office telephone; *(ved gadedøren)* entry phone.

hustru *s* wife; ~**bidrag** *s* alimony; ~**mishandling, ~vold** *s* wife battering.

husundersøgelse *s* search (of a house); **husvild** *adj* homeless.

hvad *pron* what; ~ *siger du?* I beg your pardon? (F) what?

~ *hedder du?* what is your name? ~ *hedder det på engelsk?* what is it (called) in English? ~ *er der?* what is it? what do you want? *gøre* ~ *der bliver sagt* do as one is told; ~ *gør det?* what is wrong with that? ~ *skulle det være? (i forretning)* can I help you? ~ *er det for ngt?* what is that? ~ *for ngt?* what? ~ *med en drink* how about a drink? *og* ~ *så?* so what? *ved du* ~*...?* listen...; ~ *dag det skal være* any day.

hval *s* whale; ~**fangerskib** *s* whaler; ~**fangst** *s* whaling.

hvalp *s* puppy; *få* ~*e* have pups; ~**efedt** *s* puppy fat.

hvalros *s* walrus.

hvas *adj* sharp, keen.

hvede *s* wheat; ~**brød** *s* white bread; ~**brødsdage** *spl* honeymoon; ~**kim** *s* wheat germ; ~**klid** *s* bran.

hvem *pron* who; ~ *er det?* who is it? ~ *af jer?* which (one) of you? ~ *der bare havde en million* if only I had a million; ~ *som helst kan gøre det* anybody can do it; ~ *har sagt det?* who said so? ~ *sagde du det til?* who did you tell (it to)?

hveps *s* wasp; ~**erede** *s* wasps' nest; *(fig)* hornet's nest.

hver *pron* (~ *af alle)* every; *(~ af enkelte, af bestemt antal)* each; ~ *dag* every day; ~ *anden dag* every other day, every second day; ~ *eneste* *dag* every single day; ~ og én one and all; ~ *for sig* separately; *de fik en cykel* ~ they got a bike each; ~*t øjeblik (det skal være)* any moment.

hverdag *s* weekday; *om* ~*en* (on) weekdays; *til* ~ usually; ~**s-** *adj* everyday *(fx tøj* clothes).

hverken *konj*: ~...*eller* neither...nor; *(efter nægtelse)* either...or; *han kan* ~ *synge el. spille* he can neither sing nor play; *jeg har aldrig været i* ~ *London el. Liverpool* I have never been to either London or Liverpool.

hverv *s* task, assignment; *blive pålagt et* ~ be given an assignment; *nedlægge sit* ~ resign; ~**e** *v (mil)* recruit, enlist; *(om stemmer)* canvass.

hvid *adj* white; *det koster det* ~*e ud af øjnene* it costs the earth.

hvide *s* (egg-)white; ~**varer** *spl (om stoffer)* linen; *hårde* ~*varer* kitchen hardware.

hvid... *sms:* ~**glødende** *adj (af raseri)* livid; ~**kalket** *adj* whitewashed; ~**kål** *s* cabbage; ~**kålshoved** *s* head of cabbage; ~**løg** *s* garlic; ~**malet** *adj* painted white.

hvidte *v* whitewash; **hvidtning** *s* whitewashing.

hvidtøl *s* low-alcohol beer.

hvidvin *s* white wine.

hvil *s* rest; *holde* ~ take a rest; *(fx under biltur)* make a halt; ~**e** *s* rest // *v* rest; ~*e sig* rest,

take a rest; *lade ngt* ~*e* let sth be; *hvil! (mil)* at ease! ~**eløs** *adj* restless; ~**epause** *s* rest, break.

hvilken, hvilket, hvilke *pron* what; *(ud af bestemt antal)* which; *på hvilket tidspunkt?* at what time? *hvilke af disse ting er dine?* which of these things belong to you? *der kom 50 af hvilke en del var udlændinge* 50 people came, some of whom were foreigners; *hvilken som helst* any.

hvin *s* shriek; ~**e** *v* shriek; *(om bremser etc)* screech; *(om kugler)* whistle; ~**ende** *adj* shrieking; *(om lyd også:)* shrill.

hvirvel *s* whirl; *(lille* ~ *i vand)* eddy; *(ryg~)* vertebra; *(i håret)* tuft; ~**dyr** *s* vertebrate; ~**storm** *s* tornado; ~**søjle** *s* spinal column; ~**vind** *s* whirlwind; **hvirvle** *v* whirl; *hvirvle støv op* raise dust.

hvis *pron* whose; ~ *bil er det?* whose car is it? *den mand* ~ *bil vi har lånt* the man whose car we borrowed // *konj (dersom)* if; ~ *bare* if only; ~ *ikke* if not.

hviske *v* whisper; ~**n** *s* whisper(ing).

hvisle *v* hiss; *(om vind)* whistle.

hvor *adv (om sted)* where; *(om tid)* when; *(om grad, mængde etc)* how; ~ *bor du?* where do you live? *en dag* ~ *vi har tid* some day when we have got time; ~ *meget (koster det)?* how much (is it)? ~ *er det rart!* how nice! ~ *meget vi end arbejder, så...* no matter how much we work...; ~ *som helst* anywhere; ~ *kan det være at...?* how is it that...? (F) how come that...?

hvoraf *adv:* ~ *kommer det at...* how is it that...? (F) how come that...? *100 passagerer ~ de 14 er børn* 100 passengers, 14 of whom *(el.* which) are children.

hvordan *adv* how; ~ *har du det?* how are you? ~ *er han som lærer?* what is he like as a teacher?

hvorefter *adv* after which, whereupon.

hvorfor *adv* why; ~ *kom du ikke?* why did you not come? ~ *i al verden?* why on earth?

hvorhen *adv* where; ~ *fører denne vej?* where does this road lead (to)?

hvori *adv* wherein, where.

hvorimod *konj* whereas.

hvormed *adv* with which.

hvornår *adv* when.

hvorom *adv:* ~ *alting er* however that may be; ~ *drejer det sig?* what is it about?

hvortil *adv (spørgende)* where.. .to?; *(dvs. hvor langt?)* how far? *(om formål)* what for? *(relativt)* to which, where; ~ *kom vi?* how far did we get? ~ *anvendes den?* what is it used for? *huset ~ de*

kom the house which they came to.

hvorvidt *konj* whether.

hvælve *v:* ~ *sig* vault, arch; **hvælving** *s* vault, arch.

hvæse *v* hiss; ~n *s* hiss(ing).

hyacint *s* hyacinth.

hyben *s* (rose)hip; ~rose *s* dog rose.

hygge *s* cosiness, comfort // *v:* ~ *sig* feel cosy, have a nice time; ~krog *s* cosy corner; ~lig *adj* cosy, comfortable; *(rar)* nice.

hygiejne *s* hygiene; ~bind *s* sanitary towel; **hygiejnisk** *adj* hygienic, sanitary.

hykler *s* hypocrite; ~i *s* hypocrisy; ~isk *adj* hypocritical.

hyl *s* howl, yell; *(om sirene)* wail; *(se også hyle).*

hyld *s (bot)* elder.

hylde *s* shelf; *lægge ngt på ~n* shelve sth; *(holde op med)* give sth up // *v (med bifald)* applaud; *(med hurraråb)* cheer.

hyldebær *s* elderberry.

hyldest *s* applause, ovation.

hyle *v* howl, yell; *(klagende)* wail; *blive ~t helt ud af den* get flustered; ~n *s* howling, yelling, wailing.

hylster *s* case; *(pistol~)* holster.

hynde *s (sidde~)* cushion; *(ryg~)* bolster.

hypnose *s* hypnosis; **hypnotisere** *v* hypnotize; **hypnotisk** *adj* hypnotic; **hypnotisør** *s* hypnotist.

hypokonder *s* hypochondriac;

hypokondri s hypochondria.
hypotese s hypothesis; **hypotetisk** adj hypothetical.
hyppig adj frequent; ~hed s frequency.
hyrde s (fåre~) shepherd; ~hund s sheepdog.
hyre s (arbejde på skib) job; (løn for arbejdet) pay; tage ~ sign on // v hire; ~vogn s taxi.
hysteri s hysterics; (begrebet) hysteria; ~sk adj hysterical; blive ~sk go into hysterics.
hytte s hut; (lille hus) cottage; ~fad s well box; ~ost s cottage cheese; ~sko s moccasin.
hæder s honour; (nogenlunde, ret god) honest; ~lighed s honesty; ~sgæst s guest of honour; ~stegn s medal; **hædre** v honour.
hæfte s (lille bog) booklet; (til at skrive op i) notebook; (stilebog) exercise book; (med frimærker, billetter etc) book(let); (fængsel) prison // v (sætte fast) fasten, fix; (med ~maskine) staple; (være ansvarlig) be responsible; ~ ende (ved syning) fasten off; ~ ngt sammen fasten (el. staple) sth together; ~ sig ved ngt notice sth; ~klamme s staple; ~maskine s stapler; ~t adj (om bog) paperbound.
hæge v: ~ om ngt look well after sth.
hægte s hook // v hook; komme til ~rne recover; ~ ngt

op unhook sth.
hæk s hedge; (i sport) hurdle; ~keløb s hurdles pl; ~kesaks s: en ~kesaks a pair of shears.
hækle v crochet; ~nål s crochet hook; **hækling** s crochet.
hækmotor s rear engine.
hæl s heel; i ~ene på en at sby's heels.
hælde v (om væske, ~ op) pour; (skråne) slant, slope; (stå skråt, læne sig) lean; **hældning** s slope; (på tag) pitch; (om vejsving) banking.
hæmme v (begrænse) restrict; (gøre besværlig) hamper; ~t adj (psykisk) inhibited; være ~t af ngt be hampered by sth; **hæmning** s restraint; (psykisk) inhibition.
hæmorroider spl haemorrhoids, piles.
hænde v happen; ~lig adj accidental; ~lse s occurrence, incident.
hænge v hang; blive hængt get hanged; ~ fast stick, get stuck; ~ i (dvs. slide) work hard; ~ (og dingle) i ngt hang from sth; ~ vasketøj op hang (up) the washing; ~ på den be in for it; ~ sammen stick together; ~ en ud expose sby; ~ sig hang oneself; ~ sig i småting make a fuss about details; ~bro s suspension bridge; ~køje s hammock; ~lås s padlock; ~plante s hanging plant; ~røv s (F, om person) softy;

have ~røv i bukserne have baggy trousers; **~sofa** s garden hammock; **hængning** s hanging.

hængsel s hinge.

hær s army.

hærde v harden, toughen; *~t glas* toughened glass; **hærdning** s hardening, toughening.

hærge v ravage; *(om epidemi etc)* rage.

hærværk s vandalism; *begå ~* vandalize.

hæs adj hoarse; **~blæsende** adj breathless; *(hurtig)* hurried // adv breathlessly; *i en hurry;* **~hed** s hoarseness.

hæslig adj ugly.

hætte s hood; *(låg)* cap.

hævde v *(holde fast ved)* maintain; *(stædigt, vedholdende)* insist (on); *(gøre krav på)* claim; **~lse** s assertion.

hæve v *(løfte)* raise, lift (up); *(gøre højere)* raise; *(~ i bank etc)* draw; *(om check)* cash; *(ophæve)* lift, cancel; *(om møde)* adjourn; *(blive tykkere, svulme op)* swell; *(om dej)* rise; *føle sig ~t over ngt* be above sth; *det er ~t over enhver tvivl* it is beyond doubt; **~lse** s swelling.

hævn s revenge; *tage ~ over en* revenge oneself on sby; *~e* v revenge; *~e sig* revenge oneself; **~gerrig** adj vindictive; **~gerrighed** s vindictiveness.

hævning s raising, lifting; *sætte dejen til ~* let the dough rise.

hævnlyst s vindictiveness; **hævntørstig** adj revengeful.

hø s hay; *(fig)* trash; **~feber** s hay fever.

høflig adj polite; **~hed** s politeness, courtesy.

høg s *(også fig)* hawk.

høj s hill // adj high; *(om person, om høj og tynd ting)* tall; *(om lyd)* loud; *bjerget er 1000 m ~t* the mountain is 1000 metres high; *hvor ~ er du?* how tall are you? *~ hat* top hat; *~e hæle* high heels; *~ sne* deep snow; *(se også højt)*.

højde s height; *(niveau)* level; *(geogr, astr)* altitude; *i stor ~* at a great height; *i ~ med taget* on a level with the roof; *han er på ~ med Peter* he is about the same height as Peter; *være på ~ med situationen* be equal to the situation; **~drag** s ridge, height; **~punkt** s height, peak; *på ~punktet af hendes karriere* at the height of her career; **~spring** s high jump.

højere adj higher; taller; louder; *(se høj)*; *~!* louder! speak up! **højest** adj highest; tallest; loudest; **højesteret** s supreme court.

høj. . . sms: **~fjeldssol** s sun lamp; **~forræderi** s high treason; **~halset** adj high-necked; **~hed** e highness; *Hans kongelige ~hed* His Royal Highness; **~hus** s high-rise block; **~hælet** adj high-heeled; **~kant** s: stå på **~kant** be on edge; (fig, om satsning) be at stake; **~konjunktur** s boom; **~land** s highland, upland; **~lydt** adj loud // adv loudly; **~lys** adj: ved **~lys** dag in broad daylight.

højre s (pol) the Right // adj right; dreje til **~** turn right; anden gade på **~** hånd the second street on your right; på **~** side af ngt on the right hand side of sth.

højreb s (gastr) sv.omtr.t. wing rib, rib roast.

højre. . . sms: **~kørsel** s traffic on the right hand side of the road; **~orienteret** adj rightwing; **~styring** s right-hand drive.

højrød s scarlet.

højrøstet adj loud.

højskole s high school; (folke~) folk high school.

højslette s plateau.

højspænding s high voltage.

højst adv (yderst, uhyre) most, very, extremely; (ikke mere end) at (the) most, not more than; det er **~** sandsynligt it is most likely; det varer **~** 14 dage it will be a fortnight at the most.

højsæson s peak season.

højt adv high; (om grad) highly; (om lyd) loudly; sige ngt **~** say sth aloud; læse **~** read aloud; **~** oppe high up, far up; (lystig etc) in high spirits; sige ngt **~** og tydeligt say sth

loud and clear.

højtid s festival; **~elig** adj solemn; tage ngt **~eligt** take sth seriously; **~elighed** s ceremony; (det at være **~elig**) solemnity.

højtryk s high pressure.

højttaler s loudspeaker; **~anlæg** s public address system.

højvande s high tide; det er **~** (også:) the tide is in.

høloft s hayloft; **høløs** s hayload.

høne s hen; (gastr) chicken; **høns** spl chickens.

hønse. . . sms: **~farm** s poultry farm; **~hus** s hen house; **~kødsuppe** s chicken soup; **~ri** s poultry farm; **~stige** s hen-coop ladder.

hør s flax.

høre v hear; (lytte) listen (til to); **~** dårligt be hard of hearing; **~** efter børnene keep an ear on the children; **~** efter (hvad der bliver sagt) listen (to what is said); **~** til (dvs. være en del af) belong to; (dvs. være en af) be among, be one of; **~apparat** s hearing aid; **~briller** spl hearing spectacles; **~spil** s radio play; **~vidde** s: inden for (el uden for) **~vidde** within (el. out of) earshot; **~værn** s hearing protection.

hørfrø s linseed.

høring s hearing.

hørlærred s linen.

høst s harvest; (om udbyttet) crop.

høstak s haystack.

høste v harvest; *(om korn)* reap; *(om frugt)* gather; *(fig)* gain, win; **høstmaskine** s reaper, harvester.

høtyv s hay fork.

høvding s chief.

høvl s plane; ~e v plane; ~**ebænk** s workbench; ~**spån** s shaving.

håb s hope; *gøre sig* ~ *om ngt* hope for sth; *i* ~ *om at vejret bliver godt* hoping that the weather will be fine; *i* ~ *om at gøre karriere* hoping to make a career; ~e v hope; *jeg* ~*er ikke de kommer* I hope they don't come; *det* ~*er jeg!* I hope so! *det* ~*er jeg ikke!* I hope not! ~ *på ngt* hope for sth; ~**løs** *adj* hopeless; ~**løshed** s hopelessness.

hån s scorn.

hånd s hand; *give en* ~*en* shake hands with sby; *give en en* ~ *med* lend sby a hand; *få ngt fra* ~*en* get sth off one's hands; *sy (el. skrive etc) i* ~*en* sew *(el. write etc)* by hand; *holde en i* ~*en* hold sby's hand; *gå* ~ *i* ~ go hand in hand; *få ngt i hænde (dvs. modtage)* receive sth; *(få tilfældigt fat i)* get hold of sth; *på egen* ~ single-handed; *under* ~*der* ~ confidentially; *have ngt ved* ~*en* have sth at hand. **hånd**... *sms:* ~**arbejde** s needlework; ~**bold** s handball; ~**flade** s palm; ~**fuld** s handful; ~**gribelig** *adj* tangible;

~**jern** *spl* handcuffs; ~**klæde** s towel; ~**kraft** s: *ved* ~*kraft* by hand; ~**køb** s *(om medicin): i* ~*køb* without a prescription; ~**langer** s helper; *(neds)* tool; ~**lavet** *adj* handmade; ~**led** s wrist; ~**skrift** s handwriting; ~**sving** s crank; ~**syet** *adj* hand-stitched; ~**sæbe** s toilet soap; ~**tag** s handle; ~**taske** s bag; *(dametaske)* handbag.

håndtere v handle; **håndtering** s handling.

hånd... *sms:* ~**tryk** s handshake; ~**vask** s hand basin, wash basin; *(det at vaske hænder)* washing one's hands; ~**værk** s craft; ~**værker** s tradesman, craftsman.

håne v scorn; *(gøre nar af)* mock; *(kritisere voldsomt)* sneer at; **hånlig** *adj* scornful.

hår s hair; *rede sit* ~ comb one's hair; *sætte* ~*et* do one's hair; *få* ~*et ordnet* have one's hair done; *få klippet* ~*et* have a haircut; ~**balsam** s (hair) conditioner; ~**bund** s scalp; ~**børste** s hairbrush; ~**bånd** s hair ribbon.

hård *adj* hard; ~ *hud* callous skin; ~ *modstand* strong resistance; *med* ~ *hånd* relentlessly; *(se også hårdt);* ~**hed** s hardness; ~**hudet** *adj (fig)* thick-skinned; ~**hændet** *adj* rough; ~**kogt** *adj (også fig)* hard-boiled; ~**nakket** *adj (stædig)* stubborn; *(ihærdig)* persistent; ~**t** *adv* hard;

(slemt) badly; **bremse** ~t **op** brake hard; ~t **såret** badly wounded; *det var* ~t *for ham* it was hard on him.

håret *adj* hairy.

hår. . . *sms:* ~**farve** *s* hair colour; *(som farver håret)* hairdye; ~**fjerner** *s* hair remover; ~**klemme** *s* hair clip; ~**lak** *s* hair spray; ~**nål** *s* hairpin; ~**nålesving** *s* hairpin bend; ~**rejsende** *adj* hair-raising; ~**sløjfe** *s* bow; ~**spænde** *s* hair clip; *(skydespænde)* hair slide; ~**tørrer** *s* hair-drier; ~**vask** *s* shampoo.

I

I *pron* you.

i *præp (om sted)* in; *(om afgrænset sted, punkt, adresse, institution)* at; *(hen til, fx skole)* to; *(ind i, ned i, op i etc)* into; *(inde i)* inside, in; *(om tidsrum)* in; *(om tidspunkt)* at; *(om varighed)* for; *(om klokkeslæt)* to; *(se også de enkelte ord som* ~ **forbindes med);* ~ *Danmark* in Denmark; ~ *avisen* in the newspaper; *de mødtes* ~ *skolen* they met at school; *stå af* ~ *Helsingør* get off at Elsinore; *gå* ~ *skole* go to school; *gå* ~ *seng* go to bed; *gå ind* ~ *kirken* go into the church; *gå op* ~ *badet* get into the bath; *(inde)* ~ *bilen* in(side) the car; *ligge* ~ *sengen* be in bed; ~ *foråret 1986* in the spring

of 1986; ~ *julen* at Christmas; *de har boet her* ~ *fem år* they have been living here for five years; *klokken er fem minutter* ~ *to* it is five minutes to two; *tre* ~ *ni er tre* three into nine is three; *trække en* ~ *håret* pull sby's hair; *trække* ~ *tøjet* put on one's things; ~ *al fald* at any rate; *slå sig* ~ *hovedet* bang one's head; *skære sig* ~ *hånden* cut one's hand.

iagttage *v (studere)* watch; *(overholde)* observe; *(lægge mærke til)* notice; ~**lse** *s* observation.

idag *se* **dag.**

idé *s* idea; *få en* ~ get an idea; *en genial* ~ a stroke of genius.

ideal *s* ideal // *adj* ideal; ~**isme** *s* idealism; ~**ist** *s* idealist; ~**istisk** *adj* idealistic; **ideel** *adj* ideal.

identificere *v* identify; **identisk** *adj* identical *(med* with); **identitet** *s* identity; **identitetskort** *s* identity card.

ideolog *s* ideologist; ~**i** *s* ideology; ~**isk** *adj* ideological.

idérig *adj* inventive.

idet *konj* as; *vi mødtes* ~ *vi var på vej ud* we met as we were going out.

idiot *s* idiot, fool; *din* ~*!* you fool! ~**i** *s* idiocy; ~**isk** *adj* foolish.

ID-kort *s* identity card.

idol *s* idol.

idræt *s* sports, athletics *pl; dyr-*

ke ~ go in for sports; **~sdag** *s* sports day; **~folk** *spl* athletes; **~sgren** *s* discipline; **~shal** *s* sports centre; **~splads** *s* sports field.

idyl *s* idyll; **~lisk** *adj* idyllic.

idømme *v*: ~ *en en bøde* fine sby; ~ *en fem års fængsel* sentence sby to five years' imprisonment.

ifølge *præp* according to; ~ *sagens natur* as is natural.

iføre *v*: ~ *sig ngt* put sth on; *han var iført mørk habit* he wore a dark suit.

igangværende *adj* ongoing, in progress.

igen *adj* again; *(tilbage)* back; *(ofte bruges* re- *foran verbet, fx:) læse en bog* ~ reread a book; *sig det* ~*!* say that again! *få penge* ~ get money back; *give en ngt* ~ give sth back to sby; *kan du give* ~? *(om penge)* have you got change?

igennem *adv* through; *dagen (el. natten)* ~ all day *(el. night)* long; *komme* ~ *parken* pass through the park.

igle *s* leech.

ignorere *v* ignore.

igår yesterday; *(se også går)*.

ihjel *adv* to death; *ved at kede sig* ~ bored to death, bored stiff; *slå en* ~ kill sby; *blive slået* ~ get killed.

ihærdig *adj (ivrig, flittig)* energetic; *(vedholdende, stædig)* persistent; **~hed** *s* energy; persistence.

ikke *adv* not; *(foran komp af adj:)* no; *det var* ~ *ham der gjorde det* it was not he who did it, he did not do it; *du er* ~ *bedre end jeg* you are no better than I am; ~ *det?* really? *det håber jeg* ~*!* I hope not! ~ *mere* no more; *(dvs. ikke længere)* no longer; *der kom* ~ *mindre end 20.000 til kampen* no less than 20,000 people watched the match; *her er* ~ *nogen* there is nobody here; *her er* ~ *nogen bøger jeg kan lide* there are no books here that I like; *der er* ~ *noget at se* there is nothing to see; *der var* ~ *noget øl tilbage* there was no beer left; *det mener du* ~*!* you don't say so! really! *det gør* ~ *ngt* it does not matter; *det er dejligt vejr,* ~? it's a lovely day, isn't it? **~angrebspagt** *s* non-aggression pact; **~ryger** *s* non-smoker; **~svømmer** *s* non-swimmer; **~vold** *s* non-violence; **~voldelig** *adj* non-violent.

ild *s* fire; *der gik* ~ *i hans tøj* his clothes caught fire; *har du ngt* ~? have you got a light? *have* ~ *i pejsen (el. kakkelovnen)* have a fire (on); *sætte* ~ *på ngt* set sth on fire; *der er* ~ *i trappen* the staircase is on fire; *puste til* ~*en (fig)* add fuel to the flames.

ilde *adj* bad // *adv* badly; *føle sig* ~ *berørt af ngt* feel uncomfortable about sth; *være*

~ *stedt* be in trouble; *tage ngt* ~ *op* take sth badly; **~befindende** *s* indisposition; **~brand** *s* fire; **~lugtende** *adj* evil-smelling; **~set** *adj* unpopular; **~varslende** *adj* ominous.

ild... sms: **~fast** *adj* fireproof, ovenproof; **~rager** *s* poker; **~rød** *adj* burning red, scarlet; **~slukker** *s* fire extinguisher; **~sted** *s* fireplace.

ile *v* hasten, hurry; *(løbe)* run.

ilgods *s* express goods.

illegal *adj* illegal; **illegitim** *adj* illegitimate.

illoyal *adj* disloyal, unfair.

illumination *s* illumination; **il-luminere** *v* illuminate.

illusion *s* illusion; **illusorisk** *adj* illusionary.

illustration *s* illustration; **~stekst** *s* legend; **illustrator** *s* illustrator; **illustrere** *v* illustrate.

ilt *s* oxygen; **~e** *v* oxidize.

iltelegram *s* express telegram.

iltmaske *en* oxygen mask.

imedens *adv* d.s.s. *imens*.

imellem *adv/præp* between; *(blandt)* among; *vi mødtes ~ stationen og rådhuset* we met between the station and the town hall; *huset ligger ~ bjergene* the house stands among the mountains; *en-gang* ~ from time to time, sometimes.

imens *adv* in the meantime // *konj* while; *(hvorimod)* whereas.

imidlertid *adv (dvs. dog)* however; *(dvs. i mellemtiden)* in the meantime.

imitation *s* imitation; **imitere** *v* imitate; **imiteret** *adj* imitation *(fx læder* leather).

immigrant *s* immigrant; **immigrere** *v* immigrate.

immun *adj* immune *(mod* to, against); **~isere** *v* immunize; **~itet** *s* immunity.

imod *el. mod adv/præp* against; *(hen* ~*)* towards; *(fig, over for)* to; *(se også de enkelte ord, som* ~ *forbindes med); kæmpe* ~ *ngt* fight (against) sth; ~ *vinden* against the wind; *køre* ~ *nord* drive (towards the) north; *være rar* ~ *en* be nice to sby; ~ *betaling af 20 kr* on payment of 20 kr.

imorgen *adv* tomorrow; *(se også* morgen).

imperfektum *s (gram)* the imperfect tense.

imperialisme *s* imperialism; **imperialist** *s* imperialist; **imperialistisk** *adj* imperialist(ic).

imperium *s* empire.

impliceret *adj* involved.

imponere *v* impress; **~nde** *adj* impressive.

import *s* import; **~afgift** *s* import duty; **~ere** *v* import; **~forbud** *s* import ban; **~ør** *s* importer.

impotens *s* impotence; **impotent** *adj* impotent.

impresario *s* impresario.

impressionisme s impressionism; **impressionist** s impressionist; **impressionistisk** adj impressionistic.

improvisere v improvise.

imprægneret adj (vandtæt) waterproof; (brandsikker) fireproof; (mølsikret) mothproof.

impuls s impulse; **~iv** adj impulsive.

ind adv in; (se også de enkelte ord, som ~ forbindes med); ~ ad in through, in at; ~ i into; ~ til byen into town; ~ under under.

indad adv in, inward(s); døren åbnes ~ the door opens inwards; **~til** adv (i en person) inwardly; (i landet, firmaet etc) internally; **~vendt** adj introvert.

indbefatte v include; **~t** adj included.

indbegreb s: han er ~et af en leder he is the embodiment of a leader.

indberetning s report; **indberette** v report.

indbetale v pay (in); ~s til bank to be paid into a bank; **indbetaling** s payment.

indbilde v: ~ sig at... imagine that...; **indbildning** s imagination; **indbildsk** adj conceited; **indbildskhed** s conceit; **indbildt** adj imagined.

indbinding s binding.

indblanding s intervention; (neds) interference.

indblik s: få ~ i ngt gain an insight into sth.

indbo s furniture.

indbringe v bring in; (indtjene) fetch; ~ en sag for domstolene take a case to court; **~nde** adj lucrative.

indbrud s burglary; gøre ~ i et hus burgle a house; **~styv** s burglar; **~styveri** s burglary, housebreaking.

indbyde v: ~ en til ngt invite (el. ask) sby to sth; **~lse** s invitation.

indbygger s inhabitant (i of); **~tal** s population.

indbygget adj built-in.

indbyrdes adj mutual, reciprocal.

inddele v divide (i into); **inddeling** s division.

inddrage v (omfatte, involvere) involve; (beslaglægge, konfiskere) confiscate.

inddæmmet adj dyked; ~ land (indslag:) reclaimed land.

inde adv in, within; (inden døre) indoors; holde sig ~ stay indoors; holde ~ (dvs. tie) stop talking; holde ~ med skydningen cease fire, stop shooting; ~ i inside; langt ~ i skoven deep in the wood; tiden er ~ til at... it is time to...

indebære v imply.

indefra adv from within.

indefryse v freeze.

indehaver s (ejer) owner, proprietor; (af fx pas) holder.

indeholde v contain.

indeks s index; **~reguleret** adj

index-linked.
indelukket *adj (om luft etc)* stuffy.
inden *adv/præp* before; *(om tidsfrist)* within; ~ *for* inside; ~ *i* inside; ~ *under* underneath.
indenad *adv: kunne læse* ~ be able to read.
indenbys *adj* local.
indendørs *adj* indoor // *adv* indoors.
indenfor *adv* inside; *kom* ~! come in!
indeni *adv* inside.
indenlandsk *adj* domestic, inland.
indenom *adv* inside.
indenrigs... *sms:* ~**fly** *s* domestic flight; ~**ministerium** *s* Ministry of the Interior; ~**politik** *s* domestic policy.
indenunder *adv* underneath.
inder *s* Indian.
inderbane *s (på flersporet vej)* inside lane.
inderkreds *s* inner circle.
inderlig *adj* deep, heartfelt // *adv* deeply; *jeg er* ~ *ligeglad* I could not care less.
inderlomme *s* inside pocket.
inderside *s* inside.
inderst *adj* inmost; ~ *inde* deep down; *skifte fra* ~ *til yderst* change from top to toe.
indesluttet *adj* reserved.
indestængt *adj* pent-up *(fx vrede* anger).
indestå *v:* ~ *for* guarantee, vouch for; ~**ende** *s (i bank)* deposit.

indeværende *adj* this, the present; ~ *måned* this month.
indfaldsvej *s* approach.
indfatning *s (på smykke)* setting; *(på briller)* rim; *(om ruder)* frame; **indfatte** *v (ædelsten etc)* set; *(vinduer)* frame.
indfinde *v:* ~ *sig (om person)* appear, turn up; *(finde sted)* come.
indflydelse *s* influence; ~**srig** *adj* influential.
indforstået *adj: være* ~ *med ngt* agree to sth; *et* ~ *blik* a knowing look.
indfri *v* redeem, meet.
indfødsret *s* citizenship; *have dansk* ~ be a Danish subject; *få* ~ become naturalized.
indfødt *s/adj* native.
indføre *v* introduce; *(importere)* import; *jeg kunne ikke få et ord indført* I could not get a word in edgeways; **indføring** *s* introduction *(i* to); **indførsel** *s* import.
indgang *s* entrance, entry; *betale ved* ~*en* pay at the door; ~**sdør** *s* entrance door.
indgreb *s (indblanding etc)* interference; *(operation)* operation; *foretage et* ~ *i ngt* interfere with sth.
indgroet *adj* ingrown; *(fig)* inveterate *(fx ungkarl* bachelor).
indgå *v:* ~ *en aftale* make an agreement; ~ *et forlig* make a compromise; ~ *et væddemål* make a bet; ~ *ægteskab*

marry; **~ende** adj (grundig) thorough; (som kommer ind, fx post, tog) incoming.

indhegne v fence; **indhegning** s (hegn) fence; (det at indhegne) fencing.

indhente v catch up with; (skaffe sig) obtain; ~ oplysninger gather information; ~ tilbud invite offers, get quotations.

indhold s contents pl; (~ af en enkelt ting i et hele) content; **~sfortegnelse** s (table of) contents.

indhug s: gøre ~ i ngt draw on sth.

indhylle v: ~ i wrap up in.

indianer s (Red) Indian.

Indien s India.

indigneret adj indignant (over at).

indirekte adj indirect // adv indirectly.

indisk adj Indian.

individ s individual; **~uel** adj individual.

indkalde v summon; (til militæret) call up; **~lse** s summons; (mil) calling up.

indkassere v collect.

indkast s (i fodbold) throw-in.

indkomst s income; **~skat** s income tax.

indkvartere v accommodate, put up; **indkvartering** s accommodation.

indkøb s purchase; gøre ~, gå på ~ go shopping; **~e** v buy, purchase; **~snet** s string bag; **~spris** s cost price; **~staske** s

shopping bag; **~svogn** s shopping trolley.

indkørsel s entrance, drive; ~ forbudt no entry.

indlade v: ~ sig med en have to do with sby; ~ sig på ngt engage in sth; (om ngt risikabelt) let oneself in for sth; **~nde** adj willing; (neds) ingratiating.

indlagt adj (om fx møbel) inlaid; være ~ (på sygehus) be in hospital.

indland s: i ~et inside the country; **~sfly** s domestic flight; **~sis** s ice cap.

indlede v begin, start (off); **~nde** adj introductory; de **~nde** heats the preliminary heats.

indledning s (start) beginning; (forord, introduktion) introduction.

indlevere v hand in; **indlevering** s delivery.

indlysende adj obvious.

indlæg s (tale) speech; (i sko) (arch) support; **~ge** v put in; (på sygehus) send to hospital; blive indlagt be admitted to hospital; **~ge** elektricitet install electricity; **~gelse** s (på sygehus) admission.

indløse v (en check etc) cash.

indlån s deposit.

indmad s (i dyr som spises) offal; (i fjerkræ) giblets; (i ting) insides.

indmeldelse s enrolment, registration; **~sblanket** s registration form.

indordne v: ~ sig adapt oneself; ~ sig under en submit to sby.

indpakning s wrapping; **~spapir** s wrapping paper.

indprente v: ~ en ngt impress sth on sby; ~ sig ngt make a note of sth.

indramme v frame; **indramning** s framing.

indre s interior // adj inner, interior; (indenlandsk) internal; den ~ by the centre of town; det ~ Mongoliet Inner Mongolia.

indregistrere v register; **indregistrering** s registration.

indrejse s entry (i into); **~tilladelse** s entry permit.

indretning s arrangement; (af bolig) decoration; (dims, mekanisme) contraption, gadget; **~sarkitekt** s interior decorator.

indrette v arrange; (om bolig) furnish, decorate; ~ sig efter en adapt oneself to sby; ~ sig på at... prepare to...

indrykke v: ~ en annonce insert an advertisement.

indrømme v admit, confess; (give, bevilge) grant, allow; **~lse** s admission; confession.

indsamling s collection.

indsats s (som kan sættes ind i ngt) inset; (som man gør) effort; (i spil) stake; gøre en ~ make an effort; med livet som ~ at the risk of one's life.

indse v see.

indsejling s (havneløb) entran-

ce.

indsende v send in, submit.

indsigelse s: gøre ~ mod ngt object to sth.

indsigt s insight (i in).

indskrift s inscription.

indskrive v (i bog etc) enter; (bagage) register; ~ sig (på et hotel) register (at a hotel); **indskrivning** s entry; (af bagage og på hotel) registration.

indskrænke v (nedsætte, gøre mindre) reduce; (begrænse) limit; ~ sig til confine oneself to; **~t** adj limited; (om person) narrow-minded, stupid; **~thed** s stupidity; **indskrænkning** s reduction; limitation.

indskud s (i bank) deposit; (ved spil) stake; **~sborde** spl a nest of tables.

indskyde v (bemærke) remark; (penge) pay in; **~lse** s impulse; få en ~lse have an idea.

indskæring s incision, cut; (vig, bugt) bay.

indslag s element; (tv etc) feature.

indsmigrende adj (neds) fawning, ingratiating.

indsnit s (i tøj) dart.

indsnævring s narrowing.

indspille v (på bånd el. plade) record; (på film) produce; **indspilning** s recording; production.

indsprøjte v inject; **indsprøjtning** s injection.

indstille v (til en stilling) nominate; *(standse)* stop; *(regulere)* adjust; *(skarphed i kikkert el. kamera)* focus; ~ radioen på en kanal tune the radio to a channel; ~ *sig på ngt* prepare oneself for sth; *være fjendtlig* ~*t* be hostile; *være venligt* ~*t* be kind.

indstilling *s (se indstille)* nomination; stopping; adjustment; focusing; *(personlig holdning)* attitude *(til* towards).

indsætte *v* insert, put in; *(i embede)* install.

indsø *s* lake.

indtage *v* take in; *(spise, drikke)* have, eat, drink; *(erobre)* take; *(fylde, tage plads)* take up, occupy; *(standpunkt)* adopt; ~**nde** *adj* charming; **indtagning** *s (i strikning, hækling)* decrease.

indtaste *v (edb)* key in.

indtegne *v* enter, register; **indtegning** *s* registration.

indtil *præp/konj* until, till; *(om afstand)* as far as, to; ~ *da* until then; ~ *videre* so far.

indtjening *s* earnings *pl.*

indtryk *s* impression; *gøre* ~ *på en* make an impression on sby, impress sby.

indtræde *v* set in; ~ *i fællesmarkedet* join the Common Market; ~**n** *s* commencement; *(det at indtræffe)* occurrence; ~*n i fællesmarkedet* entry into the Common Market.

indtræffe *v* occur, take place.

indtrængende *adj* urgent; *(om*

hær etc som trænger ind) invading; ~ *anmode en om at...* implore sby to...

indtægt *s* income; ~*er* earnings *pl; en fast* ~ a regular income.

industri *s* industry; ~**el** *adj* industrial; ~**ferie** *s* annual holiday; ~**område** *s* industrial area; ~**virksomhed** *s* industry.

indvandre *v* immigrate; ~**r** *s* immigrant; ~**politik** *s* immigration policy; **indvandring** *s* immigration.

indvende *v* object *(mod* to); *har du ngt at* ~? do you have any objection?

indvendig *adj* internal, inside.

indvending *s* objection *(mod* to, against).

indvi *v* consecrate; *(åbne)* open; ~ *en i ngt (dvs. betro)* let sby in on sth; *(dvs. forklare)* initiate sby in sth; ~**else** *s* consecration; opening; initiation.

indviklet *adj* complicated.

indvillige *v* agree *(i* to).

indvolde *spl* bowels.

indvortes *adj* internal.

indånde *v* breathe in; **indånding** *s* breathing in; *tage en dyb indånding* take a deep breath.

infanteri *s* infantry.

infektion *s* infection; ~**ssygdom** *s* infectious disease.

inficeret *adj* infected.

infiltration *s* infiltration; **infiltrere** *v* infiltrate.

infinitiv s *(gram)* the infinitive.

inflation s inflation.

influenza s influenza, (F) flu.

information s information; ~er information; **informere** v inform *(om* at that).

ingefær s ginger.

ingen pron nobody, no one // adj no; *(stående alene og foran* of) none; *der var ~ der kom* nobody came; *der var ~ andre end os* there was no one but us; *han har ~ penge* he has got no money; *han har to børn, men hun har ~* he has got two children, but she has none; *~ af dem* none of them, *(af to)* neither of them.

ingeniør s engineer.

ingenting pron nothing; *det er det rene ~* it is a mere trifle; *lade som ~* behave as if nothing had happened.

initiativ s initiative; *tage ~et til at gøre ngt* take the initiative in doing sth; *han har ~* he has got enterprise; **~gruppe** s ginger group; **~rig** adj enterprising; **~tager** s initiator.

injurie s *(mundtlig)* slander *(mod* of); *(skriftlig)* libel *(mod* against, on); **~sag** s action for slander; libel action.

inkarneret adj inveterate.

inkasso s (debt) collection; **~sag** s (debt) recovery suit.

inkludere v include.

inklusive adv inclusive of, including.

insekt s insect; **~middel** s in-secticide.

insinuere v insinuate.

insistere v insist *(på* on, *på at* that).

inspektion s inspection.

inspektør s inspector.

inspicere v inspect.

inspiration s inspiration; **inspirere** v inspire.

installation s installation; **installatør** s electrician; **installere** v install, put in.

instans s instance; *i første ~* in the first instance; *i sidste ~* ultimately.

instinkt s instinct; **~iv** adj instinctive.

institut s institute; **~ion** s institution.

instruere v instruct; *(teat, film)* direct.

instruktion s instructions pl, direction; **~sbog** s manual.

instruktør s instructor; *(teat, film)* director; *(tv)* producer.

instrument s instrument; **~bræt** s *(i bil)* dashboard; **~ere** v orchestrate.

insulin s insulin; **~chok** s insulin shock.

integrere v integrate; **~t** s: *~t kredsløb* integrated circuit.

intellektuel adj intellectual.

intelligens s intelligence; **intelligent** adj intelligent.

intens adj intense; **~itet** s intensity; **~iv** adj intensive.

interessant adj interesting.

interesse s interest; **~re** v interest; **~re sig for ngt** be interested in sth.

interimistisk adj temporary.
intern adj internal.
international adj international.
internere v intern; **internering** s internment.
interval s interval.
intet pron nothing // adj no; (stående alene) none; han havde ~ at sige he had nothing to say; ~ mindre end no less than; **~anende** adj unsuspecting; **~køn** s (gram) the neuter; **~sigende** adj meaningless; (uvæsentlig) insignificant.
intim adj intimate; **~itet** s intimacy.
intolerant adj intolerant.
intrige s intrigue; (handling i fx bog) plot.
introducere v introduce; **introduktion** s introduction.
intuition s intuition.
invalid s disabled person // adj disabled; **~epension** s (p.g.a. fysisk handicap) disablement pension; (p.g.a. sygdom) invalidity pension; **~itet** s disablement.
invasion s invasion.
inventar s furniture; et stykke fast ~ a fixture.
investere v invest; **investering** s investment.
invitation s invitation.
invitere v invite, (F) ask; ~ en indenfor invite (el. ask) sby in; ~ en til middag invite (el. ask) sby to dinner; ~ en på en kop te offer sby a cup of

tea.
involvere v involve; **involvering** s involvement.
ir s verdigris.
Irak s Iraq; **i~er** s, **i~isk** adj Iraqui.
Iran s Iran; **i~er** s, **i~sk** adj Iranian.
irer s Irishman; han er ~ he is an Irishman; hun er ~ she is Irish; **~ne** the Irish.
irettesættelse s reprimand.
Irland s Ireland.
ironi s irony; **~sk** adj ironical.
irritabel adj irritable, edgy; **irritation** s annoyance, irritation; **irritere** v annoy, irritate; **irriteret over** annoyed by; **irriteret på** annoyed with; **irriterende** adj annoying, irritating.
irsk adj Irish.
is s ice; (til at spise også:) ice cream; **~afkølet** adj chilled, iced; **~bjerg** s iceberg; **~bjørn** s polar bear; **~bryder** s icebreaker.
iscenesættelse s production, staging; (film) direction.
isenkram s hardware; **isenkræmmer** s ironmonger.
isflage s ice floe; **isglat** adj icy.
Ishav s: Det nordlige ~ the Arctic Ocean; Det sydlige ~ the Antarctic Ocean.
iskage s ice cream.
iskias s sciatica.
iskiosk s ice-cream booth.
iskold adj icy.
Islam s Islam; **i~isk** adj Islamic.

Island s Iceland; **i~sk** adj Icelandic; **islænder** s Icelander; (sweater) Iceland sweater.

isnende adj icy.

isolation s (ensomhed) isolation; (elek etc) insulation; **isolere** v (afsondre) isolate; (elek etc) insulate.

ispind s ice lolly.

Israel s Israel; **i~er** s, **i~sk** adj Israeli.

isse s top.

isslag s black ice.

istandsætte v repair; (om lejlighed etc ofte:) redecorate; **~lse** s repair; redecoration.

istap s icicle.

isterning s ice cube.

istid s Ice Age.

isvaffel s ice-cream cone; (vaffel som spises til is) wafer.

især adv especially; hver ~ each.

Italien s Italy; **i~er** s, **i~sk** adj Italian.

itu adj to pieces, broken; gå ~ go to pieces; slå ngt ~ break sth.

iver s zeal, eagerness; **ivrig** adj keen, eager; ivrig efter at keen to.

iværksætte v start.

iøjnefaldende adj striking.

iørefaldende adj catchy.

J

ja interj yes; (~ vist) certainly; ~, det tror jeg nok yes, I think so; sige ~ til ngt accept sth; ~, jeg ved ikke rigtig well, I don't know.

jag s (hast) hurry, rush; (smerte) twinge; et værre ~ a terrible rush; **~e** v (haste) hurry, rush; (gå på jagt) hunt, shoot; (forfølge) chase; ~e en væk chase sby away; det ~r ikke there is no hurry; ~e en nål i en jab a needle into sby.

jager s (om fly) fighter; (om skib) destroyer.

jagt s hunting, shooting; (forfølgelse) hunt, pursuit (på of); gå på ~ go hunting (efter for); ~en på materielle goder the pursuit of material goods; **~gevær** s hunting rifle; **~hund** s pointer, retriever; (til rævejagt) hound; **~ret** s shooting rights pl; **~tegn** s shooting licence.

Jakel s: mester ~-teater Punch and Judy theatre.

jakke s jacket, coat; **~lomme** s coat pocket; **~sæt** s suit.

jalousi s (følelse) jealousy; (til vindue) (Venetian) blind; (~dør i skab etc) roll front; **jaloux** adj jealous (på of).

jamen interj: ~ er det dig? well, if it is not you! ~ hør nu! well, listen now! ~ så er det en aftale! that's a deal then!

jammer s (ynk) misery; (klagen) moaning; **~lig** adj wretched, miserable; (ynkelig) pathetic; **jamre** v moan, wail.

januar s January; den første ~ January the first el. the first of January.

Japan s Japan; **j~er** s, **j~sk** adj
Japanese.
jarl s earl.
jas s; *gamle ~!* old boy!
jaske v be sloppy (in one's
work); **~t** adj sloppy.
jaså interj indeed! I see! **javel**
interj yes! *(mil etc)* yes sir!
(mar) aye-aye, sir!
jeg s self, ego; *mit bedre ~* my
better self // pron I; *~ så det
selv* I saw it myself; *ja, det
tror 'jeg!* I should think so!
jer pron you; *(refleksivt)* your-
selves; *jeg henter ~* I'll pick
you up; *morer I ~?* are you
enjoying yourselves? *er han
en ven af ~?* is he a friend of
yours? *pas ~ selv!* mind your
own business!
jeres pron your; *(stående ale-
ne)* yours; *~ hus* your house;
huset er ~ the house is yours.
jern s iron; *gammelt ~* scrap
iron; *være et ~ til ngt* be a
wizard at sth; *smede mens
~et er varmt* strike while the
iron is hot; **~alder** s: *den
ældre (el. yngre)* **~alder** the
early *(el. later)* Iron Age; **~al-
derfund** s Iron-Age find.
jernbane s railway; *sende ngt
med* **~en** send sth by rail;
~fløjl s corduroy; **~færge** s
train ferry; **~knudepunkt** s
railway junction; **~linje** s
railway line; **~overskæring** s
level crossing; **~skinne** s rail;
~station s railway station.
jern. . . sms: ~beslag s *(til for-
stærkning)* iron band; **~be-**

slået adj *(om støvler)* steel-
tipped; **~beton** s reinforced
concrete; **~malm** s iron ore;
~støberi s iron foundry;
~tæppe s *(teat)* safety cur-
tain; **~tæppet** *(pol)* the Iron
Curtain; **~værk** s: *et* **~værk**
an ironworks.
Jesus s Jesus; *~ Kristus* Jesus
Christ; **j~barn** s infant Jesus.
jet. . . sms: ~fly s jet plane;
~jager s jet fighter; **~motor** s
jet engine.
jo adv *(som svar)* yes; *(forkla-
rende)* you know; *~ før ~
bedre* the sooner the better;
han er ~ min mand he is my
husband, you know; *du kan
~ ikke lide ham* you don't
like him, do you?
job s job; *søge ~* be looking for
a job; *miste* **~bet** lose one's
job.
jod s iodine; *rød ~* mercuro-
chrome ®.
jogge v jog; **joggingdragt** s
track suit.
jokke v *(gå tungt)* tramp; *(træ-
de på)* trample; *~ en over
tæerne* step on sby's feet; *~ i
spinaten* put one's foot in it.
jolle s dinghy.
jomfru s virgin; *~ Maria* the
Virgin (Mary); **J~en** *(astr)*
Virgo; **~dom** s virginity;
~elig adj virgin; **~hummer** s
Norway lobster; **~nalsk** adj
old-maidish; **~rejse** s mai-
den voyage.
jonglere v juggle *(med* with);
jonglør s juggler.

julemanden **j**

jord *s (kloden, muld)* earth;
(~overflade) ground;
(~bund) soil; *(~ejendom)*
land; *her på J~en* here on
Earth; *lægge ngt på ~en* put
sth on the ground; *købe et
stykke ~* buy a piece of land;
han ejer vidtstrakte ~er he
owns extensive lands; *dyrke
~en* cultivate the land; *rejse
J~en rundt* travel round the
world; *falde til ~en* fall to the
ground; *gå under ~en* go
underground.
jord. . . *sms:* ~**brug** *s* farming,
agriculture; ~**bund** *s* soil;
~**bunden** *adj (negativt)*
earthbound; *(positivt)* down-
to-earth; ~**bær** *s* strawberry.
jorde *v (begrave)* bury; *(slå ud,
nedgøre)* floor; *vi ~de dem*
(F) we wiped the floor with
them.
jordejendom *s* land, landed
property.
jordemoder *s* midwife; ~**kaffe**
s strong black coffee.
jordforbindelse *s (elek)* earth
connection; *have ~ (om per-
son)* be down-to-earth; *miste
~n* lose contact with reality.
jordisk *adj* earthly, worldly;
ikke have en ~ chance not
have an earthly (chance).
jord. . . *sms:* ~**klode** *s* globe;
~**ledning** *s (elek)* earth con-
nection; *(kabel)* underground
wire; ~**nær** *adj* down-to-
earth; ~**nød** *s* peanut; ~**nød-
desmør** *s* peanut butter; ~-
og-betonarbejder *s* navvy;

~**skred** *s (også fig)* landslide;
~**skælv** *s* earthquake; *(i ha-
vet)* seaquake; ~**slået** *adj*
mouldy.
journal *s* record; *(syge~)* med-
ical record; *føre ~ over ngt*
keep a record of sth.
journalist *s* journalist, repor-
ter.
jovial *s* jovial, jolly.
jubel *s (glædesråb)* cheers *pl;
(begejstring)* enthusiasm;
(munterhed) hilarity; *vække
~* arouse cheers.
jubilar *s* person celebrating an
anniversary; **jubilæum** *s* jubi-
lee, anniversary; *25-års jubi-
læum* fiftieth anniversary;
100-års jubilæum centenary.
juble *v* cheer, shout with joy;
(grine) roar with laughter.
Jugoslavien *s* Yugoslavia;
jugoslav *s,* **jugoslavisk** *adj*
Yugoslav.
juks *s* trash.
jul *s* Christmas; *glædelig ~!*
merry Christmas! *få ngt til ~*
get sth for Christmas.
jule *v* make Christmas prepa-
rations; ~**aften** *s* Christmas
Eve; *lille ~aften* the night
before Christmas Eve; ~**dag**
s: (første) ~dag Christmas
Day; *anden ~dag* Boxing
Day; ~**ferie** *s* Christmas holi-
day; ~**frokost** *s (i firma etc)*
Christmas party for the staff;
(privat på ~dag) lunch on
Christmas Day; ~**gave** *s*
Christmas present; ~**kort** *s*
Christmas card; ~**manden** *s*

Father Christmas; **~pynt** s Christmas decorations pl; **~salat** s (bot) chicory; **~stjerne** s (bot) poinsettia; **~træ** s Christmas tree.

juli s July; den første ~ the first of July el. July the first.

jungle s jungle.

juni s June; den femte ~ the fifth of June el. June the fifth.

jura s law, jurisprudence; studere ~ read (el. study) law.

juridisk adj legal; ~ bistand legal advice; ~ kandidat graduate in law; ~ rådgiver legal adviser.

jurist s lawyer.

jury s jury; **~medlem** s juror.

justere v (finindstille) adjust; få ~t bremserne have one's brakes adjusted.

justits s: holde ~ keep discipline; **~ministerium** s Ministry of Justice; **~mord** s judicial murder.

juvel s jewel; (ædelsten) gem; **~ér** s (om person) jeweller; (om forretning) jeweller's (shop).

jyde s Jutlander; **Jylland** s Jutland; **jysk** adj Jutlandic.

jæger s hunter; (sports~) sportsman; (herregårdsskytte) gamekeeper; **~korps** s (mil) commando troops pl.

jætte s giant; **~stue** s passage grave.

jævn adj (plan) even, level; (glat) smooth; (om bevægelse, fart) steady, even; (nogenlunde) moderate; (ikke særlig

god) mediocre; i ~t trav at a steady trot; almindelig ~ kost plain food; klare sig ~t (godt) do moderately (well); **~aldrende** adj of the same age; **~byrdig** adj equal; en ~byrdig kamp an even match; **~døgn** s equinox; **~e** v level, smooth; (om sovs) thicken; blive ~et med jorden be levelled with the ground; **~føre** v compare; **~lig** adj frequent // adj frequently, often; **~strøm** s direct current.

jøde s (mandlig) Jew; (kvindelig) Jewess; **~dommen** s Jewry; **~forfølgelse** s persecution of the Jews; **jødisk** adj Jewish.

K

kabale s patience (game); lægge ~ play patience.

kabel s cable; **~fjernsyn** s cable TV.

kabine s (mar, fly) cabin; **~scooter** s bubble car.

kabliau s cod.

kadet s (naval) cadet; (færdiguddannet) midshipman.

kaffe s coffee; **~bar** s café; **~filter** s coffee filter; **~fløde** s cream (with minimum 13% fat); **~kande** s coffee pot; **~kop** s coffee cup; **~maskine** s coffee maker, percolator.

kage s cake; (konditor~) fancy cake; (små~) biscuit; (lag af fx mudder) cake; mele sin *egen* ~ feather one's nest; ~**dåse** s biscuit tin; ~**kone**, ~**mand** s gingerbread woman (, man); ~**rulle** s rolling pin; ~**spore** s pastry wheel; ~**tallerken** s tea plate.

kagle v cackle.

kahyt s cabin; ~**sjomfru** s stewardess.

kaj s quay; *lægge til ved* ~*en* come alongside the quay.

kajak s kayak.

kajplads s moorage; *(for lystsejler)* (quay) berth.

kakao s cocoa; ~**mælk** s drinking chocolate.

kakerlak s cockroach.

kakkel s tile; ~**bord** s tile-top table; ~**ovn** s stove; *tænde op (el. fyre) i* ~*ovnen* light the fire.

kaktus s cactus.

kald s *(råb)* call; *(indre trang)* calling; *(præste~)* living; ~**e** v call; ~**e på en** call sby; *han blev kaldt Bob efter sin far* he was called Bob after his father; ~**e læge** call a doctor; *føle sig* ~*et til at gøre ngt* feel called upon to do sth; *det* ~*er jeg held!* that's what I call luck!

kaleche s hood.

kalender s calendar; ~**år** s calendar year.

kaliber s *(om våben)* calibre, bore.

kalium s *(kem)* potassium.

kalk s *(jordarten)* lime; *(kem)* calcium; *(hvidte~)* whitewash; *(pudse~)* plaster;

~**brud** s limestone quarry; ~**e** v *(hvidte)* whitewash.

kalkere v trace; **kalkerpapir** s carbon paper.

kalk. . . sms: ~**grube** s lime pit; ~**maleri** s wall painting, fresco; ~**tablet** s calcium tablet.

kalkulation s calculation; **kalkulere** v calculate.

kalkun s turkey; *stegt* ~ roast turkey.

kalv s calf; *(om kødet)* veal; ~**eknæet** adj knock-kneed; ~**ekotelet** s veal cutlet; ~**ekød** s veal; ~**elever** s calf's liver; ~**eskind** s calfskin; ~**esteg** s roast veal.

kam s comb; *(på bølge etc)* crest; *(gastr, fx svine~)* loin, back.

kamel s camel; ~**uld** s camel hair.

kamera s camera.

kamgarn s worsted.

kamille s camomile; ~**te** s camomile tea.

kamin s fireplace; ~**hylde** s mantelpiece; ~**gitter** s fender.

kammer s *(værelse)* room; *(hjerte~, grav~, pol)* chamber.

kammerat s friend; (F) buddy, chum; ~**lig** adj friendly, chummy; ~**skab** s comradeship.

kammer. . . sms: ~**musik** s chamber music; ~**tjener** s valet; ~**tonen** s the concert pitch.

kamp s fight, struggle *(om* for);

(mil) combat, action; *(sport)* match, game; *tage ~en op* give battle.

kampagne *s* campaign.

kampesten *s* (granite) boulder.

kamp. . . sms: **~fly** *s* fighter; **~leder** *s (i boksning)* referee; **~valg** *s* contested election; **~vogn** *s* tank.

kanal *s (kunstig)* canal; *(naturlig og fig)* channel; *K~en (geogr)* the Channel.

kanariefugl *s* canary.

kande *s* can, jug; *(kaffe~, te~)* pot.

kandidat *s* candidate; *(som har bestået eksamen)* graduate.

kane *s* sleigh, sledge; *køre i ~* sleigh, go sleighing; *hoppe i ~n (F, fig)* hit the sack.

kanel *s* cinnamon; *stødt ~* powdered cinnamon; *det er hverken skidt el. ~* it's neither here nor there.

kanin *s* rabbit; **~foder** *s (iron, om råkost)* rabbit feed.

kannibal *s* cannibal.

kano *s* canoe; *ro i ~* go canoeing.

¹kanon *s (mus)* round // **ka'non** *s* gun; *som skudt ud af en ~* like a shot; *han er en stor ~ (fig)* he is a big shot; **~fuld** *adj* dead drunk, stoned; **~slag** *s* maroon.

kant *s* edge, border; *(på glas, kop etc)* rim; *(på stof)* selvage; *(egn)* region; *falde ud over ~en* fall over the edge; *i alle ender og ~er* inside (and) out, from top to bottom;

komme på ~ med en fall out with sby; *de kom fra alle ~er* they came from all over the place; *jeg er født på de ~er* I was born in those parts; *der må være en ~!* there must be a limit!

kantarel *s (bot)* chanterelle.

kante *v* edge, border; *~ sig* edge; *~ sig ind* get in edgeways; **~bånd** *s* edging; **~t** *adj* edged; *(fig)* awkward.

kantine *s* canteen, staff restaurant.

kantsten *s* kerb.

kanyle *s* hypodermic needle.

kaos *s* chaos; **kaotisk** *adj* chaotic.

kap *s (forbjerg)* cape, headland; *K~ det gode Håb* the Cape (of Good Hope); *løbe (el. køre) om ~* race *(med en sby).*

kapacitet *s* capacity; *han er en ~ på sit område* he is an authority within his field.

kapel *s* chapel; *(lig~)* mortuary; *(orkester)* orchestra.

kapellan *s* curate.

kapelmester *s* conductor.

kapers *s* capers.

kapital *s* capital; **~anbringelse** *s* investment; **~isme** *s* capitalism; **~ist** *s* capitalist; **~stærk** *adj* financially strong.

kapitel *s* chapter; *det er et ~ for sig* that's a story all in itself.

kapitulation *s* surrender; **kapitulere** *v* capitulate, surrender.

kapløb s race.

kappe s cloak, mantle; *(dommer~ etc)* gown; *(til hovedet)* cap // **~s** v cut; **~s** v compete; **~s om ngt** compete for sth; **~strid** s competition.

kapre v capture, get hold of; (F) pinch; *han har ~t min plads* he has pinched my seat; *~ et fly* hijack a plane.

kaprifoleum s *(bot)* honeysuckle.

kap. . . sms: **~roning** s boat race; **~roningsbåd** s racing boat; **~sejlads** s regatta.

kapsel s capsule; *(til flaske)* top, cap; **~åbner** s bottle opener.

kaptajn s captain.

kaput adj done for; *han er helt ~* he has had it.

kar s vessel; *(stort)* vat.

karaffel s carafe; *(med prop)* decanter.

karakter s character; *(i skolen etc)* mark; **~bog** s school report; **~egenskab** s characteristic; **~fast** adj firm, determined; **~isere** v characterize; **~istisk** adj characteristic *(for* of); **~styrke** s strength of character; (F) guts.

karamel s caramel; *(fx fløde~)* toffee; **~rand** s caramel pudding; **~sovs** s caramel sauce.

karantæne s quarantine.

karat s carat.

karbad s bath; *(om karret)* tub.

karbonade s *(gastr)* meat rissole.

karbonpapir s carbon paper.

karburator s *(auto)* carburetter.

kardanaksel s *(auto)* propeller shaft.

kardemomme s cardamom.

karensdag s waiting day (first day of sick leave which is paid for by the wage earner).

karet s coach.

karikatur s caricature.

karklud s dishcloth, dishrag; *(fig)* wet rag.

karl s *(på gård)* farmhand; *(fyr)* chap, bloke; *han tror han er en farlig ~* he thinks he is one hell of a man.

Karlsvognen s *(astr)* the Great Bear.

karneval s carnival; *(mindre, indendørs)* fancydress ball; **~sdragt** s fancy dress.

karré s block of flats.

karriere s career; *gøre ~* make a career for oneself; **~ræs** s (F) careerism.

karrusel s merry-go-round.

karry s curry; *boller i ~* meat balls in curry sauce; *høns i ~* curried chicken.

karse s cress; **~hår** s crew cut.

kartoffel s potato; *han er en heldig ~* he's a lucky devil; **~mel** s potato starch; **~mos** s mashed potatoes, (F) mash; **~salat** s potato salad; **~skræl** s potato peel; **~skræller** s *(om kniv)* potato peeler.

karton s *(materialet)* cardboard; *(emballage)* cardboard box; *en ~ cigaretter* a carton of cigarettes.

kartotek s card index, file;
~**skort** s index card.
kaserne s barracks *pl.*
kasket s cap.
kaskoforsikring s third party,
fire and theft insurance.
kasse box, case; *(pak~)* packing case; *(i forretning)* cash
counter, cash point; *den film
gav* ~ that film was a box
office success; *give en et par
på* ~*n* bash sby on the head;
~**apparat** s cash register;
~**kredit** s cash credit.
kassere v *(smide væk)* throw
away, chuck out; *(ved session)* reject.
kasserer s cashier; *(i forening)*
treasurer.
kasserolle s saucepan.
kassette s cassette; ~**bånd** s
cassette tape; ~**båndoptager**
s cassette (tape) recorder.
kassevogn s *(auto)* box van.
kast s toss, throw; *(vindstød)*
gust; *give sig i* ~ *med ngt*
tackle sth; *gøre et* ~ *med
hovedet* toss one's head.
kastanje s chestnut.
kaste v throw; *(voldsomt)*
fling; ~ *med sten (efter en)*
throw stones (at sby); ~ *op*
be sick, vomit; ~ *sig om
halsen på en* throw one's
arms around sby's neck; ~
sig ud i ngt plunge into sth;
~**spyd** s javelin; ~**vind** s gust
(of wind).
kastrere v castrate.
kasus s *(gram)* case.
kat s cat; *slå* ~*ten af tønden*

tilt the barrel (Danish Shrovetide tradition); *han gør
ikke en* ~ *fortræd* he
wouldn't hurt a fly; *her er
ikke en* ~ there is not a soul
here; *det var* ~*tens!* well, I'll
be damned! *av for* ~*ten!*
ouch!
katalog s catalogue, list *(over
of)*; ~**isere** v catalogue, list.
katapult s catapult; ~**sæde** s
ejection seat.
katar s catarrh.
katastrofal *adj* disastrous, catastrophic.
katastrofe s catastrophe, disaster; ~**alarm** s emergency
alarm; ~**område** s disaster
area.
kateder s *(i skole)* teacher's
desk.
kategori s category; ~**sk** *adj*
categorical; ~*sk benægtelse*
flat refusal; *nægte* ~*sk at...*
absolutely refuse to...
katolik s Roman Catholic; **katolsk** *adj* Catholic.
katte... sms: ~**killing** s kitten;
~**musik** s cats' concert; ~**pine**
s: *være i en slem* ~*pine* be in
a fix; ~**øje** s cat's eye; *(på
cykel)* reflector.
kaution s guarantee, security;
(jur) bail; *løsladt mod* ~ (released) on bail; *stille* ~ put
up bail; ~**ere** v guarantee,
sign for; ~**ist** s guarantor.
kaviar s caviar.
ked *adj: være* ~ *af ngt (dvs.
træt af)* be tired of sth; *(bedrøvet over)* be sorry about

sth; *være ~ af det* be unhappy, be sad; *jeg er ~ af at måtte sige det* I'm sorry to have to say it; *være led og ~ af en* be fed up with sby; *er du ~ af at flytte dig?* would you mind moving over? *han er rigtignok ikke ~ af det!* he's got a nerve!

kede *v* bore; *~ sig (ihjel)* be bored (stiff *el.* to death).

kedel *s* kettle; *sætte kedlen over* put the kettle on.

kedelig *adj* boring; *(trættende)* tiresome, tedious; *(trist)* dreary; *(ærgerlig)* annoying; *(pinlig)* awkward; *det var ~ at du ikke kom* what a pity that you didn't come.

kedsomhed *s* boredom.

kegle *s (mat)* cone; *(i spil)* (nine)pin, skittle; *tage ~r (fig)* make a hit; **~bane** *s* skittle alley; **~formet** *adj* conical.

kejser *s* emperor; **~dømme** *s* empire; **~inde** *s* empress; **~snit** *s* Caesarian.

kejtet *adj* clumsy, awkward; **kejthåndet** *adj* left-handed.

keltisk *adj* Celtic.

kemi *s* chemistry; **~kalie** *s* chemical; **~ker** *s* chemist; **~sk** *adj* chemical; **~sk rensning** dry-cleaning; **~sk krigsførelse** chemical warfare.

kende *s (smule, anelse)* trifle, bit; *give sig til ~* disclose one's identity; *(om følelser, sygdom etc)* show itself // *v* know; *(genkende)* recognize;

~r du Dennis? do you know Dennis? *kan du ~ ham igen?* do you recognize him? *jeg kan ~ ham på skægget* I know *(el.* recognize) him by his beard; *~ den ene tvilling fra den anden* tell one twin from the other; *han blev kendt skyldig* he was found guilty; **~lse** *s (jur)* decision; *(nævninge~)* verdict; **~t** *s* connoisseur; **~tegn** *s* characteristic; **~tegne** *v* be characteristic of.

kendingsbogstav *s (auto)* registration letter; **kendingsmelodi** *s* signature tune.

kendsgerning *s* fact; **kendskab** *s* knowledge *(til* of).

kendt *adj (berømt)* well-known, famous; *(velbekendt)* familiar; *han blev en ~ mand* he became famous; *han er ~ fra fjernsynet* he is known from television; *hun er ~ med alle* she knows everybody; *jeg er ikke ~ her på stedet* I am a stranger here.

kennel *s: en ~a* kennels (NB: a kennel: *et hundehus).*

keramik *s* pottery; *(tekn)* ceramics *pl;* **~er** *s* potter; ceramic artist.

kerne *s (i nød)* kernel; *(i æble etc)* pip; *(i korn)* grain; *(fig)* core, seed; *sagens ~* the heart of the matter; *den hårde ~* the hard core; **~familie** *s* nuclear family; **~fysik** *s* nuclear physics; **~hus** *s* core; **~kraft** *s* nuclear power; **~sund** *adj* as

sound as a bell; **~våben** s
nuclear weapon; *(se også:
atom. . .).*

ketsjer s *(sport)* racket; *(til
fiskeri)* landing net.

KFUK *(fork.f. Kristelig Fore-
ning for unge Kvinder)*
YWCA *(fork.f.* Young Wo-
men's Christian Associa-
tion);* **KFUM** *(fork.f. Kristelig
Forening for unge Mænd)*
YMCA *(fork.f.* Young Men's
Christian Association).

kid s kid; **~nappe** s kidnap.

kig s peep; *få ~ på ngt* catch
sight of sth; *have ~ på ngt
(dvs. være ude efter)* be after
sth; **~ge** v look, glance, peep;
~ge ind ad nøglehullet peep
through the keyhole; *vi
~gede lige inden for hos dem*
we just looked in on them.

kighoste s whooping cough.

kighul s peephole.

kikke v d.s.s. *kigge.*

kikkert s *(lang)* telescope;
(mindre, toøjet) binoculars
pl, field glasses *pl; (teater~)*
opera glasses *pl; have ngt i
~en* have one's eye on sth.

kiks s biscuit, cracker; *(fejl-
skud etc)* miss; **~e** v miss *(fx
et mål* a goal); **~er** s miss.

kilde s spring; *(også fig)* source
// v tickle; **~n** adj ticklish;
(penibel) delicate.

kilde. . . sms: **~skat** s Pay-As-
You-Earn tax (P.A.Y.E.);
~vand s spring water; *kærlig-
hed og ~vand* love in a cotta-
ge.

kile s wedge; *(i tøj)* gusset;
~hæl s wedged heel.

kilo. . . sms: **~(gram)** s kilo-
gram(me); **~meter** s kilo-
metre; *han kørte 120 ~meter
i timen* he went at 120 kilo-
metres per hour; **~metertæl-
ler** s *sv.t.* mileage indicator.

kim s germ, seed.

kime v ring; *(om kirkeklokke)*
peal; **~n** s ringing, peal.

kimplante s seedling.

kimse v: *~ ad* sniff at.

Kina s China; **k~kål** s Chinese
cabbage.

kind s cheek; **~skæg** s whis-
kers *pl;* **~tand** s molar.

kineser s Chinese; *(om fyrvær-
keri)* firecracker; *du store ~!*
Great Scott! **~tråd** s button
tread; **kinesisk** s/*adj* Chi-
nese.

kinin s *(med)* quinine.

kiosk s kiosk; *(blad~)* news-
stand.

kirke s church; *(katolsk, frikir-
ke)* chapel; *gå i ~* go to
church *(el.* chapel); **~bog** s
parish register; **~gænger** s
church-goer; **~gård** s *(ved
kirken)* churchyard; *(større,
ikke ved kirken)* cemetery;
~klokke s church bell; **~lig**
adj church; **~ministerium** s
Ministry of Ecclesiastical Af-
fairs; **~musik** s church mu-
sic; **~stol** s pew; **~tid** s servi-
ce time; **~tårn** s church to-
wer; **~værge** s churchwar-
den.

kiropraktor s chiropractor.

kirsebær s cherry; ~**likør** s cherry brandy.

kirtel s gland; *hævede kirtler* swollen glands; ~**syge** s glandular disease.

kirurg s surgeon; ~**i** s surgery; ~**isk** adj surgical.

kisel s silicon.

kissejag s rush.

kiste s chest; *(lig~)* coffin; ~**bund** s: *have penge på* ~**bunden** have put money by; ~**glad** adj as pleased as Punch.

kit s putty; ~**te** v putty.

kittel s *(dame~)* smock; *(arbejds~)* overall; *(læge~)* coat.

kiv s quarrel; *yppe* ~ pick a quarrel; ~**es** v quarrel.

kjole s dress, frock; *(lang)* gown; *(herre~)* dress coat; *lang* ~ evening gown; ~ *og hvidt* tails, evening dress; ~**stof** s dress material; ~**syning** s dressmaking; ~**sæt** s dress suit.

kjortel s tunic.

kladde s (rough) draft; ~**hæfte** s notebook.

klage s *(anke)* complaint; *(jamren)* wailing, lament; *indsende en* ~ *over en* lodge a complaint about sby // v complain; *(jamre)* wail, moan; ~ *over ngt* complain about sth; ~ *sig* wail; *(af smerte)* groan, moan; ~**nde** adj plaintive; complaining; ~**ret** s *(jur)* a Danish court of appeal; ~**skrivelse** s written complaint; ~**skrig** s wail,

moan.

klam adj cold and damp; *han er* ~ (S) he is yukky; *en* ~ *fidus* a damp squib.

klammeri s quarrel.

klamphugger s bungler; ~**i** s bungling.

klamre v: ~ *sig til* cling to.

klang s sound, ring; ~**fuld** adj sonorous; ~**løs** adj toneless, dull.

klap s flap; *(på kinden etc)* pat; *(i hjertet)* valve; *have* ~ *for øjet* wear an eye-patch; *der gik en* ~ *ned (fig)* I (, he, she etc) had a mental block; *give en et* ~ *på skulderen* give sby a pat on his/her shoulder; *det har du ikke et* ~ *begreb om* you don't know a thing about that; ~**bord** s folding table.

klappe v clap; *(bifalde)* applaud; *(på kinden etc)* pat; *(gå godt)* go smoothly; ~ *i hænderne* clap one's hands; *applaud;* ~ *i* shut up; ~ *sammen (folde sammen)* fold up; ~**n** s *(bifald)* applause.

klapperslange s rattlesnake.

klapre v rattle, clatter; *(om tænder)* chatter.

klaps s slap.

klapsalve s round of applause.

klapse v slap, smack.

klap. . . sms: ~**stol** s folding chair; ~**sæde** s *(i bil)* folding seat; ~**vogn** s pushchair.

klar adj clear; *(lys)* bright; *(tydelig)* plain, evident; *(parat)* ready; *blive* ~ *over* realize; *være* ~ *over* be aware of;

gøre sig ngt ~*t* realize sth;
gøre sig ~ get ready; *det er* ~*t at han lyver* he is evidently lying; *sige ngt* ~*t og tydeligt* spell sth out.

klare *v* clear; *(ordne, overkomme)* manage, cope with; *han* ~*r sig godt* he is doing well; ~ *op (om vejret)* clear up; ~ *sig* manage, cope; *kan du* ~ *dig med det?* can you manage with that? ~ *sig uden ngt* do without sth.

klarhed *s* clarity; brightness; *komme til* ~ *over* get sth in the clear.

klarinet *s* clarinet; *spille* ~ play the clarinet.

klase *s* bunch; *en* ~ *vindruer* a bunch of grapes.

klask *s* slap, smack; ~**e** *v* slap, smack.

klasse *s* class; *(højere skoleklasse)* form; *rejse på første* ~ travel first-class; *første* ~*s kvalitet* first-rate quality; ~**kammerat** *s* classmate; ~**kamp** *s* class struggle; ~**lærer** *s* form master; ~**værelse** *s* classroom.

klassificere *v* classify.

klassiker *s* classic; **klassisk** *adj* classic(al).

klat *s* *(klump)* lump; *(plet)* stain, blot; *(smule)* handful; *en* ~ *smør* a knob of butter; ~**maleri** *s* daubing.

klatre *v* climb; ~ *op ad et bjerg* climb a mountain; ~ *op i et træ* climb a tree; ~ *over en mur* climb a wall;

~**plante** *s* climber.

klatte *v* blot, stain; ~ *sine penge væk* fritter away one's money.

klatvask *s*: *ordne (el. vaske)* ~*en* wash one's smalls.

klatøjet *adj* bleary-eyed.

klaver *s* piano; *hun spiller* ~ she plays the piano; ~**stemmer** *s* piano tuner.

klejnsmed *s* locksmith.

klem *s*: *give en et* ~ give sby a hug; *med fynd og* ~ energetically; *døren stod på* ~ the door was ajar.

klemme *s* *(knibe)* tight spot, fix; *(stykke mad)* sv.t. sandwich; *få foden i* ~ *i døren* get one's foot caught in the door; *have en* ~ *på en* have a hold on sby // *v* squeeze; *(om sko)* pinch; *(få i* ~*)* get caught, jam; ~ *på en pakke* squeeze a package; ~ *på med ngt* work away at sth; *klem bare på!* just get on with it!

klemte *v* peal, clang.

kleptoman *s* kleptomaniac.

cliché *s* block; *(fig)* cliché.

klid *s* bran.

klient *s* client.

klik *s* click, snap; *slå* ~ fail; *(om pistol etc)* misfire.

klikke *v* *(om lyd)* click; *(slå fejl)* fail; *(om pistol etc)* misfire.

klima *s* climate; ~**anlæg** *s* airconditioning.

klimaks *s* climax.

klimpre *v*: ~ *på* strum, twang.

klinge v blade; *gå en på* ~n press sby // v sound, ring; ~nde *adj* sonorous *(fx stemme* voice).

klinik s *(mindre sygehus)* nursing home; *(tandlæge~)* clinic; ~**assistent**, ~**dame** s *(hos læge)* receptionist; *(hos tandlæge)* assistant; **klinisk** *adj* clinical.

klink s: *han ejer ikke en* ~ he hasn't got a penny; *spille* ~ play pitch and toss.

klinke s *(på dør)* latch; *(flise)* clinker // v *(reparere)* rivet; *(skåle)* touch glasses.

klint s cliff.

klip s cut; *(på billet)* punch; *der er fire* ~ *tilbage på billetten* the ticket can be used four times more; ~**fisk** s dried cod; ~**ning** s cutting, clipping; *(om hår)* haircut.

klippe s rock // v cut, clip; *få håret* ~t have a haircut; ~ *ens hår* cut sby's hair; ~**blok** s rock, boulder; ~**kort** s punch ticket; ~**væg** s rock wall; ~**ø** s rocky island.

klirre v rattle; *(med nøgler, mønter)* jingle; *(med glas)* clink; *(om ruder)* rattle.

klister s paste; ~**mærke** s sticker; **klistre** v paste; *(hænge fast)* stick; *klistre sig op ad en* cling to sby; **klistret** *adj* sticky.

klit s dune.

klo s claw; *(skrift)* scrawl; *slå en* ~ *i ngt* grab sth; *forsvare sig med næb og kløer* defend

oneself tooth and nail.

kloak s sewer; ~**afløb** s drain.

klode s globe.

klodrian s bungler.

klods s block; *(legetøj)* toy brick; *(om person)* big lump, bungler; *købe ngt på* ~ (F) buy sth on tick; ~**et** *adj* clumsy; ~**major** s clumsy fool.

klog *adj* clever, intelligent; *(forsigtig)* prudent; *(fornuftig)* wise, sound; *(snedig)* shrewd; *blive* ~ *på ngt* make sth out; *gøre* ~t *i at* be wise to; *er du rigtig* ~? are you out of your mind? *han er ikke rigtig* ~ he is not quite right in the head; *gå til en* ~ *kone (el. mand)* see a healer, *(neds)* see a quack; ~**skab** s cleverness, intelligence; prudence; wisdom, soundness; shrewdness.

klokke s bell; *de kom* ~n *syv* they arrived at seven; ~n *er ni* nu it is nine o'clock now; *hvad er* ~n? what is the time? ~n *er mange* it is late; *hun ringede på* ~n she rang the bell; *han ved hvad* ~n *er slået* he knows what the score is; ~**r** s bellringer; ~**slag** s stroke of a bell; *på* ~**slæt** s: *på* ~*slæt* on the stroke; ~**spil** s carillon; ~**tårn** s belfry.

klor s chlorine; ~**vand** s chlorine water.

klos *adv:* ~ *op ad ngt* close to sth.

kloster s *(munke~)* monaste-

k klosterkirke 556

ry; *(nonne~)* convent; *gå i ~
(om mand)* become a monk;
(om kvinde) take the veil;
~kirke s abbey; **~skole** s convent school.
klovn s clown; *(klodrian)*
bungler.
klub s club.
klud s rag; *(vaske~ etc)* cloth;
~e (F, *om tøj)* things; *sætte liv
i ~ene* liven things up.
kludder s mess, muddle.
kludedukke s rag doll; **klude-
tæppe** s rag rug.
kludre v bungle, mess up; *~
med ngt* bungle sth.
kluk s *(om høne etc)* cluck(-
ing); *(latter)* chuckle; **~ke** v
cluck; chuckle; *(om vand)*
gurgle; **~latter** s chuckle.
klump s lump; *der er ~er i
sovsen* the sauce is lumpy; *få
en ~ i halsen (fig)* get a lump
in one's throat; **~e** v clot; **~e
sig sammen** *(om personer
etc)* mass together; **~et** adj
lumpy; **~fod** s club foot.
kluntet adj clumsy.
klynge s cluster; *(menneske~)*
group // v: *~ sig til en* cling
to sby.
klynke v whimper; cry; **~eri** s
whining.
klæbe v stick; cling; *malingen
~r* the paint sticks; *~ plaka-
ter op* stick up posters;
~bånd, **~strimmel** s adhesi-
ve tape; **klæbrig** adj sticky.
klæde s cloth; *~r pl* clothes //
v dress, clothe; *(passe til)* suit;
~ (sig) af undress; *~ (sig) på*

dress; *~ sig om* change; *~
om til middag* dress for din-
ner; *klædt ud som klovn*
dressed up as a clown; *dårligt
klædt* badly dressed; *pænt
klædt* well-dressed; *~ en af
til skindet* strip sby naked;
(fig) fleece sby; **~bøjle** s coat-
hanger; **~børste** s clothes
brush; **~dragt** s clothing.
klædning s clothing; **~sstykke**
s garment.
klæg s *(om brød etc)* pasty;
(om jord) sticky.
klækkelig adj: *en ~ sum pen-
ge* a handsome sum of mon-
ey.
klø spl beating: *en ordentlig
gang ~* a sound beating // v
(slå) beat; *(kradse)* scratch;
min næse ~r my nose tickles;
~ sig i nakken scratch one's
neck; *~s* itch(ing).
kløft s cleft; *(i klipper)* ravine,
crevasse; *(i hagen)* dimple;
(fig) gap; *der er en ~ imel-
lem dem* there is a gap be-
tween them.
kløgtig adj shrewd, bright; *han
er ikke videre ~* he is not
very bright.
klør s *(i kortspil)* clubs pl; *en ~*
a club; *~ dame* queen of
clubs.
kløve v split, cleave; *~ brænde*
chop wood.
kløver s clover; **~bladsudflet-
ning** s cloverleaf.
km *(fork.f. kilometer): han
kørte 100 km/t* he went at 100
km/h (kilometres per hour).

knage s peg // v creak; **~me** adv: han er ~me ikke rigtig klog he is jolly mad; den er ~me god it is jolly good.

knald s bang; (om skud) crack; (om prop) pop; (abegilde) beano; (V! samleje) screw; han har ~ i låget (F) he has got bats in the belfry; det var ~ eller fald it was touch-and-go; **~e** v bang; crack; (slå i stykker) smash; (gå i stykker) break; (V! have samleje) screw, have it off; hun ~ede ham en lussing she socked him one; **~e døren i** slam the door; **~e røret på** (tlf) slam down the receiver; **~roman** s thriller; **~rød** adj bright red.

knallert s moped; (fyrværkeri) cracker; **~fører** s moped driver.

knap s button; (på radio etc) knob; tryk på ~pen press the button; tælle på ~perne be in two minds // adj/adv scarce, scanty; (næppe) hardly, scarcely; (kun lige) barely; han var ~ inde før... he was barely inside when...; vi kender ham ~ nok we hardly know him; i ~et et år for almost a year; det varer ~ ti minutter it will be about ten minutes; **~hul** s buttonhole; **~pe** v button (up); **~pe op** unbutton; **~penål** s pin.

knase v crackle; (med objekt) crunch; **~nde sprød** crunchy, crisp.

knast s knot.

knastør adj bone-dry.

kneb s (fif) trick; (kniben) pinch; alle ~ gælder it is a free-for-all.

kneben adj scarce, narrow; her er ~ plads it is cramped here; vinde med ~t flertal win by a narrow majority.

kneble v gag.

knejse v (rage op) tower; (kro sig) strut; (holde hovedet højt) hold one's head high.

knibe v fix, tight spot // v pinch; (klemme) squeeze; nu ~r det vist for ham he is in trouble now; ~ sig i armen pinch one's arm; ~ munden sammen tighten one's lips; ~ øjnene sammen screw up one's eyes; det ~r med smør we are short of butter.

knibtang s: en ~ a pair of pincers.

knipling s lace.

knippel s (politi~) truncheon; ~ adj jolly, thumping (fx god good).

knipse v flick; (om fx guitarstreng) pluck; (foto) snap; ~ med fingrene snap one's fingers.

knirke v creak.

knitre v (om ild etc) crackle; (om papir etc) rustle.

kniv s knife; der er krig på ~en mellem dem they are at daggers drawn; **~skarp** adj razor-sharp; **~stik** s stab.

kno s knuckle.

knob s knot.

knofedt s elbow grease.

knogle s bone.

knojern s knuckle duster.

knokle v slave away.

knold s clod; *(høj)* knoll; *(hoved)* nob; *(bot)* bulb.

knop s knob; *(bot)* bud; *(bums etc)* pimple, spot; *han giver mig røde ~per* he makes me come out in spots; *skyde ~per* bud; **~skydning** s budding.

knotten adj grumpy.

knubs s blow.

knude s knot; *(svulst etc)* lump, tumour; *(frisure)* bun; *slå ~ på en snor* tie a knot in a string; *løse en ~ (op)* untie a knot; *gøre ~r* make trouble; **~punkt** v junction; **knudret** adj knotty, gnarled; *(indviklet, uklar)* intricate.

knuge v squeeze, press; *(omfavne)* hug; *(tynge)* oppress; *føle sig ~t* feel oppressed.

knurhår s whiskers pl.

knus s: *give en et ~* give sby a hug; **~e** v break, smash; *(omfavne)* hug; *det ~te hans hjerte* it broke his heart; **~ende** adj: *han tog det med en ~ende ro* he did not turn a hair; *et ~ende nederlag* a shattering defeat.

kny s: *uden at ~* without a murmur.

knyst s bunion.

knytnæve s fist.

knytte v tie *(sammen* up); *være ~t til en* be attached to sby; *et ~t tæppe* a knotted carpet; *~ en forbindelse* establish a

connection.

knæ s knee; *ligge på ~* be on one's knees, be kneeling; *stå i vand til ~ene* be knee-deep in water; **~beskytter** s kneepad; **~bukser** spl breeches; **~bøjning** s knee bend, (H) genuflection.

knægt s boy, lad; *(i kortspil)* jack; *hjerter ~* jack of hearts.

knæhase s hollow of the knee.

knæk s crack; *(på rør etc)* bend; *(ombøjning)* fold; *der lød et ~* there was a crack; *han fik et ~* he had a blow; **~brød** s crispbread; **~ke** v break, crack; *(med et smæld)* snap; *~ke nødder* crack nuts; *~ke midt over* break in two; *~ke sammen af grin* double up laughing; *~ke sig* (F) be sick.

knækort adj knee-length.

knæle v kneel *(for en* to sby).

knæ.. sms: **~skade** s *(akut)* knee injury; *(længere varende, ældre)* bad knee; **~skal** s knee cap; **~strømpe** s knee sock.

ko s cow; *der er ingen ~ på isen* there is no danger.

koagulere v coagulate.

kobber s copper; **~stik** s copperplate; *(om billedet)* print.

koble v couple; *~ ngt sammen* couple sth; *~ fra* disconnect; *~ til* connect; *~ af (fig)* relax; **kobling** s coupling; *(auto)* clutch; *slippe koblingen* release the clutch; *træde på koblingen* depress the

clutch.
kode s code; **~lås** s combination lock; **~ord** s code word.
kodriver s *(bot)* primrose.
kofanger s *(auto)* bumper.
kog s: *komme i ~* come to the boil; *holde i ~* keep boiling; **~e** v boil; *(lave mad)* cook; *kedlen ~er* the kettle is boiling; *~e suppe* make a soup; *lade ngt ~e op* parboil sth.
koge... sms: **~bog** s cookery book; **~grejer** spl cooking utensils; **~kone** s (occasional) cook; **~kunst** s cooking, cuisine; **~plade** s hotplate; **~punkt** s boiling point.
kogle s cone.
kogning s boiling; *(madlavning)* cooking.
kogsalt s cooking salt.
kok s cook; *(køkkenchef)* chef.
kokain s cocaine; (F) snow.
kokasse s cow-pat, cow dropping.
koket adj flirtatious; **~tere** v flirt; *~tere med ngt* play upon sth; **~teri** s flirtation.
kokkepige s cook.
kokos... sms: **~mel** s desiccated coconut; **~måtte** s coconut mat; **~nød** s coconut; **~palme** s coconut palm.
koks spl coke; *der er gået ~ i det* (F) it has gone haywire; *~e* v (F) go bonkers; *~e i det* bungle; **~grå** s charcoal (grey).
kolbøtte s somersault; *slå en ~* do a somersault.
kold adj cold; *slå ~t vand i*

blodet keep one's head; *vise en en ~ skulder* give sby the cold shoulder; *det ~e bord* smorgasbord; **~blodig** adj cool, composed; **~blodighed** s composure; **~brand** s gangrene.
kolibri s humming bird.
kolik s colic.
kollega s colleague.
kollegium s *(studenterbolig)* hall of residence.
kollektiv s commune // adj collective; *~ aftale* collective agreement; *~ trafik* public transport; **~hus** s commune.
kollidere v collide; **kollision** s collision.
kolon s colon.
koloni s colony.
kolonialhandel s grocer's shop.
kolonihave s allotment.
kolonisere v colonize.
kolonne s column; *(arbejds~)* gang.
kolorit s colouring.
kolos s colossus; **~sal** adj colossal, enormous; **~salt** adv: *~salt stor* enormously big.
kombination s combination; **~slås** s combination lock; **kombinere** v combine.
komedie s comedy, play; *(halløj)* row; *(forstillelse)* playacting; **~spil** s play-acting.
komet s comet; **~agtig** adj: *en ~agtig karriere* a meteoric career.
komfortabel adj comfortable.
komfur s cooker, kitchen range; *elektrisk ~* electric

cooker; *gas*~gas cooker; *bord*~hob.

komik *s* comedy, comic; *kan du se ~ken?* do you see the joke? **-er** *s* comedian; **komisk** *adj* comic(al), funny.

komité *s* committee; *sidde i en ~* be on a committee.

komma *s* comma; *(i tal)* point; *5,75* five point seven five *(NB! skrives på eng: 5.75); i løbet af nul ~ fem* in no time.

kommandere *v* command; *~ med en* order sby around.

kommando *s* command; *gøre ngt på ~* do sth on command; *have ~en over* be in command of; *~bro s (mar)* bridge; *~tropper spl* commando troops; *~vej s: gå ~vejen* go through the proper channels.

kommandør *s* commander.

komme *s* approach; coming // *v* come; *(ankomme)* arrive; *(om bevægelse, rejse, følelse)* get; *(putte)* put; *(hælde)* pour; *kom nu!* come on! *vi ~ nu!* (we are) coming! *han ~r kl. 5* he is coming *(el.* arriving) at 5; *de kom for sent* they were (too) late; *~ sig (blive bedre)* improve; *(blive rask)* recover *(af* from); *hvordan ~r man til lufthavnen?* how do you get to the airport? *~ sukker i teen* put sugar in the tea; *~ mælk i koppen* pour milk into the cup; *det ~r af at...* it is because...; *det ~r an på dig* it depends on you, it is up to

you; *han kom efter bilen* he came for the car; *~ frem (dvs. ~ videre)* get on; *(nå frem)* get through; *(blive afsløret)* be revealed; *han kom hen til mig* he came up to me; *~ igen* come back, return; *~ ind* get in; *~ ind i* enter; *~ ind på en sag* touch on a matter; *må jeg ~ med?* may I come along too? *de kom med vinen* they brought the wine; *hun kom med en undskyldning* she came up with an excuse; *~ sammen* meet, get together; *hun ~r sammen med en fyr* she is going steady with a bloke; *kan du ~ til?* can you manage? *~ til at gøre ngt* do sth by accident *(el.* mistake); *det ~r du til at lave om* you will have to do that again; *lad nu mig ~ til!* let me have a go! *~ til kræfter* recover; *kom du ngt til?* did you get hurt? *~ tilbage* come back, return; *de ~r godt ud af det sammen* they get on well together; *~ ud for ngt* meet with sth; *det ~r ud på ét* it comes to the same thing; *det er ikke til at ~ uden om* there is no getting away from it; *det ~r ikke dig ved* it is none of your business; *hvad ~r det dig ved?* what business is that of yours?

kommen *s (bot)* caraway seeds *pl; ~ og gåen* comings and goings *pl.*

kommende *adj* coming, future; *i den ~ tid* in future, from now on; *de ~ to år* the next *(el.* coming) two years.

kommentar *s* comment; **kommentator** *s* commentator; **kommentere** *v* comment on.

kommerciel *adj* commercial.

kommis *s* shop assistent.

kommission *s* commission, board.

kommode *s* chest of drawers.

kommunal *adj* local, municipal; **~bestyrelse** *s* town council; **~valg** *s* local election.

kommune *s* municipality, local authority; **~bibliotek** *s* municipal library; **~skat** *s* local tax; **~skole** *s* municipal school; *sv. ofte t.* local school.

kommunikation *s* communication; **~smiddel** *s* means of communication; **kommunikere** *v* communicate.

kompagni *s* company; **~skab** *s* partnership; *gå i ~skab med en* enter into partnership with sby.

kompagnon *s* partner.

kompakt *adj* compact.

kompas *s* compass; *efter ~set* by the compass.

kompensation *s* compensation; **kompensere** *v* compensate.

kompetence *s* competence; *have ~ til at* have the authority to; **~givende** *adj* qualifying; **kompetent** *adj* competent, qualified.

kompleks *s* complex; *(bygn)* block of houses // *adj (sammensat)* complex.

komplet *adj* complete; *(negativt)* sheer, utter; *det er ~ spild af kræfter* it is sheer waste of energy; *~ åndssvag* utterly stupid; **~tere** *v* complete; *(supplere)* supplement.

kompliceret *adj* complex, complicated.

komplikation *s* complication; *der stødte ~er til* there were complications.

kompliment *s* compliment; **~ere** *v* compliment; *må jeg ~ere dig for dit arbejde?* may I compliment you on your work?

komplot *s* conspiracy, plot.

komponent *s* component.

komponere *v* compose; **komponist** *s* composer.

kompostbunke *s* compost heap.

kompot *s* stewed fruit.

kompres *s* compress.

komprimere *v* compress.

kompromis *s* compromise; *indgå ~* (make) a compromise.

komsammen *s* get-together.

koncentration *s* concentration; **~slejr** *s* concentration camp.

koncentrere *v* concentrate *(sig om* on).

koncern *s* firm, combine, group.

koncert *s* concert; *(om musikstykke, fx violin~)* concerto; **~flygel** *s* concert grand;

~**mester** s (orchestra) leader;
~**sal** s concert hall.

kondensator s condenser; **kon-
densere** v condense; **kon-
dens(vand)** s condensation.

kondi s fitness, condition; *hol-
de* ~*en i orden* keep fit; ~**cy-
kel** s exercise bike; ~**løb** s
jogging; ~**rum** s exercise
room; ~**tion** s condition.

konditor s confectioner; ~**i** s
confectioner's; *(om lokalet)*
tea-room; ~**kage** s fancy
cake.

konditræning s fitness train-
ing.

kondom s condom, sheath.

konduktør s *(i bus, sporvogn)*
conductor; *(i tog)* ticket col-
lector.

kone s *(hustru)* wife; *(kvinde)*
woman; *(hushjælp)* char(wo-
man); *han har ~ og børn* he
has a wife and family; *hun er
~n i huset* she is the mistress
of the house; *hils din ~!*
remember me to your wife!

konfekt s chocolates; *lakrids~*
liquorice allsorts; *dobbelt ~*
the same thing twice over.

konfektion s ready-made
clothing; ~**ssyet** *adj*
ready-made.

konference s conference;
congress; *han er til ~* he is at
a conference.

konferere v *(sammenligne)*
compare; *(forhandle)* confer.

konfetti s confetti.

konfirmand s young person
due for confirmation; **konfir-**

mation s confirmation.

konfiskere v confiscate, seize.

konflikt s conflict; ~**e** v con-
flict, go *(el. be)* on strike;
~**ramt** *adj (ved strejke)*
strikebound.

konfrontation s confrontation;
konfrontere v confront.

konfus *adj* confused; ~**ion** s
confusion.

konge s king; ~**blå** *adj* royal
blue; ~**dømme** s kingdom;
~**familie** s royal family; ~**hus**
s royal family, dynasty; ~**kro-
ne** s royal crown; ~**lig** *adj*
royal; *de ~lige* the royal fa-
mily; *Det ~lige Teater* The
Royal Theatre; ~**loge** s *(teat
etc)* royal box; ~**par** s royal
couple; ~**rige** s kingdom;
~**riget Danmark** the King-
dom of Denmark; ~**skib** s
royal yacht; ~**slot** s royal
palace; ~**tro** *adj* royalist;
~**ørn** s golden eagle.

kongres s congress, conferen-
ce.

konjunktion s *(gram)* conjunc-
tion; **konjunktiv** s *(gram)* the
subjunctive.

konjunktur s economic situa-
tion; *dårlige ~er, lav~* de-
pression; *høj~* boom; ~**stig-
ning** s boom.

konkludere v conclude; **kon-
klusion** s conclusion.

konkret *adj (ikke abstrakt)*
concrete; *(bestemt)* definite;
få en ~ aftale get a definite
agreement.

konkurrence s competition;

~**deltager** s competitor;
~**dygtig** adj competitive;
~**evne** s competitiveness.
konkurrent s competitor, rival.
konkurrere v compete; ~ *med en om ngt* compete with sby for sth; ~ *en ud* oust a competitor.
konkurs s bankruptcy // adj bankrupt; *gå* ~ *be* bankrupt; ~**bo** s bankrupt's estate; *(om aktieselskab)* winding-up estate; ~**ramt** s bankrupt.
konkylie s conch, shell.
konsekvens s *(følge)* consequence; *(fornuft)* consistency; **konsekvent** adj consistent.
konservativ adj conservative; *de* ~*e (pol)* the Conservatives *(el.* the Conservative Party).
konservatorium s academy of music.
konservere v preserve; **konservering** s preservation; **konserveringsmiddel** s preservative.
konserves s tinned food; ~**dåse** s tin.
konsistens s consistency; ~**fedt** s grease.
konsonant v consonant.
konsortium s syndicate.
konspirere v conspire.
konstant s/adj constant.
konstatere v find; *(påvise)* establish, demonstrate; *(fastslå)* state, note; ~ *gift i vinen* demonstrate poison in the wine; *der er* ~*t tilfælde af*

mund- og klovsyge på egnen cases of foot-and-mouth disease have been recorded in the region.
konstitueret adj acting, temporary.
konstitution s constitution.
konstruere v construct; **konstruktion** s construction; **konstruktiv** adj constructive.
konstruktør s constructor, designer; *(tekn)* engineer.
konsul s consul; ~**at** s consulate.
konsulent s adviser, consultant; *min juridiske* ~ my legal adviser.
konsultation s consultation; *(læges)* surgery; ~**stid** s surgery hours.
konsument s consumer; **konsumere** v consume; **konsumvarer** spl consumer goods.
kontakt s contact; *(elek)* switch; *(fig)* touch; *han er svær at få* ~ *med* he is difficult to get in touch with; ~**annoncer** spl personal column; ~**e** v contact; ~**linse** s contact lens.
kontant adj cash; *(fig, ligefrem)* straightforward; *(håndgribelig)* concrete; *købe* ~ buy for cash; *mod* ~ *betaling* on cash payment; *betale* ~ pay cash; *et* ~ *svar* a straightforward answer; ~**er** spl cash; ~**pris** s cash price; ~**rabat** s cash discount.
kontingent s subscription.
konto s account; ~**kort** s credit

card.

kontor s office; ~**assistent** s typist; ~**chef** s sv.t. permanent under secretary; ~**hus** s office block; ~**ist** s clerk; ~**personale** s office staff; ~**tid** s office hours.

kontoudtog s bank statement.

kontrabas s double bass.

kontrakt s contract, agreement; skrive ~ med en make up an agreement (el. contract) with sby; hæve en ~ cancel a contract; i henhold til ~en under the agreement (el. contract); ~**ansat** adj appointed on a contract basis; ~**brud** s breach of contract; ~**mæssig** adj contractual.

kontra. . . sms: ~**ordre** s counterorder; ~**punkt** s (mus) counterpoint; ~**spionage** s counter-espionage.

kontrast s contrast; stå i ~ til contrast with.

kontrol s control; (opsyn) supervision; (~sted) control, checkpoint; føre ~ med ngt keep control on sth, supervise sth; gå til ~ hos lægen go for a medical check-up; ~**anordning** s control device; ~**foranstaltning** s control measure; ~**lere** v control; (holde øje med) supervise; (undersøge) check; ~**lør** s inspector, supervisor; (af billetter) ticket collector; (teat) attendant; (ved fodboldbane) gateman; ~**tårn** s (fly) control tower; ~**ur** s time clock.

kontur s outline.

konversation s conversation; ~**sleksikon** s encyclopaedia.

konversere v chat; (formelt) make conversation.

konvertere v convert; (blive omvendt) be converted.

konvoj s convoy, escort.

konvolut s envelope.

kooperation s co-operation; **kooperativ** s/adj co-operative.

koordinere v co-ordinate.

kop s cup; et par ~per a cup and saucer; en ~ te a cup of tea.

kopi s copy; et brev med en (el. to) kopier a letter in duplicate (el. triplicate); ~**ere** v copy; (efterligne) imitate; ~**maskine** s photocopier.

kopper spl (med) smallpox; **koppevaccination** s smallpox vaccination.

kor s (sangkor) choir; (del af kirke) choir; synge (el. råbe) i ~ sing (el. cry) in chorus; hun synger i et ~ she is singing in a choir.

koral s coral; ~**rev** s coral reef; ~**ø** s atoll.

Koranen s the Koran.

kordegn s sexton; ~**ekontor** s sv.t. parish office.

korende s currant.

koreograf s choreographer; ~**i** s choreography.

kork s cork; ~**prop** s cork.

kormusik s choral works pl.

korn s corn; (om kerne etc) grain; ~**avl** s cultivation of

grain; **~blomst** s cornflower.
kornet s *(mus)* cornet.
kornmark s corn field; **korn-sort** s cereal.
korporlig adj corporal, bodily.
korps s corps, body.
korrekt adj correct; *(nøjagtig)* accurate.
korrektur s proof; *læse ~ på en bog* read the proofs for a book; **~læser** s proofreader.
korrespondance s correspondence; **~kursus** s correspondence course; **korrespondent** s correspondent; **korrespondere** v correspond.
korridor s corridor.
korrigere v correct.
korrupt adj corrupt; **~ion** s corruption.
kors s cross; *lægge armene over ~* fold one's arms; *med benene over ~* with crossed legs; *krybe til ~et* eat humble pie; *~, hvor er han dum!* God, how stupid he is!
korsang s choral singing; *(om sangen)* part song.
korse v: *~ sig over ngt* be appalled at sth.
korset s corset; *(hofteholder)* girdle.
korsfæstelse s crucifixion.
kort s card; *(land~, bil~)* map; *(post~)* postcard; *et ~ over London* a map of London; *skal vi tage et slag ~?* shall we play a game of cards? *vil du give ~?* will you deal? // adj short; *(kortfattet)* brief; *om ~ tid* shortly, soon; *for ~*

tid siden recently, a short time ago; *~ efter* shortly after; *~ sagt* in short; *~ for hovedet* curt.
kortbølge s short wave; **~be-handling** s short-wave diathermy.
kortege s cortege.
kort.. sms: ~fattet adj brief, concise; **~fristet** adj short-term; **~hed** s shortness; briefness; *fatte sig i ~hed* be brief; *sagt i al ~hed* to be brief; **~håret** adj short-haired; **~lægge** v map; **~sigtet** adj short-term; **~slutning** s short circuit; **~slutte** v short-circuit; **~spil** s card game; *(om selve kortene)* pack of cards; **~varig** adj brief, transitory.
kosmetik s cosmetics pl; **kosmetisk** adj cosmetic.
kosmisk adj cosmic.
kost s *(feje~)* broom; *(barber- etc)* brush; *(sømærke)* shallows marker.
kost s *(føde)* food, diet; *have en på ~* have sby as a boarder; *betale for ~ og logi* pay for board and lodging; *det er skrap ~!* it is heavy stuff!
kostald s cowshed.
kostbar adj valuable, precious; *(dyr)* expensive; *gøre sig ~* need to be persuaded; **~hed** s preciousness; *(~ ting)* treasure.
koste v cost; *hvad ~r den bog?* how much is that book? *den ~r alt for meget* it is far too

expensive; *det ~de ham livet*
it cost him his life; *~ hvad
det ~ vil* at all costs, cost
what it may.
kosteskab *s* broom cupboard;
kosteskaft *s* broomstick.
kostskole *s* boarding school.
kostume *s* costume; *~bal s*
fancydress ball; *~tegner s*
costume designer.
kotelet *s* chop, cutlet.
koøje *s (mar)* porthole.
kr *(fork.f. kroner)* crowns.
krabat *s* fellow, bloke.
krabbe *s* crab.
kradse *v* scratch; *(skrabe)*
scrape; *(irritere)* irritate; *(om
tøj)* be scratchy; *~ sig på
maven* scratch one's sto-
mach; *den trøje ~r* that car-
digan is scratchy; *~ 'af* (F)
kick the bucket; *~ ngt ned*
jot sth down.
kraft *s* strength, force; *(elek
etc)* power; *(gyldighed)* force;
brug dine kræfter use your
strength; *køre for fuld ~* run
at full steam; *samle kræfter*
build up one's strength; *kom-
me til kræfter* recover one's
strength; *af alle kræfter* with
all one's might; *i ~ af* by
virtue of; *træde i ~* come into
force; *sætte ud af ~* annul,
cancel; *~anstrengelse s*
exertion; *~idiot s* blithering
idiot.
kraftig *adj* strong, powerful;
(energisk) vigorous; *(om per-
son)* stout, heavy; *~t bygget*
strongly built; *advare en på*

det ~ste give sby a strong
warning.
kraftudtryk *s* oath, swearword;
kraftværk *s* power station.
krage *s* crow; *~tæer spl (fig)*
scrawl.
krak *s (på børsen etc)* crash.
krakilsk *adj* finicky.
krakke *v* crash, (F) go bust.
kram *s* stuff, things *pl; kunne
sit ~* know one's stuff; *det
passer i mit ~* it suits me
down to the ground; *få ~met
på en* get the upper hand over
sby.
kramme *v (klemme)* squeeze,
crush; crumple; *(gramse på)*
paw; *(kæle for)* cuddle; *~ ngt
sammen* crumple sth up; *kys-
se og ~* kiss and cuddle; *~ ud
med ngt* come out with sth.
krampagtig *adj* forced.
krampe *s* convulsions *pl;
(mindre trækning)* spasm; *(i
foden etc)* cramp; *~anfald s*
convulsive fit; *~latter s* hys-
terical laughter; *~trækning
s* spasm.
kran *s* crane; *~fører s* crane
driver.
kraniebrud *s* fractured skull;
kranium *s* skull.
krans *s* wreath; *~e v* wreathe;
(omgive) surround; *~ekage s*
almond cake.
krat *s* scrub, brushwood.
krav *s* demand; *(jur)* claim;
*(ved eksamen, stillingsbesæt-
telse)* requirement; *gøre ~
på* claim; demand; *stille et ~*
make a demand.

krave *s* collar; ~**ben** *s* collar bone; ~**knap** *s* (collar) stud.

kravle *v* crawl; ~**barn** *s* toddler; ~**dragt** *s* rompers *pl;* ~**gård** *s* playpen.

kreativ *adj* creative.

kreatur *s* head of cattle; ~*er pl* cattle, livestock.

krebinet *s (gastr)* meat rissole.

krebs *s* crab, crayfish; *Krebsen (astr)* Cancer; *Krebsens vendekreds* the Tropic of Cancer.

kredit *s* credit; ~**ere** *v* credit; ~**kort** *s* credit card; ~**køb** *s* credit buying; ~**oplysningsbureau** *s* credit rating agency; ~**or** *s* creditor; ~**værdighed** *s* credit rating.

kreds *s* circle, ring; *(distrikt)* district; *(omgangs~)* set, circle; *(valg~)* constituency; *sidde i* ~ sit in a circle; *i venners* ~ among friends; *kendt i vide* ~*e* widely known.

kredse *v* circle; ~ *om ngt (fig)* revolve around sth.

kredsløb *s (anat, med, fig)* circulation; *(elek)* circuit; *(om rumskib etc)* orbit.

krematorium *s* crematorium.

Kreml *s (i Moskva)* the Kremlin.

krepere *v* (F) kick the bucket; *(ærgre)* annoy.

krible *v* prickle; *det* ~*r i mine fingre efter at...* my fingers are itching to...

kridt *s* chalk; *købe på* ~ (F) buy on tick; ~*e* v chalk; ~*e skoene (og stå fast)* dig in one's heels; ~**hus** *s: være i*

~*huset hos en* be in sby's good books; ~**pibe** *s* clay pipe.

krig *s* war; *(krigsførelse)* warfare; *erklære* ~ *mod* declare war on; *gå i* ~ go to war; *han faldt i* ~*en* he was killed in the war; *under* ~*en* during the war; *gå i* ~ *med ngt (fig)* tackle sth.

kriger *s* warrior; ~**isk** *adj* belligerent.

krigs... sms: ~**erklæring** *s* declaration of war; ~**forbrydelse** *s* war crime; ~**forbryder** *s* war criminal; ~**førelse** *s* warfare; ~**humør** *s: være i* ~*humør* be on the warpath; ~**invalid** *s* disabled soldier; ~**maling** *s (også fig)* warpaint; ~**ret** *s: blive stillet for en* ~*ret* be court-martialled; ~**råd** *s* council of war; ~**skib** *s* warship; ~**sti** *s: være på* ~*stien* be on the warpath; ~**tid** *s* wartime; *i* ~*tid* in times of war.

krimi *s* (F) whodunit.

kriminal... sms: ~**assistent** *s sv.t.* detective inspector; ~**betjent** *s* detective constable; ~**film** *s* detective film; ~**forsorg** *s* penal system; ~**politi** *s* criminal police; ~**roman** *s* detective story, (F) whodunit.

kriminel *adj* criminal; *den* ~*le lavalder* the age of criminal responsibility.

krimskrams *s* scrawl; *tegne* ~ doodle.

kringle *s* pretzel // *v: han for-*

k kringlet 568

står at ~ den (F) he knows
how to fix it; **~t** *adj* intricate.
krinkelkroge *spl* nooks and
crannies.
krise *s* crisis; **~ramt** *adj* depressed *(fx område* area);
~tid *s* depression.
kristen *adj* Christian; **~dom** *s*
Christianity.
kristtorn *s* holly.
Kristus *s* Christ; *før Kristi fødsel (f.Kr.)* before Christ
(B.C.); *efter Kristi fødsel
(e.Kr.)* anno Domini (A.D.).
kritik *s* criticism; *(anmeldelse)*
review; *bogen fik god ~* the
book got good reviews; **~er** *s*
critic; *(anmelder)* reviewer;
kritisere *v* criticize; **kritisk** *adj*
critical; *(afgørende)* crucial;
det kritiske punkt the crucial
point.
kro *s (hotel)* inn; *(værtshus)*
pub; *(hos fugle)* crop // *v:* ~
sig strut; **~ejer** *s* innkeeper.
krog *s* hook; *(hjørne)* corner;
(haspe etc) catch; *bide på
~en (også fig)* rise to the bait;
trænge en op i en ~ corner
sby; **~et** *adj* crooked, bent.
kroket *s (spil)* croquet; *(gastr)*
croquette.
krokodille *s* crocodile.
krokone *s* landlady.
krokus *s (bot)* crocus.
krom *s (kem)* chromium.
kromand *s* innkeeper.
kronblad *s (bot)* petal.
krone *s (også om mønt)* crown;
(lyse~) chandelier; *(træ~)*
top; *han fik sat ny ~ på*

tanden he had his tooth
crowned; *han har ikke en ~
tilbage* he has not got a penny
left; *plat el. ~* heads or tails;
slå plat og ~ om toss up for //
v crown.
kronhjort *s* red deer; *(om hannen)* stag.
kronik *s* feature article.
kroning *s* coronation.
kronisk *adj* chronic; *~ syg*
chronically ill; *~ dranker*
chronic alcoholic.
kronjuveler *spl* crown jewels
pl.
kronologisk *adj: i ~ orden* in
chronological order.
kronprins *s* crown prince.
krop *s (legeme)* body; *(kroppen alene)* trunk; *hun rystede
over hele ~pen* she was
trembling all over; *hun har
ikke en trævl på ~pen* she
has not got a stitch on; **~sbevidst** *adj* body-conscious;
~sbygning *s* build; **~slig** *adj*
physical; **~nær** *s* clinging,
close fitting *(fx kjole* dress);
~svistation *s* search, *(F)*
frisking.
krostue *s* taproom; **krovært** *s*
innkeeper; *(på værtshus)*
publican.
krudt *s (gun)*powder; *(fut)* go,
pep; *skyde med løst ~* fire
blanks; *spare på ~et (fig)*
save one's energy; *han har
ikke opfundet ~et* he is not
exactly a genius.
krukke *s* jar, pot; *(om person)*
affected person; **~rl** *s* affecta-

tion; ~**t** adj affected.
krum adj crooked, bent; ~**bø-jet** adj bent, stooping.
krumme s crumb; der er ~r i den dreng that boy has got guts // v bend, bow; ~ sig sammen double up, bend over; ~ ryg (om kat etc) arch one's back; ~ tæer (fig) cringe.
krumning s (på vej, bane etc) bend; (det at krumme) bending.
krum. . . sms: ~**rygget** adj bent; ~**spring** s caper; ~**tap** s (tekn) crank.
krus s mug; (om hår) frizzle; ~**e** v (om hår) frizzle; (om vand) ruffle.
krusedulle s flourish; tegne ~r doodle.
kruset adj (om hår) frizzy, woolly; (om vand) ruffled.
krustade s (gastr) patty shell.
kry adj pert; (fræk) cheeky.
kryb s vermin.
krybbe s manger.
krybdyr s reptile.
krybe v (kravle) crawl; (klatre) climb; (snige sig) creep; (fig) cringe; (om tøj) shrink; ~ for en fawn on sby; ~ op i sofaen crawl onto the settee; ~ sammen huddle; ~**kælder** s crawl space; ~**spor** s (på motorvej) slow lane.
krybskytte s poacher; ~**i** s poaching.
krydder s sv.t. big rusk.
krydderi s spice.
krydder. . . sms: ~**nellike** s clo-

ve; ~**sild** s pickled herring; ~**urt** s herb.
krydre v season; ~**t** adj spicy, seasoned.
kryds s cross; (mus) sharp; (gade~ etc) crossing, crossroads; (~togt) cruise; sætte ~ ved ngt put a cross against sth; over (el. på) ~ crosswise; ~ og bolle noughts and crosses; på ~ og tværs this way and that; ~**e** v cross; (mar) beat; (sejle omkring) cruise; ~**e** navne af tick off names; ~**e** op mod vinden (mar) beat up against the wind; ~**e** fingre for en cross one's fingers for sby; ~**ermis-sil** s cruise missile.
kryds. . . sms: ~**finér** s plywood; ~**forhør** s cross-examination; ~**ild** s cross-fire; ~**og-tværs**, ~**ord** s crossword puzzle; ~**togt** s cruise.
krykke s crutch; gå med ~r walk on crutches.
krympe v shrink; ~ sig ved at gøre ngt shrink at doing sth; ~**fri** adj non-shrink; **krymp-ning** s shrinking.
krypt s (i kirke) crypt; ~**isk** adj cryptic.
krysantemum s chrysanthemum.
krystal s crystal; ~**glas** s crystal (glass); ~**klar** adj crystal(-clear); ~**lisere** v crystallize; ~**sukker** s (hugget sukker) lump sugar.
kryster s coward.
kræft s cancer; ~**behandling** s

cancer therapy; **~fremkaldende** *adj* carcinogenic; **~svulst** *s* (cancer) tumour.

kræmmerhus *s (af papir)* screw of paper; *(gastr)* cone.

krænge *v (mar, hælde)* heel (over); *(fly)* bank; *(vende vrangen ud)* turn inside out; ~ *en skjorte af* strip off a shirt; ~ *en strømpe på* roll on a sock.

krænke *v* offend; *(såre)* hurt; *(overtræde, bryde)* violate, break; *hun blev dybt ~t* she was deeply hurt; *blive ~t over ngt* be offended at sth; ~ *loven* break the law; **~lse** *s* offence; breach; violation.

kræs *s* delicacies *pl*, goodies *pl*; **~e** *v:* ~e *op for en* do sby proud.

kræsen *adj* particular; *(meget ~)* squeamish.

kræve *v (forlange)* demand, require; *(~ som sin ret)* claim; *(behøve)* require, call for; ~ *erstatning* claim damages; ~ *ind* be demanding; ~ *penge ind* collect money; ~ *en til regnskab* call sby to account; *dette ~r stor omhu* this calls for exactitude.

krøbling *s* cripple.

krøl *s* curl, frizzle; *han har ~ i håret* he has curly hair; **~fri** *adj* crease-resistant.

krølle *s* curl; *(slange~)* ringlet; *hun har naturlige ~r* she has a natural curl; *grisen slog ~ på halen* the pig curled up its tail // *v (om hår)* curl; *(om*

papir, tøj) crumple, crease; ~ *papir sammen* crumple up paper; ~ *sig sammen* curl up; **~jern** *s* curling iron.

kråse *s (om fugle)* gizzard.

kubikmeter *s* cubic metre; **kubikrod** *s* cube root.

kue *s* cow, subdue.

kuffert *s* suitcase; *(stor)* trunk; *(weekend~)* bag; *pakke sin ~* pack one's suitcase; *pakke ~en ud* unpack.

kugle *s* ball, globe; *(gevær~ etc)* bullet; *spille ~r* play marbles; *skyde sig en ~ for panden* blow one's brains out; **~hoved** *s (til skrivemaskine)* golf-ball; **~leje** *s* ball-bearing; **~pen** *s* ballpoint (pen); **~stød** *s (sport)* shot-putting.

kujon *s* coward; **~ere** *v* bully.

kuk *s: ikke et ~* not a word; **~ke** *v (om gøg)* call; *sidde og ~ke* sit all alone, mope; **~ker** *s (gøg)* cuckoo; **~ur** *s* cuckoo clock.

kul *s* coal; *(træ~, tegne~)* charcoal; *(kem)* carbon; *lægge ~ i ovnen* put coal on the fire; **~brinte** *s (kem)* hydrocarbon.

kuld *s (om dyr)* litter; *(om fugle)* brood; *et ~ studenter* the students of the year.

kulde *s* cold; *det er 10 graders ~* it is 10 degrees below zero; *ryste af ~* shiver with cold; *dø af ~* die of cold; **~gys(ning)** *s* shiver.

kuldioxid *s* carbon dioxide.

kuldskær adj sensitive to cold; **kuldslået** adj tepid.
kulhydrat s carbohydrate; **kulilte** s carbon monoxide.
kuling s wind, breeze; stiv ~ strong breeze; hård ~ moderate gale.
kulisse s (teat) wing; (dekoration) set piece; der foregår ngt i ~rne there is sth going on behind the scenes.
kul... sms: ~**kasse** s coal box; ~**kælder** s coal cellar; han er helt nede i ~kælderen (fig) he is really depressed; ~**mine** s coal-mine; ~**minearbejder** s coal-miner.
kulminere v culminate.
kulravende adj: ~ mørkt pitch-dark.
kulret adj crazy.
kul... sms: ~**sort** adj pitch-black; ~**spand** s coal scuttle; ~**stof** s (kem) carbon; ~**støv** s coaldust; ~**syre** s (kem) carbonic acid; (som luftart) carbon dioxide; (i sodavand) fizz.
kultiveret adj cultivated.
kultur s culture; civilization; ~**center** s cultural centre; ~**el** adj cultural; ~**historie** s history of civilization; ~**ministerium** s Ministry of Cultural Affairs.
kultveilte s carbon dioxide.
kulør s colour; (til sovs) browning; sætte ~ på foretagendet jazz things up; bekende ~ (i kortspil) follow suit; (fig) show one's hand; ~**t** adj

coloured; ~**te** blade glossy magazines; ~**tvask** s coloureds pl.
kumme s (vaske~) (wash)basin; (wc~) (toilet) bowl; ~**fryser** s chest freezer.
kun adv only; (~ lige) just; (udelukkende) merely; der er ~ lidt te tilbage there is only a little tea left; drengen er ~ seks år the boy is only six; pigen er ~ lige ti år the girl is just ten; hun er ~ et barn she is a mere child.
kunde s customer; ~**kreds** s customers pl, clientele.
kundskab s (viden) knowledge; (kendskab) information; ~**er** knowledge; vi har fået ~ om at... we have been informed that...
kunne v (være i stand til) be able to; (forstå, kende) know; (om mulighed, tilladelse) may; (om vane) will; jeg kan ikke lide ham I do not like him; han kan løbe 20 km på en time he can run 20 km in an hour; jeg kan tale engelsk I can speak English; vi ~ ikke finde hende we could not find her; han ~ godt komme he was able to come; hun kan sine lektier she knows her lessons; han kan tysk he knows German; de kan komme når som helst they may be here any time; det kan da godt være that may be; vi ~ måske besøge ham we might visit him; du

k kunnen 572

kan godt gå nu you may go now; *han kan sidde og se tv i timevis* he will sit watching the telly for hours; *de kan ikke med hinanden* they do not get on; *kan du så holde op!* will you stop it! do stop it! *så kan det være nok! that will do!*

kunnen *s* ability; competence; *(viden)* knowledge.

kunst *s* art; *(dygtighed)* skill; *(~stykke)* trick; *han samler på ~* he collects art; *~en at stave* the art of spelling; *det er ingen ~ that* is a piece of cake; *efter alle ~ens regler* thoroughly; *de skønne ~er* the fine arts; *~akademi s* art school; *~art s* (line of) art; *~færdig adj* ingenious; *(kompliceret)* elaborate; *~genstand s* objet d'art; *~gødning s* artificial fertilizer; *~historie s* art history; *~håndværk s* (handi)craft.

kunstig *adj* artificial; *(syntetisk også:)* man-made; *(neds)* false; imitation; *~e tænder* false teeth; *~t åndedræt* artificial respiration; *~t fremstillet* imitation, man-made *(fx læder* leather); *~t lys* artificial light.

kunst. . . *i sms:* ~**industri** *s* applied art; ~**læder** *s* imitation leather; ~**maler** *s* artist, painter; ~**museum** *s* art gallery.

kunstner *s* artist; ~**isk** *adj* artistic; ~**kittel** *s* smock.

kunst. . . *i sms:* ~**silke** *s* artificial silk; ~**skøjteløb** *s* figure skating; ~**stykke** *s* trick; ~**værk** *s* work of art.

kup *s* coup; *(fig)* scoop; *(stats~)* coup d'état; *gøre et ~ (fig)* make a good haul.

kupé *s (jernb)* compartment.

kuperet *adj (om terræn)* hilly; *(om hund)* docked.

kupforsøg *s* attempted coup.

kupon *s* coupon.

kuppel *s* dome; *(mindre)* cupola; *(til lampe)* globe.

kur *s* cure, treatment; *(ved hoffet)* court; *hun er på ~* she is undergoing treatment; *(om slankekur)* she is on a diet; *gøre ~ til en* court sby.

kurere *v (helbrede)* cure; *nu er han vist ~t (iron)* I think he has had it now.

kuriositet *s* curio(sity).

kurs *s (retning)* course; *(om penge)* rate of exchange; *(om værdipapirer)* going rate; *sætte ~en mod England* set out for England; *have ~ mod ngt* be heading for sth; *komme ud af ~* get off one's course; *være i høj ~* be high; *(fig, populær)* be popular.

kursiv *s (om skrift)* italics; *~ere v* print in italics.

kursted *s* health resort.

kursus *s* course *(i* on).

kurv *s* basket; *give en en ~* send sby packing.

kurve *s* curve; *(om vej)* bend; ~**kuffert** *s* wicker trunk; ~**møbler** *spl* wicker furnitu-

re; **~stol** s basket chair.
kusine s (female) cousin; *de er fætter og ~* they are cousins.
kusk s driver.
kusse s (V!) cunt.
kustode s attendant.
kutter s *(mar)* cutter.
kuvert s *(konvolut)* envelope; *(ved bordet)* cover; *foret ~* padded envelope; **~brød** s roll.
kuvøse s incubator.
kvadrat s square; **~isk** adj square; **~meter** s square metre; **~rod** s square root.
kvadrere v square.
kvaj s ass, clot; **~e** v: *~e sig* make a gaffe; **~hoved**, **~pande** s ass.
kvaksalver s quack; **~i** s quackery.
kval s agony, anguish; *have ~er med ngt* have trouble with sth.
kvalificere v: *~ sig til ngt* qualify for sth.
kvalifikation s qualification; **~skamp** s *(sport)* qualifying match.
kvalitet s quality; **~sbevidst** adj quality-conscious.
kvalme s nausea; *have ~* feel sick; *jeg får ~ af det* it makes me sick.
kvantitet s quantity.
kvantum s quantity.
kvark s quarg.
kvart s quarter; *(mus)* fourth; *klokken er ~ i (el. over) et* it is a quarter to *(el. past)* one // adj quarter of.

kvartal s quarter, three months; **~svis** adj quarterly.
kvarter s *(om tid)* quarter (of an hour); *(bydel)* district; *(mil)* quarters; *klokken er et ~ i (el. over) fire* it is a quarter to *(el. past)* four; *om tre ~* in three quarters of an hour, in forty-five minutes; *et ~s tid* a quarter of an hour.
kvartet s *(mus)* quartet.
kvartfinale s *(sport)* quarterfinals pl.
kvarts s quartz; **~ur** s quartz watch *(el. clock)*.
kvas s *(grene, kviste)* brushwood.
kvast s tassel; *(pudder~)* puff.
kvidder s *(om fugle)* chirping, twitter; *jeg forstår ikke et ~* I do not understand a word; **kvidre** v chirp, twitter.
kvie s *(ung ko)* heifer // v: *~ sig ved ngt* shrink (back) from sth.
kvik adj *(opvakt)* bright; *(rask)* well; *(hurtig)* quick; *han er et ~t hoved* he is bright; *lad det nu gå lidt ~t!* hurry up now!
kvikke v: *~ (op) (dvs. opmuntre)* cheer up; *kaffe ~r* coffee is stimulating.
kviksølv s mercury.
kvindagtig adj effeminate.
kvinde s woman *(pl: women)*; *(neds)* female; **~bevægelse** s the women's *(el. feminist)* movement; **~frigørelse** s women's lib; **~hader** s womanhater; **~hus** s women's refuge; **~kønnet** s the female sex;

~**lig** adj female, woman; *(feminin)* feminine, womanly; ~**lig læge** woman doctor; ~**lighed** s femininity; ~**litteratur** s women's literature; ~**læge** s gynaecologist; ~**menneske** s *(neds)* female; ~**sagen** s feminism; ~**sagskvinde** s feminist, women's libber; ~**sygdom** s women's disease; ~**tække** s: *han har* ~**tække** he is a lady-killer.

kvint s *(mus)* fifth.

kvintet s *(mus)* quintet.

kvist s *(på gren)* twig; *(på hus)* attic; ~**lejlighed** s attic (flat); ~**vindue** s dormer.

kvit adj: *så er vi* ~ that makes us quits; *blive en* ~ get rid of sby; ~ *eller dobbelt* double or quits; *få ngt* ~ *og frit* get sth free of debt; ~**te** v give up, (F) quit.

kvittere v sign; give a receipt; *(gøre gengæld)* repay; **kvittering** s receipt.

kvæg s cattle; *10 stk.* ~ ten head of cattle; ~**avl** s cattle breeding; ~**besætning** s livestock; ~**flok** s herd of cattle; ~**race** s breed of cattle.

kvæk s *(om frø)* croaking; *ikke et* ~ not a word; ~**ke** v croak.

kvæle v choke; *(med reb etc)* strangle; *(ved mangel på luft)* suffocate, stifle; *(ved tilstopning af luftvejen)* smother; *han blev kvalt i en mundfuld kød* he choked on a piece of meat; *hun kvalte ham med en pude* she stifled him with

a cushion; ~ *en gaben* stifle a yawn; *det er* ~**nde varmt** it is stifling hot.

kvælerslange s boa constrictor; **kvælertag** s stranglehold.

kvælstof s nitrogen.

kværn s (grinding) mill; ~**e** v grind; *(snakke)* gabble.

kværulant s grumbler; **kværulere** v grumble *(over* about).

kvæste v injure, bruise; *der var mange* ~**de** many people were injured; *han er helt* ~**t** *(fig)* he has got a bad hangover; ~**lse** s injury, bruise.

kyle v fling.

kylling s chicken; *stegt* ~ roast chicken; ~**egryde** s *(gastr)* chicken casserole.

kyndig adj *(dygtig)* skilled; *(vidende)* knowledgeable; ~**hed** s skill; knowledge.

kynisk adj cynical.

kys s kiss; *(let, fx på kinden)* peck.

kyse s bonnet.

kysk adj chaste; ~**hed** s chastity.

kysse v kiss; *(let)* peck; ~ *hinanden (el.* ~*s)* kiss; ~**tøj** s (F) kisser.

kyst s coast; *(strand)* shore; *(feriested)* seaside; *langs* ~**en** along the coast; *tage ud til* ~**en** go to the seaside; *byen ligger ved* ~**en** the town is on the coast *(el.* at the seaside); ~**fiskeri** s inshore fishing; ~**klima** s maritime climate; ~**linje** s coastline; ~**vagt** s coastguard.

kysægte adj kissproof.
kæbe s jaw; ~**ben** s jawbone; ~**hulebetændelse** s maxillary sinusitis; ~**stød** s hook to the chin.
kæde s chain // v: ~ sammen link up; ~**brev** s chain letter; ~**forretning** s chain store; ~**kasse** s (på cykel etc) chain guard; ~**reaktion** s chain reaction; ~**ryger** s chain-smoker; ~**sting** s chain stitch.
kæft s: hold ~! shut up! der kom ikke en ~ (S) not a soul turned up; ~e v: ~e op shout.
kæk adj brave, bold; ~**hed** s bravery, boldness.
kælder s cellar; (~etage) basement; ~**rum** s cellar.
kæle v: ~ for en carress sby; ~ for sit arbejde take pains over one's work; ~**dyr** s pet; ~**n** adj (om barn etc) affectionate; (forelsket) amorous; (om stemme) languishing; ~**navn** s pet name; ~**ri** s cuddling; (seksuelt) necking.
kælk s sledge, toboggan; ~**e** v sledge.
kælling s old woman; en gammel ~ (neds) an old hag; hun er en dum ~ she is a stupid cow; ~**eknude** s granny knot.
kælve v calve.
kæmpe s giant // v fight; (hårdt) struggle; (konkurrere) compete; ~ sig frem struggle along; ~ om guldet compete for the gold.
kæmpe... i sms: ~**høj** s bar-

row // adj giant; ~**mæssig** adj giant; ~**stor** adj gigantic.
kænguru s kangaroo.
kæntre v capsize.
kæp s stik; stikke en ~ i hjulet for en throw a spanner in the works for sby; ~**hest** s hobbyhorse; ~**høj** adj pert, fresh.
kær s pond, pool; (sump) marsh // adj (elsket) dear, beloved; (sød) sweet, dear; ~e hr. NN dear Mr. NN; ~e ven! my dear (friend)! er det ikke en ~ unge? isn't that a darling child; er hun ikke ~? isn't she a dear?
kæreste s (mandlig) fiancé, boy friend; (kvindelig) fiancée, girl friend; ~**brev** s love letter; ~**sorg** s lovesickness.
kærkommen adj welcome.
kærlig adj affectionate, loving; ~ hilsen fra... (i brev) love from...; ~**hed** s love, affection; kaste sin ~hed på en fall in love with sby; det er hans store ~hed it is his passion; erklære en sin ~hed declare one's feelings to sby; han skal få ~heden at føle he'll catch it; ~**hedsforhold** s love affair; ~**hedsroman** s love story.
kærnemælk s buttermilk.
kærtegn s caress; ~e v caress.
kætter s heretic; ~**i** s heresy.
kø s queue; (billard~) cue; stå i ~ queue up.
køb s purchase; (det at købe ngt) buying; (handel) bargain; ~ og salg buying and

selling; *gøre et godt* ~ make a bargain; *oven i* ~*et* into the bargain; *få ngt med i* ~*et* get sth thrown in; ~**e** *v* buy, purchase; ~*e ngt af en for 50p* buy sth off sby at 50 p; ~**e ind** go shopping; ~*e en ud* buy sby out; ~**edygtig** *adj* with money to spend; ~**ekraft** *s (om kunder)* spending power; *(om penge)* purchasing power.

København Copenhagen; **k**~**er** *s* Copenhagener; **k**~**sk** *adj* Copenhagen.

køber *s* buyer, purchaser.

købesum *s* purchase price.

købmand *s* grocer; *(grosserer)* merchant; *gå til* ~*en* go to the grocer's; ~**sforretning** *s* grocer's, general store; ~**sskole** *s* commercial school.

købstad *s* borough.

kød *s (på levende væsen)* flesh; *(som mad)* meat; ~ *og blod* flesh and blood; *stegt* ~ roast meat; *gå alt* ~*ets gang* go the way of all flesh; ~**ben** *s* bone; ~**bolle** *s* meat ball; ~**elig** *adj (mods: åndelig)* bodily; *(sanselig)* carnal; *han er min* ~*elige fætter* he is my first cousin; ~**fars** *s* forcemeat; ~**gryde** *s* stewpan; *blive hjemme ved* ~*gryderne* stay home in the kitchen; ~**hakkemaskine** *s* mincer; ~**hammer** *s* (meat) tenderizer; ~**rand** *s* moulded meat ring; *(fig)* crowd; ~**suppe** *s* soup,

meat broth; ~**ædende** *adj* carnivorous *(fx plante* plant).

køje *s(på skib etc)* berth; *(i hus)* bunk; *gå til køjs* turn in; (F) hit the sack); ~**seng** *s* bunk bed.

køkken *s* kitchen; *(om kogekunst)* cuisine; ~**adgang** *s: værelse med* ~*adgang* a room with access to kitchen; ~**bord** *s* kitchen table; ~**dør** *s* back entrance; ~**have** *s* vegetable garden; ~**maskine** *s* kitchen appliance; ~**rulle** *s* kitchen roll; ~**salt** *s* cooking salt; ~**trappe** *s* backstairs; ~**udstyr** *s* kitchenware; *(hårde hvidevarer)* kitchen hardware; ~**vask** *s* kitchen sink.

køl *s* keel; *på ret* ~ on an even keel.

køle *v* cool, chill; *regnen* ~*r* the rain is cooling; ~ *ngt af* chill sth; ~**bil** *s* refrigerated van; ~**disk** *s* refrigerated counter.

køler *s (auto)* radiator; ~**gitter** *s* radiator grille; ~**hjelm** *s* bonnet; ~**væske** *s* antifreeze.

køle... *i sms:* ~**skab** *s* refrigerator, (F) fridge; ~**skabskold** *adj* straight from the fridge; ~**taske** *s* insulated bag; ~**vand** *s* cooling water; ~**vogn** *s (jern)* refrigerator van.

kølig *adj* cool; *(ubehageligt* ~) chilly; *det er* ~*t vejr* the weather is chilly; ~**hed** *s* coolness; chill.

Køln Cologne.

kølvand *s* wake.

køn *s* sex; *(gram)* gender; *det modsatte* ~ the opposite sex // *adj* pretty; nice; *en ~ udsigt* a pretty view; *du er en ~ en!* you are a nice one! *det er en ~ redelighed!* it is a pretty mess!

køns. . . *i sms:* **~celle** *s* gamete; **~dele** *spl* genitals; **~liv** *s* sex life; **~organ** *s* sexual organ; **~rolle** *s* sex role; **~sygdom** *s* venereal disease, VD.

køre *s: ud i én* ~ non-stop // *v* drive; *(motorcykel, cykel)* ride; go; *(afgå)* leave; ~ *bil* drive (a car); ~ *en hjem* drive *(el.* take) sby home; ~ *med toget* go by train; *han ~r på cykel til arbejdet* he rides his bike to work; ~ *ind i en mur* run into a wall; ~ *forkert* take the wrong road; ~ *frem for rødt lys* drive through the red lights; ~ *galt* have an accident; ~ *ind til siden* pull in to the side; *må jeg ~ med?* can you give me a lift? ~ *en ned* run sby down; *blive kørt over* be run over; ~ *en tur* go for a drive; **~bane** *s* roadway; *(om bane på motorvej)* lane; **~klar** *adj* (*i orden*) in running order; *(parat)* ready to start; **~kort** *s* driving licence; *han blev frataget ~kortet* he had his licence suspended; **~lejlighed** *s* lift; **~lærer** *s* driving instructor; **~plan** *s* timetable;

~prøve *s* driving test; **~stol** *s* wheelchair; **~tur** *s* ride; *(i egen bil)* drive, run; **~tøj** *s* vehicle.

kørsel *s* driving; *(transport)* haulage; *(edb)* run; *der er to timers ~ til byen* it is two hours' drive into town; *farlig ~* dangerous driving; **~sretning** *s* direction of travelling.

kørvel *s* chervil.

køter *s* cur.

kåbe *s* coat; *(fig)* cloak.

kåd *adj* playful; *(tankeløs)* wanton.

kål *s* (hvid~, rød~) cabbage; *(grøn~)* kale; **~hoved** *s* head of cabbage; **~orm** *s* caterpillar; **~rabi**, **~roe** *s* swede.

kår *spl* circumstances; *trange ~* poor circumstances.

kåre *v* choose; select; **kåring** *s* election; selection.

L

lab *s* paw; *suge på ~ben* tighten one's belt.

laban *s* rascal.

labbe *v:* ~ *ngt i sig* lap sth up.

laber *adj* (F) super; *en ~ larve* (S) an eyeful, a bird.

laborant *s* lab(oratory) technician; **laboratorium** *s* laboratory, (F) lab.

labskovs *s* stew.

lade *s* barn // *v* let, allow to; *(foregive)* pretend; *lad os vente og se* let us wait and see; *lad hende være (i fred)* leave her alone; ~ *som om man er ung* pretend to be young; *lad være (med det)!* don't (do that)! *hun kunne ikke ~ være med at grine* she could not help laughing; ~ *som ingenting* behave as if nothing had happened; *det ~r til at være i orden* it seems to be OK.

ladning *s* load; *(om skib)* cargo; *(elek)* charge.

lag *s* layer; *(maling, lak etc)* coat; *gå i ~ med ngt* tackle sth; *et ~ maling* a coat of paint.

lage *s (gastr)* pickle; *lægge agurker i ~* pickle cucumbers.

lagen *s* sheet.

lager *s* store; *(i forretning)* stock; *have ngt på ~* keep sth in stock.

lagkage *s* layer cake.

lagre *v* store; *(lægge til modning)* mature; *en ~t ost* a matured cheese; **~ing** *s* storage; maturing.

lak *s (fernis)* lacquer; *(maling)* enamel; *(til møbler, negle)* varnish, polish; **~fjerner** *s* lacquer remover; *(til negle)* nail varnish remover.

lakrids *s* liquorice; **~konfekt** *s* liquorice allsorts.

laks *s* salmon.

laksko *s* patent leather shoe.

laksørred *s* sea trout.

lalle *v* drivel; *~nde idiot* blithering idiot.

lam *s* lamb // *adj* paralyzed.

lamel *s (i træbund)* slat.

lametta *s* tinsel.

lamhed *s* paralysis; **lamme** *v* paralyse; *stå som lammet* be petrified *(af skræk* with fear).

lammekød *s* lamb.

lammelse *s* paralysis.

lammesteg *s* roast lamb; **lammeuld** *s* lambswool.

lampe *s* lamp; **~feber** *s* stage fright; **~skærm** *s* lampshade.

lampet *s* wall bracket.

lamslået *adj* dumbfounded.

lancere *v* launch.

land *s* country; *(jord)* land(s); *gå i ~* go ashore; *trække i ~ (fig)* backtrack; *rejse over ~ (el. til ~s) by* go by land; *ude på ~et* in the country; *tage på ~et* go into the country; *her til ~s* in this country; **~arbejder** *s* farm worker; **~befolkning** *s* rural population.

landbrug *s* farming; *(faget)* agriculture; *(landejendom)* farm; **~er** *s* farmer; **~sjord** *s* farm land; **~sministerium** *s* Ministry of Agriculture; **~sskole** *s* agricultural school.

lande *v* land; *(om fly, også:)* touch down.

landevej *s* country road; *lige ud ad ~en (om person)* straightforward; *(nemt)* simple; *på ~en* on the road; *~ (cykling)* road race.

land... *sms:* **~flygtig** *adj* exiled; **~flygtighed** *s* exile; **~gang** *s* landing; **~gang(sbro)** *s* gangway;

~**handel** s general store; *blandet* ~*handel* sundry shop.

landing s landing; *(om fly, også:)* touch-down; ~**sbane** s runway.

land... *sms:* ~**jorden** s: *på* ~*jorden* on dry land; ~**kort** s map; ~**krabbe** s *(neds)* landlubber; ~**lig** *adj* rural; ~**mand** s farmer; ~**måler** s surveyor; ~**måling** s surveying; ~**område** s territory.

lands... *sms:* ~**by** s village; ~**bykirke** s village church; ~**del** s part of the country; ~**forræder** s traitor; ~**forræderi** s treason; ~**forvisning** s exile; ~**hold** s: *det engelske* ~*hold* the English international team, the English eleven.

landskab s landscape, scenery; ~**elig** *adj* scenic.

landskamp s international (match).

landskinke s ham.

landsmand s fellow countryman; *hvad* ~ *er du?* what nationality are you?

landsomfattende *adj* nationwide.

landsret s *sv.t.* High Court; ~**ssagfører** s *sv.omtr.t.* barrister.

land... *sms:* ~**sted** s country house; ~**vin** s local wine.

lang *adj* long; *(høj)* tall; *hele natten* ~ all night long; *få en* ~ *næse* be disappointed; *i* ~ *tid* for a long time; *blive* ~ *i*

ansigtet pull a long face; *(se også langt);* ~**drag** s: *trække i* ~*drag* go on and on.

lange v *(række)* hand; ~ *ud efter ngt* reach out for sth; ~ *ud efter en* hit out at sby.

langemand el. **langfinger** s middle finger.

lang... *sms:* ~**fart** s long voyage; ~**fredag** s Good Friday; ~**fristet** *adj* long-term *(fx lån* loan); ~**håret** *adj* long-haired; ~**rend** s *(på ski)* crosscountry skiing.

langs *adv/præp* along; ~ *med* along; *på* ~ lengthwise; *ligge på* ~ be in bed.

langsigtet *adj* long-term.

langsom *adj* slow; ~**t** *adv* slowly; *uret går for* ~*t* the watch *(el.* clock) is slow; ~*t men sikkert* slowly but surely; ~*t virkende* slow-acting.

langstrakt *adj* lengthy.

langsynet *adj* long-sighted.

langt *adv* far; *(+ superlativ)* by far; ~ *væk* far away; *der er* ~ *til stationen* it is a long way to the station; ~ *inde i skoven* deep in the forest; ~ *ud på natten* late in the night; *ikke på* ~ *nær* not by a long chalk; ~ *den bedste* by far the best.

langtids... *sms:* ~**holdbar** *adj* with a long shelf life; ~**ledig** s/adj long-term unemployed; ~**parkering** s long-term parking.

lang... *sms:* ~**trukken** *adj* prolonged; ~**turschauffør** s

long-distance lorry driver;
~**varig** adj lengthy, prolonged; ~**vejs** adv: ~**vejs fra**
from far away.
lanterne s lantern.
lap s (på tøj etc) patch; (stykke
papir) piece of paper; (se også
same); ~**pe** v patch, mend;
~**pe cykel** mend a puncture;
~**pegrejer** spl (bicycle) repair
outfit.
laps s dandy; ~**et** adj foppish.
larm s noise; ~**e** v make a
noise; ~**ende** adj noisy.
larve s (zo) caterpillar; (F, om
pige) bird.
las s rag.
laserstråle s laser beam.
laset adj tattered.
lasket adj flabby.
last s (uvane, synd) vice; (byr-
de) weight, load; (ladning)
cargo; (lastrum) hold; ~**bil** s
(åben) truck; (lukket) van;
(stor, tung) lorry; ~**e** v (tage
om bord) load; (bebrejde)
blame; ~**vogn** s d.s.s. ~**bil**;
~**vognstog** s lorry and trailer,
(F) juggernaut.
lathyrus s (bot) sweet pea.
latin s Latin; ~**sk** adj Latin.
latter s laughter; (~**anfald**,
måde at le på) laugh; slå en
høj ~ **op** burst into a loud
laugh; vække ~ be the laugh-
ing stock; ~**e** v laugh; ~**gas** s laughing
gas; ~**krampe** s: få ~**krampe**
go into fits of laughter; ~**lig**
adj ridiculous.
laurbærblad s bay leaf; **laur-
bærkrans** s laurel wreath.

lav s (bot) lichen; (håndvær-
ker~) guild.
lav adj (ikke høj) low; (gemen)
mean; (om vand) shallow.
lava s lava.
lave s: af ~ out of order; (om
fx verden) out of joint; gå i ~
go right // v (fremstille)
make; (gøre) do; (reparere)
mend, repair; hvad ~**r du**?
what are you doing? ~ **mad**
cook, prepare a meal; ~**t af**
made of; ~ **ngt om** change
sth; ~ **til** prepare; ~ **cykel**
mend one's bicycle; få ~**t**
låsen (også:) have the lock
seen to.
lavendel s lavender.
lavine s avalanche.
lav. . . sms: ~**konjunktur** s de-
pression; ~**land** s lowland;
~**prisvarehus** s discount sto-
re.
lavtlønnet adj low-paid; **lavt-
lønstillæg** s supplement for
low-paid workers.
lavtryk s (om vejret) depres-
sion.
lavvande s (ebbe) low water,
low tide; ~**t** adj shallow.
le s scythe // v laugh (ad at); ~
af glæde laugh with joy.
led s (retning) direction; (anat)
joint; (i kæde) link; (låge)
gate; på den lange ~ length-
wise; gå **af** ~ be dislocated;
være **af** ~ be out of joint;
være et ~ **i ngt** be part of sth.
led adj (ækel) disgusting; være
~ **og ked af ngt** be fed up
with sth.

leddelt *adj* articulated.
lede *s (væmmelse)* disgust *(ved* at), loathing *(ved* of).
lede *v (føre)* lead; *(vejlede)* guide; *(stå for)* manage; *(søge)* look; *(grundigt)* search; *(elek etc)* conduct; ~ *et møde* chair a meeting; ~ *en på sporet* give sby a clue; ~ *efter en* look for sby; ~ *huset igennem* search the house.
ledelse *s* management; *(vejledning)* guidance; *under* ~ *af (mus)* conducted by.
ledeløs *adj (om fx stol)* rickety; *(fig, om person)* weak.
ledende *adj* leading.
leder *s* leader; *(elek)* conductor; *(artikel)* leading article.
ledig *adj (ubesat)* vacant, unoccupied; *(arbejdsløs)* unemployed; *(fri)* free; **~hed** *s* unemployment.
ledning *s (elek)* wire; *(til lampe etc)* lead; *(rør)* pipe; **~svand** *s* tap water.
ledsage *v* accompany; *(som beskyttelse)* escort; **~lse** *s* accompaniment; escort; **~r** *v* companion; escort.
leg *s* play; *(spil etc efter regler)* game; *det går som en* ~ it is going on wheels; *holde op mens* ~*en er god* stop while the going is good.
legal *adj* legal; **~isere** *v* legalize.
legat *s (studie~)* scholarship; *(fra staten)* grant.
legation *s* legation.

lege *v* play; *(foregive)* pretend; ~ *sørøvere* play at pirates; ~ *med ngt* play with sth; *(pille ved)* toy with sth; *må jeg* ~ *med?* may I join you? **~gade** *s* play street; **~kammerat** *s* playmate.
legeme *s* body.
legems... *sms:* **~del** *s* part of the body; **~størrelse** *s: i* **~størrelse** life-size; **~vægt** *s* (body)weight; **~øvelser** *spl (i skolen)* physical education.
legendarisk *adj* legendary; **legende** *s* legend.
lege... *sms:* **~plads** *s* playground; **~syg** *adj* playful; **~tøj** *s* toys *pl; et stykke* **~tøj** a toy; **~tøjsbutik** *s* toyshop.
legitimation *s (bevis, kort)* identification papers; **legitimere** *v: legitimere sig* identify oneself.
lejde *s: frit* ~ safe-conduct.
leje *s* bed; *(færge~)* berth.
leje *s (lejemål)* lease; *(betaling)* rent; *værelse til* ~ room for hire; *bo til* ~ rent a room (, flat, house); *bo til* ~ *hos en* lodge with sby // ~ *v* rent; *(for kort tid også:)* hire; ~ *en bil* hire *(el.* rent) a car; ~ *ngt ud (om hus, lejlighed)* let; *(om fx bil, båd)* hire out; **~kontrakt** *s (for hus)* lease; *(for fx bil)* hire contract; **~mål** *s* lease.
lejer *s (af bolig)* tenant; *(for lang tid)* leaseholder; *(af værelse)* lodger; *(af bil)* hirer; **~forening** *s* tenants' association.

lejesoldat s mercenary.

lejlighed s (bolig) flat; (gunstig ~) chance, opportunity; (anledning) occasion; leje en ~ rent a flat; benytte ~en take the opportunity; få ~ til at have a chance to; ved ~ some day; **~svis** adv occasionally.

lejr s camp; ligge i ~, slå ~ camp; **~bål** s campfire; **~e** v: ~e sig (dvs. lægge sig ned) lie down; (slå ~) camp; **~skole** s camp school; **~sport** s camping.

leksikon s (konversations~) encyclopaedia; (ordbog, mindre leksikon) dictionary.

lektie s lesson; lave ~r do one's homework; **~hjælp** s (private) coaching.

lektion s lesson.

lektor s (gymnasie~) sv.t. senior teacher; (univ) senior lecturer.

lekture s reading matter.

lem s (dør) hatch; (klap) shutter; (legemsdel) limb; ud af ~men! get out! det mandlige ~ the male member; risikere liv og ~mer risk one's life.

lemlæste v mutilate.

lempe s: fare med ~ go easy // v (flytte, lette) ease; (tilpasse) adapt; ~ kontrollen relax control; **~lig** adj gentle; (om fx betingelser) easy.

ler s clay; **~due** s clay pigeon; **~et** adj clayey; **~varer** spl pottery, earthenware.

lesbe s, **lesbisk** adj lesbian.

let adj (ikke tung) light; (nem)

easy; (svag) slight // adv lightly; easily; slightly; gå ~ hen over ngt pass lightly over sth; have ~ ved ngt do sth easily; en ~ forkølelse a slight cold; det er ~tere sagt end gjort it is easier said than done; ~ påklædt lightly dressed; **~fattelig** adj easily understood; **~fordærvelig** adj perishable; **~fordøjelig** adj digestible.

lethed s (om vægt) lightness; (nemhed) ease; easiness.

let... sms: ~købt adj cheap; **~matros** s ordinary seaman; **~metal** s light metal; **~mælk** s low-fat milk, semi-skimmed milk; **~sindig** adj (uansvarlig) irresponsible; (ligeglad) careless; (for hurtig, uoverlagt) rash; **~sindighed** s irresponsibility; carelessness; rashness.

lette v (om vægt) lighten; (gøre nemmere) make easier; (om fly) take off; (om tåge) lift; ~ anker weigh anchor; ~ sit hjerte unburden oneself; det ~de! what a relief! ~ en i hans arbejde make sby's job easier for him; ~ ben (om hund) cock a leg; **~lse** s relief; **~t** adj relieved; ånde ~t op breathe again.

let... sms: ~tilgængelig adj accessible; (let at forstå) easily understood; **~vægt** s (sport) lightweight; **~vægts-** lightweight (fx habit suit).

leve s: udbringe et ~ for en

give three cheers for sby // *v* live; *(være i live)* be alive; ~ *af grønsager* live on vegetables; ~ *for sit arbejde* live for one's work; ~ *for 500 kr om måneden* live on 500 kr a month; *han ~r og ånder for musik* music is his whole life; ~ *med i ngt* take a strong interest in sth; ~ *op til* live up to; ~ *sammen med en* live with sby; *de ~r sammen* they live together.

levebrød *s* livelihood; *(stilling)* job; **levefod** *s* standard of living.

levende *adj* living; *(efter verbum)* alive; *(foran substantiv, ikke om person)* live; *(livlig)* lively; *i ~ live* (while) alive; *slippe ~ fra ngt* escape sth alive; ~ *lys* candle; *være ~ interesseret i ngt* take a lively interest in sth.

leveomkostninger *spl* cost of living.

lever *s* liver; *tale frit fra ~en* speak one's mind.

leverance *s* delivery; **leverandør** *s* supplier.

leverbetændelse *s* hepatitis.

levere *v (aflevere, merk)* deliver; *(forsyne)* supply; *(fremstille)* produce; *(fremskaffe)* provide.

levering *s* delivery; *(forsyning)* supply; *til ~ i uge 9* for delivery in week 9; *betales ved ~en* payable on delivery; **~sdygtig** *adj* able to deliver; **~stid** *s* date of delivery; *14*

dages ~stid to be delivered within 14 days.

leverpostej *s* liver pâté; **levertran** *s* cod liver oil.

leve... ** *sms:* **~standard *s* standard of living; **~tid** *s* lifetime, life; **~vej** *s* career; job; **~vis** *s* way of life.

levn *s* relic; **~e** *v* leave.

levned *s* life; **~smiddel** *s* foodstuff.

levning *s (også fortids~)* relic; **~er** *spl (om mad)* left-overs; *(ruiner)* remnants.

libaneser *s,* **libanesisk** *adj* Lebanese; **Libanon** Lebanon.

liberal *adj* liberal; **~isme** *s* liberalism.

Libyen Libya; **libyer** *s,* **libysk** *adj* Libyan.

licens *s* licence; *betale fjernsyns~* pay the TV licence fee.

licitation *s: udbyde ngt i ~* invite tenders for sth.

lide *v* suffer *(af* from); ~ *nød* suffer deprivation; ~ *nederlag* be defeated; ~ *tab* suffer losses.

lide *v: kunne ~* like; *jeg kan bedre ~ den ost* I prefer that cheese; *jeg kan ikke ~ ham* I don't like him.

lidelse *s* suffering; *(sygdom)* disease; *(elendighed)* misery; *den guitar er en ~ at høre på* it is agony to listen to that guitar; **~sfælle** *s* fellow-sufferer; **~shistorien** *s (rel)* the Passion.

lidende *adj* suffering.

lidenskab *s* passion; **~elig** *adj*

passionate.

liderlig adj randy; (neds) lecherous.

lidet adv not very, little; ~ tilfredsstillende not very satisfactory.

lidt adj little // adv a little, slightly; kun (el. bare) ~ just a little; vil du have ~ te? would you like some tea? vent ~! wait a minute! ~ efter a little later; ~ efter ~ little by little; om ~ in a minute; for ~ siden a moment ago.

lift s (baby~) carrycot; få et ~ get a lift; **~e** v hitchhike.

lig s dead body; (jur, med) corpse; ligne et ~ look like death.

lig adj (lignende) like; (~ med) equal to; to og to er ~ fire two and two equals (el. is) four.

liga s league.

ligbrænding s cremation.

lige adj (ikke skæv) straight; (direkte) direct; (jævnbyrdig) even; (ligeberettiget) equal; i ~ linje in a straight line; (om nedstamning) in direct line; ~ for ~ fair is fair // adv (ikke skævt) straight; (direkte) directly; (ligeligt) equally; (jævnt) evenly; (netop) just; ~ før han kom just before he came; det er ~ meget it does not matter; de er ~ store they are the same size; han er ~ så tyk som hun he is just as fat as she is; ~ nu just now, this

minute; kør bare ~ ud just drive straight on; vi bor ~ ved søen we live close to the lake; ~ et øjeblik just a moment.

ligeberettigelse s equal rights pl.

ligefrem adj straightforward, plain // adv (simpelthen) simply; (bogstavelig talt) literally; (i lige retning) straight on; han var meget ~ he was quite straightforward; det er ikke ~ nemt it is not exactly easy.

ligeglad adj (uinteresseret) indifferent; (sjusket) careless.

ligegyldig adj (uden betydning) unimportant; (uinteresseret) indifferent; (sjusket) careless; ~ hvad du gør no matter what you do; det er ret ~t it does not really matter; **~hed** s indifference; carelessness.

ligeledes adv also, as well.

ligelig adj equal; (retfærdig) fair.

ligeløn s equal pay.

ligemand s equal.

ligesindet adj like-minded.

ligesom adv sort of; (noget) a little // konj like; (just) as; (idet, da) just as; det er ~ lidt sært it is sort of odd; det går ~ bedre it is kind of better; hun er blond ~ du she is blonde just like you; gør ~ jeg do as I do; ~ om just as if; ~ vi skulle til at gå... just as we were leaving...

ligestillet *adj* equal; **ligestilling** *s* equal status *pl.*

ligeså(dan) *adj* the same; *gøre* ~ do the same.

ligetil *adj: det er ganske* ~ it is quite simple.

ligevægt *s* balance; *bevare* ~*en* (*dvs. ikke vælte*) keep one's balance; *(dvs. ikke blive ophidset)* remain calm; *miste* ~*en* (*dvs. vælte*) lose (one's) balance; *(dvs. blive ophidset)* lose one's head; ~**ig** *adj* well-balanced, calm.

ligge *v* lie; *(om hus etc)* stand; *lade ngt* ~ let sth lie; *(fig)* leave sth alone; ~ *for døden* be dying; *det* ~*r lige for* it is obvious; *det* ~*r ikke for ham* it is not his strong point; ~ *i sengen* (*dvs. være syg*) be ill in bed; ~ *inde med ngt* hold sth; ~ *stille* lie still; *(om produktion etc)* be at a standstill; ~ *under for* be the victim of; *huset* ~*r ved skoven* the house stands by the forest.

ligge... *sms:* ~**stol** *s* deck chair; ~**sår** *s* bedsore; ~**vogn** *s (jernb)* couchette.

lighed *s* similarity; *(stærkere)* likeness; *(ligeret)* equality; *i* ~ *med* like; ~**spunkt** *s* similarity; ~**stegn** *s* equals sign.

ligkiste *s* coffin.

ligne *v (af ydre)* look like; *(af væsen)* be like; ~ *sine forældre* (*også:*) take after one's parents; ~ *en på en prik* look exactly like sby; *hvor det* ~*r*

ham! how very like him! *ikke det der* ~*r* not a bit.

lignelse *s* parable.

lignende *adj* similar; *og* ~ and the like, etc; *jeg har aldrig set ngt* ~ I never saw anything like it.

ligning *s (mat)* equation; *(i skat)* assessment.

ligtorn *s* corn.

likør *s* liqueur.

lilje *s* lily; ~**konval** *s* lily-of-the-valley.

lilla *adj* purple.

lille *adj* small; *(kort)* short; ~ *bitte* tiny; *da han/hun var* ~ when he/she was a little boy/girl; *en* ~ *uges tid* just under a week; *hun venter en* ~ she is expecting (a baby); *blive den* ~ get the worst of it.

lille... *sms:* ~**bror** *s* little brother, younger brother; ~**finger** *s* little finger, (F) pinkie; ~**juleaften** *s* the evening before Christmas Eve; ~**put** *s* midget; ~**skole** *s* small private school; ~**søster** *s* little sister, younger sister; ~**tå** *s* little toe.

lim *s* glue; ~**e** *v* glue; ~**farve** *s* distemper; ~**ning** *s* gluing; *gå op i* ~*ningen* come unstuck; *(fig)* fall apart.

limonade *s* lemonade.

limstift *s* glue stick.

lind *s* lime // *adj (blød)* soft; ~**etræ** *s* lime tree.

lindre *v* relieve, ease; **lindring** *s* relief.

line *s* line; *gå på* ~ walk the

tightrope.

lineal s ruler.

linedanser s tightrope walker.

lingeri s underwear.

linje s line; *i store* ~*r* in broad outline; *bevare den slanke* ~ keep one's figure; *ny* ~ *(i diktat)* new paragraph; *over hele* ~*n* all along the line; *køre med* ~ *ti* go by number ten.

linjere v rule.

linjeskriver s *(edb)* line printer; **linjevogter** s *(sport)* linesman.

linned s linen.

linoleum s linoleum; ~**ssnit** s linocut.

linolie s linseed oil.

linse s *(bot)* lentil; *(optisk)* lens.

lire v: ~ *et vers af* reel off a poem; ~**kasse** s barrel organ.

lirke v: ~ *ngt ud af en* wangle sth out of sby; ~ *ved ngt* pick at sth; ~ *sig frem* feel one's way.

list s trick; *(snedighed)* cunning.

liste s *(af træ etc)* strip (of wood etc); *(til pynt)* trim; *(fortegnelse)* list.

liste v creep, tiptoe; *(neds)* sneak; ~ *sig væk* steal away; ~ *sig til ngt* wangle sth.

listig adj sly, cunning; ~**hed** s slyness, cunning.

lit de parade s: *ligge på* ~ lie in state.

liter s litre; ~**mål** s litre measure; ~**vis** adv by the litre.

litograf s lithographer; **litografi**

s lithograph.

litteratur s literature; ~**histo-rie** s history of literature; ~**søgning** s information retrieval; **litterær** adj literary.

liv s life; *(overdel på kjole etc)* bodice, top; *(talje)* waist; *hans* ~*s* chance the chance of a lifetime; *nyde* ~*et* enjoy life; *tage* ~*et af en* kill sby; *en ven for* ~ a friend for life; *være i* ~*e* be alive; *aldrig i* ~*et* over my dead body; *føre ngt ud i* ~*et* put sth into effect; *med* ~*et i hænderne* with one's heart in one's mouth; *sætte* ~ *i en fest* liven up a party; *true en på* ~*et* threaten sby's life; *sætte en bøf til* ~*s* consume a steak; ~**agtig** adj vivid, lifelike; ~**garden** s the Royal Life Guards; ~**lig** adj lively; ~**løs** adj lifeless; *(død)* dead; ~**moder** s womb; ~**redder** s lifeguard; ~**rem** s belt; ~**ret** s favourite dish.

livs. . . sms: ~**anskuelse** s philosophy; ~**betingelse** s vital necessity; ~**fare** s mortal danger; ~**farlig** adj highly dangerous; *den dreng er* ~*farlig (iron)* that boy is a menace; ~**forsikring** s life insurance; ~**stil** s life style; ~**tegn** s sign of life; *give* ~*tegn fra sig* show signs of life; ~**tid** s: *fængsel på* ~*tid* prison for life, life sentence; ~**varig** adj lifelong, for life; ~**vigtig** adj vital.

livvagt s bodyguard; **livvidde** s

waist.

lod s *(skæbne)* fate; *(andel)* share; *(i lotteri)* lot; *(til vægt)* weight; *(mar)* lead; *trække ~ om ngt* draw lots for sth; *være i ~ (tekn)* be plumb.

lodde v *(om metal)* solder; *(mar)* sound; *~ stemningen* test the atmosphere; **~kolbe** s soldering iron; **~tin** s solder.

lodret adj vertical; *(i krydsord)* down; *en ~ løgn* a downright lie.

lods s pilot; **~e** v pilot.

lodseddel s (lottery) ticket.

loft s ceiling; *(~rum)* loft; *(pulterkammer)* attic; *lægge ngt på ~et* put sth in the attic; *lægge ~ over ngt (fig)* put a ceiling on sth.

loge s *(teat)* box; *(frimurer~ etc)* lodge.

logere v lodge; **~nde** s lodger; **logi** s lodgings; *(for kort ophold)* accommodation.

logik s logic; **logisk** adj logical.

logre v *(om hund)* wag the tail; *(om person)* crawl *(for* to).

lokal adj local; **~bedøvelse** s local anaesthetic; **~befolkningen** s the locals.

lokale s room; *(sal)* hall.

lokalisere v *(finde)* locate.

lokal. . . sms: **~nummer** s *(tlf)* extension; **~plan** s district plan; **~radio** s local radio; **~samfund** s *(på landet)* rural society; **~tog** s local train.

lokke v *(friste)* tempt; *(forlokke)* seduce; *(besnakke)* coax; *~ en i en fælde* lead sby into

a trap; *~ ngt ud af en* get sth out of sby; **~due** s decoy; **~mad** s bait.

lokomotiv s engine; **~fører** s engine driver.

lomme s pocket; *have penge på ~n* be flush; **~bog** s notebook; **~kalender** s agenda; **~kniv** s pocket knife; **~lygte** s torch; **~lærke** s hipflask; **~penge** spl pocket money; **~regner** s pocket calculator; **~smerter** spl: *have ~smerter* be broke; **~tyv** s pickpocket; **~tørklæde** s handkerchief.

loppe s flea // v: *~ sig* scratch oneself.

lort s (V) shit, crap; *(om person)* bastard.

losse v *(skib el. vogn)* unload; **~plads** s rubbish dump.

lotteri s lottery; **~gevinst** s prize.

lov s law; *(tilladelse)* permission; *ifølge ~en* according to law; *gældende ~* the existing legislation; *bestemt ved ~* statutory; *få ~ til at* be allowed to; *bede om ~* ask permission; *give en ~ til at gøre ngt* allow sby to do sth.

love v promise; *jeg skal ~ for at det var koldt* I tell you it was cold.

lovende adj promising.

lov. . . sms: **~forslag** s bill; **~givning** s legislation; **~lig** adj legal // adv *(lidt for)* rather, a bit too; *en ~lig undskyldning* a legitimate excuse; *han er ~lig fræk* he is

a bit too cheeky; **~overtræ-
delse** s offence; **~pligtig** adj
compulsory; **~stridig** adj ille-
gal.

LP, lp s LP(-record), album.

lud s: gå for ~ og koldt vand
be neglected; **~doven** adj
bone-lazy.

luder s prostitute, (S) tart, pro.

ludfattig adj destitute.

lue s flame; stå i lys ~ be
ablaze.

luffe s (vante) mitten.

luft s air; (~art) gas; trække
frisk ~ get some fresh air; få
~ for ngt give vent to sth; i
fri ~ in the open (air); sprin-
ge (el. sprænge) i ~en blow
up; **~alarm** s air-raid warn-
ing; **~art** s gas.

lufte v air; ~ hunden take the
dog for a walk; ~ ud air,
ventilate; det ~r there is a
slight breeze.

luft. . . sms: **~fart** s aviation,
flying; **~forurening** s air pol-
lution; **~havn** s airport; **~hul**
s (fly) air pocket.

luftig adj airy; (om tøj) light.

luft. . . sms: **~post** s air mail;
~rør s (anat) windpipe;
~tom adj: **~tomt rum** vacu-
um; **~tæt** adj airtight // adv
hermetically; **~våben** s air
force.

luge s hatch // v weed.

lugt s smell; (duft) scent; **~e** v
smell (af of); **~e til ngt** smell
sth; **~esans** s sense of smell.

lukke v shut; (~ af, spærre)
close; ~ en virksomhed close

down a business; ~ en ind let
sby in, admit sby; ~ en inde
lock sby up; ~ op for vandet
turn on the water; ~ op for
fjernsynet switch on the tele-
vision; ~ hunden ud let out
the dog; ~ en ude shut sby
out.

lukker s (foto) shutter.

lukket adj closed; (om person)
reserved; ~ vej dead end; ~
afdeling locked ward.

lukketid s closing time; efter ~
after hours.

lukning s shutting; closing; (på
nederdel etc) fastening; (se
lukke).

luksus s luxury.

lummer adj (om vejr, luft)
close, sultry.

lumsk adj treacherous; (bedra-
gerisk) deceitful; (snedig)
cunning; have en ~ mistan-
ke have a hunch; **~eri** s
treachery; cunning; (kun-
ster, tricks) tricks pl.

lun adj warm; (rar) snug, cosy;
(om person) humorous.

lune s mood; (humor) hum-
our; (indfald) whim // v (var-
me op) warm; det ~de! that
was nice! **~fuld** adj capri-
cious; (om vejr) changeable.

lunge s lung; **~betændelse** s
pneumonia; **~kræft** s lung
cancer.

lunken adj lukewarm; (fig)
half-hearted.

luns s chunk.

lunte s fuse; lugte **~n** smell a
rat // v: ~ af sted trot along.

lup *s* magnifying glass.

lur *s* nap; *(mus)* lur(e); **stå på ~** lie in wait *(efter* for).

lure *v (lytte)* eavesdrop; *(kigge)* peep; *(narre)* take in; **~ en kunsten af** pick up the trick from sby; **~ på en chance** watch for a chance.

lurvet *adj* shabby; *(gemen)* mean.

lus *s* louse; *(om person)* creep; **~et** *adj* lousy; *(ussel)* measly.

luske *v (snige sig)* sneak; **~ af** slink away; **~ rundt** hang around; **~ sig til ngt** wangle sth; **~peter** *s* sneak; **~ri** *s* hanky-panky.

lussing *s* slap on *(el.* in) the face; **give en en ~** *(også:)* box sby's ear.

lut *s* lute; **~spiller** *s* lutenist.

lutter *adj* sheer, all; **være ~ venlighed** be all kindness.

luv *s* pile, nap; **~slidt** *adj* threadbare.

ly *s* shelter; **søge ~** seek shelter; **i ~ af** under cover of.

lyd *s* sound; *(støj)* noise; **ikke give en ~ fra sig** not utter a word; **slå til ~ for ngt** advocate sth; **~bølge** *s* soundwave; **~dæmper** *s* silencer.

lyde *v* sound; *(klinge)* ring (out); **der ~r musik** music is heard; **det ~r godt** that sounds good; **~ navnet Smith** answer to the name of Smith.

lydig *adj* obedient.

lyd. . . sms: **~isolering** *s* soundproofing; **~løs** *adj* si-

lent, soundless; **~mur** *s* sound barrier; **~potte** *s (auto)* silencer; **~skrift** *s* phonetics *pl.*

lydt *adj:* **huset her er meget ~** you hear every sound in this house.

lydtæt *adj* soundproof.

lygte *s (gade~, bil~)* light; *(cykel~)* lamp; *(lomme~)* torch; **~pæl** *s* lamp post.

lykke *s* happiness; *(held)* (good) luck; **gøre ~** be a success; **prøve ~n** try one's luck; **have ~n med sig** be lucky; **ønske en til ~ (med ngt)** congratulate sby (on sth); **til ~!** congratulations! **~lig** *adj* happy *(over* about); *(heldig)* fortunate; **prise sig ~lig** count oneself lucky.

lykkes *v* succeed; **det lykkedes os at gøre det** we succeeded in doing it.

lykønske *v* congratulate *(med* on); **lykønskning** *s* congratulation.

lymfe *s* lymph; **~kirtel** *s* lymph gland.

lyn *s* lightning; **som et ~ fra klar himmel** like a bolt from the blue; **som ramt af ~et** thunderstruck; **med ~ets fart** at lightning speed; **~et slog ned i tårnet** the tower was struck by lightning; **~afleder** *s* lightning conductor; **~e** *v* flash; **det ~er** it is lightning; **~e op** *(om lynlås)* zip up; **~ ned** *(om lynlås)* unzip; **~frossen** *adj* quick-frozen.

lyng *s* heather.

lyn... *sms:* ~**kursus** *s* crash course; ~**lås** *s* zip(per); ~**tog** *s* high-speed train; ~**visit** *s* flying visit.

lyrik *s* (lyric) poetry; **lyrisk** *adj* lyric; *(sentimental)* lyrical.

lys *s* light; *(belysning)* lighting; *(stearin~)* candle; **tænde** *(el. slukke)* ~**et** switch on *(el.* off) the light; **føre en bag** ~**et** pull the wool over sby's eyes; *der gik et* ~ *op for mig* it dawned on me; *en 60-~ pære* a 60-watt bulb // *adj* light; *(lysende, klar)* bright; *(om farve)* fair, pale; *når det bliver* ~*t* at dawn; *de* ~*e nætter* the light summer nights; *se* ~*t på tingene* have a bright outlook.

lysbilledapparat *s* (slide) projector; **lysbillede** *s* slide.

lyse *v* shine; ~ *op* shine; *(fig)* brighten up; ~**blå** *adj* pale blue; ~**dug** *s* (table) mat; ~**krone** *s* chandelier; ~**rød** *adj* pink; ~**stage** *s* candlestick.

lyshåret *adj* fair.

lyske *s* (anat) groin.

lyskurv *s* traffic light(s) *(pl)*; **lysmåler** *s* (foto) light meter.

lysne *v* grow light; *(om daggry)* dawn; *(om vejret)* brighten (up).

lysnet *s* (elek) mains *(pl)*.

lysning *s* (i skoven) clearing; *(bedring)* improvement.

lys... *sms:* ~**punkt** *s:* *øjne et* ~*punkt* see a ray of hope; ~**reklame** *s* neon sign; ~**signal** *s* light signal; ~**sky** *adj* shady; ~**stofrør** *s* fluorescent tube; ~**styrke** *s* luminosity; *(om elek pære)* wattage.

lyst *s* *(ønske, tilbøjelighed)* inclination; *(begær)* desire; *(glæde)* joy, pleasure; *have* ~ *til ngt (dvs. ville have)* want sth; *(dvs. føle trang til)* feel like sth; *miste* ~*en til ngt* go off sth; *kom hvis du har* ~ come along if you like; *få sin* ~ *styret* have enough; *enhver sin* ~ everyone to his taste; ~**båd** *s* yacht; ~**bådehavn** *s* yachting harbour; ~**fisker** *s* angler; ~**fiskeri** *s* fishing, angling; ~**hus** *s* summerhouse.

lystig *adj* gay.

lystkutter *s* yacht.

lystre *v* obey.

lystspil *s* comedy; **lystyacht** *s* yacht.

lysvågen *adj* wide awake; **lysægte** *adj* non-fade.

lytte *v* listen; *(lure)* eavesdrop; ~**r** *s* listener.

lyve *v* lie *(for* to); *nej, nu* ~*r du!* no, kidding!

læ *s* shelter; *søge* ~ seek shelter; *stå i* ~ *af et træ* be sheltered by a tree.

læbe *s* lip; *ikke kunne få et ord over sine* ~*r* be struck dumb; ~**pomade** *s* lip balm; ~**stift** *s* lipstick.

læder *s* leather; ~**varer** *spl* leather goods.

læg *s* (anat) calf; *(fold)* pleat; *lægge stoffet i* ~ pleat the material // *adj* lay.

læge *s* doctor; *(mediciner)* physician; *(kirurg)* surgeon; *almenpraktiserende* ~ general practitioner, G.P.; *kvindelig* ~ woman doctor; *tilkalde* ~n call the doctor // *v* heal, cure; *(om sår)* heal up.

læge... *sms:* ~**attest** *s* medical certificate; ~**hus** *s* health centre; ~**kittel** *s* (doctor's) white coat; ~**middel** *s* drug, medicine; ~**plante** *s* medicinal plant; ~**sekretær** *s* doctor's secretary; ~**undersøgelse** *s* medical (examination); ~**vagt** *s* medical emergency service; ~**videnskab** *s* medicine.

lægge *v* put, lay; ~ *sig ned* lie down; *gå ind og* ~ *sig* go to bed; ~ *frakken* take off one's coat; ~ *æg* lay eggs; ~ *sag an mod en* sue sby; ~ *fra (land) (om båd)* set out; ~ *en kjole ned* let down a dress; ~ *tal sammen* add up figures; ~ *tøj sammen* fold up clothes; ~ *til ved en ø (om båd)* call at an island; ~ *en bluse ud* let out a shirt; ~ *sig ud* put on weight; ~ *sig ud med en* fall out with sby.

lægget *adj* pleated.
lægmand *s* layman.
læhegn *s* windbreak.
læk *s* leak // *adj* leaky; *springe* ~ spring a leak; ~**age** *s* leak; ~**ke** *v* leak.
lækker *adj* delicious; (F, *om fx bil)* smashing; *gøre sig* ~ *for en* make up to sby.

lænd *s* loin; ~**e-** lumbar *(fx smerter* pain).
læne *v* lean; ~ *sig op ad ngt* lean against sth; ~ *sig tilbage* lean back; ~**stol** *s* easy-chair.
længde *s* length; *(geogr)* longitude; *stuen er syv meter i* ~*n* the room is seven metres long; *det går ikke i* ~*n* it won't do in the long run; ~**grad** *s* degree of longitude; ~**spring** *s (sport)* long jumping.
længe *s* wing // *adv* long, for a long time; *det er* ~ *siden sidst* it has been a long time; *hvor* ~ *varer det?* how long will it be *(el.* take)? *endelig langt om* ~ at long last; *være* ~ *oppe* stay up late; *farvel så* ~! see you (later)!
længere *adj/adv* longer; *(om sted)* farther, further; *kør lidt* ~ go a little further on; *ikke* ~ not any longer; *nu gider vi ikke* ~ we can't be bothered any more.
længes *v* long; ~ *efter ngt* long for sth; ~ *hjem* be homesick; ~ *efter at...* long to...
længsel *s* longing; ~**sfuld** *adj* longing.
længst *adj/adv* longest; *(om sted)* farthest; *for* ~ long ago.
lænke *s* chain // *v* chain; ~**hund** *s* watchdog.
lære *s* doctrine; *(uddannelse, ~plads)* apprenticeship; *(læestreg)* lesson; *(forkyndelse)* teachings *pl; stå i* ~ *hos en*

serve one's apprenticeship with sby; *lad det være dig en ~!*let that be a lesson to you! **bibelens ~** the teachings of the Bible // v *(undervise)* teach; *(lære af andre)* learn; *~ at læse* learn to read; *hvem har lært dig engelsk?* who taught you English? *~ en at kende* get to know sby; *jeg skal ~ dig!*I'll teach you!

lære... sms: ~bog s textbook; **~bøger** *(fagligt)* educational books; **~nem** *adj* quick to learn; **~plads** s job as an apprentice.

lærer s teacher; **~kræfter** *spl* teaching staff; **~studerende** s student teacher.

lærestreg s lesson.

lærk s *(bot)* larch.

lærke s lark.

lærling s apprentice.

lærred s linen; *(om maleri)* canvas; *(biograf~)* screen; **~ssko** s canvas shoe.

læs s load.

læse v read; *(studere også:)* study; *~ lektier* do one's homework; *~ højt for en* read (aloud) to sby; *~ op af en bog* read from a book; *~ til eksamen* prepare for an exam(ination). **~bog** s reader; **~briller** *spl* reading glasses; **~hest** s *(i skolen)* swot; *(som elsker at læse)* bookworm.

læser s reader; **~brev** s letter to the editor.

læse... sms: ~sal s reading

room; **~stof** s reading matter; **~værdig** *adj (om bog)* worth reading.

læsion s lesion, injury.

læske v *(om tørst)* quench; *(forfriske)* refresh; **~drik** s soft drink.

læskur s shelter.

læsning s reading; *(det at læse)* loading.

læspe v lisp; **~n** s lisp(ing).

læsse v load; *~ af* unload; *~ på* load; **~vis** *adv: i ~vis af...* loads of...

løb s run; *(det at ~e)* running; *(kap~)* race; *(enkelt ~ i sportskonkurrence etc)* heat; *(flod~, tid)* course; *(sejl~ etc)* channel; *(gevær~)* barrel; *i ~et af dagen* during the day; *i det lange ~* in the long run; *i tidens ~* in the course of time; *sætte i ~* start running; *hun vandt andet ~* she won the second heat; *give tårerne frit ~* let one's tears flow.

løbe v run; *~ sin vej* run away; *vandhanen ~r* the tap is running; *~ af med sejren* come out the winner; *~ fra sit ansvar* shirk one's responsibility; *~ ind i en på gaden* come across sby in the street; *badekarret løb over* the bath overflowed; *farverne ~r ud* the colours run; *~ ud i sandet* come to nothing; **~hjul** s scooter.

løbende *adj* current *(fx forhandlinger* negotiations).

løbenummer s serial number;

løbepas s: give en løbepas send sby packing; (afskedige) sack sby.

løber s (sport, bord~, tæppe~) runner; (i skak) bishop.

løbetid s (frist) term; (om dyr) rutting season.

løbsk adj runaway; løbe ~ run away; en ~ fantasi an unbridled imagination.

løfte s promise; aflægge et ~ make a promise; holde et ~ keep a promise; bryde et ~ break a promise // v lift; (hæve, fx glasset) raise; **~stang** s lever.

løg s onion; (blomster~) bulb.

løgn s lie; det er ~ it is a lie; være fuld af ~ be a born liar; man skulle tro at det var ~ you would not believe it; for at det ikke skulle være ~ to make quite sure; **~agtig** adj lying; **~ehistorie** s pack of lies; **~er** s liar.

løjer spl fun; nu skal du se ~! now you'll see! **~lig** adj odd, funny.

løjpe s ski run.

løjtnant s lieutenant.

løkke s loop; (på fx lasso) noose.

lømmel s lout.

løn s wage(s) (pl); (gage) salary; hvad får du i ~? what is your salary? how much do you get paid? **~aftale** s wage agreement; **~forhandlinger** spl wage negotiations; **~forhøjelse** s pay increase, rise; **~indtægt** s earned in-

come; **~krav** s wage claim; **~modtager** s wage earner; **~modtagerfradrag** s sv.t. earned income relief.

lønne v pay; (belønne) reward; det ~r sig ikke it does not pay.

lønning s d.s.s. løn; **~sdag** s pay day; **~spose** s pay packet.

løn... sms: **~seddel** s pay slip; **~skala** s wage scale; **~stop** s wage freeze; **~tillæg** s allowance, bonus.

lørdag s Saturday; i ~s last Saturday; om ~en on Saturdays; på ~ on Saturday.

løs adj/adv loose; (aftagelig) detachable; (om ansættelse) temporary; (slap) slack; (vag) vague; (skønnet) rough; knappen er gået ~ the button has come loose; nu går det ~ here we go; gå ~ på en go for sby; pludre ~ chat away; et ~t rygte a groundless rumour; et ~t skøn a rough estimate.

løse v (gåde etc) solve; (slippe fri) let loose; (løsne) loosen; (knude) untie; ~ billet book (a ticket); **~penge** spl ransom.

løslade v release, set free; **~lse** s release.

løsne v loosen; (fx stram snor) slacken; (greb) relax; (skud) fire; ~ sig work loose.

løsning s (af gåde etc) solution; (det at løsne) loosening, slackening.

løsrive v: ~ *sig* break away; *(om land)* secede; **~lse** s detachment; secession.

løstsiddende adj *(om fx kjole)* loose-fitting.

løv s foliage, leaves pl.

løve s lion; **~unge** s lion cub.

løv... sms: **~sav** s fretsaw; **~skov** s deciduous forest; **~stikke** s *(bot)* lovage; **~træ** s deciduous tree.

lådden adj hairy; *(om stof)* fleecy.

låg s lid; *(stort)* cover.

låge s *(i stakit etc)* gate; *(i skab etc)* door.

lågfad s covered dish.

lån s loan; *få et* ~ get a loan; *tak for* ~ *af blyanten!* thank you for lending me your pencil! *have ngt til* ~s have sth on loan.

låne v *(~ af en)* borrow; *(~ ud til en)* lend; ~ *ngt af en* borrow sth from sby; ~ *en ngt* lend sby sth; ~ *i en bank* get a loan from a bank; *må jeg* ~ *din blyant?* may I borrow your pencil?

låner s borrower; **~kort** s library card.

lår s thigh; *(gastr, om kød)* leg; **~ben** s thighbone; **~kort** adj mini- *(fx nederdel* skirt).

lås s lock; *(hænge~)* padlock; *(på taske etc)* catch; *sætte* ~ *for ngt* lock sth up; **~e** v lock; ~e *huset af* lock up the house; ~e *en inde* lock sby up; ~e *døren op* unlock the door; ~e *en ud* let sby out; ~e *en*

ude lock sby out; **~esmed** s locksmith.

M

mad s food; *(en* ~) sandwich; *lave* ~ cook, prepare the meal; *smøre* ~ spread sandwiches; *hvornår er* ~*en færdig* when will the meal be ready? *give hunden* ~ feed the dog; *varm* ~ a hot meal; **~e** v feed; **~forgiftning** s food poisoning.

mading s bait.

mad... sms: **~kasse** s lunch box; **~lavning** s cooking; *(finere)* cuisine; **~lede** s: *hun har* ~*lede* she has gone off food; **~opskrift** s recipe; **~pakke** s packed lunch; **~papir** s greaseproof paper.

madras s mattress.

mad... sms: **~rester** spl bits of food; *(som genbruges)* leftovers; **~ro** s: *kan vi så få* ~*ro!* let us eat in peace! **~sminke** s cosmetic additives pl; **~sted** s: *et godt* ~*sted* a place where they serve good food; **~varer** spl food; *(om råvarer)* foodstuffs; **~æble** s cooking apple.

mag s: *i ro og* ~ at one's leisure.

magasin s *(lager)* warehouse; *(stor~)* department store; *(i våben og om tidsskrift)* magazine.

mage s *(sidestykke)* match; *(ligemand)* equal; *(del af par)* fellow; *(om fugl)* mate; *(om ægtefælle)* husband, wife; *min kjole er ~n til din* my dress is exactly like yours; *jeg har aldrig set ~(n)* I never saw the like of it; *nej, nu har jeg aldrig kendt ~(n)!* well, I never! ~**lig** *adj (om fx stol)* comfortable; *(om person)* leisurely ~*ligt anlagt* easygoing; ~**løs** *adj (enestående)* unique // *adv* exceptionally.

mager *adj (om person)* thin; *(om kød)* lean; *(ringe)* poor, meagre.

magi *s* magic; ~**sk** *adj* magic.

magister *s (humanistisk)* sv.t. Master of Arts (M.A.); *(naturvidenskabelig)* sv.t. Master of Science (M.Sc.).

magnet *s* magnet; ~**bånd** *s* magnetic tape; ~**isk** *adj* magnetic; ~**lås** *s* magnetic catch; ~**tavle** *s* magnetic board.

magt *s* power; *af al* ~ with all one's might; *have ~en* be in control; *(pol)* be in power; *have en i sin* ~ have power over sby; *stå ved* ~ be in force; ~**balance** *s* balance of power; ~**e** *v* manage, cope with; *mere end vi kan ~e* more than we can cope with; ~**esløs** *adj* powerless; ~**fuld** *adj* powerful; ~**haver** *s* ruler; ~**haverne** those in power; ~**kamp** *s* power struggle; ~**påliggende** *adj: det er os ~påliggende at...* it is important to us to...

mahogni *s* mahogany.

maj *s* May; *den femte* ~ the fifth of May *el.* May the fifth; ~**drik** *s* sv.t. lemonade.

maje *v:* ~ *sig ud* doll oneself up.

majestæt *s* majesty; *Deres M~* Your Majesty; ~**isk** *adj* majestic.

majroe *s* turnip.

majs *s* maize; *løse* ~ corn; ~**kolbe** *s* corn cob; ~**mel** *s* cornflour.

makaroni *s* macaroni.

makke *v:* ~ *ret* behave; *(om ting)* work.

makker *s* partner, mate.

makrel *s* mackerel.

makron *s* macaroon; *gå til ~erne* get down to it.

maksimal- maximum.

male *v (med farver)* paint; *(på kværn)* grind; *(på mølle)* mill; ~ *med oliefarver* paint in oils; ~ *sig* make up, (F) paint one's face; ~*r s* painter; ~**ri** *s* painting; ~**risk** *adj* picturesque; ~**rkost** *s* paintbrush; ~**rkunst** *s* painting; ~**rmester** *s* (master) painter; ~**rpensel** *s* paintbrush; **maling** *s* paint.

malke *v* milk; ~**ko** *s* milking cow; ~**maskine** *s* milking machine.

malm *s* ore.

malplaceret *adj* out of place.

malt *s* malt.

man *pron (inkl. en selv)* one; *(inkl. den tiltalte)* you; *(andre mennesker)* people, they; *(ofte omskrives, fx:)* ~ *send-*

te bud efter lægen the doctor was sent for; ~ *bedes benytte bagdøren* please enter by the back door; ~ *skulle tro at...* one would think that...; ~ *siger at der bliver valg* they say there will be an election; ~ *kan aldrig vide* you never can tell.

manchet *s* cuff; **~knap** *s* cuff link.

mand *s* man; *(ægte~)* husband; *han er* ~ *for at gøre det* he is the sort of man who can do it; ~ *mod* ~ man to man; *en øl pr.* ~ one beer per head.

mandag *s* Monday; *i* ~*s* last Monday; *på* ~ next Monday; *om* ~*en* (on) Mondays.

mandat *s* authorization; *(i folketinget)* seat.

manddom *s* manhood.

manddrab *s* manslaughter.

mande *v:* ~ *sig op* pull oneself together; **~bevægelsen** *s* the men's movement.

mandel *s* almond; *(anat)* tonsil.

mand. . . sms: **~folk** *s* man; *han er et rigtigt* ~*folk* he is real man; **~ig** *adj* virile; **~lig** *adj* male *(fx sygeplejerske* nurse); *(typisk for mænd)* masculine.

mandschauvinist *s* male chauvinist; **mandsdomineret** *adj* male dominated.

mandskab *s* men *pl; (på skib og fly)* crew; *(hold)* team.

mandsperson *s* male; **mandssamfund** *s* male-dominated society.

mane *v:* ~ *til eftertanke* give food for thought; ~ *til forsigtighed* call for caution.

manege *s (i cirkus)* ring.

manér *s (måde)* manner, way; *(vane)* trick; *gøre ngt på sin egen* ~ do sth in one's own way; *han har gode* ~*er* he has got good manners.

mange *adj* a lot, (a great) many; *(foran brit entalsord)* much; ~ *tak!* thank you very much! *der er* ~ *blomster i haven, men ikke* ~ *træer* there are lots of flowers in the garden, but not very many trees; ~ *penge* much money; *de har* ~ *møbler* they have lots of furniture; **~millionær** *s* multi-millionaire.

mangeårig *adj* long-standing.

mangfoldig *adj* multiple; **~e** many a; **~gøre** *s* multiply; **~hed** *s* variety.

mangle *v* lack; *(trænge til)* need; *(ikke være til stede)* be absent; *(være forsvundet, savnes)* be missing; *vi* ~*r smør* we are short of butter; *det* ~*de bare!* by all means! *det var lige det der* ~*de* that was all we needed.

mani *s* mania.

manipulere *v:* ~ *med* manipulate.

manke *s* mane.

mannequin *s* model; *(voksdukke)* dummy; **~opvisning** *s* fashion show.

manufakturhandel s draper's (shop).

manuskript s manuscript.

manøvre s manoeuvre; **~dygtig** adj in working order; **~re** v manouvre.

mappe s briefcase; (omslag) file.

maratonløb s marathon race.

march s march; **~ere** v march; **~hastighed** s (auto, fly) cruising speed.

marcipan s marzipan; **~brød** s marzipan bar.

marengs s meringue.

mareridt s nightmare.

margarine s margarine, (F) marge.

margen s margin.

mariehøne s ladybird.

marinade s marinade; (til salat) dressing.

marine s navy; **~blå** adj navy blue.

marinere v marinate; **~t sild** pickled herring.

marinesoldat s marine.

marionet s puppet; **~teater** s puppet theatre.

mark s field; gøre studier i ~en do fieldwork.

markant adj pronounced.

marked s market; (forlystelses~, messe) fair; på det frie ~ in the open market; sende ngt på ~et put sth on the market; **~sanalyse** s market analysis; **~sandel** s share of the market; **~sføre** v market; **~sføring** s marketing; **~sundersøgelse** s market survey.

markere v mark; (betegne) show; ~ sig make an image for oneself.

marketenderi s canteen.

markise s awning; (foran butik) sunblind.

marmelade s (fx orange~) marmalade; (fx jordbær~) jam.

marmor s marble.

marokkaner s, **marokkansk** adj Moroccan; **Marokko** s Morocco.

Mars s Mars; **~boer** s Martian.

marsk s marsh(land), fen.

marskandiser s second-hand dealer; **~butik** s second-hand shop.

marsvin s (om hvalart) porpoise; (om gnaver) guinea pig.

marts s March; den femte ~ the fifth of March el. March the fifth.

martyr s martyr; **~ium** s martyrdom.

marv s marrow; (i træ) pith; kulden gik os til ~ og ben we were frozen to the bone.

mas s trouble; vi havde et værre ~ med ham we had an awful lot of trouble with him; **~e** v (ase) strive; (knuse) crush; (presse) press, squeeze; **~e med ngt** struggle with sth; ~ sig frem push on, squeeze through.

maske s (for ansigtet) mask; (i strikning etc) stitch; (i net) mesh; holde **~n** keep a straight face; tabe en ~ drop a stitch; der er løbet en ~ i

strømpen there is a ladder in the stocking.
maskerade *s* masquerade.
maskere *v* disguise.
maskinarbejder *s* mechanic, machine operator.
maskine *s* machine; *(fx damp~, motor)* engine; *(skrive~)* typewriter; *sy på* ~ use a sewing machine; *skrive på* ~ type; ~l *s* machinery; *(edb)* hardware.
maskin. . . sms: ~**fabrik** *s: en* ~*fabrik* an engineering works; ~**gevær** *s* machine-gun; ~**ist** *s* engineer; ~**me-ster** *s* chief engineer; ~**pistol** *s* submachine gun; ~**rum** *s* engine room; ~**skade** *s* engine trouble; ~**skrevet** *adj* typewritten; ~**skrivning** *s* typing; ~**syning** *s* machining, machine stitching; ~**værk-sted** *s* machine shop.
maskot *s* mascot.
maskulin *adj* masculine; ~**um** *s (gram)* the masculine (gender).
masochist *s* masochist.
massage *s* massage; ~**klinik** *s* massage parlour.
massakre *s* massacre; ~**re** *v* massacre.
masse *s (stof)* mass; *en* ~ lots, a lot; *en* ~ *mennesker* lots of people; ~*r af* lots of; *en hel* ~ a whole lot; ~**drab** *s* holocaust; ~**medier** *spl* mass media; ~**produceret** *adj* mass-produced; ~**produktion** *s* mass production.

massere *v* massage; *cremen* ~*s ind i huden* rub the cream into the skin.
massevis *adj: i* ~ in large numbers; *i* ~ *af* lots of.
massiv *adj (fast, ren etc)* solid; ~ *modstand* massive resistance.
massør *s* masseur; **massøse** *s* masseuse.
mast *s* mast; *(elek)* pylon.
mat *adj (svag)* weak; *(glansløs)* dull; *(om foto)* mat; *(om rude)* frosted; *(i skak)* mated.
matador *s (om person)* king-pin; *(om spil)* Monopoly ®.
matematik *s* mathematics; (S, *i skolen)* maths; ~**er** *s* mathematician; **matematisk** *adj* mathematical.
materiale *s* material.
materialist *s sv.t.* druggist; *(om forretningen)* drugstore.
materie *s (pus)* pus; *(fig)* matter.
materiel *s* equipment, supplies *pl; (edb)* hardware; *rullende* ~ *(jernb)* rolling stock // *adj* material.
matros *s* sailor; ~**tøj** *s* sailor suit.
mattere *v (om fx overflade)* give a matt finish to; *(om glas)* frost.
mave *s* stomach; *(underliv)* abdomen; *(F)* tummy; *(vom)* paunch; *have ondt i* ~*n* have a stomach ache; *have dårlig* ~ have stomach trouble, have indigestion; *hård* ~ constipation; *tynd* ~ diar-

rhoea; *ligge på* ~*n for* cringe
to // v: ~ *sig af sted*
worm one's way forward.

mave... sms: **~katar** *s* gastro-
enteritis; **~kneb** *s* colic;
~landing *s* belly landing;
~pine *s* stomach ache; **~pla-
ster** *s* belly flop; **~syre** *s*
gastric acid; **~sæk** *s* stomach;
~sår *s* (gastric) ulcer; **~til-
fælde** *s* upset stomach.

med *præp* with; *(om trans-
portmiddel)* by; *(om måde)*
with, in; *(indbefattet)* inclu-
ding; *(iklædt)* in; *lege* ~ *en
play* with sby; *tage* ~ *toget* go
by train; *gøre ngt* ~ *forsigtig-
hed* do sth with care; *tegne* ~
blæk draw in ink; *skrive* ~
blokbogstaver print; *til at be-
gynde* ~ to begin with; *gange
(el. dividere)* ~ *multiply (el.
divide)* by; ~ *andre ord* in
other words; *er momsen reg-
net* ~? is the VAT included?
~ *tiden* in time // *adv* along
with (me, you, etc); *tager du
børnene* ~? are you taking
the children (along with
you)? *kommer du* ~? are you
coming (along)? *vil du køre*
~? can I give you a lift? *må
jeg være* ~? may I join you?
være ~ *til at gøre ngt* help to
do sth; *er du* ~? *(dvs. har du
forstået)* you see?

medalje *s* medal; **~vinder** *s*
medallist.

medarbejder *s (kollega)* col-
league; *(ansat i firma)* staff
member; **~demokrati** *s* staff

participation,

medbestemmelse *s* participa-
tion.

medborger *s* co-citizen.

medbringe *v (hertil)* bring (a-
long); *(væk herfra)* take (a-
long).

meddele *v (lade vide)* inform;
(bekendtgøre) announce;
(om avis etc) report; *han
meddelte os at...* he told us
that...; *herved* ~*s at...* (i
brev)* we hereby inform you
that...; **~lse** *s* message; *(be-
kendtgørelse)* announce-
ment; *(brev)* letter; *(i avis)*
report; *skriftlig* ~*lse* written
message.

medejer *s* joint owner.

medens *el. mens konj (om tid)*
while; *(hvorimod)* whereas.

medfødt *adj* innate, inherent;
(om sygdom) congenital.

medfølelse *s* sympathy.

medfør *s: i embeds* ~ official-
ly.

medføre *v* imply; *(have til
følge)* result in; *det* ~*r en vis
risiko* it implies a certain risk.

medgang *s* success; *i* ~ *og
modgang* in good times and
bad.

medhjælper *s* assistant.

medicin *s* medicine; *(medika-
ment, også:)* drug; *han stude-
rer* ~ he is studying medici-
ne; **~alfirma** *s* drug company;
~alvarer *spl* pharmaceuti-
cals; **~er** *s (studerende)* med-
ical student; *(om læge, mods:
kirurg)* physician.

medicinglas s medicine bottle; **medicinmisbrug** s drug abuse.
medicinsk adj medical; ~ afdeling department of (internal) medicine.
medicinskab s medicine cupboard.
medie... sms: ~**begivenhed** s media event; ~**bevidst** adj media-conscious; ~**forskning** s media research.
medikament s drug, pharmaceutical.
medisterpølse s frying-sausage.
meditere v meditate.
medlem s member; ~**skab** s membership; ~**skontingent** s subscription; ~**skort** s membership card.
medlidenhed s pity; have ~ med en feel sorry for sby; ~**sdrab** s euthanasia.
medlyd s consonant
medmenneske s fellow (human) being; ~**lig** adj charitable.
medmindre konj unless.
medregne v include.
medskyldig s accomplice // adj accessary (i to).
medspiller s fellow player.
medtaget adj (træt, syg etc) exhausted, worn out; (beskadiget) damaged.
medunderskriver s co-signatory.
medvind s tail wind; (fig) luck.
medvirke v take a part (til, i in), collaborate (i on); (bidrage) contribute (til to); ~**n** s

co-operation; under ~n af with the assistance of; ~**nde** s: de ~nde those taking part.
megen adj much.
meget adj a lot, a good deal; (især nægtende og spørgende samt efter too, so, as) much; hvor ~ koster det how much is it? de fik ~ at spise they had a lot to eat; de fik for ~ at drikke they had too much to drink; det er jeg ikke ~ for I am not very keen on that // adv very; (i komparativ) much; (temmelig) quite; han er ~ syg he is very ill; hun er ~ stærkere she is much stronger; de har rejst ~ they have travelled a lot; bogen er ~ omdiskuteret the book has been much discussed; den film var da ~ sjov that film was quite funny; så ~ desto bedre so much the better.
mejeri s dairy; ~**produkt(er)** s(pl) dairy produce.
mejetærsker s combine (harvester).
mejse s (om fugl) tit.
mejsel s chisel.
mekanik s mechanics; (maskineri) mechanism; ~**er** s mechanic; ~**erværksted** s (auto) repair shop; **mekanisk** adj mechanical; **mekanisme** s mechanism.
mel s flour; (fuldkorns~) meal.
melankolsk adj melancholy.
melde v report; (meddele ngt til personer) inform; ~ en til politiet report sby to the poli-

ce; ~ *sig* report *(hos* to); *(til konkurrence)* enter; ~ *sig ind i en klub* join a club; **melding** *s* report.

meleret *adj* mixed.

melis *s* sugar; *stødt* ~granulated sugar.

mellem d.s.s. *imellem.*

Mellemamerika *s* Central America.

mellem. . . sms: ~**distanceraket** *s* intermediate-range ballistic missile; **M~europa** *s* Central Europe; ~**gulv** *s (anat)* diaphragm; ~**landing** *s (fly)* touchdown; ~**liggende** *adj: i den* ~*liggende tid* in the interval; ~**mad** *s* snack; ~**mand** *s* intermediary; *(neds)* go-between; ~**rum** *s* space; *(stort)* gap; *(i tid)* interval; *med to timers* ~*rum* with two hours' interval; *med* ~*rum* at intervals; ~**stor** *adj* medium; ~**størrelse** *s* medium size; ~**tid** *s: i* ~*tiden* in the meantime; ~**ting** *s: en* ~*ting (mellem)* something in between; ~**ørebetændelse** *s* inflammation of the middle ear.

Mellemøsten *s* the Middle East; **mellemøstlig** *adj* Middle-East.

melodi *s* melody; *(om sang, vise etc)* tune; *til* ~*en af. . .* to the tune of. . .; ~**sk** *adj* melodious.

melon *s* melon.

men *s* injury; *han har stadig* ~ *af ulykken* he is still suffer-

ing from the after-effects of the accident.

men *konj* but; ~ *dog!* dear me!

mene *v (tænke, tro)* think, believe; *(sigte til, agte at, tænke på)* mean; *hvad* ~*r du om ham?* what do you think of him? *jeg forstår ikke hvad du* ~*r* I don't understand what you mean; *jeg* ~*r det alvorligt* I am serious.

menig *s* private (soldier) // *adj* ordinary, common.

menighed *s (trossamfund)* church; *(kirkegængerne)* congregation; *(beboere i sogn)* parishioners *pl;* ~**shus** *s* parish hall; ~**sråd** *s sv.t.* church council.

menigmand *s* the man in the street.

mening *s (anskuelse)* opinion; *(betydning, hensigt)* meaning, idea; *(fornuft)* sense; *efter min* ~ in my opinion; *der er ingen* ~ *i at gøre det* there is no sense in doing it; *hvad er* ~*en?* what is the idea? *det var min* ~ *at. . .* I meant to. . .; *gøre ngt i den bedste* ~ do sth with the best of intentions; ~**sforskel** *s* difference of opinion; ~**sløs** *adj (dum)* senseless; *(uden mening)* pointless; ~**småling** *s* opinion poll.

menisk *s (anat)* meniscus.

menneske *s* person; *(som fænomen, mods: dyr)* human being; *alle* ~*r* everybody; *vi så ikke et* ~ we did not see a

m menneskeabe

602

soul; *føle sig som et nyt og bedre* ~ feel like a different person; *han bliver aldrig* ~ *igen* he will never be a man again; **~abe** *s* anthropoid; **~alder** *s* generation; **~heden** *s* mankind, humanity; **~kærlig** *adj* charitable, humane; **~lig** *adj* human; *(~kærlig)* humane; *(som opfører sig ordentligt)* decent; **~liv** *s: ulykken kostede fire ~liv* four lives were lost by the accident; **~mængde** *s* crowd; **~rettighederne** *spl* the human rights; **~skæbne** *s* life; **~æder** *s* cannibal.

mens *d.s.s.* medens.

menstruation *s* period; *hun har* ~ she has got her period.

mental *adj* mental.

menu *s* menu; **~kort** *s* menu.

mere *adj/adv* more; *aldrig* ~ no more; never again; *ikke* ~ *(end)* no more (than); *jeg holder* ~ *af te* I prefer tea; *vil du have* ~ *te?* would you like some more tea? ~ *og* ~ more and more; *meget* ~ much more.

mergelgrav *s* marl pit.

merian *s (bot)* marjoram.

merindkomst *s* excess earnings *pl;* **merudgift** *s* additional expenditure.

messe *s (i kirke)* Mass; *(salgs~ etc)* fair; *(mil, mar)* mess(room)* // *v* chant; **~hagel** *s* chasuble.

messing *s* brass; **~blæserne** *spl (mus)* the brass; **~suppe** *s*

brass-band music.

mest *adj/adv* most; *(for det meste, især)* mostly, mainly; *det* ~ *af indholdet* most of the contents; *for det* ~*e* mostly, generally; ~ *af alt* most of all; ~ *af alle* more than anyone else; *jeg holder* ~ *af salat* I like salad best; *han er* ~ *kendt for...* he is best known for...

mester *s* master *(i, til at);* *(sport)* champion; **~lig** *adj* masterly; **~skab** *s* mastery; *(sport)* championship; **~skytte** *s* crack shot; **~stykke** *s* masterpiece; **mestre** *v* master.

metal *s* metal; **~lisk** *adj* metallic; **~træthed** *s* metal fatigue; **~tråd** *s* wire.

metastase *s (med)* metastasis.

meteor *s* meteor.

meteorolog *s* meteorologist; **~isk** *adj: ~isk institut* svt. the Met Office.

meter *s* metre; **~mål** *s: sælge ngt i* ~*mål* sell sth by the metre; **~systemet** *s* the metric system; **~varer** *spl* fabrics.

metode *s* method; **metodisk** *adj* methodical.

midaldrende *adj* middle-aged.

middag *s (midt på dagen)* noon; *(om måltid)* dinner; *i går* ~*s* yesterday at noon; *sove til* ~ take a nap; *spise til* ~ have dinner, dine; *invitere en til* ~ ask sby to dinner; *hvad skal vi have til* ~*?* what

miljøvenlig **m**

are we having for dinner? ~**sbord** *s* dinner table; ~**slur** *s* nap; ~**smad** *s* dinner; ~**sselskab** *s* dinner party; ~**stid** *s:* ved ~**stid** at noon; *(tidspunkt for måltidet)* at dinner time.

middel *s* means *pl; (læge~)* remedy; *midler (dvs. penge)* resources; *de offentlige midler* the public funds // *adj:* over *(el. under)* ~ above *(el. below)* the average; M~**alderen** *s* the Middle Ages *pl;* ~**alderlig** *adj* medieval; M~**havet** *s* the Mediterranean; ~**mådig** *adj* mediocre, (F) middling.

mide *s* mite.

midlertidig *adj* temporary // *adv* temporarily.

midnat *s* midnight; ~**sforestilling** *s* midnight show; ~**ssol** *s* midnight sun; ~**stid** *s:* ved ~**stid** around midnight.

midsommer *s* midsummer.

midt *adv:* ~ *for* right in front of; ~ *i* in the middle of; ~ *i maj måned* in mid-May; ~ *imellem Esbjerg og Harwich* halfway between Esbjerg and Harwich; *knække* ~ *over* break in two; ~ *på marken* in the middle of the field; ~ *under koncerten* in the middle of the concert.

midtbane *s (i fodbold)* midfield.

midte *s* middle; *(lige i* ~*n)* centre; *på* ~*n* in the middle.

midter. . . sms: ~**linje** *s (i fod-**

bold) halfway line; ~**parti** *s* centre party; ~**rabat** *s (på motorvej)* central reservation.

midtpunkt *s* centre.

mig *pron* me; *(refleksivt, undtagen efter præp)* myself; *kan du se* ~*?* can you see me? *jeg har slået* ~ I have hurt myself; *det var ikke* ~ *der gjorde det* I did not do it; *jeg skal skynde* ~ I'm in a hurry.

migræne *s* migraine.

mikro. . . sms: ~**bølgeovn** *s* microwave oven; ~**datamat** *s* micro computer; ~**fon** *s* microphone; ~**ma-kromad** *s* macrobiotic food; ~**skop** *s* microscope; ~**skopisk** *adj* microscopic.

mild *adj (om fx vejr)* mild; gentle, soft *(fx stemme* voice)*; *for at sige det* ~*t* to put it mildly.

milepæl *s* milestone; **milevidt** *adv* for miles *(omkring* around).

militær *s* army; ~*et* the army // *adj* military; ~**nægter** *s* conscientious objector; ~**tjeneste** *s* military service.

miljø *s* environment; ~**aktivist** *s* environmentalist; ~**beskyttelse** *s* environmental protection; ~**bevidst** *adj* concerned about the environment; ~**forurening** *s* environmental pollution; ~**ministerium** *s* Ministry of the Environment; ~**skadet** *adj (om fx barn)* maladjusted; ~**venlig**

adj non-polluting; **~ødelæggelse** *s* ecocide.
milliard *s* billion.
millimeter *s* millimetre.
million *s* million; *fem ~er indbyggere* five million inhabitants; *~er af mennesker* millions of people; **~bøf** *s* minced beef stew; **~ær** *s* millionaire.
milt *s* spleen.
mimik *s (ansigtsudtryk)* facial expression; **~er** *s* mime (artist).
mimre *v* quiver; **~kort** *s* OAP travel pass.
min *pron* my; *(stående alene)* mine; *det er ~ bil* it is my car; *bilen er ~* the car is mine.
minarine *s* low-fat margarine.
minde *s (erindring)* memory; *(~smærke)* memorial; *(souvenir)* souvenir; *til ~ om en* in memory of sby; *ikke i mands ~* not within living memory // *v: ~ en om at gøre ngt* remind sby to do sth; *det ~r mig om ngt* it reminds me of sth; **~højtidelighed** *s* commemoration; **~s** *v (huske)* remember; *(fejre ~t om)* commemorate; **~smærke** *s* memorial.
mindre *adj (om størrelse)* smaller; *(mods: mere, om mængde)* less; *(ubetydelig)* minor; *(yngre)* younger; *han er ~ end sin søn* he is smaller than his son; *~ støjende* less noisy; *en ~ forseelse* a minor

offence; *ikke desto ~* nevertheless; *der kom ikke ~ end 500 personer* no less than 500 people came; *det varede ~ end fire timer* it took less than four hours; *med ~* unless; **~tal** *s* minority; **~værdskompleks** *s* inferiority complex; **~årig** *adj* under age; *en ~årig* a minor.
mindske *v* reduce, diminish.
mindst *adj (om størrelse)* smallest; *(mods: mest, om mængde)* least; *(yngst)* youngest* // *adv* least; *(ikke under)* at least; *i det ~e* at least; *ikke ~* not least, especially; *ikke den ~e smule* not the least bit; *det ~ mulige* the smallest *(el.* least) possible; **~eløn** *s* minimum wage.
mine *s (grube)* mine, pit; *(mil)* mine; *(ansigtsudtryk)* look; *gøre ~ til at* make a move to; **~arbejder** *s* miner; **~distrikt** *s* mining district; **~drift** *s* mining.
mineral *s* mineral; **~vand** *s* mineral water.
mine... sms: **~spil** *s* facial expressions *pl;* **~stryger** *s (mar)* minesweeper; **~søger** *s* mine detector.
mini... sms: **~cykel** *s* folding bike; **~datamat** *s* mini computer; **~golf** *s* crazy golf; **~mal** *adj* minimal; **~mum** *s* minimum; **~skørt** *s* mini skirt.
minister *s* minister *(for* of), secretary *(for* for); **~ium** *s*

ministry; *(regering)* cabinet;
~**præsident** *s* prime minis-
ter.

mink *s* mink.

minus *s (tegnet)* minus; *(un-
derskud)* deficit; *(fig)* draw-
back // *adv* minus, less; *ti ~
fire er seks* ten minus four is
six; *~ seks grader* six degrees
below zero; ~**dage** *spl* off-
days.

minut *s* minute; *den er fem
~ter i ti* it is five minutes to
ten; *den er fem ~ter i halv* it
is twenty-five past; ~**viser** *s*
minute hand.

mirakel *s* miracle; **mirakuløs**
adj miraculous.

mis *s (om kat)* pussycat; *som
en ~* like a shot.

misbillige *v* disapprove (of);
~**lse** *s* disapproval.

misbrug *s (med vilje)* abuse;
(forkert brug) misuse; ~**e** *v*
abuse; misuse.

misfornøjelse *s* displeasure;
misfornøjet *adj (utilfreds)*
displeased; *(gnaven)* cross.

misforstå *v* misunderstand;
~**else** *s* misunderstanding.

mishandle *v* ill-treat; **mis-
handling** *s* ill-treatment; *(af
børn, hustru, dyr)* cruelty *(af*
to).

mislykkes *v* fail; *det mislykke-
des for os* we failed; *dømt til
at ~* doomed to failure; **mis-
lykket** *adj* unsuccessful; *være
mislykket* be a failure.

misse *v (med øjnene)* blink.

missil *s* missile.

mission *s* mission; *(mil opgave
etc)* assignment, task; ~**ere** *v*
do missionary work; *(fig)*
preach; ~**ær** *s* missionary.

mistanke *s* suspicion; *have ~
om at* suspect that.

miste *v* lose.

mistelten *s* mistletoe.

mistillid *s* mistrust, distrust;
have ~ til en mistrust *(el.*
distrust) sby; ~**svotum** *s* vote
of censure.

mistro *s/v* mistrust, distrust;
~**isk** *adj* suspicious.

mistænke *v* suspect; *~ en for
at gøre ngt* suspect sby of
doing sth; ~**lig** *adj* suspicious.

misunde *v* envy; ~**lig** *adj* envi-
ous *(på* of); *være ~lig på ens
karriere* envy sby his/her ca-
reer; ~**lse** *s* envy.

misvækst *s* crop failure.

mit se *min.*

mjave *v* miaow.

mobil *adj* mobile; ~**isere** *v*
mobilize; ~**isering** *s* mobili-
zation.

mod *s* courage; *miste ~et* lose
courage; *tage ~ til sig* take
heart; *frisk ~!* cheer up! *have
~ på at gøre ngt* have a mind
to do sth; *ilde til ~e* ill at ease
// *præp* d.s.s. *imod.*

modarbejde *v* oppose.

modbydelig *adj* disgusting.

mode *s* fashion; *det er på ~ nu*
it is the thing now; *gået af ~*
out of fashion; *komme på ~*
come into fashion; ~**bevidst**
adj fashion-conscious; ~**blad**
s fashion magazine; ~**butik** *s*

fashion shop; **~farve** s: *hvidt er sommerens ~farve* white is the thing this summer; **~hus** s fashion house.
model s model; *stå ~ (om mannequin)* model; *(om kunstnermodel)* sit for an artist; *stå ~ til ngt (fig)* stand for sth; **~lere** v model; **~lervoks** s plasticine ®.
moden adj *(om frugt etc)* ripe; *(om person)* mature; *blive ~* ripen; *(om person)* mature; *være ~ til* be ready for.
modeopvisning s fashion show.
moder el. *mor* s mother; *hun er ~ til tre børn* she is the mother of three children.
moderat adj moderate.
moder... sms: **~kage** s placenta; **~lig** adj motherly; **~løs** adj motherless; **~mælk** s breast milk; **~mælkserstatning** s breast milk substitute; **~mærke** s birthmark.
moderne adj *(nutids)* modern, comtemporary; *(på mode)* fashionable, in; **modernisere** v modernize; *(om hus)* renovate; **modernisering** s modernization, renovation.
moder... sms: **~selskab** s parent company; **~skab** s motherhood; **~smål** s native language.
modeskaber s fashion designer; **modevarer** spl millinery.
modgang s bad luck; *(nød)* hardship.

modgift s antidote.
modig adj brave, courageous.
modlys s *(foto etc)* contre-jour; **~blænde** s lens hood.
modne(s) v ripen; *(om person)* mature.
modpart s opponent.
modsat adj opposite; *i ~ fald* otherwise // adv the other way round.
modsige v contradict; **~lse** s contradiction.
modstand s resistance; *(forsvar)* opposition; *gøre ~ mod ngt* resist sth; **~er** s opponent; **~bevægelse** s resistance (movement); **~skamp** s resistance; **~skraft** s (power of) resistance.
modstrid s: *være i ~ med ngt* be contrary to sth; **~ende** adj conflicting.
modstræbende adj reluctant.
modstykke s counterpart.
modstå v resist; *ikke til at ~* irresistible.
modsætning s contrast; *(forskel)* difference; *i ~ til* contrary to; **modsætte** v: *modsætte sig* oppose; *(fysisk)* resist.
modtage v receive; *(sige ja til)* accept; *(ved toget etc)* meet; *(hilse velkommen)* welcome; *blive godt ~t* be well received; **~lig** adj *(påvirkelig)* susceptible (for to); **~lse** s reception; *(af ting, vare)* receipt; *(accept)* acceptance; **~r** s *(radio)* receiver.
modvilje s antipathy, aversion;

(stærk) revulsion; **modvillig** *adj* reluctant.

modvind *s* headwind; *komme i ~ (fig)* meet opposition.

modvirke *adj* counteract.

modvægt *s* counterbalance; *danne ~ til* counterbalance.

mol *s (mus)* minor; *sangen står i a-~* the song is in A-minor.

mole *s* pier, jetty.

molekyle *s* molecule.

moms *s* value-added tax (VAT); **~fri** *adj* exempt from VAT.

mon *adj* I wonder; *ja, ~ ikke* I suppose so; *(dvs. det kan du tro)* you bet!

monarki *s* monarchy.

mononukleose *s (med)* glandular fever.

monopol *s* monopoly *(på* on).

monstrum *s* monster; *(stor, klodset ting)* monstrosity.

montage *s (installation)* installation; *(film)* montage; **montere** *v (installere)* instal; *(anbringe)* mount, fit; *(samle)* assemble.

montre *s* showcase.

montør *s* fitter; *(elek)* electrician.

monument *s* monument; **~al** *adj* monumental.

mopset *adj* miffed, in a huff.

mor d.s.s. *moder.*

moral *s (etik)* ethics; *(livsførelse)* morals *pl; (kampånd etc)* morale; *prædike ~* moralize; **~sk** *adj* moral.

mord *s* murder, killing; *begå ~* commit murder; **~er** *s* mur-

derer, killer; **~erisk** *adj* murderous; **~forsøg** *s* attempted murder.

more *v* amuse; *(underholde også:)* entertain; *det ~r ham ikke at vaske op* he does not enjoy doing the dishes; *~ sig* enjoy oneself, have fun; *~ sig over ngt* enjoy sth.

morfar *s (maternal)* grandfather, (F) granddad.

morfin *s* morphia; **~base** *s* morphine base.

morgen *s* morning; *god ~!* good morning! *fra ~ til aften* all day long; *i ~* tomorrow; *i ~ eftermiddag* tomorrow afternoon; *i morges* this morning; *i går morges* yesterday morning; **~avis** *s* morning paper; **~bord** *s* breakfast table; **~brød** *s* (fresh rolls etc for breakfast); **~frue** *s (bot)* marigold; **~gry** *s* dawn; **~kåbe** *s* dressing gown; **~mad** *s* breakfast; **~mand** *s* early riser; **~post** *s* morning post; **~sko** *s* slipper.

mormor *s (maternal)* grandmother, (F) granny.

morsom *adj* funny, amusing; *(underholdende)* entertaining; *hvor ~t!* how funny! *skal du være ~?* are you trying to be funny? *det var ~t at hilse på Dem* it was nice to meet you; **~hed** *s* joke.

morter *s* mortar.

mos *s (bot)* moss; *(gastr)* mash.

mosaik *s* mosaic.

mose *s* bog *// v* mash; **~fund** *s*

bog find; *(iron om person)* museum piece; ~**konebryg** s ground mist.

moské s mosque.

moskito s mosquito.

moskusokse s musk ox.

Moskva Moscow.

most s *(æble~ etc)* juice; *han kan ikke tåle ~en (fig)* it's too much for him.

moster s (maternal) aunt.

motel s motel.

motion s exercise; ~**ere** v (take) exercise; ~**scykel** s exercise bike; ~**sgymnastik** s exercises *pl.*

motiv s subject; *(bevæggrund)* motive; *(kunst, foto)* motif; ~**ere** v *(begrunde)* give reasons for; *(give stødet til)* motivate.

motor s engine; ~**bølle** s road-hog; ~**båd** s motor boat; ~**cykel** s motor cycle, (F) motor bike; ~**hjelm** s *(auto)* bonnet; ~**iseret** adj motorized; ~**køretøj** s motor vehicle; ~**skade** s engine trouble; ~**sport** s motoring; ~**stop** s engine failure; ~**vej** s motorway.

mousserende adj sparkling.

mudder s mud; ~**pøl** s puddle; **mudret** adj muddy.

mug s mould.

muggen adj mouldy; *(sur)* sulky; *(mystisk)* fishy; **mugne** v go mouldy.

muhamedaner s, **muhamedansk** adj Muslim.

muk s: *ikke forstå et ~ (af det*

hele) not understand a word (of it all); ~**ke** v grumble.

mulat s mulatto.

muld s *(jordlag)* top soil; ~**jord** s humus; ~**varp** s mole; ~**varpeskud** s molehill.

mulig adj possible; *hvis det er ~t, om ~t* if possible; *samle på alt ~t* collect all sorts of things; *på alle ~e måder* in every possible way; *mest ~* as much as possible; *snarest ~* as soon as possible; ~**hed** s possibility, chance; *(lejlighed)* opportunity; *(en af to ~heder)* alternative; *der er ingen ~hed for at. . .* there is no chance of. . .; *der er ingen anden ~hed* there is no alternative; *have gode ~heder (dvs. evner)* have a good potential; *(dvs. udsigter)* have good prospects; ~**vis** adv possibly, perhaps.

mumie s mummy.

mumle v murmur; *(utydeligt)* mumble.

mund s mouth; *(groft)* be rude; *holde ~* keep quiet; *hold så ~!* be quiet! (F) shut up! *~aflæsning* s lip-reading; *~e* v: *~e ud i (om flod)* flow into; *(om vej)* join; *(fig)* end in; ~**fuld** s mouthful; ~**harmonika** s mouth organ.

munding s mouth.

mund. . . sms: ~**kurv** s muzzle; ~**-og-klovsyge** s foot-and-mouth disease; ~**stykke** s mouthpiece; *(på cigaret)* tip;

mægtig m

~til-mund metoden s the kiss of life.
mundtlig adj oral.
mundvig s corner of the mouth.
munk s monk; ~ekloster s monastery; ~ekutte s cowl; ~eorden s monastic order.
munter adj gay, cheerful; (livlig) lively; ~hed s gaiety, cheerfulness; muntre v: muntre en op cheer sby up; muntre sig have fun.
mur s wall; ~brokker spl rubble; ~e v build; (lægge mursten) do bricklaying; ~e ngt inde (i væggen) wall sth up; ~er s bricklayer; ~ermester s master bricklayer; ~ersvend s journeyman bricklayer; ~sten s brick; ~værk s masonry.
mus s mouse.
muse s muse.
muse... sms: ~fælde s mousetrap; ~hul s mousehole; ~stille adj quiet as a mouse.
museum s museum; ~sgenstand s museum piece.
musik s music; sætte ~ til ngt set sth to music; for fuld ~ with flying colours; ~alsk adj musical; ~er s musician; ~handel s music shop; ~instrument s musical instrument; ~konservatorium s academy of music; ~korps s band; ~stykke s piece of music.
muskat(nød) s nutmeg.
muskel s muscle; ~kraft s phy-

sical strength; muskuløs adj muscular.
muslimsk adj Muslim.
musling s mussel; (kam~) scallop; ~eskal s shell.
musvit s great tit.
myg s midge, mosquito; ~gebalsam s mosquito repellant; ~gestik s mosquito bite.
mylder s crowd, swarm; myldre v swarm; byen myldrer med turister the city is teeming with tourists; eleverne myldrede ind i klassen the pupils flocked into the classroom; myldretid s rush hour.
München Munich.
myndig adj (bestemt) authoritative; (jur) of age; blive ~ come of age; ~hed s authority; (jur) majority; ~hederne the authorities.
myrde v murder.
myre s ant; ~flittig adj industrious; ~kryb s: han giver mig ~kryb he gives me the creeps; ~sluger s anteater; ~tue s anthill.
mysterium s mystery; mystisk adj mysterious; (F) fishy.
myte s myth; mytologi s mythology.
mytteri s mutiny; gøre ~ mutiny.
mægle v mediate; ~r s (i forlig) mediator; (vare~) broker; mægling s mediation; mæglingsforslag s draft settlement; mæglingsmand s mediator.
mægtig adj (magtfuld) power-

m mælk

ful; *(stor)* huge, tremendous
// *adv (meget)* tremendously;
~ *godt* jolly good.
mælk *s* milk; **~ebøtte** *s (bot)*
dandelion; **~eflaske** *s* milk
bottle; **~ejunge** *s* milk can;
~ekarton *s* milk carton;
~emand *s* milkman; **~epul-
ver** *s* powdered milk;
~espand *s* milk pail; **~esyre**
s lactic acid; **~etand** *s* milk
tooth; **~evej** *s (astr)* galaxy;
M**~evejen** the Milky Way.
mængde *s* quantity; *(tællelig)*
number; *(utællelig)* amount;
en ~ a lot, lots; *der var en* ~
folk there was a lot of people;
i tilstrækkelig ~ sufficiently;
i rigelige ~*r* in large quantiti-
es; *en hel* ~ a whole lot (of);
~tal *s* cardinal number.
mænge *v:* ~ *sig med* mix
with.
mærkat *s* ® sticker.
mærke *s (tegn)* sign, mark;
(etiket) label; *(varesort)*
brand, make; *sætte* ~ *ved ngt*
put a mark against sth; *sætte*
~*r på ngt (dvs. plette)* stain
sth; *bide* ~ *i* note; *være oppe
på* ~*rne* be on one's toes //
(føle) feel; *(bemærke)* notice;
(sætte ~*)* mark; *ikke lade sig*
~ *med ngt* behave as if no-
thing had happened; **~dag** *s*
red-letter day; **~lig** *adj* stran-
ge, odd; **~ligt nok** strangely
enough; *det var da* ~*t!* how
odd! **~seddel** *s* label; *(som
bindes på)* tag.
mærkværdig *adj* odd; **~hed** *s*

oddity.
mæt *adj* full, satisfied; *spise
sig* ~ eat one's fill; **~te** *v*
satisfy; *(fys)* saturate; *ris er
meget ~tende* rice is very
filling; *have mange munde at*
~ have many mouths to feed.
møbel *s* piece of furniture;
købe møbler buy furniture;
de har mange møbler they
have lots of furniture; **~arki-
tekt** *s* furniture designer;
~handler *s* furniture dealer;
~polstrer *s* upholsterer;
~snedker *s* cabinet-maker;
~stof *s* furnishing fabric;
møblere *v* furnish.
mødding *s* dung heap; *kaste
ngt på møddingen* scrap sth.
møde *s* meeting; *(kort, tilfæl-
digt)* encounter; *(aftalt)* ap-
pointment; *holde* ~ hold a
meeting; *være til* ~ be at a
meeting, be in conference; *gå
en i* ~ go to meet sby // *v*
meet; *(tilfældigt)* come
across; ~*s* meet; *vi mødtes på
gaden* we met in the street; *vi
mødte en demonstration* we
came across a demonstration;
~ *til tiden* be on time; ~ *op
(i retten)* appear (in court);
~lokale *s* conference room;
~protokol *s* minutes.
mødom *s* virginity.
møg *s (agr)* manure; *(snavs)*
dirt; *(bras)* rubbish, trash;
~beskidt *adj* filthy; **~fald** *s:
give en et ~fald* (F) take sby
to the laundry; **~vejr** *s* lousy
weather.

møjsommelig *adj* laborious.

møl *s* moth; **~kugle** *s* moth-ball.

mølle *s* mill; *det er lige vand på min* ~ it suits me down to the ground; **~hjul** *s* mill wheel; **~r** *s* miller; **~sten** *s* millstone.

møl... sms: **~pose** *s* moth bag; *lægge ngt i ~pose (også fig)* mothball sth; **~tæt** *s* mothproof; **~ædt** *adj* moth-eaten.

mønje *s* red lead.

mønster *s* pattern; *(tegning, plan)* design; *være et ~ på ngt* be a model of sth; **~be-skyttet** *adj* registered.

mønstre *v* inspect, examine; ~ *på (el. af) (mar)* sign on *(el.* off).

mønt *s* coin; *(valuta)* currency; *i fremmed* ~ in foreign currency; **~e** *v: det var ikke ~et på dig* it was not aimed at you; **~fod** *s* monetary standard; **~renseri** *s* self-service cleaners; **~samler** *s* collector of coins; **~telefon** *s* pay phone, callbox; **~vaskeri** *s* launderette.

mør *adj (smuldrende)* crumbling; *(om kød)* tender; *(om grønsager)* done; **~banket** *adj (beaten)* black and blue; **~brad** *s* tenderloin; **~brad-steg** *s* sirloin; **~dej** *s* rich shortcrust pastry.

mørk *adj* dark; *blive* **~t** grow dark; **~e** *s* darkness; *efter ~ets frembrud* after dark; *i*

~e in the dark; *i nattens mulm og* ~ in the dead of night; **~eblå** *adj* dark blue; **~ekammer** *s (foto)* dark-room; **~erød** *adj* dark red; **~lægning** *s* blackout; **~ning** *s* twilight.

mørtel *s* mortar.

møtrik *s* nut.

må *s: på* ~ *og få* at random.

måbe *v* gape.

måde *s* way; *(henseende)* respect; *i lige ~!* the same to you! *med* ~ moderately; *på en* ~ in a way; *på en el. anden* ~ some way or other; *på alle ~r* in every possible way; *på den* ~ that way; *på ingen* ~ by no means; **~hold** *s* moderation; **~holden** *adj* moderate; **~lig** *adj* mediocre.

måge *s* seagull.

mål *s (formål)* purpose; *(som man stræber efter)* aim; *(som man sigter på)* target; *(i bold-spil)* goal; *(i løb etc)* finishing-line; *(størrelse)* measurement; *det er hans* ~ *at blive præsident* he aims to be president; *rejsens* ~ *er London* the destination is London; *sigte på et* ~ aim at a target; ~ *og vægt* weights and measures; *få taget sine* ~ have one's measurements taken; *syet efter* ~ made to measure; *kunne stå* ~ *med* measure up to; *tage* ~ *af hinanden (fig)* size one another up; *nu er* ~*et fuldt!* that is the limit! **~bevidst** *adj* determined.

m måle 612

måle v measure; *kunne ~ sig med en* measure up to sby; *~ ngt op* measure sth; **~bånd** s tape measure; *~r* s measurer; *(gas, el etc)* meter; **~raflæser** s meter man; **~stok** s scale; *efter dansk ~stok* by Danish standards; *i stor ~stok* on a large scale.

mål... sms: *~felt* s *(sport)* goal area; **~gruppe** s target group; **~kast** s *(sport)* goal-throw; **~linje** s *(i fodbold)* goal line; *(i løb)* finishing-line; **~løs** adj *(stum)* speechless; *(sport)* goalless; **~mand** s goalkeeper; **~scoring** s score; **~spark** s goal kick; **~sætning** s objective.

måltid s meal.

måne s moon; *(skaldet plet)* bald spot.

måned s month; *i juli ~* in (the month of) July; *sidst på ~en* towards the end of the month; *hun er i sjette ~* she is six months gone; **~lig** adj monthly; *tre gange ~lig* three times a month; **~sløn** s monthly income; **~stid** s: *om en ~stid* in a month or so; **~svis** adj monthly; *~svis betaling* pay by the month; *i ~svis* for months.

måne... sms: **~formørkelse** s lunar eclipse; **~skin** s moonlight; **~skinsarbejde** s moonlighting.

mår s marten.

måske adv perhaps, maybe; *~ bliver det sent* it may be late.

måtte s mat; *holde sig på ~n* go easy.

måtte v *(have lov til)* be allowed to; *(om ønske)* might; *(nødvendigvis skulle)* must; *du må godt gå nu* you may go now; *må jeg låne din blyant?* may I borrow your pencil? *gid du ~ komme med* I wish you might come; *vi må hellere gå nu* we had better go now; *du må være gal!* you must be mad! *jeg må altså gå nu* I must go now; *det ~ jo ske* it was bound to happen; *det må du om* it is for you to decide; *ja, det må du nok sige!* you may well say so!

N

nabo s neighbour; **~lag** s neighbourhood.

nadver s: *den hellige ~* Holy Communion.

nag s grudge; *bære ~ til en over ngt* bear sby a grudge for sth; **~e** v: *det ~er mig* it is preying on my mind.

nagle v rivet; *stå ~t til stedet* freeze (in one's tracks).

naiv adj naïve; **~itet** s naïvety.

nakke s (back of the) neck; *klø sig i ~n* scratch one's head; *slå med ~n* toss one's head; *have øjne i ~n* have eyes at the back of one's head; *være på ~n af en* be after sby; **~kam** s *(gastr)* neck *(fx* of pork, of lamb); **~støtte** s *(i bil etc)* headrest.

nap s *(kniben)* nip, pinch; *(arbejdsindsats)* effort, go; *give et ~ med* lend a hand; **~pe** v *(knibe)* nip, pinch; *(bide)* snatch.

nar s fool; *gøre ~ af* make a fool of.

narko... sms: **~forhandler** s drug pusher; **~man** s drug addict; **~mani** s drug addiction.

narkose s: *være i ~* be under a general anaesthetic.

narko(tika) spl drugs pl; **~handel** s drug peddling; **~misbrug** s drug abuse.

narre v fool; *(snyde)* cheat; *~ en for ngt* cheat sby out of sth; *lade sig ~ af ngt* be taken in by sth; **~streger** spl tricks; *lave ~streger* play tricks; **~sut** s dummy.

nas s: *leve på ~* scrounge; **~se** v sponge *(på* on); **~set** adj messy.

nat s night; *god ~!* good night! *hele ~ten* all night; *i ~ (dvs. foregående)* last night; *(dvs. kommende)* tonight; *om ~ten* at night; *(i løbet af ~ten)* during the night; *ud på ~ten* late in the night; *~ten til den femte maj* the night of May the fourth; *ved ~* by night; **~arbejde** s nightwork; **~bord** s bedside table; **~dragt** s *(til barn)* sleeping suit; **~hold** s night shift.

national adj national; **~bank** s central bank; **~dragt** s national costume; **~isere** v natio-

nalize; **~isme** s nationalism; **~ist** s nationalist; **~itet** s nationality; **~itetsmærke** s *(på bil)* nationality plate; **~sang** s national anthem; **~økonomi** s economics.

nat... sms: **~kjole** s nightdress, (F) nightie; **~klub** s night club; **~logi** s accomodation (for the night); **~mad** s snack.

Nato NATO; **~stilling** s *(for tilskadekomne)* recovery position.

nattefrost s night frost.

nattergal s nightingale.

natte... sms: **~ro** s: *må vi så få ~ro!* let us get some sleep! **~sjov** s: *holde ~sjov* keep late hours; **~søvn** s night's sleep; **~vagt** s night watch; *have ~vagt* be on night duty.

nattog s night train; **nattøj** s night clothes pl.

natur s nature; *(landskab)* scenery; *den fri ~* the open nature; *ængstelig af ~* anxious by nature; *~ens orden* the course of nature; *ifølge sagens ~* naturally; **~alisme** s naturalism; **~folk** s primitive people; **~forhold** s nature; **~fredning** s nature conservancy; **~fænomen** s natural phenomenon; **~gas** s natural gas; *(ofte:)* North-Sea gas; **~katastrofe** s natural disaster; **~kraft** s natural force; **~kræfterne** pl the forces of nature; **~lig** adj natural; *(enkel)* simple; *i ~lig størrelse* *(om portræt)* life-size; *(vedr. ting)* full-scale; **~ligvis** *adv* naturally, of course; **~min-desmærke** *s* natural monument; **~reservat** *s* nature reserve; **~stridig** *adj* unnatural; **~svin** *s* litter lout; **~videnskab** *s* (natural) science; **~videnskabsmand** *s* scientist.

nav *s (i hjul)* hub.

navle *s* navel; **~snor** *s* umbilical cord.

navn *s* name; *give en ~* name sby; *fulde ~* full name; *kendte ~e* distinguished people, VIP's; *lægge ~ til ngt* lend one's name to sth; *kende ngt af ~* know sth by name; *under ~et* under the name of; *sætte sit ~ under ngt* sign sth; *en mand ved ~ Smith* a man called *(el. named)* Smith.

navne... *sms:* **~bog** *s (tlf)* telephone directory; **~forandring** *s* change of name; **~opråb** *s* roll call; **~ord** *s* noun; **~skilt** *s* nameplate.

navnlig *adv* especially.

navnløs *s* nameless; *(ubeskrivelig)* unspeakable.

ned *adv* down; *solen går ~ i vest* the sun sets in the west; *~ ad trappen* down the stairs, downstairs; *~ fra* down from, off; *~ med krigen!* down with the war! *~ over* down.

nedad *adv* downward(s).

nedarvet *adj* hereditary.

nedbrudt *adj* broken down.

nedbør *s (om regn)* rainfall; *(om sne)* snowfall.

neddykket *adj (om u-båd)* submerged.

nede *adv* down, below; *~ på gaden* down in the street; *han er langt ~* he is depressed; *længere ~ ad vejen* further down the road; *han er der ~* he is down there.

neden... *sms:* **~for** *adv* below; **~om** *adv* round below; *gå ~om og hjem* go to the dogs; **~under** *adv* below; *(i hus)* downstairs.

nederdel *s* skirt.

nederdrægtig *adj/adv* beastly.

nederlag *s* defeat; *lide ~* suffer a defeat; *tilføje en et ~* defeat sby.

Nederland the Netherlands *pl;* **n~sk** *adj* Dutch.

nederst *adj* lowest, bottom // *adv* at the bottom; *fra øverst til ~* from top to bottom; *stå ~ på listen* be at the bottom of the list; *~e etage* the bottom floor.

nedfald *s (radioaktivt)* fallout; **~sfrugt** *s* windfalls *pl.*

nedfryse *v* freeze.

nedgang *s* decline; *(om fx solen)* setting; *(fald i fx priser)* fall, decrease; **~stid** *s* depression.

nedgroet *adj* ingrowing.

nedkomme *v* give birth *(med* to); **nedkomst** *s* birth.

nedlade *v: ~ sig til at* stoop to; **~nde** *adj* patronizing.

nedlægge *v (lukke ned)* close

(down); *(opgive)* resign; *(dræbe)* kill; *(lægge fra sig)* lay down; *(konservere)* pickle; ~ *arbejdet* stop work; *(strejke)* go on strike; ~ *forbud mod ngt* ban sth; ~ *en krans* lay a wreath; ~ *protest imod ngt* protest against sth; ~ *våbnene* lay down arms.

nedløbsrør s drainpipe.

nedre adv lower.

nedringet adj *(om fx kjole)* low-cut.

nedrive v *(fx hus)* pull down, demolish; **nedrivning** s demolition.

nedrustning s disarmament.

nedrykning s: ~ *til 2. division (sport)* relegation to the second division.

nedskæring s cut.

nedslag s *(i pris)* rebate.

nedslidt adj worn down *(fx dæk* tyre).

nedsmeltning s *(fys)* meltdown.

nedstryger s hacksaw.

nedsætte v *(formindske)* reduce; *(udnævne, fx udvalg)* appoint; ~ *sig som læge* set up as a doctor; ~**lse** s reduction; appointment; *(bogudsalg)* sale; ~**nde** adj derogatory.

nedtrapning s de-escalation; *(fra medicin, stoffer)* withdrawal; **nedtrappe** v de-escalate; *(fra stoffer)* withdraw from drugs.

nedtrykt adj depressed.

nedtur s *(tilbagegang)* decline;

(depression) depression.

nedtælling s count-down.

nedværdige v: ~ *sig* degrade oneself; ~ *sig til at gøre ngt* stoop to doing sth.

neg s sheaf.

neger s black; *(neds)* negro; *han er* ~ he is black.

negl s nail; *klippe* ~e cut one's nails; *en hård* ~ a tough guy; ~**e** v (F) pinch; ~**ebørste** s nail brush; ~**elak** s nail varnish; ~**erenser** s nail cleaner; ~**esaks** s nail scissors.

nej s no; *få et* ~ be refused // *interj* no; *(overrasket)* oh! ~*!* oh no! ~ *hør nu!* now, now! ~ *se bare!* oh, look! *sige* ~ *til ngt* refuse sth; ~ *tak* no thanks.

neje v curtsy *(for* to).

nekrolog s obituary.

nellike s *(bot)* carnation; *(krydderi)* clove.

nem adj easy; *(lethåndterlig)* handy; *(omgængelig)* easy to get on with; *(om barn)* easy; ~ *mad* easy cooking; *slippe* ~*t fra ngt* have an easy job of sth; *have* ~*t ved ngt* do sth easily; ~**hed** s ease; *for* ~*heds skyld* for the sake of simplicity.

nemlig adj *(forklarende)* that is, you see; *vi var tre,* ~ *Ole, Hans og mig* we were three, that is Ole, Hans and me; *er det forstået?* ~*!* is that understood? right (you are)!

nerve s nerve; *han går mig på* ~*rne* he gets on my nerves;

~**pille** s tranquillizer; ~**pir-rende** adj thrilling; ~**sam-menbrud** s nervous break-down; ~**sygdom** s nervous disorder; ~**system** s nervous system; ~**vrag** s nervous wreck.

nervøs adj nervous; ~**itet** s nervousness.

net s net; (fx vejnet, blodkar-net) system; (bærenet) string bag; (spind og fig) web; ~**hin-de** s (i øjet) retina; ~**melon** s netted melon.

netop adv just; (akkurat) exactly; det var ~ hvad jeg tænkte it was exactly what I thought; det er ~ mit speciale it happens to be my speci-alty; hvorfor ~ her? why here of all places? hvorfor ~ mig? why me of all people? ja ~! exactly! ~ nu just now; vi er ~ kommet hjem we only just came home.

netto: tjene 10.000 ~ make 10,000 net; ~**fortjeneste** s net profit; ~**pris** s net price; ~**vægt** s net weight.

neurose s neurosis; **neurotisk** adj neurotic.

neutral adj neutral; holde sig ~ remain neutral; ~**itet** s neutrality.

nevø s nephew.

ni num nine.

niche s recess.

niece s niece.

niende adj ninth; ~**del** s ninth; **nier** s nine; (om bus) number nine.

nik s nod; ~**ke** v nod; ~**ke med hovedet** nod one's head; ~**ke til bolden** head the ball; ~**ke-dukke** s yes-man.

nikotinforgiftning s nicotine poisoning.

nip s (af drik) sip; være på ~pet til at gøre ngt (dvs. ngt risikabelt) be within an inch of doing sth; (lige skulle til at) be on the point of doing sth; ~**pe** s (tage små bidder) nibble; (tage små slurke) sip; (knibe) nip; ~**pe til maden** pick at one's food.

nips s bric-a-brac; ~**enål** s pushpin; ~**genstand** s knick-knack; (om pige) doll.

niptang s pliers pl.

nisse s goblin.

nital s nine; **nitiden** s: ved nitiden about nine o'clock.

nitte s rivet; (i lotteri) blank // v rivet.

nitten num nineteen; ~**de** adj nineteenth.

nive v pinch; ~ en i armen pinch sby's arm.

niveau s level; i ~ med on a level with; på højt ~ on a high level; **nivellere** v level.

nobel adj (af ydre) distinguish-ed; (ædel) noble.

node s note; ~r music; spille efter ~r play from music; spille uden ~r play by heart; være med på ~rne be with it; ~**papir** s music paper; ~**skrift** s musical notation; ~**stativ** s music rest.

nogen pron (en el. anden)

somebody, someone; (~ *som helst af personer*) anybody; *(brugt som adj: et vist antal)* some; (~ *som helst om andet end personer*) any; *der er ~ der har taget tasken* somebody took the bag; *er der ~ der har set den?* did anybody see it? *vil du have nogle kager?* would you like some cakes? *er der ~ breve til mig?* are there any letters for me? **~lunde** *adj* fairly.

noget *pron (et el. andet)* something; (~ *som helst*) any; *(stående alene)* anything; *(en vis mængde)* some; *er der ~ i vejen?* is something the matter? *er der ~ mælk?* is there any milk? *har du købt ~?* did you buy anything? *der er ~ mad til overs* there is some food left over // *adv (temmelig)* rather, a bit; *det varer ~* it will be some time; *vi blev ~ skuffede* we were somewhat disappointed.

nogle *pron* some; ~ *mennesker* some people; ~ *få* a few; ~ *og tres* sixty odd.

nok *adj/adv* enough; *(sandsynligvis)* probably; *have fået ~ af ngt* have had enough of sth; *de kommer ~ (dvs. sikkert)* they are sure to come; *(dvs. måske)* they will probably come; *du kan ~ forstå...* you can imagine...; *det må jeg ~ sige!* well, I say! *det må du ~ sige!* you may well say so! *nu er det ~!* that's enough!

nonne *s* nun; **~kloster** *s* convent.

nord *s/adv* north; *vinden er i* ~ the wind is in the north; *vende mod ~* face north; ~ *for* north of; *mod ~* north(wards); **N~amerika** North America; **~bo** *s* Scandinavian; **N~en** *s* Scandinavia; **~envind** *s* north wind; **N~europa** Northern Europe; **~fra** *adv* from the north.

nordisk *adj* Nordic, Scandinavian; *N~ Råd* the Nordic Council.

nord... *sms:* **~lig** *adj* northern; *i det ~lige Norge* in the north of Norway; *vinden er ~lig* the wind is in the north; **~ligere** *adj* further north *(end* than); **~ligst** *adj* northernmost; **~lys** *s* northern lights; **~mand** *s* Norwegian; **N~polen** the North Pole; **~på** *adv* north; *(oppe ~på)* in the north; *flytte længere ~på* move further north.

nordre *adj* northern.

Nord... *sms:* **~søen** *s* the North Sea; **n~vest** *s* north west; **n~vestlig** *adj* north western; *det n~vestlige Skotland* the north west of Scotland; **n~øst** *s* north east; **n~østlig** *adj* north eastern; *n~østlig vind* north easterly wind.

Norge Norway.

norm *s* standard.

normal *s/adj* normal; *over (el. under)* ~en above *(el.* below) normal; *over det* ~*e* above normal; **~løn** *s* standard wage; **~t** *adv* normally.

norsk *s/adj* Norwegian.

nosser *spl* (V) balls.

nostalgisk *adj* nostalgic.

notat *s* note; *tage el. gøre* ~*er* take notes.

note *s* note; *(i bog)* annotation; **~re** *v:* ~*re sig ngt* make a note of sth; ~*re ngt ned* take sth down; *blive* ~*ret af politiet* be reported by the police; **~sbog** *s* notebook.

notits *s* notice; *(i avis)* paragraph; *tage* ~ *af ngt* take notice of sth.

novelle *s* short story.

nr. *(fork.f. nummer)* No., no.

nu *s (øjeblik)* moment, instant; ~*et* the present; *i samme* ~ that instant *(el.* moment) // *adv* now; *kom* ~*!* come on! *fra* ~ *af* from now on; *hvad* ~*?* what now? *indtil* ~ up to now; ~ *til dags* nowadays; *det har jeg* ~ *aldrig sagt* now, I never said that.

nuance *s* shade; **~ret** *adj* varied.

nudel *s* noodle.

nul *s* zero, nought; *(om person)* nobody; *(i fodbold)* nil; *(i tennis)* love; ~ *plus 2 er 2* nought and two makes two; *mit lokalnummer er 300 (tlf)* my extension is 300 ['θri:dʌbl'əu] // *adj* no, zero.

nulevende *adj* contemporary.

nullermænd *pl* fluff.

nulpunkt *s* zero; **nulvækst** *s* zero growth.

nummer *s* number; *(i tøj, sko)* size; *(af blad)* issue; *(på program el. liste)* item; *fortsættes i næste* ~ to be continued in the next issue; *han bruger* ~ *45 i sko* he takes size 45 in shoes; *blive* ~ *ét* come first; *lave numre med en* play tricks on sby; *forkert* ~ *(tlf)* wrong number; **~plade** *s (auto)* number plate.

numse *s* bottom.

nuppe *v* pinch.

nusse *v:* ~ *med ngt* fiddle with sth; ~ *rundt* potter around.

nusset *adj (snavset)* tatty; *(uordentlig)* untidy.

nutid *s* present (day); *(gram)* the present (tense); ~*ens ungdom* young people of today; **~ig** *adj* contemporary; **~skunst** *s* modern art.

nutildags *adv* nowadays.

nuværende *adj* present.

ny *s: i* ~ *og næ* on and off // *adj* new; *hvad* ~*t?* what's the news? *det er ikke ngt* ~*t* that is nothing new; *det* ~*este* ~*e* the latest; *på* ~ once more; **~ankommen** *adj* newly arrived; **~anskaffelse** *s* new purchase; **~bagt** *adj (om brød)* freshly baked; *(fx far)* new; **~begynder** *s* novice; **~bygger** *s* settler.

nyde *v (med velbehag)* enjoy; *(mad og drikke)* take, have; *(med skadefryd)* gloat over; *(modtage)* receive; *jeg* ~*r* *ikke spiritus* I don't take alcohol; ~ *godt af ngt* have the benefit of sth; *tak, jeg skal ikke* ~ *ngt!* I'm not having any!

nydelig *adj* pretty, nice; *du er en* ~ *en!* you are a nice one!

nydelse *s* pleasure; **~smiddel** *s* stimulant.

nyfødt *adj* newborn.

nygift *adj* newly married; *de* ~*e* the newly-weds.

nyhed *s (ngt nyt)* novelty; *(efterretning)* news *pl; en* ~ *a* piece of news; *dårlige* ~*er* bad news; *det er ingen* ~ that is no news; *have* ~*ens interesse* be a novelty; **~sbureau** *s* news agency; **~sudsendelse** *s (i radio)* news broadcast; *(i tv)* television news.

nylagt *adj (om æg)* freshly laid.

nylavet *adj* freshly made.

nylig *adj/adv: for* ~ recently; *først for* ~ only recently.

nymalet *adj* freshly painted; *(om kaffe)* freshly ground.

nymalket *adj:* ~ *mælk* milk straight from the cow.

nymåne *s* new moon; *det er* ~ there is a new moon.

nynne *v* hum.

nyre *s* kidney; *kunstig* ~ kidney machine; **~bælte** *s* body belt; **~steg** *s* loin; **~sten** *s* kidney stone; **~transplantation** *s* kidney transplant.

nys(en) *s* sneeze; **nyse** *v* sneeze

nysgerrig *adj* curious *(efter at* to).

nyt *se ny.*

nytte *s* use, usefulness; *(fordel)* benefit; *gøre* ~ be of use; *til hvad* ~ *er det?* what's the use of it? *ingen* ~ *til* no use; *have* ~ *af ngt* benefit from sth // *v* be of use; *det* ~*r ikke* it is no use; *hvad* ~*r det?* what's the use of it? **~have** *s* kitchen garden; **~løs** *adj* useless; **~plante** *s* utility plant.

nyttig *adj* useful.

nytår *s* New Year; *glædeligt* ~*!* happy New Year! **~saften** *s* New Year's eve; **~sdag** *s* New Year's day.

næb *s (buet)* beak; *(lige)* bill; *hænge med* ~*bet* be down in the mouth; *med* ~ *og kløer* tooth and nail; **~bet** *adj* pert.

nægte *v (benægte)* deny; *(afslå)* refuse; ~ *en ngt* refuse sby sth; ~ *at gøre ngt* refuse to do sth; *det kan ikke* ~*s* it can't be denied; *han* ~*r sig ikke ngt* he does not deny himself anything; ~ *sig skyldig* plead not guilty; **~lse** *s* denial; refusal; *(gram)* negative.

nælde *s* nettle; **~feber** *s* nettle rash.

nænne *v: hvor kan du* ~ *det!* how can you do it! *jeg kan ikke* ~ *at...* I have not got the heart to...

nænsom *adj* gentle; **~hed** *s* gentleness.

næppe *adv* hardly, scarcely; *han havde* ~ *sagt det før...* he had hardly said it when...;

undgå ngt med nød og ~ have a narrow escape.

nær *adj* near, close // *adv* near; *(næsten)* nearly, almost; ~*e slægtninge* close relatives; *i* ~ *fremtid* in the near future; ~ *ved huset* close to *(el.* near) the house; *tage sig ngt* ~ take sth to heart; *alle kom på* ~ *NN* everybody came except NN; *det er ngt* ~ *alt han kan* that is about all he can; *ikke på langt* ~ *nok* far from enough // *præp* near, close to; *være døden* ~ be dying; *han er* ~ *de 50* he is close on fifty.

nær. . . *sms:* ~**billede** *s* close-up; ~**butik** *s* local shop; ~**demokrati** *s* local democracy.

nære *v (føle)* have, feel; *(give næring)* feed; *(~ sig)* behave; ~ *kærlighed til* love; ~ *afsky for* detest; ~ *interesse for ngt* have an interest in sth; *kan du så* ~ *dig!* do behave! *vi kunne ikke* ~ *os for at gøre det* we could not resist doing it; *han kunne ikke* ~ *sig for kløe* he could not bear the itching; ~**nde** *adj* nourishing.

nærgående *adj (om spørgsmål)* tactless; *nu skal du ikke blive for* ~ *(mod mig)* don't get fresh (with me)!

nærhed *s* proximity; *i* ~*en af* close to, near.

nærig *adj* stingy; ~**hed** *s* stinginess.

næring *s (føde)* food, nourishment; *(erhverv)* business, tra-

de; *give ilden* ~ feed the fire; ~**sbrev** *s* licence (to trade); ~**sdrivende** *s* tradesman; ~**sliv** *s* trade; ~**smiddel** *s* foodstuff; ~**sstof** *s* nutrient; ~**svej** *s* trade; *(om person)* profession; *(om stat)* industry.

nærliggende *adj* nearby; *(fig)* obvious.

nærlys *s* dipped headlights.

nærme *v:* ~ *sig* come closer, approach, draw near; *ferien* ~*r sig* the holidays are drawing near; *din opførsel* ~*r sig det uartige* your behavior verges on rudeness.

nærmere *adj* nearer, closer, more closely; *afvente* ~ *besked* await further orders; *ved* ~ *eftertanke* on second thoughts; *det er* ~ *ad denne vej* this way is shorter // *adv:* ~ *angive ngt* specify sth; ~ *betegnet* more precisely; *se* ~ *på ngt* take a closer look at sth; *undersøge ngt* ~ examine sth more closely.

nærmest *adj* nearest, closest; *i den* ~*e omegn* in the immediate neighbourhood; *i den* ~*e fremtid* in the near future // *adv* nearest; *(temmelig)* rather; *(næsten)* almost; *hun var* ~ *ked af det* she was almost sorry // *præp* nearest to, next to; *enhver er sig selv* ~ it is every man for himself.

nærsynet *adj* short-sighted; ~**hed** *s* short-sightedness.

nærtrafik *s* local traffic.

nærved adv (i nærheden) nearby, close by; (næsten) almost.

nærvær s presence; i vidners ~ before witnesses; **~ende** adj (til stede) present; (nuværende) existing; samtlige ~ende all those present.

næs s foreland; (stejlt) headland.

næse s nose; (irettesættelse) reprimand; pille ~ pick one's nose; pudse ~ blow one's nose; få en lang ~ be disappointed; stikke sin ~ i ngt poke one's nose into sth; være som snydt ud af ~n på en be the spitting image of sby; smække døren i for ~n af en slam the door in sby's face; bogen ligger lige for ~n af dig the book is right under your nose; falde på ~n fall flat on one's face; blive taget ved ~n be taken in.

næse... sms: **~blod** s nosebleed; have ~blod have a nosebleed; **~horn** s rhinoceros; **~tip** s tip of the nose.

næst adv: ~ efter next to, after; **~bedst** adj second best.

næste s neighbour // adj next; (følgende) following; til ~ år next year; fortsættes på ~ side continued overleaf; værsgo, ~! next, please! **~kærlighed** s charity.

næsten adv nearly, almost; ~ aldrig almost never; ~ altid nearly always; ~ ikke hardly; ~ ingen hardly anybody;

~ intet hardly anything, almost nothing; jeg synes ~ at... I'm inclined to think that...; det er ~ synd for ham one almost feels sorry for him.

næst... sms: **~formand** s vice-president; **~kommanderende** s second in command; **~sidst** adj last but one; **~ældst** adj second oldest; **~øverst** adj second from the top.

næsvis adj impertinent; **~hed** s impertinence.

næve s fist; knytte ~rne clench one's fists; **~nyttig** adj officious.

nævn s board; sidde i et ~ be on a board.

nævne v (sige navnet på) name; (omtale) mention; ~ en ved navn call sby by name; **~lse** s: med navns ~lse by name.

nævner s (i brøk) denominator.

nævneværdig adj worth mentioning.

nævning s juror; **~ene** the jury; **~esag** s trial by jury.

nød s (bot) nut; en hård ~ at knække a tough nut to crack; give en et gok i ~den bash sby on the head.

nød s (vanskeligheder) distress; (fattigdom) need; lide ~ suffer hardships; der er stor ~ i landet there is extreme poverty in the country; komme i ~ get into trouble;

undslippe med ~ og næppe have a narrow escape; *vi klarer det til* ~ we can just about manage; ~**bremse** s emergency brake.

nødde... sms: ~**busk** s hazel; ~**knækker** s nutcracker; ~**skal** s nutshell; *det er sagen i en ~skal* that is it in a nutshell.

nøde v (tvinge) force; (overtale) press, urge.

nødig adj (mods: gerne) reluctantly; *vi gør det* ~ we hate to do it; *jeg vil* ~ *forstyrre* I don't like to disturb; *jeg ville* ~ *være ham* I would not like to be in his shoes; *det skulle* ~ *komme så vidt* I hope it won't come to that.

nød... sms: ~**landing** s emergency landing; ~**lidende** adj distressed; (fattig) needy; ~**løgn** s white lie; ~**saget** adj: *være* ~*saget til at* be forced to; ~**signal** s distress signal; ~**stilfælde** s emergency.

nødt: *være* ~ *til* have to.

nød... sms: ~**tvungent** adv of necessity, perforce; ~**tørft** s: *forrette sin* ~*tørft* answer the call of nature; ~**udgang** s emergency exit.

nødvendig adj necessary; *kun det* ~*ste* only the essentials; *ikke mere end strengt* ~*t* no more than strictly necessary; ~**hed** s necessity; *af største* ~*hed* of the utmost necessity; ~**vis** adv necessarily.

nødværge s self-defence.

nøgen adj naked, nude; *vi badede nøgne* we went swimming in the nude; ~**badning** s nude bathing; ~**hed** s nakedness, nudity.

nøgle s key; (mus) clef; (garn~) ball; ~**barn** s latchkey child; ~**ben** s collarbone; ~**hul** s keyhole; ~**klar** adj (om hus) ready for moving into; ~**knippe** s bunch of keys; ~**ord** s keyword; ~**roman** s roman à clef; ~**stilling** s key position.

nøgtern adj sober, down-to-earth.

nøjagtig adj accurate; (præcis) exact, precise; *en* ~ *kopi* an exact copy; *være meget* ~ be very precise // adv exactly, precisely; *sig mig helt* ~... tell me exactly...; *hvad er klokken* ~? what is the exact time? ~**hed** s accuracy; exactness, preciseness.

nøje adj (omhyggelig) careful; (nær) close; *ved* ~*re eftersyn* on close inspection; *en* ~ *efterligning* a careful copy; *efter* ~ *overvejelse* after careful consideration // adv carefully; closely; (nøjagtigt) exactly; ~ *overholde reglerne* keep strictly to the rules; *det tager vi ikke så* ~ we are not particular about that; ~**regnende** adj particular.

nøjes v: ~ *med* be content with; *kan du* ~ *med kold mad?* can you do with cold food?

nøjsom *adj (som ikke kræver meget)* undemanding; *(beskeden)* modest; **~hed** *s* modesty.

nøkkerose *s* white waterlily.

nøle *v* hesitate; *(trække tiden ud)* play for time; *uden at ~* without delay; *(opnå)* achieve; **~n** *s* hesitation; delay.

nå *v* reach, get to; *(komme i tide til)* be in time for; *(om tog, bus etc)* catch; *(indhente)* catch up with; *(opnå)* achieve; *få ~et ngt* get sth done; *kan vi ~ det?* can we make it? *vi ~ede ikke bussen* we missed the bus.

nå *interj* well! *~ sådan!* oh, I see! *~, hvad siger du så?* well, what do you say now? *~, ~!* come, come!

nåde *s (barmhjertighed)* mercy; *(rel)* grace; *(gunst)* favour; *lade ~ gå for ret* be merciful; *bede om ~* beg for mercy; *tage en til ~* forgive sby // *v: Gud ~ dig!* God help you!

nådig *adj* merciful, gracious.

nål *s* needle; *(knappe~, sikkerheds~)* pin; *sidde som på ~e* be like a cat on hot bricks; **~eskov** *s* coniferous forest; **~estik** *s* prick; **~etræ** *s* conifer.

når *konj* when; *~ bare* if only; *~ først de kommer* once they come; *~ som helst* whenever; any time.

O

oase *s* oasis.

obduktion *s* autopsy.

oberst *s* colonel; **~løjtnant** *s* lieutenant colonel.

objekt *s (gram)* object.

objektiv *s (linse)* lens // *adj* objective.

obligation *s* bond; **~skurs** *s* bond quotation.

obligatorisk *adj* compulsory.

obo *s* oboe; *spille ~* play the oboe; **~ist** *s* oboe player, oboist.

observans *s (synspunkter)* views *pl;* **observation** *s* observation; **observatorium** *s* observatory; **observatør** *s* observer; **observere** *v* observe.

ocean *s* ocean; **O~ien** *s* the Pacific Islands.

od *s (spids)* point.

odde *s* land tongue, point.

odder *s* otter; *(om person)* oaf.

offensiv *s/adj* offensive; *gå i ~en* take the offensive.

offentlig *adj* public // *adv* in public; *en ~t ansat* a public servant; *~ tilgængelig* open to the public; *det ~e* the authorities *pl;* **~gøre** *v* publish; **~gørelse** *s* publication; **~hed** *s* publicity; **~heden** *(dvs. folk)* the (general) public; *det er i ~hedens interesse* it is in the public interest.

offer *s* sacrifice; *(person som det går ud over)* victim; *bringe et ~* make a sacrifice;

blive ~ for ngt be the victim of sth.
officer *s* officer.
officiel *adj* official.
ofre *v* sacrifice; *(give ud, bruge)* spend; *~ sig for en sag* devote oneself to a cause.
ofte *adv* often, frequently; *~re adv* more often; *lad det ikke ske ~re* don't let it happen again; *~st adv (som regel)* usually, as a rule.
og *konj* and; *vi skal ud ~ købe ind* we are going shopping; *gå hjem ~ sov* go home and sleep.
også *adv* also, too; *hun kan ~ køre bil* she can also drive, she can drive too; *det er da ~ irriterende!* how annoying! *han spiller obo, og det gør hun ~* he plays the oboe and so does she; *mener du nu ~ det?* are you sure you mean that?
okkupere *v* occupy.
okse *s* ox *(pl:*oxen); *(kød af ~)* beef; *~bryst s* brisket of beef); *~filet s* fillet of beef; *~kød s* beef; *~kødssuppe s* (beef) broth; *~steg s (rå)* joint of beef; *(stegt)* roast beef.
oktantal *s* octane number; *med højt ~* high-octane.
oktav *s (mus)* octave; *(format)* octavo.
oktober *s* October; *den første ~* the first of October *el.* October the first; *~ferie s* autumn school holiday.

oldefar *s* great-grandfather; **oldemor** *s* great-grandmother.
oldfrue *s* matron.
olding *s* old man.
oldnordisk *adj* Old Norse; *(fig)* antediluvian.
oldtid *s (klassisk)* antiquity; *Danmarks ~* early Danish history; *~sfund s* prehistoric find; *~skundskab s* classical civilization.
olie *s* oil; *finde ~* strike oil; *bore efter ~* drill for oil; *~boring s* oil drilling; *~farve s* oil colour; *male med ~farve* paint in oils; *~forekomst s* oil deposit; *~fyr s* oil-burner; *~kilde s* oil well; *~kridt s* crayon; *~maling s* oil-based paint; *~målepind s (auto)* dipstick; *~pøl s (på vandet)* oil slick; *~raffinaderi s* oil refinery; *~selskab s* oil company; *~tankskib s* oil tanker; *~udslip s* oil slip; *(ved et uheld)* oil leak.
oliven *s* olive; *~grøn adj* olive; *~olie s* olive oil; *~træ s* olive (tree).
olympiade *s (OL)* Olympic Games, Olympics *pl.*
om *præp (rundt ~)* about, (a)round; *(angående)* about, on, of; *(om tid)* in, on; *(pr.)* a; *(se også de enkelte ord som ~ forbindes med); han bor lige ~ hjørnet* he lives just round the corner; *dreje ~ hjørnet* turn the corner; *spørge en ~ ngt* ask sby about sth; *bede en ~ ngt* ask sby for

sth; *filmen handler ~ krigen* the film is about the war; *~ en time (, uge etc)* in an hour (, a week etc); *arbejde ~ natten* work at night; *flere gange ~ dagen* several times a day; *~ morgenen* in the morning; *~ søndagen* on Sundays; *falde ~* fall over; *gøre ngt ~* do sth again; *bygge huset ~* rebuild the house // *konj* if, whether; *jeg ved ikke ~ de kommer* I don't know whether they will come; *~ jeg så må sige* if I may say so; *som ~* as if.

omadressere *v* forward.

omarbejde *v* alter, revise.

ombestemme *v: ~ sig* change one's mind.

ombord *adv* on board.

ombudsmand *s* ombudsman.

ombygning *s* rebuilding; *under ~* being rebuilt.

ombæring *s (af post og fig)* delivery; *det må blive i næste ~* it will have to wait till next time.

omdanne *v* change, convert *(til* into); *(ordne om)* reorganize; *(om regering)* reshuffle; **~lse** *s* change, conversion; reorganization; reshuffle.

omdele *v* distribute.

omdiskuteret *adj* much discussed; *(omstridt)* controversial.

omdrejning *s* revolution, rotation;... *~er i minuttet* ... revolutions per minute.

omdømme *s* reputation.

omegn *s* neighbourhood, surroundings *pl; København og ~* Copenhagen and its environs; *de bor i ~en af København* they live on the outskirts of Copenhagen; **~skommune** *s* suburban municipality.

omelet *s* omelette.

omfang *s (størrelse)* size; *(udstrækning)* extent; *(omkreds)* circumference; *(rækkevidde, ~ af arbejde, undersøgelse etc)* scope; *i stort ~* on a large scale; *i fuldt ~* completely; **~srig** *adj (stor, tyk)* voluminous; *(rummelig)* spacious; *(om viden, interesser etc)* wide.

omfart(svej) *s* by-pass.

omfatte *v (inkludere)* include; *(angå)* affect; **~nde** *adj (vidtgående)* extensive; *(som rummer meget)* comprehensive; *(grundig)* thorough.

omfavne *v* embrace; **~lse** *s* embrace.

omflakkende *adj* unsettled.

omformer *s (elek)* converter.

omgang *s (runde)* round; *(det at omgås)* dealings *pl (med* with); *(måde at bruge ngt på)* handling *(med* of); *pleje ~ med en gruppe* mix with a group; *en skrap ~* tough going; *en dyr ~* an expensive affair; *i denne ~* this time; *på ~* by turns; *gå på ~* pass round; **~skreds** *s* acquaintances *pl*, friends *pl*.

omgive *v* surround; **~lser** *spl*

surroundings, environs; *(miljøet)* environment.

omgående *adj* immediate // *adv* immediately.

omgås *v (personer)* mix with; *(ting)* handle, deal with; *vi ~ formelt* we see each other formally; *nem at ~* easy to get on with; *~ ngt med forsigtighed* handle sth with care.

omhu *s* care.

omhyggelig *adj* careful *(med about)*.

omkamp *s (sport)* replay.

omklædning *s* changing (one's clothes); **~srum** *s* changing room; *(med skabe til tøj etc)* locker room.

omkomme *v* die, get killed; *være ved at ~ af grin* nearly die laughing.

omkostninger *spl* costs, expenses.

omkreds *s* circumference; *i miles ~* for miles around.

omkring *adv/præp* about, (a)round; *(cirka)* about; *de bor her ~* they live around here; **~liggende** *adj* surrounding.

omkuld *adv* over, down; *vælte ~* fall down; *vælte en ~* knock sby down.

omkvæd *s* chorus.

omkørsel *s* diversion.

omlægge *v (dvs. ændre)* change, reorganize; *(om vej)* relocate.

omløb *s* circulation; *sætte ngt i ~* circulate sth; *være i ~* be

circulating; *have ~ i hovedet* be bright.

omme *adv (forbi)* over; *da tiden var ~* when the time was up; *~ bag træet* behind the tree; *den står der ~* it is back there.

omregne *v* convert *(til* into); **omregning** *s* conversion.

omrejsende *adj* travelling, itinerant *(fx teater* theatre).

omrids *s* outline; *tegne et ~ af ngt* outline sth; *i korte ~* in brief outline.

omringe *v* surround.

område *s* area, region; *(som tilhører en stat)* territory; *(fig, felt)* field; *(fig, gren)* branch; *på fjendens ~* in enemy territory; *det ligger uden for mit ~* it is out of my field; **~nummer** *s (tlf)* area code.

omsider *adv* finally, at last.

omskiftelig *adj* changeable; *(om vejr)* changing.

omskole *v* retrain; **omskoling** *s* retraining.

omskæring *s* circumcision.

omslag *s (til papirer etc)* cover; *(med, fx varmt ~)* compress; *(skift, ændring)* (sudden) change.

omsonst *adj* futile // *adv* in vain.

omsorg *s* care; *~ for de ældre* eldercare; *drage ~ for* take care of; **~sarbejde** *s* welfare work; **~sfuld** *adj* careful; *(af indstilling)* solicitous.

omstigning *s* change; **~sbillet** *s* transfer ticket.

omstille *v (produktion, tv, radio etc)* switch over *(til* to); *(tlf)* put through *(til* to); ~ *sig til ngt nyt* adapt to sth new; **omstilling** *s (af produktion etc)* switch-over, change-over; **omstillingsbord** *s (tlf)* switchboard.

omstrejfende *adj* vagrant; *(om fx hund)* stray.

omstridt *adj* controversial, disputed.

omstændelig *adj* elaborate; *(langtrukken)* long-winded.

omstændighed *s* circumstance; *(kendsgerning)* fact; ~*er (besvær, mas)* trouble; *(formaliteter)* fuss; *efter* ~*erne går det godt* it goes as well as can be expected; *alt efter* ~*erne* according to circumstances; *nærmere* ~*er* further details; *være i* ~*er (dvs. gravid)* be expecting; *under alle* ~*er (dvs. alligevel)* at any rate; *(dvs. for enhver pris)* at all costs; *under ingen* ~*er* under no circumstances; ~*støj* *s* maternity wear.

omsværmet *adj: han/hun er* ~ he/she is very popular with the girls/boys.

omsvøb *s: lave* ~ beat around the bush; *uden* ~ straight out.

omsætning *s (handel)* trade, business; *(merk, fx et års* ~*)* turnover; *(om penge, cirkulation)* circulation; **omsætte** *v (sælge)* sell; *de har omsat for 100 millioner i første halvår* they have had a turnover of

100 millions for the first six months.

omtale *v* mention; *omtalte politiker...* the said politician...

omtanke *s: vise* ~ show consideration; *vælge ngt med* ~ choose sth with care.

omtrent *adv* about; *(næsten)* almost; *(cirka)* approximately; *den kostede* ~ *100 kroner* it was almost 100 kroner; *sådan* ~ *100 kroner* 100 kroner or so; ~ *sådan her* something like this; ~**lig** *adj* approximate.

omvej *s* detour; *(fig)* roundabout way; *gå en* ~ *(med vilje)* make a detour; *(ufrivilligt)* go the long way round; *ad* ~*e (fig)* in a roundabout way.

omvende *v* convert; ~**lse** *s* conversion.

omvendt *adj (om rækkefølge)* reverse; *(modsat)* opposite, the other way round // *adv* the other way round; *(på hovedet)* upside down; *han elsker hende og* ~ he loves her and vice versa; *billedet hænger* ~ the picture is upside down.

omvæltning *s (drastisk ændring)* radical change; *(pol etc)* revolution.

onanere *v* masturbate; **onani** *s* masturbation.

ond *adj* wicked, evil; *(slem)* bad, nasty; *en* ~ *ånd* an evil spirit; *få* ~*t* get a pain; *gøre* ~*t* hurt; *det gør* ~*t i såret* the wound hurts; *det gør mig ~t at høre det* I am sorry to hear it; *have ~t af en* feel sorry for sby; *have ~t i halsen* have a sore throat; *have ~t i maven (el. hovedet)* have a stomach-ache *(el.* headache); *tale ~t om en* say bad things about sby; *der er ikke ngt ~t i at prøve* there is no harm in trying.

ondartet *adj (om person)* vicious, nasty; *(om sygdom)* serious; *(om svulst etc)* malignant.

onde *s* evil; *et nødvendigt ~* a necessary evil.

ondsindet *adj* ill-natured.

ondskab *s* wickedness, evil; **~sfuld** *adj* malicious.

onkel *s* uncle.

onsdag *s* Wednesday; *i ~s* last Wednesday; *om ~en* on Wednesdays; *på ~* next Wednesday.

op *adv/præp* up; *(i hus)* upstairs; *(se også de enkelte ord som ~ forbindes med); køre ~ ad bakke* drive uphill; *klatre ~ ad et bjerg* climb a mountain; *lukke døren ~* open the door; *hun er ~ imod de 80* she is getting on for 80; *tage ngt ~ af lommen* take sth out of one's pocket; *~ med humøret!* cheer up!

opad *adv* up, upwards; **~til** *adv* at the top *(på* of).

opbagning *s (gastr)* roux.

opbakning *s* support, backing.

opbevare *v* keep; **opbevaring** *s*

keeping, storage; *(i sikkerhed)* safekeeping.

opbremsning *s* braking.

opbrud *s* departure.

opbud *s: et stort ~ af presse-folk* an imposing array of reporters.

opdage *v* discover; *(finde ud af)* find out; *(få øje på)* spot; **~lse** *s* discovery; *gå på ~lse* go exploring; **~lsesrejse** *s* expedition; *~r s* discoverer; *(detektiv)* detective.

opdigtet *adj* invented.

opdrage *v (om barn)* bring up; *(uddanne)* educate; *(om fx hund)* train; *dårligt ~t* ill-bred; *godt ~t* well-bred; **~lse** *s* upbringing; education; training.

opdrive *v* get hold of, find; *ikke til at ~* impossible to get hold of.

opdræt *s* breeding; **~te** *v* breed.

opdyrke *v* cultivate; **opdyrk-ning** *s* cultivation.

opdækning *s (af bord)* setting; *(i fodbold)* marking.

opefter *adv* upwards.

opera *s* opera; **~sanger** *s* opera singer.

operation *s* operation; *gennemgå en ~ (også:)* undergo surgery; **~sbord** *s* operating table; **~sstue** *s* operating theatre.

operatør *s* operator; *(om kirurg)* surgeon.

operere *v* operate; *~ en* operate on sby; *blive ~t* be ope-

rated on, undergo surgery.
opfatte v *(forstå)* understand; *(mærke)* perceive; *(få fat i, opfange)* catch, get; *(betragte, anse)* regard; *(tyde)* interpret, take *(som* as); *jeg ~de ikke meningen* I did not get the meaning; *~ ngt som ren politik* regard sth as sheer politics; *~ ngt forkert* misunderstand sth; **~lse** s understanding; perception; *(mening, idé)* idea, concept; *efter min ~lse* in my opinion; *langsom i ~lsen* slow on the uptake.
opfinde v invent; **~lse** s invention; **~r** s inventor; **opfindsom** adj inventive; *(fantasifuld)* imaginative; **opfindsomhed** s ingenuity.
opfordre v ask *(til at* to); **opfordring** s request; *på ens opfordring* at sby's request.
opfylde v fill; *(udføre, indfri, holde fx løfte)* fulfil, carry out; *(rette sig efter)* comply with, meet; *få sit ønske opfyldt* have one's wish; **~lse** s fulfilment; *gå i ~lse* come true, be fulfilled.
opføre v *(bygge)* build; *(spille fx koncert)* perform; *(indskrive på liste)* enter; *~ sig (godt el. dårligt)* behave (well el. badly); **~lse** s building; performance; *under ~lse* in construction.
opførsel s behaviour.
opgang s *(trappe~)* staircase; *(stigning)* rise; *(vækst)* increase, growth.

opgave s task, job; *(formål)* purpose; *(i skolen, øvelse)* exercise; *(regne~)* problem; *(gåde)* puzzle; *det er ikke din ~ at...* it is not your job to...; *regne ~r* do sums; *skriftlig ~* written exercise; *stille en en ~* set sby a task.
opgive v give up; *(angive, meddele)* give, state; *~ at gøre ngt* give up doing sth; **~lse** s giving up; statement.
opgør s *(strid)* clash, scene; *de havde et ~ (også:)* they had it out; *~e* v *(om regnskab)* make up, settle; *(anslå)* estimate; **~else** s statement.
ophavsmand s instigator, originator *(til* of).
ophavsret s copyright.
ophidse v excite, upset; **~lse** s excitement; **~t** adj excited, upset; *blive ~t* be upset.
ophold s *(kortere)* stay; *(fast)* residence; *(~ på tur)* stop, break; *(forsinkelse)* wait, delay; *tjene til livets ~* earn one's living; *gøre et ~ (under arbejdet)* have a break; *(på rejse)* stop; *køre uden ~* go non-stop; **~e** v *(forsinke)* delay; *~e sig* stay; *(fast)* live *(hos* with); **~ssted** s whereabouts; *(fast)* residence; **~sstue** s living room; *(i virksomhed etc)* recreation room; **~stilladelse** s residence permit.
ophugning s *sende bilen til ~* send the car to the breakers.
ophæve v *(gøre ugyldig)* abo-

lish; *(om lov)* repeal; *(om kontrakt)* cancel, annul; *(om forlovelse)* break off; *(hæve fx blokade)* lift; **~lse** s abolition; repeal; cancellation, annulment.

ophør s ending, cessation; *(om forretning etc)* closing down; **~e** v stop, cease; close down; **~e med at gøre ngt** stop doing sth; **~sudsalg** s clearance sale.

opinion s public opinion; **~sundersøgelse** s opinion poll.

opkald s *(tlf)* call; **~e** v: **~e en efter hans onkel** name sby after his uncle.

opkast s vomit; **~ning** s vomiting.

opklare v clear up, solve; **opklaring** s solution; *(også om vejret)* clearing up.

opkomling s upstart.

opkræve v collect; **opkrævning** s collection.

oplag s *(af bog)* impression; *(af varer)* stock.

oplagre v store (up); **oplagring** s storing.

oplagt adj *(dvs. i form)* in form, fit *(til for, til at to)*; *(klar, selvfølgelig)* evident, obvious; **ikke være ~ til at arbejde** not feel like working.

opleve v experience; *(gennemleve)* go through; *(komme ud for)* have, meet with; **~ en masse i ferien** have an eventful holiday; **~ ngt rart (el. væmmeligt)** have a pleasant

(el. nasty*)* experience; **tænk at jeg skulle ~ det med!** I never thought I'd live to see that! **jeg har aldrig ~t lignende** I never saw the like; **~lse** s experience.

oplukker s *(dåse~)* tin opener; *(flaske~)* bottle opener.

oplyse v *(lyse på)* light (up); *(meddele)* declare, state; *(uddybe, forklare)* explain; **~ en om ngt** inform sby of sth.

oplysning s *(med lys)* lighting; *(af befolkningen etc)* enlightenment, education; *(besked)* information; **~en** *(tlf)* Information; **give en ~ om ngt** inform sby of sth; **nærmere ~er** further details; **indhente ~er** make enquiries.

oplyst adj *(med lys)* lit-up; *(fig)* enlightened, educated.

oplæg s introduction; *(forslag)* proposal.

oplob s *(af folk)* crowd; *(ved løb, spurt)* final spurt; **standse ngt i ~et** nip sth in the bud.

opløse v dissolve; **~s** dissolve; **~lig** adj soluble; **let ~lig** readily soluble.

opløsning s dissolution; *(færdig ~, fx sukker~)* solution; **gå i ~** disintegrate; *(rådne)* decay, rot.

opmagasinere v store.

opmuntre v encourage *(til at* to*)*; *(live op)* cheer up; **~nde** adj encouraging; **opmuntring** s encouragement.

opmærksom adj attentive; *(som ser alt)* observant; *(hen-*

synsfuld) considerate *(mod towards)*; gøre en ~ på ngt draw sby's attention to sth; blive ~ på ngt become aware of sth; **~hed** *s* attention; *(lille gave)* token (gift); *det er undgået min ~hed* it has escaped my attention; *vække ~hed* attract attention.

opnå *v* get, obtain; *(resultat, mål)* achieve; *(vinde)* gain; ~ *at* manage to; *ikke ~ ngt* achieve nothing; **~elig** *adj* obtainable.

opofre *v:* ~ *sig* make sacrifices *(for* for); **~nde** *adj* self-sacrificing.

oppe *v:* ~ *sig* pull oneself together // *adv* up, above; *(~ i huset)* upstairs; *(~ af sengen)* up; *være længe* ~ stay up late; *der* ~ up there; *her* ~ up here; *være tidligt* ~ be up early; *være* ~ *til eksamen* sit for an examination; *helt* ~ *på bjerget* right on top of the mountain; *højt* ~ high up; *være højt* ~ be in high spirits; **~fra** *adv* from above.

oprejsning *s: få* ~ get satisfaction.

oprejst *adj* upright.

opretholde *v* maintain; *(forbindelse, kontakt)* keep up; *(vedligeholde)* sustain; ~ *livet* keep alive.

opretstående *adj* upright *(fx klaver* piano).

oprette *v (grundlægge)* establish, found; *(indgå, fx kontrakt)* make; **~lse** *s* establish-

ment, foundation; making.

oprindelig *adj* original; **oprindelse** *s* origin.

opringning *s (tlf)* call.

oprydning *s* clearing-up; *(i hjemmet)* tidying-up.

oprykning *s (sport)* promotion.

oprør *s* revolt, rebellion, uprising; *(uro, røre)* tumult; gøre ~ revolt; *være i* ~ *(også fig)* be in a turmoil; **~ende** *adj* outrageous; **~er** *s* rebel; **~sk** *adj* rebellious; **~t** *adj (om hav etc)* rough; *(om person)* indignant *(over* at, *over at* that).

opråb *s* appeal; *(navne~)* call-out.

opsat *adj:* ~ *på at gøre ngt* set on doing sth; *have* ~ *hår* have one's hair up.

opsige *v (kontrakt etc)* terminate; *(abonnement etc)* cancel; *(fyre)* dismiss; ~ *en lejer* give sby notice (to quit); ~ *sin lejlighed* give in notice for one's flat; ~ *sin stilling* give in one's notice; **~lse** *s* termination; cancellation; dismissal; *have en måneds ~lse* have a month's notice; **~lsesfrist** *s* period of notice.

opsigt *s:* vække ~ cause a sensation; **~svækkende** *adj* sensational.

opskrift *s (strikke~ etc)* pattern; *(mad~)* recipe *(på* for).

opslag *s (ærme~)* cuff; *(bukse~)* turn-up; *(revers)* lapel; *(plakat)* poster; *(bekendtgørelse)* notice; **~sbog** *s* reference book; **~stavle** s notice board.

opslugt adj: ~ af absorbed in.

opslå v (stilling) advertise.

opsparing s savings pl; (det at spare op) saving up; tvungen ~ compulsory saving.

opspind s fabrication.

opsprøre v track down.

opstand s uprising, revolt.

opstandelse s (uro) commotion; (fra de døde) resurrection.

opstille v put up; (kontrakt, budget etc) make, draw up; (til valg) run (til for); (~ på række etc) line up; **opstilling** s putting up; making, drawing up; running; lining up.

opstoppernæse s snub nose.

opstrammer s (drink) pick-me-up.

opstød s burp; surt ~ acid regurgitation; (om person) sourface.

opstå v arise, come into being; ilden opstod ved en kortslutning the fire was caused by a short circuit.

opsving s (økon) boom.

opsvulmet adj swollen.

opsyn s (overvågning) supervision (med of); (med person) surveillance; (med børn) care (med of); (kontrollør) attendant; holde ~ med ngt supervise sth, be in charge of sth; **~smand** s attendant.

opsøge v (besøge) call on; (finde) seek out; **~nde arbejde** fieldwork.

optage v (tage op, opsuge) take up; (som medlem, elev etc) admit (i to); (på liste) include; (foto) take (a photo of); (film) film, shoot; (på plade, bånd) record; **~lse** s taking up; admission; inclusion; photo; filming, shooting; recording; **~lsesprøve** s entrance examination; **~r** s recorder; **~t** adj (om person) busy; (om toilet, tlf, siddeplads etc) engaged; **~t af** at gøre ngt busy doing sth; **~t af en bog** absorbed in a book; 'alt ~t' 'full up'; **~ttone** s (tlf) engaged signal.

optakt s: det var ~en til en krig it marked the beginning of a war.

optegnelse s note, record.

optik s optics; (på kamera) lens system; **~er** s optician.

optimisme s optimism; **optimist** s optimist; **optimistisk** adj optimistic.

optisk adj optical; ~ bedrag optical illusion; ~ læser optical character-reader.

optog s procession, parade.

optrapning s escalation; **optrappe** v escalate.

optrin s scene.

optræde v (vise sig, ses) appear (som as); (som kunstner etc) perform; (forekomme) occur; (opføre sig) behave; (handle) act; ~ på ens vegne act for sby; ~ høfligt be courteous; de ~nde the performers; **~n** s appearance; performance;

occurrence; behaviour.

optræk s: *der er* ~ *til ballade* there is trouble brewing.

optælle v count; **optælling** s count.

optændingsbrænde s firewood.

optøjer spl riots.

opvarme v heat; **opvarmning** s heating.

opvartning s attendance.

opvask s washing-up; *tage* ~*en* do the dishes; **~ebalje** s washing-up bowl; **~ebørste** s washing-up brush; **~emaskine** s dishwasher; **~emiddel** s washing-up liquid; **~estativ** s dish rack; **~evand** s dishwater.

opveje s *(fig)* make up for.

opvisning s show.

orange s orange; **~ade** s orangeade; **~marmelade** s (orange) marmalade.

orangutang s orang-utan.

ord s word; *så er det et* ~ that is settled then; *sige ngt med rene* ~ say sth straight out; *ikke et* ~ *mere om det* not another word about it; *det har jeg ikke hørt et* ~ *om* I never heard anything about it; *han har* ~*et* it is his turn to speak; *have* ~ *for at være ngt* have a reputation for being sth; *holde sit* ~ keep one's word; *med andre* ~ in other words; *tage* ~*et* start speaking; *(i forsamling)* take the floor; *tage en på* ~*et* take sby at his word; *komme til* ~*e* get

a chance to speak; **~blind** s dyslexic; **~bog** s dictionary; *slå ngt op i en* ~*bog* look sth up in a dictionary.

orden s order *(også som udmærkelse); holde* ~ keep things tidy; *det er helt i* ~ it is quite all right; *for en* ~*s skyld* as a matter of form; *er bilen i* ~*?* is the car working? *få ngt bragt i* ~ settle sth.

ordens... sms: **~magten** s the police; **~menneske** s tidy person; **~politiet** s the uniformed police; **~regel** s regulation; **~tal** s ordinal (number).

ordentlig adj *(som holder orden)* tidy, orderly; *(regelret, korrekt)* regular, correct; *(pæn, anstændig)* decent, nice; *(rigtig)* proper, real; *opføre sig* ~*t* behave properly; *have et* ~*t arbejde* have a real job; *en* ~ *omgang (tæv)* a sound beating.

ordinere v *(præst)* ordain; *(foreskrive)* prescribe.

ordinær adj ordinary; *(simpel)* common, vulgar; ~*t medlem* full member.

ordne v arrange; *(bringe i orden)* put in order; *(rydde op)* tidy (up); *(sortere)* sort out; *(klare)* manage, settle; **ordning** s arrangement; *(aftale om fx betaling)* settlement; *(system)* system.

ordre v order; *efter* ~ by order; *(om varelevering)* to order; *afgive en* ~ *på ngt* place

an order for sth; *få* ~ *til at* be
ordered to; **~seddel** *s* order
form.
ordret *adj* literal.
ordsprog *s* proverb; **ordstyrer** *s*
chairman.
organ *s* organ.
organisation *s* organization;
organisere *v* organize; *blive
organiseret (i fagforening)*
unionize; *organiseret ar-
bejdskraft* union labour.
organisk *adj* organic; **organi-
sme** *s* organism.
organist *s* organ player.
orgasme *s* orgasm.
orgel *s* organ.
orgie *s* orgy.
orient *s:* ~*en* the East; **~alsk**
adj Oriental.
orientere *v* inform; ~ *en* put
sby in the picture; ~ *sig* get
one's bearings; *ikke kunne* ~
sig have lost one's bearings.
orientering *s* information; *(i
skolen)* svt. general sciences;
~sløb *s (sport)* orienteering.
original *s* original; *(om person)*
eccentric // *adj* original; *(om
person)* eccentric; *en* ~ *Ru-
bens* a genuine Rubens; **~ud-
gave** *s (af bog)* first edition.
orkan *s* hurricane.
orke *v* be able to; *jeg* ~*r ikke
mere* (F) I'm all in.
orkester *s* orchestra; **~plads** *s
(teat)* stall.
orkidé *s* orchid.
orlov *s* leave; *have* ~ be on
leave.
orm *s* worm.

ornament *s* ornament.
ornitolog *s* ornithologist; **ornito-
logi** *s* ornithology.
ortodoks *adj* orthodox.
ortopædisk *adj* orthopaedic;
ortopædkirurgi *s* orthopaedic
surgery.
os *s (røg)* smoke; *(stank)* reek.
os *pron* us; *(refleksivt)* oursel-
ves; *(efter præp)* us; *han så* ~
he saw us; *vi glæder* ~ *til
at...* we are looking forward
to...; *til* ~ *selv* for ourselves;
mellem ~ *sagt* between our-
selves; *det bliver mellem* ~ it
will go no further; *en ven af*
~ a friend of ours.
ose *v (ryge)* smoke; *(stinke)*
reek.
ost *s* cheese; **~eanretning** *s*
cheeseboard; **~eklokke** *s*
cheese cover; **~emad** *s* chee-
se sandwich; **~eskorpe** *s*
cheese rind; **~eskærer** *s*
cheese cutter.
osv. *(fork.f. og så videre)* etc.
(fork.f. etcetera).
otium *s* retirement.
otte *num* eight; *om* ~ *dage* in
a week; *i dag* ~ *dage* today
week; **~nde** *adj* eighth;
~ndedel *s* eighth; **~ndedels-
node** *s (mus)* quaver; **~r** *s*
eight; *(om bus etc)* number
eight; **~tal** *s* eight; **~tiden** *s:
ved* ~*tiden* at about eight
o'clock; **~timers-** *adj* eight-
hour.
oval *s/adj* oval.
oven *adv: fra* ~ from above;
~ *i hinanden* on top of one

another; *(lige efter hinan-*
den) in succession; ~ *i købet*
into the bargain; ~ *over* a-
bove; ~ *på* on top of; *(i hus)*
upstairs; *de bor* ~ *på os* they
live upstairs from us // *præp:*
~ *senge* up and about; ~
vande above water; **~for** *adv*
above; **~fra** *adv* from above;
~i *adv* on top; **~lysvindue** *s*
skylight; **~nævnt** *adj* above(-
mentioned); **~over** *adv* abo-
ve; **~på** *adv* above; *(i hus)*
upstairs; *(siden, bagefter)* af-
terwards; *svømme* **~på** float;
være **~på** *(dvs. den stærke-
ste)* have the upper hand;
(dvs. glad, i fin form) be on
top of the world; *(økono-
misk)* be in clover; **~stående**
adj the above.

over *præp/adv* over; *(oven* ~*)*
above; *(tværs* ~, *fx gade)*
across; *(mere end)* over, a-
bove, more than; *(klokke-
slæt)* past; *(på grund af)* at, of;
(via) by, via; *hoppe* ~ *en pyt*
jump over a puddle; *have*
magt ~ *en* have power over
sby; *det tog* ~ *tre timer* it
lasted over *(el.* more than)
three hours; *fem grader* ~
frysepunktet five degrees
above zero; *klokken er* ~ *ti* it
is past ten o'clock; *glæde sig*
~ *ngt* be pleased about sth;
være vred ~ *ngt* be angry at
(el. about) sth; *tage til Exeter*
~ *Reading* go to Exeter via
(el. by) Reading; *elske en* ~
alt (i verden) love sby more

than anything (in he world);
det går ~ *min forstand* it is
beyond me.

overalt *adv* everywhere; *jeg*
har søgt ~ I have been look-
ing all over *(el.* everywhe-
re); ~ *i verden* all over the
world; ~ *hvor man kommer*
wherever you go.

overanstrenge *v:* ~ *sig (med*
arbejde) overwork; *(fysisk)*
overstrain oneself; **~lse** *s*
overexertion; strain.

overarbejde *s* overtime; *have*
~ work overtime.

overbalance *s: få* ~ lose one's
balance.

overbelastet *adj (om person)*
overtaxed; *(om fx tlf, elek)*
overloaded.

overbevise *v* convince *(om of,*
om at that); *være overbevist*
om at... be convinced that...

overbevisning *s* conviction;
være ngt af ~ be sth by
conviction; *efter min bedste*
~ to the best of my belief.

overblik *s: få* ~ *over ngt* get a
general idea of sth; *miste*
~*ket* lose track of things; *et*
~ *over aftenens program* a
survey of tonight's program-
mes.

overbærende *adj* indulgent
(mod to); **overbærenhed** *s* in-
dulgence.

overdrage *v* transfer; *(betro)*
entrust; *(ansvar)* give; *(opga-*
ve) assign; *(hus, ejendom)*
make over; ~ *ngt til en* en-
trust sby with sth; **~lse** *s*

transfer; trusting; giving; assignment; making over.

overdrive v exaggerate; *(drive det for vidt)* overdo it, go too far; ~**lse** s exaggeration; *man kan uden ~lse sige at...* it is no exaggeration to say that...

overdøve v drown; *(skaffe sig ørenlyd)* make oneself heard above.

overdådig adj opulent, luxurious; ~**hed** s opulence, luxuriance.

overens adv: *komme ~ om ngt* agree on sth; *stemme ~ tally (med* with).

overenskomst s agreement; *slutte ~* make an agreement; ~**stridig** adj contrary to the agreement.

overensstemmelse s agreement; *være i ~ med* agree with, tally with.

overfald s attack, assault *(på* on); *(på gaden også:)* mugging *(på* of); ~**e** v attack, assault; mug; ~**e en bank** raid a bank; ~**e en med spørgsmål** bombard sby with questions.

overfart s crossing.

overflade s surface; *komme op til ~n* surface; **overfladisk** adj superficial.

overflod s abundance *(af* of); *(velstand)* affluence; *i ~* plenty of, an abundance of; ~**ssamfund** s affluent society.

overflødig adj superfluous.

overfor adv opposite.

overfyldt adj full, packed, crowded.

overfølsom adj *(sart)* oversensitive *(for* to); *(allergisk)* allergic *(for* to); ~**hed** s oversensitivity; allergy.

overføre v transfer; *(om sygdom)* transmit; ~**lse** s transfer; transmission; **overført** adj *(om betydning)* figurative.

overgang s *(sted hvor man kommer over)* crossing; *(tid)* time; *(skift, ændring)* transition; *(elek)* leak; *det er kun for en ~* it is only for a time; *hans stemme er gået i ~* his voice is breaking; ~**salder** s climacteric; ~**sløsning** s interim solution; ~**ssted** s crossing; ~**stid** s transitional period; *(mellem årstiderne)* in-between season.

overgive v hand over; *(betro)* entrust; *(udlevere)* give up; *(mil)* surrender; ~ *sig* surrender; ~**lse** s surrender.

overgå v *(være bedre end)* surpass; *(yde mere end)* outdo; *(ske)* happen to; *(ændres, skifte)* change *(til* into); ~ *sig selv* surpass oneself; ~ *til statseje* become state property.

overhale v *(indhente)* overtake, pass; **overhaling** s overtaking, passing; *(grundig istandsættelse etc)* overhaul; *(skældud)* ticking-off; **overhalingsbane** s fast lane.

overholde v *(fx regler)* observe, keep.

overhovedet *adv* at all; ~ *ikke* not at all; *har du* ~ *tænkt dig om?* did you think at all? *det har* ~ *ingen betydning (også:)* it has no importance whatsoever.

overhuset *s (brit)* the House of Lords.

overhængende *adj:* ~ *fare* imminent danger.

overhøre *v (dvs. ikke høre)* not hear, miss; *(dvs. komme til at høre)* overhear.

overhånd *s: få* ~ gain the upper hand; *tage* ~ get out of hand.

overilet *adj* rash, hasty.

overkant *s* top, upper edge; *det er i* ~*en* it is a bit much.

overkomme *v* manage; *(kunne betale)* afford; ~**lig** *adj* feasible; *(håndterlig)* manageable.

overkrop *s* upper part of the body; *med nøgen* ~ stripped to the waist; **overkæbe** *s* upper jaw; **overkøje** *s* upper berth.

overlade *v (lade få, give)* let have; *(betro)* entrust *(en ngt sby with sth)*; *(låne)* lend; *det vil jeg* ~ *til dig at bestemme* I'll leave that for you to decide; *være overladt til sig selv* be left to oneself; ~ *en til hans skæbne* abandon sby to his fate.

overlagt *adj (om forbrydelse)* wilful, premeditated.

overlegen *adj (storsnudet etc)*

supercilious; *(bedre end)* superior; *være en* ~be superior to sby; *en* ~ *seje* a convincing victory; ~**hed** *s* superciliousness; superiority.

overleve *v* survive; *(leve længere end)* outlive *(med to år by two years)*; *den bil har* ~*t sig selv* that car has had its day; ~**nde** *s* survivor // *adj* surviving.

overlevering *s (aflevering)* delivery; *(skreven)* record; *(tradition)* tradition.

overlyds- supersonic.

overlæbe *s* upper lip.

overlæg *s: med* ~ on purpose, deliberately.

overlæge *s* senior consultant.

overmand *s* superior; *møde sin* ~ meet one's match; ~**e** *v* overcome; *blive* ~*et af ngt* be overcome by sth.

overmorgen *s: i* ~ the day after tomorrow; *i* ~ *aften* the day after tomorrow in the evening.

overmund *s (om protese)* upper denture.

overnatte *v* stay the night *(hos en* with sby).

overnaturlig *adj* supernatural.

overordentlig *adj* extraordinary // *adv* extremely.

overordnet *s/adj* superior; *den overordnede målsætning* the overall objective.

overraske *v* surprise; *(overrumple også:)* take by surprise; ~ *en i at gøre ngt* catch sby doing sth; *blive* ~*t over* *ngt* be surprised at sth; *blive ~t af et tordenvejr* be caught in a storm; **~lse** *s* surprise; *til min store ~lse* much to my surprise.

overrendt *adj* overrun *(af* by); *(plaget)* pestered *(af* by).

overrumple *v* take by surprise.

overrække *v: ~ en ngt* present sby with sth.

overse *v (se ud over)* survey; *(ikke se)* overlook, miss; *~ at...* overlook the fact that...

oversigt *s* survey *(over* of); *(tabel)* table *(over* of).

overskrift *s* heading; *(avis~)* headline.

overskrævs *adv: ~ på ngt* astride sth.

overskud *s* surplus *(af* of); *(fortjeneste)* profit; *give ~* yield a profit; *have ~ til at gøre ngt* have strength enough to do sth; **~sdeling** *s* profit-sharing; **~slager** *s* surplus stock.

overskue *v* survey; *det er ikke til at ~ hvor længe* it is impossible to tell how long; **~lig** *adj* clear; *inden for en ~lig fremtid* in the foreseeable future.

overskydende *adj* surplus.

overskyet *adj* overcast.

overskæg *s* moustache.

overskæring *s (jernb)* level crossing.

overslag *s* estimate *(over* of).

overspændt *adj* highly-strung.

overstadig *adj* hilarious; *(vild)* boisterous.

overstige *v* exceed, go beyond.

overstrø *v (drysse over)* sprinkle; *~et med sten* littered with stones.

overstrømmende *adj* effusive; *(neds)* gushing.

overstå *v* get through, get over; *få det ~et* get it over with; *godt det er ~et!* thank God it is over.

oversvømme *v* flood; *~et af turister* overrun by tourists; **~lse** *s* flooding.

oversygeplejerske *s* senior nursing officer.

oversætte *v* translate; *~ fra dansk til engelsk* translate from Danish into English; **~lse** *s* translation; **~r** *s* translator.

oversøisk *adj* overseas.

overtag *s: få ~et* get the upper hand.

overtage *v* take over; *(påtage sig)* take on; *(købe)* buy; *~ kommandoen efter en* take over command from sby; *~ ens vaner* adopt sby's habits; **~lse** *s* takeover; *(det at overtage)* taking over.

overtal *s: være i ~* be in the majority; *(være for mange)* be superior in number.

overtale *v: ~ en til at gøre ngt* persuade sby to do sth; **~lse** *s* persuasion.

overtro *s* superstition; **~isk** *adj* superstitious.

overtræde *v (fx regler)* break; **~lse** *s* offence *(af* against), breach *(af* of).

overtræk s cover; *(på konto)* overdraft; **~ke** v cover; *(med chokolade, lak etc)* coat; *(om konto)* overdraw.
overtræt adj overtired.
overtøj spl outdoor things, coat.
overveje v consider, think about; *jeg skal ~ det* I'll think about it; *~ ngt igen* reconsider sth; *~ at tage til Kina* consider going to China; **~lse** s consideration, thought; *efter nærmere ~lse* on closer examination; *tage ngt op til ~lse* look into sth; **~nde** adv mainly, chiefly; *det er ~nde sandsynligt at de kommer* most likely they will come.
overvinde v defeat; *(fig)* overcome; *~ sig til at gøre ngt* bring oneself to do sth; **~lse** s overcoming; *det kostede mig stor ~lse* it took me a lot of will power.
overvurdere v overestimate.
overvægt s overweight; *der er ~ af udlændinge* there is a predominance of foreigners; **~ig** adj overweight.
overvælde v overwhelm; *blive ~t af* be overwhelmed with, be overcome by; **~nde** adj overwhelming.
overvære v be present at, attend; *(se)* see; *~ en fodboldkamp* watch a football match; **~lse** s: *i ~lse af* in the presence of, before.
overvåge v *(holde opsyn med)*

supervise; *(observere, fx om patient)* watch, observe; *(en mistænkt)* keep under surveillance; *(med måleapparatur)* monitor *(fx stråling* radiation).
ovn s *(bage~)* oven; *(varme~)* stove; *(til brænding af fx keramik)* kiln; **~fast** adj heatresisting; **~klar** adj oven-ready.
ovre adv over; *der ~* over there; *her ~* over here.

P

pacificere v pacify.
padde s amphibian; **~hat** s toadstool; *(spiselig)* mushroom; **~rokke** s *(bot)* horsetail
padle v paddle.
paf adj flappergasted.
pagaj s paddle.
pagt s pact, treaty.
paillet s sequin.
pakhus s warehouse.
pakistaner s, **pakistansk** adj Pakistani.
pakkasse s case; *(stor)* crate.
pakke s parcel, package; *(lille ~, fx cigaretter)* packet // v *(fx kuffert)* pack; *~ ind* pack up; *(i papir)* wrap up; *~ op* unpack; *(om papirspakke)* unwrap; *~ sammen* pack up; *~ ud d.s.s. ~ op;* **~nelliker** spl odds and ends; **~post** s parcel post.
pakning s *(i emballage etc)* packing; *(til vandhane)*

gasket.
palads s palace.
palet s palette; **~kniv** s slice.
palle s pallet.
palme s palm; **~søndag** s Palm Sunday.
palmin s vegetable fat.
palæ s palace; (fint hus) mansion.
Palæstina s Palestine; **palæstinenser** s, **palæstinensisk** adj Palestinian.
pamper s tycoon.
pande s (anat) forehead; (stege~) pan; rynke ~n frown; løbe ~n mod en mur run one's head against a brick wall; **~bånd** s (til sportsfolk etc) sweat-band; **~hår** s fringe; **~hulebetændelse** s sinusitis; **~kage** s pancake; **~kagedej** s batter.
panel s panelling; **~diskussion** s panel discussion.
panere v bread.
panik s panic; der gik ~ i dem they panicked; **~slagen** adj panic-stricken; **panisk** adj panic.
panser s armour; **~dør** s steel door; **pansre** v armour; pansret bil armoured car.
pant s security; (i ejendom) mortgage; (for fx flaske) deposit; (symbol, tegn) token; sætte ngt i ~ give sth as a security; sætte ~ i huset mortgage the house; **~ebrev** s mortgage deed; **~efoged** s bailiff; **~elåner** s pawnbroker.

panter s panther.
pantsætte v pawn; (om hus) mortgage.
pap s cardboard; skære ngt ud i ~ (F) spell sth out.
papegøje s parrot.
papir s (materialet) paper; (brev~, skrive~) stationery; (værdi~) security; have ~ på ngt have sth in writing; få sin afsked på gråt ~ be sacked; **~affald** s wastepaper; (i naturen) litter; **~fabrik** s paper mill; **~kniv** s paper knife; **~kurv** s wastepaper basket; **~løs** adj: ~løst samliv cohabitation; leve ~løst sammen cohabitate; (F) live together; **~nusseri** s paperpushing; **~serviet** s paper napkin; **~slommetørklæde** s paper hankie; **~spose** s paper bag.
pap... sms: **~mælk** s milk in cartons; **~tallerken** s paper plate, disposable plate; **~æske** s cardboard box.
par s (to der hører sammen) pair; (gifte, forlovede etc) couple; et ~ (dvs. nogle få) a couple of, a few; et ~ kopper a cup and saucer; et ~ gange a couple of times; hun er et ~ og fyrre she is forty-odd.
parabolantenne s parabolic reflector.
parade s parade.
paradis s paradise; hoppe ~ play hopscotch; **~æble** s crab apple.
paraffin s paraffin; **~olie** s paraffin oil.

paragraf s (i lov etc) section; (i kontrakt etc) clause; klare ~ferne sort things out.
parallel s/adj parallel (med to).
paranød s Brazil nut.
paraply s umbrella; slå ~en op (el. ned) put up (el. down) one's umbrella; slå ~en ned put down one's umbrella.
parasit s parasite.
parasol s sunshade.
parat adj ready; ~ til at gøre ngt ready to do sth; gøre sig ~ get ready; holde maden ~ have the meal ready.
parcelhus s detached house.
parentes s parenthesis, bracket; i ~ bemærket by the way; sætte ngt i ~ put sth in brackets.
parfait s (is) ice cream (with bits of fruit, chocolate etc).
parforhold s: leve i ~ live together as husband and wife.
parfume s perfume, scent; ~re v scent; ~ri s perfumery.
park s park.
parkere v park.
parkering s parking; '~ forbudt' 'No parking'; ~bøde s parking ticket; ~hus s (multi-storey) car park; ~slys s parking light; ~splads s parking space; (til flere biler) car park; ~sskive s parking disc; ~svagt s svt. traffic warden.
parket s (teat) stalls; (gulvbelægning) parquet (flooring); ~gulv s parquet floor.
parkometer s parking meter.
parlament s parliament;

~arisk adj parliamentary;
~ere v negotiate, discuss;
~smedlem s member of parliament (M.P.); ~svalg s election.
parløb s (på skøjter) pair-skating; (på cykel) partner race.
parlør s phrase book.
parodi s parody (på of); ~ere v parody.
parre v (om dyr) mate; (om ting) pair; ~ sig (om dyr) mate; **parring** s mating; **parringstid** s mating season.
part s (del) part; (andel) share; have ~ i en forretning have an interest in a business; det er bedst for alle ~er it is the best for everybody concerned.
partere v cut up; **partering** s cutting up.
parthaver s partner.
parti s (del) part; (om varer) lot; (pol) party; (kortspil) game; (ægteskab) match; tage ~ for en take sby's side; ~fælle s fellow party member; ~ledelse s party committee; ~politik s party politics; ~sk adj partial, bias(s)ed.
partner s partner.
parvis adj in couples, in pairs.
paryk s wig; (spøg om hår) mop of hair; gå med ~ wear a wig.
pas s (rejse~) passport; (bjerg~) pass; melde ~ give up; ~form s fit; ~foto s passport photo; ~kontrol s pass-

port control.

pasning s *(pleje)* care; *(i fodbold)* pass.

passage s passage.

passager s passenger; *blind* ~ stowaway; ~**fly** s airliner; ~**skib** s (passenger) liner.

passant: *en* ~ by the way.

passe v *(pleje)* nurse; *(tage sig af)* take care of, look after; *(passe i målene, fx om tøj)* fit; *(være rigtig)* be true; *(være belejlig)* suit, be convenient; *skoene* ~*r godt* the shoes fit well; ~ *sin lillesøster* look after one's little sister; ~ *sit arbejde* attend to one's work; *det* ~*r mig fint* it suits me fine; ~ *tiden* keep check on the time, (F) mind the time; ~ *en op* waylay sby; ~ *på (tage sig af)* take care of; *(være forsigtig)* take care, be careful; *pas på!* look out! take care! ~ *sammen* go well together; ~ *sammen med (i farver etc)* go well with.

passende adj suitable; *(belejlig)* convenient; *(sømmelig)* decent, proper.

passer s compasses pl; *en* ~ a pair of compasses.

passere v *(komme forbi)* pass (by); *(komme igennem)* pass through; *(komme over)* cross; *(ske)* happen.

passioneret adj keen, devoted.

passiv adj passive; ~*t medlem* sv.t. associate member.

pasta s paste.

pastel(farve) s pastel.

pastil s lozenge.

pastinak s parsnip.

pastor s: ~ *A. Jensen (i omtale)* the Reverend A. Jensen; *(i tiltale)* Mr. Jensen; ~*en* the vicar.

patent s patent; *have* ~ *på ngt* hold a patent for sth; *tage* ~ *på ngt* take out a patent for sth; ~**anmeldt** adj patent pending; ~**beskyttet** adj patented; ~**ere** v patent; ~**løsning** s panacea.

patient s patient; *ambulant* ~ out-patient.

patina s patina.

patriot s patriot; ~**isk** adj patriotic.

patron s *(til våben)* cartridge; *(til pen)* refill; ~**hylster** s cartridge case.

patrulje s patrol; ~**re** v patrol; ~**vogn** s patrol car.

patte s *(om dyr)* teat; ~*r* (V, *neds om bryster)* tits // v suck; ~ *på ngt* suck sth; ~**barn** s baby; ~**dyr** s mammal; ~**gris** s sucking pig.

pauke s timpani pl.

pause s pause; *(teat)* interval; *(i arbejde etc)* break; ~**signal** s interval sign.

pave s pope; *stolt som en* ~ proud as a peacock; ~**dømme** s papacy.

pavillon s pavilion.

peber s pepper; ~**bøsse** s pepper pot; ~**frugt** s pepper; ~**korn** s peppercorn; ~**kværn** s pepper mill; ~**mynte** s peppermint; ~**mø** s spinster;

~**nødder** *spl* (F, *om småpenge*) peanuts; ~**rod** *s* horseradish; ~**svend** *s* bachelor.

pebret *adj (krydret)* peppery; *(dyr)* expensive; *(om pris)* stiff.

pedal *s* pedal.

pedant *s* pedant; ~**isk** *adj* pedantic.

pedel *s* janitor.

pege *v* point; ~ *på ngt* point at sth; *(påpege)* point sth out; ~**finger** *s* index finger, forefinger; ~**pind** *s* pointer.

pejle *v* get the bearings of; ~**vogn** *s* detector van.

pejs *s* open fireplace; ~**esæt** *s* fire irons.

pekingeser *s* pekinese, (F) peke.

pelargonie *s* geranium.

pels *s* fur; *vove* ~**en** risk one's skin; ~**dyr** *s* furred animal; ~**dyravl** *s* fur farming; ~**foret** *adj* fur-lined; ~**handler** *s* furrier; ~**krave** *s* fur collar; ~**værk** *s* furs *pl*.

pen *s* pen.

penalhus *s* pencil case.

pendant *s* match, counterpart.

pendle *v (om fly, tog)* shuttle; *(om person)* commute; ~**dul** *s* pendulum; **pendulfart** *s* commutation; *køre i pendulfart* shuttle, commute.

penge *spl* money *(singularis)*; *han har mange* ~ he has got lots of money; *i rede* ~ in ready money, in cash; *tjene* ~ make money; *få ngt for* ~**ne** get one's money's worth; *det*

var alle ~**ne værd** it was priceless.

penge. . . *sms:* ~**afpresning** *s* blackmail; ~**automat** *s (ved bank etc)* cash machine; ~**institut** *s* financial institution; ~**kasse** *s* money box; ~**nød** *s: være i* ~**nød** be hard up; ~**pung** *s* purse; ~**sager** *spl* money matters, finances; ~**seddel** *s* bank note; ~**skab** *s* safe; ~**stykke** *s* coin; ~**stærk** *adj* financially strong.

penneven *s* pen pal.

pensel *s* (paint) brush.

pension *s* pension; *(kost)* board; *(pensionat)* boarding house, pension; *gå af med* ~ retire with a pension; ~**at** *s* boarding house, pension; ~**eret** *adj* retired; ~**ist** *s* (old-age) pensioner (O.A.P.); ~**salder** *s* retirement age; ~**sberettiget** *adj* entitled to a pension; ~**sbidrag** *s* contribution to a pension fund; ~**skasse** *s* pension fund; ~**sordning** *s* pension scheme; ~**ær** *s* boarder.

pensle *v* paint; ~ *en i halsen* paint sby's throat.

per *præp (fork. pr.)* per; *(i adresse)* near; *der er tre* ~ *person* there are three per head; *overskud* ~ *31. december* balance as of December 31st.

perfekt *adj* perfect; ~**ionist** *s* perfectionist.

pergament *s* parchment; ~**pa-**

pir s *(til madpakke)* grease-proof paper.
periode s period; **periodisk** *adj* periodic.
periskop s periscope.
perle s *(ægte)* pearl; *(af glas, træ etc)* bead; *(dråbe)* drop; **~kæde** s string of pearls *(el.* beads); **~løg** s pearl leek; **~mor** s mother-of-pearl; **~musling** s pearl oyster; **~strikning** s moss stitch.
permanent s perm // *adj* permanent; **~e** v perm.
perpleks *adj* bewildered.
perron s platform; **~billet** s platform ticket.
persianer s Persian lamb.
persienne s (Venetian) blind.
persille s parsley; **~kværn** s parsley mincer; **~rod** s parsley root.
persisk *adj* Persian.
person s person; *(i bog, skuespil, film etc)* character; *en 4-~ers bil* a four-seater; *møde i egen ~* appear personally; *præsidenten i egen høje ~* the president in person.
personale s staff; **~chef** s personnel manager.
personlig *adj* personal // *adv* personally; *kende en ~t* know sby personally; *~ samtale (tlf)* personal call; **~hed** s personality; *(væsen, natur)* character; *være en ~hed* be a character.
person. . . *sms:* **~nummer** s civil registration number; **~tog** s passenger train;

~vogn s car; **~vægt** s scales.
perspektiv s perspective; **~plan** s blueprint.
pertentlig *adj* meticulous; *(neds)* pernickety.
pervers *adj* perverted; *~ person* pervert; **~itet** s perversion.
pessar s diaphragm.
pessimist s pessimist; **~isk** *adj* pessimistic.
pest s plague; *hade ngt som ~en* hate sth like poison; **~ilens** s pestilence.
petroleum s paraffin, kerosene; **~sapparat** s paraffin (cooking) stove; **~slampe** s kerosene lamp; **~sovn** s paraffin heater.
pianist s pianist, piano player.
pibe s pipe; *ryge ~* smoke a pipe; *stoppe sin ~* fill one's pipe // v *(fløjte)* pipe, whistle; *(om hund etc)* whine; *(klynke)* whimper; **~hoved** s pipe bowl; **~kradser** s pipe-bowl scraper.
piben s piping; whistling; whining; whimper(ing).
pibe. . . *sms:* **~renser** s pipe cleaner; **~ryger** s pipe smoker; **~tobak** s smoking tobacco.
piedestal s pedestal.
pift s whistle; **~e** v whistle; **~e** *en cykel* let down the tyre(s) of a bike.
pig s *(på pindsvin etc)* spine; *(på plante, busk etc)* prickle; *(af metal)* spike; **~dæk** s studded tyre.

pige s girl; *(tjeneste~)* maid; **~navn** s *(dvs. før ægteskab)* maiden name; *(ung piges)* school; **~spejder** s girl guide; **~værelse** s maid's room.

pighvar s *(om fisk)* turbot.

pigtråd s barbed wire.

pik s (V) prick, cock.

pikant adj piquant; *(dristig, fx historie)* racy.

pil s *(bot)* willow; *(til bue og på skilt etc)* arrow; *(kaste~)* dart; **~e** v: **~e af sted** dash along; **~espids** s arrowhead; **~etræ** s willow (tree).

pilgrim s pilgrim; **~srejse** s pilgrimage.

pilk s jig; **~e** v: **~e torsk** fish cod.

pille s *(tablet)* pill; *(søjle)* pillar; *(bro~)* pier // v pick; *(skrælle etc)* peel; **~ næse** pick one's nose; *ikke ~!* don't touch! **~ en ned** cut sby down to size; **~ ved ngt** fiddle with sth, toy with sth; **~arbejde** s niggling work; **~kartofler** s potatoes to be cooked in their jackets; **~sikret** adj fiddle-proof.

pilot s pilot; **~ering** s piling; **~projekt** s pilot scheme.

pilsner s lager.

pimpe v booze.

pimpsten s pumice (stone).

pincet s: *en ~* a pair of tweezers.

pind s stick; *(strikke~)* needle; *(række masker i strikning)* row; *stiv som en ~* stiff as a rod; *jeg forstår ikke en ~ af*

det hele I don't understand a word of it; **~e** v: **~e ngt ud for en** spell sth out for sby; **~ebrænde** s firewood; **~emad** s canapé; **~svin** s hedgehog.

pine s pain; *(stærk ~)* agony; *det var en ~ at høre på* it was agony to listen to; *død og ~!* good God! // v *(smerte)* pain; *(tortere, volde stærke smerter)* torture, torment; *det ~r ham at hun vandt* it annoys him that she won.

ping s *(om person)* bigwig, mandarin.

pingvin s penguin.

pinlig adj *(ubehagelig)* painful, awkward; *(flov)* embarrassing; *(omhyggelig)* meticulous; *det var vel nok ~t!* how embarrassing! *føle sig ~t berørt* feel embarrassed; **~t ædru** stone cold sober; **~ orden** meticulous order.

pinse s Whitsun; **~dag** s: *første ~dag* Whit Sunday; *anden ~dag* Whit Monday; **~lilje** s (white) narcissus.

pioner s pioneer.

pip s *(fugle~)* chirp; *det tog ~pet fra os* it discouraged us; *få ~* go nuts; *det er det rene ~* it is completely crazy; **~pe** v *(om fugl)* chirp.

pirat s pirate; **~sender** s pirate radio.

pirre v tickle; *(ophidse)* excite; **~lig** adj irritable; **pirring** s stimulation, excitation.

pis s (V) piss; *det er ngt værre*

p pisk

646

~*!* it's a load of crap!
pisk *s* whip; *(en omgang ~)*
whipping; **~e** *v* whip; *(om
æg)* whisk; *(om fløde)* whip;
regnen ~ede ned the rain
was pelting down; *være ~et
til at gøre ngt* be forced to do
sth; **~efløde** *s* double cream;
~eris *s* whisk.
pisse *v* (V) piss; **~fuld** *adj*
pissed; **~åndssvag** *adj*
bloody stupid.
pissoir *s* urinal.
pistol *s* pistol; **~hylster** *s* hol-
ster.
pive *v (jamre)* whimper; *(be-
klage sig)* whine; **~t** *adj* soft,
wet.
pjalt *s* rag; *slå sine ~er'sam-
men (dvs. gifte sig)* get spli-
ced; *(slå sig sammen)* combi-
ne forces.
pjank *s* nonsense; *(flirten)*
hankypanky; **~e** *v* fool
around; **~et** *adj* silly.
pjask *s (plask)* splash; *(tyndt te
etc)* slush; **~e** *v* splash; **~våd**
adj dripping wet.
pjat *s d.s.s. pjank;* **~te** *v d.s.s.
pjanke;* **~tet** *adj:* *han er helt
~tet med Mozart* (F) he is
crazy about Mozart.
pjece *s* pamphlet, leaflet.
pjok *s* sissy.
pjusket *adj (om hår etc)* tou-
sled; *(om udseende)* ruffled.
pjække *v:* ~ *fra skole* play
truant; ~ *fra arbejde* shirk
one's work; **~ri** *s* truancy; *(fra
arbejde)* absenteeism.
placere *v* place; **placering** *s*

placing, placement; *(belig-
genhed)* situation.
pladder *s (pløre)* slush; *(vrøvl)*
nonsense; **~sentimental** *adj*
soppy, slushy; **~våd** *adj* sop-
ping wet.
plade *s* plate; *(tynd ~, metal~)*
sheet; *(rund ~)* disc; *(LP etc)*
record; *(bord~)* top; *(lille
løgn)* fib; *en ~ chokolade* a
bar of chocolate; *lægge en ~
på* put on a record; *stikke en
en ~* tell sby a fib; **~spiller** *s*
record player; **~tallerken** *s·*
turntable.
pladre *v (plaske)* splash;
(snakke) prattle.
plads *s (sted)* place; *(torv)*
square; *(sidde~)* seat; *(~ til
ngt)* job, posi-
tion; *er der ~ til en til? is*
there room for one more?
bestille ~ (fx i teat) book a
seat; *(på hotel)* book a room;
gøre ~ for en make room for
sby; *der er god ~* there is
plenty of room; *lægge ngt på
~* put sth in its place; *sætte en
på ~* put sby in his right
place; *tage ~* take a seat, sit
down; **~besparende** *adj* spa-
ce-saving; **~billet** *s* seat reser-
vation; **~hensyn** *s: af ~hen-
syn* to save space; **~mangel** *s*
lack of space.
plage *s (gene)* nuisance; *(pine)*
torment // *v (genere)* plague;
(irritere) irritate; *(om børn
der tigger)* pester; *(pine)* tor-
ture; *~ livet af en* worry sby
to death; *(med plagerier)* pes-

ter sby to death; **~ri** v *(tigge-ri)* pestering; **~ånd** s pest.

plagiat s plagiarism; **plagiere** v imitate.

plakat s *(opslag med oplysninger etc)* notice; *(med billeder)* poster; **sætte et stykke på ~en** *(teat)* bill a play; **~søjle** s advertising column.

plan s plan; *(kort over ngt)* map; *(niveau)* level; **lægge ~er** make plans; **have ~ om at gøre ngt** plan to do sth; **på højeste ~** at top level // adj *(jævn)* even; *(vandret)* level; *(flad)* flat; **~ere** v level.

planet s planet.

planke s plank; **~værk** s hoarding, fence.

planlægning s planning.

planmæssig adj *(efter køreplanen etc)* scheduled.

plantage s plantation.

plante s plant // v plant; **~fiber** s vegetable fibre; **~margarine** s vegetable margarine; **~skole** s nursery; **~vækst** s vegetation; **plantning** s planting.

plapre v: **~ op** prattle away; **~ ud med ngt** let sth out.

plask s splash; **~e** v splash; **~våd** adj dripping wet.

plaster s (sticking-)plaster; **som et ~ på såret** by way of consolation.

plastic s plastic; **~maling** s emulsion paint.

plastikkirurgi s plastic surgery.

plastpose s plastic bag.

plat s: **slå ~ og krone** toss a

coin; **~ el. krone?** heads or tails?

platfodet adj flat-footed.

platin s platinum; **~blond** adj platinum blonde.

pleje s care; *(af syge el. børn også:)* nursing; **have et barn i ~** foster a child // v *(passe)* take care of, nurse; **vi ~r at gøre det** we usually do it; **~ sin hud** take care of one's skin; **vi ~r ikke at glemme** we don't usually forget; **gør som du ~r** do as you are used to; **~barn** s foster child; **~forældre** spl foster parents; **~hjem** s *(for børn)* foster home; *(for ældre)* nursing home.

plet s *(mindre ~, sted)* spot; *(større ~, fx blod~)* stain; *(sølv~)* silver plate; **møde på ~ten** be there one the spot; **sætte ~ter på ngt** stain sth; **ikke røre sig ud af ~ten** not budge; **ramme ~** hit the bull's eye; **~fri** adj spotless; **~rensning** s spot-cleaning; **~skud** s bull's-eye; **~te** v spot, stain; **~tet** adj spotted; *(spættet)* speckled; *(snavset)* stained; **~vis** adj in places.

pligt s duty; **gøre sin ~** do one's duty; **~ig** adj: **~ig til** under an obligation to; **~opfyldende** adj conscientious; **~skyldigst** adj dutifully.

plisseret adj pleated.

plombe s *(segl)* lead seal; *(i tand)* filling; **~re** v *(forsegle)* seal; *(om tand)* fill.

plov *s* plough; **~fure** *s* furrow.

pludre *v (snakke)* chat; *(om barn)* babble.

pludselig *adj* sudden // *adv* suddenly; *standse* **~t** *(også:)* stop short.

plukke *v (blomster etc)* pick, gather; *(høns etc)* pluck; *(ud-plyndre)* fleece; *have en høne at ~ med en* have a bone to pick with sby.

plump *s/interj* splash; **~e** *v* plump; **~e** *i vandet* go splash into the water; **~e** *i (dvs. dumme sig)* make a gaffe; **~e** *ud med det hele* spill the beans.

plus *s* plus; *(fordel)* advantage // *adv: to ~ to er fire* two plus two makes four; *~ tre grader* three degrees above zero.

plyndre *v* loot; *(om by også)* plunder; *(ved overfald på person)* rob; *(flå for penge)* fleece; **plyndring** *s* looting; fleecing.

plys *s* plush; **~klippet** *adj* crew-cut; **~se** *v* crew-cut.

plæne *s* lawn; *slå ~* mow the lawn; **~klipper** *s* lawn-mower.

pløje *v* plough; **~mark** *s* ploughed field.

pløk *s* peg; **~ke** *v: ~ke en ned* (F) plug sby.

pløre *s* mud; **~t** *adj* muddy; (F, *fuld)* stoned.

pochere *v (gastr)* poach.

poesi *s* poetry; **~bog** *s sv.t.* autograph book; **poetisk** *adj*

poetic.

point *s* point; *vinde på ~s* win on points.

pointe *s (i historie)* point; *(i vittighed)* punchline; **~re** *v* emphasize.

pokal *s* cup; **~finale** *s (sport)* cup final; **~kamp** *s* cup-tie.

pokker *s* the devil; *hvad ~ mener du?* what the hell do you mean? *det var som ~!* well, I'll be damned! *bo ~ i vold* live miles from anywhere; *give ~ i ngt* not give a damn about sth; **~s** *adj* damned, blasted; **~s!** damn! *en ~s karl* one hell of a man.

pol *s* pole.

polak *s* Pole.

polar... *sms:* **~cirkel** *s* polar circle; *den nordlige (el. sydlige)* **~cirkel** the Arctic (el. Antarctic) Circle; **~forsker** *s* polar explorer; **~klima** *s* arctic climate; **P~stjernen** *s* the Pole Star.

Polen *s* Poland.

polere *v* polish; **polering** *s* polish(ing).

polet *s* token.

police *s* policy.

poliklinik *s* out-patients' department.

polio *s* polio.

politi *s* police; *tilkalde* **~et** call the police; **~afspærring** *s* police cordon; **~assistent** *s sv.t.* police inspector; **~beskyttelse** *s* police protection; **~betjent** *s* policeman, constable; *(kvindelig)* policewoman;

649

~**bil** s police car; ~**fuldmægtig** s sv.t. assistant chief constable; ~**inspektør** s chief superintendent.

politik s politics; (speciel ~) policy; ~**er** s politician.

politi... sms: ~**mester** s sv.t. chief constable; ~**skilt** s policeman's badge; ~**station** s police station; ~**stav** s truncheon.

pollen s pollen; ~**tal** s pollen count.

polsk adj Polish; leve på ~ cohabit.

polstret adj (om møbel) upholstered; hun er godt ~ (iron) she's well-padded; **polstring** s upholstery.

polterabend s bachelor's night.

polyp s polyp; have ~per (i næsen) have adenoids.

pomade s pomade, grease.

pommes frites spl potato chips.

pompøs adj grandiose.

pony s pony.

popgruppe s pop group.

poplin s poplin.

popmusik s pop music.

poppel s poplar.

popsanger s pop singer.

populær adj popular (hos with).

porcelæn s porcelain; (ting af ~) china; kongeligt ~ Royal Copenhagen; ~**sfabrik** s porcelain factory.

pore s pore.

porno... sms: ~**blad** s porno magazine; ~**film** s porno

film; ~**grafi** s pornography; ~**grafisk** adj pornographic.

porre s leek.

port s gate; smide en på ~en send sby packing.

porter s (øl) stout.

portier s hall porter.

portion s (om mad) helping; (part) part; (mængde) lot; i små ~er little by little.

portner s caretaker.

porto s postage; ~**fri** adj free of charge.

portræt s portrait; ~**tere** v portray.

Portugal s Portugal; **portugiser** s, **portugisisk** adj Portuguese.

portvin s port.

portør s (på sygehus) hospital porter; (jernb) railwayman.

pose s bag // v (om bluse etc) puff out; (om bukser) bag.

posere v pose.

position s position; skabe sig en ~ establish a position for oneself; parkere i anden ~ double-park; ~**slys** s parking lights pl.

positiv adj (velvillig) sympathetic; (bekræftende) positive; være ~t indstillet over for ngt) have a positive attitude towards sth.

post s (vandpumpe) pump; (vandhane) tap; (~væsen, forsendelser) post, mail; (stilling) post; (i regnskab) entry; (på liste) item; sende ngt med ~en post sth, send sth by mail; er der ~ til os? is there any mail for us? blive på sin

~ remain at one's post; *være
på sin* ~ be on one's guard
(overfor against); **~anvisning**
s postal order; **~bil** *s* mail
van; **~boks** *s* post-office box
(P.O. box); **~bud** *s* postman;
~distrikt *s* postal district.
poste *v (om vand etc)* pump;
(sende) post.
postej *s* pâté; *(portions~)* pat-
ty.
postevand *s* tap water.
post. . . *sms:* **~hus** *s* post offi-
ce; **~kasse** *s (offentlig)* post-
box; *(privat)* letter box; **~kort**
s postcard; **~mester** *s* post-
master; *(kvindelig)* postmis-
tress; **~nummer** *s* postal
code; **~ombæring** *s* mail deli-
very; **~ordre** *s* mail order;
~pakke *s* parcel; *sende ngt
som ~pakke* send sby by par-
cel post; **~stempel** *s* post-
mark; **~takst** *s* postal rate;
~væsen *s* mail services *pl.*
postyr *s (opstandelse)* fuss;
(uro) commotion.
pote *s* paw; *give* ~ *(om hund)*
shake hands; *(fig, lønne sig)*
pay off.
potens *s (mat)* power; *(seksu-
el)* potency; *to i anden* ~ the
square of two; *ni i tredje* ~
the cube of nine; *opløfte et
tal til anden (el. tredje)* ~
square *(el.* cube) a figure; *i
højeste* ~ *(fig)* to the highest
degree.
potte *s* pot; *(til børn)* pottie; *så
er den* ~ *ude* that takes care
of that; **~mager** *s* potter.

~mageri *s* pottery; **~plante** *s*
potted plant.
poulard *s sv.t.* broiler.
p-pille *s:* ~*n* the pill; *hun tager
~r* she is on the pill.
pr. *d.s.s.* for.
pragt *s* splendour; **~eksem-
plar** *s* beauty; **~fuld** *adj*
splendid, magnificent.
praj *s* hail; *giv mig lige et* ~
give me a hint; **~e** *v* hail.
prakke *v:* ~ *en ngt på* palm
sth off on sby.
praksis *s* practice; *føre ngt ud i
~* put sth into practice.
praktik *s* practice; *(under ud-
dannelse)* trainee service; *(i
skolen)* work experience;
~ant *s* trainee; **~plads** *s* trai-
nee job.
praktisere *v* practise; *~nde
læge* general practitioner
(G.P.).
praktisk *adj* practical // *adv*
practically; ~ *talt* so to speak.
prale *v* boast; *(skryde)* brag; ~
med sin bil show off one's
car; **~ri** *s* boasting, bragging;
pralhans *s* show-off.
pram *s* barge.
prelle *v:* ~ *af på* glance off on;
dine ord ~r af på ham your
words are lost on him.
premiere *s* first night, opening
night.
premierminister *s* prime mini-
ster.
pres *s* pressure; *(fig)* strain;
lægge ~ *på en* put a pressure
on sby; *lægge ngt i* ~ press
sth.

presenning s tarpaulin.
presning s pressing.
presse s (presseanordning) press; (aviser, blade etc) news media; (pressefolk) newsmen // v press; (om frugt etc) squeeze; ~ en til at gøre ngt press sby to do sth; ~ penge af en blackmail sby; få sit tøj ~t have one's clothes pressed; ~**bureau** s news agency; ~**fold** s crease; ~**folk** spl newsmen; ~**fotograf** s press photographer; ~**konference** s press conference.
presserende adj urgent.
pression s pressure; ~**sgruppe** s pressure group.
prestige s prestige.
prik s dot; (plet) spot; (stik) prick; ligne ngt på en ~ be completely like sth; til punkt of ~ke to the letter; ~ken over i'et (fig) the finishing touch; ~**ke** v prick; ~**ke hul i** ngt puncture sth; ~**ke til en** get at sby.
primitiv adj primitive.
primus s ® primus stove.
primær adj primary.
princip s principle; af ~ on principle; i ~pet in principle; ~**iel** adj: af ~ielle grunde on grounds of principle; vi er enige i det ~ielle we agree in principle.
prins s prince; ~**esse** s princess; ~**gemal** s prince consort.
prioritere v (give forret) give priority to; (om ejendom)

mortgage; ~ ngt højt give sth a high priority; ~t til op over skorstenen mortgaged to the rooftop; **prioritet** s (forret) priority; (i ejendom) mortgage.
pris s price; (billet ~, i bus etc) fare; (betaling som kræves, også:) charge; (præmie) prize; tage for høje ~er charge too much; opgive ~en på ngt quote the price for sth; for enhver ~ at all costs; sætte ~ på ngt set great store by sth; ~**belønnet** adj prize-winning; ~**belønning** s award; ~**bevidst** adj price-conscious; ~**billig** adj inexpensive.
prise v praise; ~ sig lykkelig count oneself lucky.
pris. . . sms: ~**fald** s fall in price(s); ~**forskel** s difference in price(s); ~**givet** adj: være ~givet en be at the mercy of sby; ~**idé** s suggested price; ~**klasse** s price range; ~**nedsættelse** s price reduction; (udsalg) sale; ~**niveau** s price level; ~**skilt** s price label, tag; (i vindue etc) show card; ~**stigning** s price increase; ~**stop** s price freeze; ~**tal** s price index; ~**talsreguleret** adj index-linked; ~**uddeling** s prize-giving.
privat adj private // adv privately, in private; ~**bane** s private railway; ~**chauffør** s chauffeur; ~**detektiv** s private detective; ~**isere** v privatize; ~**klinik** s private clinic;

~**sag** s private matter; ~**se-kretær** s private secretary; ~**skole** s private school.
privilegeret adj privileged; **privilegium** s privilege.
problem s problem; ~**atisk** adj problematic; ~**fri** adj problem-free.
procedure s procedure.
procent s per cent (p.c.); (~del) percentage; betale 10 ~s rente pay a 10 per cent interest; få ~er get a discount; ~**del** s percentage; ~**vis** adj/adv percentage.
proces s process; (retssag) case; gøre kort ~ med en make short work of sby.
procession s procession.
producent s producer, manufacturer; **producere** v produce, manufacture.
produkt s product; ~**ion** s production, manufacture; ~**ions-smiddel** s means of production; ~**ionssted** s place of manufacture (el. production); ~**iv** adj productive.
profession s profession; (om håndværk) trade; han er gartner af ~ he is a gardener by trade; ~**el** adj professional.
professor s professor; hun er ~ i fysik ved universitetet she is a professor of physics at the university; ~**at** s chair (i in).
profet s prophet; ~**ere** v prophesy; ~**i** s prophecy.
profil s profile; (fig) image; holde en lav ~ keep a low profile.

program s programme; **stå på** ~**met** be on the programme; ~**erklæring** s manifesto; ~**mel** s (edb) software; ~**mere** v programme; ~**mør** s programmer; ~**oversigt** s today's (el. tonight's) programme.
projekt s project; (plan også:) plan; ~**ere** v project; plan.
projektør s (til belysning af bygning etc) floodlight; (teat) spot(light); (på politibil etc) searchlight; ~**lys** s floodlight; spotlight.
proklamere v proclaim.
prokura s: have ~ for et firma sign for a firm.
prokurist s sv.t. confidential clerk.
proletar s proletarian; ~**iat** s proletariat.
prolog s prologue.
promenade s promenade; ~**vogn** s pushchair; **promenere** v stroll.
promille s per thousand; (spiritus~) alcohol level.
pronomen s (gram) pronoun.
prop s (til flaske) cork; (af glas, gummi etc) stopper; (til badekar) plug; (sikring) fuse; få en ~ have a fit.
propaganda s propaganda; **propagandere** v propagate (for for).
propel s propeller.
pro persona per head.
proportion s proportion; ~**al** adj: omvendt ~al med in

inverse proportion to; **~sfor-vrængning** s: *det er ~sfor-vrængning* it is out of all proportion.

proppe v *(stoppe fuld)* cram; *~ sig med mad* stuff oneself with food; *~ flasker til* cork bottles.

proptrækker s corkscrew.

prosa s prose; **~isk** adj prosaic.

prosit interj bless you.

prostitueret s/adj prostitute; **prostitution** s prostitution.

protein s protein.

protese s *(arm, ben etc)* artificial limb; *(tand~)* denture.

protest s protest; *nedlægge ~ mod ngt* make a protest against sth; **~ant** s Protestant; **~antisk** adj Protestant; **~ere** v protest *(mod* against, *a-bout)*; **~møde** s protest meeting; **~skrivelse** s letter of protest.

protokol s *(navneliste, skole~)* register; *(regnskabs~)* ledger; *(møde~)* minutes pl.

proviant s provisions pl; **~ere** v provision.

provins s province; *ude i en ~en* out in the provinces; **~by** s provincial town.

provision s commission.

provisorisk adj temporary.

provokation s provocation; **provokere** v provoke; **provokerende** adj provoking.

provst s dean.

pruste v snort.

prut s fart; **~te** v *(om prisen)* haggle; *(fjerte)* fart.

pryd s ornament; **~busk** s ornamental bush; **~e** v *(pynte)* decorate; *(være en ~ for)* adorn.

prygl s hiding, beating; **~e** v beat, thrash; **~estraf** s corporal punishment.

præcis adj exact, precise; *(punktlig)* punctual // adv exactly, precisely; punctually; *kom klokken to ~* come at two o'clock sharp; *klokken er ~ halv* it is exactly half past; *være ~* be punctual; **~ere** v define; *(specificere)* specify; **~ion** s precision; *(punktlighed)* puncuality.

prædike v preach; **~n** s sermon; *(neds)* lecture; **~stol** s pulpit.

præfabrikeret adj prefab(ricated).

præg s stamp; *(udseende)* look; *sætte sit ~ på ngt* leave one's stamp on sth, mark sth; *bære ~ af* have a look of; *(være mærket)* be marked by; **~e** v *(om mønt)* strike; *(sætte ~ på)* mark, stamp; *(påvirke)* influence; *(karakterisere)* characterize.

prægtig adj fine.

præke v preach.

præmie s *(belønning)* reward; *(gevinst)* prize; *(forsikrings~ etc)* premium; *vinde første ~* win the first prize; **~konkurrence** s prize contest; **~obligation** s premium bond; **~re** v give an award to; **~uddeling** s prize giving.

præparat s preparation; **præparere** v *(behandle)* prepare; *(påvirke)* work on.

præposition s preposition.

prærie s prairie; **~ulv** s coyote; **~vogn** s prairie wagon.

præsens s *(gram)* the present (tense).

præsentere v present; *(~ personer for hinanden)* introduce; *må jeg ~ min kone for Dem?* (H) allow me to introduce my wife, (F) this is my wife; *~ sig* introduce oneself; *~ en for ngt* introduce sby to sth; *~ gevær* present arms.

præservativ s *(kondom)* contraceptive sheath, (F) rubber.

præservere v preserve; **præserveringsmiddel** s preservative.

præsident s president; **~kandidat** s presidential candidate; **~valg** s presidential election.

præsidere v *(ved møde)* preside *(ved* over).

præst s clergyman; *(sogne~)* vicar, rector; *(i frikirke)* minister; *(katolsk)* priest; *gå til ~* be prepared for confirmation.

præstation s achievement, performance.

præste... sms: **~bolig,** **~gård** s vicarage, rectory; *(katolsk)* presbytery; **~kald** s living; **~kjole** s gown; **~krave** s clergyman's ruff; *(bot)* oxeye.

præstere v *(udføre)* perform; *(opnå)* achieve.

præstinde s priestess.

prævention s contraception; **præventiv** adj *(mod sygdom)* prophylactic; *præventivt middel (mod svangerskab)* contraceptive.

prøve... s test, trial; *(på koncert etc)* rehearsal // v *(forsøge)* try; *(undersøge)* test; *have ngt på ~* have sth on trial; *~ en kjole* try on a dress; *~ sig frem* feel one's way; *du kan bare ~ på det!* you just try!

prøve... sms: **~ballon** s: *opsende en ~ballon* put out a feeler; **~billede** s *(tv)* test-card; **~boring** s test drilling; **~flyvning** s test flight; **~klud** s guineapig; **~køre** v try out; *(om bil)* test-drive; **~lse** s *(lidelse)* trial; **~løsladelse** s conditional release; **~rum** s *(i fx tøjbutik)* fitting booth; **~sprængning** s *(af atomvåben)* nuclear test; **~tid** s trial period.

pseudonym s pseudonym.

p-skive s *(fork.f. parkeringsskive)* parking disc.

psyke s *(sind)* mentality; *(ånd)* mind; **psykiater** s psychiatrist; **psykiatri** s psychiatry; **psykisk** adj mental, psychological // adv mentally; *psykisk handicappet* mentally disabled.

psyko... sms: **~analyse** s psychoanalysis; **~analytiker** s psychoanalyst; **~log** s psychologist; **~logisk** adj psychological; **~pat** s psycho-

655 puppe **p**

path; ~**tisk** adj psychotic.
p.t. (for tiden) at present.
pubertet s puberty; ~**salder** s
age of puberty.
publicere v publish; **publika-
tion** s publication.
publikum s (tilskuere, tilhøre-
re) audience; (offentlighe-
den) the public; ~**stække** s:
have ~stække be popular,
draw crowds.
puddel(hund) s poodle.
pudder s powder; ~**dåse** s
powder box; (til at have i
tasken) powder compact;
~**kvast** s powder puff; ~**suk-
ker** s brown sugar; ~**under-
lag** s foundation.
pude s (sofa~ etc) cushion;
(hoved~) pillow; ~**betræk** s
cushion cover; (til hoved~)
pillowcase.
pudre v: ~ (sig) powder.
puds s (på mur) plaster; spille
en et ~ play a trick on sby;
~**e** v (polere) polish; (rense)
clean; (væg, mur) plaster; ~**e**
næse blow one's nose; ~**e**
sølvtøj polish the silver; ~**e**
hunden på en set the dog on
sby; ~**ecreme** s polish;
~**eklud** s polishing cloth.
pudsig adj funny.
puf s push; ~**fe** v push; ~**fe til**
en push sby; ~**ærme** s puff
sleeve.
pukkel s hump; (overskud)
surplus; få på puklen catch it;
slide sig en ~ til work like a
slave; ~**rygget** adj hunch-
backed; **pukle** v slave.

pulje s pool.
puls s pulse; føle en på ~en
(fig) sound sby out; ~**e** v
(ryge) puff; ~**ere** v throb;
~**åre** s artery.
pult s desk.
pulterkammer s box room;
(loft) attic.
pulver s powder; ~**fløde** s
powdered cream; ~**isere** v
pulverize; (smadre) smash
up; ~**kaffe** s instant coffee;
~**slukker** s dry-powder extin-
guisher.
pumpe s pump // v pump; (~
op, om fx dæk) inflate, pump
up.
pund s pound; tre ~ kartofler
three pounds of potatoes.
pung s (til penge) purse; (til
tobak etc) pouch; (testikel~)
scrotum; ~**e** v: ~**e ud** (F)
fork out, pay up.
punkt s point; (prik) dot; (hen-
seende) respect; nå et dødt ~
reach a deadlock; det sprin-
gende ~ the crux of the mat-
ter; du har ret på det ~ you
are right on that point; på
nogle ~er går det godt in
some respects things are al-
right; til ~ og prikke to the
letter.
punktere v puncture; (med et
brag) burst; hans bil er ~t he
has a puncture; **punktering** s
puncture.
punktstrejke s pinpoint strike.
punktum s full stop, period.
pupil s pupil.
puppe s pupa (pl: pupae).

puré s puree; **purere** v cream.
purløg s chive.
pus s *(om materie)* pus; *(om barn)* darling.
pusle v *(rumstere)* move about; *(passe, pleje)* nurse; *(om baby)* change; **~bord** s baby's changing table; **~spil** s jigsaw (puzzle); *lægge ~spil* do a jigsaw.
pust s *(af vind)* breath of air; *(ånde~)* breath; *(pause)* breather; *miste ~en* get out of breath; **~e** v blow; *(hvile)* breathe; *~e og stønne* pant; *~e en ballon op* inflate a balloon; *~e sig op* puff oneself up; *~e på ngt* blow on sth; *~e til ilden (fig)* add fuel to the flames; *~e et lys ud* blow out a candle; **~rum** s breathing space; **~erør** s peashooter.
putte v *(anbringe)* put; *(et barn)* tuck in; *~ sig (under dynen etc)* snuggle down (in bed); *~ ngt i lommen* put sth into one's pocket, pocket sth.
pyjamas s pyjamas *pl; hvor er min ~?* where are my pyjamas?
pylre v: *~ om en* fuss over sby; **~t** *adj* soft.
pynt s *(næs)* point; *(ngt fint)* finery; *(dekoration)* ornament, decoration; *(besætning, fx på kjole)* trimming; *klare ~en (fig)* weather the storm; **~e** v *(udsmykke)* decorate; *(være pæn)* look nice; *~e juletræ* decorate the Christ-

mas tree; *~e sig* smarten oneself up; *~e på resultaterne* doctor the results.
pyramide s pyramid.
pyroman s pyromaniac.
pyt s *(regn~)* puddle // *interj:* *~ med det* never mind.
pæl s stake; *(stor stolpe)* post; *(tlf etc)* pole; *stå på gloende ~e* be on end.
pæn *adj* nice; *det var ~t af dig* it was nice of you; *have ~t tøj på* be nicely dressed; *klare sig ~t* do quite well.
pære s *(bot)* pear; *(elek)* bulb; *(F, hjerne)* brains *pl; han har ~n i orden* (F) he has got brains.
pære.. . *sms:* **~dansk** *adj* typically Danish; **~let** *adj* dead easy; **~træ** s pear tree; **~væl- ling** s *(fig)* hotchpotch.
pøl s puddle; *(svømme~)* pool.
pølse s sausage; *bajersk ~* frankfurter; *~r og kartoffel- mos* (F) bangers and mash; **~mad** s sandwich with sausage; **~vogn** s sausage stand.
pønse v: *~ på ngt* plan sth; *(ngt ondt)* be up to sth.
på *adv/præp* on; *(i, i løbet af, om sprog, om måde, om gader, bydele)* in; *(om sted el. punkt, om sted hvor ngt sker, om adresse, virksomhed, bygning)* at; *(beskrivelse, tilhørsforhold)* of; *(se også de enkelte ord som ~ forbindes med;) ~ mandag* on Monday; *sidde ~ gulvet* sit on the floor; *han er ~ sit værelse* he

is in his room; *vi gjorde det ~ to timer* we did it in two hours; *sig det ~ engelsk* say it in English; *vi bor ~ Nygade* we live in Nygade; *han bor ~ Fyn* he lives in Funen; *~ balletskolen* in the school of ballet; *~ hjørnet* at the corner; *~ det tidspunkt* at that time; *han er ~ posthuset* he is at the post office; *en pige ~ otte år* a girl of eight; *en lejlighed ~ fire værelser* a flat of four rooms; *taget ~ bilen* the top of the car; *(andre sammenhænge:) se ~ en (el. ngt)* look at sby *(el. sth)*; *tabe ngt ~ gulvet* drop sth on the floor; *tage ~ landet* go into the country; *gå ~ besøg* go visiting; *være vred ~ en* be angry with sby; *lægge låget ~* put the lid on; *tage sweater ~* put on a jersey.

påbegynde *v* begin.

påberåbe *v:* ~ *sig* refer to; *(hævde retten til)* claim.

påbud *s* order.

pådrage *v:* ~ *sig* incur; *(en sygdom)* catch.

påfaldende *adj* striking.

påfugl *s* peacock.

påfund *s (idé)* idea; *(lune)* whim; *(ngt opdigtet)* fabrication.

påfylde *v:* ~ *benzin* fill up with petrol.

pågribe *v* catch; *(anholde)* arrest.

pågældende *adj: den ~ (person)* the person in question

(el. concerned).

pågående *adj* aggressive.

påhæng *s (om familie etc)* appendages *pl;* ~**smotor** *s* outboard motor; ~**svogn** *s* trailer.

påhør *s: i ens ~* in front of *(el.* before) sby.

påklædning *s (det at klæde sig på)* dressing; *(dragt)* dress, clothes *pl; tvangfri ~* informal dress; *festlig ~* evening dress; ~**sdukke** *s* paper doll, cutout.

påkrævet *adj* required; *(nødvendig)* necessary.

påkøre *v* run into; **påkørsel** *s* collision.

pålandsvind *s* onshore wind.

pålidelig *adj* reliable; *fra ~ kilde* from a reliable source.

pålydende *s* denomination; *tage ngt for ~* take sth at its face value.

pålæg *s (på brød)* (slices of) sausage, vegetables, ham etc for open sandwiches; *(smøre~)* spread; *(befaling)* order *(om* to); *(løn~)* rise; ~**ge** *v (befale)* order *(at* to); *(lægge på)* put on; ~**schokolade** *s* thin chocolate wafers for open sandwiches; ~**sforretning** *s* delicatessen (shop).

påmindelse *s* reminder.

påpasselig *adj* careful.

påpege *v* point out.

pårørende *s* relative.

påsat *adj: ilden var ~* the fire had been set.

påse *v:* ~ *at* see to it that.

påsejling s collision.
påske s Easter; *i ~en* at Easter; **~bryg** s strong light beer brewed for Easter; **~dag** s: *første ~dag* Easter Day; *anden ~dag* Easter Monday; **~ferie** s Easter holidays *pl*; **~lilje** s daffodil; **~æg** s Easter egg.
påskud s pretext, excuse; *under ~ af* at on the pretext that.
påskønne v appreciate.
påstand s *(krav, hævdelse)* claim.
påstå v *(kræve, hævde)* claim, allege; *(erklære)* declare; *(holde fast ved)* insist; **~elig** *adj* stubborn; **~et** *adj* alleged.
påtaget *adj* affected; *~ navn* assumed name.
påtrængende *adj (om person)* insistent, pushing; *(om nødvendighed)* urgent.
påtvinge v: *~ en ngt* force sth on sby.
påtænke v plan.
påvirke v influence; *han lader sig ikke ~ af dem* he is unaffected by them; **~lig** *adj*: *let ~lig* easily influenced; **~t** *adj (beruset)* under the influence of drink; **påvirkning** s influence.
påvise v show; *(bevise)* prove; **~lig** *adj* demonstrable.

R

rabalder s din, racket.
rabarber s rhubarb; **~kompot**
s stewed rhubarb.
rabat s *(om pris)* discount; *(vej~)* shoulder, side; *(havebed)* border; *der er 10% ~ på sko* there is a 10 per cent discount on shoes; *give ~* give a discount; *'~ten er blød'* 'soft shoulder'; **~kort** s *(i bus etc)* reduced-rate ticket.
rable v: *~ ngt af sig* reel sth off; *nu ~r det for ham* he is going crazy now; **~nde** *adj*: *~nde sindssyg* stark staring mad.
race s race, breed; **~diskrimination** s racial discrimination; **~fordom** s racial prejudice; **~hest** s thoroughbred.
racerbil s racer (car); **racerbåd** s powerboat; **racercykel** s racing bike.
racist s racist; **~isk** *adj* racist.
rad s *(række)* row, line; *(fyr, karl)* fellow, bloke; *stille op på ~ (og række)* line up; *stå i ~* stand in a row; *gå ~en rundt* go the rounds.
radar s radar.
radbrække v maim; *(fx et sprog)* murder; *jeg er helt ~t* I am aching all over.
radere v *(slette)* erase; *(et billede)* etch; **radering** s etching.
radialdæk s radial (tyre).
radiator s radiator.
radikal *adj* radical; *det ~e venstre (pol)* s.v.t. the Liberal Democratic Party.
radio s radio, wireless; *høre ngt i ~en* hear sth on the radio; *det blev udsendt i ~en* it was

broadcast; **~aktiv** adj radioactive; **~aktiv stråling** radiation; **~aktivitet** s radioactivity; **~antenne** s aerial; **~avis** s news; **~bil** s *(i tivoli etc)* bumper car, dodgem; **~fyr** s radio beacon; **~graf** s radiographer; **~licens** s radio licence fee; **~modtager** s radio set; **~program** s radio programme; **~sender** s radio transmitter; *(sendestation)* radio station; **~styret** adj radio-controlled; **~telegrafist** s wireless operator; *(på skib,* F) sparks; **~udsendelse** s radio programme.

radise s radish; *R~ne (tegneserie)* Peanuts.

radius s radius *(pl:* radii); *i en ~ af 10 km* within a radius of 10 km.

radmager adj skinny.

raffinaderi s refinery; **raffineret** adj *(udspekuleret)* sophisticated; *(spidsfindig)* subtle; *(smart)* smart; *(renset, fx om olie)* refined.

rafle v throw dice.

rage v: *~ frem* protrude; *~ op* stand up; *~ uklar med en* fall out with sby; *~ i skufferne* rummage in the drawers; *~ ngt til sig* grab sth; *hvad ~r det dig?* mind your own business! *det ~r mig en fjer* I could not care less; **~kniv** s razor; **~lse** s junk, rubbish.

ragout s stew.

raket s rocket; *(som våben)* missile; *affyre en ~* fire a

rocket; *opsende en ~ til Mars* launch a rocket for Mars; **~base** s missile base; **~våben** s missile.

rakke v: *~ ned på en* denigrate sby; *~ rundt* knock about.

rakle s catkin.

ralle v rattle.

ram s: *få ~ på en* get at sby // adj *(om lugt etc)* acrid; *det er hans ~me alvor* he is in dead earnest.

ramaskrig s: *opløfte et ~* raise an outcry.

ramle v *(falde)* fall; *~ sammen (dvs. falde sammen)* fall *(el.* tumble) down; *(støde sammen)* collide; *(slås)* fight.

ramme s frame; *(omgivelser)* setting; *(grænser)* limits pl; *sætte et billede i ~* frame a picture; *inden for ~rne af...* within the limits of...; *sprænge ~rne for ngt* go beyond the scope of sth // v *(træffe)* hit; *(hænde)* overtake; *(berøre)* affect; *~ ind* frame; *bolden ramte overliggeren* the ball hit the bar; *den bemærkning ramte* that remark went home; *føle sig ramt* feel stung; **~nde** adj incisive, apt.

rampe s *(skråning)* ramp; *(affyrings~)* launching pad; **~lys** s limelight.

ramponeret adj battered, damaged.

rand s *(kant)* edge; *(bræmme)* border; *(på glas etc)* rim; *(fig)* verge, brink; *fyldt til ~en* brimful; *sorte ~e under øjne-*

ne dark rings under the eyes; *på afgrundens* ~ on the brink of the precipice; *være på sammenbruddets* ~ be on the verge of a breakdown.

rang s rank; *første* ~s first-rate; *gøre en* ~*en stridig* challenge sby's position.

rangere v *(jernb)* shunt; *(i rang)* rank; **rangering** s shunting.

rangle s rattle; ~**t** adj lanky.

rangstige s hierarchy.

rank adj erect.

ranke s *(bot)* vine.

ransage v search; **ransagning** s search.

rap s *(slag)* rap; *de fik tre sønner i* ~ they had three sons in rapid succession // adj *(hurtig)* quick; *(næsvis)* pert; *(smart)* smart; ~**and** s quack-quack; ~**kæftet** adj: *være* ~*kæftet* have a big mouth; ~**pe** v *(om and)* quack; ~**penskralde** s shrew; *(om hustru)* nagging wife.

rapport s report; *aflægge* ~ *om ngt* make a report on sth; ~**ere** v report.

rar adj nice; *her er* ~*t at være* it is nice to be here; *det var* ~*t at høre* I am glad to hear it; *vær nu lidt* ~*!* do be good now!

rase v rage; *(være vanvittig)* rave; *få* ~*t ud* let off steam; ~**nde** adj furious; *(vanvittig)* mad; *blive* ~*nde på en* get furious *(el.* mad) with sby; *i* ~*nde fart* at a furious rate //

adv furiously, madly.

rasere v *(hærge)* ravage, play havoc; *(barbere)* shave.

raseri s rage, fury.

rask adj *(sund)* healthy, sound; *(hurtig)* quick, rapid; *(kæk)* brave; *blive* ~ recover; *tage en* ~ *beslutning* make a quick decision // adv quickly, rapidly; ~ *væk* just like that.

rasle v rattle; *(om tallerkener etc)* clatter; *(om papir, blade, skørter)* rustle; *(om penge, nøgler)* jingle; ~ *med ngt* rattle (, clatter, rustle, jingle) sth; *pundet* ~*de ned* the pound slumped; ~**n** s rattling, rattle; clatter(ing); rust-ling; jingling, jingle.

rasp s *(tekn)* rasp; *(gastr)* breadcrumbs; *vende fisk i* ~ bread fish.

rast s: *holde* ~ stop, take a break; ~**e** v rest; ~**eplads** s lay-by.

rastløs adj restless.

rat s (steering) wheel.

rate s instalment; *betale i* ~*r* pay by instalments.

ratgear s column (gear) shift.

ration s ration; ~**alisere** v ra-tionalize; ~**alisering** s ration-alization; ~**el** adj rational; ~**ere** v ration; ~**ering** s ra-tioning.

rat... sms: ~**lås** s steering(-wheel) lock; ~**slør** s play; ~**søjle** s steering column.

rav s amber; *lave* ~ *i den* stir things up.

rave v stagger, reel.

ravn s raven.
razzia s raid; *foretage* ~ raid.
reagensglas s test tube; **~barn** s test-tube baby.
reagere v react *(på* to).
reaktor s reactor.
realisere v *(gennemføre)* carry out; *(sælge)* sell; ~ *sig selv* fulfil oneself.
realisme s realism; **realistisk** *adj* realistic.
realitet s reality; *i ~en* in reality; **~ssans** s: *have ~ssans* have a sense of reality.
realløn s real wages *pl.*
reb s rope; **~e** v: *~e sejlene* reef the sails; **~stige** s rope ladder.
rebus s picture puzzle, riddle.
recept s prescription; *fås kun på* ~ only on prescription; *skrive* ~ *på ngt* make out a prescription for sth.
reception s *(i hotel etc)* reception desk; *(sammenkomst)* reception.
reck s *(til gymnastik)* horizontal bar.
redaktion s *(det at redigere)* editing; *(kontoret)* editorial office; *(personalet)* editorial staff; **~chef** s chief sub-editor; **~ssekretær** s sub-editor; **redaktør** s editor.
redde v save, rescue; *(bjærge)* salvage; ~ *sig ud af ngt* get out of sth.
rede s nest; *gøre* ~ *for ngt* explain sth; *få* ~ *på ngt (dvs. ordne)* get sth straight; *(erfa-*

re) find out sth // v: ~ *sit hår* comb one's hair; ~ *seng* make the bed // *adj (parat)* ready, prepared; *være* ~ *til at* be prepared to; *holde sig* ~ be ready; ~ *penge* ready money; *have svar på* ~ *hånd* not be at a loss for an answer.
redegørelse s report.
redekam s comb.
redelig *adj* honest; *ærligt og ~t* honestly; **~hed** s honesty; *(rod)* mess; *sikke en ~hed!* what a mess!
reder s shipowner; **~i** s shipping company.
redigere v edit.
redning s *(frelse)* salvation; *(bjærgning)* rescue; *(udvej)* resort; *(om målmand)* save; **~sarbejde** s rescue work; **~sbælte** s lifebelt; **~sbåd** s lifeboat; **~skorps** s rescue service; **~smand** s rescuer; **~svest** s life jacket.
redskab s tool; *(instrument)* instrument; *(køkken~)* utensil; **~sskur** s tool shed; **~søvelser** *spl (i gymnastik)* apparatus gymnastics.
reducere v reduce; **reduktion** s reduction.
reel *adj (virkelig)* real; *(god)* genuine; *(om person)* reliable; **~t** *adv* really; *(ærligt)* honestly.
referat s report; **reference** s reference; **referere** v report; *(genfortælle)* repeat.
refleks s *(genskin)* reflection; *(som kaster refleks)* reflector;

(i fx benet) reflex; ~**bånd** *s*
luminous strip; **reflektere** *v*
reflect; *reflektere på en an-*
nonce reply to an advertise-
ment.

reform *s* reform; ~**ation** *s* re-
formation; ~**ere** *v* reform;
~**venlig** *adj* reformist.

refræn *s* refrain, chorus.

refundere *v* reimburse; **refu-**
sion *s* reimbursement.

regel *s* rule; *(forskrift)* regula-
tion; *følge reglerne* stick to
the rules; *en undtagelse fra*
reglen an exception to the
rule; *i reglen, som* ~ as a rule;
~**mæssig** *adj* regular.

regent *s* ruler, sovereign; ~**par**
s royal couple.

regere *v (styre)* rule, govern;
(som konge, dronning) reign;
(støje, herse) carry on; ~
med en boss sby around;
~**nde** *adj:* ~**nde dronning**
reigning queen.

regering *s* government; *danne*
~ take office; ~**savis** *s* go-
vernment paper; ~**schef** *s*
head of government; ~**sfor-**
slag *s* government bill; ~**s-**
krise *s* government crisis;
~**smagt** *s: overtage* ~**smag-**
ten come into office; ~**sparti**
s governing party; ~**stid** *s*
reign.

regie *s (iscenesættelse)* pro-
duction; *i FN's* ~ under the
auspices of the UN.

regime *s* regime.

regiment *s* regiment; ~**schef** *s*
commanding officer.

region *s* region; ~**al** *adj* regio-
nal; ~**alradio** *s* regional radio
(station); ~**altog** *s* local train.

regissør *s* stage manager.

register *s (indholdsfortegnel-*
se) table of contents; *(alfabe-*
tisk) index; *(orgel~)* stop; **re-**
gistrere *v* register; *(lægge*
mærke til) note.

reglement *s* regulations *pl;*
~**eret** *adj* prescribed.

regn *s* rain; *det ser ud til* ~ it
looks like rain; ~**bue** *s* rain-
bow; ~**byge** *s* shower; ~**drå-**
be *s* raindrop.

regne *v (om regn)* rain; *(med*
tal) count, calculate; *(anse)*
consider; *det* ~*r stærkt* it is
raining hard; ~ **regnestyk-**
ker do sums; ~ *med at* take it
for granted that; ~ *med en*
count on sby; ~ *sammen* add
up; ~ *ngt ud* work sth out;
(udtænke) figure out sth;
~**fejl** *s* miscalculation; ~**ma-**
skine *s* calculator; ~**opgave** *s*
sum; ~**stok** *s* slide rule;
~**stykke** *s* sum.

regnfrakke *s* waterproof,
mac(kintosh).

regning *s (fag)* arithmetic; *(be-*
regning) calculation; *(nota)*
bill, invoice; *må jeg bede om*
~*en?* can I have the bill,
please? *det er på min* ~ it is
on me; *en stor* ~ a heavy bill.

regnmåler *s* rain gauge; **regn-**
orm *s* earthworm.

regnskab *s* account(s); *føre* ~
keep an account; *gøre* ~ *for*
ngt account for sth; *gøre* ~*et*

op settle the account; *kræve en til* ~ call sby to account; *stå til* ~ *for* answer for; **~schef** *s* chief accountant; **~sår** *s* fiscal year.

regn. . . *sms:* **~skov** *s* rain forest; **~skyl** *s* downpour; **~slag** *s* waterproof cape; **~tid** *s* rainy season; **~tæt** *adj* showerproof; **~tøj** *s* rainwear; **~vand** *s* rainwater; **~vejr** *s* rainy weather.

regulere *v* regulate; *(indstille)* adjust; **regulering** *s* regulation; adjustment; **regulær** *adj* regular; *(rigtig)* proper.

reje *s (fjord~)* shrimp; *(større, fx nordsø~)* prawn; *pille* ~*r* shell shrimps; *ikke en rød* ~ not a penny; **~mad** *s* open sandwich with shrimps.

rejse *s (mindre)* trip; *(større)* journey; *(til søs)* voyage; *være på* ~ be travelling, be on a trip // *v (tage af sted)* leave, set out; *(rejse fra et sted til et andet)* go; *(være på rejse)* travel; ~ *til England* go to England; *de rejste i går* they left yesterday; *vi* ~*r til London i morgen* we are leaving for London tomorrow; ~ *med tog* go by train; ~ *med fly* go by air.

rejse *v (om bygning etc)* erect, put up; *(et spørgsmål, penge etc)* raise; ~ *ngt op* stand sth upright; ~ *sig mod* en sue sby; ~ *sig* get up, stand up; *(bygges, rage op, gøre oprør, blæse)* rise.

rejse. . . *sms:* **~arrangør** *s* tour operator; **~bureau** *s* travel agency; **~check** *s* traveller's cheque; **~fører** *s* guide; **~gilde** *s* topping-out ceremony; **~gods** *s* luggage; **~nde** *s* traveller, passenger; **~selskab** *s (på charterrejse)* party; **~skrivemaskine** *s* portable typewriter.

rejsning *s (det at rejse ngt op)* raising; *(holdning)* carriage; *(erektion)* erection.

reklamation *s (klage)* complaint.

reklame *s* publicity; *(annonce etc)* advertisement; *(i tv)* commercial; *gøre* ~ *for ngt* advertise sth, (F) boost sth; **~afdeling** *s* publicity department; **~bureau** *s* advertising agency; **~film** *s* commercial; **~indslag** *s* commercial break; **~re** *v (gøre* ~*)* advertise; *(klage)* complain *(over* about); **~skilt** *s* advertising sign; **~tegner** *s* commercial artist.

rekonstruere *v* reconstruct; **rekonstruktion** *s* reconstruction.

rekonvalescens *s* convalescence.

rekord *s* record; *slå en* ~ break a record; *sætte* ~ set up a record, *det slår alle* ~*er* it beats everything; **~tid** *s: på* ~*tid* in record time.

rekreation *s* convalescence; **~shjem** *s* convalescent home; **rekreere** *v: rekreere* *sig* recuperate.

rekrut *s* recruit; **~tere** *v* recruit.

rektangel *s* rectangle; **rektangulær** *adj* rectangular.

rektor *s (mandlig)* headmaster; *(kvindelig)* headmistress.

rekvirere *s* order, requisition.

rekvisit *s* requisite; **~ter** equipment; *(teat)* props; **~ion** *s* requisition.

relation *s* relation.

relativ *adj* relative.

relevant *adj* relevant.

relief *s* relief.

religion *s* religion; *(tro)* faith; *(som skolefag)* religious instruction; **~sfrihed** *s* religious freedom; **religiøs** *adj* religious.

relæ *s (elek)* relay.

rem *s* strap; *(liv~)* belt.

remoulade *s* remoulade.

remse *s* string of words; *(børne~)* jingle // *v*: ~ *ngt op* reel off sth.

ren *s (rensdyr)* reindeer // *adj (mods: snavset)* clean; *(ublandet)* pure; *(~ og skær)* sheer; *(kun)* mere; *det var et ~t tilfælde* it was pure accident; *det ~e vanvid* sheer madness; *han er et ~t barn* he is a mere child.

rend *s* run(ning); *der var et værre ~* there was a coming and going all the time; *stikke i ~* start running.

rende *s (rille)* groove; *(grøft)* ditch; *(sejl~)* channel // *v* run; *(være utæt)* leak; ~ *fra*

sit ansvar shirk one's responsibility; ~ *sin vej* run away; *rend og hop!* get lost! **~sten** *s* gutter.

rengøring *s* cleaning; **~sassistent** *s* cleaner; **~sdille** *s* housework mania; **~skone** *s* char(woman); **~sselskab** *s* cleaning service.

renhed *s* cleanliness; *(ublandethed, ægthed)* purity.

renlig *adj* cleanly; **~hed** *s* cleanliness.

renommé *s* reputation.

renovation *s* garbage collection; **~svogn** *s* dust cart.

rense *v* clean; *(grundigt)* cleanse; *(fx luft)* purify; *(for fx mistanke)* clear; *(skylle)* rinse; **~creme** *v* cleansing cream; **~lse** *s* cleansing; **~middel** *s* cleansing agent; **~ri** *s* (dry-)cleaners; **~serviet** *s* cleansing tissue.

renskrive *v*: ~ *ngt* write out a fair copy of sth.

rensning *s* cleaning; *kemisk* ~ dry-cleaning; **~sanlæg** *s* purification plant.

rent *adv (helt)* quite, completely; *gøre* ~ clean the house; *synge* ~ sing in tune; *vi har ~ glemt det* we have clean forgotten; ~ *ud sagt* to put it bluntly.

rente *s* interest *(af* on); *give ~r* bear interest; *tage 12% i* ~ *af ngt* charge 12 per cent interest on sth; **~fod** *s* rate of interest; **~fri** *adj* free of interest.

renvasket *adj* clean.
renæssance *s* renaissance.
reol *s* bookcase, book shelves.
reparation *s* repair(s); *(mindre, fx af tøj)* mending;
~**sværksted** *s* repair shop;
(auto, også:) garage; **reparere**
v repair; mend.
repertoire *s* repertory.
repetere *v (gentage)* repeat;
(læse igen) re-read; **repetition**
s repetition.
replik *s (svar)* reply; *(teat)*
line(s).
reportage *s (tv)* report.
repos *s (på trappe)* landing.
reprise *s* repeat.
reproduktion *s* reproduction.
repræsentant *s* representative; *(for firma også:)* agent;
~**skab** *s* board; **repræsentation** *s (selskabelighed)* entertainment; **repræsentere** *v* represent; *(være)* be.
republik *s* republic.
reservat *s (fx for indianere)*
reservation.
reserve *s* reserve; ~**del** *s* spare
part; ~**hjul** *s* spare wheel;
~**lager** *s* emergency stock;
~**læge** *s* registrar; ~**officer** *s*
reserve officer.
reservere *v* reserve; *(bestille*
forud) book; ~**t** *adj* reserved.
residens *s* residence; *forlægge*
~**en til** adjourn to; **residere** *v*
reside.
resignere *v (opgive)* give up;
(affinde sig) resign oneself;
~**t** *adj* resigned.
resolut *adj* determined.

respekt *s* respect, regard; *have*
~ *for en* respect sby; *sætte sig*
i ~ make oneself respected;
~**abel** *adj* respectable; ~**ere**
v respect; ~**indgydende** *adj*
awe-inspiring; ~**løs** *adj* disrespectful.
ressourcer *spl* resources.
rest *s* remainder; *(som er levnet)* remnant; ~**en** the rest;
~**er** remains; *(madrester)*
left-overs; *for* ~**en** *(dvs. apropos)* by the way, incidentally;
(dvs. for den sags skyld) for
that matter; *(dvs. desuden)*
besides; *blive til* ~ be left
(over).
restance *s: være i* ~ *med*
huslejen be in arrears with
the rent.
restaurant *s* restaurant; **restauratør** *s* restaurant proprietor.
restere *v* remain; *det* ~**nde**
the remainder.
restgæld *s* remaining debt;
restskat *s* underpayment of
tax.
resultat *s* result; *(bedrift, ngt*
som opnås) achievement;
(virkning) effect.
resumé *s* summary.
ret *s (mad)* dish; *(ikke uret,*
rettighed) right; *(domstol)*
(law)court; *dagens* ~ today's
special; *vi fik tre* ~**ter mad**
we had three courses; *få* ~
prove right; *give en* ~ agree
with sby; *det har du* ~ *i* you
are right (there); *have* ~ *til*
ngt have a right to sth; *med*

~te rightly; gå ~tens vej go to court; finde sig til ~te (dvs. vænne sig til sig til, slå sig til ro) settle down; sætte sig til ~te settle oneself; tale en til ~te reason with sby.

ret adj (lige) straight; (rigtig) right; strikke ~ knit plain; komme i ~te tid til ngt be in time for sth; i en ~ vinkel at right angles // adv (lige) straight; (rigtig) rightly; (temmelig) rather; det blev ~ sent it was rather late; jeg har det ikke ~ godt I don't feel very well; kender jeg ham ~, så... if I know him, ...; stå ~ stand at attention.

retfærdig adj just; ~hed s justice; lade ~heden ske fyldest let justice be done.

retmaske s plain stitch.

retmæssig adj lawful, rightful.

retning s direction; (henseende) respect; (tendens) tendency; i alle ~er (dvs. henseender) in all respects; køre i ~ af York drive towards York; ngt i ~ af something like; eller ngt i den ~ or something like that; ~slinjer spl guidelines.

retræte s retreat.

rets... sms: ~forfølge v sue; ~gyldig adj valid; ~hjælp s legal aid.

retskaffen adj honest, upright.

retslig adj legal; ~ undersøgelse judicial inquiry.

rets... sms: ~medicin s forensic medicine; ~pleje s admi-

nistration of justice; **~sag** s case; (kriminal-) trial; (civil) law suit; **~væsen** s judicial system.

rette v (gøre lige) straighten; (stile) direct; (henvende) address; (korrigere) correct; ~ stile mark essays; ~ sig straighten up; (få det bedre) get better; ~ sig efter en comply with sby; (adlyde) obey sby; ~ ngt til adjust sth.

rettelse s (af fejl) correction; (tilretning) adjustment.

rettesnor s (fig) guiding principle.

rettidig adv on time; (tids nok) in time.

retur s return; være på ~ (dvs. i aftagende) be declining // adv back; lade ngt gå ~ return sth; tage ngt ~ take sth back; **~billet** s return ticket; **~nere** v return.

rev s reef.

revalidering s rehabilitation; (omskoling) re-education.

revanche s revenge.

revers s (på jakke etc) lapel.

revidere v revise; **revision** s revision; (af regnskaber) audit; **revisor** s auditor; statsautoriseret revisor sv.t. chartered accountant

revle s sandbank.

revne s (i væg etc) crack; (i klippe) crevice; (i huden) chap; (i tøj) tear // v crack; (sprænges) burst; være ved at ~ be ready to burst; **~nde** adv: jeg er ~nde ligeglad (F)

I don't give a damn.

revolution *s* revolution; **~ere** *v* revolutionize; **~ær** *adj* revolutionary.

revolver *s* revolver.

revy *s* (*teater~*) revue, show; (*tidsskrift*) review; (*mil*) review; *passere ~ (fig)* pass in review.

Rhinen the Rhine; **rhinskvin** *s* hock.

ri *v* baste, tack.

ribbe *s* (*i blad etc*) rib; (*til gymnastik*) wall bar // *v* (*udplyndre*) rob, strip; (*om fx bønner*) string.

ribben *s* rib; **~ssteg** *s* rib roast; **~sstykke** *s* spare rib.

ribbort *s* ribbing.

ribs *s* red currant.

ribstrikket *adj* ribbed; **ribstrikning** *s* rib stitch.

ridder *s* knight; *udnævne en til ~* make sby a knight.

ride *v* ride; *~ en tur* go for a ride; *~ stormen af (fig)* weather the storm; **~bane** *s* (*riding*) arena; **~banespringning** *s* show jumping; **~bukser** *spl* riding breeches; **~hest** *s* saddle-horse, mount; **~nde** *adj*: *~nde politi (etc)* mounted police (etc); **~pisk** *s* riding crop; **~skole** *s* riding school; **~sti** *s* bridle-path; **~stævne** *s* horse show; **~støvle** *s* riding-boot; **ridning** *s* riding; *gå til ridning* take riding lessons.

ridse *s* scratch // *v* scratch; *~ ngt up* sketch sth.

riffel *s* rifle.

rift *s* scratch; (*flænge*) cut, tear; *der er stor ~ om det* there is a great demand for it.

rig *adj* rich; (*velhavende, også*) wealthy; *blive ~* grow rich; *have ~ lejlighed til at* have ample opportunity to; *~ på* rich in; **~dom** *s* riches *pl*; (*velstand*) wealth; (*formue*) fortune; (*rigelighed*) abundance (*på* of).

rige *s* realm; (*konge~*) kingdom.

rigelig *adj* (*mere end nok*) plentiful, abundant; (*lidt for stor*) on the large size; (*mindst*) at least; *i ~e mængder* abundantly; *have ~ tid* have plenty of time // *adv* abundantly; (*lidt for*) a bit; (*mindst*) at least.

righoldig *adj* rich.

rigmand *s* rich man.

rigning *s* (*på skib*) rigging.

rigs. . . sms: **~advokat** *s* head of public prosecution; **~arkiv** *s* public record office; **~dag** *s* parliament; **~dansk** *adj* (*om sproget*) standard Danish; **~våben** *s* national arms.

rigtig *adj* right; (*sand*) true; (*passende*) proper; (*virkelig*) real // *adv* right; properly; (*i høj grad*) very; (*helt*) quite; *det er ~t* that's right; *ganske ~* quite right; *de kom ganske ~* they came right enough; *en ~ dame* a real lady; *det er ngt af det ~e* that is something like it; **~nok** *adv* certainly.

rille s groove; *(i jorden)* furrow.

rim s *(i vers)* rhyme; *(~frost)* hoarfrost, rime; **~e** v rhyme; *(passe, stemme)* agree.

rimelig adj reasonable; **~hed** s reasonableness; *inden for ~hedens grænser* within reason; **~vis** adj probably.

rimfrost s hoarfrost; **rimtåge** s frosty mist.

rindende adj: ~ *vand* running water; ~ *øjne* watery eyes.

ring s ring; *(kreds også:)* circle; *(bil~)* tyre; *gå med ~* wear a ring; *køre i ~* drive in a circle; **~bind** s ring binder.

ringe v *(om klokke)* ring; *(telefonere)* phone, call; ~ *med en klokke* ring a bell; ~ *en op* phone *(el.* call) sby; ~ *på* ring (the bell) // adj *(lille)* small; *(dårlig)* poor; *(beskeden)* humble; *i ~ grad* little; *en ~ ulejlighed* a small trouble; *efter min ~ mening* in my humble opinion; *ingen ~re* end no less than; *ikke det ~ste* not the least.

ringeklokke s bell-push; **ringetone** s (tlf) ringing tone.

ring. . . sms: **~forlovet** adj formally engaged; **~ning** s ringing; **~ridning** s riding at the ring; **~vej** s ring road, orbital road.

rippe v: ~ *op i ngt* stir up sth.

ris s rice; *(kviste)* twigs; *(til afstraffelse)* rod; **~engrød** s rice pudding.

risikabel adj risky.

risikere v risk.

risiko s risk; *løbe en ~* run a risk; *på egen ~* at one's own risk.

risle v run; *(om lyden)* murmur; **~n** s trickle; murmur.

rismark s paddy field; **rismel** s rice flour.

rist s grating; *(stege~)* grill; **~e** v *(på pande, i ovn)* roast; *(på grill)* grill; *(om brød)* toast; **~t brød** toast.

ritråd s tacking thread.

rival s rival; **~isere** v rival, compete.

rive s rake // v *(kradse)* scratch; *(flænge)* tear; *(med rive)* rake; *(på rivejern)* grate; *(~ til sig)* snatch; ~ *sig* get scratched; ~ *hul i bukserne* tear one's trousers; ~ *vittigheder af* sig crack jokes; ~ *løg* grate onions; ~ *sig løs fra ngt* break loose from sth; ~ *en side ud af bogen* tear a page out of the book; **~jern** s grater; **~nde** adj *(hurtig)* rapid; *(om flod etc)* tearing; *i ~nde fart* at a tearing speed; *den er ~nde gal* it is all wrong; *en ~nde udvikling* a rapid development.

ro s *(fred)* peace; *(hvile)* rest; *(stilhed)* quiet; *(sindsro)* calm; *fred og ~* peace and quiet; *få ~ til* sit arbejde be allowed to work in peace; *holde sig i ~* keep quiet; *(uden at arbejde)* take a break; *i ~ og mag* at one's ease; *gå til ~* retire; *tag den* *med* ~! take it easy! *falde til* ~ calm down.

ro *v* row; *tage ud at* ~ go rowing.

robot *s* robot.

robust *adj* robust.

robåd *s* rowing boat.

rod *s (om plante etc)* root; *(bølle)* thug; *(uorden)* disorder, mess; *slå* ~ take root; *værelset var ét* ~ the room was a complete mess; ~**behandling** *s (hos tandlægen)* root treatment.

rode *v (lave uorden)* make a mess; *(søge)* rummage; *(i jorden)* root; ~ *sig ind i ngt* get mixed up in sth; ~ *med ngt* mess around with sth; ~ *tingene sammen* mix things up; ~**butik** *s* mess; ~**hoved** *s* untidy person, clutterer; ~**kontor** *s* tax collector's office; ~**t** *adj* untidy.

rodfrugter *spl* root crops.

rodløs *adj* rootless.

roe *s* beet.

roer *s* oarsman.

roesukker *s* beet sugar.

rogn *s* roe.

rokke *v* rock; *(ryste, svække)* shake; *(flytte)* move.

rolig *adj* quiet, calm; *(jævn, uden vaklen)* steady // *adv* quietly, calmly; steadily; *side (, stå etc)* ~**t** sit (, stand etc) still; *en* ~ *bydel* a quiet part of town; *en vindforhold* calm weather; *han var helt* ~ he was quite calm; *tag det* ~**t**! take it easy!

rolle *s* part, role; *det spiller ingen* ~ it does not matter; *det spiller en stor* ~ it is very important; ~**liste** *s* cast.

Rom Rome.

rom *s (om drik)* rum.

roman *s* novel; ~**forfatter** *s* novelist.

romansk *adj (om kunst etc)* romanesque; ~ *stil (brit)* Norman style.

romer *s* Roman; ~**riget** *s* the Roman Empire; ~**sk** *adj* Roman; ~**sk-katolsk** *adj* Roman Catholic; ~**tal** *s* Roman numeral.

Romtraktaten *s* the Treaty of Rome.

roning *s* rowing.

ror *s* rudder; *(rat)* wheel; *stå til* ~s be at the helm; ~**pind** *s* tiller.

ros *s* praise; *det tjener til din* ~ it does you credit.

rose *s (bot)* rose // *v* praise; ~ *sig af ngt* boast of sth.

rosen... *sms:* ~**krans** *s (rel)* rosary; ~**kål** *s* Brussels sprout; ~**træ** *s (om materialet)* rosewood.

rosin *s* raisin.

roskildesyge *s* gastroenteritis.

rosmarin *s (bot)* rosemary.

rotere *v* rotate; ~**nde** *s* revolving.

rotte *s* rat; *han er en gammel* ~ he knows all the tricks // *v:* ~ *sig sammen* gang up *(mod* against); ~**fælde** *s* rat trap; ~**gift** *s* ratpoison; ~**haler** *spl (om frisure)* pigtails; ~**ræs** *s* ratrace.

rotur s: *tage på* ~ go rowing.

roulade s *(om kage)* Swiss roll.

rov s *(plyndring)* pillage; *(bytte)* spoils; *gå på* ~ *(om dyr)* go in search of prey; **~drift** s exploitation; *drive ~drift på ngt* exploit sth; **~dyr** s beast of prey; **~fisk** s predator; **~fugl** s bird of prey; **~mord** s robbery with murder.

ru adj *(ujævn)* rough; *(hæs)* hoarse.

rubin s ruby.

rubrik s category; *(i avis)* section; *(længere)* article; **~annonce** s small ad.

rude s pane, window (pane); **~kuvert** s window envelope.

ruder s *(i kort)* diamonds; ~ *konge* king of diamonds.

rug s rye; **~brød** s brown rye bread.

ruge v *(også om person)* brood; *(ruge ud)* hatch, brood; **~høne** s sitting hen; **~maskine** s incubator.

rugmel s rye flour.

rugning s brooding; incubation.

ruin s ruin; *ligge i* ~*er* be in ruins; **~ere** v ruin.

rulle s roll; *(valse)* roller; *(til at rulle ngt om)* reel; *(til håret)* curler; *(film~)* reel; *(til tøj)* mangle // v roll; ~ *med øjnene* roll one's eyes; ~ *gardinet ned* draw the blind; ~ *gardinet op* pull up the blind; ~ *rundt* roll (over); ~ *sig sammen* curl up; ~ *dej ud*

roll out pastry *(el. dough)*; ~ *sig ud (udfolde sig)* prove one's worth; *(slå sig løs)* let one's hair down; *(blive vred)* let oneself go.

rulle. . . *sms:* **~bord** s tea trolley; **~gardin** s roller blind; **~krave** s polo-neck; **~pølse** s sausage made of rolled and pressed meat; **~sele** s *(auto)* (inertia reel) seatbelt; **~skøjte** s roller skate; **~sten** s *(lille)* pebble; *(stor)* cobble; **~stol** s wheelchair; **~trappe** s escalator.

rum s *(værelse)* room; *(verdens~)* space; *(i skab, taske etc)* compartment // adj: *i* ~ *sø* in the open sea; *en* ~ *tid* quite some time; **~dragt** s spacesuit; **~fang** s volume; **~fart** s space travel; **~forskning** s space research; **~færge** s space shuttle.

rumle v rumble.

rumme v hold, contain; *(indebære)* imply; **~lig** adj spacious, roomy.

rumpe s behind, bottom.

rum. . . *sms:* **~pilot** s astronaut; **~raket** s space rocket; **~rejse** s space flight; **~skib** s spaceship.

rumstere v rummage.

rumæner s Romanian; **Rumænien** Romania; **rumænsk** adj Romanian.

rund adj round.

runde s round; *(tur)* stroll // v *(gøre ~)* round; *(sejle rundt om)* double; *(være rund)* curve; ~ **af** round off.

rund... *sms:* ~**fart** *s* tour *(i* of);
~**håndet** *adj* generous;
~**håndethed** *s* generosity;
~**ing** *s (det at give rund)*
rounding; *(krumning)* ben-
ding; ~**kirke** *s* round church;
~**kreds** *s* circle; ~**kørsel** *s*
roundabout; ~**pind** *s* circular
needle; ~**rejse** *s* tour; ~**ryg-
get** *adj* stooping; ~**sav** *s* cir-
cular saw; ~**skrivelse** *s* circu-
lar; ~**skåret** *adj (om fx skørt)*
flared; ~**spørge** *s* opinion
poll; ~**strikning** *s* circular
knitting; ~**stykke** *s* roll.

rundt *adv* round, about, a-
round // *præp* round; *gå ~ i
huset* walk around (in) the
house; *gå ~ om huset* walk
round the house; *hele året ~*
all the year round; *være helt
~ på gulvet* be quite confu-
sed.

rundtosset *adj* giddy; **rundtur** *s*
tour; **rundvisning** *s* conducted
tour *(i* of).

rune *s* runic character, rune;
~**indskrift** *s* runic inscrip-
tion; ~**sten** *s* rune-stone.

runge *v* resound; ~**nde** *adj*
ringing, resonant.

rus *s (beruselse)* intoxication;
(fig) ecstasy; *sove ~en ud*
sleep it off; ~**gift** *s* drug.

ruske *v* shake; *(trække)* pull;
~ *en i armen* shake sby by
the arm; ~ *en i håret* pull
sby's hair.

ruskind *s* suede.

Rusland Russia; **russer** *s*, **rus-**

sisk *adj* Russian.

rust *s* rust; *(på biler etc)* corro-
sion; ~**beskyttelse** *s* anti-rust
treatment; ~**e** *v (blive ru-
sten)* rust; corrode; *(opruste)*
arm (oneself); *(forberede sig)*
prepare (oneself); ~**en** *adj*
rusty; *en ~en stemme* a hoar-
se voice; ~**fri** *adj* stainless.

rustning *s (harnisk etc)* arm-
our; *(oprustning)* armament;
~**skapløb** *s* arms race.

rustvogn *s* hearse.

rute *s* route; *(forbindelse, fx
bus~)* service, run; ~**bil** *s* bus,
coach; ~**fart** *s* regular servi-
ce; ~**fly** *s* airliner.

rutine *s* routine; *få ~ i ngt* get
experienced in sth; ~**arbejde**
s routine work; ~**mæssig** *adj*
routine; ~**ret** *adj* experien-
ced.

rutsche *v* slide; ~**bane** *s*
switchback; *(på legeplads)*
slide.

ry *s* reputation; *have ~ for at
være ngt* have a reputation
for being sth.

rydde *v* clear; ~ *en (el. ngt) af
vejen* get rid of sby *(el.* sth);
~ *op* tidy (up); ~ *op i stuen*
tidy up the room.

rydning *s* clearing.

ryg *s* back; *(bjerg~)* ridge; *ven-
de ~gen til en* turn one's
back on sby; *det løb mig
koldt ned ad ~gen* it sent a
shiver down my spine; *have
ondt i ~gen* have a back-
ache; ~**dækning** *s* backing.

ryge *v* smoke; *(fare, styrte)*

rush; *(falde)* fall; **må man ~ her?** is smoking allowed here? **han ~r pibe, hun ~r cigaretter** he smokes a pipe, she smokes cigarettes; **der røg den fridag!** goodbye to that holiday! **hun røg ned ad trappen** she fell down the stairs; **sikringerne er røget** the fuses have blown; **~kupé** s smoker; **~pause** s smoking break; **~r** s smoker; **ikke-~** non-smoker.

ryg... sms: **~hvirvel** s vertebra; **~hynde** s bolster; **~læn** s back(-rest).

rygning s smoking; **'~ forbudt'** 'no smoking'.

ryg... sms: **~rad** s spine; **~smerter** spl back-ache; **~stød** s back(-rest); **~svømning** s backstroke; **~sæk** s rucksack.

rygte s rumour; *(ry, omdømme)* reputation; **der går ~r om at...** rumour has it that...; **det er bare løse ~r** it is just vague rumours; **~s** v be rumoured; *(blive kendt)* get about.

ryk s *(træk)* pull; *(hurtigt)* jerk; *(spjæt)* start; **det gav et ~ i ham** he started; **~ke** v *(trække)* pull; *(flytte)* move; **~ke for svar** press for an answer; **~ke frem mod** advance on; **~ke ned i 2. division** be relegated to the second division; **~ke nærmere** approach; **~ke op i 1. division** move up to the first division; **~ke plan-ter op** pull up plants; **~ke sammen** move closer; **~ke ud** *(om fx politi)* turn out; **~ke ud med ngt** come out with sth.

rykker(skrivelse) s reminder.

rynke s wrinkle; *(i stof)* gather // v wrinkle; *(fx kjole)* gather; **~ panden** frown; **~ på næsen ad ngt** turn up one's nose at sth; **~t** adj wrinkled; **en ~t nederdel** a gathered skirt.

ryste v shake; **~ på hovedet** shake one's head; **~ over det hele** be shaking all over; **~lse, ~n** s shaking; *(jordskælv)* tremor; *(fig)* shock; **~t** adj shaken; *(chokeret)* shocked.

rytme s rhythm; **rytmik** s rhythmics; **rytmisk** adj rhythmical.

rytter s rider, horseman; **~i** s cavalry; **~statue** s equestrian statue.

ræb s belch; **~e** v belch; **~en** s belching.

ræd adj scared.

ræddike s (black) radish.

rædsel s *(frygt)* horror, terror; *(om fx hus)* monstrosity; *(om fx hat, person)* fright; **~sfuld** adj terrible, awful; **~slagen** adj terrified.

rædsom adj awful.

række s row; *(geled)* line; *(serie)* series; *(antal)* number; **stille op på ~** line up; **en ~ år** a number of years; **en ~ forelæsninger** a series of lectures // v *(give)* hand; *(give videre)* pass; *(nå, række ud efter)* reach; *(strække)* stretch; ~ **hånden frem** *(el. ud)* hold out one's hand; ~ **en ngt** hand sby sth; *pengene ~r ikke langt* the money does not go very far.

række... sms: ~**følge** s succession, order; *i ~følge* in order (of succession); *(efter tur)* by turns; *i omvendt ~følge* in reverse order; ~**hus** s terraced house; ~**vidde** s reach; *(om skud, lyd etc)* range; *(betydning)* scope.

rækværk s parapet; *(gelænder)* railing.

ræling s railing; *(i åben båd)* gunwale.

ræs s (F) race, rush; *et være ~* an awful rush; *stå af ~et* opt out.

ræv s fox; *(hunræv)* vixen; *(pelskrave)* fox fur; *en klog gammel ~ (om person)* a sly old fox.

ræve... sms: ~**grav** s fox's den; ~**hale** s fox's tail; ~**jagt** s fox-hunt(ing); ~**saks** s fox-trap.

røbe v *(afsløre)* betray, reveal; *(vise)* show; ~ *sig* give oneself away.

rød adj red; *(stærkt ~)* scarlet; *blive ~ i hovedet (af anstrengelse el. vrede)* flush; *(af genertheed)* blush; *Det ~e Hav* the Red Sea; ~*e hunde* German measles; *R~e Kors* the Red Cross; ~ *numse (om*

baby) nappy rash; *(se også rødt)*.

rød... sms: ~**bede** s beetroot; ~**brun** adj chestnut; ~**glødende** adj red-hot; **R~hætte** s Little Red Ridinghood; ~**håret** adj red-haired; *en ~håret (person)* a redhead; ~**kælk** s *(zo)* robin; ~**kål** s red cabbage; ~**lig** adj reddish; ~**løg** s red onion.

rødme s blush // v blush.

rød... sms: ~**mosset** adj ruddy; ~**randet** adj red-rimmed; ~**spætte** s plaice; ~**strømpe** s redstocking.

rødt adj red; *køre over for ~* jump the lights; *standse for ~* stop at red.

rødvin s *(generelt)* red wine; *(bordeaux)* claret; *(bourgogne)* burgundy.

røg s smoke; ~**bombe** s smoke bomb.

røgelse s incense.

røgeri s smokehouse; **røget** adj smoked *(fx sild* herring).

røg... sms: ~**forgiftning** s asphyxiation; ~**fri** adj smokeless; ~**fyldt** adj smoky; ~**sky** s cloud of smoke; ~**slør** s smokescreen; ~**tobak** s smoking tobacco.

rømme v *(flygte)* run away; *(desertere)* desert; *(forlade)* leave; *(rydde, tømme)* clear; *(evakuere)* evacuate; ~ *sig* clear one's throat; **rømning** s escape; desertion; clearing; evacuation.

røn s rowan; ~**nebær** s rowan

berry.

røntgen s X-rays pl; **~afdeling** s radiological department; **~behandling** s radiotherapy; **~billede** s radiograph, X-ray (plate); **~fotografere** v X-ray; **~læge** s radiologist; **~undersøgelse** s X-ray (examination).

rør s (vand~, ledning~ etc) pipe; (fjernsyns~, stål~, etc) tube; (tlf) receiver; (bot) reed; lægge **~et** på (tlf) put down the receiver.

røre s commotion; vække ~ make a commotion // v (berøre) touch; (bevæge) move; (~ rundt) stir; (gribe, vække medfølelse etc) move, touch; ikke ~! don't touch! ~ på sig move; ~ benene stretch one's legs; ~ rundt i sovsen stir the sauce; ~ mel ud i mælk mix flour with milk; ~ sig move; ~ ved ngt touch sth; **~lse** s emotion; **~maskine** s mixer; **~nde** adj touching; det er vi ~nde enige om we could not agree more; **~skål** s mixing bowl.

rør... sms: **~fletning** s wickerwork; **~formet** adj tubular; **~høne** s (zo) moorhen.

rørig adj active.

rør... sms: **~ledning** s pipeline; **~post** s pneumatic dispatch system; **~strømsk** adj mushy, sloppy; **~sukker** s cane sugar.

rørt adj (bevæget) moved, touched; dybt ~ deeply

moved (el. touched).

røræg s scrambled eggs pl.

røst s voice; tale med høj ~ speak in a loud voice.

røv s (V) arse; være helt på **~en** be on one's arse; rend mig i ~en! get stuffed!

røve v rob, steal; **~t** s robber; (spøg) rascal; lege **~re** og soldater play cops and robbers; **~historie** s yarn; **~ri** s robbery; **~riforsøg** s attempted robbery; **~køb** s bargain.

røvhul s (V) arse-hole; **røvrende** v: **~rende en** do the dirty on sby; (fuppe) do sby in the eye.

rå adj raw, crude; (grov) coarse; (brutal) brutal, rough; sluge ngt **~t** swallow sth hook, line and sinker.

råb s call, shout; **~e** v shout, call out, cry; **~e efter** (el. på) en call sby, shout for sby; **~e om hjælp** shout for help; **~e op** shout; **~e navne op** call names.

råbåndsknob s reef knot.

råd s (vejledning) advice; (middel) remedy; (forsamling) council, board; give en et ~ give sby a piece of advice; følge ens ~ take sby's advice; spørge en til **~s** ask sby's advice; have ~ til ngt be able to afford sth; vi har ikke ~ til det we can't afford it.

rådden adj rotten; behandle en som et **~t** æg handle sby with kid gloves; **~skab** s rot-

tenness; *(i hus, træværk)* rot.
råde v *(give råd)* advise; *(regere)* reign; command; *(bestå)* prevail; ~ *over ngt* have sth at one's disposal; ~ *en fra at gøre ngt* advise sby against doing sth; ~ *en til at gøre ngt* recommend sby to do sth.
rådgiver s adviser; **rådgivning** s advising.
rådhus s town hall.
rådighed s disposal; *have* ~ *over ngt* have sth at one's disposal; *stå til* ~ *for en* be at sby's disposal.
råne v rot, decay; *(om organiske stoffer, fx lig)* decompose.
rådvild adj at a loss, bewildered.
rådyr s roe (deer); *(kød af* ~*)* venison.
rå... sms: ~**gummi** s *(til såler)* crepe rubber; ~**kold** adj raw; ~**kost** s raw vegetables and fruit; ~**kostjern** s grater, shredder; ~**olie** s crude oil; ~**vare** s raw material.

S

sabbat s Sabbath; ~**år** s sabbatical.
sabel s sabre; **sable en ned** *(fig)* butcher sby.
sabotage s sabotage; **sabotere** v sabotage.
sadel s saddle; ~**mager** s *(vedr. møbler)* upholsterer; ~**taske** s *(på cykel)* tool-bag; **sadle** v saddle (up); *sadle om (fig)* change one's policy.

safran s saffron.
saft s juice; *(i fx træ)* sap; *(sukkersyltet)* syrup; ~**ig** adj juicy; *(fx bemærkning)* racy.
sag s *(anliggende)* matter; *(emne)* subject; *(ting)* thing *(rets~)* case; *(som man er optaget af, fx en god* ~*)* cause; ~*en er den at...* the thing is that...; *det er en anden* ~ that is a different matter; *det er ingen* ~ it is easy; *det er lige* ~*en* it's just the thing; *for den* ~*s skyld* for that matter; *gå til* ~*en* get on with it; *lægge* ~ *an mod en for ngt* sue sby for sth.
sagfører se advokat.
sagkyndig adj expert.
saglig adj *(nøgtern)* matter-of-fact; *(upartisk)* objective; ~**hed** s matter-of-factness; objectivity.
sagn s legend.
sags... sms: ~**anlæg** s legal action; ~**behandler** s *(på bistandskontor etc)* caseworker; ~**behandling** s casework; ~**omkostninger** spl legal costs pl.
sagsøge v sue; ~**r** s plaintiff;
sagsøgte s the defendant.
sagte adj *(om lyd, dæmpet)* soft, low; *(svag)* slight, faint; *(let, mild)* gentle; *(om varme, ild)* slow.
sagtens adv *(let)* easily; *du kan* ~*!* lucky you; *du kan* ~ *snakke* it's all very well for you to talk.
sagtne v: ~ *farten* slow down.

sakke v: ~ bagud fall behind.
saks s: en ~ (a pair of) scissors; må jeg låne ~en? may I borrow the scissors?
sal s hall; (etage) floor; bo på anden ~ live on the second floor.
salat s (bot) lettuce; (som mad) salad; ~fadet s Black Maria; ~hoved s (head of) lettuce; ~olie s salad oil; ~slynge s salad washer; ~sæt s salad servers pl.
saldo s balance.
salg s sale; (det at sælge) selling; til ~ for sale; ~chef s sales manager; ~fremstød s sales drive; ~kampagne s sales campaign; ~spris s retail price.
salig adj blessed; (lykkelig) blissful; ~hed s bliss.
salme s hymn; (i bibelen) psalm; ~bog s hymn book.
salmiakspiritus s (liquid) ammonia.
salpeter s saltpetre; ~syre s nitric acid.
salt s/v salt; ~bøsse s salt shaker; ~e v salt; (om kød) cure; ~kar s salt cellar; ~lage s brine; ~syre s hydrochloric acid.
salve s (creme) ointment; (skud~) volley.
salvie s sage.
samarbejde s co-operation // v co-operate; **samarbejdsudvalg** s (på arbejdsplads) works committee.
sambeskatning s joint taxa-

tion.
samfund s society; (fællesskab) community; ~et society; ~sfag s social studies; ~sklasse s social class; ~svidenskab s social sciences pl; ~søkonomi s economics pl.
samfærdsel s traffic, communication(s).
samkvem s: have ~ med mix with; ~sret s visiting rights pl.
samle v gather; (~ på) collect; (løse dele) assemble; ~ kræfter gather strength; ~ sig (dvs. samles) gather; (dvs. tage sig sammen) pull oneself together; ~bånd s assembly line; på ~bånd (fig) non-stop.
samleje s (sexual) intercourse; have ~ med en (F) have sex with sby.
samler s collector; ~objekt s collector's item.
samlesæt s kit.
samlet adj (fælles) joint; (hel) total; (forsamlet) assembled // adv jointly.
samlever s common-law husband/wife.
samling s (af ting) collection; (ophobning) accumulation; (af løsdele) assembly; (forsamling) gathering, assembly.
samliv s living together; (papirløst) cohabitation; (i ægteskab) married life.
samme adj the same; i det ~ just then; med det ~ at once; det kan være det ~ never mind; jeg har kun den ~ I've

677

only got the one.

sammen adv together; *(i forening)* jointly; *alt* ~ all (of it); *bo* ~ live together; *de kommer* ~ *(dvs. de ses)* they see each other; *(dvs. som par)* they are going steady; *lægge* ~ *(dvs. folde ~)* fold up; *(om tal)* add up.

sammenbidt adj grim, determined.

sammenbrud s breakdown, collapse.

sammendrag s summary.

sammenfatte v summarize.

sammenhold s solidarity.

sammenhæng s connection *(el. connexion)*; *(i tekst)* context; *sagens rette* ~ the facts (of the case); **~ende** adj coherent; *(uafbrudt)* continuous; *(i træk)* consecutive; *(indbyrdes forbundne)* connected.

sammenklappelig adj collapsible *(fx bord* table); folding *(fx cykel* bike).

sammenkogt adj: ~ *ret* casserole.

sammenkomst s gathering, (F) get-together.

sammenlagt adj put together; *(om tøj)* folded; *(om beløb)* total.

sammenligne v compare *(med* with); *det kan ikke* ~s there is no comparison; **sammenligning** s comparison.

sammenlægning s *(af tal)* addition; *(af firmaer)* merger.

sammensat adj compound;

(indviklet) complex.

sammenskudsgilde s Dutch party.

sammenslutning s union; *(af firmaer)* merger; *(forening)* association.

sammenspist adj cliquey.

sammenstød s collision; *(skænderi)* row.

sammensvorne spl conspirators.

sammensværge v: ~ *sig* conspire; **~lse** s conspiracy.

sammensætning s composition; *(gram)* compound; **sammensætte** v put together.

sammesteds adv in the same place; **~fra** adv from the same place; **~hen** adv to the same place.

samordne v co-ordinate; **samordning** s co-ordination.

samråd s consultation; *i* ~ *med* after conferring with.

samspil s *(mus)* ensemble playing; *(fig)* interaction; *(samarbejde)* teamwork.

samt konj and, plus.

samtale s conversation; *(uformel)* talk; *(tlf)* call; *føre en* ~ have a conversation, have a talk; **~anlæg** s intercom; **~emne** s topic.

samtid s: *~en (dvs. nu)* our age; *(dvs. tidligere)* that age.

samtidig adj comtemporary *(med* with); *(på én gang)* simultaneous // adv at the same time, simultaneously; *(på den anden side)* on the other hand; ~ *med at...* at

the same time as...; **~sorien-
tering** s modern studies pl.
samtykke s consent; *give sit ~
til ngt* (give one's) consent to
sth // v consent *(i* to).
samvittighed s conscience;
have ngt på ~en feel guilty
about sby; **~sfuld** *adj* consci-
entious; *(omhyggelig også:)*
painstaking; **~snag** s pangs
of conscience; **~sspørgsmål**
s matter of conscience.
samvær s company; *selskabe-
ligt* ~ get-together.
sand s sand; *løbe ud i ~et*
come to nothing // *adj* true;
det er ~t, vi skal jo vaske op
by the way, we have to do the
dishes; *det er da ikke ~t!* it
can't be true! *du så det, ikke
~t?* you saw it, didn't you?
~t at sige to tell the truth.
sandblæse v sandblast; **sand-
bund** s sandy bottom.
sandelig *adj* indeed.
sandfærdig *adj* truthful; **~hed**
s truthfulness.
sandhed s truth; *tale ~* tell the
truth; *~en er at...* to tell the
truth...
sand... sms: ~**kage** s *sv.t.*
sponge cake; **~kasse** s sand-
pit; **~papir** s sandpaper;
~strand s sandy beach.
sandsynlig *adj* likely, proba-
ble; **~hed** s probability; *efter
al ~hed* in all probability;
~vis *adv* probably.
sanere v *(om bydel etc)* rede-
velop; *(om fx økonomi)* reha-
bilitate; **sanering** s redeve-

lopment; rehabilitation; **sa-
neringshus** s condemned
house.
sang s song; *(det at synge)*
singing; *gå til ~* take singing
lessons; *~er* s singer; **~fugl** s
song-bird; **~kor** s choir; **~leg**
s singing game; **~stemme** s
singing voice; *(node, del af
musikstykke)* vocal part.
sankt Saint, St.; **~hansaften** s
Midsummer's Eve; **~hansbål**
s Midsummer's Eve bonfire.
sanktion s sanction; **~ere** v
sanction.
sans s sense; *have ~ for ngt*
have a sense of sth; *(værdsæt-
te)* appreciate sth; *gå fra ~ og
samling* take leave of one's
senses; **~e** v *(opfatte)* percei-
ve; *de ~ede ingenting* they
did not feel a thing; *de kunne
hverken ~e el. samle* they did
not know where they were;
~elig *adj* sensuous; *(erotisk
etc)* sensual; **~elighed** s sen-
suality; **~eløs** *adj* blind, fran-
tic.
sardin s sardine.
sarkasme s sarcasm; **sarka-
stisk** *adj* sarcastic.
sart *adj (følsom)* sensitive;
(svag) delicate; *(pivet)* squea-
mish; *(som let bliver fornær-
met)* touchy.
sat *adj* sedate.
satan s Satan; *for ~!* damn it!
oh hell! *det var ~s!* well, I'll
be damned; *(se også pokker)*.
satellit s satellite.
satire s satire *(over* on); **sati-**

risk *adj* satirical.

sats *s* (tarif etc) rate; (typ) type; (mus) movement.

satse *v:* ~ *på ngt* bet on sth; (stile efter) aim at sth; ~ *alt på ngt* stake everything on sth.

saudi-araber *s* Saudi; **Saudi-Arabien** *s* Saudi Arabia; **saudi-arabisk** *adj* Saudi (Arabian).

sav *s* saw; **~buk** *s* sawhorse; **~e** *v* saw; **~e** *ngt over* saw through sth; (i to dele) saw sth in two.

savl *s* saliva; **~e** *v* dribble; **~e** *over ngt* slobber over sth.

savn *s* (mangel) want; (behov) need; *det er et stort* ~ it is a great loss; **~e** *v* miss; (mangle, ikke have) lack, want; (trænge til) need; *vi har* ~*et dig* we missed you; *være* ~*et* be missed; (dvs. forsvundet) be missing.

sav... *sms:* **~smuld** *s* sawdust; **~smuldstapet** *s* wood-chip paper; **~takket** *adj* serrated; **~værk** *s* sawmill.

scene *s* scene; (teat) stage; *lave en* ~ create a scene; *gå til* ~*n* go on the stage; *sætte ngt i* ~ stage sth; (teat, film) produce sth; **~instruktør** *s* producer, director; **~ri** *s* setting; **scenograf** set-designer.

Schweiz *s* Switzerland; **s~er** *s*, **s~isk** *adj* Swiss.

schæfer(hund) *s* alsatian.

score *v* score.

se *v* (kunne se, få øje på) see;

(bruge øjnene, se på ngt) look; (være tilskuer, overvære) watch; *kan du* ~ *ham?* do you see him? ~ *ham!* look at him! ~ *fjernsyn* watch television; ~ *her!* look here! ~*s* meet; *vi* ~*s!* see you! kan det ~*s, kan man* ~ *det?* does it show? ~ *sig for* look where one is going; ~ *sig om* look around; (dvs. rejse) travel around; ~ *sig om efter ngt* look around for sth; *jeg skal* ~ *ad* I'll see; ~ *bort fra ngt* ignore sth; ~ *efter* (dvs. lede efter) look for; (dvs. holde øje med) watch after; ~ *ngt efter* look sth over; ~ *frem til* look forward to; ~ *ned på en* look down on sby; ~ *op til en* look up to sby; ~ *på ngt* look at sth; (som tilskuer) watch sth; ~ *til* (som tilskuer) look on, watch; ~ *en del til en* see quite a lot of sby; ~ *til at...* see (to it) that...; ~ *ud* (af ydre) look; (virke) seem; *hvordan* ~ *hun ud?* what does she look like? ~ *ud ad vinduet* look out of the window; *det ser ud som om it* looks as if; *det* ~*r ud til at regn* it looks like rain.

seddel *s* (penge~, besked etc)) note; (papir~) slip (of paper); (mærke~) label; **~penge** *spl* paper money.

seer *s* viewer.

segne *v* drop; **~færdig** *adj* ready to drop.

sej *adj* tough; (fig, stædig) dog-

ged; **~hed** s toughness; dog-
gedness.

sejl s sail; *sætte* ~ set sail; *for
fulde* ~ all sails set.

sejlads s *(det at sejle)* naviga-
tion; *(sejltur)* sail; *(sørejse)*
voyage.

sejlbåd s sailing boat; **sejldug** s
canvas.

sejle v sail; *(som sport)* yacht;
(i robåd) row; *(i kano)* go
canoeing; *tage ud at* ~*e* go
sailing; ~ *med englandsbå-
den* go on the boat to Eng-
land.

sejl. . . sms: **~garn** s string;
~klub s sailing club; **~rende**
s fairway; **~skib** s sailing
ship; **~sport** s sailing; **~tur** s
sail.

sejr s victory; *vinde* ~ gain the
victory; **~e** v win; ~*e over en*
win over sby; *(i sport)* beat
sby; **~herre** s victor, winner.

sekret s secretion.

sekretariat s secretariat; **se-
kretær** s secretary; *(om mø-
bel)* bureau.

seks num six; **~dagesløb** s
six-day race; **~er** s six; *(om
bus etc)* number six; **~kant** s
hexagon; **~kantet** adj hexa-
gonal; **~løber** s six-shooter;
~tal s six; **~ten** num sixteen;
~tiden s: *ved* **~tiden** at about
six o'clock.

seksualitet s sexuality; **seksu-
el** adj sexual.

sekt s sect.

sektor s sector.

sekund s second; **~ant** s se-

cond; **~ere** v second; **~viser**
s second hand.

sekundær adj secondary.

sele s strap; *(auto,fly)* seat belt;
(gå~ til børn) reins pl;
(bære~ til børn) carrying
sling; ~*r (til bukser etc)* bra-
ces; *lægge sig i* ~*n for at gøre
ngt* work hard to do sth; **~tøj**
s harness.

selleri s celeriac; *(blad~)* cele-
ry.

selskab s *(fest, rejse~ etc)* par-
ty; *(forening)* society; *(han-
dels~ etc)* company; *(det at
være sammen med ngn)* com-
pany; *han er godt* ~ he is
good company; *komme i dår-
ligt* ~ get into bad company;
holde et ~ have a party;
holde en med ~ keep sby
company; **~elig** adj social;
(om person) sociable; **~elig-
hed** s *(som man selv afhol-
der)* entertaining; *(som man
går ud til)* parties pl.

selskabs. . . sms: **~kjole** s ev-
ening gown; **~leg** s parlour
game; **~rejse** s conducted
tour; **~skat** s corporation tax.

selv pron sing: myself (, your-
self, himself, herself, itself,
oneself); pl: ourselves (, your-
selves, themselves); *jeg gjor-
de det* ~ I did it myself; *hun
så det* ~ she saw it herself; *de
syr* ~ *deres tøj* they make
their own clothes; *det må I* ~
om that's up to you; *det kan
du* ~ *være!* the same to you!
du ligner dig ~ you have not

changed; *gøre ngt af sig* ~ do sth of one's own accord; *det begynder af sig* ~ it starts automatically; *være for sig* ~ be alone; *være ngt for sig* ~ be sth out of the ordinary; *komme til sig* ~ recover; *(efter besvimelse)* come round // *adv* even; ~ *chefen tog fejl* even the boss was wrong; ~ *om (dvs. skønt)* (even) though; *(om gætteri, teori)* even if.

selv... *sms:* ~**angivelse** *s* (income) tax return; ~**beherskelse** *s* self-control; ~**betjening** *s* self-service; ~**bevidst** *adj* self-assured; *(neds)* conceited; ~**biografi** *s* autobiography; ~**disciplin** *s* self-discipline.

selve *adv: i* ~ *huset* in the house itself; *under* ~ *krigen* during the actual war.

selv... *sms:* ~**eje** *s* freehold; ~**ejende** *adj (om institution)* independent; ~**erhvervende** *adj (selvstændig)* self-employed; *(om fx hustru)* working; ~**forsvar** *s* self-defence; ~**forsynende** *adj* self-sufficient.

selvfølge *s* matter of course; ~**lig** *adj (naturlig)* natural; *(indlysende)* obvious // *adv* naturally, of course; ~**lighed** *s* naturalness; obviousness.

selv... *sms:* ~**glad** *adj* self-satisfied; ~**hjulpen** *adj (som klarer sig selv)* self-reliant; *(selvforsynende)* self-suppor-

ting; ~**højtidelig** *adj* pompous.

selvisk *adj* selfish; ~**hed** *s* selfishness.

selv... *sms:* ~**klæbende** *adj* self-adhesive; ~**kritik** *s* self-criticism; ~**lyd** *s* vowel; ~**lysende** *adj* luminous; ~**mord** *s* suicide; *begå* ~*mord* commit suicide; ~**morder** *s* suicide; ~**mordsforsøg** *s* attempted suicide; ~**mål** *s (sport)* own goal.

selvom *se selv (om).*

selv... *sms:* ~**optaget** *adj* self-centred; ~**portræt** *s* self-portrait; ~**respekt** *s* self-respect; ~**risiko** *s* own liability; ~**sikker** *adj* self-assured; ~**sikkerhed** *s* self-assurance; ~**skreven** *adj: være* ~*skreven til ngt* be the obvious choice for sth; ~**styre** *s* autonomy.

selvstændig *adj* independent; *(særskilt)* separate; *(egen)* of one's own; ~ *erhvervsdrivende* self-employed person; ~**hed** *s* independence.

selv... *sms:* ~**tilfreds** *adj* complacent, smug; ~**tilfredshed** *s* complacency, smugness; ~**tillid** *s* self-confidence; ~**valg** *s (tlf)* direct dialling; ~**valgt** *adj* self-elected; *(tlf)* self-dialled.

semifinale *s* semifinal(s) *(pl).*

semikolon *s* semicolon.

seminarium *s* teacher training college.

sen *adj* late; *(langsom)* slow;

(forsinket) belated; *i en ~ alder* late in life; *(se også sent).*

senat *s* senate; **~or** *s* senator.

sende *v* send; *(merk)* forward; *(med skib el. fly)* ship; *(i radio)* broadcast; *(i tv)* transmit; **~bud** *s* messenger; **~r** *s* *(radio)* transmitter.

sending *s (parti varer)* shipment.

sene *s* sinew.

senere *adj* later; *(fremtidig)* future // *adv* later; *(bagefter)* afterwards; *~ på dagen* later in the day; *i de ~ år* in recent years; *i den ~ tid* lately; *før el. ~* sooner or later.

senest *adj* latest; *(langsomst)* slowest // *adv* at the latest; *~ 1. maj* on May the first at the latest, not later than May the first; *i den ~e tid* recently.

seng *s* bed; *gå i ~* go to bed; *gå i ~ med alle og enhver* sleep around; *ligge i ~en* be in bed; *(være syg)* be ill in bed; **~ehest** *s* bed guard; **~ekant** *s* bedside; **~eliggende** *adj* bedridden; **~etid** *s* bedtime; **~etæppe** *s* bedspread; **~etøj** *s* bed linen.

senil *adj* senile; **~itet** *s* senility.

sennep *s* mustard.

sensation *s* sensation; *skabe ~* create a sensation; **~el** *adj* sensational.

sensibel *adj* sensitive.

sent *adv* late; *for ~* too late; *komme for ~ til ngt* be late for sth; *komme for ~ til toget* miss the train; *~ på dagen* late in the day; *vi er ~ på den* we are late; *så ~ som i mandags* only last Monday.

sentimental *adj* sentimental; **~itet** *s* sentimentality.

separat *adj* separate.

separation *s* separation; **~sbevilling** *s* separation order.

september *s* September; *den første ~* September the first *el.* the first of September.

sergent *s* sergeant.

serie *s* series; *(merk)* batch; *(tv)* serial; **~fremstillet** *adj* mass-produced.

seriøs *adj* serious.

serve *s (i tennis)* service // *v* serve.

servere *v* serve; *(varte op)* wait at table; *~ for en* wait on sby; *middagen er ~t* dinner is served; **servering** *s* service; **serveringsdame** *s* waitress.

service *s (porcelæn etc)* service; *(på vare, fx vedligeholdelse)* maintenance; **~ydelse** *s* service.

serviet *s* napkin; *(rense~)* tissue.

servitrice *s* waitress.

servostyring *s (auto)* power(-assisted) steering.

set *adj* seen; *bilen ~ fra siden (, forfra, bagfra)* side (, front, rear) view of the car; *sådan ~* in a way.

seværdighed *s* sight.

sex *s* sex; **~et** *adj* sexy; **~istisk**

adj sexist.

sgu *interj; det er ~ sjovt* it's damned funny; *det er ~ møgvejr igen* it's bloody awful weather again; *jeg mener det ~* I mean it, damn you.

si *s* sieve; *(te~)* strainer; *(dørslag)* colander // *v (om væske)* strain; *(om fx mel)* sift.

sidde *v* sit; *(være anbragt)* be; *(om tøj)* fit; *de sad og spiste* they were eating; *der ~r en flue på lampen* there is a fly on the lamp; *~ fast* be stuck; *~ i møde* be at a meeting, be in conference; *~ i et udvalg* be on a committee; *~ inde (i fængsel)* do time; *~ inde med ngt* hold sth; *~ ned* be sitting *(el.* seated); *(sætte sig)* sit down; **~nde** *adj* sitting, seated; *(om bestyrelse etc)* present; *blive ~nde* remain seated; *(sidde fast)* get stuck; *bliv bare ~nde!* please don't get up! **~plads** *s* seat; *der er 400 ~pladser i salen (også:)* the hall seats 400.

side *s* side; *(i bog etc)* page; *(ngt typisk)* point; *det er ikke hans stærke ~* it is not his strong point; *en anden ~ af sagen* a different matter; *de kom fra alle ~r* they came from all sides; *se det fra den lyse ~* look at it from the bright side; *køre i højre (el. venstre) side (af vejen)* drive on the right *(el.* left) hand side (of the road); *se næste ~* see overleaf, see next page; *på*

den anden ~ on the other side; *(fig)* on the other hand; *se til ~n* look aside; *til alle ~r* on all sides; *lægge ngt til ~* put sth aside; *ved ~n af* beside, next to; *det er helt ved ~n af* it is quite beside the point; *de bor inde ved ~n af* they live next door.

side. . . *sms:* **~bygning** *s* wing; **~gade** *s* side street; **~linje** *s (i fodbold)* touchline; **~læns** *adv* sideways; **~løbende** *adj* parallel.

siden *adv* since; *(derefter)* afterwards; *(om lidt)* presently; *før el.* ~ sooner or later; *det er flere år ~ vi sås* it has been several years since we met; *det var for tre år ~* it was three years ago; *det er længe ~* it is a long time ago; *for længe ~* a long time ago // *præp/konj* since; *~ du nu vil have det* since you want it; *~ sidst* since last time.

side. . . *sms:* **~spejl** *s (auto)* side-view mirror; **~spor** *s* side track; *komme ind på et ~spor* get sidetracked; **~spring** *s (fig)* digression; *et ~spring (fx i ægteskabet)* a bit on the side; *(fig)* parallel; **~stykke** *s (fig)* parallel; **~vej** *s* side road; **~vogn** *s (på motorcykel)* side car.

sidst *adj* last; *(senest)* latest // *adv* last; *komme ~* be last; *(i mål)* come in last; *~e nyt* the latest news; *hvornår sås vi ~?* when did we meet last?

den tredje ~e the last but two; *~e uge* last week; *han er ~ i tresserne* he is in his late sixties; *~ på måneden* at the end of the month; *til ~ (dvs. endelig)* at last; *(dvs. til slut)* finally; **~nævnte** *s* the last-mentioned; *(ud af to)* the latter.

sig *pron (efter v:)* oneself (, himself, herself, itself, themselves); *(efter præp:)* him, her, it, them; *hun morede ~* she enjoyed herself; *de slog ~* they hurt themselves; *de så ~ omkring* they looked about them; *(ofte oversættes ~ ikke, fx:) hun satte ~* she sat down; *de giftede ~* they married.

sige *v* say; *(fortælle, give besked)* tell; *hvad ~r du til det?* what do you say to that? *han sagde farvel* he said goodbye; *jeg skal ~ dig ngt* I will tell you sth; *kan du ~ mig hvad klokken er?* can you tell me what time it is? *det ~s at vi får valg* they say there will be an election; *hun sagde at de skulle vaske sig* she told them to wash; *~ en imod* contradict sby; *~ op* give notice; *hvad ~r du til (at). . .?* how would you like to. . .? *der er ikke ngt at ~ til de gik* you can't blame them for leaving; *sig til når du er færdig* tell me when you are finished.

sigende *s: efter ~ er det den bedste bil* it is said to be the best car // *adj (om fx blik)* meaning.

signal *s* signal; *give en ~ til at standse* signal sby to stop; **~ement** *s* description; **~ere** *v* signal; **~flag** *s* signal flag.

signere *v* sign.

sigt *s* sight; *(sigtbarhed)* visibility; *på kort (el. langt) ~ in* the short *(el.* long) run; **~barhed** *s* visibility.

sigte *s* sieve; *(til væske)* strainer; *(det man stræber efter, formål)* aim; *(~korn på våben)* sight; *få ngt i ~* catch sight of sth; *tabe ngt af ~* lose sight of sth // *v (si)* sift; *(tage ~)* take aim; *(anklage)* charge *(for* with); *~ efter ngt* aim at sth; *~ imod* at aim to; *hvad ~r du til?* what are you getting at?

sigtelse *s* charge.

sigøjner *s* gipsy.

sikke(n) *pron* what a // *adv* how; *sikken en larm!* what a noise! *sikken de ter sig!* what a way to behave!

sikker *adj* certain, sure; *(stensikker)* positive; *(sikret, stærk nok, i sikkerhed)* safe; *(selv~)* confident; *en ~ sejr* a certain victory; *det er helt ~t* it is absolutely certain; *er du ~?* are you sure? *ja, jeg er helt ~* yes, I'm positive; *være ~ på ngt* be sure about sth; *(se også sikkert).*

sikkerhed *s* safety; *(sikring for fremtiden, tryghed)* security; *(selv~)* confidence; *(dygtig-*

hed) skill; *(garanti, kaution)*
security; *for en ~s skyld* for
safety's sake; *bringe ngt i ~*
save sth; *komme i ~* save
oneself; *stille ~ for ngt* gua-
rantee sth; *~sbælte s* seat
belt; *~snet s* safety net;
~snål s safety pin; *~spolitik s*
security policy; *~srepræsen-
tant s* safety steward; **S~srå-
det** *s (i FN)* the Security
Council; *~ssele s* seat belt.
sikkert *adv (sandsynligvis)*
probably, no doubt; *(utvivl-
somt)* undoubtedly; *(helt ~)*
certainly; *(uden fare el. risi-
ko)* safely; *han glemmer ~
nøglen* he is sure to forget the
key.
sikre *v* make sure; *(garantere)*
guarantee; *(få fat i)* get; *(be-
skytte)* protect; *~ sig* make
sure; *(skaffe sig)* secure, get
hold of; *~ sig mod ngt* pro-
tect oneself against sth.
sikring *s* protection; *(elek)*
fuse; *(på fx pistol)* safety
catch; *sprænge ~erne* blow
the fuses.
siksak *s: i ~* zigzag.
sild *s* herring; *røget ~* smoked
herring; *som ~ i en tønde*
like sardines in a tin; *~ean-
retning s* assorted herring
dishes; *~epostej s* smoked
herring pâté; *~salat s* salad
of herring, beetroot etc; *(iron
om ordener etc)* fruit salad.
sile *v (om regn)* pour down.
silhouet *s* silhouette.
silke *s* silk; *~papir s* tissue

paper.
simili *s* imitation; *~smykker s*
paste jewellery.
simpel *adj (enkel)* simple,
plain; *(ren og skær)* mere;
(ufin) common; *~hed s* sim-
plicity, plainness; common-
ness; *~t adj: ~ hen* simply;
ganske ~ quite simply.
simulere *v* feign, pretend to be.
sin *s, sit, sine pron* his, her,
(stående alene:) hers, its,
one's; *han bor i sit hus, hun i
sit* he lives in his house, she
in hers; *glemme sin paraply*
forget one's umbrella; *gøre
sit til at...* do one's best to...;
de fik hver sin gave they got a
present each; *de har hver sit
værelse* they have separate
rooms; *~e steder* in places.
sind *s* mind; *(temperament)*
temper, disposition; *have i
~e at* intend to; *i sit stille ~*
secretly; *~et adj* disposed;
venlig~et friendly; *dansk-~et*
pro-Danish.
sinds... sms: ~bevægelse s
emotion; *(ophidselse)* excite-
ment; *~forvirret adj* mentally
confused; *~oprivende adj*
nerve-racking; *~ro s* calm-
ness; *med største ~ro* quite
calmly; *~stemning s* mood;
~syg adj mentally ill; *(skør)*
mad, crazy; *~syge s* mental
illness; *~tilstand s* state of
mind.
singularis *s (gram)* the singu-
lar.
sinke *s* mentally retarded per-

son // *v* delay, detain.
sippet *adj* prudish; *(overpertentlig)* fussy.
sirene *s* siren.
sirlig *adj* neat; *(pertentlig)* meticulous.
sirup *s (lys)* syrup; *(mørk)* treacle.
sit *se* sin.
situation *s* situation; *være ~en voksen* rise to the occasion.
siv *s* rush.
sive *v* ooze; *(om lys og fig)* filter; *(forlade stedet lidt efter lidt)* trickle out *(el. away)*; *~ ind (dvs. blive forstået)* sink in; *lade ngt ~ ud* leak sth; *~brønd* *s* cesspool.
sjal *s* shawl.
sjap *s* slush; *~pet* *adj* slushy.
sjask *s* slush; *~e* *v* splash; *~et* *adj* sloppy.
sjat *s* drop, spot.
sjette *adj* sixth; *~del* *s* sixth.
sjippe *v* skip; *~tov* *s* skipping rope.
sjofel *adj (uanstændig)* dirty; *(led)* filthy, beastly; *~hed* *s* dirty trick; *(historie etc)* dirty story *(, joke etc)*; *(~t ord)* obscenity.
sjokke *v* shuffle.
sjov *s* fun; *det er kun for ~* it is only for fun; *lave ~* have fun; *lave ~ med en* have sby on // *adj* fun; *(morsom)* funny; *det er ~t* it is funny; *det er ~t at lege* it is fun to play; *se ~ ud* look funny; *~t nok* strangely enough.
sjover *s* bastard.

sjus *s* whisky-and-soda.
sjusk *s* bungling; *(ligegyldighed)* carelessness; *~e* *v* be careless, be slovenly; *~eri* *s* bungling; *~et* *adj* slovenly; *(rodet, ~ i tøjet)* untidy.
sjæl *s* soul; *af hele min ~* of all my heart; *lægge sin ~ i ngt* put one's heart and soul into sth.
sjælden *adj* rare; *(bemærkelsesværdig)* remarkable; *i ~ grad* exceptionally; *en ~ gang imellem* at rare intervals; *~hed* *s* rarity; *det hører til ~hederne* is a rare thing; *~t* *adv (ikke ofte)* rarely; *(specielt)* remarkably.
Sjælland *s* Zealand; **s~sk** *adj* Zealand.
skab *s* cupboard; *(klæde~)* wardrobe.
skabagtig *adj* affected.
skabe *v* create, make; *(give anledning til)* cause; *~ sig (dvs. være krukket)* be affected; *(tage på vej)* make a fuss *(over* about); *(give problemer, fx om motor)* play up; *(te sig dumt)* play the fool; *~ sig et navn* make a name for oneself; *~lse* *s* creation, making; *~lsen* the Creation; *~r* *s* creator, maker; *~ri* *s* affectation.
skabning *s* creature.
skabsfryser *s* upright freezer.
skabt *adj* created, made; *han er flot ~* he is well-made; *være som ~ til at være ngt* be cut out to be sth.

skade *s (zo)* magpie; *(beskadigelse)* damage; *(fortræd)* harm; *(legemlig)* injury; *(maskin~)* trouble; *tage ~ (om ting)* be damaged; *komme til ~ get hurt; (blive såret etc)* be injured // *v (om ting)* damage; *(om person, kvæste etc)* injure; *(lettere)* hurt; *(om helbred)* harm; *det ~r ikke* there is no harm in it; *spilleren er ~t (sport)* the player is injured.

skade... *sms:* **~dyr** *s* pest; **~fro** *adj* gloating; *være ~fro over ngt* gloat over sth; **~fryd** *s* gloating; **~lig** *adj* harmful; *(alvorligere)* damaging; **~serstatning** *s* damages *pl;* **~sløs** *adj: holde en ~sløs* indemnify sby; **~stue** *s* emergency *(el.* casualty) ward.

skaffe *v (få fat i)* get; *(ved særlig indsats)* procure; *(om penge)* raise, find; *(levere)* provide, supply; *~ sig af med ngt* get rid of sth.

skafot *s* scaffold.

skaft *s (på fx pande, hammer etc)* handle; *(på spyd, stang)* shaft; *(på strømpe, støvle)* leg; *(på kost)* stick.

Skagen *s* the Skaw; **Skagerak** *s* the Skagerak.

skak *s* chess; *et parti ~* a game of chess; *holde en i ~* stall sby; **~brik** *s* chessman; **~bræt** *s* chessboard; **~mat** *s* checkmate; **~spil** *s (om delene)* chessboard and chess-

men; **~spiller** *s* chessplayer.

skakt *s* shaft; *(til affald)* chute.

skal *s* shell; *(på frugt)* skin, peel; *(på korn)* husk; *(hjerne~)* skull; *(F, om hovedet)* nut.

skala *s* scale.

skaldet *adj* bald; *(sølle)* wretched; **~hed** *s* baldness.

skaldyr *s* shellfish.

skalle *s: nikke en en ~* smash one's head into sby's face // *v: ~ af (om maling etc)* peel off; *(om hud)* peel.

skalotteløg *s* shallot.

skalp *s* scalp; **~ere** *v* scalp.

skam *s* shame, disgrace; *det er en ~* it is a pity; *gøre en til ~me (dvs. overgå)* put sby in the shade // *adv* really, you know; *det er ~ ikke let* it is not easy, you know; *han gjorde det ~* he really did it.

skamfere *v (beskadige)* damage; *(vansire)* disfigure.

skamfuld *adj* ashamed *(over of; over at* that).

skamløs *adj* shameless.

skamme *v: ~ sig* be ashamed *(for* at to; *over* of); **~krog** *s: blive sat i ~krogen* be put in the corner.

skammel *s* stool.

skammelig *adj* disgraceful.

skandale *s* scandal; *gøre ~* cause a scandal; **~pressen** *s* the gutter press; **skandaløs** *adj* scandalous.

skandinav *s* Scandinavian; **S~ien** *s* Scandinavia; **~isk** *adj* Scandinavian.

skank s leg.

skare s crowd, flock.

skarlagensfeber s scarlet fever.

skarn s (snavs) dirt; (affald) refuse; (møg) dung.

skarp adj sharp; (fig om fx hørelse) keen; (se også skarpt); ~**hed** s sharpness; keenness; (foto) focus; ~**ladt** adj loaded with live ammunition; ~**sindig** adj acute; (nøgtern) shrewd; ~**t** adv sharply; keenly; se ~ t på en look keenly at sby; indstille kameraet ~ t bring the camera into focus.

skat s (kostbar ting) treasure; (om person) darling, dear; (stats~) tax; (kommune~) local tax; (ejendoms~) rates pl; (afgift) duty; betale ~ af ngt pay tax on sth; ~**kiste** s treasure chest.

skatte... sms: ~**borger** s taxpayer; ~**fidus** s tax dodge; ~**fradrag** s (på selvangivelse) deduction; (som myndighederne giver) allowance; ~**fri** adj tax-free; ~**frihed** s tax exemption; ~**lettelse** s tax relief; ~**ly** s tax haven; ~**pligtig** adj (om person) liable to pay tax; ~**pligtig indkomst** taxable income; ~**procent** s rate of taxation; ~**snyderi** s tax evasion; ~**væsen** s tax authorities pl; ~**yder** s taxpayer; ~**år** s fiscal year.

skavank s fault; (mindre) flaw; (fysisk) disability.

ske s spoon.

ske v happen; (foregå, finde sted) take place; hvad er der ~ t? what (has) happened? det kan godt ~ at han har ret he may be right; nu er det ~ t med os we are done for now.

skede s sheath; (vagina) vagina.

skefuld s spoonful.

skele v squint (til at); ~**n** s squint.

skelet s skeleton; (i bygning, fig) framework.

skelne v make out; (kende forskel på) distinguish; ~ mellem rødt og grønt distinguish between red and green, tell red from green.

skeløjet adj cross-eyed.

skema s (skole~ etc) timetable; (plan) schedule; (diagram) diagram; ~**tisk** adj schematic.

skepsis s scepticism; **skeptisk** adj sceptical (over for of).

ski s ski; stå (el. løbe) på ~ ski, go skiing.

skib s ship; (kirke~) nave; (side~ i kirke) aisle; sende ngt med ~ send sth by sea; ~**brud** s shipwreck; lide ~**brud** be shipwrecked; (fig, om sag el. person) fail.

skibs... sms: ~**bygger** s shipbuilder; ~**fart** s (som erhverv) shipping; (det at sejle) navigation; ~**mægler** s shipbroker; ~**reder** s shipowner; ~**rederi** s shipping company; ~**værft** s shipyard.

skid s (V) *(fjert)* fart; *(om person)* shit, turd; **slå en ~** fart; **have en ~ på** (V) be pissed; **~e** v (V) shit; **~e på ngt** not give a damn about sth; **~e-** (V) bloody *(fx god good)*; **~eballe** s: **give en en ~eballe** take sby to the laundry; **~erik** s bastard.

skidragt s ski suit.

skidt s *(snavs)* dirt, filth; *(fig om fx bog)* trash; **~ med det!** never mind! **hele ~et** the whole lot // adj bad // adv badly; **det går ~** it is not going well; **en ~ fyr** a nasty piece of work.

skifer s slate.

skift s shift; *(ændring)* change; **arbejde i ~** do shiftwork; **på ~** in turns; **gå på tur på ~** take turns at doing sth.

skifte s *(jur)* division of an estate // v change; *(flytte rundt på)* shift; *(veksle)* alternate; **~ dæk** change a tyre; **~ ble på den lille** change the baby's nappy; **~holdsarbejde** s shiftwork; **~nde** adj changing, varying; **~nøgle** s monkey wrench; **~ramme** s clip-on picture frame; **~ret** s probate court; **~s** v take turns; **~s til at gøre ngt** take turns at doing sth alternately.

skihop s ski jumping; *(hopbakke)* ski jump.

skik s custom; **det er ~ og brug** it is customary; **få ~ på ngt**

get sth into shape.

skikkelig adj harmless.

skikkelse s shape, form; *(tilstand)* state; *(person)* figure; **han har en flot ~** he is well-made; **i ~ af** in the shape of.

skilderhus s sentry box.

skildpadde s tortoise; *(hav~)* turtle; **forloren ~** mock turtle.

skildre v *(i ord)* describe; *(udmale, afbilde)* depict; **skildring** s description; picture.

skildvagt s sentry.

skille v separate; *(dele)* divide; *(om mælk, sovs etc)* curdle; **blive skilt** be divorced; **lade sig ~ fra en** divorce sby; **~ ngt ad** separate sth; *(pille fra hinanden)* take sth to pieces; **~ sig af med ngt** get rid of sth; **~s** v separate; *(blive skilt)* be divorced; *(om ting)* come apart; **~vej** s crossroads; **~væg** s partition.

skilling s: **ikke eje en ~** not have a penny; **tjene ~er** *(dvs. mange penge)* make a packet; **~e** v: **~e sammen** club together.

skilning s parting.

skilsmisse s divorce; **søge ~** apply for a divorce; **få ~** obtain a divorce; **~barn** s child from a broken home.

skilt s *(butiks~)* signboard; *(reklame~)* advertisement board; *(trafik~)* sign; *(vej~)* signpost; *(navne~)* nameplate; *(politi~)* badge.

skiløb s skiing; **~er** s skier.

skin *s* light; *(ubehageligt, grelt)* glare.

skind *s* skin; *(huder)* hide; *(om pelsdyr)* coat; *(pelsværk)* fur; *(læder)* leather; *dit ~!* poor thing! *holde sig i ~et* control oneself; *våd til ~et* wet through.

skindød *adj* in a state of apparent death.

skinger *adj* shrill; **skingre** *v* shrill; **skingrende** *adj* shrill.

skinke *s* ham; *røget ~* smoked ham.

skinne *s* *(jernb etc)* rail; *(ben~ etc)* splint // *v (lyse)* shine; *lade ngt ~ igennem* hint at sth; *~ben* *s* shin; *~bus* *s* rail bus; *~nde* *adj* bright, shining; *~nde ren* spotless.

skinsyg *adj* jealous *(på* of); *~e* *s* jealousy.

ski. . . sms;: *~***sport** *s* skiing; *~***sportssted** *s* ski(ing) resort; *~***stav** *s* ski stick; *~***støvle** *s* ski boot.

skitse *s* sketch; *(til plan)* draft; *~***re** *v* sketch; *(fig)* outline.

skive *s* *(kød, brød, ost etc)* slice; *(rund plade)* disc; *(ur~, tlf)* dial; *(skyde~)* target; *skære brød i ~r* slice bread; *~***bremse** *s* disc brake.

skjold *s* shield; *(våben~)* coat of arms; *(plamage, plet)* blotch; *~***bruskkirtel** *s* thyroid gland.

skjorte *s* shirt; *~***bluse** *s* shirt-blouse.

skjul *s* *(gemmested)* hiding place; *(ly)* cover; *i ~ (af)* under cover (of); *krybe i ~* seek shelter; *lege ~* play hide-and-seek; *ikke lægge ~ på ngt* make no secret of sth; *~***e** *v* hide; *(dække over)* cover up; *~e sig* hide *(for* from); *~***ested** *s* hiding place; *~***t** *adj* hidden; *holde ngt ~t* hide sth.

sko *s* shoe // *v (~ en hest)* shoe; *~***børste** *s* shoe brush; *~***creme** *s* shoe polish.

skod *s* *(cigaret~)* fag-end; *~***de** *v (en cigaret)* butt, stub out; *(med årerne)* back (the oars).

skolde *v* scald; *(om solen)* scorch.

skoldkopper *spl* chicken pox.

skole *s* school; *i ~n* at school; *gå i ~* go to school; *gå ud af ~n* leave school; *danne ~* become the accepted thing // *v* school, train; *~***bestyrer** *s* headmaster; *(kvindelig)* headmistress; *~***eksempel** *s* classic example *(på* of); *~***elev** *s* pupil; *~***gang** *s* schooling; *tvungen ~gang* compulsory schooling; *~***gård** *s* playground; *~***kammerat** *s* schoolmate; *~***køkken** *s (som fag)* domestic science; *~***lærer** *s* schoolteacher; *~***penge** *spl* school fees *pl;* *~***ridning** *s* dressage; *~***skema** *s* timetable; *~***skib** *s* training ship; *~***tid** *s* school hours; *(dengang man gik i ~)* school days; *~***træt** *s* tired of school; *~***væsen** *s* education authorities *pl;* *~***år** *s* school year.

skomager *s* shoemaker; **sko-pudser** *s* shoeblack.

skorpe *s (på brød, jord etc)* crust; *(på ost)* rind; *(på sår)* scab.

skorpion *s* scorpion; *S~en (astr)* Scorpio.

skorsten *s* chimney; *(på skib)* funnel; **~sfejer** *s* chimney-sweep.

skosværte *s* shoe polish.

skotsk *adj* Scottish; *(om person og sprog)* Scots; *(om whisky)* Scotch; **~ternet** *adj* tartan; **skotte** *s* Scot(sman).

skotøj *s* footwear; **~sforret-ning** *s* shoe shop; **~sæske** *s* shoe box.

skov *s (stor)* forest; *(mindre)* wood; *gå tur i ~en* walk in the woods *(el.* the forest); **~bevokset** *adj* wooded; **~brand** *s* forest fire; **~brug** *s* forestry; **~bund** *s* forest floor; **~e** *v* cut down trees; **~foged** *s* ranger; **~jordbær** *s* wild strawberry.

skovl *s* shovel; *(lille)* scoop; *(på gravemaskine)* bucket; *få ~en under en* get sby where you want him/her; **~e** *v* shovel, scoop; **~e penge ind** make loads (of money).

skov. . . sms: **~rider** *s* forester; **~snegl** *s* black slug; **~stræk-ning** *s* woodland; **~svin** *s* litter lout; **~tur** *s (med madkurv)* picnic; *(uden madkurv)* walk in the woods.

skrabe *v* scrape; *(kradse)* scratch; **~ østers** dredge for

oysters; **~t** *adj (om fx budget)* pared-down; *brød med ~t smør* bread and scrape; **~æg** *s* free-range egg.

skrald *s (om torden etc)* clap, crash; *(om trompet, eksplosion etc)* blast; *(affald)* rubbish; *(køkkenaffald)* garbage; **~e** *s* rattle // *v (runge)* peal; **~ebøtte** *s* dustbin, rubbish bin; **~emand** *s* garbage man.

skramle *v* rattle; *~ med ngt* rattle sth; **~kasse** *s (om bil)* banger; **~n** *s* rattling.

skramme *s* scratch; *være ude på ~r* be asking for it // *v* scratch.

skrammel *s* junk, rubbish.

skrammet *adj* scratched.

skranke *s (disk)* counter; *(barriere)* barrier, bar.

skrante *v* be ailing, be sickly; **~nde** *adj* ailing, sickly.

skrap *adj (hård, streng)* hard; *(anstrengende, vanskelig)* tough; *(urimelig, ubehagelig)* stiff; *(dygtig)* smart; *(om ord, tale)* sharp; *det er vel nok ~t!* it is a bit stiff *(el.* thick)! *det var en ~ omgang* it was tough going.

skratte *v* rattle; *(skurre)* grate; *(om pen, negl)* scratch.

skravere *v* hatch; **skravering** *s* hatching.

skred *s (jord~, også fig)* landslide; *(lavine)* avalanche; *komme i ~ (om bil etc)* go into a skid; *(fig, komme i gang)* get going.

skribent *s* writer.

skride v (glide) slip; (om bil etc) skid; (gå sin vej) push off; skrid! get lost! ~ ind mod ngt take action against sth; ~ ud (om bil) skid; **skridsikker** adj non-skid.

skridt s step; (i bukser og anat) crotch; med raske ~ at a brisk pace.

skrift s writing; (hånd~) handwriting; (publikation) publication; (afhandling, artikel) paper; hans samlede ~er his collected works.

skrifte v confess; **~mål** s confession; **~stol** s confessional.

skriftlig adj written, in writing.

skriftsprog s written language.

skrig s (råb, kalden) cry; (højt) scream; (hyl) yell; give et ~ cry out, scream; det er sidste ~ it is the latest; **~e** v cry; scream; yell; **~e op** cry out; yell; **~en** s crying; screaming; yelling; **~ende** adj crying; (om farve) loud.

skrin s (lille) box; (større) chest.

skrive v write; (på maskine) type; ~ ngt af copy sth; ~ efter ngt write for sth; ~ med blyant (etc) write in pencil (etc); NATO ~s med store bogstaver NATO is written in capital letters; ~ ngt ned (el. op) write sth down; ~ til en write sby; ~ ngt under sign sth; **~blok** s writing pad; **~bord** s desk; **~hjul** s (på printer etc) daisy wheel, print wheel.

skrivelse s letter.

skrivemaskine s typewriter; skrive på ~ type.

skrivepapir s notepaper; **skriveunderlag** s blotting pad.

skrivning s writing.

skrog s (af skib) hull; (af fly) fuselage; (af æble) core; (om stakkel) poor thing.

skrot s scrap (iron).

skrubbe s (fisk) flounder; (børste) scrubber // v scrub; skrub af! get lost! scram!

skrubtudse s toad; have en ~ i halsen have a frog in one's throat.

skrue s screw // v screw; ~ ngt fast screw sth up; ~ ngt løs unscrew sth; ~ ned for radioen turn down the radio; ~ op for gassen turn up the gas; **~blyant** s propelling pencil; **~brækker** s scab; **~is** s pack ice; **~låg** s screw top; **~nøgle** s spanner; **~stik** s vice; **~trækker** s screwdriver; **~tvinge** s clamp.

skrummel s monstrosity.

skrumpe v: ~ (ind) shrink.

skrup... sms: **~forvirret** adj (kronisk) scatterbrained; (akut) flustered; **~grine** v laugh one's head off; **~skør** adj nuts; **~sulten** adj famished.

skrupel s scruple; **~løs** adj unscrupulous.

skryde v (om æsel) bray; (prale) brag.

skrædder s tailor; (dame~) dressmaker; **~kridt** s tailor's chalk; **~saks** s tailor's shears pl; **~stilling** s: sidde i ~stilling sit cross-legged; **~syet** adj tailored; (fig) tailormade; **~syning** s (til herrer) tailoring; (til damer) dressmaking.

skræk s (frygt) fear; (rædsel) terror; (pludseligt chok) fright, scare; den unge er en ~ that kid is a menace; være ved at dø af ~ be scared stiff; ryste af ~ tremble with fear; af ~ for for fear of; **~indjagende** adj terrifying; **~kelig** adj terrible, awful // adv terribly, awfully; **~slagen** adj terror-stricken.

skræl s peel; (på banan) skin; **~le** v peel; **~lekniv** s paring knife.

skræmme v frighten, scare; du skræmte mig! you gave me a fright; **~skud** s warning shot.

skrænt s slope.

skræppe v (om and) quack; ~ op cackle.

skræve v straddle; ~ over ngt stride over sth; (sidde overskrævs på) straddle sth.

skrøbelig adj fragile; (om person) frail; **~hed** s fragility; frailty.

skrå s (tobak) chewing tobacco // v chew tobacco // adj slanting, sloping; på ~ obliquely; klippe stof på ~ cut material on the bias; lægge hovedet på ~ cock one's head; ~t op! (V) stuff it! **~bånd** s bias strip; (i metermål) bias binding.

skrål s bawl, yell; **~e** v bawl, yell.

skråne v slant, slope; **skråning** s slope.

skråstreg s slash; **skråtobak** s chewing tobacco.

skub s push; sætte ~ i ngt get sth moving; **~be** v push; **~be til en** push sby.

skud s shot; (af plante) shoot.

skude s ship, boat.

skudsikker adj bulletproof; (fig) cast-iron; **skudt** adj: være skudt i en have a crush on sby; **skudår** s leap year.

skuespil s play; **~forfatter** s playwright, dramatist; **~ler** s actor, (kvindelig) actress.

skuffe s drawer // v (gøre skuffet) disappoint; blive ~t over ngt be disappointed at el. in sth; ~t over en disappointed with sby; **~lse** s disappointment.

skulder s shoulder; trække på ~en shrug; **~blad** s shoulder blade; **~bredde** s (mål) shoulders; **~strop** s shoulder strap; **~taske** s shoulder bag.

skule v scowl (til at).

skulle v (være nødt til) have to, must; (have ordre til) must, be to; (burde) ought to; (råd man giver) should; (siges at være) is/are said to be; jeg skal altså nå det til tiden I must make it in time; jeg skal tisse I have to pee; jeg skal møde ham på stationen I am to meet him at the station; de

~ *være her nu* they ought to
be here now; *det ~ du have
sagt før* you should have said
that before; *han skal være en
god læge* he is said to be a
good doctor; *hvad skal vi
gøre?* what are we (going) to
do? *skal jeg komme?* do you
want me to come? *skal du ngt
i morgen?* are you doing any-
thing tomorrow? *hvad ~ det
være? (i forretning)* can I
help you? *hvad skal det
være? (dvs. forestille)* what is
that supposed to be? *vi skal
af næste gang* we are getting
off at the next stop; *hvor skal
vi hen?* where are we going?
hvad skal vi her? what are we
doing here? *vi ~ lige til at gå*
we were just leaving; *han
skal til at gå i skole* he is
starting school; *der skal mere
til for at...* it takes more to...;
vi skal ud i aften we are going
out tonight.

skulptur *s* sculpture.
skum *s* foam; *(på øl)* froth;
~**gummi** *s* foam rubber; ~**me**
v foam; froth; *(~ fløde af
mælk etc)* skim.
skummel *adj* sinister; *(mørk
og dyster)* gloomy.
skummetmælk *s* skimmed
milk.
skumring *s* twilight.
skumslukker *s* foam extingui-
sher; **skumsprøjt** *s* spray.
skur *s* shed; *(neds om hus)*
shack.
skure *v* scrub; ~**børste** *s*

scrubbing brush; ~**pulver** *s*
scouring powder.
skurk *s* scoundrel; *(tæt etc)*
villain; *din lille ~!* you little
rascal!
skurre *v* jar; ~ *i ørerne* jar on
the ear; ~**n** *s* jarring.
skvadderhoved *s* fool, twit.
skvadre *v* blether.
skvat *s* softy, sissy; ~**te** *v* fall;
~**tet** *adj* wet.
skvulpe *v* *(om bølger)* lap;
(plaske) splash.
sky *s* cloud; *(kødsaft)* gravy;
(stivnet kødsaft) jelly // *adj*
shy; ~**brud** *s* cloudburst.
skyde *v* *(med våben)* shoot;
(puffe) push; *(gro, spire, ~ på
mål)* shoot; ~ *af* fire; ~ *forbi*
miss; ~ *50 kr til* contribute
50 kr.; ~ *ngt ud (dvs. skubbe)*
push sth out; *(dvs. udsætte)*
put sth off; ~**bane** *s* shooting
range; ~**dør** *s* sliding door;
~**t** *s* *(våben)* gun, shooter;
(slå) slide; ~**ri** *s* shooting;
~**skive** *s* target; ~**spænde** *s*
hair slide; ~**våben** *s* firearm;
skydning *s* shooting, fire.
skydække *s* cloud ceiling; **sky-
fri** *adj* cloudless.
skygge *s* shadow; *(mods: sol)*
shade; *(på hat)* brim // *v*
shade; *(udspionere)* tail; ~
for ngt shade sth; ~ *for en*
stand in sby's light.
skyld *s* *(skyldfølelse, det at
være skyldig)* guilt; *(fejl)*
fault; *(ansvar)* blame; *få ~
for ngt* get the blame for sth;
det er ikke min ~ it is not my

fault; *give en* ~*en for ngt* blame sby for sth; *det er din egen* ~ you have only got yourself to blame; *for din* ~ for your sake; *for fredens* ~ for the sake of peace; ~**bevidst** *adj* guilty.

skylde *v* owe; *du* ~*r mig at gøre det* you owe it to me to do it; ~ *en 500 kr* owe sby 500 kr; ~**s** *v* be due to.

skyldig *adj* guilty; *erkende sig* ~ plead guilty *(i* of); *ikke* ~ not guilty *(i* of); *det* ~*e beløb* the amount owing.

skylle *s (af regn)* downpour // *v* pour; *(vasketøj, hår etc)* rinse, *(i wc'et)* flush; ~**middel** *s (ved vask)* conditioner, softener.

skynde *v:* ~ *sig* hurry; *skynd dig!* hurry up! ~ *sig at gøre ngt* hasten to do sth; ~ *på en* urge sby to hurry up.

skypumpe *s* waterspout; **skyskraber** *s* skyscraper.

skysovs *s* gravy.

skytte *s (person der skyder)* rifleman, shot; *(ansat fx på herregård)* gamekeeper; *han er en god* ~ he is a good shot; *S~n (astr)* Sagittarius; ~**grav** *s* trench.

skæbne *s* fate; ~**n** fate; *(tilfældet)* chance; ~**n** *ville at de tabte slaget* they were destined to lose the battle; ~**svanger** *adj* disastrous, fatal.

skæg *s* beard; *(over~)* moustache; *(kind~)* whiskers *pl*; *(sjov)* fun; *få* ~, *lade* ~*get stå*

grow a beard *(el.* moustache); ~ *og ballade* fun and games // *adj* funny; *det var mægtig* ~*t* it was great fun; ~**get** *adj* bearded; *(med skægstubbe)* unshaven; *(med skægstubbe)* stubble.

skæl *s (på fisk etc)* scale; *(i håret)* dandruff.

skælde *v* scold; ~ *en ud over ngt* scold sby for sth; ~ *en ud for ngt* call sby names; ~ *ud over ngt* be angry about sth; **skældsord** *s* swearword; **skældud** *s* scolding.

skælve *v* tremble, shake; *(af kulde el. gys)* shiver; ~**n** *s* trembling, shaking; shivering.

skæmme *v* blemish; *(stærkt, vansire)* disfigure.

skæmt *s* jest; ~**e** *v* jest.

skænd *s: få* ~ be scolded; *give en* ~ give sby a scolding; ~**e** *v (skælde ud)* scold; *(voldtage)* violate; *(helligt sted etc)* desecrate; ~**eri** *s* argument, row; ~**es** *v* argue, have a row; *hold op med at* ~*es!* stop arguing! *komme op at* ~*es* start a row; ~**ig** *adj* disgraceful.

skænk *s (møbel)* sideboard; *(i restaurant)* buffet.

skænke *v (give)* give; *(hælde op)* pour; ~ *en ngt* give sby sth (as a present); ~ *sin formue væk* give away one's fortune; ~ *teen* pour the tea; ~ *for en* pour sby a drink (etc); ~ *i koppen* fill the cup;

~**stue** s taproom, bar.
skær s (klippe~) rock; (lys~)
gleam; (glød) glow; (stærkt,
grelt lys) glare; (tone, an-
strøg) touch // adj (ren) pure;
(klar) clear; ~t kød low-fat
meat with no bones.
skære v cut; ~ ansigt pull
faces; (af væmmelse) make a
wry face; ~ sig cut oneself;
~ tænder grit one's teeth; ~
stegen for carve the roast; ~
ned på forbruget cut down on
the consumption; ~ halsen
over på en cut sby's throat;
~**brænder** s cutting torch;
~**bræt** s (til brød) bread-
board; (til steg etc) carving
board; ~**nde** adj cutting; (om
stemme) shrill; (om lys etc)
glaring.
skærgård s archipelago.
skærm s screen; (edb) moni-
tor, display; (på bil, cykel)
mudguard; ~**e** v (beskytte)
protect (imod from); ~**termi-
nal** s (edb) visual display unit.
skærpe v sharpen; (gøre
skrappere) tighten; ~ appe-
titten whet one's appetite; ~
reglerne tighten rules; ~**lse** s
sharpening; tightening.
skærsilden s purgatory.
skærtorsdag s Maundy Thurs-
day.
skæv adj oblique, slanting;
(om fx næse) crooked; (ulige)
unequal; (ensidig) lopsided;
(påvirket af stoffer) high; et
~t smil a wry smile; ~**e øjne**
slanted eyes; (se også skævt);

~**benet** adj crooked-legged.
skæve v: ~ til en look at sby
out of the corner of one's eye.
skævhed s crookedness; (fejl)
fault; (ulighed) inequality.
skævt adv awry; (på skrå)
aslant; (forkert) wrongly;
(ulige) unequally; billedet
hænger ~ the picture is not
straight; gå ~ go wrong; se ~
til en look askance at sby.
skød s lap, knee; (fig) bosom;
sidde på ~et hos en sit on
sby's lap; sidde med hænder-
ne i ~et sit back (and take it
easy).
skøde s (jur) deed.
skødehund s lap-dog.
skødesløs adj (om person) ca-
reless; (forsømmelig) negli-
gent; ~ påklædning (ikke
neds!) casual wear.
skøjte s skate; løbe på ~r
skate, be skating; ~**bane** s ice
rink; ~**løb** s skating; ~**støv-
ler** spl skating boots.
skøn s (vurdering) estimate;
(mening) opinion; danne sig
et ~ over ngt make an esti-
mate of sth; handle efter bed-
ste ~ act to the best of one's
judgement // adj (smuk, dej-
lig) lovely, beautiful; vi har
det ~t (dvs. vi nyder det) we
are having a good time; (dvs.
vi har det godt) we are fine;
en ~**ne** dag one day; (ud i
fremtiden) one of these days;
de ~**ne** kunster the fine arts.
skønhed s beauty; ~**sfejl** s
blemish, flaw; ~**sklinik** s

beauty parlour; ~**splet** *s* mole; ~**spræparat** *s* cosmetic.

skønlitteratur *s* fiction.

skønne *v (vurdere)* estimate; *(mene)* judge; *(efter undersøgelse)* find; *så vidt man kan* ~ to all appearances; ~ *om ngt* estimate sth; *(danne sig en mening)* judge sth.

skønsmæssig *adj* estimated; ~**t** *adv* on an estimate.

skønt *konj* (al)though.

skør *adj (skrøbelig)* fragile; *(tosset)* crazy *(med* about); *blive* ~ go crazy.

skørbug *s* scurvy.

skørt *s (nederdel)* skirt; *(under~)* underskirt, slip; ~**ejæger** *s* womanizer.

skål *s* bowl, basin; *(en* ~ *for en)* toast; *udbringe en* ~ *for en* drink to sby; ~ *for os!* here's to us! ~**e** *v* touch glasses *(med* with); ~**e** *for en* drink to sby.

skåne *v* spare; *(passe godt på)* be careful about; *skån mig for dine kommentarer!* spare me your comments! ~**kost** *s* light diet.

skår *s (hak)* clip; *(i fx tallerken)* chip; *(fx glas~)* broken piece; ~**et** *adj (om fx tallerken)* chipped.

sladder *s* gossip; ~**hank** *s* telltale; ~**kælling** *s* gossip; **sladre** *v (snakke)* gossip; *(angive)* tell tales; *sladre om en* tell on sby; *du må ikke sladre (om det)!* don't tell!

slag *s (enkelt* ~ *fx med hånden)* blow; *(med kølle, ketsjer, om ur)* stroke; *(psykisk)* blow, shock; *(cape)* cape; *(i krig)* battle; *(i kortspil)* game; *et* ~ *i luften* an empty gesture; *på* ~*et syv* at 7 o'clock sharp; ~*et på Reden* the Battle of Copenhagen; ~**bas** *s* stringbass; ~**bor** *s* percussion drill.

slagger *spl (af kul etc)* cinders.

slag... *sms:* ~**kraftig** *adj* powerful; ~**mark** *s* battlefield; ~**ord** *s* catchword, slogan; ~**plan** *s* plan of action.

slags *s* sort, kind; *han er en* ~ *guru* he is a kind of guru; *den* ~ *ting* that sort of thing; *hvad* ~ *bil har du?* what sort of car do you have?

slagside *s: få* ~ take a list; *(fig)* get out of proportion; **slagskib** *s* battleship.

slagsmål *s* fight; *komme i* ~ start fighting.

slagte *v* slaughter, kill; *(brutalt)* butcher; ~**kvæg** *s* beef cattle; ~**r** *s* butcher; ~**ri** *s* slaughterhouse; ~**svin** *s* porker.

slagtilfælde *s* stroke.

slagtning *s* slaughtering.

slagtøj *s (mus)* percussion; ~**spiller** *s* percussionist.

slalom *s* slalom; *stor~* giant slalom.

slam *s* mud; *(kloak~)* sludge.

slange *s* snake; *(af gummi, plast etc)* tube; *(i bil, cykel)* inner tube; *(have~ etc)* hose-

pipe // v: ~ sig sprawl;
~bøsse s catapult; ~krøller
spl corkscrew curls.
slank adj slim; bevare den ~e
linje keep one's figure; ~e v:
~e sig (dvs. blive tyndere)
grow thinner; (dvs. ved diæt
etc) slim; fiberkost ~er a
high-fibre diet is slimming;
~ekost s slimming diet.
slap adj slack, loose; (kraftløs)
limp; (fig) slack; ~hed s
slackness, looseness; limp-
ness; ~pe v slacken, loosen;
(afslappe) relax; ~pe af re-
lax; ~svans s weakling, softy.
slaske v flap.
slatten adj limp.
slave s slave (af to); ~arbejde
s (fig, om fx jobbet) drudgery;
~handel s slave trade; ~ri s
slavery.
slavisk adj (nøjagtig) slavish;
(om folk, sprog) Slavic.
slem adj bad; være ~ ved en
be hard on sby; være ~ til at
glemme have a tendency to
forget.
slentre v stroll; ~n s strolling.
slesk adj (krybende) grovel-
ling, fawning; ~e v: ~e for
en grovel before sby, fawn on
sby.
slet adj (dårlig) bad; (ond)
wicked // adv badly, wicked-
ly; ~ ikke not at all; ~ ingen
nobody at all; ~ ingen penge
no money at all; ~ intet
nothing at all.
slette s plain // v strike out;
(med viskelæder) rub out; (på

bånd og edb) erase; (annulle-
re) cancel.
slibe v (gøre skarp) sharpen;
(polere) polish; (tildanne)
grind; ~maskine s grinding
machine; ~sten s grindstone;
slibning s sharpening; grind-
ing; polishing.
slid s (mas) hard work; (på
ting) wear; ~bane s (på dæk)
tread; ~e v (arbejde) work
hard; (ved brug) wear; ~e sig
ihjel work oneself to death;
~er s hard worker; ~gigt s
arthrosis.
slids s (i tøj) slit; (i jakke,
frakke) vent.
slidstærk adj hard-wearing.
slidt adj worn; (luv~) thread-
bare; ~ op worn out.
slik s sweets pl; købe ngt for en
~ buy sth for a song; ~butik s
sweet shop; ~ke v lick; (spise
slik) eat sweets; ~ke solskin
bask in the sun; ~ke på ngt
lick sth; ~ken adj: være
~ken have a sweet tooth;
~kepind s lollipop.
slim s slime; (i fx næse, hals)
mucus; (opspyt) phlegm; ~et
adj slimy; ~hinde s mucous
membrane.
slingre v (om bil etc) sway;
(om hjul) wobble; (om fuld
person) reel; ~n s swaying;
wobble; reeling.
slip s: give ~ på ngt let go of
sth.
slippe v (~ ngt) let go of;
(tabe) drop; (give slip) let go;
(~ fri for) get off; ~ af med

get rid of; ~ *af sted* get away; ~ *for ngt* escape sth; *(undgå med vilje)* avoid sth; ~ *fra en* get away from sby; ~ *godt fra ngt (dristigt el. frækt)* get away with sth; *(fra fx ulykke)* have a lucky escape; *(fra et arbejde etc)* do well; ~ *løs* break loose; ~ *ngt løs* let sth loose; ~ *med en bøde* get off with a fine; ~ *op* run out; ~ *ud* get out; *(om hemmelighed etc)* leak out.

slips s tie.

slitage s wear (and tear).

slot s castle; *(royalt)* palace; *(herregård)* manor house; ~**splads** s palace square; ~**sruin** s ruined castle.

slubre v slurp; *(om sko)* flap.

slud s sleet.

sludder s nonsense, rubbish; *(samtale)* chat; *sige ngt* ~ talk nonsense; ~ *og vrøvl* rubbish; **sludre** v talk, chat; *(vrøvle)* talk nonsense.

sluge v swallow; *(æde grådigt)* gulp down; *(forbruge)* consume *(fx benzin petrol)*; ~ *en bog* devour a book.

slugt s gorge.

slukke v *(om ild)* put out; *(om lys, radio etc)* turn off; ~**t** adj out; *(om vandhane)* off.

slukning s putting out; *(om brandvæsen)* fire-fighting; ~**sapparat** s fire extinguisher.

slum(kvarter) s slum (area); **slumstormer** s squatter.

slurk adj swallow, gulp.

sluse s sluice; *(til at sejle igennem)* lock // v: ~ *folk ind* let people in.

slut s end // adj over; *(færdig)* finished, at an end; ~**kamp** s *(sport)* final; ~**ning** s end; *(afslutning)* conclusion; *(i bog, film etc)* ending; *i* ~*ningen af tyverne* in the late twenties; *mod* ~*ningen af ngt* towards the end of sth; ~**opgørelse** s final settlement; ~**resultat** s final result.

slutte v end, finish; *(indgå, fx forlig)* enter into; *(konkludere)* conclude; ~ *af med at gøre ngt* finish up by doing sth; ~ *sig sammen* unite; *(om firmaer)* merge; ~ *sig til en* join sby; ~ *sig til hvad en siger* go along with sby.

slynge v sling, fling; ~ *sig* wind; *(om å etc)* meander; ~ *om sig med ngt* bandy sth about.

slyngel s scoundrel.

slyngplante s climber.

slæb s *(på kjole)* train; *(arbejde)* hard work; *(besvær)* trouble; *have en på* ~ have sby in tow; ~**e** v *(med besvær)* drag; *(bugsere)* tow; *(arbejde hårdt)* work hard; ~*e på fødderne* drag one's feet; ~*e sig af sted* drag on; ~**ebåd** s tug.

slæde s sledge; *(kælk)* toboggan; *køre i* ~ go sledging; ~**hund** s husky.

slægt s family; *være i* ~ *med en* be related to sby; ~ *og* *venner* kith and kin; **~e** v: ~e en på take after sby; **~ning** s relative; **~sforskning** s genealogy; **~skab** s relationship; *(samfølelse, beslægtethed)* affinity; **~snavn** s family name.

slække v slacken; ~ på reglerne relax the rules.

slæng s crowd, set; **~e** v throw, fling.

sløj adj *(ikke rask)* unwell, poorly; *(ringe)* poor.

sløjd s woodwork.

sløjfe s bow; *(fig, om linje etc)* loop // ~ v *(nedrive)* demolish; *(nedlægge, afskaffe)* abolish; *(udelade)* leave out.

slør s veil; *(i bilrat)* play; *(i hjul)* wobble; *løfte ~et for ngt* reveal sth; **~e** v blur; *(om lys)* dim; *med ~et stemme* in a husky voice.

sløse v *(ødsle)* waste; *(sjuske)* be slovenly; **~ri** s negligence.

sløv adj *(om person, forestilling etc)* dull; *(ligeglad)* apathetic; *(om kniv)* blunt; **~ende** adj *(om arbejde)* dulling; **~hed** s lethargy; *(om kniv)* bluntness.

slå s bolt; *skyde ~en for* bolt the door; *skyde ~en fra* unbolt the door.

slå v beat; *(enkelt slag)* hit; *(om ur)* strike; *(~ hårdt)* knock; *(støde imod så det gør ondt)* hurt; *(gøre indtryk på)* strike; ~ *fejl* go wrong; ~ *græsplænen* mow the lawn; ~ *igen* hit back; ~ *igennem*

(om fx kunstner) get known; ~ *en ihjel* kill sby; ~ *med nakken* toss one's head; ~ *en med en kæp* hit sby with a stick; ~ *en ned* knock sby down; ~ *et oprør ned* suppress a rebellion; ~ *blikket ned* cast down one's eyes; *det slog ned i mig at...* it suddenly occurred to me that...; *lynet slog ned* the lightning struck; ~ *om (om vejr etc)* change; *(om vind)* shift; ~ *bogen op* open the book; ~ *ngt op i ordbogen* look sth up in the dictionary; ~ *op med en* break with sby; ~ *liggestolen sammen* fold up the deckchair; ~ *til (dvs. slå hårdt)* hit out; *(dvs. være nok)* be sufficient; *(dvs. sige ja)* accept; *(dvs. gå i opfyldelse)* come true; ~ *ud (dvs. få udslæt)* come out in a rash; ~ *en ud* knock sby out; *(besejre)* beat sby; ~ *sig* hurt oneself; ~ *sig ned* sit down; ~ *sig på flasken* hit the bottle.

slåen s *(bot)* sloe.

slående adj *(om lighed)* striking; *(om fx argument)* convincing.

slåfejl s *(i ngt maskinskrevet)* typing error.

slåmaskine s mower.

slås v fight; ~ *med en* fight (with) sby; ~ *med ngt* struggle with sth; ~ *om ngt* fight over sth.

smadre v smash (up).

smag s taste; *(let, lækker ~)*

flavour; *enhver sin* ~ every man to his taste; *det er ikke min* ~ it is not my cup of tea; *det er lige efter min* ~ it is exactly to my taste; *falde i ens* ~ be to sby's taste; *~e på ngt* taste sth; ~ *til med krydderier* add spices to taste; **~fuld** *adj* in good taste; **~løs** *adj* in bad taste; **~sprøve** *s* sample; **~sstof** *s: tilsat kunstigt* ~*sstof* artificial flavouring added.

smal *adj* narrow; *det er en* ~ *sag* it is quite simple; **~film** *s* cine-film; **~filmskamera** *s* cine-camera.

smaragd *s* emerald.

smart *s* smart.

smaske *v* eat noisily.

smattet *adj* slippery.

smed *s (grov~)* blacksmith; *(klejn~)* locksmith; **~e** *v* forge; *~e mens jernet er varmt* strike while the iron is hot; **~ejern** *s* wrought iron; **smedje** *s* smithy, forge.

smelte *v* melt; **~vand** *s* meltwater; **smeltning** *s* melting.

smerte *s* pain; *have ~r* be in pain; *have ~r i ryggen* have a pain in one's back // *v (gøre ondt)* ache; *(bedrøve)* grieve; **~fri** *adj* painless; **~fuld** *adj* painful; **~lig** *adj (ubehagelig)* painful; *(sørgelig)* sad; **~stillende** *adj* pain-killing; *~stillende middel* pain-killer.

smide *v* throw, (F) chuck; *(let, overlegent, fx om bold)* toss; *(voldsomt)* fling; ~ *med sten*

throw stones; ~ *sig ned* fall down flat; ~ *en ud* throw sby out; ~ *ngt ud (el. væk)* throw sth away, chuck sth out.

smidig *adj* supple; *(om materiale)* plastic; *(fig, som kan indrette sig)* flexible; **~hed** *s* suppleness; plasticity; flexibility.

smiger *s* flattery; **smigre** *v* flatter.

smil *s* smile; **~e** *v* smile; *~e ad (, over, til)* smile at; **~ehul** *s* dimple.

sminke *s* make-up // *v:* ~ *(sig)* make up, paint; **sminkning** *s* making-up; **sminkør** *s* make-up artist.

smitsom *adj* contagious, infectious; **smitstof** *s* germs *pl*.

smitte *s* infection // *v* infect; *(fig)* be contagious; ~ *en med forkølelse* pass one's cold on to sby; *blive ~t med influenza* catch the flu; *blive ~t af en* catch it off sby; ~ *af på* come off on; *(fig)* infect; **~fare** *s* danger of infection; **~farlig** *adj* contagious; **~kilde** *s* source of infection; **~nde** *adj (fx latter)* catching.

smoking *s* dinner jacket.

smuds *s* dirt; **~blad** *s (om avis)* dirt rag; **~ig** *adj* dirty; *(ufin)* sordid; **~litteratur** *s* trash; *(porno)* pornography; **~omslag** *s (på bog)* dust jacket.

smug *s: i* ~ secretly.

smugle *v* smuggle; **~r** *s* smuggler; **~ri** *s* smuggling.

smuk *adj* beautiful; *(om mand)* handsome; *(køn)* good-looking; *(ædel)* noble; *det var ~t af dig* that was very good of you.

smuldre *v* crumble.

smule *s* bit; *(af væske)* drop; *en ~a* little, a bit; *ikke en ~* nothing at all.

smut *s (lille tur)* trip; *jeg kom lige et ~ forbi* I'm just dropping in for a minute; *slå ~ (med sten)* play ducks and drakes; *~hul s* hiding place; *(fig)* loophole; *~te v (hurtigt)* nip, pop; *(gå ubemærket)* slip; *nu ~ter jeg* I'm off; *~te over og se til en* pop over to see sby; *~te i tøjet* slip into one's clothes; *~te fra en* give sby the slip; *~te mandler* blanch almonds; *~ter s (fejl)* slip; *~tur s* trip; *~vej s* short cut.

smykke *s (ægte)* piece of jewellery; *(ikke kostbart)* trinket; *~r* jewellery // *v* decorate; *~skrin s* jewel box.

smæk *s (lyd)* snap; *(stærkt)* bang; *(slag)* slap; *(hage~, bukse~)* bib; *få ~* be spanked; *give en ~* give sby a spanking; *~fornærmet adj* miffed; *~ke v (om lyd)* snap; bang, slam; *(slå)* slap; *(give endefuld)* spank; *~ke med døren* slam the door; *~ke døren op* throw the door open; *~lås s* latch.

smæld *s* click, snap; *(stærkt)* bang; *slå ~ med tungen* click

one's tongue; *~e v* crack, snap.

smøg *s* (F) fag.

smøge *s (gyde)* alley, passage // *v:* ~ *ngt af sig* slip sth off; ~ *ærmerne op* turn up one's sleeves.

smøle *v* dawdle *(med over)*.

smør *s* butter; *komme ~ på brødet* butter the bread; *~blomst s* buttercup; *~e v* smear; *(gnide ind)* rub; *(om brød)* spread; *(med smør)* butter; *(med olie)* oil; *(med fedt)* grease; *~ebræt s* platter; *~ekande s* oil can; *~ekniv s* spreading knife; *~else s* lubricant; *~eolie s* lubricating oil; *~eost s* cheese spread; *~eri s (skriveri)* scribbling; *(maleri)* daubing; *~kniv s* butter knife; *~krukke s* butter jar.

smørrebrød *s* open sandwiches *pl; et stykke ~* an open sandwich; *~sbord s* smorgasbord; *~spapir s* grease-proof paper.

smørskål *s* butter dish; **smørsovs** *s* melted butter.

små *adj* small, little; *(knap, ca.)* just under; *de ~* the children; *gøre ngt i det ~* do sth in a small way; *så ~t* gradually; *~borgerlig adj (neds)* petty bourgeois; *~børn spl* young children; *~kage s* (sweet) biscuit; *~koge v* simmer; *~kød s: hakket ~kød* mince.

smålig *adj (for nøjeregnende)*

petty; *(fedtet)* stingy; *(snæversynet)* narrow-minded; **~hed** *s* pettiness; stinginess; narrow-mindedness.

små... *sms:* **~penge** *spl* (small) change; *det er kun ~penge* (F) it is only peanuts; **~regne** *v* drizzle; **~sløjd** *s svt.* handicrafts *pl;* **~ternet** *adj* small-checked; **~ting** *spl* small things; *(ligegyldige)* trifles; **~tingsafdeling** *s (med sysager)* haberdashery department; *(det hører til ~tingsafdelingen)* it is a mere trifle; **~tosset** *adj* batty.

snabel *s* trunk; *(næse)* conk.

snage *v:* ~ *i* ngt pry into sth.

snak *s (samtale)* talk; *(sludder)* nonsense; *(sladder)* gossip; *der er ngt om ~ken* there is sth in it; *løs ~* gossip; *sikke ngt ~!* what nonsense! **~ke** *v* talk, chat; *(vrøvle)* talk nonsense; *(sladre)* gossip; **~ke med en** talk to sby; **~ke om ngt** talk about sth; **~kesalig** *adj* talkative.

snappe *v* snatch; *(bide)* snap *(efter* at); ~ *efter vejret* gasp for breath.

snaps *s* snaps.

snarere *adv* rather; *(nærmest)* if anything; *(hurtigere)* sooner; *vi er ~ for tidlig på den* we are too early, if anything.

snarest *adv (så hurtigt som muligt)* as soon as possible; *(nærmest)* if anything.

snarlig *adj* early; *(nært forestående)* approaching.

snart *adv* soon, shortly; *(kort efter)* soon, shortly after(wards); *(næsten)* almost, nearly; *det er ~ for sent* it will soon be too late; *det er ~ på tide* it is about time; *så ~ (som)* as soon as.

snavs *s* dirt, filth; **~e** *v: ~e ngt til* dirty sth; *~e sig til* get dirty; **~et** *adj* dirty; *(meget beskidt)* filthy; **~etøj** *s* washing, laundry; **~etøjskurv** *s* laundry basket.

sne *s* snow; *høj ~* deep snow // *v* snow; *det ~r* it is snowing; ~ *inde* be snowed up; *(om bil)* get stuck in the snow; **~bold** *s* snowball.

snedig *adj* cunning; *(neds: snu)* sly; *(snild)* clever; **~hed** *s* cunning; slyness; cleverness.

snedker *s (bygnings~)* joiner; *(tømrer)* carpenter; *(møbel~)* cabinetmaker; **~ere** *v* do woodwork.

snedrive *s* snowdrift; **snefnug** *s* snowflake.

snegl *s* snail; *(uden hus)* slug; *en sær ~* an odd fish; **~e** *v: ~e sig af sted* crawl along; *(tage lang tid)* drag on; **~ehus** *s* snail-shell.

sne... *sms:* **~hvid** *adj* snow-white; **S~hvide** Snow White; **~kastning** *s* snow shovelling; **~kæde** *s* snow chain; **~mand** *s* snowman; **~plov** *s* snowplough.

snerpe *v:* ~ *munden sammen* purse one's lips; **~ri** *s* prudery; **~t** *adj* prudish.

snerydning *s* snow clearing.

snes *s* score; *en halv* ~ about a dozen; **~evis:** *i* ~*evis* in scores.

sneskred *s* avalanche; **snevejr** *s* snow.

snige *v:* ~ *sig* steal, creep *(ind på en* up on sby); **~nde** *adj* sneaking; **snigmord** *s* assassination; **snigskytte** *s* sniper.

snit *s* cut; *(tvær-, ud–)* section; *se sit* ~ *til at* see one's chance to; *i* ~ *(dvs. i gennemsnit)* on (an) average; **~mønster** *s* pattern; **~sår** *s* cut; *(dybt)* gash.

snitte *s (smørrebrød)* open sandwich, canapé // *v (skære i stykker, skiver)* cut (up), slice; *(skære i strimler)* shred; **~bønne** *s* French bean.

sno *v* twist; ~ *sig* twist; *(om å, vej)* wind; *(i trafikken)* weave.

snob *s* snob; **~beri** *s* snobbery; **~bet** *adj* snobbish.

snoet *adj* twisted; *(om vej)* winding.

snog *s* grass snake.

snoning *s (det at sno sig)* twisting; *(bugtning)* winding; *(i strikning)* cable stitch.

snor *s* string; *(tlf, elek)* cord, *(tøj~)* line; *(hunde~)* leash; *gå med hunden i* ~ have the dog on a leash; *binde en* ~ *om ngt* tie sth up (with string).

snorke *s* snore; **~n** *s* snore, snoring.

snot *s* snot; **~klud** *s* (V) snot-rag; **~tet** *adj* snotty.

snu *adj* sly.

snuble *v* stumble *(over* over).

snude *s (på dyr)* nose; *(på person, neds)* snout; *(på sko)* toe; *stikke sin* ~ *i ngt* poke one's nose into sth.

snue *s* cold.

snuppe *v* snatch; *(stjæle)* pinch.

snurre *v (om bevægelse)* spin, whirl; *(om lyd)* whirr; *(små-koge)* simmer; **~n** *s* spinning, whirling; whirring; simmering.

snuse *v* sniff; ~ *rundt* nose around.

snusket *adj (snavset, ulækker)* dirty; *(fig)* sordid.

snustobak *s* snuff.

snyde *v* cheat; ~ *næse* blow one's nose; ~ *en for ngt* cheat sby out of sth; ~ *i kortspil* cheat at cards; ~ *i skat* fiddle one's income tax; **~r** *s* cheat; **~ri** *s* cheating.

snylte *v (om person)* sponge *(på* on); **~r** *s* parasite.

snæver *adj* narrow; *(om tøj etc)* tight; *i en* ~ *vending* at a pinch; **~synet** *adj* narrow-minded; **snævre** *v:* snævre *ind* narrow.

snøft *s* sniff; **~e** *v* sniff; *(pruste)* snort.

snøre *s* line // *v* lace up; **~bånd** *s* (shoe)lace; **~sko** *s* lace-up shoe.

so *s* sow.

sober *adj* sober.

705   som S

social *adj* social; **~arbejder** *s* social worker; **~demokratiet** *s* the Social Democratic Party; **~forsorg** *s* social welfare (services *pl*); **~hjælp** *s* social security; **~isme** *s* socialism; **~ist** *s*, **~istisk** *adj* socialist; **~kontor** *s* social security (office); **~ministerium** *s* Ministry for Social Affairs; **~rådgiver** *s* social worker.

sod *s* soot.

soda *s* soda; **~vand** *s (hvid)* soda water; *(farvet)* fizzy soft drink; **~vandsis** *s* ice lolly.

sofa *s* sofa; *(mindre)* settee; **~bord** *s* coffee table; **~vælger** *s* non-voter.

sogn *s* parish; **~ekirke** *s* parish church; **~epræst** *s* vicar; *(i katolsk sogn)* parish priest; **~råd** *s* parish council.

soja *s* soy; **~bønne** *s* soy bean; **~sovs** *s* soy sauce.

sok *s* sock.

sokkel *s (til fx mur)* plinth; *(til søjle)* base; *(til elek pære)* holder.

sol *s* sun; **~en skinner** the sun is shining; **~en står op** the sun is rising; **~en går ned** the sun is setting; **~arium** *s* solarium; **~bad** *s: tage ~bad* sunbathe; **~batteri** *s* solar battery; **~briller** *spl* sunglasses; **~brændt** *adj* suntanned; **~brændthed** *s* suntan; **~bær** *s* black currant; **~creme** *s* suntan lotion.

soldat *s* soldier; *være ~ (også:)* be in the army.

solde *v:* ~ *pengene op på ngt* throw one's money away on sth; *være ude at ~ (dvs. drikke)* be out on the booze; **~ri** *s (ødslen)* waste; *(druk)* boozing.

sole *v:* ~ *sig* sit (, lie etc) in the sun; **~klar** *adj* crystal-clear.

solenergi *s* solar energy; **solformørkelse** *s* solar eclipse; **solhverv** *s* solstice.

solid *adj* solid; *(holdbar, modstandsdygtig)* robust; *(om måltid)* substantial; *(til at stole på)* reliable; **~arisk** *adj* solidary; *være ~arisk med* show solidarity with; **~aritet** *s* solidarity.

solist *s* soloist.

sollys *s* sunlight; **solnedgang** *s* sunset.

solo *s/adj* solo; **~danser** *s* leading dancer; *(om kvinde)* prima ballerina.

sol. . . sms: **~olie** *s* suntan oil; **~opgang** *s* sunrise; **~sikke** *s* sunflower; **~skin** *s* sunshine; **~skinsdag** *s* sunny day; **~skoldet** *adj* sunburnt; **~sort** *s* blackbird; **~stik** *s* sunstroke; **~stråle** *s* sunbeam; **~system** *s* solar system; **~tag** *s (i bil)* sunshine roof; **~ur** *s* sundial; **~varme** *s* solar heat.

som *pron (om person, som subjekt)* who; *(som objekt)* whom; *(efter præp)* whom; *(om alt andet end personer)* which; *den dame ~ kommer i morgen* the lady who is coming tomorrow; *den mand ~ du bad feje gården* the man (whom) you asked to sweep the yard; *det brev ~ kom i går* the letter which arrived yesterday; *det samme ~ vi fik i går* the same as we had yesterday // *konj (indledende en sætning, i egenskab af)* as; *(ikke indledende en sætning, lige som)* like; *(så som)* such as; *lige ~ vi kom* just as we arrived; *~ forventet* as expected; *gør ~ jeg siger* do as I tell you; *efterhånden ~* as; *få ngt ~ belønning* get sth as a reward; *opføre sig ~ en gal* behave like a madman; *kæledyr ~ hamstre og marsvin* pets like hamsters and guinea pigs; *~ det dog regner!* how it rains! *~ om* as if; *sort ~ kul* as black as coal; *~ sådan* as such.

sommer *s* summer; *i ~ (dvs. sidste)* last summer; *(dvs. kommende)* this summer; *om ~en* in summer; *til ~* next summer; *~dag s* summer's day; *~ferie s* summer holidays *pl;* *~fugl s* butterfly; *~hus s* holiday house, cottage; *~lejr s* holiday camp; *~tid s* summertime.

sondere *v* probe; *~ terrænet (fig)* see how the land lies.

soppe *v* paddle; *~bassin s* paddling pool.

sorg *s* grief; *(beklagelse)* regret; *(bekymring)* worry; *bære ~* be in mourning; *det er med ~ vi må meddele Dem at...* we regret to have to inform you that...; *~løs s* carefree.

sort *s (art)* sort, kind; *(mærke)* brand // *adj* black; *arbejde ~* do moonlighting; *se ~ på tingene* look on the dark side of things; *~børs s* black market; **S~ehavet** *s* the Black Sea; *~eper s: blive ~eper (fig)* be left holding the baby; *lade ~eper gå videre* pass the buck.

sortere *v* sort; *~ fra* sort out; **sortering** *s* sorting; *(finhed, kvalitet etc)* quality, grade.

sortiment *s* assortment.

sortseer *s* pessimist; *(tv)* licence dodger.

souschef *s* deputy head.

sove *v* sleep, be asleep; *sov godt!* sleep well! *~e godt* be fast asleep; *han ~r let* he is a light sleeper; *~ længe* have a long lie; *~ over sig* oversleep; *~ rusen ud* sleep it off; *~briks s* plank bed; *~by s* dormitory town; *~kammerøjne pl* (F) come-to-bed eyes; *~pille s* sleeping pill; *~pose s* sleeping bag; *~sal s* dormitory; *~sofa s* bed settee; *~vogn s* sleeping car, sleeper; *~værelse s* bedroom.

sovjetisk *adj* Soviet; **Sovjetunionen** *s* the Soviet Union, the USSR.

sovs *s* sauce; *(sky~)* gravy; *~eskål s* sauceboat.

spejle S

spade s spade.

spadsere v walk; *(slentre)* stroll; ~**dragt** s suit; ~**tur** s walk; stroll.

spagat s: *gå i* ~ do the splits.

spagfærdig adj meek.

spalte s crack; *(større, i fx klippe)* crevice; *(i bog, avis)* column // v split (up); *(om brænde)* chop; **spaltning** s splitting (up); *(om atomer)* fission.

spand s pail; *(større)* bucket; *(om bil, neds)* banger; *(om fx heste)* team; *være på ~en* be in a fix.

Spanien s Spain; **spanier** s Spaniard; **spansk** adj Spanish.

spanskrør s cane.

spar s *(i kort)* spades; ~ *konge* king of spades.

spare v *(~ op, ikke bruge)* save; *(skåne)* spare; *(være sparsommelig)* economize; *spar mig for detaljerne* spare me the details; ~ *op* save up; ~ *på strømmen* economize on the current; ~ *på kræfterne* save one's strength; ~ *sig ulejligheden* save oneself the trouble; ~**bøsse** s savings box; ~**kasse** s savings bank; ~**kniv** s: *blive ramt af ~kniven* get the axe.

spark s kick; *få et* ~ *bagi* get a kick in the pants; ~**e** v kick; ~**e en over skinnebenet** kick sby's shin; ~**ebukser** spl (pair of) rompers.

sparsom adj *(spredt)* sparse,

(tynd) thin; ~**melig** adj economical; ~**melighed** s economy.

spartel s spatula; *(kit~)* putty knife; ~**masse** s stopping; **spartle** v fill; *(kitte)* putty.

spastiker s spastic; **spastisk** adj spastic.

speaker s *(tv, radio)* announcer.

specialarbejder s semi-skilled worker; **specialbygget** adj purpose-built.

speciale s specialty; *(afhandling)* dissertation; *(i skolen)* term paper.

specialisere v: ~ *sig i* specialize in; **specialisering** s specialization; **specialist** s specialist; **specialitet** s speciality.

speciallæge s specialist.

speciel adj special; ~**t** adv especially; *(udtrykkelig)* specially.

specificere v specify; *(om regning)* itemize; **specifik** adj specific; ~**ation** s specification.

spedalsk s: *en* ~ a leper; ~**hed** s leprosy.

speditør s shipping agent.

speeder s *(i bil)* accelerator; **speedometer** s speedometer.

spegepølse s salami; **spegesild** s salted herring.

spejde v look out *(efter* for); ~**r** s *(pige~)* girl guide; *(drenge~)* boy scout.

spejl s mirror; *se sig i* ~**et** look in the mirror; ~**billede** s reflection; ~**e** v: ~**e sig** *(dvs. se*

sig i ~et) look in a mirror;
(dvs. genspejles) be reflected;
~e æg fry eggs; **~glas** s mirror glass; *(vindue)* plate glass;
~**glat** *adj* slippery; **~reflekskamera** s reflex camera;
~**vendt** *adj* the wrong way
round; ~**æg** s fried eggs.

spektakel s noise; *spektakler
(dvs. uro, optøjer)* riots.

spekulation s speculation.

spekulere v think *(over, på*
about); *(fx over problem)*
puzzle *(over, på* about); *(være
bekymret)* worry *(over, på*
about); ~ *på at gøre ngt*
think of doing sth.

spencer s pinafore dress.

spendere v spend; ~ *ngt på en*
treat sby to sth.

spid s spit; *sætte ngt på* ~ spit
sth; **~de** v pierce.

spids s *(skarp)* point; *(yderste
ende)* tip; *(øverste ende)* top;
gå i ~*en* lead the way; *gå op i
en* ~ (F) go off the deep end;
stå i ~*en for ngt* be at the
head of sth // *adj (også fig)*
pointed, sharp; **~belastning** s
peak (load); **~e** v sharpen *(fx
en blyant* a pencil); **~e ører**
prick up one's ears; **~findig**
adj subtle; **~kål** s spring cabbage.

spidstege v spitroast.

spil s play; *(efter regler, fx
kort, tennis)* game; *(skuespillers* ~) acting; *(musikers* ~)
playing; *have frit* ~ have a
free rein; *et* ~ *kort (dvs.
selve kortene)* a pack of
cards; *(dvs. spillet)* a game of
cards; *have en finger med i
~let* have a hand in it; *sætte
ngt på* ~ put sth at stake;
være på ~ be at work; *gå til* ~
take music lessons.

spild s waste; *(affald)* refuse;
lade ngt gå til ~e waste sth;
gå til ~e be wasted; **~e** v
spill; *(ødsle væk)* waste; ~e
sovs på skjorten spill sauce
on one's shirt; ~e *tid(en)* waste time; **~evand** s waste water; *(kloakvand)* sewage;
~olie s waste oil; *(på stranden)* oil pollution.

spile v: ~ *ngt ud* distend sth.

spille v play; *(opføre)* perform;
(om rolle) act; ~ *klaver* play
the piano; ~ *kort* play cards;
~ *med i et spil* join a game;
~ *om ngt* play for sth; **~automat** s slot machine; **~film** s
feature film; **~hal** s *(amusement)* arcade; **~kasino** *adj*
(gambling) casino; **~kort** s
playing card; **~lærer** s music
teacher; **~r** s player.

spinat s spinach; *jokke i* ~*en*
put one's foot in it.

spinde v spin; *(om kat)* purr;
~lvæv s spider's web, cobweb; **~ri** s spinning mill;
~rok s spinning wheel.

spinkel *adj* slight; *(skrøbelig)*
delicate, frail; *(slank)* slender.

spion s spy; **~age** s espionage;
~ere v spy.

spir s spire.

spiral s spiral; *(mod graviditet)*
coil, IUD.

spire s shoot; *(bønne~)* sprout; *(fig)* germ // v *(om frø)* germinate; *(om plante, løg etc)* sprout; *(fig)* begin; **spiring** s sprouting, germination.

spiritus s alcohol; *(om drikke)* drink, liquor, (F) booze; **~beskatning** s alcohol duty; **~bevilling** s licence (to sell alcoholic beverages); **~prøve** s *(med spritballon)* breathalyzer; *(med blodprøve)* blood alcohol test; **~påvirket** adj under the influence of alcohol.

spise v eat; have; ~ middag have dinner; *hvornår skal vi ~?* when do we eat? – *sig mæt* have enough to eat; ~ *ude* eat out; **~bord** s dining table; **~kort** s menu; **~krog** s dining area; **~køkken** s kitchen-dining room; **~lig** adj *(dvs. ikke giftig)* edible; *(dvs. værd at spise)* eatable; **~olie** s salad oil; **~pinde** spl chopsticks; **~rør** s gullet; **~ske** s tablespoon; **~sted** s eating place; **~stel** s dinner service; **~stue** s dining room; **~tid** s mealtime; **~vogn** s *(jernb)* dining car; *(kun med let servering)* buffet (car); **~æble** s eating apple; **spisning** s eating; *(lettere bespisning)* refreshments pl.

spjæld s *(i ovn, kamin)* damper.

spjæt s start; **~te** v twitch; *(med fødderne)* kick.

splejs s shrimp; **~e** v splice.

(deles om udgift) club together; *(til ngt* to buy sth.

splid s conflict; *så ~* make trouble.

splint s splinter; *(flis)* fragment; **~erny** adj brand-new; **~fri** adj: *~frit glas* safety glass; **~re** v splinter.

splitflag s swallow-tailed flag.

splitte v split, divide; *(sprede fx folkemængde)* scatter; ~ *ngt ad (dvs. sprede)* scatter sth; *(dvs. pille fra hinanden)* take sth to pieces; **~lse** s split; *(opløsning)* split-up.

splitter... sms: **~nøgen** adj stark naked; **~ravende** adj: *~ravende tosset* stark staring mad.

splittet adj divided; *(opdelt)* split up.

spole s spool, reel; *(til symaskine)* bobbin // v *(om garn)* spool, wind; *(om film)* reel; – *frem (el. tilbage)* *(på båndoptager)* wind forwards *(el. back)*.

spolere v spoil, ruin.

spontan adj spontaneous.

spor s *(fod~)* footprint, track; *(hjul~)* wheel track; *(jernb, sti)* track; *(mærke efter ngt)* mark, trace; *ikke ~* nothing at all; *(dvs. slet ikke)* not at all; *følge i ens ~* follow in sby's footsteps; *løbe af ~et (jernb)* be derailed; *komme på ~et af ngt* get onto sth; **-sporet** *(om vej)* -lane; *(jernb)* -track.

spor... sms: **~løst** adv with-

out (a) trace; ~**skifte** s points pl; ~**stof** s trace element.
sport s sports pl; dyrke ~ go in for sports; ~**sbegivenhed** s sporting event; ~**sfolk** spl sportsmen, athletes; ~**sforretning** s sports shop; ~**sgren** s sport; ~**shal** s sports centre; ~**slig** adj sporting; ~**smand** s athlete; ~**splads** s sports ground; ~**ssiderne** spl (i avisen) the sports pages; ~**sstrømpe** s knee-stocking; ~**sstævne** s sports meeting; ~**støj** s (i forretning) sportswear; (antræk) sports clothes; ~**sudstyr** s sports equipment; ~**svogn** s (auto) sports car; ~**sudsendelse** s sportscast.
spot s mockery, ridicule; ~**pris** s: til ~**pris** for a song; ~**te** v mock (at); (med hånlige bemærkninger) sneer at; (være ugudelig) blaspheme; ~**tende** adj mocking.
spraglet adj gaily coloured; (neds, alt for ~) loud.
sprede v spread; (splitte, ~ vidt og bredt) scatter; ~ sig spread; scatter; **spredning** s spreading; scattering; (statistisk) dispersion; (fig) variation; **spredt** adj scattered.
spring s jump; (stort) leap; ~ over hest (i gymnastik) horse vault; være på ~ for at... be ready to...; ~**bræt** s springboard; ~**e** v jump; (større ~) leap; (om kilde) spring; (om springvand) play; (~ i stykker) burst; (om fx streng)

snap; (eksplodere) explode, blow up; der er sprunget en sikring a fuse has blown; ~**e** fra ngt (fig) back out of sth; ~ i luften blow up, explode; døren sprang op the door flew open; ~**e** over ngt jump sth; ~**e** ngt over skip sth; (udelade) leave sth out; (glemme) miss sth; ~**e** ud (dvs. om blomst etc) come out; (dvs. i vandet) dive in; ~**er** s jumper; (i skak) knight; ~**kniv** s flick knife; ~**madras** s spring mattress; ~**vand** s fountain.
sprit s alcohol, spirit; (spiritus) spirits pl; ~**apparat** s spirit stove; ~**bilist** s drunken driver; ~**te** v: ~**te** ngt af clean sth with spirit.
sprog s language; (måde at tale på) speech; ~**brug** s usage; ~**forskning** s linguistic research; ~**kundskaber** spl language skills; ~**kursus** s language course; ~**lig** adj linguistic; ~**lære** s grammar; ~**videnskab** s linguistics pl.
sprosse s (i vindue) bar.
sprudle v bubble; ~ frem well out; ~**nde** adj bubbling; (om fx vin) sparkling.
sprut s (F) booze; ~**te** v splutter; (om stegepande etc) sputter.
sprække s (revne) crack; (fx klippe~) crevice // v crack, burst.
sprælle v kick about; (med kroppen) wriggle; ~**mand** s

jumping jack; **sprælsk** *adj*
lively.

spрænge *v* burst; *(ved eksplo-
sion)* blow up; *(om bombe)*
explode; *(åbne med magt)*
break open; *(opløse fx et
møde)* break up; ~**s** burst;
(om fx regering) split;

sprængfarlig *adj* explosive;
sprængladning *s* explosive
charge; *(i missil)* warhead;
sprængning *s* bursting; ex-
plosion; breaking open *(el.*
up); splitting; **sprængnings-
kommando** *s* bomb disposal
squad; **sprængstof** *s* explosi-
ve; *(fig)* dynamite; **sprængt**
adj (om kød) salted, pickled.

sprætte *v:* ~ *ngt op (om tøj)*
unstitch sth; *(om kuvert)* slit
sth open; *(om bog)* cut the
pages of sth.

sprød *adj* brittle; *(om mad)*
crisp, crunchy.

sprøjt *s* splash; *(neds, om fx
tynd te)* dishwater; *(om dårlig
vin)* plonk; ~**e** *s (til ind-
sprøjtning)* syringe; *(brand~)*
fire engine; *(neds, om blad)*
rag // *v* spray; *(indsprøjte)*
inject; *(stænke)* spatter; *(pla-
ske)* splash; ~**emale** *v* spray
(paint); ~**epistol** *s* spray-gun;
~**ning** *s* spraying.

spule *v* wash down.

spurv *s* sparrow.

spyd *s* spear; *(i sport)* javelin.

spydig *adj* sarcastic; ~**hed** *s*
sarcasm.

spydkast *s (i sport)* throwing
the javelin.

spyflue *s* bluebottle.

spyt *s* spittle, saliva; ~**kirtel** *s*
salivary gland; ~**te** *v* spit.

spæd *adj (lille)* tiny; *(fin, sart)*
tender; *en* ~ *stemme* a frail
voice; *da han var* ~ when he
was a baby; ~**barn** *s* baby,
infant.

spæk *s (svine~)* bacon fat;
(hval~) blubber; ~**ke** *v
(gastr)* lard; ~**ket med (dvs.
fuld af)* bristling with; ~**ke-
bræt** *s* trencher.

spænde *s* clasp; *(på fx sko)*
buckle; *(hår~)* hair slide // *v
(stramme)* tighten; *(udspæn-
de)* stretch; *(om bælte)* clasp;
(om rem) strap; ~ *ben for en
trip* sby up; ~ *livremmen ind*
tighten one's belt; ~ *vidt
(fig)* cover a wide field.

spændende *adj* exciting,
thrilling.

spændetrøje *s* straitjacket.

spænding *s (om ngt spænden-
de)* excitement; *(elek)* volt-
age; *(stramning)* tightening;
*(det at være spændt el. stram,
social* ~ *etc)* tension.

spændstig *adj* elastic; *(smidig)*
supple; ~**hed** *s* elasticity; sup-
pleness.

spændt *adj (nysgerrig, interes-
seret)* curious; *(anspændt)*
tense; *(ivrig)* anxious; *(stram-
met)* tight; *være* ~ *på ngt* be
curious to see sth.

spæne *v* bolt, run.

spærre *v* bar, block; *vejen er
~t* the road is closed; ~ *for
en* obstruct sby; ~ *en inde*

shut sby up; *(i fængsel)* lock sby up; **spærring** *s* barring, blocking, closing; *(vej~)* road block; *(politi~)* cordon.

spøg *s* joke; *for* ~ for fun; *det var kun min* ~ I was only joking; *forstå* ~ have a sense of humour; ~ *til side* joking apart; ~**e** *v* joke; *(gå igen)* haunt; ~*e med ngt* make a joke of sth; *det er ikke ngt at* ~*e med* it is no joking matter; *det* ~*er på slottet* the castle is haunted; ~**efugl** *s* joker; ~**efuld** *adj* playful; *(humoristisk)* humorous.

spøgelse *s* ghost; ~**shistorie** *s* ghost story; **spøgeri** *s* haunting.

spørge *v* ask; *(høfligt, formelt)* inquire; *(bydende, krævende)* demand; ~ *en (ad)* ask sby; ~ *efter en* ask for sby; ~ *om ngt* ask *(el.* inquire) about sth; ~ *hvad det koster* ask the price; ~ *en om vej* ask sby the way; ~ *til en* ask after sby; ~ *en ud* question sby; ~**nde** *adj* inquiring; ~**skema** *s* questionnaire.

spørgsmål *s* question; *(sag)* matter; *stille en et* ~ ask sby a question; *det er* ~*et* that is · the question; *et* ~ *om liv og død* a matter of life and death; ~**stegn** *s* question mark; *sætte* ~**stegn** *ved ngt (fig)* question sth.

spå *v* foretell; *(forudsige ud fra viden)* predict; *(profetere)* prophesy; *blive* ~*et (dvs. få*

sin skæbne spået) have one's fortune told; ~ *i kort* tell the future from cards; ~**kone** *s* fortuneteller.

spån *s* chip; *(høvl~)* shaving; ~**plade** *s* chipboard.

stab *s* staff.

stabel *s (bunke)* pile *(fx bøger* of books); *(større, fx med brænde)* stack; *løbe af* ~*en* be launched.

stabil *adj* steady; *(mods: usikker)* stable; ~**isere** *v* stabilize; ~**itet** *s* stability.

stable *v:* ~ *op* pile up, stack up.

stade *s (salgs~)* stall; *(på messe)* stand; *(bi~)* hive; *(trin)* level.

stadfæste *v* confirm, ratify; ~**lse** *s* confirmation, ratification.

stadig *adj (uforandret)* constant; *(om vejr)* settled; *(uafbrudt)* steady // *adv* constantly; *(endnu)* still; ~**hed** *s* steadiness; *til* ~*hed (dvs. permanent)* permanently; *(dvs. altid)* constantly; ~**væk** *adv* still.

stadion *s* stadium.

stadium *s* stage; *på et sent (el. tidligt)* ~ at an advanced *(el.* early) stage; *det er overstået* ~ it belongs to the past.

stads *s (ngt fint)* finery; *(ngt skidt)* rubbish, trash; *gøre* ~ *af en* make a fuss about sby; *være i* ~*en* be wearing one's best things.

stafetløb *s* relay (race).

staffeli s easel.
stage s *(pæl)* pole, stake; *(til lys)* candlestick // v *(om båd)* punt.
stagnere v stagnate.
stak s stack; *(bunke)* pile, heap.
stakit s fence, paling.
stakkel s poor thing; *din ~!* poor you! **~s** *adj* poor.
stald s stable; *(ko~)* cowshed.
stamgæst s regular.
stamme s *(træ~)* trunk; *(ord~)* stem; *(folke~)* tribe // v *(om talefejl)* stutter, stammer; *~ fra* come from; *(skyldes)* be due to, originate in; **~n** s stutter, stammer.
stampe s: *stå i ~* be at a standstill // v stamp (one's foot).
stamtavle s pedigree; **stamtræ** s family tree.
stand s *(tilstand)* condition, state; *(om fx hus)* (state of) repair; *(samfundsklasse)* class, rank; *(bod etc på udstilling)* stand; *være i ~ til at* be able to; *være ude af ~ til at* be unable to; *gøre ngt i ~* put sth in order; *gøre sig i ~ (dvs. vaske sig etc)* clean up; *(dvs. klæde sig på)* dress; *gøre huset i ~ (dvs. gøre rent)* clean the house; *(dvs. male etc)* redecorate (the house); *lave ngt i ~ (dvs. reparere)* mend *(el. repair)* sth.
standard s standard; *(niveau)* level.
standpunkt s *(synspunkt)*

point of view; *(holdning)* attitude; *(stadium)* stage; *(niveau)* level; *(i kundskaber)* proficiency.
standse v stop; *(om fx bil også:)* pull up; *~ for rødt lys* stop at red; *~ op* stop short; **standsning** s stopping, stop; *(i trafikken)* hold-up; *(afbrydelse)* interruption.
stang s bar; *(fiske~)* rod; *(telt~, flag~)* pole; *(cykel~)* crossbar; *en ~ chokolade* a chocolate bar; *flage på halv ~* fly the flag at half mast; *holde en ~en* hold sby at bay; **~drukken** *adj* dead drunk.
stange v butt; *~ tænder* pick one's teeth; *~ ål* spear eels.
stangspring s pole vaulting; **stangtøj** s off-the-peg clothes.
stank s stink, stench.
stankelben s *(zo)* daddy-long-legs.
stanniol s tinfoil.
start s start; **~bane** s runway; *(lille)* airstrip; **~e** v start; **~er** s starter; **~kapital** s initial capital; **~nøgle** s ignition key; **~signal** s starting signal.
stat s state; **~en** the State; **~elig** *adj* imposing.
station s station; **~car** s estate car; **~ere** v station; **~sforstander** s station-master; **~ær** s stationary.
statisk *adj* static.
statist s extra.
statistik s statistics; **statistisk** *adj* statistical.

stativ s stand, rack; *(foto)* tripod.

stats... sms: ~**advokat** s public prosecutor; ~**autoriseret** adj sv.t. chartered; ~**bane** s national railway; ~**borger** s citizen; ~**chef** s head of state; ~**ejet** adj state-owned; ~**forbund** s confederation; ~**garanti** s state guarantee; ~**gæld** s national debt; ~**kassen** s sv.t. the Exchequer; ~**kirke** s state church; ~**kundskab** s political science; ~**kup** s coup d'état; ~**lig** adj state(-), national; ~**lån** s government loan; ~**mand** s statesman; ~**minister** s prime minister; ~**støtte** s state subsidy; ~**støttet** adj state-subsidized; ~**tilskud** s government grant; ~**videnskab** s political science.

statue s statue; ~**tte** s statuette.

status s: gøre ~ make out the balance sheet; *(fig)* take stock; ~**symbol** s status symbol.

staude s perennial; ~**bed** s herbaceous border.

stav s stick; *(politi~)* truncheon; falde i ~**er** be lost in thought.

stave v spell; hvordan ~s det? how do you spell it? ~**fejl** s misspelling; ~**lse** s syllable.

stearinlys s candle.

sted s place; *(lille ~, plet)* spot; finde ~ take place, happen; alle ~**er** everywhere, all over

the place; et el. andet ~ somewhere; vi går ingen ~**er** we are not going anywhere; komme galt af ~ *(dvs. til skade)* get hurt; tage af ~ start, leave *(til for)*; i ~**et for** instead of; på ~**et** on the spot; være til ~**e** be present *(ved at)*; komme til ~**e** appear.

stedbarn s stepchild; **stedfader** s stepfather.

stedfortræder s substitute.

stedlig adj local.

stedmoder s stepmother; ~**blomst** s pansy.

stedord s pronoun; **stedsans** s sense of direction.

stedse adv: for ~ for good, for ever; ~**grøn** adj evergreen.

stedvis adj local // adv in places.

steg s roast.

stege v *(i ovn el. gryde)* roast; *(på pande)* fry; *(på rist)* grill; stegt kalkun roast turkey; stegt fisk fried fish; ~**fedt** s dripping; ~**flæsk** s pork loin; ~**gryde** s stewpan; ~**nde** adj: ~nde varm baking hot; ~**pande** s frying pan; ~**spid** s skewer; **stegning** s roasting; frying.

stejl adj steep; *(om person)* stubborn.

stejle v *(om hest)* rear; ~ over ngt bridle at sth.

stel s frame; *(spise~ etc)* set, service.

stemme s voice; *(ved valg)* vote; med høj ~ in a high voice; med 50 ~r mod 48 by

50 votes to 48 // *v (et instrument)* tune; *(passe)* be correct, be right; *(ved valg)* vote; *det ~r!* that's right! ~ *imod ngt* vote against sth; ~ *om ngt* put sth to the vote.

stemme... *sms:* ~**bånd** *s* vocal chord; ~**gaffel** *s* tuning fork; ~**jern** *s* chisel; ~**ret** *s* the vote; ~**seddel** *s* ballot paper.

stemning *s (sinds~)* mood; *(på et sted)* atmosphere; *(af instrument)* tuning; *er der ~ for en drink?* what about a drink? *i løftet ~* in high spirits; ~**sfuld** *adj* full of atmosphere.

stempel *s* (rubber) stamp; *(i motor)* piston; ~**pude** *s* (ink) pad.

stemple *v* stamp; ~ *en som forbryder* brand sby as a criminal.

stemt *adj (om instrument)* in tune; *(om sproglyd)* voiced; *være ~ for ngt* be in favour of sth; *venligt ~* well disposed *(over for, mod* to).

sten *s* stone; *(lille)* pebble; *(kampesten)* boulder; *sove som en ~* sleep like a log; ~**alder** *s* Stone Age; ~**brud** *s* quarry; ~**dysse** *s* dolmen; ~**et** *adj* stony; ~**hugger** *s* stone mason; ~**høj** *s (i have)* rockery; ~**hård** *adj* (as) hard as rock.

stenografere *v* do shorthand; **stenografi** *s* shorthand.

stenrig *adj* (F) filthy rich;

stensikker *adj* positive, dead certain; **stentøj** *s* stoneware.

step(dans) *s* tap-dancing; **steppe** *s (slette, prærie)* steppe // *v* tap-dance.

stereoanlæg *s* stereo system.

steril *adj* sterile; ~**isere** *v* sterilize.

stewardesse *s (i fly)* air hostess, stewardess.

sti *s* path.

stift *s (søm)* nail; *(tegne~ etc)* tack; *(til pladespiller)* stylus; *(til blyant)* lead; *(kirkeligt)* diocese.

stifte *v (oprette, grundlægge)* found, establish; *(fremkalde, fx uro)* cause, stir up; ~ *familie* start a family; ~ *gæld* incur debts; ~**lse** *s* foundation; ~**nde** *adj:* ~*nde generalforsamling* statutory general meeting; ~**r** *s* founder.

stigbøjle *s* stirrup.

stige *s* ladder // *v* rise, go up; *(om pris også:)* increase; *(vokse)* grow; ~ *af bussen* get off the bus; ~ *i løn* get a rise; ~ *i pris* go up; ~ *om (til fx anden bus)* change; ~ *op* go up; *(på hest)* mount; ~ *op i badekarret* climb into the tub; ~ *på (fx bus)* get on; ~ *ud* get off; ~ *ud af badet* get out of one's bath.

stigning *s* rise; *(forøgelse)* increase.

stik *s (med nål, søm etc)* prick; *(med kniv)* stab; *(af fx myg)* bite; *(af bi)* sting; *(jag af smerte)* twinge; *(elek kon-*

takt, tlf-stik) point; *(~prop)* plug; *(i kortspil)* trick // *adv:* ~ *imod* dead against; *(fig)* directly contrary to; ~ *modsat* directly opposite; ~ *syd* due south; **~dåse** *s (elek)* socket; **~-i-rend-dreng** *s* errand boy.

stikke *v (med nål, søm etc)* stick, prick; *(med kniv)* stab; *(anmelde)* inform on; *(om myg)* bite; *(om bi)* sting; *(putte, anbringe)* put; *(række)* hand; *(sy)* stitch; *stik mig lige smørret!* hand me the butter, please! ~ *sig på ngt* prick oneself on sth; ~ *af* clear out; *(flygte)* bolt; ~ *frem* stick out; *(dvs. række frem)* put out; ~ *i ngt* prod sth; ~ *ild i ngt* set fire to sth; ~ *ngt i lommen* put sth into one's pocket; *(for at hugge det)* pocket sth; ~ *ngt ind i ngt* put sth into sth; ~ *en ned* stab sby; ~ *op* stick up; ~ *til en (fig)* get at sby; ~ *til maden* toy with one's food; ~ *ud* stick out.

stikkelsbær *s* gooseberry.
stikkende *adj* pricking; *(om smerte)* shooting; **~de øjne** piercing eyes.
stikker *s* informer.
stikkesting *s* backstitch; *sy* ~ backstitch.
stikkontakt *s* socket, point.
stikling *s* cutting.
stikning *s (søm)* seam; *(det at sy ~)* stitching.
stikpille *s (med)* suppository;

(hib) gibe; **stikprop** *s* plug; **stikprøve** *s* spot test.

stil *s* style; *(i skolen)* essay; *i den* ~ along those lines; *i* ~ *med* something like; *i stor* ~ on a large scale; **~art** *s* style.

stile *v* address *(til* to); ~ *efter at...* aim at...; ~ *mod* make for; *(fig)* aim at.

stilebog *s* exercise book.
stilethæl *s* stiletto heel.
stilfærdig *adj* quiet, gentle; **~hed** *s* quietness, gentleness.

stilhed *s* quiet, calm; *(tavshed)* silence; *i al* ~ quietly; *(tavst)* silently.

stilk *s* stalk; *(blomster– også:)* stem; *deres øjne stod på* ~*e* their eyes were popping out of their heads.

stille *v (anbringe)* put, place; *(møde op)* appear, turn up; *(indstille, fx ur)* set; ~ *en et spørgsmål* ask sby a question; ~ *uret* set the watch; *være dårligt* ~*t* be badly off; *blive* ~*t for en dommer* be brought before a judge; ~ *sig i række* line up; ~ *ind på en kanal* tune in to a channel; ~ *sig op* take up one's position; *(om flere personer)* line up; *hvad skal vi* ~ *op?* what are we going to do? *der er ikke ngt at* ~ *op* there is nothing we can do; ~ *op til folketingsvalget* stand for parliament; ~ *sig på tå* stand on tip-toe; *hvordan* ~*r du dig til sagen?* what do you think of the matter?

stille *adj (rolig)* quiet, calm;

(ubevægelig) still; *(tavs)* silent; *ganske ~* quietly; *holde ~* be standing still; *(standse)* stop; *ligge ~* lie still; *stå ~* stand still; *tie ~* be quiet; *vær nu ~!* be quiet now!

Stillehavet *s* the Pacific (Ocean).

stilling *s* position; *(indstilling)* attitude; *(arbejde også:)* job; *(erhverv)* occupation; *(situation)* situation; *(i sportskamp)* score; *søge ~* apply for a job; *tage ~ til ngt* make up one's mind about sth.

stilne *v:* ~ *af* calm down.

stilstand *s* standstill.

stiltiende *adj* tacit.

stime *s* shoal.

stimle *v:* ~ *sammen* crowd; **stimmel** *s* crowd.

stimulans *s* stimulant; **stimulere** *v* stimulate.

sting *s* stitch.

stinke *v* stink, reek.

stipendium *s* scholarship.

stirre *v* stare; *(begejstret, drømmende)* gaze; ~**n** *s* staring; gazing; *(blik)* stare.

stiv *adj* stiff; *blive ~ (om fx budding)* set; *(om person, stivne)* stiffen; *tage ngt i ~ arm* not bat an eyelid; *nej, det er for stift!* that's a bit stiff! ~**e** *v* starch; ~ *ngt af* prop sth up; ~**ede skørter** starched skirts; ~**else** *s* starch.

stiver *s (i fx krave)* stiffener; *(i paraply)* rib; *(støttebjælke)* brace.

stivfrossen *adj* frozen stiff.

stivhed *s* stiffness.

stivkrampe *s* tetanus.

stivne *v* stiffen; *(om budding)* set.

stjerne *s* star; ~**billede** *s* constellation; ~**himmel** *s* starry sky; ~**klar** *adj* starry; ~**skruetrækker** *s* Phillips ® screwdriver; ~**skud** *s* shooting star.

stjæle *v* steal, (F) pinch.

stodder *s* beggar; (F, *fyr*) bloke.

stof *s (tøj)* material, fabric; *(fys)* matter; *(emne)* subject; ~**fer (narko)** drugs; ~ *til eftertanke* food for thought; ~**misbrug** *s* drug abuse; ~**misbruger** *s* drug abuser; ~**prøve** *s* sample; ~**skifte** *s* metabolism; ~**tryk** *s* textile printing.

stok *s* stick.

stokdøv *adj* stone deaf.

stokkonservativ *adj* arch-conservative.

stokrose *s* hollyhock.

stol *s* chair; *(på strygeinstrument)* bridge.

stole *v:* ~ *på en (dvs tro på)* trust sby; *(dvs. regne med)* rely on sby, depend on sby; *det kan du ~ på!* you can take my word for it! ~**ryg** *s* back of a chair; ~**sæde** *s* seat.

stolpe *s* post.

stolt *adj* proud; *(flot, pragtfuld)* grand; ~**hed** *s* pride.

stop *s* stop; *sige ~* call a halt; ~**forbud** *s* no waiting; ~**fuld** *adj* crammed *(af* with); *(om bus etc)* packed; ~**lygte** *s* stop-light.

stoppe v *(standse)* stop; *(fylde, proppe)* fill, cram; *(putte)* tuck; *(tilstoppe)* block; *(reparere fx strømper)* darn, mend; *(give forstoppelse)* be constipating; ~ *skjorten ned i bukserne* tuck one's shirt into one's trousers; ~ *op* stop; **~garn** s darning wool; **~nål** s darning needle; **~sted** s stop, halt.

stopsignal s stop signal; **stopur** s stopwatch.

stor adj big, large; *(høj)* tall; *(fin, god, mægtig)* great; *blive* ~ grow (big); *en* ~ *mand* a great man; *(af størrelse)* a tall man; *et* ~*t hus* a big house; *i det* ~*e og hele* on the whole; *de er lige* ~*e* they are the same size; *(se også* ~*t).*

storartet adj *(glimrende)* splendid; *(skøn)* gorgeous.

Storbritannien s Great Britain.

storby s big city, metropolis.

storebror s big brother; **storesøster** s big sister.

storetå s big toe.

storhed s greatness; *(pragt etc)* glory; **~stid** s days of glory; **~svanvid** s megalomania.

stork s stork; **~erede** s stork's nest.

storm s *(med regn el. sne etc)* storm; *(orkan også:)* gale; *(angreb)* assault.

stormagasin s department store; **stormagt** s great power.

storme v *(fare, suse af sted)* rush; *(lave stormangreb)*

storm; *det* ~*r* there is a gale blowing; **~nde** adj stormy; **~nde bifald** a storm of applause.

storm. . . sms: **~flod** s storm tide, flood; **~fuld** adj stormy; **~varsel** s gale warning; **~vejr** s stormy weather.

stor. . . sms: **~ryger** s heavy smoker; **~sejl** s mainsail; **~slået** adj magnificent; **~snudet** adj snooty; **~snudethed** s arrogance; **~stilet** adj large-scale.

stort adv: ~ *set* on the whole; *ikke* ~ *bedre* not much better; *se* ~ *på ngt* ignore sth.

storvask s wash(ing); *holde* ~ do the washing; *(fig)* have a clean-up; **storvildt** s big game.

straf s punishment; *(dom)* sentence; *til* ~ as a punishment; **~arbejde** s penal servitude; **~bar** adj: *en* ~*bar handling* a criminal offence; **~fe** v punish *(for* for); *han har været* ~*fet* he has been convicted; **~feboks** *(sport)* penalty box; **~fange** s convict; **~fespark** s penalty (kick); **~fesparkfelt** s penalty area; **~porto** s excess (postage).

straks adv immediately, at once; *(lige* ~, *om lidt)* presently, in a minute; *vil du* ~ *holde op!* will you stop it immediately! *det er* ~ *midnat* it is close on midnight; ~ *da han startede, punkterede han* the moment he started, he had a puncture; ~ *i mor-*

gen *tidlig* first thing tomorrow morning.
stram *adj* tight; *(om person)* stiff, severe; **~hed** *s* tightness; stiffness, severity; **~me** *v* *(gøre stram, fx snor)* tighten; *(være for ~, genere)* be too tight; *~me reglerne* tighten up the rules; **~ning** *s* tightening.
strand *s* beach; *på ~en* on the beach; **~bred** *s* beach; **~e** *v* be stranded; *(fig)* fail; **~ing** *s* *(forlis)* wreck.
strategi *s* strategy; **~sk** *adj* strategic.
streg *s* line; *(stribe)* streak; *(tanke~)* dash; *(gavtyve~ etc)* trick; *gå over ~en* overstep the mark; *slå en ~* draw a line; *slå en ~ over ngt (fig)* forget sth; *(opgive)* drop sth; *sætte ~ under* underline; **~e** *v (slette)* strike out, delete; *~e under* underline.
strejfe *v (flakke rundt)* roam; *(røre let ved)* brush against, touch; *(nævne i forbifarten)* touch on.
strejke *s* strike // *v* (be on) strike, come out (on strike); *(om fx motor)* refuse to work; **~bryder** *s* scab; **~vagt** *s* picket; **~varsel** *s* strike notice.
streng *s (på instrument el. bue)* string // *adj* strict; *(hård)* severe; *(af udseende og væsen)* stern; *~e regler* strict rules; *~ straf* severe punishment; *være ~ ved en* be strict

with sby; *nej, det er for ~t!* no, that is too much! **~hed** *s* strictness, severity; sternness; **~t** *adv* strictly; severely; sternly; *~t forbudt* strictly forbidden; *~t nødvendigt* absolutely necessary; *~t taget* strictly speaking.
stresset *adj (om person)* under stress.
stribe *s* stripe; *(lys~)* streak; **~t** *adj* striped; streaky.
strid *s (uenighed)* argument, dispute; *(kamp)* fight; *det er i ~ med reglerne* it is against the rules; *komme i ~* get into an argument // *adj (stiv)* stiff, hard; *(om flod etc)* rapid; **~e** *v (kæmpe)* fight; *(slide, anstrenge sig)* struggle, toil; **~es** fight *(om* over), argue *(om* about); **~sspørgsmål** *s* matter of dispute; **~søkse** *s: begrave ~søksen* bury the hatchet.
strigle *v* groom.
strikke *v* knit; **~garn** *s* knitting yarn; *(af uld)* knitting wool; **~opskrift** *s* knitting pattern; **~pind** *s* knitting needle; **~tøj** *s* knitting; **strikning** *s* knitting; **strikvarer** *spl* knitwear.
strimmel *s* strip; *(lang ~ af papir el. stof)* tape; *(film~)* reel.
stritte *v (om fx hår)* bristle; *(om ører)* protrude; *~ med fingrene* stick out one's fingers; **~nde** *adj* bristly.
strop *s* strap; *(i fx jakke)*

hanger; **~løs** adj strapless.
strube s throat; **~hoved** s larynx.
struds s ostrich.
struktur s structure; **~ere** v structure.
struma s goitre.
strutte v (stritte) bristle; (bule ud) bulge; (om skørt) be full; ~ af sundhed be bursting with health.
stryge v (med strygejern) iron; (med hånden) stroke; (strege, slette) strike out, delete; (aflyse) cancel; (suse, fare) run, shoot; **~bræt** s ironing board; **~jern** s iron; **~kvartet** s string quartet; **~r** s (som spiller strygeinstrument) string player; **~rne** (i orkester) the strings; **strygning** s ironing; stroking; striking; cancellation.
stræbe v: ~ efter (dvs. have som mål) aim at; (dvs. anstrenge sig for) strive for; ~ efter at strive to; **~n** s striving, efforts pl; (ærgærrighed) aspiration; **~r** s swot.
stræde s (smal gade etc) lane, alley; (smalt sund) straits.
stræk s (~behandling) traction; læse en bog i ét ~ read a book at one go; **~ke** v stretch; (få til at slå til) make go further; **~ke hånden ud efter** ngt reach out for sth; lønnen ~ker ikke langt the pay does not go far; det ~ker lige til it is just enough; **~ke sig** stretch oneself; (om fx skov,

marker) stretch (out); **~ke** sig over tre uger last (for) three weeks; **~ning** s (det at strækkes) stretching; (stykke land, skov etc) stretch; (afstand, vejlængde) distance; **~nylon** s stretch nylon.
strø v strew, sprinkle; ~ sukker på en kage sprinkle a cake with sugar; ~ om sig med penge throw money about.
strøg s (område) stretch; (let berøring) touch; (pensel~, bue~) stroke; **~et** adj: en ~et teskefuld a level teaspoonful.
strøm s (elek, hav, luft etc) current; (å, flod etc) stream; **~afbrydelse** s power cut; **~førende** adj (elek) live; **~linet** adj streamlined; **~me** v stream, pour; (om fx flod) flow; regnen ~mede ned the rain was pouring down; folk ~mede til people flocked to the place; **~ning** s current; (fig også:) trend.
strømpe s (lang) stocking; (kort) sock; **~bukser** spl tights, panty-hose; **~holder** s suspender belt; **~sokker** spl: gå på ~sokker walk in one's stockinged feet.
strømstyrke s strength of the electric current; (om fx elek pære) wattage; **strømsvigt** s power failure.
strå s straw; **~hat** s straw hat.
stråle s ray; (tyk lysstråle) beam (of light); (af vand, gas etc) jet // v shine; (glitre)

sparkle; **~nde** adj (af glæde) beaming, radiant; (glitrende) sparkling; han har det ~nde he is fine; i ~nde humør in high spirits.
stråling s radiation.
stråtag s thatched roof; **strå-tækt** adj thatched.
stud s bullock; (om person) boor; **~.**jur. law student; **~.**med. medical student; **~.**polit. student of political science; **~.**polyt. student of engineering; **~.**theol. student of divinity.
student s (som har taget eksamen) postgraduate; (som studerer) (university) student; **~ereksamen** s school-leaving certificate; **~erkammerat** s fellow student.
studere v study; **~nde** s student.
studie s study; (atelier, radio etc) studio; **~kreds** s study circle; **~rejse** s study trip; **~vært** s (tv) (television) host.
studse v (klippe) trim; (blive forbavset) be surprised; ~ over ngt begin to wonder about sth.
stue s room; (på sygehus) ward; (~etage) ground floor; **~antenne** s indoor aerial; **~etage** s ground floor; **~gang** s (på sygehus) rounds pl; gå ~gang go the rounds; **~hus** s farmhouse; **~plante** s house plant, potted plant; **~ur** s clock.
stuk s stucco.

stum adj dumb, mute; **~film** s silent movie.
stump s (smule) bit; (rest) stump; (lille barn) little darling; **~e** v (om fx skørt) be too short.
stutteri s stud farm.
stuve v: **~de** grønsager boiled vegetables in a white sauce; ~ ngt sammen pack sth; **~nde** fuld packed.
styg adj (uartig) naughty; (væmmelig) bad, nasty; (grim) ugly.
stykke s piece, bit; (skive, fx af brød) slice; (del) part; (skuespil) play; et ~ brød a slice of bread, a piece of bread; et ~ mad a sandwich; et par ~r one or two; koste tre kr ~t cost three kr each (el. a piece); et ~ vej some distance; gå i ~r go to pieces; rive ngt i ~r tear sth to pieces; slå ngt i ~r smash sth; bilen er i ~r the car is out of order.
styr s (på cykel) handlebars pl; have ~ på ngt be in control of sth; holde ~ på ngt control sth; **~bord** s starboard.
styre s (regering) government; (ledelse) management // v (regere) govern; (lede) manage; (om skib) steer; (holde styr på) control; børnene er svære at ~ the children are difficult to cope with; ~ sig restrain oneself; have fået sin lyst ~t have had enough; **~lse** s administration; (ledelse) management.

S styrke

styrke s strength; *(om lyd)* volume; *(om fx briller)* power; ~r *(dvs. tropper etc)* forces // v *(gøre stærkere)* strengthen; *(opkvikke)* refresh; ~**prøve** s trial of strength.

styrmand s mate; *(i robåd)* cox(swain); *første* ~ chief officer; *anden* ~ second officer; *uden* ~ *(om kaproningsbåd)* coxless.

styrt s fall; *(med fly)* crash; ~**dyk** s nosedive; ~**e** v *(falde)* fall down; *(~e ned, om fx fly)* crash; *(falde om)* fall down; *(fare, suse)* rush; ~**e ned** *(om fly)* crash; *(om regn)* be pouring down; ~**e sammen** collapse; *(om jord, klipper etc)* fall in; ~**hjelm** s crash helmet.

stædig adj stubborn; ~**hed** s stubbornness.

stængel s stem.

stænk s splash; *(plet)* spot; *(lille smule, fx parfume)* dash; *(fig, antydning, islæt)* touch; ~**e** v *(sprøjte)* splash; *(lettere, også om tøj)* sprinkle; ~**elap** s *(auto)* mud flap.

stær s *(zo)* starling, *(om øjensygdom:) grå* ~ cataract; *grøn* ~ glaucoma.

stærk adj strong; *(om lyd)* loud; ~**t** adv strongly; loudly; *(hurtigt)* fast; *(meget ~t)* heavily; *det blæser* ~**t** it is blowing hard; *løbe* ~**t** run fast.

stævne s meeting; *sætte en* ~ make an appointment with sby; ~**møde** s date; **stævning**

s summons.

støbe v cast; *sidde som støbt* fit like a glove; ~**jern** s cast iron; ~**ri** s foundry; **støbning** s casting; *(fig)* cast.

stød s *(skub)* push; *(elek)* shock; *(med dolk)* stab; *(i fx bil ved huller i vejen)* bump; *(i trompet, horn)* blast; *(i sprog)* glottal stop; *give* ~**et** *til ngt* initiate sth; *være i* ~**et** be in form; ~**dæmper** s shock absorber.

støde v *(skubbe)* push; *(findele, knuse)* pound; *(bumpe)* jolt; *(beskadige, slå)* hurt; *(såre, fornærme)* offend; ~ *imod ngt* hit sth, bump against sth; ~ *ind i ngt* collide with sth; ~ *op til* adjoin; ~ *på en (dvs. træffe)* come across sby; ~ *sammen* collide; ~ *foden* hurt one's foot; ~**nde** adj offensive.

stødpude s buffer.

stødt adj *(findelt, fx peber)* ground; *(om fx æble)* bruised; *(om person)* offended.

stødtand s tusk.

støj s noise; *lave* ~ make a noise; ~**dæmper** s silencer; ~**e** v make a noise; ~**ende** adj noisy; ~**forurening** s noise pollution; ~**sender** s *(radio)* jamming station.

stønne v *(gispe)* pant; *(give sig, jamre)* groan; ~**n** s panting; groaning.

størkne v harden; *(om blod etc)* clot, coagulate.

større adj bigger, greater; *(høj-*

ere) taller; **~lse** s size; *(højde)* height; *(mængde)* quantity; *(omfang)* extent; hvilken ~lse bruger du? what size do you take? hun er på min ~lse she is my size; **~lsesorden** s magnitude; ngt i den ~lsesorden sth like that.

størst adj biggest, greatest; *(højst)* tallest; **~edelen** s the greater part; *(de fleste)* the majority.

støtte s support; *(statue)* statue; *(søjle)* pillar; *(økonomisk ~, tilskud)* subsidy // v support; ~ sig til ngt lean on sth; **~ben** s *(til cykel)* kick stand; **~punkt** s *(point of)* support; *(mil)* base.

støv s dust; tørre ~ af ngt dust sth; **~drager** s stamen; **~e** v raise dust; ~e ngt af dust sth; ~e ngt igennem search sth; ~e ngt op dig sth out; **~eklud** s duster; **~et** adj dusty.

støvle s boot; **~skaft** s bootleg.

støv.. sms: **~regn** s drizzle; **~sky** s cloud of dust; **~suge** v vacuum-clean, (F) hoover; **~suger** s vacuum cleaner, (F) hoover ®.

stå s: gå i ~ stop // v stand; *(dvs. befinde sig)* be; ~ stille stand still; der ~r en statue uden for there is a statue outside; det ~r 3-1 the score is 3-1 ['θri:tə'wʌn]; de stod og ventede they stood waiting, they were waiting; ~ af *(fx bussen)* get off; hvad ~r X for? what does X stand for?

~ for indkøbene be in charge of the shopping; hun kunne ikke ~ for den taske she could not resist that bag; der står i avisen (, bogen etc) at... it says in the paper (, the book etc) that...; ~ ngt igennem get through sth; ~ op stand; ~ op (af sengen) get up; solen ~r op the sun rises; ~ over for face; ~ på *(fx bussen)* get in, get on; hvad ~r menuen på? what is on the menu? det stod på i flere dage it lasted (for) several days; hvis det stod til mig... it you asked me...; ~ ud (af bil etc) get out; ~ ved sit løfte stand by one's promise.

ståhej s fuss.

stål s steel; **~børste** s wire brush; **~tråd** s *(steel)* wire; **~trådshegn** s wire fence; **~uld** s steel wool; **~værk** s: et ~værk a steelworks.

ståplads s standing room.

subjekt s *(gram)* subject; *(om person, sut)* sot; **~iv** adj subjective.

subsistensløs adj destitute.

subskribere v: ~ på et blad subscribe to a magazine; **subskription** s subscription.

substantiv s *(gram)* noun.

succes s success; have ~ be a success.

sufflere v prompt; **sufflør** s prompter.

sug s suck; *(af fx drink)* sip, (F) swig; *(af cigaret)* puff; **~e** v suck; ~e ngt op absorb sth;

~**erør** s (drinking) straw; ~**eskive** s suction pad; **sugning** s suction.

suk s sigh; *jeg forstår ikke et ~* I don't understand a word of it; *drage et dybt ~* heave a deep sigh; *drage et lettelsens ~* heave a sigh of relief.

sukat s candied peel.

sukke v sigh; ~**n** s sighing.

sukker s sugar; *hugget ~* lump sugar; *et stykke ~* a lump of sugar; *komme ~ i ngt* put sugar in sth; ~**fabrik** s sugar mill; ~**overtræk** s sugar coating; ~**rør** s sugar cane; ~**skål** s sugar basin; ~**syge** s diabetes; ~**sygediæt** s diabetic diet; ~**sød** adj sugary.

sulfosæbe s detergent.

sult s hunger; *dø af ~* die of starvation; *være ved at dø af ~* be starving; ~**e** v starve; ~**en** adj hungry; *meget* ~**en** (F) famished, starving; ~**estrejke** s hunger strike.

sum s sum.

summe v (om bi etc) hum, buzz; ~**n** s humming, buzzing; ~**tone** s (tlf) dialling tone.

sump s swamp; ~**et** adj swampy.

sund s sound; *S*~**et** the Sound // adj (rask) sound; (god for helbredet) healthy; (fornuftig) sound; *fibre er ~t for maven* roughage is good for your stomach; ~ *fornuft* common sense; ~**e** v: ~ *e sig* collect oneself; ~**hed** s

health; ~**hedsfarlig** adj damaging to health; ~**hedspleje** s hygiene; ~**hedsplejerske** s (infant) health visitor; ~**hedssektoren** s the health sector; ~**hedsvæsen** s health authorities pl.

suppe s soup; *klar ~* consommé; ~**gryde** s soup pot; ~**ske** s soup spoon; (opøseske) ladle; ~**terning** s stock cube; ~**urter** spl vegetables.

supplement s supplement; **supplere** v supplement; **supplerende** adj supplementary; **supplering** s supplementation.

sur adj sour; (syreholdig, fx om regn) acid; (om person) cross; (om vejr) dull; *blive ~* (om person) get cross; (om mælk) turn (sour); *være ~ over ngt* be cross about sth; *være ~ på en* be cross with sby; ~**dej** s leaven; ~**hed** s sourness, acidity; crossness; ~**mule** v sulk.

surre v (binde fast) secure; (om fx bi) buzz, hum.

suse v (om blæst) whistle; (fare af sted) rush, tear; ~**n** s whistling; rushing.

sut s (på flaske) teat; (narre~) dummy; (sko) slipper; (stodder) sot; ~**te** v suck (på ngt sth); ~**teflaske** s (feeding) bottle.

suveræn adj sovereign; (overlegen) superior.

svag adj weak; (meget ~, afkræftet) feeble; (let) faint, slight; *min ~e side* my weak point; *~ vind* light breeze; *en ~ hvisken* a faint whisper; **~elig** *adj* delicate; **~hed** *s* weakness; **~t** *adv* weakly, feebly; faintly; *det tør ~t antydes!* I should say so!

svaj *s (i fx bukser)* flare; **~e** *v* sway, swing; **~rygget** *adj* sway-backed.

svale *s* swallow // *v* cool; *~ ngt af* cool sth (down).

svamp *s (bot, spiselig)* mushroom; *(~ i træværk etc)* dryrot; *(bade~)* sponge; **~et** *adj* spongy.

svane *s* swan; **~unge** *s* cygnet.

svang *s (på foden)* arch; *gå i ~* be rampant.

svangerskab *s* pregnancy; **~safbrydelse** *s* termination of pregnancy; **~sforebyggelse** *s* contraception.

svar *s* answer, reply; *give en ~ på ngt* give sby an answer to sth; *som ~ på Deres skrivelse* in reply to your letter; *blive ~ skyldig* be at a loss for an answer; **~e** *v* answer, reply; *~ igen* answer back; *~e på ngt* answer sth; *~e til ngt* correspond to sth; *(passe til)* fit sth.

sved *s* sweat; **~e** *v* perspire, sweat; *~e ngt ud (dvs. glemme)* forget sth; *~e ud (om mad etc)* burnt; *et ~ent grin* a mischievous grin; **~ig** *adj* sweaty.

svejse *v* weld; **svejsning** *s* welding.

svelle *s (jernb)* sleeper.

svend *s (fyr)* fellow; *(håndværker)* journeyman.

svensk *adj* Swedish; **~er** *s* Swede; **~nøgle** *s* adjustable spanner; **Sverige** *s* Sweden.

sveske *s* prune.

svide *v* singe, scorch; *(om mad)* burn.

svie *s* pain // *v* sting.

svige *v* betray.

sviger... *sms:* **~datter** *s* daughter-in-law; **~far** *s* father-in-law; **~forældre** *spl* parents-in-law, (F) in-laws; **~inde** *s* sister-in-law; **~mor** *s* mother-in-law; **~søn** *s* son-in-law.

svigte *v* let down; *(løfte etc)* break, go back on; *(om kræfter, mod)* fail.

svimlende *adj* dizzy; *(meget stor)* enormous; **svimmel** *adj* dizzy, giddy; **svimmelhed** *s* dizziness, giddiness.

svin *s (zo)* pig; *(om kødet)* pork; *(om person)* swine, pig; *et dumt ~* a bastard.

svind *s* waste, loss; **~e** *v* *(mindskes)* decrease, decline; *(forsvinde)* vanish; *(om tid)* pass.

svindel *s* swindle; *(det at svindle)* swindling; **svindle** *v* swindle; *svindle med ngt (dvs. forfalske)* fiddle sth; **svindler** *s* swindler.

svine *v*: *~ ngt til* dirty sth, make a mess of sth; **~fedt** *s* lard; **~held** *s* fat luck; **~kam** *s* neck of pork; **~kotelet** *s* pork chop; **~kød** *s* pork; **~le-ver** *s* pig's liver; **~læder** *s* pigskin; **~ri** *s* filth, mess; **~sti** *s* pigsty.

sving *s (drejning)* turn; *(vej~)* bend, turning; *(svingning)* swing; *sætte ngt i ~* set sth going; *være i fuldt ~* be in full swing; **~dørs** swing door; *(som drejer rundt)* revolving door; **~e** *v (dreje)* turn; *(svinge med, vifte med)* wave; *(skifte ustadigt)* change, fluctuate; **~e med ngt** wave sth; *humøret er ~ende* the mood changes; **~e om hjørnet** turn the corner; **~e sig** swing; **~ning** *s (drejning)* turn; *(være i svingninger)* swing; *(skiften)* changing, fluctuation.

svinsk *adj* filthy, dirty.

svipse *v* go wrong, fail; **~r** *s: det var en ~r* it was a flop; **sviptur** *s* trip.

svire *v* booze.

svirre *v* whirr; *(om møl etc)* buzz.

svoger *s* brother-in-law.

svovl *s* sulphur; **~syre** *s* sulphuric acid.

svulme *v* swell; **~nde** *adj* swelling.

svulst *s* growth; *(med)* tumour; **~ig** *adj* pompous; **~ighed** *s* pompousness.

svække *v* weaken; **~lse** *s* weakening; *(det at være svækket, svagelig)* frailty, weakness; **svækling** *s* weakling.

svælg *s (slugt etc)* abyss; *(anat)* throat; **~e** *v (synke)* swallow; **~e i ngt** revel in sth.

svær *s (flæske~)* rind; *(sprød)* crackling // *adj (tung)* heavy; *(tyk, kraftig)* stout; *(stærk)* strong, solid; *(vanskelig)* difficult, hard; *lide ~e tab* suffer heavy losses.

sværd *s* sword.

sværge *v* swear *(på* to); **~ til** *ngt* swear by sth.

sværhed *s (se svær);* heaviness; stoutness; difficulty.

sværindustri *s* heavy industry.

sværm *s* swarm; *(af folk)* crowd; **~e** *v (om insekter)* swarm; **~e for en** have a crush on sby; **~e for ngt** be crazy about sth; **~eri** *s* passion; *(drømmeri)* dreaming.

svært *adv (tungt)* heavily; *(meget)* very, most, *(tykt, kraftigt)* heavily, stoutly; *have ~ ved at gøre ngt* find it difficult to do sth; *det var ~ hyggeligt* it was very nice.

sværte *s (tryk~)* ink; *(sko~)* polish // *v (om sko)* black; *(med tryk~)* ink; *(gøre ngt sort)* blacken; *(bagtale)* smear.

sværvægt *s* heavyweight.

svæve *v* float; *(om fugl)* hover; *(om fly)* glide; **~bane** *s* cable railway; **~fly** *s* glider; **~flyvning** *s* gliding.

svøbe *v* wrap; **~ ngt ind** wrap sth up.

svømme *v* swim; *de ~r i penge* they are rolling in money; **~**

ovenpå float; ~ *over Kanalen* swim the Channel; *være ude at* ~ *(dvs. føle sig usikker)* be all at sea; ~**bassin** *s* swimming pool; ~**bælte** *s* swimming belt; ~**dykker** *s* skin-diver; ~**dykning** *s* skindiving; ~**fugl** *s* waterfowl; ~**hal** *s* swimming bath; ~**r** *s* swimmer; *(tekn)* float; ~**tag** *s* stroke; ~**tur** *s* swim; *tage en* ~*tur* go for a swim; **svømning** *s* swimming.

sy *v* sew; ~ *sit eget tøj* make one's own clothes; *få* ~*et en dragt* have a suit made; ~ *knapper i* sew on buttons; ~ *ngt sammen* sew sth up.

syd *s* south; *i* ~*en* in the south; ~ *for* south of; *rejse mod* ~ go south; *stuen vender mod* ~ the room faces south; **S~afrika** *s* South Africa; **S~amerika** *s* South America; **S~danmark** *s* Southern Denmark.

syde *v* seethe.

Syd... *sms:* ~**europa** *s* Southern Europe; **s~fra** *adv* from the south; ~**frankrig** *s* the South of France; **s~frugt** *s* *(citron, appelsin etc)* citrus fruit; ~**havet** *s* the South Sea.

sydlig *adj* southern; *(om vind)* south; *den* ~*e vendekreds* the Tropic of Capricorn; ~**ere** *adj* more southern; further south; ~**st** *adj* southernmost.

Syd... *sms:* ~**polen** *s* the South Pole; **s~polsekspedition** *s* Antarctic expedition;

s~på *adv* south, towards the south; *(nede s~på)* in the south; **s~vendt** *adj* facing south; **s~vest** *s* *(om regnhue)* sou'wester // *adj* south-west; **s~øst** *adj* south-east.

syerske *s* seamstress; *(dameskrædder)* dressmaker.

syfilis *s* syphilis.

syg *adj* ill; *(foran substantiv)* sick; *(om del af kroppen, fx ben)* bad; *han er* ~ he is ill; *en* ~ *mand* a sick man, a patient; *blive* ~ be taken ill; *jeg bliver* ~ *af at se på det* it makes me sick to look at it; *være* ~ be ill; *(sygemeldt)* be off sick; *være* ~ *efter at gøre ngt* be dying to do sth; ~**dom** *s* illness, sickness; *(om bestemt* ~*dom)* disease.

syge *s* disease; ~**besøg** *s: gå på* ~*besøg (generelt)* visit a patient; *(om læge)* do one's rounds; ~**dage** *spl* days off due to illness; ~**dagpenge** *spl* sickness benefit; ~**forsikring** *s* health insurance; ~**hjælper** *s* assistant nurse; ~**hus** *s* hospital; ~**lig** *adj* *(svagelig)* sickly; *(pervers, unormal)* sick; ~**melding** *s* notification of illness; ~**meldt** *adj: være* ~*meldt* be off sick; ~**orlov** *s* sick leave; ~**pleje** *s* nursing; ~**plejeelev** *s* student nurse; ~**plejer** *s* male nurse; ~**plejerske** *s* nurse; ~**sikring** *s* (national) health insurance.

sygne *v:* ~ *hen* waste away.

syl s awl; **~espids** adj sharp as a needle.

sylte s (gastr) brawn // v preserve; (lave saft) make juice; (lave ~tøj) make jam; ~ en sag shelve a case; **~tøj** s jam; **~tøjsglas** s jam jar; **syltning** s preserving.

symaskine s sewing machine.

symbol s symbol (på of); **~ise-re** v symbolize; **~sk** adj symbolic.

symfoni s symphony; **~orke-ster** s symphony orchestra.

symmetri s symmetry; **~sk** adj symmetrical.

sympati s sympathy, liking; have ~ med en sympathize with sby; **~sk** adj nice, pleasant; **~strejke** s sympathy strike.

symptom s symptom.

syn s (synsevne) eyesight, vision; (det man ser) sight; (anskuelse) view; (bilkontrol) MOT(-test); have et svagt ~ have bad eyesight; komme til ~e appear; forsvinde af ~e disappear; for et ~s skyld for the sake of appearances.

synd s sin; begå en ~ commit a sin; det var ~ at du ikke så det what a pity you did not see it; det er ~ for dig I feel sorry for you; **~e** v sin; **~ebuk** s scapegoat; **~er** s sinner; **~eren** (dvs. den skyldige) the culprit; **~flod** s deluge; S**~floden** the Flood; **~ig** adj sinful; (dvs. stor) awful; **~sforladelse** s absolution.

synes v (mene) think; (virke) seem; hvad ~ du? what do you think? det ~ som om... it seems as if...; gør det, hvis du ~ do it if you like; ~ om ngt like sth.

synge v sing; ~ med join in.

syning s (det at sy) sewing, stitching; (søm) seam; (håndarbejde) needlework; (af sår) stitches pl.

synke v (sluge) swallow; (dale) sink; (om skib) go down; (om temperatur) fall, go down; ~ sammen collapse.

synlig adj visible; (åbenbar) obvious.

syns... sms: **~bedrag** s optical illusion; **~kreds** s horizon; **~prøve** s eye test; **~punkt** s point of view; **~vidde** s: inden for ~vidde within sight; uden for ~vidde out of sight; **~vinkel** s (fig) aspect.

syntetisk adj synthetic, manmade (fx sål sole).

synål s sewing needle.

syre s acid.

syren s lilac.

syrer s Syrian.

syreregn s acid rain.

Syrien s Syria; **syrisk** adj Syrian.

syrlig adj sour, acid.

sysilke s sewing silk.

sysle v: ~ med ngt be doing sth; (pille, nusse) fiddle with sth.

system s system; 'S~et' the Establishment; sætte ngt i ~ systematize sth; **~analytiker** s systems analyst; **~atisk** *adj* systematic; **~chef** *s* systems manager.

sytråd *s* sewing thread.

sytten *num* seventeen; **~de** *adj* seventeenth.

sytøj *s* sewing.

syv *num* seven; **~ende** *adj*, **~endedel** *s* seventh; **~er** *s* seven; *(om bus etc)* number seven; **~tal** *s* seven.

syæske *s* work-box, sewing box.

sæbe *s* soap; *et stykke ~* a cake of soap; *brun ~* soft soap // *v: ~ ngt af* wash sth with soap; **~automat** *s* soap dispenser; **~pulver** *s* soap powder; **~skum** *s* lather; **~spåner** *spl* soapflakes; **~vand** *s* soapy water.

sæd *s* seed; *(sperma)* semen; **~celle** *s* sperm cell.

sæde *s* seat.

sædelighed *s* morality; **~sforbrydelse** *s* sex crime; **~spoliti** *s* vice squad.

sædvane *s* custom; *efter ~* according to custom.

sædvanlig *adj* usual; *(vant)* customary; *som ~* as usual; *han er ngt ud over det ~e* he is sth out of the ordinary; **~vis** *adv* usually.

sæk *s (mindre)* bag; *(større)* sack; **~kelærred** *s* sackcloth; **~kepibe** *s* bagpipe.

sæl *s* seal; **~fangst** *s* sealing.

sælge *v* sell; *grunde ~s* land for sale; **~r** *s* seller; *(om job- bet)* salesman.

sælskind *s* sealskin.

sænke *v* lower; *(om skib)* sink; *~ sig (om mørket)* fall; **~køl** *s* centreboard; **sænk- ning** *s* lowering; *(af skib)* sinking; *(i landskabet)* de- pression, hollow.

sær *adj (mærkelig)* odd, strange; *(sur)* cross.

særdeles *adv* extremely, very; **~hed** *s: i ~hed* especially.

særeje *s* separate estate; *huset er mit ~* the house is my separate property.

særhed *s (se sær)*; oddity, strangeness; crossness.

særlig *adj* special, particular; *(særskilt)* separate // *adv* spe- cially; *(især, specielt)* especi- ally; *ikke ~ rar* not very nice.

særling *s* eccentric.

sær. . . sms: **~nummer** *s* speci- al (issue); **~præg** *s* character, peculiarity; **~præget** *adj* *(mærkelig)* strange, peculiar; **~skilt** *adj* separate, individu- al; **~syn** *s* rarity; **~tog** *s* spe- cial train; **~tryk** *s* reprint.

sæson *s* season.

sæt *s (ryk)* start, jump; *(ting der hører sammen)* set; *det gav et ~ i mig* I started *(el.* jumped); *et ~ byggeklodser* a set of toy bricks; *et ~ tøj* a suit; *et ~ undertøj* a set of underwear.

sætning *s (gram)* sentence; *(typ)* composing.

sætte *v (anbringe)* put, place, set; *(antage)* suppose; *(typ)* set; *~ sig* sit down; *~ sig 'for* *at gøre ngt* decide to do sth; ~ *sig ind i ngt* get acquainted with sth; ~ *sig til at gøre ngt* start doing sth; ~ *penge af til ngt* set aside money for sth; ~ *en af på vejen hjem* drop sby on the way home; ~ *ngt fast* fasten sth; ~ *en fast* arrest sby; ~ *en i fængsel* put sby in prison; ~ *farten ned* reduce speed; ~ *farten op* increase speed; ~ *tapet op* hang wallpaper; ~ *håret op* put up one's hair; ~ *vand over* put the kettle on; ~ *ngt sammen* put sth together, assemble sth; ~ *ngt til (dvs. miste)* lose sth; ~ *ngt til livs* consume sth; *motoren satte ud* the engine failed; ~ *en lejer ud* turn out a tenant; ~ *sit navn under ngt* sign sth.

sættemaskine *s* type-setter.

sø *s (indsø)* lake; *(bølge, hav)* sea; *(pyt)* pool; *i rum* ~, *i åben* ~ on the open sea; *lade en sejle i sin egen* ~ let sby go on his own way; *til* ~*s* at sea; ~**bred** *s* lakeside.

sød *adj (om smag etc)* sweet; *(rar, pæn)* nice; *(artig)* good; *(nuttet)* cute; *hvor er det* ~*t af dig!* how nice of you! ~*e sager* sweets; *det smager* ~*t i* it tastes sweet; *vi sov* ~*t* we slept soundly; *gå nu, så er du* ~*!* go now, there's a dear! ~**e** *v* sweeten; *(komme sukker i, fx teen, også:)* sugar; ~**emiddel** *s* sweetener; ~**lig** *adj* sweetish; *(neds)* sugary; ~**me**

s sweetness; ~**mælk** *s* whole milk.

sø. . . sms: ~**dygtig** *adj* seaworthy; ~**farende** *s* sailor, seaman; ~**fart** *s* navigation; *(som fag)* shipping; ~**folk** *s* sailors, seamen; ~**gang** *s* sea.

søge *v (lede)* look, search; *(lede efter)* look for; *(ansøge om)* apply for; *(bevæge sig for at opnå ngt)* go, seek, take to; ~ *at gøre ngt* try to do sth; ~ *hjælp* ask for help; ~ *job* be looking for a job; ~ *ly* seek shelter; ~ *læge* see a doctor; ~ *efter ngt* look for sth, search for sth; ~ *om ngt* apply for sth; ~**lys** *s* searchlight; *være i* ~*lyset* be in the limelight; ~**n** *s* search(ing); **søgning** *s* search(ing); *(kunder)* custom; **søgt** *adj (populær)* popular; *(om vare)* in demand; *(kunstig, affekteret)* affected.

søhelt *s* naval hero; **søhest** *s* sea horse.

søjle *s* column, pillar; ~**gang** *s* colonnade.

søkort *s* chart.

søløve *s* sea lion.

sølle *adj* poor.

sølv *s* silver; ~**bryllup** *s* silver wedding; ~**mærke** *s* hallmark; ~**papir** *s (stanniol)* tinfoil, aluminium foil; ~**plet** *s* silverplate; ~**smed** *s* silversmith; ~**tøj** *s* silverware.

søm *s* nail; *(stift)* tack; *(syning)* seam; *(ombøjet, fx forneden på kjole)* hem; *slå* ~ *i* drive in nails; *sy en* ~ stitch a seam *(el. hem)*; *gå op i* ~*mene* burst at the seams.

sømand *s* sailor, seaman; ~**sskole** *s* sea training school.

sømil *s* nautical mile.

sømløs *adj* seamless.

sømme *v (slå fast) nail; (sy)* stitch; ~ *sig* be proper; ~**lig** *adj* decent, proper; ~**lighed** *s* decency, propriety.

sømærke *s* navigational aid; *(som flyder)* buoy.

søn *s* son; *være* ~ *af en* be the son of sby.

søndag *s* Sunday; *i* ~*s* last . Sunday; *om* ~*en* on Sundays; *på* ~ on Sunday, next Sunday; ~**sbilist** *s* Sunday driver; ~**sskole** *s* Sunday school; ~**støj** *s* Sunday clothes.

sønder *adv:* ~ *og sammen* to bits (and pieces).

Sønderjylland *s* the South of Jutland.

sønderknust *adj (fig)* heartbroken; **sønderlemmende** *adj* devastating.

søofficer *s* naval officer; ~**sskole** *s* naval college; **søpindsvin** *s* sea urchin; **sørejse** *s* voyage; *(overfart)* crossing.

søret *s (domstol)* maritime court.

sørge *v* grieve; *(over afdød også:)* mourn; ~ *for ngt* take care of sth, look after sth; ~ *for at...* see to it that...; *de* ~ *over en* mourn for sby; ~**dragt** *s* mourning; ~**lig** *adj* sad; *(yn-*

kelig) pitiful.

sørgmodig *adj* sad; ~**hed** *s* sadness.

sørøver *s* pirate; ~**i** *s* piracy.

søskende *spl* brother(s) and sister(s).

søspejder *s* sea scout.

søster *s* sister; ~**datter** *s* niece; ~**søn** *s* nephew.

sø... *sms:* ~**stjerne** *s* starfish; ~**stærk** *adj: hun er* ~*stærk* she is a good sailor; ~**syg** *adj* seasick; ~**syge** *s* seasickness; ~**sætning** *s* launching; ~**sætte** *v* launch; ~**tunge** *s (zo)* sole.

søvn *s* sleep; *falde i* ~ fall asleep; *gå i* ~*e* sleepwalk; *tale i* ~*e* talk in one's sleep; ~**dyssende** *adj* soporific; *(kedelig)* monotonous; ~**gænger** *s* sleepwalker; ~**ig** *adj* sleepy; ~**ighed** *s* sleepiness; ~**løs** *adj* sleepless; ~**løshed** *s* insomnia.

søværnet *s* the Navy.

så *v (lægge frø etc)* sow.

så *adv/interj (om tid, derpå, da etc)* then; *(derfor)* so; *(så meget, i den grad)* so; *(i så fald)* then; *(andre sammenhænge, se eksempler)*; *hun blev vred, og* ~ *gik han* she got angry, and then he left; *det er sent,* ~ *vi må gå* it is late, so we must leave; *det er* ~ *koldt at...* it is so cold that...; *hvis du er syg,* ~ *må du gå hjem* it you are ill, then you must go home; *kom* ~ *skal du se* come and see; ~ *dum kan*

man da ikke være! you can't
be that stupid! gør det nu, ~
er du sød! do it now, there's a
dear! ~ ~! come, come! det
var ~ det that was that, then.
sådan adj such, like that // adj
(så meget) so much; (således)
like this, like that; han er ~
en idiot he is such a fool; ~
en stor mand a big man like
that; hvorfor siger du ~? why
do you say that (el. so)? ~!
that's it! ~ noget that sort of
thing, things like that; ~!
I see! ~ set in a way; ~ som
du kører... the way you dri-
ve...
såkaldt adj so-called.
sål s sole.
således adv like this, like that.
såmænd adv (egentlig) really;
det gik ~ meget godt it really
went quite well; det skal ~
nok gå it will be all right.
sår s wound; (kronisk, fx
mave~) ulcer; forbinde et ~
dress a wound; ~bar adj vul-
nerable; ~barhed s vulnera-
bility; ~e v hurt, injure,
wound; blive ~et (i krig etc)
get wounded; (ved ulykke)
get injured; (fig) get hurt;
hårdt ~et seriously wounded
(el. injured); ~ende adj (om
fx bemærkning) hurtful.
såsom adv (fx) such as.
såvel adv: ~ ... som both ...
and.

T

tab s loss; lide et ~ suffer a
loss; sælge ngt med ~ sell sth
at a loss; store ~ (i krig etc)
heavy losses.
tabe v lose; (på gulvet, jorden
etc) drop; de tabte kampen (i
krig etc) they lost the battle;
(i sport) they were beaten;
han tabte glasset på gulvet he
dropped the glass on the
floor; gå tabt be lost; ~ i vægt
lose weight.
tabel s table.
taber s loser.
tablet s tablet, pill.
taburet s stool; (fig, om mini-
ster~) office.
taft s taffeta.
tag s (på hus etc) roof; (greb)
hold, grip; (håndelag) knack;
(svømning, roning) stroke; få
~ i ngt get hold of sth; have
godt ~ på at gøre ngt have
the knack of doing sth; miste
~et lose one's hold (el. grip).
tagantenne s roof aerial; **tag-
bagagebærer** s (auto) roof
rack.
tage v take; (tåle, udholde)
stand, take; (rejse, begive sig)
go; tag det roligt! take it easy!
jeg kan ikke ~ den fyr I can't
stand that chap; ~ af (om
tøj) take off; (mindskes) de-
crease; (i vægt) lose weight;
~ af bordet clear the table;
~ af sted leave, start; ~ for
sig (af retterne) help oneself;
~ £10 for en bog charge £10
for a book; ~ ngt frem take
sth out, produce sth; ~ imod

ngt (modtage) receive sth; ~ *imod en ved toget* meet sby at the station; ~ *imod fornuft* listen to reason; ~ *ind (i strikning)* decrease; ~ *ind på et hotel* put up at a hotel; ~ *med bussen* go by bus; *han tog hende med ud (i byen)* he took her out; ~ *ngt op (fra gulvet)* pick sth up (from the floor); ~ *ngt op af lommen* take sth out of one's pocket; ~ *plads op* take up room; ~ *på (om tøj)* put on; ~ *på i vægt* put on weight; *det tog hårdt på ham* it was hard on him; *de er ~t på landet* they have gone into the country; *hun tog sig et bad* she had a bath; ~ *sig af* take care of, look after; *(være bekymret over)* worry about; *det skal du ikke ~ dig af!* don't worry about that! ~ *sig sammen* pull oneself together; ~ *til (øges)* increase; ~ *til London* go to London; ~ *en til fange* take sby prisoner; ~ *ud (udvælge)* pick (out); *(i strikning)* increase; *(af bordet)* clear the table.

tag. . . sms: ~**etage** s top floor; ~**pap** s asphalt paper; ~**rende** s gutter; ~**sten** s tile; ~**terrasse** s roof terrace.

tak s *(spids)* point, jag; *(på sav)* tooth; ~**ker** *(på hjort)* antlers.

tak s thanks, (F) ta; *mange ~!* thank you very much! *ja ~!* yes please! *nej ~!* no thanks! no thank you! *selv ~!* don't

mention it! *nej, nu skal du snart have ~!* now, look here! *i lige måde!* the same to you! *tage til ~ke med ngt* make do with sth.

takke v thank; ~ *en for ngt* say thank you to sby for sth; *vi kan ~ ham for at det gik* it went well thanks to him; *ikke ngt at ~ for!* don't mention it! ~**t være** thanks to; ~**skrivelse** s letter of thanks.

taknem(me)lig adj grateful; *(tilfredsstillende)* worthwhile; *jeg er ham meget ~* I am very grateful to him; ~**hed** s gratitude.

takst s charge, rate; *(i bus, tog etc)* fare; ~**zone** s fare stage.

takt s time; *(mus)* measure; *(finfølelse)* tact; *holde ~en* keep time; *gå i ~* walk in step; *slå ~* beat time; *ude af ~* out of time; *en fire-~s motor* a four-stroke engine; ~**fast** adj measured // adv in time; ~**fuld** adj discreet.

taktik s tactics, policy; **taktisk** adj tactical.

taktløs adj indiscrete; ~**hed** s indiscretion.

taktslag s beat; **taktstok** s baton.

tal s *(antal)* number; *(~tegn)* figure; *(i flercifret ~)* digit; *lige (el. ulige) ~* even (el. odd) number; *holde ~ på ngt* keep count of sth.

tale s speech; *(samtale)* talk; *holde en ~* make a speech; *det hus der er ~ om* the house in question; *det kan der ikke være* ~ *om* that is out of the question // *v* talk, speak; ~ *ens sag* plead for sby; ~ *med en* talk to sby; ~ *om ngt* talk about sth; *ikke ngt at* ~ *om* nothing to speak of; ~ *sammen* talk; ~ *til en* talk to sby.

tale. . . *sms:* ~**boble** *s (i tegneserie etc)* balloon; ~**fod** *s: være på* ~*fod med en* be on speaking terms with sby; ~**gaver** *spl* eloquence; ~**måde** *s (udtryk)* phrase, turn of speech.

talende *adj* talking, speaking; *(udtryksfuld)* meaning, significant; *den* ~ the speaker.

talent *s* talent, gift; *have* ~ *for at gøre ngt* have a talent for doing sth; ~**fuld** *adj* talented; ~**løs** *adj* untalented; ~**spejder** *s* talent spotter.

taler *s* speaker; ~**stol** *s* platform, rostrum.

talesprog *s* spoken language; **talestemme** *s* speaking voice.

talg *s* tallow.

talje *s (midje)* waist; *(mål)* waistline; *(tekn)* tackle.

talkum *s* talc(um powder).

tallerken *s* plate; *dyb* ~ soup plate; *flad* ~ plate; *en* ~ *gullasch* a plate(ful) of goulash; *flyvende* ~ flying saucer.

talløs *adj* innumerable, countless.

talord *s* numeral.

talrig *adj* numerous.

talsmand *s* spokesman; *gøre sig til* ~ *for ngt* advocate sth.

tam *adj (mods: vild; kedelig)* tame; *(om husdyr)* domestic(ated).

tampon *s* tampon; *(til at tørre af med)* swab.

tand *s* tooth; *få tænder* cut one's teeth; *skifte tænder* cut one's second teeth; *skære tænder* grit one's teeth; *vise tænder (om dyr)* bare one's teeth; ~**beskytter** *s (sport etc)* mouthpiece; ~**byld** *s* gumboil; ~**børste** *s* toothbrush; ~**hjul** *s* cogwheel; ~**klinik** *s* dental clinic; ~**krus** *s* tooth mug; ~**kød** *s* gum; ~**læge** *s* dentist; ~**løs** *adj* toothless; ~**pasta** *s* toothpaste; ~**pine** *s* toothache; ~**sten** *s* tartar; ~**stikker** *s* toothpick; ~**tekniker** *s* dental technician; ~**tråd** *s* dental floss; ~**udtrækning** *s* extraction (of tooth).

tang *s (værktøj)* (pair of) tongs; *(med)* forceps; *(bot)* seaweed.

tange *s (som forbinder)* isthmus; *(næs)* tongue (of land).

tangent *s (på klaver, skrivemaskine etc)* key.

tangere *v* touch (on); *(fig)* border on; ~ *verdensrekorden* equal the world record.

tank *s* tank; *(~station)* petrol station; ~**bil** *s* tanker.

tanke *s* thought; *(indfald, idé)* idea; *(hensigt)* intention; *gå i sine egne* ~*r* be lost in thought; *hun skænkede det ikke en* ~ she did not give it a thought; *komme i* ~ *om ngt* come to think of sth; *hun fik den* ~ *at...* it occurred to her that...; *jeg bliver dårlig bare ved* ~*n (om det)* the mere thought of it makes me sick // *v:* ~ *op* fill up; *(om fx olietank også:)* refuel; ~**fuld** *adj* thoughtful, pensive; ~**gang** *s* mind; *(tænkemåde)* way of thinking; ~**løs** *adj* thoughtless; ~**streg** *s* dash; ~**torsk** *s* blunder.

tank... *sms:* ~**skib** *s* tanker; ~**station** *s* petrol *(el.* filling) station; ~**vogn** *s (jernb)* tank wagon.

tante *s* aunt.

tap *s (som ngt drejer om)* pivot; *(hane)* faucet, tap.

tapet *s* wallpaper; *sætte* ~ *op* (re)paper; *være på* ~*et* be on the order of the day; ~**sere** *v* (re)paper; ~**sering** *s* paperhanging.

tappe *v* tap, draw; ~ *på flasker* bottle; ~ *en for penge* drain sby of money.

tapper *adj* brave; ~**hed** *s* courage.

tarm *s* intestine; ~*ene (også:)* the bowels; ~**katar** *s* enteritis; ~**slyng** *s* volvulus.

tartelet *s* patty shell.

tarvelig *adj (beskeden)* simple, frugal; *(dårlig)* inferior, poor; *(gemen)* mean; *hvor er du* ~*!* how mean you are! ~**hed** *s* simplicity, frugality; inferio-

rity, poorness; meanness.

taske *s* bag; *(hånd~)* handbag; *(mappe)* (brief)case; ~**tyv** *s* bag-snatcher.

tastatur *s* keyboard.

taste *s* key; ~**operatør** *s* keyboard operator.

tatovere *v* tattoo; **tatovering** *s* tattoo(ing).

tavle *s* board; *(i skole)* blackboard; *(opslags~)* notice board.

tavs *adj* silent; *(uudtalt)* tacit, mute; *det* ~*e flertal* the silent majority; *forholde sig* ~ remain silent; ~**hed** *s* silence; ~**hedspligt** *s* professional secrecy.

taxa *s* taxi; ~**chauffør** *s* taxi driver; ~**holdeplads** *s* taxi rank; ~**meter** *s* taximeter.

te *s* tea; *en kop* ~ a cup of tea; *det var en tynd kop* ~ *(fig)* it was old hat // *v:* ~ *sig* carry on.

teater *s* theatre; *gå i teatret* go to the theatre; *spille* ~ playact; ~**billet** *s* theatre ticket; ~**direktør** *s* theatre manager; ~**forestilling** *s* theatrical performance; ~**kikkert** *s* opera glasses *pl;* ~**stykke** *s* play; ~**tosset** *adj* stage-struck.

te... *sms:* ~**blad** *s* tea-leaf; ~**bolle** *s sv.omtr.t.* muffin, scone; ~**brev** *s* tea bag; ~**dåse** *s* tea caddy.

tegl *s (til mur)* brick; *(til tag)* tile; ~**værk** *s: et* ~*værk* a tileworks.

tegn *s* sign; *(typ)* character;

gøre ~ *til en* signal to sby; *være* ~ *på ngt* be a sign of sth; *vise* ~ *på* show signs of; *som* ~ *på* as an indication of.

tegne *v* draw; *(let)* sketch; ~ *et hus (fx om barn)* draw a house; *(om arkitekt)* design a house; ~ *abonnement på et blad* take out a subscription for a magazine; *det* ~*r godt* it looks promising; *det* ~*r til at blive godt vejr* it looks like a fine day; ~**blok** *s* drawing pad; ~**bog** *s (til penge etc)* wallet; ~**film** *s* cartoon; ~**r** *s (kunstner)* artist; *(teknisk)* draughtsman; ~**serie** *s* comic strip; ~**stift** *s* drawing pin, thumbtack.

tegning *s* drawing; *(til hus etc)* plan; *(af aktier etc)* subscription.

tegnsprog *s* sign language; **tegnsætning** *s* punctuation.

tehætte *s* tea cosy; **tekande** *s* tea pot.

teknik *s* technique; *(som videnskab)* technology; ~**er** *s* technician, engineer; **teknisk** *adj* technical; **teknisk skole** technical school; *teknisk uheld* technical hitch.

teknologi *s* technology; ~**sk** *adj* technological.

tekst *s* text; *(til musik)* words *pl*; *(til fx popmelodi)* lyrics *pl*; *(til illustration)* caption; *komme videre i* ~*en (fig)* get on with it; ~**behandling** *s* word processing; ~**behandlingsanlæg** *s* word processor;

~**e** *v (om film)* subtitle.

tekstil *s* textile; *(stof)* fabric; ~**varer** *spl* textiles *pl.*

tekøkken *s* kitchenette.

teledata *s* viewdata.

telefon *s* telephone; (F) phone; *have* ~ be on the telephone; *tage* ~*en* answer the telephone; *der er* ~ *til dig* you are wanted on the telephone; ~**besked** *s* telephone message; ~**bog** *s* telephone directory; ~**boks** *s* (tele)phone booth; ~**bombe** *s* bomb scare; ~**bruser** *s* hand shower; ~**central** *s* telephone exchange; ~**ere** *v* telephone, (F) phone; ~**ere til en** call *(el.* phone) sby; ~**forbindelse** *s* telephone connection; *(til en)* (telephone) operator; ~**møde** *s* link-up; ~**nummer** *s* telephone number; ~**opringning** *s* (telephone) call; ~**rør** *s* receiver; ~**samtale** *s* call; ~**selskab** *s* telephone company; ~**svarer** *s* answering machine; ~**vækning** *s* wake-up service; ~**væsen** *s* telephone service.

telegraf *s* telegraph; ~**ere** *v* cable, wire; ~**ere til en** cable sby; ~**ist** *s* telegraph operator; *(på skib)* wireless operator, (F) sparks.

telegram *s* telegram, cable; ~**blanket** *s* telegram form; ~**bureau** *s* news agency.

tele. . . *sms:* ~**kommunikation** *s* telecommunication; ~**objektiv** *s (foto)* telephoto lens;

~skop s telescope.

telex s telex; **~e** v telex.

telt s tent; *(stort til fx havefest)* marquee; *ligge i* ~ camp; **~dug** s canvas; **~lejr** s camp; **~pløk** s tent peg; **~stang** s tent-pole; **~underlag** s ground sheet.

tema s *(emne)* subject, topic.

temmelig adj rather, fairly; *der var* ~ *mange mennesker* there was quite a lot of people; *de spiste* ~ *meget* they ate rather a lot.

tempel s temple.

temperament s temper; *have* ~ have a temper.

temperatur s temperature; *have* ~ run a temperature.

tempo s *(mus)* tempo; *(fart)* pace, speed; *i roligt* ~ at a steady pace.

tendens s tendency; *have* ~ *til at...* have a tendency to...

tennis s tennis; *(på græs)* lawn tennis; **~bane** s tennis court; **~bold** s tennis ball; **~ketsjer** s tennis racket; **~sko** spl tennis shoes pl; **~spiller** s tennis player.

teolog s theologian; **~i** s theology, divinity; *læse* **~i** read divinity; **~isk** adj theological.

teoretisk adj theoretic(al); **teori** s theory.

tepause s tea break; **tepotte** s tea pot.

terminal s *(edb)* data terminal; *(fly)* air terminal.

termo... sms: **~flaske** s thermos ® flask; **~kande** s vacu-

um jug; **~meter** s thermometer; **~rude** s double glazing; **~stat** s thermostat.

tern s check pattern; **~e** s *(firkant)* square; **~et** adj checkered; *(skotsk~)* tartan.

terning s die *(pl:* dice); *(mat)* cube; *spille* ~*er* throw dice; *skære ngt i* ~*er* cut sth into cubes.

terpe v swot, cram.

terpentin s turpentine, (F) turps; *(mineralsk)* white spirit.

terrasse s terrace, patio.

terrin s tureen.

territorialfarvand s territorial waters pl; **territorium** s territory.

terror s terror; **~balance** s balance of terror; **~isere** v terrorize; **~ist** s terrorist; **~regime** s reign of terror.

terræn s country, ground; *vinde* ~ gain ground; *sondere* ~*et* see how the land lies; **~gående** adj *(om bil etc)* cross-country; **~løb** s cross-country race.

te... sms: **~si** s tea-strainer; **~ske** s teaspoon; **~skefuld** s teaspoonful.

testamente s will; *gøre* ~ make a will; *Det ny (el. gamle) T*~ the New *(el.* Old) Testament; **~re** v bequeath.

testikel s testicle.

tevarmer s tea-cosy; **teæg** s tea ball.

ti num ten; *køre med linje* ~ go by number ten; *spar* ~ ten

t tid

738

of spades.

tid *s* time; *(tidspunkt også:)* moment, hour; *(tidsalder)* age; *(hos læge etc, aftalt)* appointment; *(gram)* tense; *~en går* time passes; *hele ~en* all the time; *har du ~ et øjeblik?* have you got a minute? *vi har god ~* we have got plenty of time; *vi har ikke ~ til det* we don't have the time for it; *det tager lang ~* it takes a long time; *(nu) for ~en* at present; *i disse ~er* nowadays; *fra ~ til anden* from time to time; *følge med ~en* move with the times; *om en uges ~* in a week or so; *om kort ~* shortly, soon; *nu er det på ~e at gå* it is time to leave now; *på Henrik 8.s ~* at the time of Henry VIII; *gæsterne kom til ~en* the guests arrived on time; *til sin ~* in due course; *somme ~er* at times, sometimes.

tidevand *s* tide; *~s- adj* tidal.

tidlig *adj/adv* early; *vi er for ~ på den* we are early; *~t på dagen* early in the day; *i morgen ~* tomorrow morning; *~ere adj* earlier; *(forudgående)* previous; *(forhenværende)* former, late // *adv* earlier; formerly; previously; *som ~ere nævnt* as previously mentioned; *han er ~ere statsminister* he is an ex-prime minister; *~st adj* earliest // *adv* at the earliest; *vi spiser ~st kl. 6* we eat at 6 at the

earliest.

tidnød *s: være i ~* be pressed for time.

tids *adv: ~ nok* in time; *komme ~ nok til ngt* be in time for sth.

tids... sms: *~alder s* age, era; *~begrænset adj* limited; *~begrænsning s* time limit; *~besparende adj* time-saving.

tidsel *s* thistle.

tids... sms: *~fordriv s* pastime; *til ~fordriv* to pass the time; *~frist s* time limit; *~indstillet adj: ~indstillet bombe* time bomb; *~krævende adj* time-consuming; *~plan s* timetable, schedule; *~punkt s* time, moment; *på det ~punkt* at that point, then; *på dette ~punkt (dvs. nu)* at the moment; *~regning s (kalender)* calendar; *(epoke)* era; *efter vor ~regning* anno Domini, A.D.; *før vor ~regning* before Christ, B.C.; *~rum s* period; *~skrift s* periodical, journal; *~spilde s* waste of time; *~spørgsmål s* question of time; *~svarende adj* up-to-date.

tie *v: ~ stille (være tavs)* be silent; *(holde mund)* stop talking; *ti så stille!* be quiet! *(F)* shut up!

tiende *num* tenth; *~del s* tenth.

tier *s (mønt)* ten-kroner; *(bus etc)* number ten; *(kort)* ten.

tiger *s* tiger; *~unge s* tiger cub.

739

tigge *v* beg; ~ *en om ngt* beg sth of sby; ~ *en om at gøre ngt* beg sby to do sth; ~*r s* beggar.

tikamp *s (sport)* decathlon.

tikke *v* tick; **tik-tak** *(om ur)* tick-tock.

til *præp* to; *(efter arrive, arrival:)* at, in; *(bestemt for, om bestemmelsessted)* for; *(om tid, indtil)* until, till; *(om tid, senest)* by; *(om tidspunkt)* at; *(førstkommende)* next; *(om tidspunkt for møde, fest etc)* for; *(om pris etc)* at; *(se også de ord hvormed ~ forbindes); sige ngt ~ en* say sth to sby; *tage ~ England* go to England; *ankomme ~ stationen* arrive at the station; *ankomme ~ Danmark* arrive in Denmark; *blomsterne er ~ dig* the flowers are for you; *vi skal have fisk ~ middag* we are having fish for dinner; *tage af sted ~ Jylland* leave for Jutland; *vent ~ i aften* wait until this evening; *fra morgen ~ aften* from morning till night; *I må prøve at være her ~ klokken otte* you must try to be here by eight; *de kommer ~ sommer* they are coming next summer; *jeg har inviteret dem til klokken syv* I asked them for seven o'clock; *mødet er aftalt ~ i morgen* the meeting has been arranged for tomorrow; *maleriet er vurderet ~ 500.000* the painting has been valued

at 500,000; *(andre eksempler:) have tid ~ at...* have time to...; *være god ~ ngt* be good at sth; *drikke øl ~ maden* have beer with one's meal; *tage ~ (dvs. øges)* increase // *adv (ekstra, yderligere)* more; another; *gøre ngt en gang ~* do sth once more; *vil du have en kop te ~?* would you like another cup of tea?

tilbage *adv* back; *(bagude)* behind; *(baglæns)* backward(s); *(tilovers)* left (over); *de rejste ~ til England* they went back to England; *han fik tegnebogen ~* he got back his wallet; *hun blev ~ med børnene* she stayed behind with the children; *gå to skridt ~* take two steps backwards; *der blev ngt mad ~* there was some food left over; *han er lidt ~* he is a bit backward.

tilbageblik *s* retrospect; *(i film etc)* flashback.

tilbagefald *s* relapse.

tilbageholde *v* hold back; *(om politiet)* detain; *han kunne ikke ~ et smil* he could not help smiling; *med tilbageholdt åndedræt* with bated breath; ~**nde** *adj* reserved; *(forsigtig)* cautious; *(beskeden)* modest.

tilbagekalde *v* call back; *(hjemkalde)* recall; *(et løfte etc)* retract; *(om vare)* call in.

tilbagekomst *s* return.

tilbagelægge *v* cover, do *(fx*

en afstand a distance).

tilbageskridt *s* step backwards.

tilbageslag *s* rebound; *(om ge-vær etc)* recoil; *(fig)* repercussion.

tilbagestrøget *adj* combed *(el. brushed)* back.

tilbagestående *adj* backward, retarded.

tilbagetog *s* retreat.

tilbagetrækning *s* withdrawal.

tilbagevej *s* way back; *på ~en* on the way back.

tilbede *v* adore; *(rel)* worship; **~lse** *s* adoration; worship; **~r** *s (beundrer)* admirer; *(rel)* worshipper.

tilbehør *s* accessories *pl.*

tilberede *v* prepare, make; *(om mad også:)* cook; **tilberedning** *s* preparation; cooking.

tilbringe *v* spend; *~ natten med at læse* spend the night reading.

tilbud *s* offer; *(om pris)* quotation; *(overslag)* estimate; *dag-ens ~* today's special (offer); *kjolen var på ~* the dress was a special offer; *~ og efter-spørgsel* supply and demand.

tilbyde *v* offer; *~ sig* volunteer.

tilbygning *s* extension.

tilbøjelig *adj*: *~ til (villig til, med tendens til)* inclined to; *(med hang til)* given to; *jeg er ~ til at give dig ret* I'm inclined to agree with you; **~hed** *s* inclination; tendency.

tildele *v* give; *(præmie etc)* award; *(titel etc)* bestow; **til-**

deling *s* allotment; award; bestowal.

tilegne *v* dedicate *(fx en en bog* a book to sby); *~ sig ngt (fx viden)* acquire sth; *(fx et sprog)* pick up sth; *(tage med sig)* appropriate sth; **~lse** *s* dedication.

tilflugt *s* refuge; *søge ~ hos en* seek refuge with sby; *tage sin ~ til (fig)* resort to; **~ssted** *s* refuge.

tilflytter *s* newcomer.

tilfreds *adj (fornøjet)* contented, pleased; *(som har fået nok)* satisfied; *give sig ~* be content; *stille en ~* satisfy *(el. please)* sby; **~hed** *s* content; satisfaction; **~stille** *v* satisfy, please; **~stillende** *adj* satisfactory.

tilfælde *s* case; *(lykketræf)* chance; *(sammentræf)* coincidence; *(hændelse)* occurrence; *(anfald)* fit; *et akut ~ af influenza* a sudden attack of flu; *hun fik et ~* she had a fit; *i ~ af at han glemmer det* in case he forgets; *i hvert ~* at any rate, anyway; *ved et ~* by accident.

tilfældig *adj (ved et tilfælde)* accidental, chance; *(lejlig-hedsvis)* occasional; *vi op-dagede det helt ~t* we found out by mere chance; *et ~t bekendtskab* a chance acquaintance; *~t valgt* chosen at random; **~hed** *s* chance; *(sammentræf)* coincidence; **~vis** *adv* by chance, accidentally; *(for resten)* incidentally; *vi kom ~vis forbi* we happened to pass by; *du har vel ikke ~vis en tier?* do you by any chance have a ten-kroner?

tilfælles *adv* in common.

tilføje *v (lægge til)* add; *(volde)* inflict *(fx en et sår* a wound on sby); cause *(fx skade* damage); **~lse** *s* addition; *(tillæg)* appendix.

tilføre *v (skaffe)* supply; *(om fx luft)* let in; **tilførsel** *s* supply; *(om luft etc)* intake.

tilgang *s (forøgelse)* increase; *(af personer)* intake *(fx af studerende* of students).

tilgift *s: give (el. få) ngt i ~* give *(el.* get) sth into the bargain.

tilgive *v* forgive; **~lse** *s* forgiveness.

tilgodehavende *s* credit; *hans ~ (også:)* the amount due to him.

tilgroet *adj* overgrown.

tilgængelig *adj* accessible; *(til at få fat i)* available; *offentligt ~* open to the public.

tilholdssted *s* haunt, resort.

tilhænger *s* supporter, (F) fan; *være ~ af ngt* believe in sth.

tilhøre *v* belong to; **~nde** *adj* belonging to; *(tilsvarende)* matching; **~*s*** listener; **~*rne* (*også:)* the audience; *mange ~re* a large audience.

tilintetgøre *v* destroy; *(ved massakre etc)* exterminate; **~lse** *s* destruction; extermination.

tilkalde *v (til hjælp)* call (in); *~ lægen (el. politiet)* call *(el.* send for) the doctor *(el.* the police); **~vagt** *s: have ~vagt* be on call.

tilkendegive *v (vise)* show; *(ytre)* express; **~lse** *s* manifestation; expression.

tilknytning *s (forbindelse)* connection, association; *i ~ til* in connection with.

tilkomme *v: der ~r os en andel* we are entitled to a share; *det ~r ikke dig at...* it is not for you to...; **~nde** *adj: hans ~nde* his future wife, his fiancée; *hendes ~nde* her future husband, her fiancé.

tilkæmpe *v: ~ sig ngt* win sth.

tilkørsel(svej) *s* approach.

tillade *v* allow, permit; *~er De?* excuse me! *~ sig at gøre ngt* take the liberty to do sth; *det kan man ikke ~ sig* that is not done; *hvis vejret ~r det* weather permitting; **~lse** *s* permission; *give ~lse til ngt* permit sth; **tilladt** *adj* allowed, permitted; *er det tilladt at parkere her?* is parking allowed here?

tillid *s* confidence, trust, faith; *have ~ til en* have confidence in sby, trust sby; *miste ~en til en* lose confidence in sby; **~sbrud** *s* breach of confidence; **~sfuld** *adj* confident; *(fx om barn)* trustful; **~shverv** *s* honorary office; **~skvinde**, **~smand** *s* shop steward.

tillige *adj* too, as well; *(des-*

uden) in addition.
tillæg s *(til blad etc)* supplement; *(tilføjelse)* addition; *(i løn)* rise; *(til pris)* extra charge; ~**ge** v add; ~**ge en ngt** ascribe sth to sby; ~**småde** s *(gram)* participle; ~**sord** s *(gram)* adjective.
tilløb s *(til spring)* run-up; *(begyndelse)* approach; *(forsøg)* attempt; ~**sstykke** s draw.
tilnavn s epithet; *(øgenavn)* nickname; *med* ~*et* nicknamed.
tilnærmelse s approach; *gøre* ~*r (til en kvinde)* make advances; ~**svis** adj approximate; (F) rough *(fx skøn* estimate) // adv approximately; *ikke* ~*svis så god* not nearly so good.
tilovers adv *(til rest)* left (over); *(som ikke bruges)* spare; *føle sig* ~ feel left out; *ham har vi ikke ngt* ~ *for* we have not got much time for him.
tilpas adj right // adv sufficiently; *(om tid)* at the right moment; ~ *stegt* done just right; *gøre en* ~ please sby; *føle sig dårligt (el. godt)* ~ feel rotten *(el.* fine); ~**ning** s adjustment, adaptation; ~**se** v adjust, adapt; *(om mønster, tøj)* fit.
tilrejsende s visitor.
tilrettelægge v organize; *(forberede)* prepare; **tilrettelægning** s organization, arrangement.

tilrøget adj smoky; *(om pibe)* seasoned.
tilråb s call; *komme med* ~ *(dvs. opmuntre)* cheer.
tilsammen adv *(om sum)* in all; *(i fællesskab)* between us *(el.* them); *det blev* ~ *100 kr* it was 100 kr in all; *vi havde 100 kr* ~ we had 100 kr between us.
tilse v attend to, see.
tilsidesætte v neglect.
tilsigelse s summons.
tilsigtet adj intentional; *den tilsigtede virkning* the desired effect.
tilskadekommen adj injured.
tilskud s contribution; *(offentligt)* grant, subsidy.
tilskuer s onlooker; ~*ne (teat etc)* the audience; *(til fodbold etc)* crowd; *være* ~ *til* watch; *(tilfældigt overvære)* witness; ~**pladserne** spl the seats.
tilskynde v encourage; ~**lse** s *(opmuntring)* incentive; *(stærk)* urge.
tilskæring s *(af lave mønster)* cutting out; *(tilpasning af tøj)* fitting.
tilslutning s *(støtte)* support; *(samtykke)* consent, approval; *(el, trafik etc)* connection; *give sin* ~ *til ngt* endorse sth; *i* ~ *til mødet* in connection with the meeting; *vinde* ~ meet with approval; **tilslutte** v connect; *tilslutte sig (dvs. støtte)* go along with; *(gå med i)* join.
tilsløre v veil; *(fig)* disguise.

tilstand s condition, state; *huset var i en elendig* ~ the house was in bad repair.

tilstedeværende adj present; *de* ~ those present.

tilstoppet adj *(om afløb)* blocked.

tilstrækkelig adj sufficient, enough; *han er* ~ *dum til at...* he is stupid enough to...; *der er* ~ *med brød* there is enough bread; *i* ~ *mængde* in sufficient quantities.

tilstrømning s *(af folk)* rush; *der er stor* ~ *til filmen* the film draws large audiences.

tilstøde v happen to; *der er tilstødt dem en ulykke* they have met with an accident; *der er tilstødt komplikationer* there are complications; ~*nde* adj adjoining *(fx værelser* rooms); adjacent *(fx hus* house).

tilstå v admit; *(bekende)* confess; ~ *en forbrydelse* confess to a crime; ~**else** s confession.

tilsvarende adj corresponding; *(lignende)* similar.

tilsyn s *(overvågning)* supervision; *(undersøgelse)* inspection; *(om person)* supervisor; inspector; *føre* ~ *med* be in charge of; *(holde øje med)* look after; ~**eladende** adj apparent // adv apparently; ~**sførende** s se tilsyn; ~**sværge** s *(for kriminel)* probation officer.

tilsætning s addition; *(krydde-*

ri) seasoning; *(til kaffe)* chicory; ~**sstof** s additive; **tilsætte** v add.

tiltage v *(vokse)* increase, grow; *(om månen)* wax; ~**nde** adj increasing, growing.

tiltale s *(henvendelse)* address; *(i retten)* charge; *rejse* ~ *mod en* charge sby // v *(henvende sig til)* address, speak to; *(i retten)* prosecute; *(behage)* please; *han er tiltalt for...* he has been charged with...; *føle sig tiltalt af et sted* take to a place; ~**nde** adj *(af ydre)* attractive; *(af væsen)* nice.

tiltro s confidence, faith // v: ~ *en ngt* believe sby capable of sth; *have* ~ *til en* have faith in sby.

tiltrække v attract, draw; ~**nde** adj attractive; **tiltrækning** s attraction.

tiltrænges v be needed; *hårdt tiltrængt* badly needed.

tiltænke v: ~ *en ngt* intend sth for sby.

tilvalgsfag s optional subject.

tilvænning s habituation; *(til stoffer)* addiction.

tilværelse s life, existence.

time s hour; *(i skole etc)* lesson; *en halv* ~ half an hour; *for en* ~ *siden* an hour ago; *hver* ~ every hour; *i* ~*en per* hour; *det varer en* ~*s tid* it takes about an hour; *tre gange i* ~ three times an hour; *køre 60 miles i* ~*n* drive at 60 miles per hour; ~**løn** s: *få*

~løn be paid by the hour; ~plan s timetable; ~vis adv: i ~vis for hours.

timian s (bot) thyme.

tin s (grundstoffet) tin; (materialet) pewter.

tinde s peak, pinnacle.

tinding s temple.

ting s thing; (genstand også:) object; (sag) matter; en ~ ad gangen one thing at a time.

tingest s thing, gadget; (F) thingummy.

tip s: give en et ~ tip sby off.

tipning s the pools; vinde 10.000 i ~ win 10,000 on the pools.

tipolde- great-great-grand... (fx -mor -mother).

tippe v (vippe, give et tip) tip; (i tipning) do the pools.

tips... sms: ~gevinst s win on the pools; ~kupon s pools coupon; ~resultater spl sv.t. football results.

tirre v irritate; (drille) tease.

tirsdag s Tuesday; i ~s last Tuesday; på ~ on Tuesday; om ~en (on) Tuesdays.

tis s pee; ~se v pee, piddle; ~se i bukserne wet one's pants; ~semand s willie.

tit adv often; ~ og ofte time and time again.

tital s ten; ~systemet s the decimal system.

titel s title; en bog med titlen X a book entitled X; ~blad s title page; ~melodi s theme tune.

titiden s: ved ~ at about ten

o'clock.

titte v peep.

tivoli s funfair; T~ (i Kbh) the Tivoli Gardens.

tiår s decade.

tjavs s wisp; ~et adj wispy.

tjekker s, tjekkisk adj Czech; Tjekkoslovakiet s Czechoslovakia.

tjene v (gøre tjeneste) serve; (indtjene) earn; det her kan du ikke være tjent med you are ill-served with this; hun ~r godt she has a good income; ~ på ngt make money on sth; han tjente £100 på handelen he made £100 on the deal; ~ til at serve to.

tjener s (i restaurant etc) waiter; (butler) man-servant; (fig) servant.

tjeneste s service; (vagt etc) duty; (hjælp) favour; han gjorde ~ i marinen he served in the navy; han har ~ i aften he is on duty tonight; fritaget for ~ exempt from duty; vil du gøre mig en ~? will you do me a favour? ~bolig s official residence; ~folk spl servants; ~fri(hed) s leave; ~mand s official; (i ministerium) civil servant; ~rejse s business trip.

tjenst... sms: ~gørende adj on duty; ~lig adj official; ~villig adj helpful.

tjære s tar // v tar.

tjørn s hawthorn.

to num two; ~ og ~ er fire two and two make four; gå ~

og ~ walk in twos; *de kommer begge* ~ they are both coming; *I* ~ *er også inviteret* you two (*el.* the two of you) have also been invited.

tobak *s* tobacco; ~**sdåse** *s* tobacco tin; ~**shandler** *s* tobacconist; ~**spung** *s* tobacco pouch; ~**srygning** *s* tobacco smoking; ~**srøg** *s* tobacco smoke.

todelt *adj* in two parts; *(om tøj)* two-piece.

toer *s* two; *(om bus etc)* number two.

toetages *adj (om hus)* two-storeyed; *(om bus)* double-decker.

tog *s* train; *vi tog* ~*et* we went by train; *jeg nåede* ~*et* I caught my train; *han nåede ikke* ~*et* he missed his train; *de mødtes i* ~*et* they met on the train; ~**forbindelse** *s* train connection *(el.* service); ~**fører** *s* chief guard; ~**konduktør** *s* ticket collector; ~**kort** *s* season ticket; ~**plan** *s* timetable; ~**rejse** *s* railway journey; ~**sammenstød** *s* train crash; ~**ulykke** *s* railway accident.

toilet *s* toilet, (F) loo; *(i restaurant etc) (dame~)* ladies' (room); *(herre~)* men's (room); *gå på* ~*tet* go to *(el.* use) the bathroom; ~**artikler** *spl* toiletries; ~**bord** *s* dressing table; ~**papir** *s* toilet paper; ~**taske** *s* sponge bag, toilet bag.

toilette *s: gøre* ~ dress.

told *s (afgift)* (customs) duty; ~*en (om stedet)* the customs; *betale* ~ *af ngt* pay duty on sth; ~**betjent** *s* customs officer; ~**eftersyn** *s* customs check; ~**er** *s* customs officer; ~**fri** *adj* duty-free; ~**pligtig** *adj* dutiable; ~**union** *s* customs union; ~**væsen** *s* customs authorities *pl.*

tolerant *adj* tolerant; *(for ~)* permissive; **tolerere** *v* tolerate.

tolk *s* interpreter; ~**e** *v* interpret.

tolv *num* twelve; ~**er** *s* twelve; *(om bus etc)* number twelve; ~**te** *adj* twelfth; ~**tedel** *s* twelfth; ~**tiden** *s: ved* ~*tiden* at about twelve o'clock.

tom *adj* empty; *(om udtryk)* blank, vacant; *huset står* ~*t* the house is empty; *glo* ~*t ud i luften* stare into space.

tomat *s* tomato; ~**ketchup** *s* tomato ketchup; ~**puré** *s* tomato paste.

tomgang *s* idling; *gå i* ~ idle.

tomhed *s* emptiness; vacancy; blankness; *(se også tom).*

tomhændet *adj* empty-handed.

tommelfinger *s* thumb; *rejse på* ~*en* hitch-hike; *have ti tommelfingre* be all thumbs.

tommestok *s (til at folde sammen)* folding rule.

tomrum *s* vacuum.

tomt *s (grund)* site.

ton *s (1000 kg)* ton, tonne.

tone s *(lyd, klang)* sound, tone; *(enkelt ~)* note; *(~højde)* pitch; *(opførsel)* form; *det er ikke god ~* it is not done // v *(klinge)* sound; *~t glas* tinted glass; *~ hår* tint one's hair; *~ frem* appear; **~angivende** *adj* leading; **~art** s key; **~fald** s accent, tone of voice; **~hoved** s *(i båndoptager)* recording head.

top s top; *(bjerg~)* summit, peak; *(paryk)* hairpiece; *(overdel)* top // *interj:* ~! done! **~hastighed** s top speed; **~hue** s pixie cap; **~løs** *adj* topless; **~møde** s summit *(meeting)*; **~nøgle** s *(tekn)* box spanner; **~pakning** s *(i motor)* cylinder head gasket.

toppes v *(skændes)* bicker.

top... *sms:* **~punkt** s summit; *(fig)* zenith; **~skefuld** s heaped spoonful; **~stilling** s top position; **~stykke** s *(i motor)* cylinder head.

torden s thunder; *det trækker op til ~* it looks like thunder; *som lyn og ~* like lightning; **~skrald** s clap of thunder; **~vejr** s thunderstorm; **tordne** v thunder.

torn s thorn; **~ebusk** s briar; **T~erose** s the Sleeping Beauty.

torpedere v torpedo; **torpedo** s torpedo.

torsdag s Thursday; *i ~s* last Thursday; *om ~en* Thursdays; *på ~* next Thursday.

torsk s *(fisk)* cod(fish); *(per-*

scn) fool; **~edum** *adj* oafish; **~.:ver** s cod liver; **~erogn** s cod roe.

tortere v torture; **tortur** s torture.

torv s *(plads i by)* square; *(salgssted)* market; *gå på ~et* go to the market.

to... *sms:* **~sidet** *adj* two-sided; *(om aftale etc)* bilateral; **~sporet** *adj (om vej)* two-lane; **~sporet vej** *(også:)* dual carriageway; **~sproget** *adj* bilingual.

tosse s fool // v: *~ rundt* fool around; **~ri** s spl nonsense; **~t** *adj* foolish; *(skør)* crazy, (F) nuts; *blive ~t* go crazy; *det er til at blive ~t af* it is enough to drive you crazy; *være ~t efter en* be crazy about sby; *det ser ikke så ~t ud* it does not look too bad.

tot s tuft, wisp; *en ~ vat* a wad of cottonwool.

totakter s *(om motor)* two-stroke engine.

total s *(tallet 2)* two.

total *adj* total; **~skade** s total loss; *bilen blev ~skadet* the car was a write-off; **~t** *adv* completely; *det var ~t mislykket* it was a complete failure.

totiden s: *ved ~* at about two o'clock.

toupere v *(om hår)* backcomb.

tov s rope; **~trækkeri** s *(fig)* toing and froing; **~trækning** s tug-of-war; **~værk** s ropes pl.

toværelses adj two-room.

tradition s tradition; ~en tro in keeping with tradition; ifølge ~en true to tradition; ~el adj traditional.

trafik s traffic; **stærk** ~ heavy traffic; ~ant s road-user; ~ere v use; stærkt ~eret busy; ~fly s airliner; ~forbindelser spl communications; ~lys s traffic lights pl; ~ministerium s Ministry of Transport; ~prop s traffic jam; (bilkø) tailback; ~sikkerhed s road safety; ~ulykke s road accident.

tragedie s tragedy; **tragisk** adj tragic // adv tragically.

tragt s funnel; (tlf) mouthpiece; ~e v (om kaffe etc) filter; (si) strain; ~e efter ngt aspire to sth.

traktat s treaty.

traktere v: ~ en på ngt treat sby to sth; jeg ~r! it is on me!

traktor s tractor; ~fører s tractor-driver.

trampe v (i gulvet etc) stamp; (~ ned) trample; ~ med fødderne stamp one's feet; ~n s stamping; trampling.

tran s whale oil.

tranchere v carve; **tranchersaks** s poultry shears pl.

tranebær s cranberry.

trang s (behov) need; (lyst) desire; (nød) want; føle ~ til at sige ngt feel a desire to speak // adj (kneben) narrow; (stram) tight; ~e tider hard times.

transformator s transformer.

transistor s transistor; ~radio s transistor (radio).

translatør s interpreter.

transmission s transmission; (i tv, radio) broadcast; **transmittere** v transmit; broadcast.

transparent s (skilt med slagord etc) banner.

transpiration s perspiration; **transpirere** v perspire.

transplantation s transplant(ation); hjerte~ heart transplant; **transplantere** v transplant.

transport s transport; (ladning der sendes) shipment; ~abel adj movable; (bærbar) portable; ~bånd s conveyer belt; ~ere v carry; (sende) ship, forward; ~middel s means of transport; ~vogn s truck; (varevogn) van.

trapez s trapeze.

trappe s staircase, stairs pl; (udvendig) steps; gå ned ad ~n go downstairs; gå op ad ~n go upstairs // v: ~ op escalate; ~ ned de-escalate; (om narko, medicin) withdraw; ~afsats s landing; ~gang s staircase; ~sten s doorstep; ~stige s step ladder; ~trin s step.

traske v plod, trudge.

trav s (gangart) trot; (sport) trotting; i rask ~ at a brisk trot; ~bane s trotting course; ~e v trot; ~esko s walking shoe; ~etur s hike; ~hest s trotting horse; ~kusk s sulky driver.

travl *adj* busy; *have meget ~t (dvs. have meget at lave)* be very busy; *(skulle skynde sig)* be in a hurry.

travløb, travsport *s* trotting.

tre *num* three; *gæt ~ gange* you can have three guesses; **~cifret** *adj* three-digit; **~dimensional** *adj* three-dimensional.

tredive *num* thirty; *han er i ~rne* he is in his thirties; *han er født i ~rne* he was born in the thirties; **tredivte** *adj* thirtieth.

tredje *num* third; *for det ~* thirdly; **~del** *s* third; *2/3 two thirds;* **~grads** *adj* third-degree; **~rangs** *adj* third-rate.

tredobbelt *adj* triple.

treer *s (om bus etc)* number three; *(kort)* three.

treetages *adj* three-storey.

trehjulet *adj: ~ cykel* tricycle.

trekant *s* triangle; **~et** *adj* triangular.

trekvart *adj* three quarters.

tremme *s (i stakit etc)* slat; *(i vindue og bur)* bar; *han er bag ~r* he is behind bars; **~kalv** *s* battery calf; **~seng** *s* cot; **~værk** *s* lattice.

tres *num* sixty; *han er i ~serne* he is in his sixties; *han er født i ~serne* he was born in the sixties.

tresporet *adj (om vej)* three-lane.

tretal *s* three; **tretiden** *s: ved tretiden* at about three o'clock.

tretten *num* thirteen; **~de** *adj* thirteenth.

treværelses *adj* three-room.

tribune *s* platform; *(til tilskuere)* stand.

trikot *s* tights *pl;* **~age** *s* hosiery; *(om strikvarer)* knitwear; **~agehandler** *s* hosier.

trille *s (i sang etc)* trill; *(om fugl)* warble; *slå ~r* trill; warble // *v (rulle)* roll; *(langsomt, om fx tåre)* trickle; *(med genstand, fx barnevogn)* wheel; *(slå ~r)* trill; warble; **~bør** *s* wheelbarrow.

trilling *s* triplet.

trin *s (fod~, trappe~ etc)* step; *(stadium)* stage; **~bræt** *s* footboard; *(lille station)* halt; **~vis** *adj* step by step.

trippe *v* trip; *(om lyden)* patter; *stå og ~* shuffle one's feet.

trisse *s (til garn)* reel; *(hejseværk)* pulley // *v: ~ rundt* potter about.

trist *adj* sad; *(deprimerende)* depressing, dreary; *(kedelig)* boring; *~ vejr* dreary weather; *i ~ humør* gloomy; **~hed** *s* sadness; depression, dreariness.

trit *s: holde ~ med en* keep pace with sby; *ude af ~* out of step.

triumf *s* triumph; **~ere** *v* triumph; *(skadefro)* gloat.

trivelig *adj* plump.

trives *v (have det rart)* be happy; *(vokse etc)* thrive *(ved*

749

trussel t

at).
triviel *adj* trivial, banal.
trivsel *s* well-being; *(vækst)*
growth; ~ **på arbejdspladsen**
job satisfaction.
tro *s* belief; *(stærkere og rel)*
faith; *(tillid)* confidence; *i
god* ~ in good faith; *lad dem
blive i* ~*en* don't rob them of
their illusions; *i den* ~ *at...*
thinking that // *v (mene)*
think; *(være sikker på)* belie-
ve; *(stole på)* trust; *(rel)* belie-
ve *(på* in); *jeg* ~*r ikke de
kommer* I don't think they
are coming; *nej, det kan du
~ (de ikke gør)!* you bet (they
are not)! *du kan ~ det var
rart* you have no idea how
nice it was; *jeg kunne knapt
~ mine egne øjne* I could
hardly believe my eyes; ~ *på
spøgelser* believe in ghosts;
~ *på en* trust sby // *adj
(trofast)* faithful, loyal *(mod*
to); *(nøjagtig)* accurate.
trods *s* defiance; *gøre ngt på* ~
do sth in sheer defiance; *til* ~
for at... in spite of the fact
that... // *præp* in spite of; ~
alt in spite of everything;
(dog, alligevel) after all; ~**e** *v*
defy; ~**ig** *adj* defiant; *(om
barn etc)* difficult.
trofast *adj* faithful, loyal *(mod*
to); ~**hed** *s* faithfulness, loy-
alty.
trold *s* goblin; *(i eventyr)* troll;
(om arrig person) spitfire;
~**dom** *s* magic; ~**mand** *s* ma-
gician, wizard.

troløs *adj* disloyal; ~**hed** *s*
disloyalty.
tromle *s* roller; *(tønde)* drum //
v roll; ~ **en ned** bulldoze sby.
tromme *s* drum; *spille* ~ play
the drum; *slå på* ~ *for ngt*
beat the drum for sth // *v*
drum; ~ *i bordet* drum the
table; ~**hinde** *s* eardrum;
~**spiller** *s* drummer, drum
player; ~**stik** *s* drumstick.
trompet *s* trumpet; *spille* ~
play the trumpet; *støde i* ~*en*
blow the trumpet; ~**ist** *s*
trumpet player.
tronarving *s* heir to the throne.
trone *s* throne; *komme på* ~*n*
come to the throne; *frasige
sig* ~*n* abdicate, renounce the
throne // *v* sit in state.
tronfølger *s* heir to the throne.
trop *s* troop, squad; *følge* ~
keep up; *(se også tropper)*.
troperne *spl* the tropics; **tro-
pisk** *adj* tropical.
troppe *v:* ~ *op* turn up.
tropper *spl* troops, forces.
trosbekendelse *s* creed.
troskab *s* faithfulness *(mod*
to).
troskyldig *adj* innocent, naïve.
troværdig *adj (pålidelig)* reli-
able; *(sandsynlig)* credible;
~**hed** *s* reliability; credibility.
true *v* threaten *(med* with;
med at to); ~**nde** *adj* threat-
ening; *(overhængende)* im-
minent.
trug *s* trough.
trusseindlæg *s* panty liner.
trussel *s* threat *(mod* to).

trusser *spl* briefs, panties.
trut *s (i bilhorn)* hoot; *(i horn)* toot; *give et* ~ *i (bil)hornet* honk, sound the horn; ~**mund** *s* pout; *lave* ~**mund** pout; ~**te** *v (om bil)* hoot, honk; *(om horn)* toot.
tryg *adj* safe, secure; *føle sig* ~ feel safe; *(se også trygt);* ~**hed** *s* safety; security.
trygle *v* beg, implore; ~ *en om ngt* beg sby for sth.
trygt *adv* safely; securely; *det kan du* ~ *stole på* you can (safely) rely on that.
tryk *s (pres)* pressure; *(typ)* print; *udøve et* ~ *på en* put pressure on sby; *sætte ngt på* ~ put sth in print; *gå i* ~*ken* go to press; ~**fejl** *s* misprint; ~**fod** *s (på symaskine)* presser foot.
trykke *v* press; *(klemme)* squeeze; *(skubbe)* push; *(aviser etc)* print; ~ *en i hånden* shake hands with sby; ~ *på en knap* press a button.
trykken *s* oppression; ~ *for brystet* a weight on the chest; ~**de** *adj (om luft)* close, heavy; *(fig)* oppressive.
trykkeri *s* printing works *pl*, printer's.
trykket *adj (utilpas)* oppressed; *(nedtrykt)* depressed; *føle sig* ~ feel ill at ease.
tryk... sms: ~**knap** *s* pushbutton; ~**koger** *s* pressure cooker; ~**luft** *s* compressed air; ~**luftbor** *s* pneumatic drill; ~**lås** *s* press-stud; ~**ning** *s*

printing; ~**sager** *spl* printed matter; ~**stærk** *adj* stressed; ~**svag** *adj* unstressed; ~**svarte** *s* printer's ink.
trykt *adj* printed; ~*e bogstaver* block letters.
trylle *v* conjure *(frem* up); ~**kunst** *s* conjuring trick; ~**kunstner** *s* conjurer, magician; ~**ri** *s* magic; ~**stav** *s* magic wand.
tryne *s* snout.
træ *s (som vokser)* tree; *(materialet)* wood; *af* ~ wooden; ~**bevokset** *adj* wooded; ~**blæseinstrument** *s* woodwind (instrument).
træde *v (gå)* step; *(trampe)* tread; *(stærkere)* trample; ~ *frem* step forward; ~ *i ngt* step on sth; ~ *i pedalerne* pedal hard; ~ *i spinaten* put one's foot in it; ~ *i kraft* come into force; ~ *i stedet for en* take sby's place; ~ *et dyr ihjel* trample an animal to death; ~ *ind (i)* enter, step into; ~ *ned fra ngt* step down from sth; ~ *ngt ned* tread sth down; ~ *nærmere* approach; ~ *en over tæerne* tread on sby's toes; ~ *på ngt* step *(el.* tread) on sth; ~ *tilbage* stand back; *(fra stilling etc)* resign.
træf *s (tilfælde)* coincidence; *(møde)* get-together; *et heldigt* ~ a stroke of luck.
træffe *v (møde)* meet, come across; *(ramme)* hit; *(foretage)* make *(fx foranstaltninger* arrangements);* ~*s* meet; ~*r*

jeg direktøren? can I see the director, please? *lægen ~s efter kl. 11* you can see the doctor after 11; *føle sig truffet* feel stung; *~nde adj (om bemærkning)* apt; *(om lighed)* striking; *~r s (om skud etc)* hit; *~tid s (på kontor)* office hours; *(hos læge)* surgery hours.

træg *adj (langsom)* slow; *~hed s* slowness; *(fig, fys)* inertia.

træk *s (i skorsten, hus etc)* draught; *(ryk)* pull; *(ansigts~)* feature; *(egenskab)* trait; *(om fugle)* migration; *(i skak og fig)* move; *fire gange i ~* four times running; *i ét ~* at a stretch, at one go; *i korte ~* briefly; *i store ~* broadly.

trækkasse *s* wooden box.

trækbasun *s* trombone; **trækfugl** *s* migratory bird.

trække *v (rykke, hive)* pull; *(slæbe)* drag; *(bugsere)* tow; *(om fugle)* migrate; *(om skorsten og te)* draw; *(om te)* draw; *(om luder)* be on the game; *det ~r her* there is a draught here; *~ lod om ngt* draw lots for sth; *~ cyklen* wheel the bike; *~ (gardinerne) for* draw the curtains; *~ (gardinerne) fra* draw back the curtains; *~ fra (i regning)* subtract; *~ 10% fra* deduct 10 per cent; *~ i ngt* pull at sth; *~ en i ørerne* pull sby's ears; *~ ned* pull down; *~ rullegardinet ned* lower

the blind; *~ uret op* wind the clock *(el. watch)*; *~ proppen op* draw the cork; *det ~r op til torden* it looks like thunder; *vagtparaden ~r op* they are changing the guard; *~ på skuldrene* shrug; *~ ngt tilbage* withdraw sth; *~ sig tilbage* retire; *~ ud* pull out; *(om tand)* extract; *(fig, fx om møde)* drag on; *~s v: ~s med ngt* have to put up with sth.

trækning *s (i ansigtet)* twitch; *(krampe~)* spasm; *(lod~)* draw; *~sliste s* list of winners.

træk. . . sms: **~papir** *s* blotting paper; **~procent** *s (income)* tax rate; **~rude** *s* ventilator.

trækul *s* charcoal.

trækvind *s* draught; **trækvogn** *s* handcart; *(med varer)* barrow.

træl *s* slave; **~dom** *s* bondage; **træls** *adj* laborious; *(kedelig)* tiresome.

træne *v* train *(til* for); *(øve sig i)* exercise; *~r s* trainer; *(sport)* coach.

trænge *v (være i trang)* suffer hardship; *(presse)* force; *~s* crowd; *~ frem* advance; *~ igennem* penetrate sth; *~ ind (fig)* sink in; *~ ind i et hus* enter a house; *(med magt)* force one's way into a house; *~ til ngt* need sth; *han ~r til at blive vasket* he could do with a wash; **~nde** *adj (fattig)* needy; *være ~nde (dvs. skulle tisse)* need (to go

to) the bathroom.
trængsel s *(af folk)* crowd; *(modgang)* hardship; *der er ~ i butikken* the shop is crowded.
træning s training; *(øvelse)* practice; *være i ~* be in practice; *være ude af ~* be out of practice; **~sdragt** s track suit; **~ssko** s training shoe.
træ. . . sms: **~rod** s tree root; **~sko** s clog; **~skæreri** s wood carving; **~sløjd** s woodwork; **~snit** s woodcut; **~sort** s kind of wood; **~sprit** s wood alcohol; **~stamme** s tree trunk; **~stub** s tree stump.
træt adj tired; *blive ~* get tired; *blive ~ af ngt (dvs. ked af)* be fed up with sth; *køre ~* be run down; **~hed** s tiredness; *(udmattelse)* fatigue.
trætop s treetop.
trætte v *(gøre træt)* tire, *(kede)* bore; **~nde** adj tiring; *(kedelig)* tiresome; **~s** v *(blive træt)* tire; *(strides)* quarrel.
trævarer spl wooden articles.
trævl s thread; *(las)* rag; *uden en ~ (dvs. nøgen)* without a stitch on; **~e** v *(om stof)* fray; *~e ngt op* unravel sth.
træværk s woodwork, panelling.
trøje s jacket; *(strikket)* cardigan; *(strikket jumper)* jersey.
trøst s comfort; *få ~* be comforted; **~e** v comfort; **~ende** adj comforting; **~epræmie** s consolation prize; **~esløs** adj *(trist)* dreary, depressing;

(håbløs) hopeless.
tråd s thread; string; *trække i ~ene (fig)* pull the strings; *få taget ~ene (om sår)* have the stitches taken out; **~e** v: *~e en nål* thread a needle; **-tråd-et** *(om garn)* -ply; *3-trådet uld* 3-ply wool; **~kurv** s wire basket; **~net** s wire netting; **~udløser** s *(foto)* cable release.
tuba s tuba.
tube s tube.
tuberkulose s tuberculosis, TB.
tud s *(på kande etc)* spout; *(næse)* (F) hooter; **~brøle** v howl.
tude v howl; *(om ugle)* hoot; *(om bil)* honk; *(græde)* cry; **~grim** adj ugly as sin; **~horn** s horn.
tudse s toad.
tue s mound; *(af græs)* tuft.
tulipan s tulip.
tumle v *(boltre sig)* romp (about); *(falde)* tumble; *(styre, klare)* manage; *~ med ngt (om besværlig ting)* struggle with sth.
tummel s tumult, turmoil.
tumult s *(optøjer etc)* riot; *(larm)* uproar.
tuneser s Tunisian; **Tunesien** s Tunisia; **tunesisk** s/adj Tunisian.
tung adj heavy; *(besværlig)* hard.
tunge s tongue; *række ~ ad en* stick one's tongue out at sby; *jeg har det lige på ~n* it is on the tip of my tongue.

tunghør *adj* hard of hearing.
tungnem *adj* slow-witted.
tungsindig *adj* melancholy.
tunnel *s* tunnel; *(fodgænger~)*
subway.
tur *s (spadsere~)* walk; *(ud-flugt)* outing; *(rejse)* trip; *(i bád)* sail; *(sørejse)* voyage; *(i bil)* drive; *(omgang)* turn; *gå en ~* go for a walk; *køre en ~* go for a drive; *cykle en ~* go for a ride; *vi skal en ~ til England* we are going on a trip to England; *nu er det din ~* it is your turn now; *gøre ngt efter ~* do sth in turns.
turde *v* dare; *vi tør ikke gøre det* we daren't do it, we are afraid to do it; *de tør godt gøre det* they are not afraid to do it; *det tør siges!* I dare say!
turisme *s* tourism.
turist *s* tourist; **~bureau** *s* tourist agency; **~bus** *s* coach; **~plakat** *s* travel poster.
turkis *s/adj* turquoise.
turné *s* tour.
turnering *s* tournament.
tusch *s* Indian ink.
tusind(e) *s/num* a thousand; *tre ~ mennesker* three thousand people; *flere ~ menne-sker* several thousand people; *det er ~ gange værre* it is a thousand times worse; *~ tak!* thank you very much! **tusind-ben** *s* millipede; **tusindvis:** *i tusindvis* by the thousand; *i tusindvis af børn* thousands of children.
tusmørke *s* twilight, dusk.

tusse *s (filtpen)* marker, felt tip // *v:* ~ *rundt* potter a-round.
tvang *s* compulsion; *gøre ngt under ~* do sth under compulsion; *bruge ~ mod en* exert pressure on sby; **~fri** *adj (om person)* casual; *(om tøj)* informal; **~sarbejde** *s* forced labour; **~sauktion** *s* compulsory sale; **~fodre** *v* force-feed; **~sindlægge** *v* commit to mental hospital; **~stanke** *s* obsession.
tv-avisen *s* the television news.
tvebak *s* rusk.
tvetydig *adj* ambiguous; **~hed** *s* ambiguity.
tvilling *s* twin; **T~erne** *s (astr)* Gemini.
tvinge *v* force, compel; ~ *en til at gøre ngt* force sby to do sth; ~ *ngt igennem* force sth through; **~nde** *adj:* ~*nde nødvendig* absolutely necessary.
tvist *s (strid)* dispute *(om over)*; *(pudse~)* cotton waste.
tvivl *s* doubt; *være i ~ om ngt* doubt about sth; *der er ingen ~ om at han mener det* there is no doubt that he means it; *uden ~* no doubt; *det er hævet over enhver ~* it is beyond doubt; **~e** *v* doubt; **~e** *om (el. på)* doubt; *jeg ~er på at han kommer* I doubt whether he will come; *det ~er jeg ikke på* I don't doubt it; **~ende** *adj* doubting; *(som tvivler)* doubtful; *stille sig*

~ende over for ngt have one's doubts about sth; ~som adj doubtful, dubious; ~sspørgsmål s matter of dispute.

tvungen adj forced, compelled; (påbudt) compulsory.

tvære v: ~ ngt ud (mase) crush sth; (smøre) smear sth; lad nu være med at ~ i det! don't rub it in!

tværs adv: ~ igennem right through; på ~ af across; (fig) in opposition to; gå ~ over gaden cross the street.

tværsnit s cross section; tværstribet adj cross-striped.

tværtimod adv on the contrary.

tværvej s crossroad.

tyde v (tolke) interpret; (om skrift, tegn etc) make out; ~ på suggest, indicate; det ~r dårligt it is a bad sign; ~lig adj clear, distinct; (ligefrem, forståelig) plain; tale ~ligt speak distinctly; skrive ~ligt write clearly; jeg kan ~lig huske at... I distinctly remember that...

tyfus s typhoid fever.

tygge v chew; ~ på ngt chew sth; (fig) think about sth; ~gummi s chewing gum; tygning s chewing.

tyk adj thick; (om person) fat; han er blevet ~ he has grown fat; et ~t gulvtæppe a thick carpet; det er for ~t! (fig) that's a bit much! smøre ~t på (fig) lay it on thick; ~kel-

se s thickness; fatness; (diameter) diameter; (omfang) circumference; ~mælk s sv.t. junket; ~steg s (gastr) rump steak; ~tarm s colon; ~tflydende adj thick, viscous.

tyl s tulle [tju:l].

tynd adj thin; (slank) lean; (mager) thin, skinny; (knap, sparsom) sparse; blive ~ grow thin; en ~t befolket ø a sparsely inhabited island; ~e v: ~e ud (i) thin (out); ~slidt adj threadbare; ~tarm s small intestine; ~tflydende adj thin.

tyngde s weight; ~kraft s gravitation.

tynge v (være tung) be heavy; (med objekt) weigh down; (fig) weigh on; ~t af ansvar loaded down with responsibility.

type s type; ~hus s standard house; typisk adj typical (for of).

typograf s typographer; ~i s typography; ~isk adj typographical.

tyr s bull; T~en (astr) Taurus.

tyran s tyrant; ~ni s tyranny; ~nisere v bully; ~nisk adj tyrannical.

tyrefægtning s bullfight.

tyrk(er) s Turk; Tyrkiet s Turkey; tyrkisk s/adj Turkish.

tysk s/adj German; ~er s German; T~land s Germany.

tysse v: ~ på en hush sby up.

tyv s thief; (indbruds~) burglar.

tyve *num* twenty; *han er i ~rne* he is in his twenties; *han er født i ~rne* he was born in the twenties; **~nde** *adj* twentieth; **~ndedel** *s* twentieth.

tyveri *s* theft; *(indbruds~)* burglary; **~alarm** *s* burglar alarm; **~forsikring** *s* burglary insurance.

tæge *s* bug.

tælle *v* count; *dine dage er talte* your days are numbered; *~ efter* check; *~ ngt med* include sth; *de ~r ikke (med)* they don't count; *~ sammen* add up; *~ til ti* count up to ten; **~apparat** *s (ved indgang etc)* turnstile; **~r** *s (til el etc)* meter; *(i brøk)* numerator.

tæmme *v* tame; *(gøre til husdyr)* domesticate; **tæmning** *s* taming; domestication.

tænde *v* light; *(radio, lys etc)* switch *(el.* put) on; *(om motor)* ignite; *~ for gassen* light the gas; *~ et lys* light a candle; *lyset er tændt (dvs. det elektriske)* the light is on; *~ ild i ngt* set fire to sth; *~ op* light the fire; **~r** *s* lighter.

tænding *s* lighting; *(om motor)* ignition.

tændrør *s* spark(ing) plug.

tændstik *s* match; *tænde en ~* strike a match; **~æske** *s* matchbox.

tænke *v* think; *(agte, ville)* intend *(at* to); *tænk bare!* imagine! just think! *tænk at*

det skulle ske! to think that this should happen! *det tænkte jeg nok* I thought so; *jeg havde tænkt mig at gå kl. fem* I was planning to leave at five; *jeg kunne godt ~ mig en kop te* I would not mind a cup of tea; *~ ngt igennem* think sth over; *~ sig om* think; *~ over ngt* think about sth, consider sth; *~ på ngt* think of *(el.* about) sth; *~ på at gøre ngt ved det* intend to do sth about it; *vi kom til at ~ på at...* it occurred to us that...

tænksom *adj* thoughtful.

tænkt *adj* imaginary *(fx linje* line); *det var ~ som en gave* it was meant to be a present.

tæppe *s (gulv~)* carpet; *(mindre)* rug; *(uld~)* blanket; *(vat~)* quilt; *(væg~)* tapestry; *(teat)* curtain; *ægte ~r* Oriental carpets; **~banker** *s* carpetbeater; **~maskine** *s* carpetsweeper.

tære *v (om metal)* corrode; *~ på formuen* eat into one's fortune; *~s hen* waste away; **tæring** *s (af metal)* corrosion.

tærske *v* thresh.

tærskel *s* threshold.

tærskemaskine, tærskeværk *s* threshing machine; **tærskning** *s* threshing.

tærte *s* pie, tart; *(med frugt også:)* flan.

tæsk *s* thrashing; **~e** *v* thrash; *~e i klaveret* thump the piano.

tæt *adj* close; *(mods: utæt)* tight // *adv* close(ly), tight(ly); ~ *besat (med folk)* packed; *holde* ~ keep tight; *(tie stille)* keep one's mouth shut; ~ *op ad ngt* close to sth; *det var* ~ *på!* it was a near thing! *gå* ~ *på en* question sby closely; *sidde* ~ *sammen* be sitting close together; ~ *ved* close to; *nearby, close by;* ~**bebygget** *adj* densely built-up; ~**befolket** *adj* densely populated; ~**hed** *s* closeness; tightness; *(se også tæt);* ~**klippet** *adj* close-cropped; ~**ning** *s* tightening; stopping; *(af sprækker)* sealing; ~**ningsliste** *s* seal, draught strip; ~**pakket** *adj* packed; ~**siddende** *adj* close-set *(fx øjne* eyes); *(om tøj)* clinging.

tætte *v* make tight; *(om sprækker etc)* seal (up); *(om hus, isolere)* insulate.

tæv *s* beating; ~**e** *s (hunhund)* bitch // *v* thrash, beat up.

tø *s* thaw // *v* melt, thaw; *det* ~*r* it is thawing.

tøj *s (stof)* material; *(klæde)* cloth; *(klæder)* clothes *pl.* clothing; *lægge* ~*et (dvs. overtøjet)* take off one's coat (, jacket etc); *(dvs. klæde sig af)* undress; *tage* ~*et på (dvs. overtøjet)* put on one's coat (, jacket etc); *(dvs. klæde sig på)* dress; *et sæt* ~ a suit; ~**dyr** *s* fluffy animal; ~**klemme** *s* clothes-peg.

tøjle *s* rein; *få frie* ~*r* get a free

hand // *v (fig)* curb; ~ *sig* restrain oneself; ~**sløs** *adj* unbridled.

tøjsnor *s* clothes-line.

tømme *s* rein // *v* empty; ~*s* empty.

tømmer *s* timber; ~**flåde** *s* raft; ~**mænd** *spl* hangover.

tømning *s* emptying; *(om postkasse, skraldebøtte)* collection.

tømre *v* make, build; ~*r* *s* carpenter.

tønde *s (af træ)* barrel; *(af metal)* drum; *som sild i en* ~ like sardines in a tin.

tør *adj* dry; *(om fx whisky)* neat; *løbe* ~ *for benzin* run out of petrol; *give den lille* ~*t på* change the baby's nappy; ~**gær** *s* dry yeast; ~**hed** *s* dryness.

tørke *s* drought; ~**ramt** *adj* drought-stricken.

tørklæde *s* scarf.

tørmælk *s* dried milk.

tørre *v* dry; ~ *bordet af* wipe the table; ~ *af efter opvasken* dry the dishes; ~ *hænderne* wipe one's hands; ~ *sig* wipe oneself; ~**hjelm** *s* hairdrier; ~**skab** *s* drying cupboard; ~**snor** *s* clothes-line; ~**tumbler** *s* tumbler drier; **tørring** *s* drying; wiping.

tørst *s* thirst; ~**e** *v* be thirsty; ~*e efter ngt* crave for sth; ~**ig** *adj* thirsty.

tørv *s* peat; *(græs~)* turf.

tørvejr *s* dry weather; *stå i* ~ take cover; *det er blevet* ~ it

has stopped raining.
tørvemose s peat bog; **tørve-
strøelse** s garden peat.
tøs s girl, lass; *(neds)* broad;
~**edreng** s sissy.
tøsne s sleet, slush.
tøve v hesitate *(med at* to).
tøvejr s thaw.
tøven s hesitation; *uden* ~
without delay.
tå s toe; *på* ~ on tiptoe; *træde
en over tæerne* stand on sby's
toes; *fra top til* ~ from top to
bottom.
tåbe s fool; ~**lig** *adj* foolish,
stupid; ~**lighed** s foolishness,
stupidity.
tåge s fog; *(dis)* mist; ~**dis** s
mist; ~**horn** s foghorn; ~**lyg-
te** s fog light; ~**t** *adj* foggy;
(let) misty; *(uklar)* dim,
vague.
tåle v *(finde sig i)* put up with,
take; *(udholde)* stand, bear;
(lide) bear, suffer; *jeg kan
ikke* ~ *den fyr* I can't stand
that chap; *han kan ikke* ~
hvidløg garlic doesn't agree
with him; *man må* ~ *meget*
one has to put up with a lot;
~**lig** *adj* tolerable; *(så nogen-
lunde)* passable.
tålmodig *adj* patient; ~**hed** s
patience.
tånegl s toe nail.
tår s drop; *en* ~ *øl* a drink of
beer.
tåre s tear; ~**gas** s tear gas;
~**vædet** *adj* tearful *(fx blik*
look).
tårn s tower; *(med spir)* stee-

ple; *(klokke~)* belfry; *(skak)*
rook, castle; ~**e** v: ~*e sig op*
pile up; ~**falk** s kestrel; ~**høj**
adj (fig) sky-high; ~**ur** s tow-
er clock.
tåspids s tip of the toe; *på*
~**erne** on tiptoe.

U

uadskillelige *adj* inseparable.
uafbrudt *adj (uden pause)* con-
tinuous, constant; *(som stadig
gentages)* continual // *adv*
constantly; continually; ~ *i
otte timer* for eight hours on
end.
uafgjort *adj* unsettled; *(om fx
fodboldkamp)* drawn; *spille*
~ draw; *ende* ~ end in a
draw.
uafhængig *adj* independent;
~**hed** s independence.
uafladelig *adj* constant // *adv*
constantly.
uagtsom *adj:* ~*t manddrab*
homicide by misadventure;
~**hed** s negligence.
ualmindelig *adj* unusual, ex-
ceptional.
uanet *adj* undreamt-of.
uanfægtet *adj* unaffected *(af*
by).
uanmeldt *adj* uninvited.
uanset *præp* regardless of; ~
hvordan (, hvor, hvem etc) no
matter how (, where, who
etc).
uanstændig *adj* indecent;
~**hed** s indecency.
uansvarlig *adj* irresponsible;

~*hed* s irresponsibility.
uantastet *adj* unchallenged.
uappetitlig *adj* unsavoury.
uarbejdsdygtig *adj* unfit for work.
uartig *adj* naughty; *(uhøflig, grov)* rude; *(sjofel)* dirty; *være* ~ *mod en* be naughty to sby; ~*hed* s naughtiness; rudeness; dirtiness.
ubarberet *adj* unshaven.
ubarmhjertig *adj* merciless, pitiless; ~*hed* s mercilessness, pitilessness.
ubeboelig *adj* uninhabitable; **ubeboet** *adj* uninhabited.
ubegrundet *adj* unfounded.
ubegrænset *adj* unlimited.
ubehag s *(fysisk)* discomfort; *(som man ikke kan lide)* dislike *(ved* of, for); ~*elig* *adj* unpleasant; ~*eligt til mode* uneasy, ill at ease; ~*elighed* s unpleasantness; ~*eligheder* trouble; *få* ~*eligheder* get into trouble.
ubehjælpsom *adj* clumsy; ~*hed* s clumsiness.
ubehøvlet *adj* rude.
ubekendt *adj* unknown; *være* ~ *med ngt* be a stranger to sth.
ubekvem *adj* uncomfortable.
ubelejlig *adj* inconvenient.
ubemidlet *adj* without means.
ubemærket *adj* unnoticed; ~*hed* s: *i* ~*hed* unnoticed.
ubenyttet *adj* unused.
uberegnelig *adj* unpredictable; ~*hed* s unpredictability.
uberettiget *adj* unwarranted.

uberørt *adj* unaffected *(af* by); ~ *natur* virgin nature.
ubeset *adj*: *købe ngt* ~ buy sth without seeing it first.
ubeskrivelig *adj* indescribable; *(neds)* unspeakable // *adv* indescribably; unspeakably.
ubeslutsom *adj* irresolute, hesitant; ~*hed* s hesitancy.
ubestemmelig *adj* indeterminable; *(neds)* nondescript.
ubestemt *adj* indefinite; *på* ~ *tid* indefinitely.
ubetinget *adj* unconditional, absolute // *adv* absolutely.
ubetydelig *adj* insignificant; ~*hed* s insignificance; *(lille smule)* trifle.
ubevidst *adj* unconscious.
ubevogtet *adj* unguarded; ~ *jernbaneoverskæring* level crossing without barrier.
ubevæbnet *adj* unarmed.
ubevægelig *adj* motionless; *(ikke til at bevæge)* immobile; ~*hed* s immobility.
ublu *adj* shameless; *(om pris)* stiff.
ubodelig *adj* irreparable *(fx skade* damage).
ubrugelig *adj* useless.
ubøjelig *adj* inflexible; *(hård)* relentless; *(stiv)* rigid.
ubønhørlig *adj* relentless.
u-båd s submarine.
uciviliseret *adj* uncivilised; *(vild)* savage.
ud *adv* out; *gå* ~ go out; *gå (,køre etc) lige* ~ go (, drive etc) straight on; *tale* ~ finish speaking; *få talt* ~ *med en*

have it out with sby; *en* ~ *af ti* one in ten; *parkere* ~ *for kirken* park opposite the church; ~ *fra* from; *vende mod* look out on, face; *kunne ngt* ~ *og ind* know sth inside out; *hverken vide* ~ *el. ind* be all at sea; *punge* ~ *med 50 kr* pay out 50 kr; ~ *over* over, more than; *(undtagen)* except; ~ *på dagen* late in the day; *ugen* ~ to the end of the week.

udad *adv* outwards; ~**til** *adv* outwardly; ~**vendt** *adj* extrovert.

udarbejde *v* prepare, make *(fx en rapport* a report*)*; ~**lse** *s* preparation; *under* ~*lse* being prepared.

udarte *v* degenerate *(til* into*)*; *(komme ud af kontrol)* get out of hand.

udbede *v:* ~ *sig ngt* ask for sth; *svar* ~*s* please answer; *(på indbydelse)* R.S.V.P.

udbedre *v (om mindre skade)* mend; *(om større skade)* repair; **udbedring** *s* mending, repair.

udbetale *v* pay (out); *få udbetalt en check* cash a cheque; **udbetaling** *s* payment; *(på afdragskøb)* down payment; *betale 500 kr i udbetaling* pay 500 kr down.

udblæsning *s (auto)* exhaust; *for fuld* ~ at full blast; ~**srør** *s* exhaust pipe.

udbrede *v* spread (out); ~ *sig om ngt* enlarge on sth; ~**lse** *s*

(almindelig) prevalence; *(om sygdom)* incidence; *(af skriftligt el. trykt materiale)* circulation; *(fordeling)* distribution; **udbredt** *adj (almindeligt)* widespread; *(fremherskende)* prevalent.

udbringe *v:* ~ *et leve for en* call for (three) cheers for sby; ~ *en skål for en* propose a toast for sby; **udbringning** *s* delivery.

udbrud *s (start)* outbreak *(fx af krig* of war*)*; *(om vulkan)* eruption; *(udråb)* exclamation; *komme til* ~ break out.

udbryde *v* exclaim, cry.

udbygge *v* enlarge; *(forklare nærmere)* elaborate; **udbygning** *s (udvidelse, tilbygning)* extension; *(udhus)* outhouse; *(forbedring)* development.

udbytte *s (fortjeneste)* profit; *(af høst)* yield; *(af aktier)* dividend; *få* ~ get a profit; *have* ~ *af ngt* profit from sth // *v* exploit; ~**deling** *s* profit-sharing; ~**rig** *adj* profitable.

uddanne *v* educate, train; ~ *sig til læge* study medicine; *hun er* ~*t sygeplejerske* she is a qualified nurse; ~**lse** *s* education, training; ~**lsesstøtte** *s* grant.

uddele *v* distribute; *(dele rundt, også:)* hand out; ~ *præmier* award prizes; **uddeling** *s* distribution; handing out.

uddrag *s* extract; *(af fx artikel)* abstract.

uddybe v *(fig)* elaborate.

uddød *adj* extinct.

ude *adv* out; *(udenfor)* outside; *(udendørs)* out (of doors); *(forbi)* up, at an end; *være ~ af sig selv af skræk* be beside oneself with fear; *være ~ at køre (, gå etc)* be out for a drive (, walk etc); *~ at rejse* travelling; *være ~ efter en (el. ngt)* be after sby *(el. sth)*; *du var selv ~ om det* you were asking for it; *~ på landet* (out) in the country; *være ~ på ngt* be up to sth.

udearbejdende *adj* working.

udebane s away ground; *kamp på* ~ away match.

udeblive v stay away, not turn up; *(ikke ske)* not happen; **~lse** s absence; *(pjækkeri)* absenteeism.

udefra *adv* from the outside; *(fra udlandet)* from abroad.

udelade v omit, leave out; **~lse** s omission.

udelukke v exclude; *(vise bort)* expel; **~lse** s exclusion; expulsion; **~nde** *adj* exclusive // *adv* exclusively, entirely; **~t** *adj: det er* **~t** it is out of the question.

uden *præp* without; *(ikke inkluderet)* excluding; *~ at ane det* without knowing it; *~ moms* exclusive of VAT; *~ for huset* outside the house; *~ for Danmark* out of Denmark; *~ om* round; *~ på* on the outside of.

udenad *adv* by heart.

udenbords *adv* outboard *(fx motor* engine); *(over bord)* overboard.

udenbys *adj/adv* out of town; *han er ~ fra* he is from out of town; *~ telefonsamtale* trunk call.

udendørs *adj* outdoor // *adv* out of doors.

udenfor *adv* outside; *føle sig ~* feel left out.

udenlands *adv* abroad; **~k** *adj* foreign.

udenom *adv: gå ~ ngt* go round sth; *der er ingen vej ~* there is no getting around it; **~sbekvemmeligheder** spl conveniences.

udenpå *adv* outside.

udenrigs... sms: **~handel** s foreign trade; **~korrespondent** s foreign correspondent; **~ministerium** s Ministry of Foreign Affairs; **~politik** s foreign politics.

udesejr s *(i fodbold etc)* away win.

udfald s *(resultat)* result, issue; **~svej** s arterial road.

udflugt s *(tur)* outing, excursion; *(med madkurv etc)* picnic; *(snakken udenom)* evasion; *komme med* **~er** make excuses.

udflåd s discharge.

udfordre v challenge; **~nde** *adj* provocative; **udfordring** s challenge.

udforske v explore; **udforskning** s exploration.

udfylde v *(tomt rum etc)* fill

up; *(skema etc)* fill in; *(stilling)* fill; **udfyldning** s filling up *(el.* in).

udfærdige v make out *(fx en regning* an invoice); draw up *(fx et testamente* a will); ~**lse** s preparation.

udføre v *(gøre)* carry out, do; *(fremføre)* perform; *(eksportere)* export; ~ *en ordre* carry out an order; ~ *sit arbejde* do one's work; ~ *en kunst* perform a trick; ~**lse** s carrying out; performance; *(om ngts kvalitet)* workmanship; *(om ngts art)* version; *bringe til* ~*lse* carry out; *under* ~*lse* in the making.

udførlig adj elaborate, detailed // adv in detail.

udførsel s export(ation); ~**sforbud** s embargo; ~**stilladelse** s export licence.

udgang s exit, way out; *(resultat)* issue; *stuen har* ~ *til terrasse* the room opens on to a patio; ~**sdør** s exit; ~**stilladelse** s permission to go out; *(mil)* pass.

udgave s edition.

udgift s expense; *faste* ~*er* regular outlays; *diverse* ~*er* sundries; ~**sbilag** s expenditure voucher; ~**spost** s item of expenditure.

udgive v *(bog, avis etc)* publish; ~ *sig for* pretend to be; ~**lse** s publication; ~**r** s publisher.

udgravning s excavation; *(arkæologisk)* dig.

udgøre v *(danne, være)* make up; *(repræsentere)* make out; *(beløbe sig til)* amount to.

udgå v be left out, be omitted; *(stamme)* come *(fra* from); ~**ende** adj outgoing *(fx post* mail); ~**et** adj *(om vare)* out of stock; *(om træ)* dead; *være* ~*et for ngt* be out of sth.

udholdende adj enduring; **udholdenhed** s endurance.

udhus s outhouse.

udhvilet adj rested.

udhængsskab s showcase.

udkant s outskirts pl; *i* ~*en* on the outskirts.

udkast s sketch.

udkig s: *holde* ~ *efter* be on the look-out for.

udklip s cutting; *(fra avis)* press cutting.

udklække v hatch; *(fig, fx om plan)* cook up; **udklækning** s hatching.

udkomme v *(om bog etc)* appear, be published.

udkørsel s *(vej ud)* exit, way out; *(det at køre varer etc ud)* delivery; *(edb)* run.

udkørt adj exhausted.

udlandet s the foreign countries; *fra* ~ from abroad; *i* ~ abroad; *tage til* ~ go abroad.

udlejning s letting, hiring; ~**sbil** s hired car; ~**sejendom** s tenement house.

udlevere v *(aflevere)* deliver, give up; *(uddele)* distribute; *(om forbryder der sendes til et andet land)* extradite; ~ *en (dvs. gøre til grin, afsløre)*

compromise sby; **udlevering** s
delivery; *(uddeling)* distribu-
tion; *(af forbryder)* extradi-
tion.

udligne v *(forskelle, i boldspil)*
equalize; *(opveje)* counterba-
lance; **udligning** s equalization;
(merk) settlement; **ud-**
ligningsmål s equalizer.

udluftning s airing.

udlæg s outlay; *gøre ~ i ngt*
distrain upon sth.

udlægge v lay out; *(tyde, for-*
tolke) interpret; **udlægning** s
laying out; interpretation.

udlænding s foreigner.

udlært adj trained, skilled.

udløb s *(af flod)* mouth; *(af*
frist etc) expiration; *inden*
måneds ~ before the end
of the month; *~e* v *(om frist*
etc) expire; *~er* s *(af plante)*
runner; *(fig)* offshoot.

udløse v *(starte)* start, trigger
off; *~ en bombe* release a
bomb; *~ spændingen* relieve
the tension; *~r* s *(foto)* shut-
ter release; **udløsning** s relea-
se; *(for vrede etc)* outlet;
(seksuelt) satisfaction.

udlån s loan; *(på biblioteket)*
lending; *~e* v lend.

udmale v depict.

udmatte v exhaust; **~lse** s ex-
haustion.

udmeldelse s *(af skole)* with-
drawal; *(af forening)* resigna-
tion; *~ af EF* secession from
the EEC.

udmunde v: *~ i (om flod)* flow
into; *(fig)* end in; **udmunding**

s *(om flod)* mouth.

udmærket adj excellent; *det er*
~! that's fine!

udnytte v *(bruge)* utilize; *(mis-*
bruge) exploit; *~ ens viden*
draw on sby's knowledge;
~lse s utilization; exploita-
tion.

udnævne v appoint; *~ en til*
direktør appoint sby director;
~lse s appointment *(til* as).

udpege v point out; *(udnæv-*
ne) appoint.

udplyndre v rob; **udplyndring** s
robbery.

udpræget adj pronounced,
distinct.

udredning s *(forklaring)* ex-
planation.

udregning s calculation.

udrejse s *(af et land)* departu-
re; **~tilladelse** s exit permit.

udrensning s *(af personer el.*
politiske grupper) purge.

udrette v *(udføre)* achieve.

udringet adj low-cut.

udruste v equip; **udrustning** s
equipment, outfit.

udrydde v wipe out, extermi-
nate; **~lse** s extermination.

udrykning s turn-out; **~shorn** s
siren, (S) hee-haw; **~svogn** s
ambulance; fire engine; po-
lice car.

udråb s exclamation; *(råb)* cry;
~sord s interjection; **~stegn**
s exclamation mark.

udsagn s statement; **~sord** s
verb.

udsalg s sale; *(butik)* shop;
~spris s retail price; *(under*

nedsættelse) sale price.
udsat adj exposed *(for* to);
(udskudt, fx om møde) put
off, postponed.
udseende s look, appearance;
kende en af ~ know sby by
sight; *dømme efter ~t* go by
appearances.
udsende v send out; *(udgive)*
publish; *(i tv, radio)* broad-
cast; **~lse** s sending out; pub-
lication; broadcasting; *(en-
kelt ~lse)* programme; **ud-
sending** s envoy; *(delegeret)*
delegate.
udsigt s view; *(fig)* prospect;
(om vejr) forecast; *der er ~
til byger* showers may be ex-
pected.
udskejelse s excess.
udskifte v change *(med* for),
replace *(med* by); **udskiftning**
s change, replacement; *(i fod-
bold)* substitution.
udskille v separate; *(fjerne)* re-
move; *(afsondre)* secrete; *~
sig fra ngt* separate from sth;
~lse s separation; removal;
secretion.
udskrabning s *(med)* curettage,
D and C.
udskrive v *(en check etc)* write
out, make out; *(skat etc)* levy;
(fra sygehus) discharge; *~
valg* call an election; **udskriv-
ning** s writing out; levying;
discharge; *(af soldater)* con-
scription; *(udgift)* expense.
udskud s *(om person)* scum,
pariah.
udskyde v postpone, put off;

~lse s postponement.
udskænkning s serving (of
drinks); **~stilladelse** s licen-
ce.
udskæring s cutting out; *(på
møbler etc)* carving; *(af kød)*
cut; *(i kjole etc)* neck; **udskå-
ren** adj *(møbel etc)* carved;
(kjole etc) low-cut.
udslag s *(resultat)* result, ef-
fect; *(tegn)* symptom; *(om vi-
ser på fx vægt)* deflection;
give sig ~ i be reflected in;
(resultere i) result in.
udslette v wipe out; *(tilintet-
gøre også:)* annihilate; **~lse** s
obliteration; annihilation.
udslidt adj worn out.
udslip s leak(age).
udslukt adj extinct.
udslæt s rash; *få ~ (også:)*
come out in spots.
udsmykke v decorate; **ud-
smykning** s decoration.
udsolgt adj sold out.
udspekuleret adj sly, cunning.
udspil s *(forslag)* proposal;
(initiativ) initiative; *du har
~let* it is your move; *komme
med et ~* make a proposal.
udspilet adj dilated.
udspille v: *~ sig* take place.
udspionere v spy on.
udsprede v spread (out).
udspring s *(om svømmer)* dive,
plunge; *(om flod)* source; *(i
faldskærm)* jump; **-e** v *(om
flod)* rise.
udspørge v question.
udstationere v station.
udsted s *(grønlandsk)* settle-

ment.

udstede *v* issue; ~ en recept write out a prescription; ~ et pas issue a passport; **~lse** *s* issue; making out.

udstille *v* exhibit, show.

udstilling *s* exhibition, show; **~sgenstand** *s* exhibit; **~svindue** *s* show window.

udstoppe *v* stuff.

udstrakt *adj (strakt ud)* outstretched; *(vid, omfattende)* extensive; *ligge* ~ *(om person)* lie prone; *(om landskab)* spread.

udstrækning *s* extension; *(omfang)* extent; *i vid* ~ to a large extent.

udstråling *s* radiation; *(om person)* aura.

udstykke *v* parcel out; **udstykning** *s* parcelling out; *(til byggeri)* development.

udstyr *s* equipment; *(tilbehør)* accessories *pl; (brude~)* trousseau; *(baby~)* layette; **~e** *v* equip; *(forsyne)* provide *(med* with).

udstøde *v (forstøde, udvise)* expel; *(komme med)* give, utter; ~ *et suk* heave a sigh; **~lse** *s* expulsion; **udstødning** *s (auto)* exhaust.

udstå *v (holde ud)* stand, bear; *(lide, gennemgå)* undergo, suffer; *(straf etc)* serve; **~ende** *adj (om ører, øjne etc)* protruding.

udsvævende *adj* dissipated.

udsætte *v (udskyde, opsætte)* postpone, put off; *(udlove)*

offer; *(om lejer, smide ud)* evict; ~ en for ngt expose sby to sth; nationalsangen udsat for hornorkester the national anthem arranged for brass band; have ngt at ~ på ngt find fault with sth; ~ vagtposter post sentries; **~lse** *s* postponement; setting; offer; eviction; *(af frist)* respite; *(af militærtjeneste)* deferment; *(af musik)* arrangement.

udsøge *v:* ~ sig pick, select; **udsøgt** *adj (af bedste kvalitet)* choice; *(særlig lækker el. fin)* exquisite.

udtage *v* select *(til* for); **~lse** *s* selection.

udtale *s* pronunciation // *v* pronounce; *(sige)* say; h ~s ikke foran v the h is silent in front of v; ~ ngt forkert mispronounce sth; ~ sig om ngt give one's opinion on sth; ~ sig til en speak to sby; **~lse** *s* pronouncement; *(bemærkning)* remark; komme med en ~lse make an pronouncement.

udtryk *s* expression; *(vending, talemåde)* phrase; *(ord)* term; give ~ for ngt express sth; **~ke** *v* express; **~ke sig** express oneself; **~kelig** *adj* explicit; **~sfuld** *adj* expressive; **~sløs** *adj* expressionless; **~t** *adj:* være ens ~te billede be the spitting image of sby.

udtræde *v:* ~ af retire from; ~ af EF secede from the EEC; **~lse** *s* retirement; secession.

udtræk s *(af urter etc)* extract; *(i kogende vand)* infusion; ~**ke** v extract; ~**ning** s extraction; ~**sbord** s extension table.

udtrådt adj *(om sko)* well-worn.

udtænke v think up, think out.

udtømmende adj exhaustive.

uduelig adj incompetent; ~**hed** s incompetence.

udvalg s *(som man kan vælge fra)* selection; *(komité)* committee; *nedsætte et ~ set up a committee; sidde i et ~ be on a committee; et stort ~ af ngt* a large selection of sth; ~**t** adj selected; *(særlig fin)* choice.

udvandre v emigrate; ~**r** s emigrant; **udvandring** s emigration.

udvej s way (out); *som en sidste ~* in the last resort; *på ~en* on the way out.

udveksle v exchange; **udveksling** s exchange.

udvendig adj outside, external // adv on the outside, externally; *det ~e af huset* the outside (*el.* exterior) of the house.

udvide v *(gøre større)* enlarge; *(om firma etc)* expand; *(om fx bukser, sko)* stretch; ~ *sig* expand; ~**lse** s enlargement; expansion; stretching.

udvikle v develop *(sig til* into); ~**t** adj *(om barn)* mature; *tidligt ~t* precocious.

udvikling s development; *(biol)*

evolution; ~**shjælp** s development aid, foreign aid; ~**sland** s developing country.

udvinde v extract; **udvinding** s extraction.

udvise v *(vise)* show, display; *(sende ud af landet)* expel; *(ved sportskamp)* send off; **udvisning** s expulsion; *(sport)* sending-off; **udvisningsbænk** s penalty bench.

udvælge v choose, select; ~**lse** s choice, selection.

udødelig adj immortal; ~**hed** s immortality.

udøve v exercise; *(sport etc)* practise; ~**nde kunstner** practising artist.

udånding s expiration.

uegnet adj unfit *(til* for).

uendelig adj infinite; *(endeløs)* endless; *i én ~e* indefinitely; ~**hed** s infinity; *i én ~hed* continuously.

uenig adj: *være ~e* disagree; *være ~ i ngt* disagree with sth; ~**hed** s disagreement.

uerstattelig adj *(om ting)* irreplacable; *(om fx skade, tab)* irreparable.

ufaglært adj unskilled.

ufarlig adj harmless, safe.

ufattelig adj inconceivable // adv inconceivably.

ufin adj tactless.

uforanderlig adj *(som ikke kan ændres)* unchangeable; *(som ikke ændrer sig)* invariable.

ufordøjelig adj indigestible.

uforenelig adj incompatible *(med* with).

uforfalsket adj genuine.
uforglemmelig adj unforgettable.
uforholdsmæssig adj disproportionate.
uforklarlig adj inexplicable.
uformel adj informal.
uformelig adj shapeless.
uformindsket adj undiminished.
ufornuftig adj unwise.
uforpligtende adj (fx svar) non-committal; (fx forhandling) informal.
uforrettet adj: med ~ sag without having achieved anything.
uforsigtig adj careless.
uforskammet adj impudent, impertinent; en ~ pris an outrageous price; ~**hed** s impudence, impertinence; en ~hed an insult.
uforstyrret adj undisturbed.
uforståelig adj unintelligible.
uforstående adj unsympathetic (over for to); se ~ ud look blank.
uforsvarlig adj irresponsible; ~ kørsel reckless driving.
uforudset adj unforeseen, unexpected.
ufremkommelig adj impracticable.
ufri adj not free; (hæmmet) constrained; ~**villig** adj unintentional.
ufuldendt adj unfinished.
ufuldkommen adj imperfect; ~**hed** s imperfection.
ufuldstændig adj incomplete.

ufærdig adj unfinished.
ufølsom adj insensitive (over for to); ~**hed** s insensitivity.
uge s week; i sidste ~ last week; i denne ~ this week; i næste ~ next week; om en ~ in a week; i dag om en ~ today week; flere gange om ~n several times a week; ~**dag** s day of the week, weekday.
ugenert adj (ikke genert) unembarrassed; (hæmningsløs) uninhibited; (uforstyrret) undisturbed.
ugentlig adj/adv weekly, a week; tre gange ~ three times a week.
ugepenge s weekly allowance; **ugevis** s: i ugevis for weeks.
ugift adj single, unmarried.
ugle s owl // v: ~ sit hår tousle one's hair; ~**set** adj unpopular.
ugyldig adj invalid; ~**hed** s invalidity.
uhelbredelig adj incurable.
uheld s accident; (mods: held) bad luck; held i ~ a blessing in disguise; sidde i ~ be out of luck; være ude for et ~ have an accident; ~**ig** adj (mods: heldig) unlucky; (beklagelig) unfortunate; (som ikke lykkes) unsuccessful; (skadelig) bad; ~**igvis** adv unfortunately; ~**svanger** adv ominous.
uhjælpelig adv: ~ fortabt irretrievably lost.
uholdbar adj (fx situation) in-

tolerable; *(som ikke holder længe)* not durable; *(om mad)* perishable.
uhumsk *adj* filthy; **~hed** s filthiness; *(skidt)* filth.
uhygge s *(som fremkalder frygt)* horror; *(mods: hygge)* discomfort; *(dårlig atmosfære)* dismal atmosphere; **~lig** *adj (som fremkalder frygt)* sinister, frightening; *(ubehagelig)* uncomfortable; **~lig til mode** uneasy.
uhygiejnisk *adj* insanitary.
uhyre s monster, beast // *adj* huge, enormous // *adv* enormously.
uhyrlig *adj* monstrous; **~hed** s monstrosity.
uhæmmet *adj* unrestrained; *(hensynsløs, grov)* reckless.
uhøflig *adj* rude.
uhørt *adj* unheard of, incredible // *adv* incredibly.
uhåndgribelig *adj* intangible.
uigenkaldelig *adj* irrevocable // *adj* irrevocably.
uigennemførlig *adj* impracticable.
uimodståelig *adj* irresistible.
uimodtagelig *adj* insusceptible *(for* to); *(for sygdom)* immune *(for* to).
uindbudt *adj* uninvited.
uindbunden *adj* unbound.
uindfattet *adj (om briller)* rimless.
uindskrænket *adj* unlimited.
uinteressant *adj* uninteresting; **uinteresseret** *adj* uninterested.

ujævn *adj* uneven, rough; *(om hullet vej)* bumpy; **~hed** s unevenness, roughness; *(på vej)* bump.
ukendt *adj* unknown; *(uvant)* unfamiliar; **være ~ med ngt** not be familiar with sth.
uklar *adj (utydelig)* vague, indistinct; *(diset)* hazy; *(om væske)* muddy; *(svær at forstå)* obscure; **rage ~ med en** fall out with sby; **det er ~t hvornår** it is not clear when; **~hed** s vagueness; haziness; muddiness; obscurity.
uklog *adj* unwise.
ukristelig *adv* awfully; **på et ~t tidspunkt** at an ungodly hour; **en ~ masse** an awful lot.
ukrudt s *(enkel plante)* weed; *(generelt)* weeds *pl;* **luge ~** weed; **~smiddel** s weed-killer.
ukuelig *adj* indomitable.
u-land s developing country; **~shjælp** s development aid, foreign aid.
ulastelig *adj* immaculate.
uld s wool; **~en** *adj* woollen; *(fig, tåget)* vague; **~garn** s wool; **~tæppe** s woollen blanket; **~varer** *spl* woollens.
ulejlige v trouble, bother; **~ sig med at gøre ngt** take the trouble to do sth; **du behøver ikke ~ dig** you needn't bother.
ulejlighed s trouble, bother; **gøre ~** give trouble; **gør dig ingen ~!** don't bother! *kom-*

me til ~ come at an inconvenient time; *undskyld* ~*en!* I'm sorry to trouble you! excuse me! *det er ikke* ~*en værd* it is not worth the trouble.
ulempe *s* drawback.
ulidelig *adj* unbearable.
ulige *adj* unequal; *(tal)* uneven, odd; ~ *numre* odd numbers; *det er* ~ *bedre* it is far better; ~ *fordeling* uneven distribution; ~**vægtig** *adj* unbalanced.
ulogisk *adj* illogical.
ulovlig *adj* illegal; ~**hed** *s* unlawfulness.
ultimo: ~ *august* at the end of August.
ultralyd *s* ultrasound; ~**scanning** *s* (ultrasound) scan.
ulv *s* wolf; ~**eunge** *s (også om spejder)* wolf cub.
ulydig *adj* disobedient *(mod* to); *være* ~ disobey; ~**hed** *s* disobedience.
ulykke *s (~stilfælde)* accident; *(katastrofe)* disaster; *(mangel på held)* misfortune; *han blev dræbt ved en* ~ he was killed in an accident; *det var hans* ~ *at...* it was his misfortune that...; *komme i* ~ get into trouble; *lave* ~*r* make mischief; ~**lig** *adj (ked af det)* unhappy *(over* about); *(uheldig)* unfortunate; *(beklagelig)* deplorable; *være* ~*ligt stillet* be in distress; ~**ligvis** *adv* unfortunately.
ulykkes... *sms:* ~**forsikring** *s*

accident insurance; ~**fugl** *s (som bringer uheld)* bird of ill omen; *(som altid kommer galt af sted)* accident-prone person; ~**stedet** *s* the scene of the accident; ~**tilfælde** *s* accident.
ulyksalig *adj* unfortunate.
ulækker *adj* unappetizing; *(fig)* unsavoury.
ulæselig *adj* illegible.
ulønnet *adj* unpaid.
uløselig *adj* insoluble.
umage *s* trouble, pains *pl; gøre sig* ~ *for at...* take pains to...; *gøre sig* ~ *med ngt* take pains over sth; *det er ikke* ~*n værd* it is not worth the trouble // *adj (ikke ens)* odd.
umedgørlig *adj* difficult to handle.
umenneskelig *adj* inhuman.
umiddelbar *adj* immediate, direct; *(om person)* straightforward; *i* ~ *nærhed af stationen* in the immediate vicinity of the station; ~**hed** *s* spontaneity; ~**t** *adv* immediately, directly; *(i begyndelsen)* at first.
umoden *adj* unripe; *(om person)* immature; ~**hed** *s* unripeness; immaturity.
umoderne *adj* old-fashioned, out-dated.
umoralsk *adj* immoral.
umotiveret *adj* uncalled for, unfounded.
umulig *adj* impossible; *det kan* ~*t passe* it can't possibly be true; *det er mig* ~*t at komme*

it is impossible for me to come; *han er ~ til regning* he is hopeless at arithmetic; *~hed s* impossiblity.

umyndig *s* minor // *adj* under age; **~gøre** *v:* *~gøre en* (legally) incapacitate sby.

umættelig *adj* insatiable.

umøbleret *adj* unfurnished.

umådelig *adj* immense.

unaturlig *adj* unnatural.

unddrage *v:* *~ en ngt* deprive sby of sth; *~ sig* evade.

unde *v (ønske, håbe på)* wish; *(forunde)* give; *jeg ~r dig det gerne* I am delighted for you; *jeg ~r hende ikke den triumf* I grudge her that triumph; *det er ham vel undt* I don't grudge him that; *han ~r sig ingen ro* he gives himself no peace.

under *s* wonder; *det er ikke ngt ~ at...* no wonder that... // *præp (mods: over, mindre end, dækket af)* under; *(neden under, lavere end)* below; *(i løbet af)* during *(fx krigen* the war); *~ ti år* under ten; *temperaturen er ~ nul* the temperature is below zero; *~ bæltestedet* below the belt.

underbelyst *adj (foto)* under-exposed.

underbetalt *adj* underpaid.

underbevidst *adj* subconscious; **~hed** *s* subconsciousness; **~heden** the subconscious.

underbukser *spl* pants; *(trusser)* briefs.

underdanig *adj* submissive; **~hed** *s* submissiveness.

underernæret *adj* undernourished; **underernæring** *s* malnutrition.

undergang *s* destruction, ruin; *verdens ~* the end of the world.

undergravende *adj:* *~ virksomhed* subversion; *~ kræfter* subversive elements.

undergrund *s* subsoil; **~sbane** *s* underground.

underhold *s (for andre)* maintenance; *(for en selv)* subsistence, living; **~e** *v (forsørge)* support; *(more)* entertain; **~ning** *s* entertainment; **~sbidrag** *s (til hustru)* alimony.

underjordisk *adj* subterranean; *(fig)* underground.

underkant *s: i ~kanten* not quite good enough.

underkaste *v:* *~ en forhør* subject sby to interrogation; *~ sig* submit to sby; *være ~t ngt* be subject to sth.

underkjole *s* slip.

underkop *s* saucer.

underlag *s* foundation; *(i telt)* ground sheet; *(skrive~)* blotting pad.

underlegen *adj* inferior.

underlig *adj* strange, odd; *(F, ofte)* funny; *han er en ~ en* he is a strange one; *føle sig ~t til mode* feel funny; *~t nok* strangely enough; *det er ikke så ~t* it is no wonder.

underliv *s* abdomen; **~sbetændelse** *s* inflammation of the internal female sexual organs.

underlæbe s lower lip.

underminere v undermine.

underordne v: ~ sig en (el. ngt) submit to sby (el. sth); **~t** s/adj subordinate; (fig, ligegyldig, ikke af betydning) secondary.

underretning s information; få ~ om ngt be informed of (el. about) sth; give en ~ om ngt inform sby of sth.

underrette v inform, notify (om of); holde en **~t** keep sby informed; ~ en om at inform sby that.

underside s underside.

underskrift s signature; sætte sin ~ under ngt sign sth; **underskrive** v sign.

underskud s deficit, loss; forretningen gav ~ the shop ran at a loss.

underskørt s underskirt, slip.

underskål s (til potteplante) drip saucer.

underslæb s embezzlement; begå ~ embezzle.

underst adj lowest, bottom; (af to) lower // adv at the bottom.

understrege v underline; (fig) emphasize; **understregning** s underlining; emphasis.

understøtte v support; **~lse** s support; (fra det offentlige som legat etc) grant; (til arbejdsløse etc) benefit; være på **~lse** (F) be on the dole.

understå v: ~ sig i at gøre ngt have the nerve to do sth.

undersøge v examine; (gennemsøge) search; ~ en sag look into a matter; **~lse** s examination; search; ved nærmere **~lse** on closer examination; blive undersøgt hos lægen (også:) have a medical check-up.

undersøisk adj underwater.

undertegne v sign; ~de the undersigned.

undertekst s (film, tv) subtitle.

undertiden adv from time to time, now and then.

undertrykke v (holde nede) oppress; (slå ned) suppress; ~ en gaben stifle a yawn; **~lse** s oppression; suppression.

undertrøje s vest.

undertøj s underwear.

undervandsbåd s submarine.

undervejs adv on the way.

undervise v teach; ~ i ngt teach sth; ~ en i historie teach sby history.

undervisning s instruction; (timer) lessons pl; (generelt) education; (som lærer giver) teaching; give ~ i ngt teach sth; få ~ i programmering take programming lessons; **~smidler** s educational materials; **~sministerium** s Ministry of Education; **~spligt** s compulsory education.

undervognsbehandle v: få bilen **~t** have the car undersealed.

undervurdere v underestimate.

undgå v avoid; (slippe godt

fra) escape; *ikke hvis jeg kan
~ det* not if I can help it; *~
ngt med nød og næppe* narrowly escape sth; *det er ~et
min opmærksomhed* it has
escaped my attention.
undlade *v*: ~ *at gøre ngt* refrain from doing sth.
undre *v* surprise; *det ~r mig at
de kom* I am surprised that
they came; *det skulle ikke ~
mig* I shouldn't wonder; **~n** *s*
surprise, wonder.
undselig *adj* shy.
undskylde *v* excuse; *(bede om
undskyldning)* apologize;
undskyld! sorry! *(dvs. tillader
De)* excuse me! *undskyld at
jeg kommer for sent* I'm sorry I'm late; *det må du meget
~!* I'm terribly sorry! ~ *sig*
make excuses; **~nde** *adj (fx
smil)* apologetic.
undskyldning *s* apology; *(påskud, grund etc)* excuse; *give
en en ~* apologize to sby; *det
er en dårlig ~* it is a bad
excuse.
undsætning *s* rescue; *komme
til ens ~* come to sby's rescue.
undtage *v* except; **~lse** *s* exception; *med ~lse af* except;
uden ~lse without exception;
~lsestilstand *s* state of emergency; **~n** *præp* except.
undulat *s* budgerigar, (F) budgie.
undvigende *adj* evasive.
undvære *v* do without; *(afse)*
spare.
ung *adj* young; *som ~ var han*

en flot fyr when he was
young, he was a goodlooker.
ungarer *s* Hungarian; **Ungarn**
s Hungary; **ungarsk** *adj* Hungarian.
ungdom *s* youth; **~men** *(dvs.
unge mennesker)* the young
people; **~melig** *adj* youthful;
se ~melig ud look young;
~sforbryder *s* juvenile delinquent.
unge *s* young one; *(barn)* kid;
*(om ~ af hund, løve, tiger,
ræv etc)* cub; *få ~r* have
young ones.
ungkarl *s* bachelor.
uniform *s* uniform; **~ere** *v*
dress in uniform; **~eret** *adj*
in uniform.
union *s* union.
univers *s* universe; **~al** *adj*
universal; **~alarving** *s* sole
heir; **~alnøgle** *s (hovednøgle)* master key; *(skruenøgle)*
universal spanner.
universitet *s* university; *læse
ved ~et* be at university;
~scenter *s* university centre;
~slærer *s* university teacher.
unormal *adj* abnormal.
unægtelig *adv* undeniably.
unødvendig *adj* unnecessary.
unøjagtig *adj* inaccurate;
~hed *s* inaccuracy.
unåde *s* disgrace; *komme i ~
hos en* fall into disgrace with
sby.
uopdragen *adj* ill-mannered;
~hed *s* bad manners *pl.*
uopmærksom *adj* inattentive;
~hed *s* inattention.

uopslidelig adj imperishable.

uorden s disorder; (rod) mess; i ~ (dvs. som ikke virker) out of order; (dvs. rodet) in a mess; ~tlig adj disorderly; (rodet) untidy; (sjusket) slovenly.

uorganisk adj inorganic.

uoverensstemmelse s discrepancy; (uenighed) disagreement.

uoverkommelig adj insurmountable.

upartisk adj unbiased, impartial; ~hed s impartiality.

upassende adj improper; (uheldig, fx bemærkning) ill-timed.

upersonlig adj impersonal.

uplejet adj (om person) untidy; (om fx have) neglected.

upopulær adj unpopular (hos with).

upraktisk adj unpractical; (om besværlig ting) awkward.

upålidelig adj unreliable; (om vejr) unsettled; ~hed s unreliability; unsettledness.

upåvirkelig adj indifferent (af to); **upåvirket** adj unaffected (af by).

ur s clock; (armbånds~, lomme~) watch; hvad er klokken på dit ~? what is the time by your watch? have ~ på wear a watch; med ~et clockwise; mod ~et anti-clockwise.

uran s uranium.

uredt adj unkempt; (om seng) unmade.

uregelmæssig adj irregular;

~hed s irregularity.

uregerlig adj unruly.

uren adj unclean; (blandet) impure; (om hud) bad; ~hed s impurity.

uret s wrong, injustice; gøre en ~ do sby an injustice; have ~ be wrong; ~færdig adj unfair, unjust (mod to); ~færdighed s injustice.

urigtig adj wrong; (usand) untrue.

urimelig adj unreasonable, absurd; (uretfærdig) unfair; (grov, fx pris) exorbitant; ~hed s unreasonableness, absurdity; (uretfærdighed) injustice.

urin s urine; ~ere v urinate; ~prøve s urine specimen; ~vejene spl the urinary system.

urmager s watchmaker, clockmaker.

urne s urn.

uro s (nervøsitet) agitation; (rastløshed) restlessness; (angst) anxiety; (politisk, social etc) unrest; (røre) commotion; (mobile) mobile.

urokkelig adj unshakeable; (rolig) imperturbable; (stædig) stubborn.

urolig adj troubled; (nervøs) nervous (over about); (om vejr) windy, rough; (rastløs) restless; (bange) anxious; være ~ for ngt worry about sth; ~heder spl disturbances; (optøjer) riots.

uropatrulje s riot squad.

urostifter s troublemaker.
urrem s watch strap; **urskive** s dial.
urskov s jungle.
urt s herb; *(grønsag)* vegetable; ~**epotte** s flowerpot; ~**tepotteskjuler** s (flower) container, (F) planter.
urviser s hand; **urværk** s clockwork.
urør:ig adj *(uden at røre sig)* motionless; *(som ikke kan røres)* inviolable.
uråd s: ane ~ smell a rat; *ikke ane* ~ suspect nothing.
usammenhængende adj incoherent.
usand adj untrue; ~**hed** s untruth.
usandsynlig adj unlikely; ~ *dum* incredibly stupid; ~**hed** s improbability.
uselvisk adj unselfish; ~**hed** s unselfishness.
usikker adj *(i tvivl)* doubtful, uncertain; *(farlig)* unsafe, risky; *(ikke til at stole på)* unreliable; *(ustabil, vaklende)* unsteady, shaky; *isen er* ~ the ice is not safe; *være* ~ *om ngt* be doubtful *(el.* uncertain) about sth; ~**hed** s doubtfulness, uncertainty; unsafety; unsteadiness.
uskadelig adj harmless; **uskadt** adj unharmed, safe.
uskarp adj *(om foto etc)* blurred.
uskik s bad habit.
uskyld s innocence; *miste sin* ~ lose one's virginity; ~**ig**

adj innocent *(i* of); ~**ighed** s innocence.
usmagelig adj unsavoury.
uspiselig adj inedible.
ussel adj miserable, wretched; *(led)* mean; ~**hed** s wretchedness; meanness.
ustabil adj unstable.
ustadig adj unsteady; *(om vejr)* changing.
ustandselig adv constantly.
ustraffet adj unpunished.
ustyrlig adj unruly; ~ *morsomt* terribly funny.
usund adj unhealthy; *det er* ~*t for dig (også:)* it is not good for you.
usympatisk adj unpleasant; *(frastødende)* repulsive.
usynlig adj invisible; ~**hed** s invisibility.
usædvanlig adj unusual; *(mærkelig)* extraordinary.
utaknem(me)lig adj ungrateful *(mod* to); ~**hed** s ingratitude.
utal s: *et* ~ *af...* countless..., vast numbers of...; ~**lig** adj countless, innumerable.
utid s: *i* ~*e* at the wrong moment; *i tide og* ~*e* time and again; **utidig** adj *(ikke i form)* not up to it; *(om barn)* fretful.
utilfreds adj dissatisfied; ~**stillende** adj unsatisfactory.
utilgivelig adj unforgivable.
utilgængelig adj inaccessible; *(for* to).
utilladelig adj inadmissible; *(chokerende, grov)* outrageous.

utilnærmelig *adj* unapproachable.

utilpas *adj* indisposed, unwell; *(fig)* uneasy *(ved* about); **~hed** *s* indisposition.

utilregnelig *adj* insane; **~hed** *s* insanity.

utilsigtet *adj* unintentional.

utilsløret *adj* unveiled, open.

utilstrækkelig *adj* insufficient; **~hed** *s* insufficiency.

utraditionel *adj* unconventional, unorthodox.

utro *adj* unfaithful *(mod* to).

utrolig *adj* incredible // *adv* incredibly.

utroskab *s* unfaithfulness; **begå ~** *(i ægteskabet)* commit adultery.

utryg *adj* insecure *(ved* about); **~hed** *s* insecurity.

utrættelig *adj* untiring.

utrøstelig *adj* inconsolable.

utvivlsom *adj* undoubted; **~t** *adv* undoubtedly.

utvungen *adj* free, unrestrained; *(ikke kunstig)* unaffected; **~hed** *s* spontaneity, ease.

utydelig *adj* indistinct.

utænkelig *adj* unthinkable.

utæt *adj* leaky; **~hed** *s (hul)* leak(age).

utøj *s* vermin.

utålelig *adj* intolerable // *adv* intolerably.

utålmodig *adj* impatient; **~hed** *s* impatience.

uudholdelig *adj* intolerable // *adv* intolerably.

uudslettelig *adj* indelible.

uundgåelig *adj* inevitable.

uundværlig *adj* indispensable.

uvane *s* bad habit.

uvant *adj* unaccustomed *(med* to).

uvedkommende *s* trespasser, intruder // *adj* irrelevant; *det er sagen ~* it is irrelevant; *'~ forbydes adgang''* no trespassers'.

uvejr *s* storm.

uven *s* enemy; *blive ~ner med en* fall out with sby; *være ~ner med en* be on bad terms with sby; **~lig** *adj* unkind, unfriendly *(mod* to); **~lighed** *s* unkindness, unfriendliness; **~skab** *s* enmity.

uventet *adj* unexpected.

uvidende *adj* ignorant *(om* of); **uvidenhed** *s* ignorance.

uvilje *s (tøven)* reluctance; *(modvilje)* aversion *(mod* to).

uvilkårlig *adv* involuntarily.

uvillig *adj* unwilling; **~hed** *s* reluctance.

uvis *adj* uncertain; **~t hvorfor** for some unknown reason; **~hed** *s* uncertainty.

uvurderlig *adj* invaluable.

uvægerligt *adv* invariably; *(uundgåeligt)* inevitably.

uægte *adj (kunstig)* imitation, artificial; *(forfalsket)* false, fake; **~ barn** illegitimate child.

uændret *adj* unchanged.

uærlig *adj* dishonest; **~hed** *s* dishonesty.

uønsket *adj* unwanted, undesirable.

uøvet *adj* unpractised.

V

vable s blister.

vaccination s vaccination; **vaccine** s vaccine; **vaccinere** v vaccinate.

vade v wade; ~ *i ngt (dvs. have masser af)* be rolling in sth; ~**fugl** s wader; ~**hav** s (tidal) flats *pl*; ~**sted** s ford.

vaffel s *(sprød kage)* wafer; *(blød, bagt i jern)* waffle; *(kræmmerhus)* cone; ~**jern** s waffle iron.

vag adj vague.

vagabond s tramp.

vager s *(mar)* marker buoy.

vagt s guard, watch; *(tjeneste)* duty; *have* ~ *(om fx læge)* be on duty; *holde* ~ keep watch; *være på* ~ *over for en* be on one's guard against sby; ~**havende** adj on duty; ~**hund** s watchdog; ~**parade** s *sv.t.* changing of the guards; ~**post** s sentry; ~**selskab** s security corps.

vakle v wobble, shake; *(om person)* totter; *(være i tvivl)* falter, hesitate; ~**n** s wobble, shaking; faltering, hesitation; ~**vorn** adj rickety.

vaks adj bright.

vakuum s vacuum; ~**pakket** adj vacuum-packed.

valdhorn s French horn.

valg s choice; *(mellem to ting)* alternative; *(folketings~)* election; *træffe sit* ~ make one's choice; *vi havde ikke*

ngt ~ we had no alternative; *få frit* ~ be given a free choice; ~**bar** adj eligible; ~**fri** adj optional; ~**kamp** s election campain; ~**kreds** s constituency; ~**ret** s suffrage; ~**sprog** s motto.

valle s whey.

valmue s poppy.

valnød s walnut.

vals s waltz; *danse* ~ waltz.

valse s roller; *(på skrivemaskine)* platen; ~**værk** s rolling mill.

valuta s *(pengesort)* currency; *(værdi)* value; *fremmed* ~ foreign currency; *få* ~ *for pengene* get value for one's money; ~**slange** s *(i EF)* currency snake.

vammel adj sickly; ~**hed** s sickliness.

vampyr s vampire.

vand s water; *lade* ~*et* urinate; *gå i* ~*et* bathe, go swimming; *øjnene løber i* ~ the eyes water; *have* ~ *i knæet* have water on the knee; *til* ~*s* by sea; *ved* ~*et* by the sea; ~**beholder** s water tank; ~**damp** s steam; ~**dråbe** s drop of water; ~**e** v water; *(overrisle)* irrigate; ~**et** adj watery; *(om vittighed)* thin; ~**fad** s wash basin; ~**fald** s waterfall; ~**farve** s watercolour; *male med* ~*farve* paint in watercolour; ~**fast** adj waterproof; ~**forsyning** s water supply; ~**hane** s tap; ~**hul** s pool; ~**ing** s watering; *(overrisling)*

irrigation; **~kraft** s water-po-
wer; **~kraftværk** s hydroelec-
tric power station; **~ladning** s
urination; **~løb** s stream;
~lås s (odeur) trap; **~mand** s
(zo) jellyfish; V~en (astr)
Aquarius; **~melon** s water
melon; **~ondulation** s water-
waving; **~plante** s aquatic
plant; **~post** s pump; **~pyt** s
puddle.

vandre v walk; være ude at ~
be hiking; **~hjem** s youth
hostel; **~r** s (som er på ~tur)
hiker.

vandret adj horizontal; (i
krydsord) across.

vandretur s hike.

vand. . . sms: **~rør** s water-
pipe; **~skel** s watershed;
~skyende adj water-repel-
lent; **~slange** s (water) hose;
~stand s water-level; **~su-
gende** adj absorbent; **~tæt**
adj watertight; (om tøj) wa-
terproof; **~vogn** s: være på
~vognen be on the (water)
wagon; **~værk** s: et ~værk a
waterworks.

vane s habit; have for ~ at
gøre ngt have a habit of doing
sth; af gammel ~ from habit;
~dannende adj habit-for-
ming; **~sag** s question of
habit.

vanfør s/adj disabled.

vanille s vanilla; **~stang** s va-
nilla pod.

vanke v: der ~r et godt måltid
you will get a good meal.

vanlig adj usual, customary.

vanrøgt s neglect; **~e** v ne-
glect.

vanskabt adj deformed.

vanskelig adj difficult, hard //
adv with difficulty; **~gøre** v
complicate; **~hed** s difficul-
ty; komme i ~heder get into
trouble.

vant adj (sædvanlig) usual;
være bedre ~ be used to
better things; ~ til at gøre
ngt used to doing sth.

vante s mitten.

vantrives v: de ~ they don't
thrive.

vantro s infidelity; (rel om
person) infidel // adj (un-
drende, tvivlende) incredu-
lous; infidel.

vanvare s: af ~ inadvertently.

vanvid s madness, insanity;
han driver mig til ~ he is
driving me mad; det glade ~
sheer madness.

vanvittig adj mad, insane, cra-
zy; have ~ travlt be terribly
busy; det var ~ sjovt! it was a
scream; tie sig som en ~ beha-
ve like mad; **~t lækker** (S)
way out.

vanære s/v disgrace.

vare s product; (enkelt) article;
~r goods, merchandise; brin-
ge ~r ud deliver goods; våde
~r liquor; tage ~ på ngt take
care of sth.

vare v last; (tage, fx om tid)
take; turen ~r tre timer the
trip takes three hours; krigen
~de i fem år the war lasted
for five years; det ~r længe

før det bliver sommer it is a long time until summer; ~ *ved* go on, continue.

vare... *sms:* ~**deklaration** *s* informative label; *(vedr. indhold af fx fødevarer)* (description of) contents; ~**hus** *s* department store; ~**mærke** *s* trade-mark; ~**prøve** *s* sample; ~**tage** *v* take care of, attend to; ~**tægt** *s* care; ~**tægtsfængsel** *s* custody; ~**vogn** *s* van.

variant *s* variant *(til* on); **variation** *s* variation *(over* on); **variere** *v* vary; **varieret** *adj* varied.

varieté *s* variety; *(om selve teatret)* music hall, variety theatre.

varig *adj* permanent; ~**hed** *s* duration; *(løbetid, fx for kontrakt)* term; *af kortere* ~*hed* of short duration.

varm *adj* warm; *(stærkere)* hot; *de* ~*e lande* the tropics; *et* ~*t bad* a hot bath; ~*t vand* hot water; *løbe* ~ *(el. køre)* ~ *(om motor etc)* run hot; *få* ~ *mad* get a hot meal; *have det* ~*t* feel warm; *klæde sig* ~*t* dress up warmly; *være* ~ *på ngt (el. en)* fancy sth *(el.* sby).

varme *s* heat; *(fig)* warmth; *lukke op (el. i) for* ~*n* turn the heating on *(el.* off); *to graders* ~ two degrees above zero // *v* heat, warm; ~ *maden i ovnen* warm up the food in the oven; ~ *op (sport)* warm up; ~ *huset op*

heat *(el.* warm) up the house; ~ *sig* get warm; ~**apparat** *s* radiator; *(elek)* electric heater; ~**bølge** *s* heatwave; ~**dunk** *s* hot-water bottle; ~**mester** *s (dvs. vicevært)* janitor; ~**måler** *s* calorimeter; ~**ovn** *s* stove, heater; ~**pude** *s* electric (heat) pad; ~**tæppe** *s* electric blanket.

varmtvandshane *s* hot-water tap.

varsel *s* warning, notice; *(spådom etc)* omen; *med kort* ~ at short notice; **varsle** *v* notify; *(spå etc)* augur.

varsom *adj* careful, cautious; ~**hed** *s* caution.

varte *v:* ~ *en op* wait on sby; ~ *op ved bordet* wait at table.

vartegn *s (for by etc)* symbol.

varulv *s* werewolf.

vase *s* vase.

vask *s (det at vaske)* washing; *(vasketøj)* laundry; *(køkkenvask)* sink; *(håndvask)* hand basin; *lægge tøj til* ~ put clothes in the wash; *gå i* ~*en (fig)* go down the drain; *hælde ngt i* ~*en* pour sth down the sink; ~**bar** *adj* washable.

vaske *v* wash; ~ *hænder* wash one's hands; ~ *tøj* do the washing; ~ *op* do the dishes; *kjolen kan ikke* ~*s* the dress won't wash; ~ *sig* (have a) wash; ~**balje** *s* washbowl; ~**bjørn** *s* raccoon; ~**klud** *s* facecloth; ~**kumme** *s* (wash-)basin; ~**maskine** *s* washing-machine; ~**pulver** *s*

washing-powder.
vaskeri s laundry.
vaske. . . sms: ~**skind** s chamois; ~**svamp** s sponge; ~**tøj** s laundry, washing; ~**ægte** adj (colour)fast; (fig) genuine.
vat s cotton wool; (pladevat) wadding.
vaterpas s spirit level.
vatnisse s softy, sissy.
vatpind s cotton swab.
vattere v pad, quilt; ~**t stof** quilted material; ~**t tæppe** quilt; **vattering** s padding, quilting.
vattæppe s quilt.
ve s labour pain; have ~**er** be in labour; dit ~ **og vel** your welfare.
ved præp (om sted) at; (henne ~) by; (i nærheden af) near; (om tid) at; (om middel, grund) by; (se også de enkelte ord som ~ forbindes med); vil du standse ~ rådhuset? will you stop at the town hall? de bor ~ vandet they live by the sea; ~ midnat at midnight; den drives ~ elektricitet it is run by electricity; røre ~ ngt touch sth; ~ siden af next to, beside; ikke ville være ~ det not want to admit it; være ~ at gøre ngt be doing sth; være ~ at blive søvnig be getting sleepy; jeg var ~ at eksplodere I nearly blew up.
vedbend s ivy.
vedblive v continue, go on;

~**nde** adv still.
vederlag s compensation; ~**sfrit** adv free of charge.
vedhæng s appendage; (smykke) pendant.
vedkende v: ~ **sig** acknowledge; ikke ville ~ **sig** refuse to acknowledge.
vedkomme v concern; ~**nde** s the person concerned // adj concerned; for mit ~**nde** for my part.
vedligeholde v keep, maintain; (holde i gang) keep up; huset er pænt vedligeholdt the house is in good repair; ~**lse** s maintenance; repair.
vedlægge v enclose; vedlagt fremsendes. . . enclosed you will find. . .
vedrøre v concern; ~**nde** præp concerning, as regards.
vedtage v agree to, decide; (ved afstemning, parl) carry; de vedtog at gøre det they agreed (el. decided) to do it; forslaget blev ~**t** the motion was carried; ~ **en lov** pass an act; ~**lse** s decision; carrying.
vedtægter spl rules, regulations.
vedvarende adj continued, constant; ~ **energi** inexhaustible energy // adv still.
vegetabilsk adj vegetable.
vegetar s, ~**isk** adj vegetarian.
vegne s: alle ~ everywhere; vi kommer ingen ~ we are not getting anywhere; på mine ~ on my behalf; på embeds ~ officially.

vej *s* road; *(vejlængde, afstand)* way, distance; *finde* ~ find one's way; *gå sin* ~ go away; *hele* ~*en* all the way; *der er lang* ~ *til Rom* it is a long way to Rome; *er der lang* ~ *til stranden?* is it far to the beach? *vise en* ~ show sby the way; *hen ad* ~*en* along the road; *(fig)* as you go along; *gå af* ~*en* get out of the way; *(fig)* get out of sby's way; *ikke gå af* ~*en for ngt (fig)* stop at nothing; *rydde en (el. ngt) af* ~*en* get rid of sby *(el.* sth); *komme i* ~*en for en* get in sby's way; *være i* ~*en* stand in one's way; *hvad er der i* ~*en?* what is the matter? what is wrong? *der er ngt i* ~*en med bilen* there is sth wrong with the car; *være på* ~ *til et sted* be on one's way to some place; *skaffe ngt til* ~*e* procure sth; *huset ligger ved* ~*en* the house is by the roadside.

vej... *sms:* ~**arbejde** *s* road-works *pl; (på skilt også:)* 'road up'; ~**bane** *s* carriage-way; *(på flersporet vej)* lane; ~**belægning** *s* road surface.

veje *v* weigh; *hvor meget* ~*r du?* how much do you weigh? ~ *kartofler af* weigh out potatoes; *kufferten* ~*r en del* the suitcase is rather heavy.

vej... *sms:* ~**grøft** *s* ditch; ~**kant** *s* roadside; *(rabat)* shoulder; ~**kryds** *s: et* ~*kryds* a crossroads.

vejlede *v* guide; *(undervise)* instruct; ~*nde pris* recommended price; ~*r s* guide; instructor; **vejledning** *s* guidance; instruction.

vejning *s* weighing.

vejr *s* weather; *(ånde)* breath; *få* ~*et* breathe; *dårligt* ~ bad weather; *godt* ~ fine weather; *i* ~*et* up; *med bunden i* ~*et* upside down; *ryge i* ~*et (dvs. eksplodere)* blow up; *stige til* ~*s* go up; *trække* ~*et* breathe; ~**bidt** *adj* weather-beaten; ~**forandring** *s* a change in the weather; ~**hane** *s* weathercock; ~**kort** *s* weather chart; ~**melding** *s* weather report; ~**trækning** *s* breathing; ~**udsigt** *s* weather forecast.

vej... *sms:* ~**skilt** *s* road sign; ~**spærring** *s* road block; ~**sving** *s* road bend; ~**træ** *s* roadside tree; ~**viser** *s (skilt)* road sign, signpost; *(bog)* directory.

veksel *s (merk)* bill of exchange; ~**erer** *s* stockbroker; ~**kurs** *s* rate of exchange; ~**strøm** *s* alternating current (A.C.); ~**virkning** *s* interaction.

veksle *v* change; *(udveksle)* exchange; *(skiftes)* alternate; ~ *fem pund til pence* change five pounds into pence; ~**n** *s* change; alternation.

vel *s* welfare, well-being; *det almene* ~ the common good; *det er til dit eget* ~ it is for

your own good // adj/adv
well; *(forhåbentlig)* I hope,
hopefully; *(formentlig)* pro-
bably; *(lidt for, lovlig)* rather;
(bestemt) surely; *han kom-
mer ~ til tiden?* I hope he'll
be on time; *vi bliver ~ nødt
til at gøre det* I suppose we
will have to do it; *han er lidt
~ storsnudet* he is a bit
stuck-up; *~ er det sandt!* sure
it is true! *du gør det ~ ikke?*
you won't do it, will you? *~ at
mærke* mind you; *han er ~
nok rar!* how nice he is!
velbefindende s well-being.
velbegavet adj bright, intelli-
gent.
velbehag s pleasure, well-be-
ing.
velbeholden adj *(om person)*
safe and sound; *(om ting)*
intact.
velegnet adj suitable *(til* for);
(om person) well qualified
(til for).
velfortjent adj well-deserved.
velfærd s welfare; **~ssamfund**
s affluent society.
velgørende adj *(behagelig)* re-
freshing; *(godgørende)* chari-
table; *til ~ formål* for chari-
ty; **velgørenhed** s charity; **vel-
gører** s benefactor.
velgående s: *i bedste ~* safe
and sound.
velhavende adj wealthy, well
off; *(om samfund)* affluent.
velholdt adj well-kept.
velkendt adj well-known.
velkommen adj welcome; *byde*

en ~ welcome sby; **velkomst**
s welcome.
vellidt adj popular.
vellignende adj life-like.
vellykket adj successful; *være
~* be a success.
velmenende adj well-mean-
ing; **velment** adj well-
meant.
velopdragen adj well-bred;
(som opfører sig godt) well-
behaved; **~hed** s good man-
ners pl.
veloplagt adj in good form, fit
(til for); **~hed** s fitness.
velset adj welcome.
velsigne v bless; **~lse** s bless-
ing; *en guds ~lse af ngt* an
abundance of sth.
velskabt adj well-made.
velsmagende adj savoury, de-
licious.
velstand s wealth, affluence;
velstillet adj well off.
veltalende adj eloquent; **velta-
lenhed** s eloquence.
veltilpas adj comfortable.
velvilje s benevolence, good-
will; **velvillig** adj benevolent,
kind.
velvære s well-being.
ven s friend; *blive ~ner* make
friends; *være ~ner* be
friends; *det er en af min mors
~ner* he/she is a friend of my
mother's.
vende v turn; *(om vind)* shift;
~ hjem return home; *~ om*
turn back; *~ sig* turn; *~ sig
om* turn round; *~ tilbage*
return; *køkkenet ~r ud til*

gården the kitchen looks out on the courtyard; *huset ~r mod syd* the house faces south; **~kreds** *s* tropic; *Krebsens (el. Stenbukkens) ~kreds* the Tropic of Cancer *(el.* Capricorn); **~punkt** *s* turning point.

vending *s (drejning)* turning; *(ændring)* turn; *(talemåde)* turn of speech; *i en snæver ~* at a pinch; *være hurtig i ~en* be quick; *være langsom i ~en* be slow.

vene *s* vein.

Venedig *s* Venice; **venetiansk** *adj* Venetian.

veninde *s* friend; *(kæreste)* girl friend.

venlig *adj* kind; *vær så ~ at...* please...; *vil du være så ~ at gøre det?* will you please do it? *hvor er det ~t af Dem!* how kind of you! **~hed** *s* kindness.

venskab *s* friendship; **~elig** *adj* friendly; **~sby** *s* twin town.

venstre *s: partiet V~* the Danish Liberal Party; *en lige ~* a straight left // *adj* left; *på ~ hånd* on the left hand; *i ~ side (af vejen)* on the left (hand side of the road); *til ~* left, to the left; *dreje til ~* turn left; **~fløjen** *s* the left wing; **~kørsel** *s* driving on the left; **~orienteret** *adj* leftwing; **~styring** *s (auto)* left-hand-drive.

vente *s: have ngt i ~* have sth

coming; *være i ~* be expected // *v* wait; *(forvente)* expect; *~ at ngt sker* expect sth to happen; *lade en ~* keep sby waiting; *vent lidt!* wait a minute! *~ med at gøre ngt* put off doing sth; *~ på* wait for; *~ på at ngt sker* wait for sth to happen; *~ sig ngt* expect sth; *hun ~r sig* she is expecting; **~liste** *s* waiting list; **~tid** *s* wait; **~tøj** *s* maternity wear; **~værelse** *s* waiting room.

ventil *s* valve; **~ation** *s* ventilation; **~ationsanlæg** *s* ventilation system; **~ator** *s* ventilator; *(som drejer rundt)* fan; **~ere** *v* ventilate.

veranda *s* veranda.

verbum *s* verb.

verden *s* world; *hele ~* the whole world; *fra hele ~* from all over the world; *ikke for alt i ~* not for the world; *hvad i al ~!* what on earth! *den tredje ~* the Third World; *så er det ude af ~!* that takes care of that! **V~sbanken** *s* the World Bank; **~sberømt** *s* world-famous; **~sdel** *s* continent; **~shav** *s* ocean; **~shistorie** *s* world history; **~shjørne** *s* direction; **~skendt** *adj* world-known; **~skort** *s* world map; **~skrig** *s* world war; **~smester** *s* world champion; **~smesterskab** *s* world championship; *(i fodbold)* World Cup; **~somspænden-**

V verdensrekord

782

de *adj* global; **~srekord** *s* world record; **~srum** *s* space.

verdslig *adj* secular, worldly.

verificere *v* verify; **verifiabel** *adj* veritable.

vers *s* verse; *(strofe)* stanza; *på ~* in verse; *(~emål)* *s* metre.

version *s* version.

vest *s (tøj)* waistcoat; *(verdenshjørne)* west; *~ for* (to the) west of; *fra ~* from the west; *mod ~* west, westwards; *huset vender mod ~* the house faces west; *~envind* *s* west wind; **V~erhavet** *s* the North Sea; **~erhavs-** North-Sea *(fx fiskeri* fishing); **V~europa** *s* Western Europe; **~europæisk** *adj* West European; **V~indien** *s* the West Indies; **~indisk** *adj* West-Indian, Caribbean; **~kyst** *s* west coast; **~lig** *adj* western; west; **~ligst** *adj* westernmost; **~magterne** *spl* the Western powers; **~på** *adv* west, westwards; *(i vest)* in the west; **~tysk** *adj* West German; **V~tyskland** *s* West Germany.

veteran *s* veteran; **~bil** *s* vintage car.

veto *s* veto; *nedlægge ~ mod ngt* veto sth; **~ret** *s:* *have ~ret* have a veto.

vi *pron* we.

viadukt *s* viaduct.

vibe *s (zo)* lapwing, peewit.

vibration *s* vibration; **vibrere** *v* vibrate.

vice… *sms:* **~formand** *s* vice-chairman, vice-president *(for*

of); **~præsident** *s* vice-president; **~vært** *s* janitor, caretaker.

vid *s* wit // *adj* wide; *(om tøj)* loose; *stå på ~ gab* be wide open; *kendt i ~e kredse* widely known; *(se også vidt)*; **~de** *s* width; *(åben strækning)* expanse; *en nederdel med ~de* a full skirt.

vide *v* know; *jeg ved (det) ikke* I don't know; *man kan aldrig ~ you* never know; *~ besked med ngt* know about sth; *få ngt at ~* be told sth, learn sth; *jeg gad ~ om…* I wonder whether *(el. if)…*; **~n** *s* knowledge; *handle mod bedre ~nde* act against one's better judgement.

videnskab *s (især natur~)* science; *de humanistiske ~er* the humanities, **~elig** *adj* scientific; **~smand** *s* scientist.

videobånd *s* video tape; **videomaskine** *s* video.

videre *adj/adv (længere frem)* farther, further; *(sammen med verbum:)* on *(fx go* on); *(mere, yderligere)* further; *(mere vild)* wider; *give ngt ~* pass sth on; *lad os se at komme ~* let's get on; *sende ngt ~* send sth on; *han er ikke ~ rar* he is not very nice; *der skete ikke ngt ~* nothing much happened; *indtil ~* untdil further notice; *(dvs. hidtil)* so far; *og så ~* and so on, etc; *uden ~* without further ado.

videre... *sms:* ~**forhandle** *v* resell; ~**føre** *v* continue; ~**gående** *adj* further; ~**kommen** *adj* advanced.

videst *adj/adv* widest; farthest; *i ordets* ~*e forstand* in every sense of the word.

vidne *s* witness; *blive indkaldt som* ~ be summoned as a witness; *være* ~ *til ngt* witness sth // *v* (*i retten*) give evidence; ~ *om* (*dvs. tyde på*) indicate; (*dvs. aflægge vidnesbyrd*) testify to; ~**sbyrd** *s* (*tegn, bevis*) evidence; (*udtalelse*) testimony; (*attest*) certificate; (*i skolen*) school report; *aflægge* ~*sbyrd om ngt* testify to sth; ~**skranke** *s* witness box.

vidt *adv* far, wide; (*fig*) widely; *gå for* ~ go too far; *for så* ~ for that matter; (*egentlig*) really; *for så* ~ *som* in so far as; *hvor* ~ (*dvs. om*) whether; *være lige* ~ be back to square one; *så* ~ *jeg ved* as far as I know; *ikke så* ~ *jeg ved* not that I know of; ~**gående** *adj* extensive; ~**løftig** *adj* long-winded; ~**rækkende** *adj* far-reaching; ~**strakt** *adj* extensive.

vidunder *s* wonder; ~**barn** *s* child prodigy; ~**lig** *adj* wonderful.

vie *v* (*ægtevie*) marry; (*indvie*) consecrate; (*hellige*) dedicate; ~**lse** *s* wedding; ~**lsesattest** *s* marriage certificate; ~**lsesring** *s* wedding ring.

vifte *s* fan // *v* wave; (*med* ~) fan; ~ *med ngt* wave sth.

vig *s* creek.

vige *v* give way, yield (*for* to); *ikke* ~ *tilbage for ngt* stop at nothing; ~**plads** *s* (*på vej*) lay-by; ~**pligt** *s:* ~*pligt for trafik fra højre* right of way for traffic from the right.

vigte *v:* ~ *sig* show off; ~ *sig med ngt* show sth off.

vigtig *adj* (*af betydning*) important; (*storsnudet*) stuck-up, conceited; *det* ~*ste* the most important thing; ~**hed** *s* importance; conceit.

viis *adj* wise.

vikar *s* substitute; (*kontor*~) temp; ~**iat** *s* temporary job; ~**iere** *v* substitute (*for* for), replace.

viking *s* Viking; ~**eskib** *s* Viking ship; ~**etiden** *s* the Viking age.

vikle *v* wind, twist; ~ *garn (op)* wind yarn; ~ *ngt sammen* roll sth up.

viktualiehandel *s* delicatessen (shop).

vild *adj* wild; (*brutal, grusom*) savage; (*mennesker*) savages; ~*e dyr* wild animals; *fare* ~ lose one's way; *være* ~ *med ngt* be crazy about sth.

vildelse *s* delirium; *tale i* ~ be delirious.

vildlede *v* mislead; ~**nde** *adj* misleading.

vildnis *s* (*tæt krat*) tangle; (*vildmark*) wilderness.

vildrede s: være i ~ be at a loss; *(i uorden)* be in a tangle.

vildskab s wildness.

vildspor s: være på ~ be on the wrong track.

vildsvin s wild boar.

vildt s game; *(dyrekød)* venison; **~handler** s poulterer; **~tyv** s poacher; **~voksende** adj wild.

vilje s will; få sin ~ have one's own way; gøre ngt med ~ do sth on purpose; jeg gjorde det ikke med ~ I didn't mean to do it; ikke med min gode ~ not if I can help it; **~styrke** s will-power; **~stærk** adj strong-willed; **~svag** adj weak-willed.

vilkår spl *(forudsætninger)* conditions; *(omstændigheder)* circumstances; ikke på ~ not under any circumstances; **~lig** adj *(tilfældig)* haphazard; *(hvilken som helst)* any; *(valgt)* arbitrary; **~lighed** s haphazardness; arbitrariness.

villa s house; *(stor)* villa; *(lille)* cottage; **~kvarter** s residential area.

ville v *(hjælpeverbum)* vil, ville: will, would; *(efter I og we:)* shall, should; *(ønske, have til hensigt)* want, will; *(gerne ville)* be willing to; han vil ikke he won't; hvad vil han? what does he want? han vil ud he wants to get out; vil de komme? will they come? hvis du vil if you want to;

som du vil as you like; vil du med? are you coming too? uden at ~ det without wanting to; *(se også gerne).*

villig adj willing; **~hed** s willingness.

vimpel s streamer.

vims adj nimble; **~e** v bustle *(rundt about).*

vin s wine; **~avler** s winegrower; **~bjergsnegl** s edible snail; *(på menu)* escargot.

vind s wind; **~en** blæser the wind is blowing; **~en** vender the wind is shifting; med **~en** with the wind; mod **~en** against the wind; **~blæst** adj wind-swept; **~drejning** s shift of the wind.

vinde v win; *(opnå også:)* gain; *(vikle)* wind; ~ sejr gain the victory; prøve at ~ tid play for time; ~ i kortspil win at cards; ~ i tipning win the pools; ~ ind på en gain on sby; ~ over en beat sby.

vindebro s drawbridge.

vindeltrappe s spiral staircase.

vinder s winner.

vinding s *(gevinst)* profit, gain; *(snoning)* winding; *(i skrue)* thread.

vind. . . sms: **~jakke** s windcheater; **~kraft** s wind energy; **~mølle** s windmill; **~pose** s wind-sock; **~pust** s puff of wind; **~retning** s direction of the wind.

vindrue s grape; **~klase** s bunch of grapes.

vind. . . sms: **~spejl** s windscreen; ~**stille** s/adj calm; ~**styrke** s wind-force; ~**styrke 6** force 6; ~**stød** s gust of wind; ~**tæt** adj windproof.

vindue s window; ~**skarm** s window-sill; ~**splads** s window seat; ~**spudser** s window cleaner; ~**srude** s window pane; ~**svisker** s windscreen wiper.

vindyrkning s winegrowing.

vinge s wing; gå på ~rne (om fly) take off; baske med ~rne flap one's wings.

vin. . . sms: ~**glas** s wineglass; ~**gummi** s fruit gum; ~**gård** s vineyard; ~**handel** s wine shop; ~**handler** s wine merchant; ~**høst** s vintage.

vink s (tegn) sign; (med hånden) wave; (antydning, tip) hint; give en et ~ give sby a hint; ~**e** v (som hilsen) wave (one's hand); (give tegn) beckon; ~ til en beckon sby; ~ til en wave to sby.

vinkel s angle; en ret ~ a right angle; se ngt fra en ny ~ see sth from another angle; ~**formet** adj angled; ~**måler** s protractor; ~**ret** adj: ~ret på at right angles to; ~**stue** s L-shaped room.

vin. . . sms: ~**kort** s wine list; ~**kælder** s wine cellar; ~**ranke** s vine; ~**stok** s vine.

vinter s winter; i ~ (dvs. sidste ~) last winter; (dvs. denne ~) this winter; om ~en in (the) winter; til ~ next winter; ~**dag** s winter's day; ~**gæk** s

snowdrop; ~**have** s conservatory; ~**lege** s (vinter-OL) Winter Olympics pl; ~**solhverv** s winter solstice; ~**sport** s winter sports pl; ~**tøj** s winter clothing.

viol s violet.

violet s (blå~) violet; (rød~) purple.

violin s violin; spille ~ play the violin; ~**bygger** s violin maker; ~**ist** s violin player, violinist.

vippe s (til svømmeudspring) diving board; (på legeplads) seesaw; det er lige på ~n it is touch and go // v rock; (på legetøjsvippe) seesaw; (tippe) tip.

vipstjært s wagtail.

viril adj virile; ~**itet** s virility.

virke v work, act; (forekomme) look, seem; bremsen ~r ikke the brake does not work; hun ~r rar she seems nice; ~**lig** adj real // adv really; nej, ~? oh, really? han er ~lig dygtig he is really good; ~**liggøre** v realize; ~**lighed** s reality; i ~lighheden in reality, actually; blive til ~lighed become a reality; (gå i opfyldelse) come true; ~**nde** adj: hurtigt ~nde quick-acting; langsomt ~nde slow-acting.

virkning s effect; have ~ have an effect; være uden ~ have no effect; ~**sfuld** adj effective; ~**sløs** adj ineffective.

virksomhed s (aktivitet) activity; (funktion) action; (fore-

tagende) business, firm; *(fabrik)* factory, works; ~**sledelse** s management; ~**sleder** s manager.

virtuos s virtuoso // *adj* brilliant.

virus s virus *(pl: vira)*; ~**sygdom** s virus disease.

virvar s chaos, confusion.

vis *adj* certain; *(sikker)* sure; *en ~ hr. Hansen* a certain Mr. Hansen; *til en ~ grad* to a certain degree; *være ~ på ngt* be sure of sth; *(se også vist)*.

visdom s wisdom, ~**stand** s wisdom tooth.

vise s song; *(folke~)* ballad // *v* show; *det vil tiden ~* time will show; *~ en vej* show sby the way; *~ af (når man skal dreje)* signal; *~ ngt frem* show sth; *(pralende)* show sth off; *~ sig* appear, turn up; *(vigte sig)* show off; *det viser sig at...* it appears that...; *~ sig at være en skurk* turn out to be a crook; *det vil ~ sig* we shall see.

viser s needle; *(på ur)* hand; *den lille ~* the hour hand; *den store ~* the minute hand.

visesanger s singer, folksinger.

vished s certainty; *få ~ for at...* get to know for sure that...; *skaffe sig ~* make sure.

visir s *(på hjelm)* visor.

visit s visit, call; *aflægge ~ hos en* pay a visit to sby.

visitere v search; *(krops~)*

frisk.

visitkort s visiting card.

viske v: *~ ngt ud (med viskelæder)* erase sth with, rub sth out; *(med klud)* wipe sth out; *~læder* s eraser; *~stykke* s dishcloth.

vismand s wise man.

visne v wither, die; **vissen** *adj* withered, dead.

vist *adv (bestemt)* certainly; *(~ nok)* probably; *de kommer ~ ikke* they probably won't come; *jo ~!* oh, yes! certainly! ~**nok** *adv* I daresay, probably.

visum s visa; *søge ~ til...* apply for a visa to...

vitamin s vitamin; *B-~* vitamin B; ~**mangel** s vitamin deficiency; ~**rig** *adj* rich in vitamins.

vitrine s *(møbel)* display cabinet; *(til udstilling etc)* showcase.

vits s joke.

vittig *adj* witty; ~**hed** s joke; ~**hedstegning** s cartoon.

vod s *(til fiskeri)* dragnet; *trække ~ (i havnen)* drag (the harbour).

vogn s *(bil)* car; *(heste~)* wagon, cart; *(vare~)* van; *(last~)* lorry; *(taxa)* taxi; *(person-vogn i tog)* carriage; *(gods~)* goods wagon; *(bagage~)* trolley; *(indkøbs~)* shopping cart; ~**bane** s *(på vej)* lane; ~**dæk** s *(på færge)* car deck; ~**ladning** s *(om lastbil)* lorryload; ~**mand** s *(med trans-*

portfirma) haulage contractor; *(hyrevognsejer)* taxi owner; *(fragtmand)* carrier;
~**park** *s* fleet of cars.

vogte *v* watch, guard; ~ *sig* take care; ~ *sig for ngt* beware of sth; ~ *sig for at* take care not to; ~**r** *s* keeper; *(af får)* shepherd; *(fig)* guardian.

vokal *s* vowel // *adj* vocal.

voks *s* wax; ~**dug** *s* oilcloth,

vokse *v* grow; ~ *fra sit tøj* outgrow one's clothes; *gælden* ~**r** *med 20% om året* the debt grows by 20 per cent a year; ~ *sammen (om sår)* heal; ~ *sig stor* grow big; ~**n** *s* grown-up, adult; *blive* ~**n** grow up; *de* **voksne** the grown-ups, the adults; ~**nundervisning** *s* adult education; ~**værk** *s* growing pains *pl.*

vold *s (jord~)* embankment; *(magt)* power; *(voldsomhed)* violence; *bruge* ~ use violence; *være i ens* ~ be in sby's power; *med* ~ by force; ~**e** *v* cause; ~**gift** *s* arbitration; ~**giftsmand** *s* arbitrator; ~**giftsret** *s* court of arbitration; ~**grav** *s* moat.

volds. . . *sms:* ~**handling** *s* act of violence; ~**mand** *s* assailant; ~**metoder** *spl* violent means.

voldsom *adj* violent; *(enorm)* immense; ~**hed** *s* violence.

voldtage *v* rape; **voldtægt** *s* rape.

volumen *s* volume; **voluminøs** *adj* voluminous.

vom *s* paunch.

vor *se* vores.

vorden *s:* *være i sin* ~ be in the making; ~**de** *adj* future; *hans* ~**de hustru** his future bride; *en* ~**nde mor** an expectant mother.

vores *(vor, vort, vore(s))* pron our; *(stående alene)* ours; *det er* ~ *bil* it is our car; *bilen er* ~ the car is ours.

Vorherre God, the Lord.

vort *se* vores.

vorte *s* wart.

votere *v* vote; ~ *om nævninge)* consider the verdict.

vove *v (turde)* dare; *(risikere)* risk; ~ *på* dare to; *det kan du lige* ~ *på!* don't you dare! ~ *sig ind på ngt* venture into sth; ~**hals** *s* daredevil; ~**t** *adj* risky.

vovse *s* doggie.

vrag *s* wreck; ~**e** *v* reject; *vælge og* ~**e** pick and choose.

vralte *v* waddle; ~**n** *s* waddle.

vrang *s (vrangen)* wrong side; *vende* ~**en ud** turn the wrong side out // *adj:* *strikke* ~ purl; *to ret og to* ~ knit two, purl two; ~**maske** *s* purl; ~**strikning** *s* purl knitting.

vred *adj* angry; *blive* ~ *over ngt* get angry at sth; *blive* ~ *på en* get angry with sby; ~**e** *s* anger; *(raseri)* rage.

vride *v* twist; *(om tøj, hænder etc)* wring; ~ *halsen om på en* wring sby's neck; ~ *om på foden* twist one's ankle; ~ *sig* writhe; ~ *og vende sig* twist and turn; ~**maskine** s wringer.

vrikke v wriggle; ~ med ørerne wriggle one's ears; ~ om på foden twist one's ankle.

vrimle v team, swarm (med, af with); **vrimmel** s swarm.

vrinske v neigh; ~**n** s neigh(ing).

vrisse v snap (ad at).

vrist s instep.

vræl s yell, roar; ~**e** v yell, roar.

vrænge v sneer (ad at).

vrøvl s nonsense; (besvær) trouble; gøre ~ over ngt complain of sth; ~**e** v talk nonsense.

vugge s cradle // v rock; ~**stue** s crèche, day nursery.

vulgær adj vulgar.

vulkan s vulcano; ~**isere** v (om dæk) retread; ~**udbrud** s volcanic eruption.

vurdere v estimate; (fig) evaluate.

vurdering s estimate; evaluation; efter min ~ in my opinion; ~**smand** s surveyor; ~**spris** s estimated price.

væbne v arm; ~**de styrker** armed forces.

vædde v bet (om on); skal vi ~? do you want to bet (on it)? ~**løb** s race; ~**løbsbane** s racing track; (til heste) racecourse; ~**mål** s bet.

vædder s (zo) ram; V~**en** (astr) Aries.

væde s moisture // v moisten.

væg s wall; hænge ngt op på ~**gen** hang sth on the wall.

væge s wick.

væggetøj spl bedbugs.

væglampe s wall lamp; **væg-maleri** s mural (painting).

vægre v: ~ sig ved at gøre ngt refuse to do sth; **vægring** s refusal.

vægt s (det ngt vejer, tyngde etc) weight; (apparat til at veje på) scales; V~**en** (astr) Libra; i løs ~ in bulk; tabe i ~ lose weight; tage på i ~ put on weight; passe på ~**en** watch one's figure; lægge ~ på at gøre ngt set great store by doing sth; ~**er** s night watchman; ~**fylde** s specific gravity; ~**løftning** s weightlifting; ~**løs** adj weightless; ~**tab** s weight loss.

vægttæppe s (gobelin) tapestry; (mindre pynte~) wall-hanging.

væk adv away; (borte også:) gone; blive ~ (dvs. forsvinde) disappear; (om person) be lost; (holde sig væk) stay away; langt ~ far away.

vække v wake (up); (kalde på for at vække) call; (frembringe) arouse, excite, cause; væk mig kl. 7 please call me at 7; ~ forargelse cause a scandal; ~ mistanke arouse suspicion; ~ en til live (dvs. genoplive) resuscitate sby; (dvs. sætte liv i) arouse sby; ~**lse** s revival; ~**ur** s alarm clock; sætte ~uret til at ringe kl. 6 set the alarm for 6 o'clock;

vækning s calling; *(tlf)* wake-up service.

vækst s growth; *han er høj af* ~ he is tall; **~hus** s greenhouse.

væld s: *et* ~ *af* lots of.

vældig adj *(stor)* enormous, immense; *det ser* ~ *godt ud* it looks awfully good.

vælge v choose; *(~ ud, udsøge)* pick, select; *(ved valg)* elect; ~ *en til præsident* elect sby president; **~r** s voter, elector; **~rmøde** s election meeting.

vælling s gruel.

vælte v *(med objekt)* upset; *(selv ~, falde)* fall over; *(~ frem, fx om vand)* pour; ~ *et glas;* ~ *ngt på gulvet* push sth on to the floor; ~ *med cyklen* have a fall with one's bicycle; ~ *sig i ngt* be rolling in sth.

væmmelig adj nasty, disgusting; **væmmelse** s disgust; **væmmes** v: ~ *ved ngt* be disgusted at sth.

vænne v accustom; ~ *en af med ngt* get sby to give up *(el. stop)* sth; ~ *en til (at gøre) ngt* accustom sby to (doing) sth; ~ *sig af med at ryge* give up smoking; ~ *sig til at gøre ngt* get used to doing sth.

værd adj worth; *(værdig)* worthy; *det er det ikke* ~ it is not worth it; *det er ikke* ~ *at vi gør det* we had better not do it; *den er mange penge* ~ it is worth a lot of money.

værdi s value; *af stor* ~ of great value; *til en* ~ *af 500 kr* to the value of 500 kr; *~er (ejendom)* valuables; *(papirer)* securities; **~fuld** adj valuable.

værdig adj worthy; *(om persons fremtræden)* dignified; *være* ~ *til* be worthy of; **~e** v: *ikke* ~e *en et blik* not deign to look at sby; **~hed** s dignity; *det var under hans ~hed* it was beneath him; **~t** adj with dignity.

værdiløs adj worthless; **værdipapirer** spl securities.

værdsætte v appreciate.

være v be; *(som hjælpeverbum:)* have; *hvem er det?* who is it? *der er mig* it is me; *det kan* ~ *at de har glemt os* they may have forgotten us; *de er lige kommet hjem* they have just come home; ~ *til (dvs. eksistere)* exist; *hvad er den æske til?* what is that box for? *den er til at lægge øreringe i* it is for putting earrings in.

værelse s room; *en femværelses lejlighed* a five-room flat.

værft s shipyard.

værge s guardian // v: ~ *for sig* defend oneself; **~løs** s defenceless.

værk s work; *(el~, gas~ etc)* works; **~fører** s foreman; **~sted** s workshop.

værktøj s tool; *han har en masse* ~ he has lots of tools; **~skasse** s toolbox; **~sma-**

skine s machine tool.

værn s *(forsvar)* defence; *(beskyttelse)* protection; ~e v defend; protect *(mod* from, against); ~eplig t s compulsory military service; ~epligtig s conscript.

værre *adj* worse; *han er en ~ en* he is a bad one; *du er en ~ idiot* you are a damned fool.

værsgo *interj (når man giver en ngt)* here you are; *(når man lader en vælge ngt selv)* help yourself; *(når maden er færdig)* the meal (, dinner, lunch etc) is ready.

værst *adj* worst; *det ~e er at. . . the* worst thing is that. . .; *i ~e fald* at worst.

vært s *(husejer, kroejer)* landlord; *(ved selskab)* host; ~inde s landlady; hostess; ~shus s pub, inn; ~sland s host country.

væsen s *(skabning)* creature, being; *(beskaffenhed, natur)* nature; *(optræden)* manners *pl; (etat)* service, department; ~tlig *adj* essential; *(betragtelig)* considerable; *i det ~tlige* essentially // *adv* considerably; *(meget)* much.

væske s liquid.

vættelys s thunderstone.

væv s loom; *(vævet stof)* tissue; *(net)* web; ~e v weave; *(vrøvle etc)* ramble; ~er s weaver // *adj* agile; ~eri s (textile) mill; ~ning s weaving.

våben s weapon; *(om krigsvå-*

ben, *pl)* arms; *(heraldisk)* (coat of) arms; *handle med ~* trade in arms; *nedlægge våbnene* lay down arms; ~fabrik s arms factory; ~hus s *(ved kirke)* porch; ~kapløb s arms race; ~skjold s coat of arms; ~stilstand s *(foreløbig)* ceasefire; *(endelig)* armistice.

våd *adj* wet; *blive ~ i håret* get one's hair wet; *det er ~t i vejret* it is a wet day; ~eskud s accidental shot; ~område s wetland.

våge s *(i isen)* hole in the ice // v *(holde sig vågen)* wake, be awake; ~ *over en* watch over sby; ~blus s pilot light.

vågen *adj* awake; *(på vagt)* vigilant; *(kvik)* bright; *holde sig ~* keep awake; **vågne** v wake (up).

vår s *(til dyne etc)* cover; *(forår)* spring.

vås s nonsense; ~e v talk nonsense.

W

wagon s *(jernb)* carriage.

waliser s Welshman; ~ne the Welsh; **walisisk** *adj* Welsh.

Warszawa s Warsaw.

wc s toilet, lavatory, (F) loo; *gå på ~* go to the toilet, use the toilet; ~kumme s toilet bowl; ~papir s toilet paper.

weekend s weekend; *i ~en* over the weekend; *forlænget ~* long weekend; ~kuffert s overnight bag.

whisky s *(skotsk)* whisky; *(irsk)* whiskey; *(amerikansk)* bourbon; *en tør* ~ *sit* a neat whisky; **~sjus** s whisky and soda.

Wien s Vienna; **w~er** s Viennese; **w~erbrød** s Danish pastry; **w~ervals** s Viennese waltz.

wire s cable.

Y

yde v *(give)* yield, give; *(præstere)* do; *(betale)* pay; ~ *sit bedste* do one's best; ~ *en bistand* help sby; **~dygtig** adj productive; *(om motor etc)* powerful; **~evne** s capacity; *(om fx bilmotor)* performance; **~lse** s *(udbytte etc)* yield; *(præstation)* performance; *(social ~)* benefit; *(tjeneste~)* service; *(betaling)* payment.

yderbane s outside lane.

yderlig adj near the edge; **~ere** adj/adv further; **~gående** adj extreme; *(om person)* extremist; **~hed** s: *fra den ene ~hed til den anden* from one extreme the other; *gå til ~heder* go to extremes.

yderside s outside; *(om fx hus)* exterior.

yderst adj extreme; *(udvendig)* outer; *våd fra inderst til ~* wet through; *det ~e højre (pol)* the extreme right; *ligge på sit ~e* be dying; *i ~e nødstilfælde* if the worst comes to the worst; *gøre sit ~e* do one's utmost // adv extre-

mely, most.

ydmyg adj humble; **~e** v humiliate; **~ende** adj humiliating; **~else** s humiliation; **~hed** s humility.

ydre s outside; *(udseende)* appearance; *ligne en af* ~ be like sby to look at // adj outer, outside; external; s ~ fjender foreign *(el.* external) enemies; *det* ~ *rum* outer space.

ynde s charm // v like; **~fuld** adj graceful; **~r** v lover, admirer *(af* of); **~t** adj popular.

yndig adj lovely.

yndling s favourite; **~s-** adj favourite, pet; **~sbeskæftigelse** s favourite occupation.

yngel s brood; *(om fisk)* fry; **yngle** v breed; *(om penge)* multiply; **yngletid** s breeding season.

yngling s youth; *(sport)* junior.

yngre adj younger *(end* than); *(ret ung)* youngish; **yngst** adj youngest.

ynk s: *det er den rene* ~ it is pathetic; **~e** v pity *(en* sby); **~elig** adj pitiful, pathetic; *gøre en ~elig figur* be a sorry sight.

yoghurt s yoghurt.

yppe v: ~ *kiv* start an argument.

ypperlig adj superb, excellent.

ytre v *(vise)* show; *(udtale)* utter, speak; *hun ~de et ønske* she expressed a desire; *han ~de ikke ngt om det* he did not utter a word about it; **ytring** s *(udtalelse)* remark,

comment; *(demonstration)*
manifestation; **ytringsfrihed** *s*
freedom of expression.
yver *s* udder.

Z

zar *s* tsar.
zebra *s* zebra; **~striber** *spl*
(fodgængerovergang) zebra
crossing.
zink *s* zinc; **~salve** *s* zinc oint-
ment.
zobel *s* sable.
zone *s* zone; *(takst~)* fare sta-
ge; **~terapi** *s* zone therapy.
zoolog *s* zoologist; **~i** *s* zoolo-
gy; **~isk** *adj* zoological; **~isk
have** zoo.
zoome *v* zoom; **zoomlinse** *s*
(foto) zoom lens.

Æ

æble *s* apple; *stridens* ~ the
bone of contention; *bide i det
sure* ~ swallow the bitter pill;
~mos *s* apple sauce; **~most** *s*
apple juice; **~skrog** *s* apple
core; **~skræl** *s* apple peel.
æde *v* eat; *(neds)* stuff oneself,
gobble; ~ *ngt i sig igen* take
sth back; **~dolk** *s* glutton;
~gilde *s* blow-out.
ædel *adj* noble; *ædle metaller*
precious metals; *de ædlere
dele* the private parts; **~gran**
s silver fir; **~modig** *adj* mag-
nanimous; **~modighed** *s*
magnanimity; **~sten** *s* pre-
cious stone.

æderi *s* gluttony, guzzling.
ædru *adj* sober; *pinligt* ~
stone-cold sober; **~elig** *adj*
sober.

æg *s* egg; *(på fx kniv)* edge; *(på
stof)* selvedge; **~geblomme** *s*
egg yolk; **~gebæger** *s* egg
cup; **~gedeler** *s* egg slicer;
~gehvide *s* egg white; **~ge-
hvidestof** *s* protein; **~gekage**
s omelet; **~geleder** *s* Fallopi-
an tube; **~geskal** *s* egg shell;
~gestok *s* ovary.
ægte *adj* real, genuine; *(om
guld etc også:)* pure; **~fælle** *s*
spouse; **~par** *s* married cou-
ple; **~skab** *s* marriage; *hun
har tre børn af første* **~skab**
she has three children by her
first husband; *født uden for
~skab* illegitimate; **~skabe-
lig** *adj* married.
ægæisk *adj: Det ~e Hav* the
Aegean (Sea).
ækel *adj* nasty; *en ~ karl* a
nasty piece of work.
ækvator *s* the Equator.
ælde *s* age; *dø af ~* die of old
age.
ældgammel *adj* ancient.
ældre *s* elderly (people) // *adj*
older; *(om søn, datter etc
også:)* elder; *(ret gammel)* ra-
ther old; *(om person)* elderly;
(tidligere) earlier; *hun er 15
år ~ end han* she is 15 years
older than he; *den ~ stenal-
der* the earlier Stone Age;
~forsorg *s* care of the elderly.
ældst *adj* oldest; *(om søn, dat-
ter etc også:)* eldest.

ælling s duckling.

ælte s *(pløre)* mud // v *(om dej)* knead; **æltning** s kneading.

ændre v change, alter; ~ *mening* change one's mind; ~ *på* change; ~ *sig* change; **ændring** s change.

ængste v: ~ *en* alarm sby; ~s be alarmed; **~lig** adj anxious *(for* about); *(af væsen)* timid; **~lse** s anxiety.

ænse v: *hun* ~*de ham ikke* she had no eye for him; *uden at* ~... regardless of...

æra s era.

ærbar adj demure; **~hed** s demureness.

ærbødig adj respectful, reverent, ~*st (i brev)* Yours faithfully; **~hed** s respect, deference.

ære s honour; *(anerkendelse)* credit; *det er al* ~ *værd* it is highly creditable; *tage* ~*n for ngt* take the credit for sth; *hvad skylder man* ~*n?* to what do I owe this honour? *på* ~ honestly; *til* ~ *for* in honour of // v honour; *det* ~*de medlem* the Honourable member.

ære... sms: **~frygt** s awe; **~frygtindgydende** adj awe-inspiring; **~fuld** adj honourable; **~krænkende** adj defamatory.

æres... sms: **~bevisning** s honour; **~doktor** s honorary doctor; **~gæst** s guest of honour; **~medlem** s honorary

member; **~ord** s word of honour; **~sag** s matter of honour.

ærgerlig adj annoying; *(som ærgrer sig)* annoyed; *det var da* ~*t* how annoying.

ærgre v annoy; ~ *sig* be annoyed; **~lse** s annoyance, worry.

ærinde s errand; *være ude i andet* ~ be after sth else.

ærke... sms: **~biskop** s archbishop; **~engel** s archangel; **~fjende** s arch-fiend.

ærlig adj honest, frank; *(oprigtig)* sincere, straightforward; *det er en* ~ *sag* it is no crime; ~*t spil* fair play; **~hed** s honesty; **~t** adv honestly; sincerely; *det har du* ~*t fortjent* it serves you right; ~*t talt* honestly.

ærme s sleeve; *uden* ~*r* sleeveless; *smøge* ~*rne op* roll up one's sleeves; *ryste ngt ud af* ~*t* produce sth just like that; **~gab** s armhole; **~linning** s cuff.

ært s pea; **~ebælg** s pea pod.

ærværdig adj venerable; **~hed** s venerability.

æsel s donkey; **~øre** s *(i bog etc)* dog-ear.

æske s box; *en* ~ *tændstikker* a box of matches.

æstetisk adj aesthetic.

æter s ether; **~isk** adj ethereal.

ætse v corrode; *(med syre)* etch; **~nde** adj caustic.

ævl s rubbish; **~e** v talk rubbish; ~*e løs* blether.

ævred v: opgive ~ give up.

Ø

ø s island; *de britiske ~er* the British Isles; **øbo(er)** s islander.

øde adj deserted, empty; *en ~ ø* a desert island; **~gård** s derelict farm.

ødelagt adj ruined, spoiled; *(gået i stykker)* broken; *(udslidt)* worn out.

ødelægge v ruin, spoil; *(med vilje)* destroy; *(slå i stykker)* break, smash; **~lse** s destruction; *(skade)* damage.

ødemark s wilderness.

ødsel adj extravagant; *(som gerne giver væk)* lavish; **~hed** s extravagance; lavishness; **ødsle** v be extravagant; *ødsle ngt væk* sqander *(el. waste)* sth; *ødsle sine penge på en* lavish one's money on sby.

øg s *(gammel hest)* nag, jade.

øge v increase *(med* by); *(om tøj)* add to; **~navn** s nickname; **~s** v increase; **~t** adj added.

øgle s lizard.

øgruppe s group of islands; **øhav** s archipelago.

øje s eye; *lukke øjnene* close one's eyes *(for* to); *åbne øjnene* open one's eyes; *gøre store øjne* be all eyes; *have ~ for ngt* have an eye for sth; *for øjnene af naboerne* in front of the neighbours; *i mine*

øjne as I see it; *se i øjnene at...* face the fact that...; *holde ~ med ngt* keep an eye on sth; *få ~ på ngt* spot sth, see sth; *have et godt ~ til en* have an eye on sby; *under fire øjne* in private.

øjeblik s moment; *(et kort nu)* instant; *(F)* second, minute; *et ~!* just a moment! just a second! *vent et ~* wait a minute; *for ~ket* at the moment; *i det ~* at that moment; *i samme ~ som...* the moment...; *i sidste ~* at the last moment; *om et ~* in a minute; *på et ~* in no time; **~kelig** adj immediate, instant; *(nuværende)* present; *(som snart går over)* temporary // adv instantly, at once; **~sbillede** s snapshot.

øjemål s: *efter ~* by eye.

øjen... sms: **~bryn** s eyebrow; *løfte ~brynene* raise one's eyebrows; **~dråber** spl eye drops; **~glas** s eye bath; **~læge** s eye specialist; **~låg** s eyelid; **~skygge** s eyeshadow.

øjensynlig adj apparent.

øjeæble s eyeball.

øjne v see.

økolog s ecologist; **~i** s ecology; **~isk** adj ecological.

økonoma s catering officer.

økonom s economist.

økonomi s economy; *(som fag)* economics; *(økonomiske forhold)* finances pl; **~ministerium** s Ministry of Economic Affairs; **~sere** v: *~sere med* *ngt* economize on sth; **~sk** *adj* economic; *(sparsomme-lig)* economical.

økse *s* axe.

øl *s* beer; *(pilsner)* lager; *lyst ~* light ale; *~ fra fad* draught beer; *købe fem ~* buy five beers; **~dåse** *s* beer can; **~flaske** *s* beer bottle; **~glas** *s* beer glass; **~gær** *s* brewer's yeast; **~kapsel** *s* beer-bottle cap; **~kasse** *s* beer crate.

øllebrød *s* soup made of bread and beer.

ølmave *s* beer paunch; **øloplukker** *s* bottle opener.

øm *adj* sore; *(kærlig)* tender; *være ~ i benene* have sore legs; *være ~ over ngt* be concerned about sth; *et ~t punkt (fig)* a sore spot; **~findtlig** *adj* sensitive; **~hed** *s (smerte)* pain, ache; *(kærlig-hed)* love; *(varme følelser)* affection; **~me** *v:* *~me sig* moan; **~skindet** *adj* sensitive.

ønske *s* wish, desire; *efter ~ (dvs. som man vil)* as desired; *(dvs. efter smag)* to taste; *(dvs. som det skal være)* satisfactory // *v* wish; *(ville have, ville)* want; *~ en godt nytår* wish sby a happy New Year; *~ en til lykke* congratulate sby *(med* on); *De ~r? (i bu-tik)* can I help you? *som De ~r* as you please; *jeg ville ~ at det var sommer* I wish it were summer; *~ sig ngt* wish for sth; *~ sig ngt til jul* want sth for Christmas; **~barn** *s*

(som er planlagt) planned child; **~drøm** *s* pipe-dream; **~koncert** *s* musical request programme; **~lig** *adj* desirable; **~seddel** *s* list of gift wishes; **~t** *adj* desired, wanted; **~tænkning** *s* wishful thinking.

ør *adj (svimmel)* dizzy; *(rundt på gulvet)* confused.

øre *s* ear; *(mønt)* øre; *have ~ for ngt* have an ear for sth; *holde en i ~rne* keep a tight rein on sby; *have meget om ~rne* be up to one's ears (in work); *ikke en rød ~* not a penny; **~døvende** *adj* ear-splitting; **~flip** *s* earlobe; **~gang** *s* auditory canal; **~læge** *s* ear specialist; **~mærke** *s* earmark.

ørenlyd *s: få ~* obtain a hearing.

ørentvist *s* earwig.

ørepine *s* earache; **ørestik** *s (ørering)* stud earring.

Øresund *s* the Sound.

øre. . . *sms:* **~tæve** *s* box on the ear, slap (on the face); *give en en ~tæve* slap sby's face; *få en ~tæve (fig)* get a smack in the eye; **~tæveind-bydende** *adj: han er ~tæve-indbydende* he makes my fingers itch; **~varmer** *s* ear-muff; *(på huen)* ear flap; **~voks** *s* earwax.

ørken *s* desert; **~dannelse** *s* desertification.

ørn *s* eagle; *være en ~ til ngt* be a wizard at sth; **~enæse** *s* aquiline nose; **~eunge** *s* eaglet.

ørred *s* trout.

øse *s (mar)* baler; *(S, om bil)* racy car // *v* scoop; *(mar)* bale; *det ~r ned* it is pouring down; ~ *suppe op* dish up soup.

øsregn *s* downpour; **~e** *v: det ~er* it is pouring down.

øst *s/adv* east; ~ *for* (to the) east of; *i* ~ in the east; *mod* ~ *(dvs. østpå)* eastwards; *(dvs. som vender mod ~)* facing east; **Ø~afrika** *s* East Africa; **~asiatisk** *adj* East Asian; **Ø~asien** *s* East Asia; **Ø~berlin** *s* East Berlin; **~blokken** *s* the Eastern bloc; **Ø~danmark** *s* Eastern Denmark; **Ø~en** *s* the East; *det fjerne Ø~en* the Far East; **~envind** *s* east wind; **~erlandsk** *adj* oriental.

østers *s* oyster; **~banke** *s* oyster bed.

Østersøen *s* the Baltic (Sea).

Østeuropa *s* Eastern Europe.

øst. . . *sms*: **~europæisk** *adj* Eastern European; **~fra** *adv* from the east; **~kyst** *s* east coast; **~land** *s* East European country.

østlig *adj* east; *(om vind)* eastern.

østpå *adv* east, eastwards; *(i den østlige del af landet)* in the east.

Østrig *s* Austria; **ø~er** *s,* **ø~sk** *adj* Austrian.

østtysk *adj,* **~er** *s* East Ger-

man; **Ø~land** *s* East Germany.

øve *v* practise; *(opøve)* train; *(gøre, volde etc)* do; ~ *hærværk* vandalize; ~ *vold* use violence; ~ *sig på ngt* practise sth; **~hæfte** *s* exercise book; **~lse** *s* practice; *(enkelt øvelse, fx i gymnastik)* exercise; *have ~lse i ngt* be practised in sth.

øverst *adj* top, topmost, *(fig)* highest // *adv* at the top; **~e** *etage* the top floor; ~ *i højre hjørne* in the top right-hand corner; *stå* ~ *på listen* top the list; *fra* ~ *til nederst* from top to bottom.

øvet *adj* experienced.

øvre *adj* upper.

øvrig *adj: det/de* **~e** the rest; *for* ~*t (dvs. apropos)* by the way; ~*t (dvs. ellers)* otherwise; *(dvs. imidlertid)* however; **~heden** *s* the authorities *pl.*

Å

å *s* stream; *(stor, bred)* river; *(lille, smal)* brook.

åben *adj* open; *(om person)* open-minded; *være* ~ *over for ngt* be open to sth; *stå* ~ be open; *lade døren stå* ~ leave the door open; *(se også åbent).*

åbenbar *adj* evident; **~e** *v* reveal; **~e** *sig* appear; **~ing** *s* revelation; *Johannes' ~ing* the Apocalypse; **~t** *adv* (helt klart) evidently, obviously;

(tilsyneladende) apparently.
åbenhjertig *adj* frank, candid.
åbenlys *adj* open, unconcealed; *(tydelig)* obvious.
åbent *adv* openly; *holde længe* ~ be open late; ~**stående** *adj* open.
åbne *v* open (up); *(låse op)* unlock; ~ *sig* open (up); ~ *for en* open the door to sby; ~ *for vandet* turn on the water.
åbning *s* opening; *(hul)* hole; ~**stid** *s (i forretning)* opening hours *pl.*
ådsel *s* carcass; ~**grib** *s* vulture.
åger *s* usury; ~**karl** *s* usurer; ~**pris** *s* exorbitant price; *betale ~pris* pay through the nose.
åh *interj* oh; ~ *ja* well, yes; ~ *jo!* please! ~ *hold op!* come now!
åkande *s* waterlily.
ål *s* eel; ~**eglat** *adj (fig)* slick; ~**ejern** *s* eelspear.
ånd *s* spirit, mind; *(spøgelse)* ghost; *en ond* ~ an evil spirit; *opgive ~en* give up the ghost; *se ngt i ~en* see sth in one's mind's eye; ~**e** *s:* holde en i ~*e* keep sby occupied // *v* breathe; ~*e lettet op* breathe again.
åndedræt *s* respiration; *kunstigt* ~ artificial respiration; ~**sbesvær** *s* difficulty in breathing.
åndelig *adj* spiritual, mental.
åndeløs *adj* breathless.

åndenød *s* difficulty in breathing.
ånds... *sms:* ~**evner** *spl* mental faculties; ~**forladt** *adj* dull; ~**fraværelse** *s* absentmindedness; ~**fraværende** *adj* absent-minded; ~**frisk** *adj* mentally sound; ~**nærværelse** *s* presence of mind; ~**svag** *adj* mentally deficient; *(idiotisk)* stupid; ~**svaghed** *s* mental deficiency.
år *s* year; *være 20* ~ be twenty (years old); *blive 30 (år)* be thirty; *i* ~ this year; *i de senere* ~ in recent years; *han er oppe i* ~*ene* he is getting on in years; *om et* ~ in a year; *om* ~*et* a year; *en dreng på otte* ~ an eight-year old boy; *sidste* ~ last year; ~**bog** *s* yearbook.
åre *s (mar)* oar; *(blod~)* vein; *(puls~)* artery; *(i træ)* grain; ~**forkalkning** *s* arteriosclerosis; ~**gaffel** *s* rowlock; ~**knude** *s* varicose vein; ~**tag** *s* stroke; ~**told** *s* tholepin.
årevis *i* ~ for years.
årgang *s (aldersklasse)* year; *(af tidsskrift etc)* volume; *(af vin)* vintage; ~**svin** *s* vintage wine.
århundrede *s* century; ~**skifte** *s:* ved ~skiftet at the turn of the century.
-årig *(om alder)* ...-year old; *(om varighed)* ...-year; *en 10~ dreng* a 10-year old boy; *en fem~ aftale* a five-year agreement.

årlig *adj* annual, yearly // *adv* annually, a year; *fire gange* ~ four times a year.

årsag *s* cause *(til* of), reason *(til* for); *(anledning)* occasion *(til* for); *af den* ~ for that reason; *give* ~ *til* give cause for; ~*en til at...* the reason why...

års... sms: ~**basis** *s: på* ~*basis* on an annual basis; ~**beretning** *s* annual report; ~**dag** *s* anniversary *(for* of); ~**møde** *s* annual meeting; ~**prøve** *s* annual examination; ~**skifte** *s* turn of the year; ~**tal** *s* year; ~**tid** *s* season.

årti *s* decade; **årtusinde** *s* millennium.

ås *s* ridge.

åsted *s:* ~*et* the scene of the crime.